PHYSIQUE 2

Électricité et magnétisme

3e édition

SOLUTIONNAIRE

Harris Benson

Julie-Anne Denis
Bernard Marcheterre

ÉDITIONS DU RENOUVEAU PÉDAGOGIQUE INC.
5757, RUE CYPIHOT, SAINT-LAURENT (QUEBEC) H4S 1R3
TÉLÉPHONE : (514) 334-2690 TÉLÉCOPIEUR : (514) 334-4720
COURRIEL : erpidlm@erpi.com www.erpi.com

L'éditeur tient à souligner les contributions de
Pierre Desautels, de Renée Desautels et de Nicole Lefebvre
aux éditions précédentes de ce solutionnaire.

ISBN 978-2-7613-1471-8

4e tirage

4567890 IHE 0987
20300 BCD OF10

Avant-propos

L'objectif premier d'un solutionnaire est de fournir des explications sur la manière de faire les exercices et les problèmes proposés dans un manuel. Toutefois, pour des raisons à la fois pédagogiques et techniques, on ne peut pas tout y mettre; il faut viser à un juste équilibre, et c'est là parfois une tâche délicate. Nous avons cherché, dans cette réédition du solutionnaire de la collection *Physique*, à en dire un peu plus, mais sans aller trop loin. Nous avons ciblé un public large : certaines des explications sembleront superflues au lecteur qui cherche simplement à mieux comprendre le sens d'une question, mais largement utiles à l'élève qui s'efforce de comprendre de nouvelles notions de physique.

Pour faciliter l'utilisation du solutionnaire, nous en décrivons ci-dessous les principales caractéristiques.

▷ La présentation typographique respecte maintenant l'usage scientifique : les variables sont en italiques et les unités en romain. Les vecteurs sont, comme dans le manuel, en gras et surmontés d'une flèche.

▷ Les réponses sont encadrées, pour qu'on puisse les repérer facilement. Dans les exercices ou les problèmes qui demandent une démonstration, le résultat de la démonstration est lui aussi encadré.

▷ En accord avec la règle énoncée à la section 1.4 du tome 1, tous les résultats comportent trois chiffres significatifs, à moins qu'il s'agisse d'une approximation ou que la question exige une réponse plus précise. Notez que l'obtention de résultats légèrement différents peut s'expliquer par l'utilisation, dans les calculs intermédiaires, de valeurs plus précises ou moins précises que celles que nous avons utilisées ici. En général, lorsqu'une valeur correspond au résultat d'une sous-question, ce résultat arrondi à trois chiffres significatifs est utilisé pour les calculs subséquents.

▷ Dans les exercices ou les problèmes qui exigent un système d'axes, on utilise les directions habituelles à moins d'avis contraire: l'axe des x positifs pointe vers la droite et l'axe des y positifs pointe vers le haut. Lorsqu'il est fait référence aux points cardinaux ou lorsqu'il s'agit d'une situation à trois dimensions, l'est, le nord et le haut sont respectivement associés à l'axe des x positifs, à l'axe des y positifs et à l'axe des z positifs.

▷ Dans la plupart des calculs intermédiaires, les unités des valeurs ne sont pas précisées, à moins qu'il ne s'agisse d'unités qui ne sont pas utilisées habituellement dans le système international.

▷ Les transformations algébriques ne sont pas données dans tous les détails, mais la flèche d'implication ($\Longrightarrow$) est fréquemment utilisée pour montrer qu'un résultat conduit à un autre.

▷ Pour simplifier les écritures, aucune distinction n'est faite entre l'accélération de chute libre et le champ gravitationnel (voir la section 13.3 du tome 1).

Les exercices et les problèmes du manuel qui exigent le recours à l'ordinateur ou à une calculatrice graphique ont été résolus avec le logiciel de calcul symbolique Maple. Dans chaque cas, le solutionnaire donne les lignes de commande qui permettent d'obtenir le résultat cherché. Afin de favoriser un apprentissage plus dynamique, le résultat des lignes de commande n'est pas reproduit, sauf en de rares cas. On souhaite ainsi que le lecteur voudra tenter sa chance directement sur l'ordinateur et découvrir, par lui-même, ce que le logiciel affiche.

Comme tout ouvrage scientifique, ce document n'est pas à l'abri d'erreurs ou de coquilles, bien que chaque réimpression permette d'en améliorer la précision. C'est pourquoi nous invitons les lecteurs à nous faire part de tout commentaire à notre adresse électronique. On pourra aussi, en communiquant à la même adresse, obtenir la version électronique des lignes de commande Maple utilisées dans ce solutionnaire.

Julie-Anne Denis
Bernard Marcheterre
bernard.marcheterre@collanaud.qc.ca

Chapitre 1 : L'électrostatique

Exercices

E1. Pour faciliter l'écriture, on numérote les charges : $q_1 = 5\ \mu\text{C}$, $q_2 = -2\ \mu\text{C}$, $q_3 = 3\ \mu\text{C}$. Le module de la force électrique entre chaque paire de charges est donné par l'équation 1.1. La direction de ces forces dépend du signe des charges et de leurs positions relatives indiquées à la figure 1.17. Toutes les forces sont parallèles à l'axe des x.

(a) $\vec{\mathbf{F}}_{21} = -\frac{k|q_1q_2|}{r_{12}^2}\vec{\mathbf{i}} = -\frac{(9\times10^9)(5\times10^{-6})(2\times10^{-6})}{(2\times10^{-2})^2}\vec{\mathbf{i}} = -225\vec{\mathbf{i}}\ \text{N}$

$\vec{\mathbf{F}}_{23} = \frac{k|q_2q_3|}{r_{23}^2}\vec{\mathbf{i}} = \frac{(9\times10^9)(2\times10^{-6})(3\times10^{-6})}{(4\times10^{-2})^2}\vec{\mathbf{i}} = 33{,}8\vec{\mathbf{i}}\ \text{N}$

$\vec{\mathbf{F}}_2 = \vec{\mathbf{F}}_{21} + \vec{\mathbf{F}}_{23} = (-225 + 33{,}8)\vec{\mathbf{i}} = \boxed{-191\vec{\mathbf{i}}\ \text{N}}$

(b) $\vec{\mathbf{F}}_{12} = -\vec{\mathbf{F}}_{21} = 225\vec{\mathbf{i}}\ \text{N}$

$\vec{\mathbf{F}}_{13} = -\frac{k|q_1q_3|}{r_{13}^2}\vec{\mathbf{i}} = -\frac{(9\times10^9)(5\times10^{-6})(3\times10^{-6})}{(6\times10^{-2})^2}\vec{\mathbf{i}} = -37{,}5\vec{\mathbf{i}}\ \text{N}$

$\vec{\mathbf{F}}_1 = \vec{\mathbf{F}}_{12} + \vec{\mathbf{F}}_{13} = (225 - 37{,}5)\vec{\mathbf{i}} = \boxed{188\vec{\mathbf{i}}\ \text{N}}$

E2. Pour faciliter l'écriture, on numérote les charges : $q_1 = 2q$, $q_2 = 4q$, $q_3 = -3q$, où $q = 1$ nC. Le module de la force électrique entre chaque paire de charges est donné par l'équation 1.1. La direction de ces forces dépend du signe des charges et de leurs positions relatives indiquées à la figure 1.18.

(a) Sur la charge q_2, la force électrique issue des deux autres charges est orientée directement selon l'un des axes :

$\vec{\mathbf{F}}_{21} = -\frac{k|q_1q_2|}{r_{12}^2}\vec{\mathbf{j}} = -\frac{(9\times10^9)(2\times10^{-9})(4\times10^{-9})}{(3\times10^{-2})^2}\vec{\mathbf{j}} = -8{,}00\times10^{-5}\vec{\mathbf{j}}\ \text{N}$

$\vec{\mathbf{F}}_{23} = \frac{k|q_2q_3|}{r_{23}^2}\vec{\mathbf{i}} = \frac{(9\times10^9)(4\times10^{-9})(3\times10^{-9})}{(4\times10^{-2})^2}\vec{\mathbf{i}} = 6{,}75\times10^{-5}\vec{\mathbf{i}}\ \text{N}$

$\vec{\mathbf{F}}_2 = \vec{\mathbf{F}}_{21} + \vec{\mathbf{F}}_{23} = \boxed{\left(6{,}75\vec{\mathbf{i}} - 8{,}00\vec{\mathbf{j}}\right)\times10^{-5}\ \text{N}}$

(b) Sur la charge q_3, les forces sont orientées comme suit :

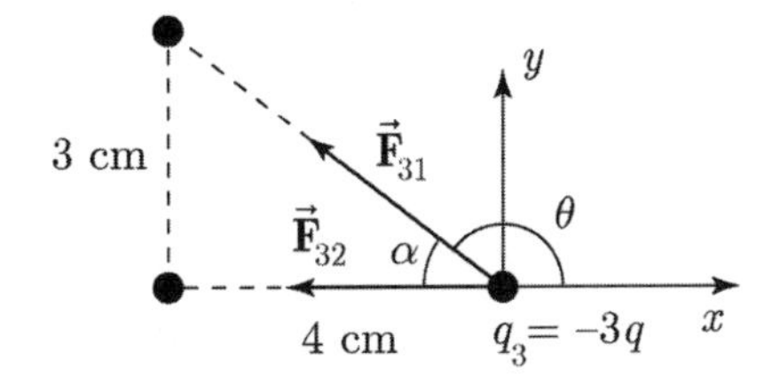

L'angle α est donné par $\alpha = \arctan\left(\frac{3}{4}\right) = 36{,}8°$, de sorte que $\theta = 180° - \alpha = 143{,}1°$. Le module de $\vec{\mathbf{F}}_{31}$ est $F_{31} = \frac{k|q_1q_3|}{r_{13}^2} = 2{,}16\times10^{-5}$ N. Si on utilise la méthode énoncée à la section 2.3 du tome 1, alors

$$\vec{\mathbf{F}}_{31} = F_{31}\cos\theta\,\vec{\mathbf{i}} + F_{31}\sin\theta\,\vec{\mathbf{j}} = \left(-1{,}73\,\vec{\mathbf{i}} + 1{,}30\,\vec{\mathbf{j}}\right) \times 10^{-5}\ \text{N}$$
$$\vec{\mathbf{F}}_{32} = -\vec{\mathbf{F}}_{23} = -6{,}75 \times 10^{-5}\,\vec{\mathbf{i}}\ \text{N}$$
$$\vec{\mathbf{F}}_{3} = \vec{\mathbf{F}}_{31} + \vec{\mathbf{F}}_{32} = \boxed{\left(-8{,}48\,\vec{\mathbf{i}} + 1{,}30\,\vec{\mathbf{j}}\right) \times 10^{-5}\ \text{N}}$$

E3. Pour faciliter l'écriture, on numérote les charges : $q_1 = Q$, $q_2 = -2Q$, $q_3 = 3Q$, où $Q = 2\ \mu\text{C}$.

Le module de la force électrique entre chaque paire de charges est donné par l'équation 1.1. La direction de ces forces dépend du signe des charges et de leurs positions relatives indiquées à la figure 1.19. Comme il s'agit d'une triangle équilatéral, les côtés de longueur $L = 0{,}03$ m font un angle de 60° l'un par rapport à l'autre.

(a) Sur la charge q_3, les forces sont orientées comme suit :

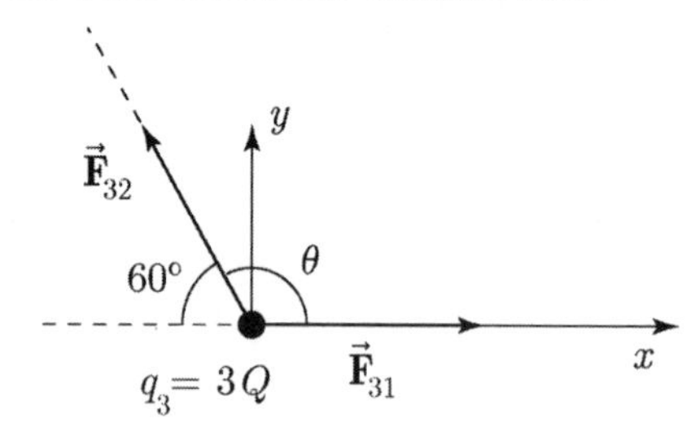

$$\vec{\mathbf{F}}_{31} = \frac{k|q_1q_3|}{L^2}\vec{\mathbf{i}} = \frac{(9\times10^{9})(2\times10^{-6})(6\times10^{-6})}{(3\times10^{-2})^2}\vec{\mathbf{i}} = 120\,\vec{\mathbf{i}}\ \text{N}$$

$\vec{\mathbf{F}}_{32}$ est à un angle $\theta = 120°$ par rapport à l'axe des x positifs et son module est $F_{32} = \frac{k|q_2q_3|}{L^2} = 240$ N, de sorte que

$$\vec{\mathbf{F}}_{32} = F_{32}\cos\theta\,\vec{\mathbf{i}} + F_{32}\sin\theta\,\vec{\mathbf{j}} = \left(-120\,\vec{\mathbf{i}} + 208\,\vec{\mathbf{j}}\right)\ \text{N}$$
$$\vec{\mathbf{F}}_{3} = \vec{\mathbf{F}}_{31} + \vec{\mathbf{F}}_{32} = \boxed{208\,\vec{\mathbf{j}}\ \text{N}}$$

(b) Sur la charge q_2, les forces sont orientées comme suit :

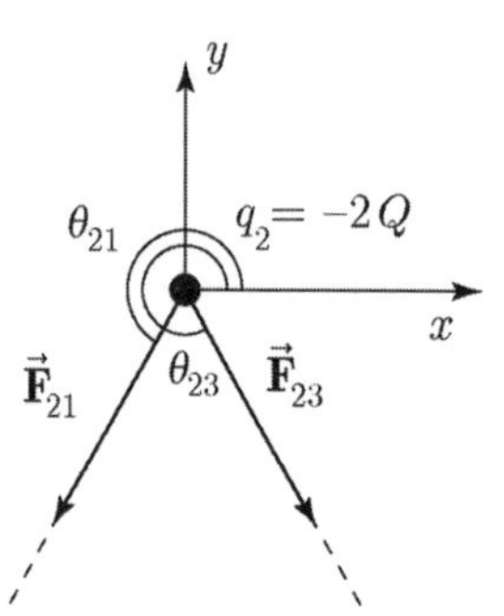

$\vec{\mathbf{F}}_{21}$ fait un angle $\theta_{21} = 240°$ par rapport à l'axe des x positifs et son module est $F_{21} = \frac{k|q_1q_2|}{L^2} = 80{,}0$ N, de sorte que

$$\vec{\mathbf{F}}_{21} = F_{21}\cos\theta\,\vec{\mathbf{i}} + F_{21}\sin\theta\,\vec{\mathbf{j}} = \left(-40{,}0\,\vec{\mathbf{i}} - 69{,}3\,\vec{\mathbf{j}}\right)\ \text{N}$$
$$\vec{\mathbf{F}}_{23} = -\vec{\mathbf{F}}_{32} = \left(120\,\vec{\mathbf{i}} - 208\,\vec{\mathbf{j}}\right)\ \text{N}$$

$\vec{\mathbf{F}}_2 = \vec{\mathbf{F}}_{21} + \vec{\mathbf{F}}_{23} = \boxed{\left(80{,}0\,\vec{\mathbf{i}} - 277\,\vec{\mathbf{j}}\right)\text{ N}}$

E4. Pour faciliter l'écriture, on numérote les charges : $q_1 = -3Q$, $q_2 = -2Q$, $q_3 = Q$, $q_4 = 2Q$, où $Q = 4$ nC. Les forces électriques sont déterminées par l'équation 1.1, le signe des charges et leurs positions relatives.

Comme $r_{12} = 0{,}03$ m et $r_{23} = r_{14} = 0{,}04$ m, alors $r_{24} = r_{13} = \sqrt{r_{12}^2 + r_{23}^2} = 0{,}05$ m.

(a) $\vec{\mathbf{F}}_{21} = \frac{k|q_1q_2|}{r_{12}^2}\vec{\mathbf{j}} = \frac{(9\times10^9)(12\times10^{-9})(8\times10^{-9})}{(3\times10^{-2})^2}\vec{\mathbf{j}} = 9{,}60\times10^{-4}\,\vec{\mathbf{j}}$ N

$\vec{\mathbf{F}}_{23} = \frac{k|q_2q_3|}{r_{23}^2}\vec{\mathbf{i}} = \frac{(9\times10^9)(8\times10^{-9})(4\times10^{-9})}{(4\times10^{-2})^2}\vec{\mathbf{i}} = 1{,}80\times10^{-4}\,\vec{\mathbf{i}}$ N

Les diagonales du rectangle que forment les charges sont à un angle

$\theta = \arctan\left(\frac{0{,}03}{0{,}04}\right) = 36{,}9^\circ$ par rapport à l'horizontale. Alors $\vec{\mathbf{F}}_{24}$ fait un angle

$\theta_{24} = 360^\circ - 36{,}9^\circ = 323{,}1^\circ$ par rapport à l'axe des x positifs et son module est

$F_{24} = \frac{k|q_2q_4|}{r_{24}^2} = 2{,}30\times10^{-4}$ N, de sorte que

$\vec{\mathbf{F}}_{24} = F_{24}\cos\theta_{24}\,\vec{\mathbf{i}} + F_{24}\sin\theta_{24}\,\vec{\mathbf{j}} = \left(1{,}84\,\vec{\mathbf{i}} - 1{,}38\,\vec{\mathbf{j}}\right)\times10^{-4}$ N

$\vec{\mathbf{F}}_2 = \vec{\mathbf{F}}_{21} + \vec{\mathbf{F}}_{23} + \vec{\mathbf{F}}_{24} = \boxed{\left(3{,}64\,\vec{\mathbf{i}} + 8{,}22\,\vec{\mathbf{j}}\right)\times10^{-4}\text{ N}}$

(b) $\vec{\mathbf{F}}_{12} = -\vec{\mathbf{F}}_{21} = -9{,}60\times10^{-4}\,\vec{\mathbf{j}}$ N

$\vec{\mathbf{F}}_{13}$ fait un angle $\theta_{13} = 36{,}9^\circ$ par rapport à l'axe des x positifs et son module est

$F_{13} = \frac{k|q_1q_3|}{r_{13}^2} = 1{,}73\times10^{-4}$ N, de sorte que

$\vec{\mathbf{F}}_{13} = F_{13}\cos\theta_{13}\,\vec{\mathbf{i}} + F_{13}\sin\theta_{13}\,\vec{\mathbf{j}} = \left(1{,}38\,\vec{\mathbf{i}} + 1{,}04\,\vec{\mathbf{j}}\right)\times10^{-4}$ N

$\vec{\mathbf{F}}_{14} = \frac{k|q_1q_4|}{r_{14}^2}\vec{\mathbf{i}} = \frac{(9\times10^9)(12\times10^{-9})(8\times10^{-9})}{(4\times10^{-2})^2}\vec{\mathbf{i}} = 5{,}40\times10^{-4}\,\vec{\mathbf{i}}$ N

$\vec{\mathbf{F}}_1 = \vec{\mathbf{F}}_{12} + \vec{\mathbf{F}}_{13} + \vec{\mathbf{F}}_{14} = \boxed{\left(6{,}78\,\vec{\mathbf{i}} - 8{,}56\,\vec{\mathbf{j}}\right)\times10^{-4}\text{ N}}$

E5. (a)

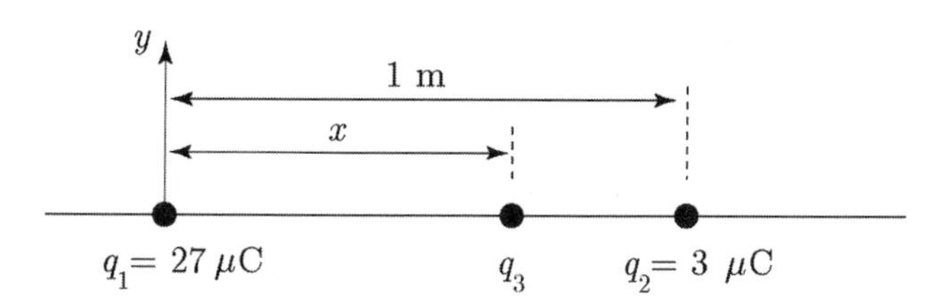

On donne $q_1 = 27$ μC et $q_2 = 3$ μC. On cherche q_3.

Pour que $\vec{\mathbf{F}}_3$ soit nulle, q_3 doit nécessairement être sur l'axe joignant q_1 et q_2. En effet, en dehors de cet axe, q_3 subit toujours une force électrique dont la résultante est non nulle.

Sur l'axe, lorsque q_3 est à droite de q_2 ou à gauche de q_1, les forces $\vec{\mathbf{F}}_{31}$ et $\vec{\mathbf{F}}_{32}$ sont toujours de même sens, quel que soit le signe de q_3, et la résultante ne peut être nulle.

On en conclut que q_3 doit se trouver entre q_1 et q_2. Puisque q_1 est à l'origine, on cherche x, la position de q_3 par rapport à l'origine :

$\vec{\mathbf{F}}_3 = \vec{\mathbf{F}}_{31} + \vec{\mathbf{F}}_{32} = 0 \implies \vec{\mathbf{F}}_{31} = -\vec{\mathbf{F}}_{32}$

Ces deux forces électriques ont donc le même module.

Comme $r_{31} = x$ et $r_{32} = 1 - x$, alors

$F_{31} = F_{32} \implies \frac{kq_1q_3}{r_{31}^2} = \frac{kq_2q_3}{r_{32}^2} \implies \frac{q_1}{x^2} = \frac{q_2}{(1-x)^2} \implies 27\,(1-x)^2 = 3x^2 \implies$

$8x^2 - 18x + 9 = 0$

Les racines de cette équation quadratique sont $x = 1{,}50$ m et $x = 0{,}750$ m. Comme la charge q_3 doit se trouver entre les deux autres, on ne conserve que le second résultat,

$x = \boxed{0{,}750 \text{ m}}$ et le signe de q_3 n'a aucune importance.

(b) Si $q_2 = -3\ \mu$C, alors la charge q_3 doit se trouver sur l'axe qui traverse q_1 et q_2, mais à l'extérieur du segment qui joint ces deux charges. D'autre part, comme $q_1 > q_2$, q_3 doit se trouver à droite de q_2 afin que $r_{31} > r_{32}$. La situation se présente donc comme dans cette figure :

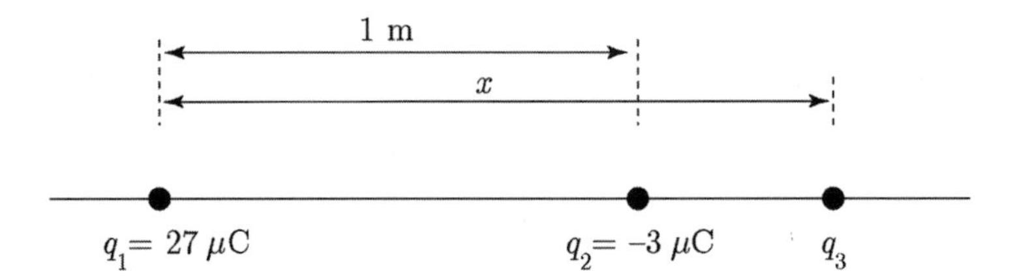

Comme en (a), $\vec{\mathbf{F}}_3 = \vec{\mathbf{F}}_{31} + \vec{\mathbf{F}}_{32} = 0$, donc $\vec{\mathbf{F}}_{31} = -\vec{\mathbf{F}}_{32}$.

Ces deux forces électriques ont le même module lorsque $r_{31} = x$ et $r_{32} = x - 1$:

$F_{31} = F_{32} \implies \frac{kq_1q_3}{r_{31}^2} = \frac{kq_2q_3}{r_{32}^2} \implies \frac{q_1}{x^2} = \frac{q_2}{(x-1)^2} \implies 27\,(x-1)^2 = 3x^2 \implies$

$8x^2 - 18x + 9 = 0$

Les racines de cette équation quadratique sont $x = 1{,}50$ m et $x = 0{,}750$ m. Comme la charge q_3 doit se trouver à droite de q_2, on ne conserve que le premier résultat :

$x = \boxed{1{,}50 \text{ m}}$

E6. La distance Terre-Lune est $r_{\text{TL}} = 3{,}84 \times 10^8$ m. La masse de la Terre et celle de la Lune sont $m_{\text{T}} = 5{,}98 \times 10^{24}$ kg et $m_{\text{L}} = 7{,}36 \times 10^{22}$ kg. On suppose la présence d'une charge de même valeur Q sur la Terre et sur la Lune. Les modules des forces gravitationnelle et électrique doivent être égaux; donc :

$F_g = F_E \implies \frac{Gm_{\text{T}}m_{\text{L}}}{r_{\text{TL}}^2} = \frac{kQ^2}{r_{\text{TL}}^2} \implies Q = \sqrt{\frac{Gm_{\text{T}}m_{\text{L}}}{k}} = \boxed{5{,}71 \times 10^{13} \text{ C}}$

E7. On a $q_p = -q_e = 1{,}6 \times 10^{-19}$ C et on cherche la distance r telle que le module de la force électrique entre les deux charges soit

$F_E = \frac{k|q_p q_e|}{r^2} = 1{,}0 \text{ N} \Longrightarrow r = \sqrt{k\,|q_p q_e|} = \boxed{1{,}52 \times 10^{-14} \text{ m}}$

E8. On a $q_\alpha = 2e$ et $q_{\text{Th}} = 90e$, où $e = 1{,}6 \times 10^{-19}$ C. On donne aussi $m_\alpha = 6{,}7 \times 10^{-27}$ kg et la distance initiale $r = 3 \times 10^{-15}$ m entre les deux charges.

(a) Le module de la force électrique de répulsion, à cette distance, est

$F_E = \frac{k|q_\alpha q_{\text{Th}}|}{r^2} = \frac{k\left(180e^2\right)}{r^2} = \boxed{4{,}61 \times 10^3 \text{ N}}$

(b) Si la force électrique est la seule force agissant sur la particule alpha, alors, à partir de la deuxième loi de Newton (équation 5.2 du tome 1),

$a_\alpha = \frac{F_E}{m_\alpha} = \frac{4{,}61\times10^3}{6{,}7\times10^{-27}} = \boxed{6{,}88 \times 10^{29} \text{ m/s}^2}$

E9. (a) On donne $r = 0{,}74 \times 10^{-10}$ m. Comme $q_p = 1{,}6 \times 10^{-19}$ C, alors, avec l'équation 1.1,

$F_E = \frac{kq_p^2}{r^2} = \frac{\left(9\times10^9\right)\left(1{,}6\times10^{-19}\right)^2}{\left(0{,}74\times10^{-10}\right)^2} = \boxed{4{,}21 \times 10^{-8} \text{ N}}$

Il s'agit d'une force électrique de répulsion.

(b) On donne $r = 2{,}82 \times 10^{-10}$ m. Comme $q_{\text{Na}^+} = |q_{\text{Cl}^-}| = e = 1{,}6 \times 10^{-19}$ C, alors

$F_E = \frac{k|q_{\text{Na}^+} q_{\text{Cl}^-}|}{r^2} = \frac{\left(9\times10^9\right)\left(1{,}6\times10^{-19}\right)^2}{\left(2{,}82\times10^{-10}\right)^2} = \boxed{2{,}90 \times 10^{-9} \text{ N}}$

Il s'agit d'une force électrique d'attraction.

E10. (a) Pour faciliter l'écriture, on numérote les charges : $q_1 = -2Q$, $q_2 = Q$, $q_3 = q$. On sait que $Q > 0$, mais le signe de la charge q est inconnu. Pour exprimer la force électrique résultante sur celle-ci, on suppose pour l'instant qu'elle est positive. À partir de l'équation 1.1, du signe des charges et de leurs positions relatives dans la figure 1.21, on obtient

$\vec{\mathbf{F}}_{31} = -\frac{k|q_1 q_3|}{r_{13}^2}\vec{\mathbf{i}} = -\frac{k(2Q)q}{3^2}\vec{\mathbf{i}} = -\frac{2kQq}{9{,}00}\vec{\mathbf{i}}$

$\vec{\mathbf{F}}_{32} = -\frac{k|q_2 q_3|}{r_{23}^2}\vec{\mathbf{j}} = -\frac{kQq}{2^2}\vec{\mathbf{j}} = -\frac{kQq}{4{,}00}\vec{\mathbf{j}}$

$\vec{\mathbf{F}}_3 = \vec{\mathbf{F}}_{31} + \vec{\mathbf{F}}_{32} = kQq\left(-\frac{2}{9{,}00}\vec{\mathbf{i}} - \frac{1}{4{,}00}\vec{\mathbf{j}}\right) = \boxed{kQq\left(-0{,}222\,\vec{\mathbf{i}} - 0{,}250\,\vec{\mathbf{j}}\right)}$

Ce résultat demeure valable même si $q < 0$, puisqu'alors le sens de la force résultante serait inversé.

(b) Une nouvelle charge $q_4 = 2{,}5Q$ apparaît dans le voisinage de q_3 et on veut que la force électrique résultante $\vec{\mathbf{F}}'_3$ sur cette dernière soit nulle. Puisque $\vec{\mathbf{F}}_3$ est la résultante de q_1 et q_2, alors

$\vec{\mathbf{F}}'_3 = \vec{\mathbf{F}}_3 + \vec{\mathbf{F}}_{34} = 0 \Longrightarrow \vec{\mathbf{F}}_{34} = -\vec{\mathbf{F}}_3 = kQq\left(0{,}222\,\vec{\mathbf{i}} + 0{,}250\,\vec{\mathbf{j}}\right) \quad \text{(i)}$

Si $q_3 > 0$, cette force est dans le premier quadrant et fait un angle

$\theta = \arctan\left(\frac{0{,}250}{0{,}222}\right) = 48{,}4^\circ$ par rapport à l'axe des x positifs. À cause du sens de $\vec{\mathbf{F}}_{34}$ et parce que q_4 est positive, celle-ci doit se trouver dans le quatrième quadrant. La distance r_{34} entre l'origine et q_4 s'obtient en comparant le module de $\vec{\mathbf{F}}_{34}$ calculé de deux façons, d'abord à partir de l'équation (i) : $F_{34} = \sqrt{(0{,}222kQq)^2 + (0{,}250kQq)^2} = 0{,}334kQq$; ensuite avec l'équation 1.1 : $F_{34} = \frac{k|q_3q_4|}{r_{34}^2} = \frac{kq(2{,}5Q)}{r_{34}^2} = \frac{2{,}5kqQ}{r_{34}^2}$

En comparant ces deux égalités, on obtient $r_{34} = \sqrt{\frac{2{,}5}{0{,}334}} = 2{,}73$ m.

Comme on le voit dans la figure qui suit, le vecteur $\vec{\mathbf{r}}_{34}$ est dans le sens opposé à $\vec{\mathbf{F}}_{34}$:

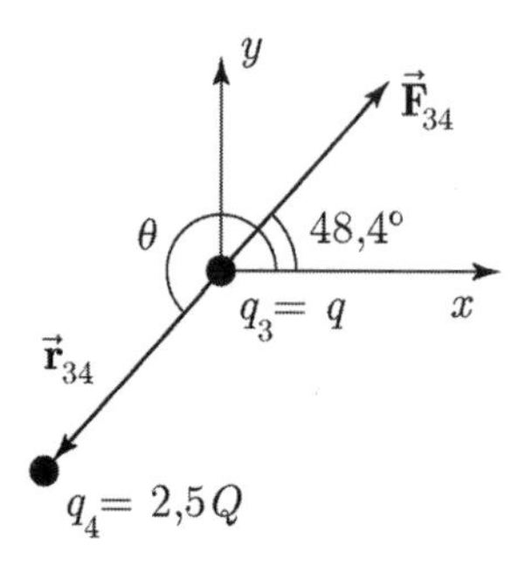

Comme $\theta = 180^\circ + 48{,}4^\circ = 228{,}4^\circ$, alors

$\vec{\mathbf{r}}_{34} = r_{34}\cos\theta\,\vec{\mathbf{i}} + r_{34}\sin\theta\,\vec{\mathbf{j}} = \boxed{(-1{,}82\,\vec{\mathbf{i}} - 2{,}05\,\vec{\mathbf{j}})\text{ m}}$

Le résultat serait similaire avec $q_3 = q < 0$.

E11. Pour faciliter l'écriture, la figure ci-dessous reprend la figure 1.22 en précisant le nom donné à chacune des charges connues :

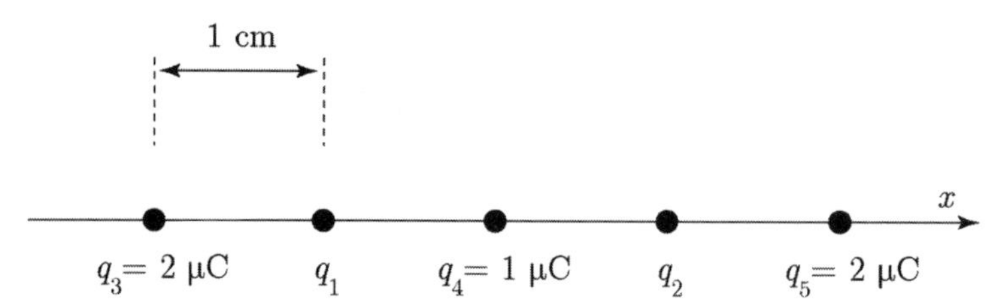

Comme les charges sont placées de façon symétrique, on peut immédiatement affirmer que, pour que la force électrique résultante sur q_3, q_4 et q_5 soit nulle $\left(\vec{\mathbf{F}}_3 = \vec{\mathbf{F}}_4 = \vec{\mathbf{F}}_5 = 0\right)$, les deux charges inconnues doivent avoir la même valeur. Sans cette égalité, il serait impossible d'équilibrer la charge du centre, située à égale distance de q_1 et q_2.

De plus, comme les trois charges connues sont positives, les deux charges inconnues doivent être négatives pour créer des forces d'attraction s'opposant aux forces de répulsion, entre autres sur les charges q_3 et q_5 placées aux extrémités.

On pose donc $q_1 = q_2 = q < 0$ et on cherche la valeur de q.

On considère la somme des forces électriques sur la charge q_3. À partir de l'équation 1.1, du signe des charges et de leurs positions relatives dans la figure, on obtient

$\overrightarrow{\mathbf{F}}_3 = \overrightarrow{\mathbf{F}}_{31} + \overrightarrow{\mathbf{F}}_{34} + \overrightarrow{\mathbf{F}}_{32} + \overrightarrow{\mathbf{F}}_{35} = 0 \implies$

$\overrightarrow{\mathbf{F}}_3 = \frac{k|q_1q_3|}{r_{13}^2}\overrightarrow{\mathbf{i}} - \frac{k|q_3q_4|}{r_{34}^2}\overrightarrow{\mathbf{i}} + \frac{k|q_2q_3|}{r_{23}^2}\overrightarrow{\mathbf{i}} - \frac{k|q_3q_5|}{r_{35}^2}\overrightarrow{\mathbf{i}} = 0 \implies$

$kq_3\left(\frac{|q_1|}{(0{,}01)^2} - \frac{|q_4|}{(0{,}02)^2} + \frac{|q_2|}{(0{,}03)^2} - \frac{|q_5|}{(0{,}04)^2}\right) = 0 \implies \frac{|q|}{(0{,}01)^2} - \frac{(1\times10^{-6})}{(0{,}02)^2} + \frac{|q|}{(0{,}03)^2} - \frac{(2\times10^{-6})}{(0{,}04)^2} = 0$

Comme $q < 0$, alors $|q| = -q$ donc

$-\frac{q}{(0{,}01)^2} - \frac{(1\times10^{-6})}{(0{,}02)^2} - \frac{q}{(0{,}03)^2} - \frac{(2\times10^{-6})}{(0{,}04)^2} = 0 \implies 1{,}11q + 0{,}375\times10^{-6} = 0 \implies$

$q = -0{,}338\ \mu\text{C}$, de sorte que $\boxed{q_1 = q_2 = -0{,}338\ \mu\text{C}}$

E12. On donne $m = 2\times10^{-3}$ kg, $L = 1$ m et $\theta = 15°$.

Chacune des boules subit trois forces, son poids, une force électrique de répulsion avec l'autre boule et la tension dans le fil. On a représenté ces trois forces sur la boule de droite dans la figure qui suit :

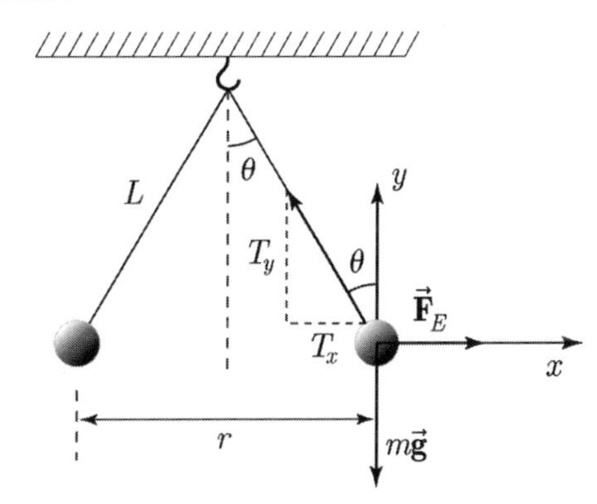

Les deux boules sont à l'équilibre. Sur la boule de droite, cela implique que la somme des forces est nulle selon les deux axes. Puisque

$\overrightarrow{\mathbf{F}}_E = \frac{kQ^2}{r^2}\overrightarrow{\mathbf{i}}$, $m\overrightarrow{\mathbf{g}} = -mg\overrightarrow{\mathbf{j}}$ et que $\overrightarrow{\mathbf{T}} = T_x\overrightarrow{\mathbf{i}} + T_y\overrightarrow{\mathbf{j}} = -T\sin\theta\overrightarrow{\mathbf{i}} + T\cos\theta\overrightarrow{\mathbf{j}}$, alors

$\sum F_x = 0 \implies -T\sin\theta + \frac{kQ^2}{r^2} = 0 \implies T\sin\theta = \frac{kQ^2}{r^2} \quad \text{(i)}$

$\sum F_y = 0 \implies T\cos\theta - mg = 0 \implies T\cos\theta = mg \quad \text{(ii)}$

Si on divise l'égalité (i) par l'égalité (ii), on obtient $\tan\theta = \frac{kQ^2}{mgr^2}$.

Mais comme $r = 2L\sin\theta$, ce dernier résultat permet d'aboutir à

$kQ^2 = 4mgL^2\sin^2\theta\tan\theta \implies Q = \pm\sqrt{\frac{4mgL^2\sin^2\theta\tan\theta}{k}} = \boxed{\pm0{,}395\ \mu\text{C}}$

Soit la valeur de la charge identique sur chacune des deux boules.

E13. La distance Terre-Lune est $r_{\text{TL}} = 3{,}84\times10^8$ m. La masse de la Terre et celle de la Lune sont $m_{\text{T}} = 5{,}98\times10^{24}$ kg et $m_{\text{L}} = 7{,}36\times10^{22}$ kg. Le module de la force gravitationnelle entre la Terre et la Lune est

$F_g = \frac{Gm_{\text{T}}m_{\text{L}}}{r_{\text{TL}}^2} = \frac{(6{,}672\times10^{-11})(5{,}98\times10^{24})(7{,}36\times10^{22})}{(3{,}84\times10^8)^2} = 1{,}99\times10^{20}\ \text{N}$

Dans 1 g d'hydrogène, il y a 1 mole de cet atome, de sorte que le nombre de protons et d'électrons correspond directement au nombre d'Avogadro. La charge ainsi obtenue est $Q_{\rm p} = -Q_{\rm e} = N_{\rm A}e$ et le module de la force électrique attractive entre ces deux charges placées à la même distance vaut

$F_E = \frac{k|Q_{\rm p}Q_{\rm e}|}{r_{\rm TL}^2} = \frac{kN_{\rm A}^2e^2}{r_{\rm TL}^2} = \frac{(9\times10^9)(6{,}022\times10^{23})^2(1{,}6\times10^{-19})^2}{(3{,}84\times10^8)^2} = 567\ \rm N$

Finalement, $\frac{F_E}{F_g} = \frac{567}{1{,}99\times10^{20}} \Longrightarrow \boxed{\frac{F_E}{F_g} = 2{,}85\times10^{-18}}$

E14. (a) Pour faciliter l'écriture, on numérote les charges : $q_1 = Q$, $q_2 = 9Q$ et $q_3 = q$.

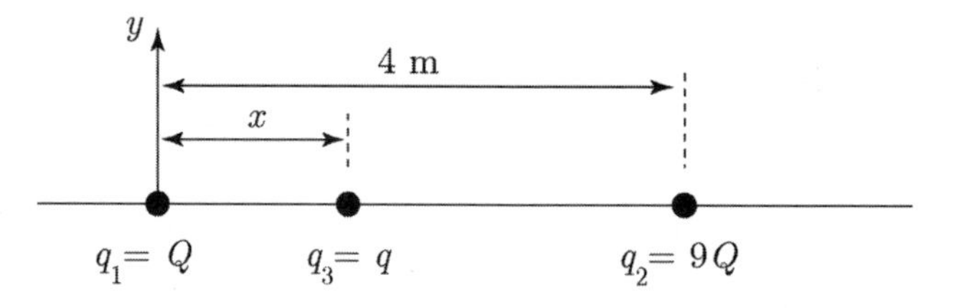

On peut conclure, en suivant le même raisonnement qu'à l'exercice 5, que la charge q_3 doit se trouver entre les charges q_1 et q_2. Mais, comme on veut que la force électrique résultante soit nulle sur les trois charges, il faut, comme à l'exercice 11, que la charge q_3 soit de signe opposé aux deux autres.

Pour trouver la valeur de q_3 et la position x où elle se trouve, on a besoin de deux équations. On commence par exprimer la force résultante sur q_3 :

$\vec{\mathbf{F}}_3 = \vec{\mathbf{F}}_{31} + \vec{\mathbf{F}}_{32} = 0 \Longrightarrow \vec{\mathbf{F}}_{31} = -\vec{\mathbf{F}}_{32} \Longrightarrow F_{31} = F_{32} \Longrightarrow$

$\frac{k|q_1q_3|}{x^2} = \frac{k|q_2q_3|}{(4-x)^2} \Longrightarrow \frac{k|Qq|}{x^2} = \frac{k|9Qq|}{(4-x)^2}$

Comme Q et q sont de signes opposés, alors $|Qq| = -Qq$. Ici, ce changement de signe n'implique rien puisqu'il se produit de part et d'autre de l'égalité :

$-\frac{kQq}{x^2} = -\frac{9kQq}{(4-x)^2} \Longrightarrow \frac{1}{x^2} = \frac{9}{(4-x)^2} \Longrightarrow x^2 + x - 2 = 0$

Les racines de cette équation quadratique sont $x = -2{,}00$ m et $x = 1{,}00$ m. Comme la charge q_3 doit se trouver entre les deux autres, on ne conserve que le second résultat :

$\boxed{x = 1{,}00\ \rm m}$

Pour trouver la relation entre q et Q, on exprime la force résultante sur q_1 :

$\vec{\mathbf{F}}_1 = \vec{\mathbf{F}}_{13} + \vec{\mathbf{F}}_{12} = 0 \Longrightarrow \vec{\mathbf{F}}_{13} = -\vec{\mathbf{F}}_{12} \Longrightarrow F_{13} = F_{12} \Longrightarrow$

$\frac{k|q_1q_3|}{x^2} = \frac{k|q_1q_2|}{4^2} \Longrightarrow \frac{k|Qq|}{x^2} = \frac{k|Q(9Q)|}{4^2}$

Encore une fois, puisque $|Qq| = -Qq$ et $|Q\,(9Q)| = 9Q^2$ et en utilisant le résultat pour x :

$-\frac{kQq}{x^2} = \frac{9kQ^2}{4^2} \Longrightarrow -q = \frac{9Q}{16} \Longrightarrow \boxed{q = -\frac{9}{16}Q}$

(b) On conserve la numérotation donnée aux charges à la partie (a). Comme le signe de q_2 a changé, q_3 ne peut plus se trouver entre q_1 et q_2. Quel que soit son signe, elle subirait alors deux forces électriques de même sens et la résultante ne pourrait être nulle. Si on maintient q_3 sur l'axe et qu'on la suppose de signe opposé à q_1, on peut conjecturer qu'il existe un point à gauche de q_1 pour lequel la force électrique sur les trois charges serait nulle. À droite de q_2, le sens des forces est adéquat, mais comme $|q_2| > q_1$ et que q_3 est plus près de q_2 que de q_1, le module des deux forces agissant sur chaque charge ne peut jamais être égal. La figure qui suit précise la position des charges :

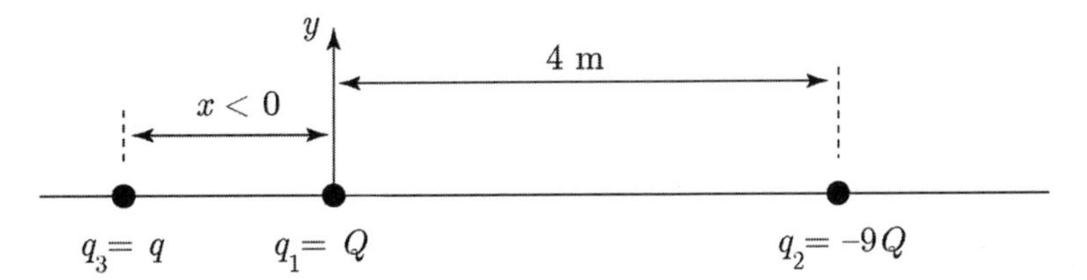

Pour trouver x, on commence par exprimer la force résultante sur q_3. Puisque $x < 0$, la distance $r_{23} = 4 - x$:

$\vec{\mathbf{F}}_3 = \vec{\mathbf{F}}_{31} + \vec{\mathbf{F}}_{32} = 0 \Longrightarrow \vec{\mathbf{F}}_{31} = -\vec{\mathbf{F}}_{32} \Longrightarrow F_{31} = F_{32} \Longrightarrow$

$\frac{k|q_1q_3|}{x^2} = \frac{k|q_2q_3|}{(4-x)^2} \Longrightarrow \frac{k|Qq|}{x^2} = \frac{k|(-9Q)q|}{(4-x)^2} \Longrightarrow \frac{|Qq|}{x^2} = \frac{9|Qq|}{(4-x)^2} \Longrightarrow$

$(4-x)^2 = 9x^2 \Longrightarrow x^2 + x - 2 = 0$

Les racines de cette équation quadratique sont $x = -2{,}00$ m et $x = 1{,}00$ m. Comme la charge q_3 doit se trouver à gauche de q_1, on ne conserve que le premier résultat :

$\boxed{x = -2{,}00 \text{ m}}$

Pour trouver la relation entre q et Q, on exprime la force résultante sur q_1 :

$\vec{\mathbf{F}}_1 = \vec{\mathbf{F}}_{13} + \vec{\mathbf{F}}_{12} = 0 \Longrightarrow \vec{\mathbf{F}}_{13} = -\vec{\mathbf{F}}_{12} \Longrightarrow F_{13} = F_{12} \Longrightarrow$

$\frac{k|q_1q_3|}{x^2} = \frac{k|q_1q_2|}{4^2} \Longrightarrow \frac{k|Qq|}{x^2} = \frac{k|Q(-9Q)|}{4^2}$

Encore une fois, puisque $|Qq| = -Qq$ et $|Q(-9Q)| = 9Q^2$ et en utilisant le résultat pour x :

$-\frac{kQq}{x^2} = \frac{9kQ^2}{4^2} \Longrightarrow -\frac{q}{4} = \frac{9Q}{16} \Longrightarrow \boxed{q = -\frac{9}{4}Q}$

E15. On donne $r = 0{,}04$ m et $F_E = 0{,}2$ N et on suppose que $q_1 = \pm 2q_2$. Comme les charges se repoussent, q_1 et q_2 sont de même signe.

$F_E = \frac{k|q_1q_2|}{r^2} = 0{,}2 \Longrightarrow \frac{k|2q_1^2|}{r^2} = 0{,}2 \Longrightarrow \frac{2kq_1^2}{r^2} = 0{,}2 \Longrightarrow$

$q_1 = \pm\sqrt{\frac{0{,}2r^2}{2k}} \Longrightarrow \boxed{q_1 = \pm 0{,}133\ \mu\text{C}}$ et $\boxed{q_2 = \pm 0{,}267\ \mu\text{C}}$

E16. Pour faciliter l'écriture, on numérote les charges : $q_1 = 1$ nC, $q_2 = -1$ nC, $q_3 = -2$ nC. On donne $d = 0{,}01$ m. Comme à l'exercice 3, on doit, dans chaque cas, tracer un diagramme montrant les forces sur la charge q_3. Les forces électriques sont ensuite déterminées par l'équation 1.1, le signe des charges et leurs positions relatives dans la figure 1.24.

(a) Si q_3 est placée en A :

$\vec{\mathbf{F}}_{31} = \frac{k|q_1q_3|}{r_{13}^2}\vec{\mathbf{i}} = \frac{(9\times10^9)(1\times10^{-9})(2\times10^{-9})}{d^2}\vec{\mathbf{i}} = 1{,}80 \times 10^{-4}\vec{\mathbf{i}}$ N

$\vec{\mathbf{F}}_{32} = \frac{k|q_2q_3|}{r_{23}^2}\vec{\mathbf{i}} = \frac{(9\times10^9)(1\times10^{-9})(2\times10^{-9})}{d^2}\vec{\mathbf{i}} = 1{,}80 \times 10^{-4}\vec{\mathbf{i}}$ N

$\vec{\mathbf{F}}_3 = \vec{\mathbf{F}}_{31} + \vec{\mathbf{F}}_{32} = \boxed{3{,}60 \times 10^{-4}\vec{\mathbf{i}}\text{ N}}$

(b) Si q_3 est placée en B, $r_{13} = d$, $r_{23}^2 = d^2 + (2d)^2 = 5d^2$:

$\vec{\mathbf{F}}_{31} = \frac{k|q_1q_3|}{r_{13}^2}\vec{\mathbf{j}} = \frac{(9\times10^9)(1\times10^{-9})(2\times10^{-9})}{d^2}\vec{\mathbf{j}} = 1{,}80 \times 10^{-4}\vec{\mathbf{j}}$ N

$\vec{\mathbf{F}}_{32}$ fait un angle $\theta_{32} = -26{,}6°$ par rapport à l'axe des x positifs et son module est $F_{32} = \frac{k|q_2q_3|}{r_{23}^2} = 3{,}60 \times 10^{-5}$ N, de sorte que

$\vec{\mathbf{F}}_{32} = F_{32}\cos\theta_{32}\,\vec{\mathbf{i}} + F_{32}\sin\theta_{32}\,\vec{\mathbf{j}} = \left(3{,}22\,\vec{\mathbf{i}} - 1{,}61\,\vec{\mathbf{j}}\right) \times 10^{-5}$ N

$\vec{\mathbf{F}}_3 = \vec{\mathbf{F}}_{31} + \vec{\mathbf{F}}_{32} = \boxed{\left(3{,}22 \times 10^{-5}\vec{\mathbf{i}} + 16{,}4 \times 10^{-5}\vec{\mathbf{j}}\right)\text{ N}}$

(c) Si q_3 est placée en C, $r_{13}^2 = r_{23}^2 = d^2 + d^2 = 2d^2$:

$\vec{\mathbf{F}}_{31}$ fait un angle $\theta_{31} = 45{,}0°$ par rapport à l'axe des x positifs et son module est $F_{31} = \frac{k|q_1q_3|}{r_{13}^2} = 9{,}00 \times 10^{-5}$ N, de sorte que

$\vec{\mathbf{F}}_{31} = F_{31}\cos\theta_{31}\,\vec{\mathbf{i}} + F_{31}\sin\theta_{31}\,\vec{\mathbf{j}} = \left(6{,}36\,\vec{\mathbf{i}} + 6{,}36\,\vec{\mathbf{j}}\right) \times 10^{-5}$ N

$\vec{\mathbf{F}}_{32}$ fait un angle $\theta_{32} = -45{,}0°$ par rapport à l'axe des x positifs et son module est $F_{32} = \frac{k|q_2q_3|}{r_{23}^2} = 9{,}00 \times 10^{-5}$ N, de sorte que

$\vec{\mathbf{F}}_{32} = F_{32}\cos\theta_{32}\,\vec{\mathbf{i}} + F_{32}\sin\theta_{32}\,\vec{\mathbf{j}} = \left(6{,}36\,\vec{\mathbf{i}} - 6{,}36\,\vec{\mathbf{j}}\right) \times 10^{-5}$ N

$\vec{\mathbf{F}}_3 = \vec{\mathbf{F}}_{31} + \vec{\mathbf{F}}_{32} = \boxed{12{,}7 \times 10^{-5}\vec{\mathbf{i}}\text{ N}}$

(d) Si q_3 est placée en D, $r_{23} = d$, $r_{13}^2 = d^2 + (2d)^2 = 5d^2$:

$\vec{\mathbf{F}}_{31}$ fait un angle $\theta_{31} = 26{,}6°$ par rapport à l'axe des x positifs et son module est $F_{31} = \frac{k|q_1q_3|}{r_{13}^2} = 3{,}60 \times 10^{-5}$ N, de sorte que

$\vec{\mathbf{F}}_{31} = F_{31}\cos\theta_{31}\,\vec{\mathbf{i}} + F_{31}\sin\theta_{31}\,\vec{\mathbf{j}} = \left(3{,}22\,\vec{\mathbf{i}} + 1{,}61\,\vec{\mathbf{j}}\right) \times 10^{-5}$ N

$\vec{\mathbf{F}}_{32} = -\frac{k|q_2q_3|}{r_{23}^2}\vec{\mathbf{j}} = -\frac{(9\times10^9)(1\times10^{-9})(2\times10^{-9})}{d^2}\vec{\mathbf{j}} = -1{,}80 \times 10^{-4}\vec{\mathbf{j}}$ N

$\vec{\mathbf{F}}_3 = \vec{\mathbf{F}}_{31} + \vec{\mathbf{F}}_{32} = \boxed{\left(3{,}22 \times 10^{-5}\vec{\mathbf{i}} - 16{,}4 \times 10^{-5}\vec{\mathbf{j}}\right)\text{ N}}$

E17. Pour faciliter l'écriture, la figure ci-dessous reprend la figure 1.25 en précisant le nom donné à chacune des charges :

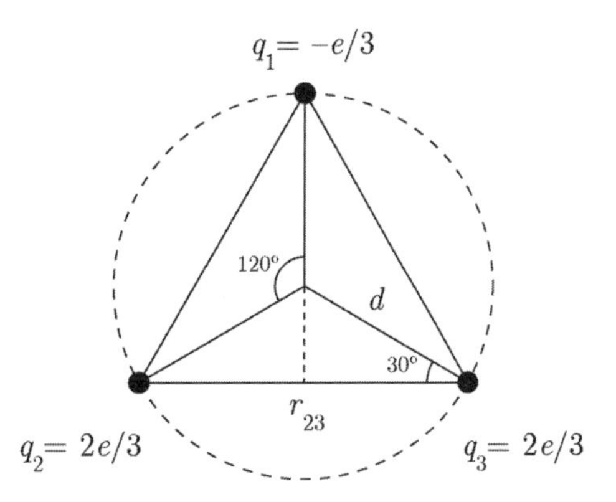

Les trois charges sont aux sommets d'un triangle équilatéral. À partir de la figure, on voit que $r_{12} = r_{23} = r_{13} = 2d\cos 30° = 2{,}08 \times 10^{-15}$ m puisque $d = 1{,}2 \times 10^{-15}$ m. Une nouvelle figure montre les forces électriques sur chaque charge :

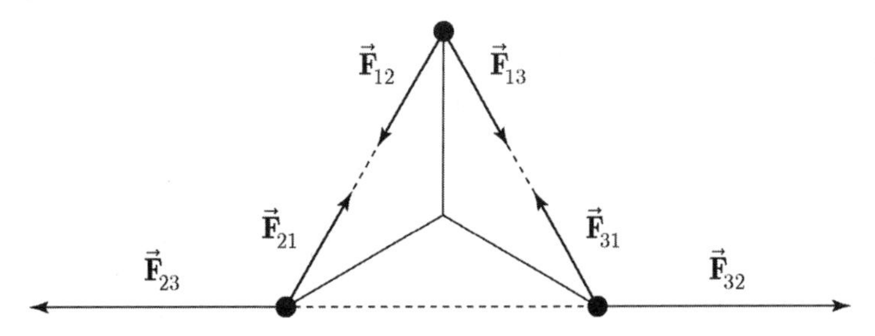

À partir de l'équation 1.1, du signe des charges, de l'orientation des forces et du principe de superposition, on calcule la somme des forces électriques sur la charge q_2 :

$\overrightarrow{\mathbf{F}}_{21}$ fait un angle $\theta_{21} = 60{,}0°$ par rapport à l'axe des x positifs et son module est $F_{21} = \frac{k|q_1 q_2|}{r_{12}^2} = \frac{k\left|\left(-\frac{e}{3}\right)\left(\frac{2e}{3}\right)\right|}{r_{12}^2} = 11{,}8$ N, de sorte que

$\overrightarrow{\mathbf{F}}_{21} = F_{21}\cos\theta_{21}\,\overrightarrow{\mathbf{i}} + F_{21}\sin\theta_{21}\,\overrightarrow{\mathbf{j}} = \left(5{,}92\,\overrightarrow{\mathbf{i}} + 10{,}2\,\overrightarrow{\mathbf{j}}\right)$ N

$\overrightarrow{\mathbf{F}}_{23} = -\frac{k|q_2 q_3|}{r_{23}^2}\,\overrightarrow{\mathbf{i}} = -\frac{k\left(\frac{2e}{3}\right)\left(\frac{2e}{3}\right)}{r_{23}^2}\,\overrightarrow{\mathbf{i}} = -23{,}7\,\overrightarrow{\mathbf{i}}$ N

La résultante de ces deux forces est

$\overrightarrow{\mathbf{F}}_2 = \overrightarrow{\mathbf{F}}_{21} + \overrightarrow{\mathbf{F}}_{23} = \left(-17{,}8\,\overrightarrow{\mathbf{i}} + 10{,}2\,\overrightarrow{\mathbf{j}}\right)$ N

Et son module prend la valeur :

$F_2 = \sqrt{F_{2x}^2 + F_{2y}^2} = \sqrt{(-17{,}8)^2 + (10{,}2)^2} = 20{,}5$ N

En procédant de la même façon pour les deux autres charges, on pourrait montrer que le module de la force électrique résultante sur chaque charge est

$F_1 = F_2 = F_3 = \boxed{20{,}5 \text{ N}}$

E18. On donne $q_1 = 2\ \mu$C et $q_2 = -5\ \mu$C. Si $\overrightarrow{\mathbf{r}}_1 = \left(2\,\overrightarrow{\mathbf{i}} + \overrightarrow{\mathbf{j}}\right)$ m est la position de la charge 1 et que $\overrightarrow{\mathbf{r}}_2 = \left(-2\,\overrightarrow{\mathbf{i}} + 4\,\overrightarrow{\mathbf{j}}\right)$ m est la position de la charge 2, alors, comme on le voit dans la figure suivante, le vecteur déplacement reliant la charge 2 à la charge 1 est donné par $\vec{\mathbf{r}}_{21} = \vec{\mathbf{r}}_1 - \vec{\mathbf{r}}_2 = \left(4\,\vec{\mathbf{i}} - 3\,\vec{\mathbf{j}}\right)$ m :

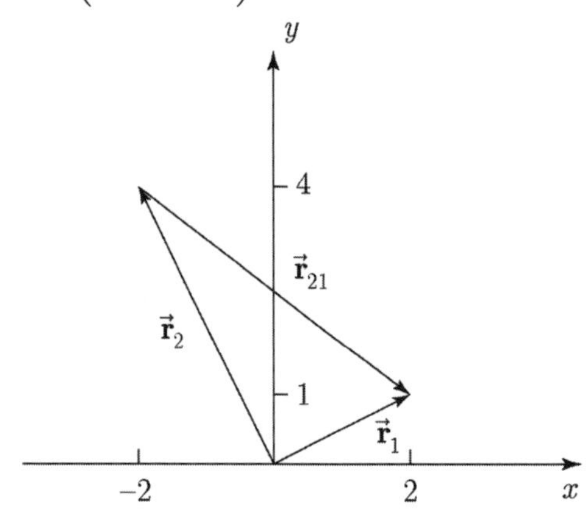

La force électrique $\vec{\mathbf{F}}_{21}$ sur la charge 2 est dans le même sens que $\vec{\mathbf{r}}_{21}$. Ces deux vecteurs font un angle $\theta_{21} = \arctan\left(\frac{r_{21y}}{r_{21y}}\right) = \arctan\left(\frac{-3}{4}\right) = -36{,}9^\circ$ par rapport à l'axe des x positifs. Comme la distance entre les deux charges est $r_{21} = \sqrt{r_{21x}^2 + r_{21y}^2} = 5{,}00$ m, alors le module de $F_{21} = \frac{k|q_1 q_2|}{r_{21}^2} = 3{,}60 \times 10^{-3}$ N et

$\vec{\mathbf{F}}_{21} = F_{21}\cos\theta_{21}\,\vec{\mathbf{i}} + F_{21}\sin\theta_{21}\,\vec{\mathbf{j}} = \boxed{\left(2{,}88\,\vec{\mathbf{i}} - 2{,}16\,\vec{\mathbf{j}}\right)\text{ mN}}$

E19. On donne $q_1 = 40$ C, $q_2 = -40$ C et $r = 5{,}00 \times 10^3$ m. On trouve le module de cette force électrique d'attraction à partir de l'équation 1.1 :

$F_E = \frac{k|q_1 q_2|}{r^2} = \frac{\left(9\times10^9\right)(40)^2}{\left(5{,}00\times10^3\right)^2} = \boxed{5{,}76 \times 10^5\text{ N}}$

Problèmes

P1. Comme les charges sont aux sommets d'un triangle équilatéral, alors

$r_{12} = r_{23} = r_{13} = 0{,}10$ m

On donne $q_1 < 0$. Puisque $\vec{\mathbf{F}}_{12}$ est attractive, alors $q_2 > 0$. De même, puisque $\vec{\mathbf{F}}_{13}$ est répulsive, $q_3 < 0$.

À partir du signe des charges, de l'équation 1.1 et des modules fournis, on peut établir trois équations :

Si $q_1 < 0$ et $q_2 > 0$, alors $|q_1 q_2| = -q_1 q_2$ et

$$F_{12} = \frac{k|q_1 q_2|}{r_{12}^2} = 5{,}4\text{ N} \Longrightarrow -kq_1 q_2 = 5{,}4\,(0{,}10)^2 \Longrightarrow q_1 q_2 = -6{,}00 \times 10^{-12}\text{ C}^2 \quad \text{(i)}$$

Si $q_1 < 0$ et $q_3 < 0$, alors $|q_1 q_3| = q_1 q_3$ et

$$F_{13} = \frac{k|q_1 q_3|}{r_{13}^2} = 15\text{ N} \Longrightarrow kq_1 q_3 = 15\,(0{,}10)^2 \Longrightarrow q_1 q_3 = 1{,}67 \times 10^{-11}\text{ C}^2 \quad \text{(ii)}$$

Si $q_2 > 0$ et $q_3 < 0$, alors $|q_2 q_3| = -q_2 q_3$ et

$$F_{23} = \frac{k|q_2 q_3|}{r_{23}^2} = 9\text{ N} \Longrightarrow -kq_2 q_3 = 9\,(0{,}10)^2 \Longrightarrow q_2 q_3 = -1{,}00 \times 10^{-11}\text{ C}^2 \quad \text{(iii)}$$

Si on isole q_1 dans (i) et (ii) et qu'on suppose l'égalité, alors

$\frac{-6{,}00\times10^{-12}}{q_2} = \frac{1{,}67\times10^{-11}}{q_3} \implies q_2 = -0{,}359 q_3$

Si on utilise ce résultat dans (iii), alors

$(-0{,}359 q_3)\, q_3 = -1{,}00 \times 10^{-11} \implies q_3^2 = 2{,}79 \times 10^{-11} \implies q_3 = \pm 5{,}28 \times 10^{-6}$ C

Si on respecte le raisonnement du départ, alors $\boxed{q_3 = -5{,}28\ \mu\text{C}}$

On insère ensuite cette valeur dans (iii) pour trouver $\boxed{q_2 = 1{,}89\ \mu\text{C}}$

P2. Pour faciliter l'écriture, on utilise le nom donné aux charges dans cette figure :

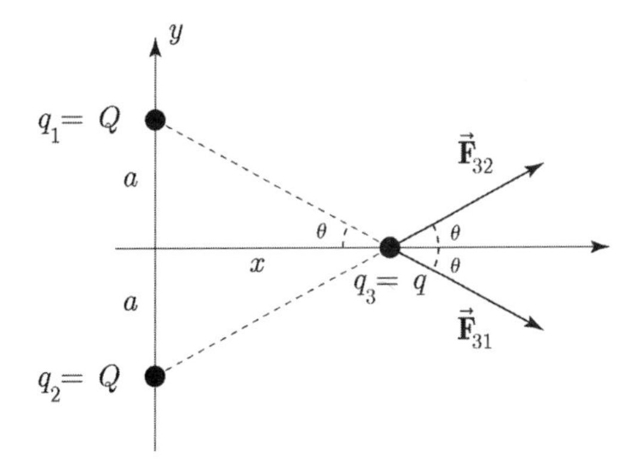

(a) Comme on le voit dans la figure, $\vec{\mathbf{F}}_{31}$ et $\vec{\mathbf{F}}_{32}$ sont orientées symétriquement par rapport à l'axe des x. De plus, comme $r_{31} = r_{32} = \sqrt{a^2 + x^2}$, $Q > 0$ et $q > 0$

$F_{31} = F_{32} = \frac{k|qQ|}{r_{32}^2} = \frac{kqQ}{(a^2+x^2)}$

Les composantes verticales des deux forces électriques s'annulent et, à cause de la symétrie,

$F_{3x} = F_{31x} + F_{32x} = 2F_{31x} = 2\frac{kqQ}{(a^2+x^2)} \cos\theta$

Selon la figure, $\cos\theta = \frac{x}{\sqrt{a^2+x^2}}$, donc

$\vec{\mathbf{F}}_3 = F_{3x}\, \vec{\mathbf{i}} = 2\frac{kqQ}{(a^2+x^2)} \frac{x}{\sqrt{a^2+x^2}}\, \vec{\mathbf{i}} = \boxed{\frac{2kqQx}{(a^2+x^2)^{3/2}}\, \vec{\mathbf{i}}}$

(b) Le module de $\vec{\mathbf{F}}_3$ est la valeur absolue de son unique composante, $F_3 = \frac{2kqQ|x|}{(a^2+x^2)^{3/2}}$.

Ce module atteint un maximum lorsque $\frac{dF_3}{dx} = 0$. Si on pose $x > 0$,

$\frac{dF_3}{dx} = \frac{d}{dx}\left(\frac{2kqQx}{(a^2+x^2)^{3/2}}\right) = 2kqQ\left(\frac{1}{(a^2+x^2)^{3/2}}\frac{dx}{dx} + x\frac{d}{dx}\left(\frac{1}{(a^2+x^2)^{3/2}}\right)\right) \implies$

$\frac{dF_3}{dx} = 2kqQ\left(\frac{1}{(a^2+x^2)^{3/2}} - \frac{3}{2}\frac{x}{(a^2+x^2)^{5/2}}\frac{d\left(a^2+x^2\right)}{dx}\right) = 2kqQ\left(\frac{1}{(a^2+x^2)^{3/2}} - \frac{3x^2}{(a^2+x^2)^{5/2}}\right) \implies$

$\frac{dF_3}{dx} = \frac{2kqQ}{(a^2+x^2)^{5/2}}\left(a^2 + x^2 - 3x^2\right) = \frac{2kqQ}{(a^2+x^2)^{5/2}}\left(a^2 - 2x^2\right) = 0$

Si on exclut $x \longrightarrow \infty$, alors la dérivée est nulle lorsque $a^2 - x^2 = 0 \implies x = \boxed{\pm\frac{a}{\sqrt{2}}}$

Un maximum existe de part et d'autre de l'origine. Pour s'assurer qu'il s'agit d'un maximum, on devrait calculer la dérivée seconde et vérifier qu'elle est négative. La partie (c) permet de vérifier graphiquement ce résultat.

(c) Dans le logiciel Maple, on définit l'expression du module de la force électrique comme une fonction de x. Ensuite on donne une valeur à k, a, q et Q. On trace le graphe demandé sur un intervalle qui va de $-2a$ à $2a$:

```
> restart:
> F:=2*k*Q*q*abs(x)/(a^2+x^2)^(3/2);
> k:=9e9;
> a:=1;
> q:=1e-5;
> Q:=1e-4;
> plot(F,x=-2*a..2*a);
```

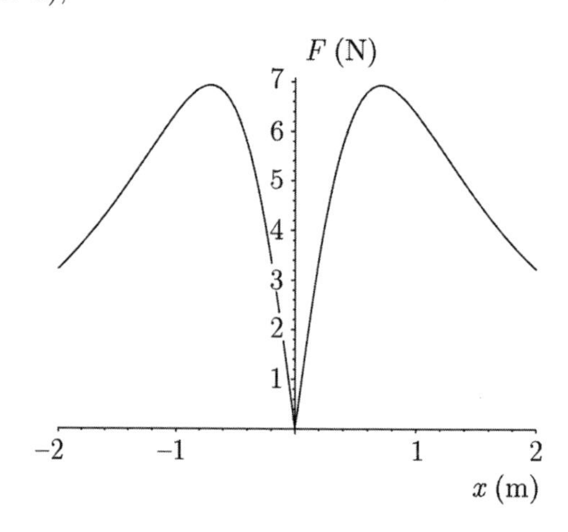

(d) Si $x \gg a$, alors on peut négliger le a devant x dans le dénominateur de F_3 :

$F_3 = \frac{2kqQx}{(a^2+x^2)^{3/2}} \approx \frac{2kqQx}{(x^2)^{3/2}} \implies F_3 \approx \frac{2kqQx}{x^3} \implies F_3 \boxed{\approx \frac{2kqQ}{x^2}}$

La valeur absolue n'apparaît pas dans F_3 puisque $x > 0$.

P3. Pour faciliter l'écriture, on utilise le nom donné aux charges dans cette figure :

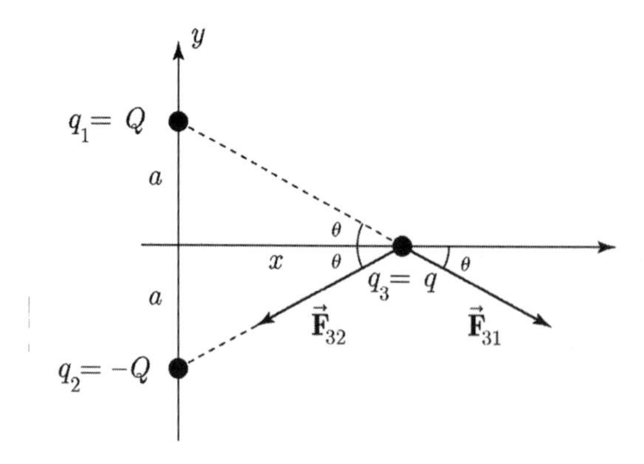

(a) Comme on le voit dans la figure, $\vec{\mathbf{F}}_{31}$ et $\vec{\mathbf{F}}_{32}$ sont orientées symétriquement par rapport à l'axe des y. De plus, comme $r_{31} = r_{32} = \sqrt{a^2 + x^2}$, $Q > 0$ et $q > 0$,

$F_{31} = F_{32} = \frac{k|qQ|}{r_{32}^2} = \frac{kqQ}{(a^2+x^2)}$

Les composantes horizontales des deux forces électriques s'annulent et, à cause de la symétrie,

$F_{3y} = F_{31y} + F_{32y} = 2F_{31y} = -2\frac{kqQ}{(a^2+x^2)} \sin\theta$

Selon la figure, $\sin\theta = \frac{a}{\sqrt{a^2+x^2}}$, donc

$\vec{\mathbf{F}}_3 = F_{3y}\vec{\mathbf{j}} = -2\frac{kqQ}{(a^2+x^2)}\frac{a}{\sqrt{a^2+x^2}}\vec{\mathbf{j}} = \boxed{-\frac{2kqQa}{(a^2+x^2)^{3/2}}\vec{\mathbf{j}}}$

(b) La force électrique $\vec{\mathbf{F}}_3$ est maximale lorsque la valeur absolue de son unique composante, $|F_{3y}| = \frac{2kqQa}{(a^2+x^2)^{3/2}}$ prend une valeur maximale. Cette quantité atteint un maximum lorsque $\frac{d|F_3|}{dx} = 0$:

$\frac{d|F_3|}{dx} = \frac{d}{dx}\left(\frac{2kqQa}{(a^2+x^2)^{3/2}}\right) = 2kqQa\frac{d}{dx}\left((a^2+x^2)^{-3/2}\right) \Longrightarrow$

$\frac{d|F_3|}{dx} = -3kqQa\left(\frac{1}{(a^2+x^2)^{5/2}}\right)\frac{d}{dx}\left(a^2+x^2\right) \Longrightarrow$

$\frac{d|F_3|}{dx} = \frac{-3kqQa}{(a^2+x^2)^{5/2}}(2x) = \frac{-6kqQax}{(a^2+x^2)^{5/2}} = 0$

Si on exclut $x \longrightarrow \infty$, alors la dérivée est nulle lorsque $x = \boxed{0}$

P4. Pour faciliter l'écriture, on utilise le nom donné aux charges dans cette figure :

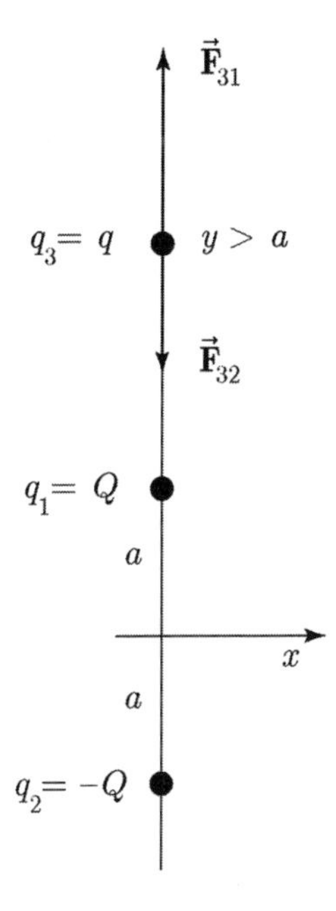

(a) Les forces électriques sont déterminées par l'équation 1.1, le signe des charges et leurs positions relatives dans la figure. Si $y > a$, $Q > 0$ et $q > 0$,

$\vec{\mathbf{F}}_{31} = \frac{k|q_1q_3|}{r_{13}^2}\vec{\mathbf{j}} = \frac{k|Qq|}{(y-a)^2}\vec{\mathbf{j}} = \frac{kQq}{(y-a)^2}\vec{\mathbf{j}}$

$\vec{\mathbf{F}}_{32} = -\frac{k|q_2q_3|}{r_{23}^2}\vec{\mathbf{j}} = -\frac{k|(-Q)q|}{(y+a)^2}\vec{\mathbf{j}} = -\frac{kQq}{(y+a)^2}\vec{\mathbf{j}}$

$\vec{\mathbf{F}}_3 = \frac{kQq}{(y-a)^2}\vec{\mathbf{j}} - \frac{kQq}{(y+a)^2}\vec{\mathbf{j}} = kQq\left(\frac{1}{(y-a)^2} - \frac{1}{(y+a)^2}\right)\vec{\mathbf{j}} = kQq\left(\frac{(y+a)^2-(y-a)^2}{(y-a)^2(y+a)^2}\right)\vec{\mathbf{j}} \Longrightarrow$

$\vec{\mathbf{F}}_3 = kQq\left(\frac{y^2+2ay+a^2-y^2+2ay-a^2}{(y-a)^2(y+a)^2}\right)\vec{\mathbf{j}} = kQq\left(\frac{4ay}{(y-a)^2(y+a)^2}\right)\vec{\mathbf{j}} \Longrightarrow$

$\overrightarrow{\mathbf{F}}_3 = \boxed{\frac{4kqQay}{(y^2-a^2)^2}\,\overrightarrow{\mathbf{j}}}$

(b) Si $y \gg a$, alors on peut négliger le a devant y dans le dénominateur de F_3 :

$F_3 = \frac{4kqQay}{(y^2-a^2)^2} \approx \frac{4kqQay}{(y^2)^2} \implies F_3 \boxed{\approx \frac{4kqQa}{y^3}}$

P5. Le module de la force électrique de répulsion entre les charges $q_1 = q$ et $q_2 = Q - q$ placées à une distance r l'une de l'autre est

$F_E = \frac{k|q_1q_2|}{r^2} = \frac{k|q(Q-q))|}{r^2} = \frac{kq(Q-q))}{r^2} = \frac{kqQ}{r^2} - \frac{kq^2}{r^2}$

On trouve la valeur de q qui rend ce module maximal en considérant qu'il s'agit d'une fonction $F_E(q)$ et en calculant pour quelle valeur de q, $\frac{dF_E}{dq} = 0$:

$\frac{dF_E}{dq} = \frac{d}{dq}\left(\frac{kqQ}{r^2} - \frac{kq^2}{r^2}\right) = \frac{kQ}{r^2} - \frac{2kq}{r^2} = 0 \implies Q - 2q = 0 \implies q = \boxed{\frac{Q}{2}}$

P6. (a) On donne $r = 0{,}03$ m, la distance constante entre deux sphères chargées. Soit q_1 et q_2, la valeur initiale de ces deux charges. Comme ces charges s'attirent, elles sont de signes contraires et $|q_1q_2| = -q_1q_2$. Le module de la force électrique d'attraction entre ces deux charges est

$F_E = \frac{k|q_1q_2|}{r^2} = 150\text{ N} \implies -\frac{(9\times10^9)q_1q_2}{(0{,}03)^2} = 150\text{ N} \implies q_1q_2 = -15{,}0 \times 10^{-12}\text{ C}^2 \qquad \text{(i)}$

Si on relie électriquement les sphères, la charge électrique sur chaque sphère se modifie. Comme les sphères ont la même taille et qu'elles sont faites du même matériau, la symétrie entraîne que la charge finale sera la même sur chaque sphère. On nomme q la charge inconnue identique sur chaque sphère après le contact. Le module de la force électrique de répulsion entre ces deux charges est

$F_E = \frac{k|q^2|}{r^2} = 10\text{ N} \implies \frac{(9\times10^9)q^2}{(0{,}03)^2} = 10\text{ N} \implies q = 1{,}00 \times 10^{-6}\text{ C} \qquad \text{(ii)}$

Comme la charge totale sur les deux sphères ne peut se modifier, alors $q_1 + q_2 = 2q$. Si on utilise cette égalité dans l'équation (ii), on trouve

$q_1 = 2 \times 10^{-6} - q_2 \qquad \text{(iii)}$

Si on remplace q_1 dans l'équation (i) par cette valeur,

$\left(2 \times 10^{-6} - q_2\right) q_2 = -15{,}0 \times 10^{-12} \implies q_2^2 - 2 \times 10^{-6}q_2 - 15{,}0 \times 10^{-12} = 0$

On trouve les racines de cette équation quadratique et ensuite les valeurs de q_1 :

$\boxed{q_1 = 5{,}00\ \mu\text{C},\ q_2 = -3{,}00\ \mu\text{C} \text{ ou } q_1 = -3{,}00\ \mu\text{C},\ q_2 = 5{,}00\ \mu\text{C}}$

(b) Si, initialement, la force électrique est répulsive, les deux charges sont de même signe et l'équation (i) de la partie (a) s'écrit plutôt

$q_1q_2 = 15{,}0 \times 10^{-12}\text{ C}^2 \implies q_1 = \frac{15{,}0\times10^{-12}}{q_2} \qquad \text{(iv)}$

L'équation (iii) n'est pas modifiée par ce changement de signe :

$q_1 = 2 \times 10^{-6} - q_2 \qquad \text{(iii)}$

Si une solution existe pour les valeurs de q_1 et q_2, alors le graphe des équations (iii) et (iv) doit avoir une intersection. On définit dans Maple les deux équations et on trace le graphe sur un intervalle qui permet de voir leur comportement :

```
> restart:
> q1_iii:=2e-6-q2;
> q1_iv:=15e-12/q2;
> plot({q1_iii,q1_iv},q2=-1e-5..1e-5,q1=-3e-5..3e-5,tickmarks=[0,0]);
```

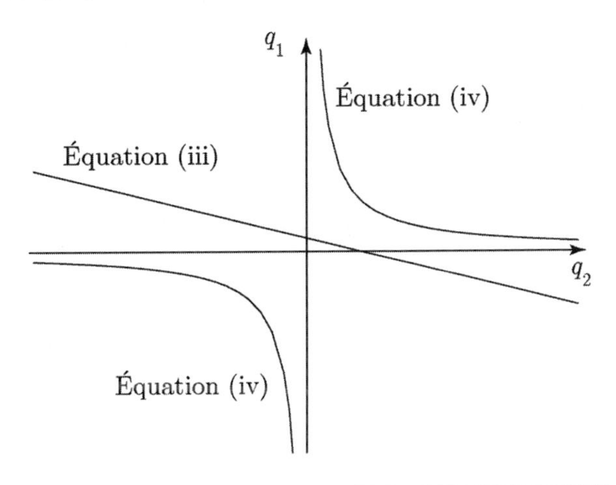

On voit bien dans ce graphe qu'**aucune solution n'est possible** puisque les courbes ne se croisent pas. $\Longrightarrow$ **CQFD**

P7. (a) On donne $m_1 = m_2 = 0{,}010$ kg, une distance entre les deux sphères $r = 010$ m. La charge sur chaque sphère est la même et on l'obtient en enlevant des électrons de manière à ce que $q_1 = q_2 = q > 0$. Le module de la force électrique de répulsion est

$F_E = \frac{kq^2}{r^2} = 10{,}0 \text{ N} \Longrightarrow q = \sqrt{\frac{10{,}0r^2}{k}} = 3{,}33\ \mu\text{C}$

Pour chaque électron perdu, la charge augmente de e. Le nombre N d'électrons à enlever est $q = Ne$, donc $N = \frac{q}{e} = \frac{3{,}33\times10^{-6}}{1{,}6\times10^{-19}} = \boxed{2{,}08 \times 10^{13}}$ électrons sur chaque sphère.

(b) On multiplie la masse de chaque sphère par les rapports nécessaires afin de calculer combien d'électrons chacune d'elles contient. Le symbole N_A représente le nombre d'Avogadro.

$m_1 \times \left(\frac{1 \text{ mole}}{63{,}5\times10^{-3}\text{ kg}}\right) \times \left(\frac{N_A}{1 \text{ mole}}\right) \times \left(\frac{29 \text{ électrons}}{1 \text{ atome}}\right) \Longrightarrow$

$0{,}010 \text{ kg} \times \left(\frac{1 \text{ mole}}{63{,}5\times10^{-3}\text{ kg}}\right) \times \left(\frac{6{,}023\times10^{23}\text{ atomes}}{1 \text{ mole}}\right) \times \left(\frac{29 \text{ électrons}}{1 \text{ atome}}\right) = 2{,}75 \times 10^{24} \text{ électrons}$

La fraction des électrons qui doit être enlevée est $\frac{2{,}08\times10^{13}}{2{,}75\times10^{24}} = \boxed{7{,}56 \times 10^{-12}}$

P8. (a) Pour faciliter l'écriture, on utilise le nom donné aux charges dans cette figure :

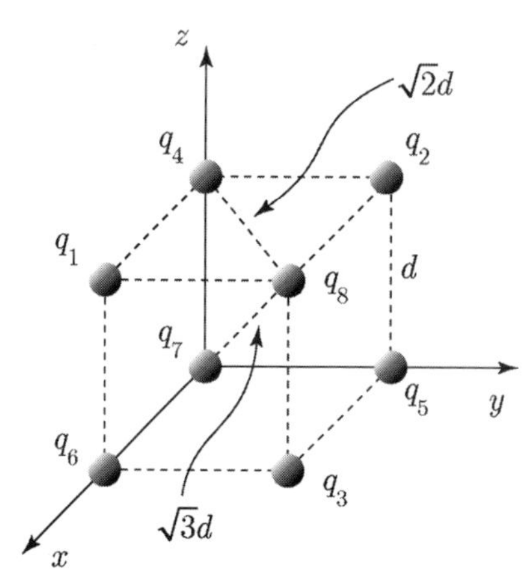

On cherche la force électrique résultante sur q_8. Toutes les charges ont la même valeur $Q > 0$. Selon le théorème de Pythagore, $r_{48} = r_{58} = r_{68} = \sqrt{d^2 + d^2} = \sqrt{2}d$ et $r_{78} = \sqrt{\left(\sqrt{2}d\right)^2 + d^2} = \sqrt{3}d$

Les forces électriques sont déterminées par l'équation 1.1 et leurs positions relatives dans la figure.

Pour les trois premières charges, cette force ne possède qu'une seule composante :

$\vec{\mathbf{F}}_{81} = \frac{kQ^2}{d^2}\vec{\mathbf{j}}$

$\vec{\mathbf{F}}_{82} = \frac{kQ^2}{d^2}\vec{\mathbf{i}}$

$\vec{\mathbf{F}}_{83} = \frac{kQ^2}{d^2}\vec{\mathbf{k}}$

Pour les trois charges suivantes, la force est parallèle aux diagonales des faces et possède deux composantes.

$\vec{\mathbf{F}}_{84}$ fait un angle $\theta_{84} = 45°$ par rapport à l'axe des x positifs vers l'axe des y dans le plan xy et son module est $F_{84} = \frac{kQ^2}{\left(\sqrt{2}d\right)^2} = \frac{1}{2}\frac{kQ^2}{d^2}$, de sorte que

$\vec{\mathbf{F}}_{84} = F_{84}\cos\theta_{84}\,\vec{\mathbf{i}} + F_{84}\sin\theta_{84}\,\vec{\mathbf{j}} = \frac{1}{2}\frac{kQ^2}{d^2}\frac{\sqrt{2}}{2}\vec{\mathbf{i}} + \frac{1}{2}\frac{kQ^2}{d^2}\frac{\sqrt{2}}{2}\vec{\mathbf{j}} = \frac{\sqrt{2}}{4}\frac{kQ^2}{d^2}\vec{\mathbf{i}} + \frac{\sqrt{2}}{4}\frac{kQ^2}{d^2}\vec{\mathbf{j}}$

$\vec{\mathbf{F}}_{85}$ fait un angle $\theta_{85} = 45°$ par rapport à l'axe des x positifs vers l'axe des z dans le plan xz et son module est $F_{85} = \frac{kQ^2}{\left(\sqrt{2}d\right)^2} = \frac{1}{2}\frac{kQ^2}{d^2}$, de sorte que

$\vec{\mathbf{F}}_{85} = F_{85}\cos\theta_{85}\,\vec{\mathbf{i}} + F_{85}\sin\theta_{85}\,\vec{\mathbf{k}} = \frac{1}{2}\frac{kQ^2}{d^2}\frac{\sqrt{2}}{2}\vec{\mathbf{i}} + \frac{1}{2}\frac{kQ^2}{d^2}\frac{\sqrt{2}}{2}\vec{\mathbf{k}} = \frac{\sqrt{2}}{4}\frac{kQ^2}{d^2}\vec{\mathbf{i}} + \frac{\sqrt{2}}{4}\frac{kQ^2}{d^2}\vec{\mathbf{k}}$

$\vec{\mathbf{F}}_{86}$ fait un angle $\theta_{86} = 45°$ par rapport à l'axe des y positifs vers l'axe des z dans le plan xz et son module est $F_{86} = \frac{kQ^2}{\left(\sqrt{2}d\right)^2} = \frac{1}{2}\frac{kQ^2}{d^2}$, de sorte que

$\vec{\mathbf{F}}_{86} = F_{86}\cos\theta_{86}\,\vec{\mathbf{j}} + F_{86}\sin\theta_{86}\,\vec{\mathbf{k}} = \frac{1}{2}\frac{kQ^2}{d^2}\frac{\sqrt{2}}{2}\vec{\mathbf{j}} + \frac{1}{2}\frac{kQ^2}{d^2}\frac{\sqrt{2}}{2}\vec{\mathbf{k}} = \frac{\sqrt{2}}{4}\frac{kQ^2}{d^2}\vec{\mathbf{j}} + \frac{\sqrt{2}}{4}\frac{kQ^2}{d^2}\vec{\mathbf{k}}$

Finalement, $\vec{\mathbf{F}}_{87}$ est selon la diagonale qui traverse le cube, c'est-à-dire parallèle au vecteur $\vec{\mathbf{r}}$ qui donne la position de q_8. On peut exprimer $\vec{\mathbf{F}}_{87}$ en faisant appel à un vecteur unitaire parallèle à $\vec{\mathbf{r}}$, soit $\vec{\mathbf{u}}_r = \frac{\vec{\mathbf{r}}}{r} = \frac{d\,\vec{\mathbf{i}}+d\,\vec{\mathbf{j}}+d\,\vec{\mathbf{k}}}{\sqrt{3}d} = \frac{1}{\sqrt{3}}\left(\vec{\mathbf{i}}+\vec{\mathbf{j}}+\vec{\mathbf{k}}\right)$:

$\vec{\mathbf{F}}_{87} = F_{87}\vec{\mathbf{u}}_r = \frac{kQ^2}{(\sqrt{3}d)^2}\frac{1}{\sqrt{3}}\left(\vec{\mathbf{i}}+\vec{\mathbf{j}}+\vec{\mathbf{k}}\right) = \frac{\sqrt{3}}{9}\frac{kQ^2}{d^2}\left(\vec{\mathbf{i}}+\vec{\mathbf{j}}+\vec{\mathbf{k}}\right)$

On calcule ensuite la résultante sur q_8 :

$$\vec{\mathbf{F}}_8 = \frac{kQ^2}{d^2}\vec{\mathbf{j}} + \frac{kQ^2}{d^2}\vec{\mathbf{i}} + \frac{kQ^2}{d^2}\vec{\mathbf{k}} + $$
$$+\frac{\sqrt{2}}{4}\frac{kQ^2}{d^2}\vec{\mathbf{i}} + \frac{\sqrt{2}}{4}\frac{kQ^2}{d^2}\vec{\mathbf{j}} + \frac{\sqrt{2}}{4}\frac{kQ^2}{d^2}\vec{\mathbf{i}} + \frac{\sqrt{2}}{4}\frac{kQ^2}{d^2}\vec{\mathbf{k}} + \frac{\sqrt{2}}{4}\frac{kQ^2}{d^2}\vec{\mathbf{j}} + \frac{\sqrt{2}}{4}\frac{kQ^2}{d^2}\vec{\mathbf{k}}$$
$$+\frac{\sqrt{3}}{9}\frac{kQ^2}{d^2}\left(\vec{\mathbf{i}}+\vec{\mathbf{j}}+\vec{\mathbf{k}}\right) \Longrightarrow$$

$$\vec{\mathbf{F}}_8 = \left(\frac{kQ^2}{d^2} + \frac{\sqrt{2}}{4}\frac{kQ^2}{d^2} + \frac{\sqrt{2}}{4}\frac{kQ^2}{d^2} + \frac{\sqrt{3}}{9}\frac{kQ^2}{d^2}\right)\left(\vec{\mathbf{i}}+\vec{\mathbf{j}}+\vec{\mathbf{k}}\right) \Longrightarrow$$

$$\vec{\mathbf{F}}_8 = \boxed{1{,}90\frac{kQ^2}{d^2}(\vec{\mathbf{i}}+\vec{\mathbf{j}}+\vec{\mathbf{k}})}$$

(b) Si on respecte la donnée, les charges q_1, q_2, q_3 et q_7 dans la figure de la partie (a) changent de signe. Ce changement ne modifie que le sens des forces électriques associées à ces charges :

$\vec{\mathbf{F}}_{81} = -\frac{kQ^2}{d^2}\vec{\mathbf{j}}$

$\vec{\mathbf{F}}_{82} = -\frac{kQ^2}{d^2}\vec{\mathbf{i}}$

$\vec{\mathbf{F}}_{83} = -\frac{kQ^2}{d^2}\vec{\mathbf{k}}$

$\vec{\mathbf{F}}_{87} = -\frac{\sqrt{3}}{9}\frac{kQ^2}{d^2}\left(\vec{\mathbf{i}}+\vec{\mathbf{j}}+\vec{\mathbf{k}}\right)$

Si on garde pour les autres forces le vecteur calculé à la partie (a), la résultante sur q_8 devient

$$\vec{\mathbf{F}}_8 = \left(-\frac{kQ^2}{d^2} + \frac{\sqrt{2}}{4}\frac{kQ^2}{d^2} + \frac{\sqrt{2}}{4}\frac{kQ^2}{d^2} - \frac{\sqrt{3}}{9}\frac{kQ^2}{d^2}\right)\left(\vec{\mathbf{i}}+\vec{\mathbf{j}}+\vec{\mathbf{k}}\right) \Longrightarrow$$

$$\vec{\mathbf{F}}_8 = \boxed{-0{,}485\frac{kQ^2}{d^2}(\vec{\mathbf{i}}+\vec{\mathbf{j}}+\vec{\mathbf{k}})}$$

P9. (a) On sait que $q_p = -q_e = e$ et $|q_p q_e| = e^2$. La force électrique d'attraction entre l'électron et le proton de l'atome d'hydrogène agit comme force centripète. À partir de l'équation 6.3 du tome 1, on compare le module de ces deux forces et on trouve le module v de la vitesse tangentielle de l'électron :

$$F_E = \frac{ke^2}{r^2} = \frac{mv^2}{r} \Longrightarrow v = \boxed{\sqrt{\frac{ke^2}{mr}}}$$

(b) Au chapitre 12 du tome 1, on définit le moment cinétique d'une particule comme le résultat du produit vectoriel entre le vecteur position de la particule $\vec{\mathbf{r}}$ et son vecteur quantité de mouvement $\vec{\mathbf{p}} = m\vec{\mathbf{v}}$:

$\vec{\mathbf{L}} = \vec{\mathbf{r}} \times \vec{\mathbf{p}}$

On suppose que l'électron est en orbite circulaire autour de l'origine d'un système d'axes. Alors, les vecteurs $\vec{\mathbf{r}}$ et $\vec{\mathbf{v}}$ sont toujours perpendiculaires, de sorte que le module du moment cinétique est

$$L = \left\| \vec{\mathbf{r}} \times \vec{\mathbf{p}} \right\| = \left\| \vec{\mathbf{r}} \right\| \left\| \vec{\mathbf{p}} \right\| \sin\theta = rmv \sin(90°) = rmv$$

Selon la condition de Bohr, ce module est quantifié et

$$L = rmv = \frac{nh}{2\pi} \implies r = \frac{nh}{2\pi mv}$$

Si on récupère le résultat de la partie (a), alors

$$r = \frac{nh}{2\pi m\left(\frac{ke^2}{mr}\right)^{1/2}} \quad \text{(i)}$$

On doit maintenant isoler r, qu'on remplace par r_n, puisque cette quantité dépend du niveau d'énergie n. À partir de (i),

$$r_n = \frac{nhm^{1/2}r_n^{1/2}}{2\pi mk^{1/2}e} \implies r_n^{1/2} = \frac{nhm^{1/2}}{2\pi mk^{1/2}e} \implies \boxed{r_n = \frac{n^2h^2}{4\pi^2kme^2}} \implies \boxed{\text{CQFD}}$$

(c) Dans les pages liminaires du manuel, on trouve $m = 9{,}11 \times 10^{-31}$ kg et la constante de Planck, $h = 6{,}626 \times 10^{-34}$ J·s. À partir de ces valeurs et de la valeur de e, on trouve

$$\boxed{r_1 = 5{,}30 \times 10^{-11}\ \text{m},\ r_2 = 2{,}12 \times 10^{-10}\ \text{m},\ r_3 = 4{,}77 \times 10^{-10}\ \text{m}}$$

P10. (a) On donne $r = 0{,}03$ m. Si q_1 et q_2 sont les deux charges inconnues, alors

$$q_1 + q_2 = 8{,}00 \times 10^{-6}\ \mu\text{C} \quad \text{(i)}$$

Si la force entre les deux charges est répulsive, alors les deux charges sont de même signe et $|q_1q_2| = q_1q_2$. Le module de cette force est

$$F_E = \frac{k|q_1q_2|}{r^2} = \frac{kq_1q_2}{r^2} = 150\ \text{N} \implies q_1q_2 = \frac{150k}{r^2} = 15{,}0 \times 10^{-12}\ \text{C}^2 \quad \text{(ii)}$$

On isole q_1 dans l'équation (i) et on remplace dans l'équation (ii) :

$$\left(8{,}00 \times 10^{-6} - q_2\right) q_2 = 15{,}0 \times 10^{-12} \implies q_2^2 - 8{,}00 \times 10^{-6} q_2 + 15{,}0 \times 10^{-12} = 0$$

On trouve les racines de cette équation quadratique et ensuite les valeurs de q_1 :

$$\boxed{q_1 = 5{,}00\ \mu\text{C},\ q_2 = 3{,}00\ \mu\text{C ou } q_1 = 3{,}00\ \mu\text{C},\ q_2 = 5{,}00\ \mu\text{C}}$$

(b) Si la force est attractive, les deux charges sont de signes opposés et $|q_1q_2| = -q_1q_2$. On modifie en conséquence l'équation (ii) de la partie (a) :

$$q_1q_2 = -15{,}0 \times 10^{-12}\ \text{C}^2 \quad \text{(iii)}$$

En combinant les équations (i) et (iii), on trouve

$$\left(8{,}00 \times 10^{-6} - q_2\right) q_2 = -15{,}0 \times 10^{-12} \implies q_2^2 - 8{,}00 \times 10^{-6} q_2 - 15{,}0 \times 10^{-12} = 0$$

On trouve à nouveau les racines de cette équation quadratique et ensuite les valeurs de q_1, $\boxed{q_1 = 9{,}57\ \mu\text{C},\ q_2 = -1{,}57\ \mu\text{C ou } q_1 = -1{,}57\ \mu\text{C},\ q_2 = 9{,}57\ \mu\text{C}}$

P11. Pour tous les ions, on a $q_{\text{Na}} = e$ et $q_{\text{Cl}} = -e$ et $|q_{\text{Na}}q_{\text{Cl}}| = |q_{\text{Cl}}q_{\text{Cl}}| = e^2$. Lorsqu'elle vient d'un couple formé de l'ion chlore placé en $d\,\vec{\mathbf{i}}$ et d'un autre ion chlore, la force électrique est répulsive et la composante de cette force sur l'axe des x est dans la direction positive. Si elle vient d'un couple formé de l'ion chlore placé en $d\overrightarrow{\mathbf{i}}$ et d'un ion sodium, la force électrique sera attractive et sa composante selon x sera négative.

Pour chacune des situations décrites, la position symétrique des ions permet d'affirmer que la force électrique résultante sur l'ion chlore choisi ne possède qu'une composante selon x. On commence par fixer, dans Maple, la valeur des constantes du problème :

```
> restart:
> a:=2.82e-10;
> d:=2*a;
> e:=1.6e-19;
> k:=9e9;
```

(a) On calcule la composante selon x de la force électrique et ensuite son module :

```
> Fax:=-k*e^2/d^2;
> Fa:=abs(Fax);
```

L'indice a fait référence à la portion (a) du problème et servira dans les autres portions à calculer la résultante. Pour cette portion,

$F_E = \boxed{7{,}24 \times 10^{-10}\ \mathrm{N}}$

(b) Des 8 ions supplémentaires, les 4 ions sodium sont à une distance $r_1 = \sqrt{\left(\sqrt{2}a\right)^2 + x^2} = \sqrt{2a^2 + d^2}$ de l'ion chlore choisi. La composante selon x des forces électriques d'attraction associées à ces ions est la même et correspond au module de la force multiplié par $\frac{d}{\sqrt{2a^2+r^2}}$. Ce rapport est le cosinus de l'angle que forment ces vecteurs avec l'axe des x. Cet angle est celui représenté à la figure 1.28.

Les 4 ions chlore sont à une distance $r_2 = \sqrt{a^2 + d^2}$ de l'ion chlore choisi et le vecteur de la force électrique de répulsion pour chaque couple forme un angle dont le cosinus vaut $\frac{d}{\sqrt{a^2+r^2}}$ par rapport à l'axe des x.

On calcule les composantes selon x de force, la résultante et ensuite le module de cette résultante :

```
> Fb1x:=-(k*e^2/((sqrt(2)*a)^2+d^2))*(d/sqrt(((sqrt(2)*a)^2+d^2)));
> Fb2x:=(k*e^2/(a^2+d^2))*(d/sqrt(a^2+d^2));
> Fbx:=Fax+4*Fb1x+4*Fb2x;
> Fb:=abs(Fbx);
```

Pour cette portion,

$F_E = \boxed{2{,}28 \times 10^{-10}\ \text{N}}$

(c) Dans les 16 ions supplémentaires, 4 ions sodium sont à une distance $r_1 = \sqrt{(2a)^2 + x^2} = \sqrt{4a^2 + d^2}$ de l'ion chlore choisi et le vecteur de la force électrique d'attraction pour chaque couple forme un angle dont le cosinus vaut $\frac{d}{\sqrt{4a^2+d^2}}$ par rapport à l'axe des x.

8 ions chlore sont à une distance $r_2 = \sqrt{\left(\sqrt{5}a\right)^2 + x^2} = \sqrt{5a^2 + d^2}$ de l'ion chlore choisi et le vecteur de la force électrique de répulsion pour chaque couple forme un angle dont le cosinus vaut $\frac{d}{\sqrt{5a^2+d^2}}$ par rapport à l'axe des x.

Finalement, 4 ions sodium sont à une distance $r_3 = \sqrt{\left(2\sqrt{2}a\right)^2 + x^2} = \sqrt{8a^2 + d^2}$ de l'ion chlore choisi et le vecteur de la force électrique d'attraction pour chaque couple forme un angle dont le cosinus vaut $\frac{d}{\sqrt{8a^2+d^2}}$ par rapport à l'axe des x.

On calcule les composantes selon x de force, la résultante et ensuite le module de cette résultante :

```
> Fc1x:=-(k*e^2/(4*a^2+d^2))*(d/sqrt((4*a^2+d^2)));
> Fc2x:=(k*e^2/(5*a^2+d^2))*(d/sqrt((5*a^2+d^2)));
> Fc3x:=-(k*e^2/(8*a^2+d^2))*(d/sqrt((8*a^2+d^2)));
> Fcx:=Fbx+4*Fc1x+8*Fc2x+4*Fc3x;
> Fc:=abs(Fcx);
```

Pour cette portion,

$F_E = \boxed{9{,}33 \times 10^{-11}\ \text{N}}$

(d) Comme on le voit sur cette figure, on trouve $\boxed{24\ \text{ions}}$ sur la rangée suivante :

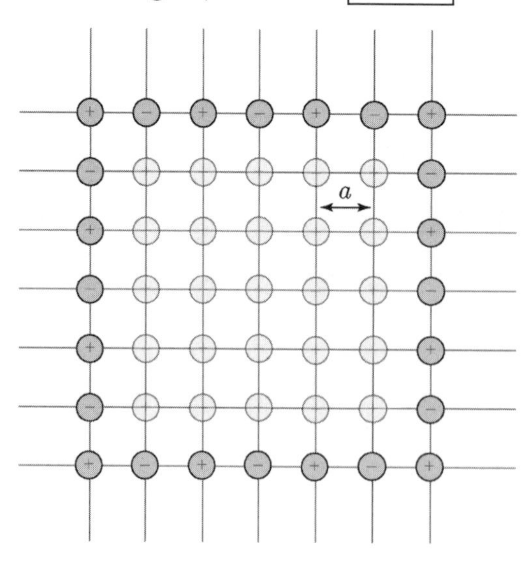

Dans les 24 ions supplémentaires,

4 ions chlore sont à une distance $r_1 = \sqrt{(3a)^2 + x^2} = \sqrt{9a^2 + d^2}$ de l'ion chlore choisi et le vecteur de la force électrique de répulsion pour chaque couple forme un angle dont le cosinus vaut $\frac{d}{\sqrt{9a^2+d^2}}$ par rapport à l'axe des x.

8 ions sodium sont à une distance $r_2 = \sqrt{\left(\sqrt{10}a\right)^2 + x^2} = \sqrt{10a^2 + d^2}$ de l'ion chlore choisi et le vecteur de la force électrique d'attraction pour chaque couple forme un angle dont le cosinus vaut $\frac{d}{\sqrt{10a^2+d^2}}$ par rapport à l'axe des x.

8 ions chlore sont à une distance $r_3 = \sqrt{\left(\sqrt{13}a\right)^2 + x^2} = \sqrt{13a^2 + d^2}$ de l'ion chlore choisi et le vecteur de la force électrique de répulsion pour chaque couple forme un angle dont le cosinus vaut $\frac{d}{\sqrt{13a^2+d^2}}$ par rapport à l'axe des x.
Finalement, 4 ions sodium sont à une distance $r_4 = \sqrt{\left(3\sqrt{2}a\right)^2 + x^2} = \sqrt{18a^2 + d^2}$ de l'ion chlore choisi et le vecteur de la force électrique d'attraction pour chaque couple forme un angle dont le cosinus vaut $\frac{d}{\sqrt{18a^2+d^2}}$ par rapport à l'axe des x.

On calcule les composantes selon x de force, la résultante et ensuite le module de cette résultante :

```
> Fd1x:=(k*e^2/(9*a^2+d^2))*(d/sqrt((9*a^2+d^2)));
> Fd2x:=-(k*e^2/(10*a^2+d^2))*(d/sqrt((10*a^2+d^2)));
> Fd3x:=(k*e^2/(13*a^2+d^2))*(d/sqrt((13*a^2+d^2)));
> Fd4x:=-(k*e^2/(18*a^2+d^2))*(d/sqrt((18*a^2+d^2)));
> Fdx:=Fcx+4*Fd1x+8*Fd2x+8*Fd3x+4*Fd4x;
> Fd:=abs(Fdx);
```

Pour cette portion, $\boxed{F_E = 4{,}70 \times 10^{-11}\ \text{N}}$

(e) Plusieurs méthodes se valent pour trouver une réponse à cette question. Celle de ce solutionnaire fait appel à la capacité de Maple de faire une régression linéaire et à l'utilisation d'une syntaxe qui exige une certaine connaissance du logiciel.

On regroupe d'abord les résultats et on les porte en graphique. Dans ce graphique, l'abscisse représente le nombre d'ions le long de l'arête pour chaque cas. L'ordonnée correspond au module de la force électrique ressentie par l'ion chlore placé devant ce mur grandissant d'ions.

```
> res:='[[1,Fa],[3,Fb],[5,Fc],[7,Fd]]';
> points:=plot(res,x=0..8,style=point,symbol=diamond,color=blue,labels=["Nombre
  d'ions sur l'arête","F"]):
```

```
> plots[display](points);
```

On prend le logarithme du module de la force et on crée un nouvel ensemble de données :

```
> resln:=[seq([res[i,1],map(ln,res[i,2])],i=1..4)];
```

Ce nouvel ensemble de données croît de façon linéaire, ce qui montre que la première courbe se comporte probablement comme une exponentielle. On produit un nouveau graphe :

```
> plot(resln,x=0..8,y=-20..-24,style=point,symbol=diamond,color=blue,labels=
  ["Nombre d'ions sur l'arête","ln(F)"]);
```

Par la méthode des moindres carrés, on trouve l'équation de cette droite :

```
> with(stats):
> eq_fit:= fit[leastsquare[[x,y], y=A+B*x, {A,B}]]([[1,3,5,7],[resln[1,2],resln[2,2],
  resln[3,2],resln[4,2]]]);
```

Et on calcule son coefficient de détermination :

```
> (describe[linearcorrelation]([1,3,5,7],[resln[1,2],resln[2,2],resln[3,2],resln[4,2]]))^2;
```

L'équation de la courbe représentant le comportement du module de la force en fonction du nombre d'ions sur l'arête est

```
> F:=expand(exp(rhs(eq_fit)));
```

On combine les résultats et l'analyse statistique :

```
> courbe:=plot(F,x=0..8,color=red):
> plots[display]({courbe,points});
```

Et, pour ce qui est de la réponse à la question :

```
> eq:=(7.24e-10)/100=F;
> solve(eq,x);
```

Ce résultat indique qu'il faut environ 11 ions le long de l'arête pour que le module de la force électrique soit inférieur par un facteur 100 à la valeur trouvée en (a). Un tel carré comporte donc $\boxed{\approx 121 \text{ ions}}$

(f) Comme on peut s'en convaincre en reprenant les calculs du fichier Maple avec une valeur supérieure pour d, la force électrique d'attraction diminue : l'ion chlore est moins attiré lorsqu'il est loin. À l'étape (e), on observe qu'en augmentant le nombre d'ions, on diminue aussi l'attraction électrique. En conclusion, s'il y a un grand nombre de rangées et que l'ion est loin, il ne sera pas attiré. Si l'ion est proche, il sera malgré tout attiré et se fixera probablement à la surface.

Chapitre 2 : Le champ électrique

Exercices

E1. (a) Pour compenser le poids de l'électron dirigé vers le bas, une force électrique doit apparaître vers le haut, comme dans cette figure :

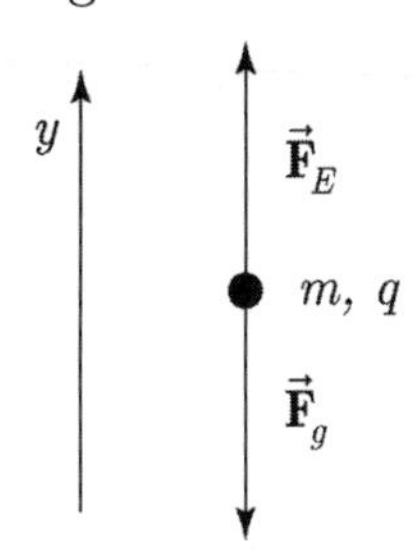

On donne $q_e = -e$, $m_e = 9{,}11 \times 10^{-31}$ kg, $\vec{\mathbf{F}}_g = m\vec{\mathbf{g}} = -mg\,\vec{\mathbf{j}}$ et, selon l'équation 2.3*a*, $\vec{\mathbf{F}}_E = q_e\vec{\mathbf{E}}$. À partir de la deuxième loi de Newton (équation 5.2 du tome 1) appliquée à l'électron à l'équilibre, on obtient

$$\sum \vec{\mathbf{F}} = 0 \Longrightarrow \vec{\mathbf{F}}_E + \vec{\mathbf{F}}_g = 0 \Longrightarrow q_e\vec{\mathbf{E}} + m_e\vec{\mathbf{g}} = 0 \Longrightarrow$$

$$\vec{\mathbf{E}} = \tfrac{-m_e}{q_e}\vec{\mathbf{g}} = \tfrac{-m_e}{-e}\left(-g\,\vec{\mathbf{j}}\right) = -\tfrac{m_e g}{e}\vec{\mathbf{j}} = \boxed{-5{,}57 \times 10^{-11}\,\vec{\mathbf{j}}\ \text{N/C}}$$

Le champ électrique nécessaire est vers le bas.

(b) La situation est similaire à celle que présente la figure. Toutefois, comme il s'agit d'un proton, $q_p = e$ et $m_p = 1{,}67 \times 10^{-27}$ kg, donc

$$\sum \vec{\mathbf{F}} = 0 \Longrightarrow \vec{\mathbf{F}}_E + \vec{\mathbf{F}}_g = 0 \Longrightarrow q_p\vec{\mathbf{E}} + m_p\vec{\mathbf{g}} = 0 \Longrightarrow$$

$$\vec{\mathbf{E}} = \tfrac{-m_p}{q_p}\vec{\mathbf{g}} = \tfrac{-m_p}{e}\left(-g\,\vec{\mathbf{j}}\right) = \tfrac{m_p g}{e}\vec{\mathbf{j}} = \boxed{1{,}02 \times 10^{-7}\,\vec{\mathbf{j}}\ \text{N/C}}$$

Le champ électrique nécessaire est vers le haut.

E2. (a) On donne $\vec{\mathbf{E}} = -120\,\vec{\mathbf{j}}$ N/C et $q_p = e$. Selon l'équation 2.3*a*,

$$\vec{\mathbf{F}}_E = q_p\vec{\mathbf{E}} = \left(1{,}6 \times 10^{-19}\right)(-120)\,\vec{\mathbf{j}} = \boxed{-1{,}92 \times 10^{-17}\,\vec{\mathbf{j}}\ \text{N}}$$

(b) On suppose, comme le démontre l'exemple 2.1, que l'on peut négliger la force gravitationnelle. À partir de la deuxième loi de Newton, si $m_p = 1{,}67 \times 10^{-27}$ kg, on obtient

$$\sum \vec{\mathbf{F}} = \vec{\mathbf{F}}_E = m_p\vec{\mathbf{a}} \Longrightarrow \vec{\mathbf{a}} = \tfrac{\vec{\mathbf{F}}_E}{m_p} = \boxed{-1{,}15 \times 10^{10}\,\vec{\mathbf{j}}\ \text{m/s}^2}$$

E3. (a) On donne $\vec{\mathbf{F}}_E = 8 \times 10^{-6}\,\vec{\mathbf{i}}$ N et $q_1 = 3{,}2 \times 10^{-9}$ C. Selon l'équation 2.3*a*,

$$\vec{\mathbf{F}}_E = q_1\vec{\mathbf{E}} \Longrightarrow \vec{\mathbf{E}} = \tfrac{\vec{\mathbf{F}}_E}{q_1} = \boxed{2{,}50 \times 10^{3}\,\vec{\mathbf{i}}\ \text{N/C}}$$

(b) On utilise le champ électrique trouvé en (a). Si $q_2 = -6{,}4 \times 10^{-9}$ C et selon l'équation 2.3*a*,

$$\vec{\mathbf{F}}_E = q_2\vec{\mathbf{E}} = \left(-6{,}4 \times 10^{-9}\right)\left(2{,}50 \times 10^{3}\right)\vec{\mathbf{i}} = \boxed{-1{,}60 \times 10^{-5}\,\vec{\mathbf{i}}\ \text{N}}$$

E4. (a) Pour faciliter l'écriture, on numérote les charges $q_1 = -4q$ et $q_2 = 9q$:

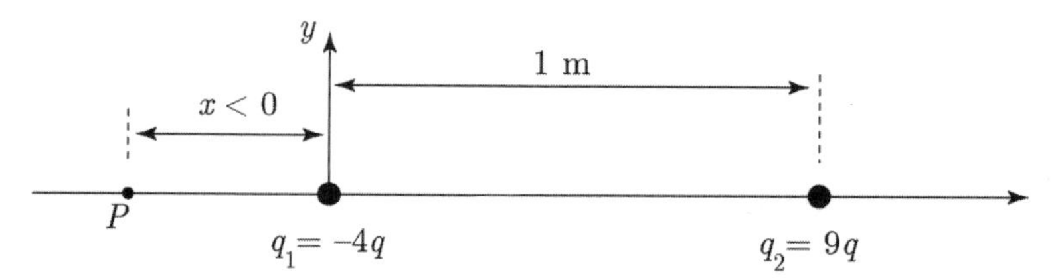

Pour tous les points qui ne sont pas sur l'axe des x, $\vec{\mathbf{E}}_1$ et $\vec{\mathbf{E}}_2$ ne peuvent être de sens opposés et le champ électrique résultant ne peut être nul. Sur l'axe des x, entre les deux charges, les deux vecteurs sont dans le même sens. À droite de q_2, les deux vecteurs sont de sens opposés mais $|q_2| > |q_1|$ et $r_2 < r_1$. Il est donc impossible que $E_1 = E_2$.

Le point P cherché ne peut se trouver qu'à gauche de q_1 sur l'axe des x. On cherche la position x de ce point. À partir de la figure, avec $x < 0$, on voit que $r_1^2 = x^2$ et $r_2^2 = (1-x)^2$ on écrit

$\vec{\mathbf{E}}_1 + \vec{\mathbf{E}}_2 = 0 \implies E_1 = E_2 \implies \frac{k|q_1|}{r_1^2} = \frac{k|q_2|}{r_2^2} \implies \frac{4q}{x^2} = \frac{9q}{(1-x)^2} \implies$

$4(1-x)^2 = 9x^2 \implies 5x^2 + 8x - 4 = 0$

Les racines de cette équation quadratique sont $x = 0{,}400$ m et $x = -2{,}00$ m. Comme le point P doit se trouver à gauche de q_1, on ne conserve que le second résultat :

$\boxed{x = -2{,}00 \text{ m}, \ y = 0 \text{ m}}$

On note que la solution est indépendante du signe de q.

(b) Si $q_2 = -q$, en suivant un raisonnement similaire à la partie (a), on conclut que le champ électrique résultant ne peut être nul qu'entre les deux charges, sur l'axe des x :

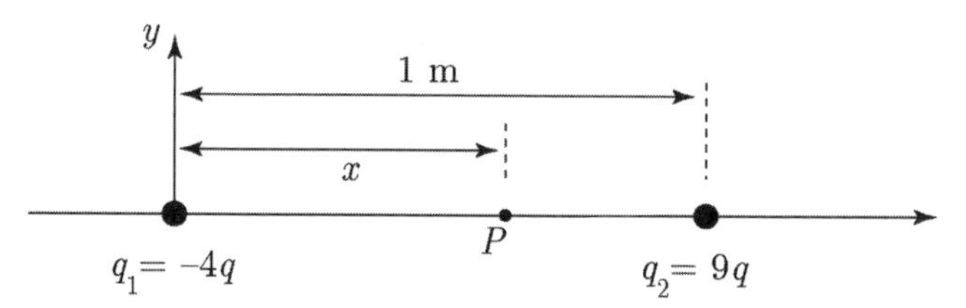

À partir de la figure, avec $x > 0$, on voit que $r_1^2 = x^2$ et $r_2^2 = (1-x)^2$ et on écrit

$\vec{\mathbf{E}}_1 + \vec{\mathbf{E}}_2 = 0 \implies E_1 = E_2 \implies \frac{k|q_1|}{r_1^2} = \frac{k|q_2|}{r_2^2} \implies \frac{4q}{x^2} = \frac{q}{(1-x)^2} \implies$

$4(1-x)^2 = x^2 \implies 3x^2 - 8x + 4 = 0$

Les racines de cette équation quadratique sont $x = 2{,}00$ m et $x = 0{,}667$ m. Comme le point P doit se trouver entre q_1 et q_2, on ne conserve que le second résultat :

$\boxed{x = 0{,}667 \text{ m}, \ y = 0 \text{ m}}$

Ici aussi, on note que la solution est indépendante du signe de q.

E5. (a) Pour faciliter l'écriture, la figure ci-dessous reprend la figure 2.42 du manuel en précisant le nom donné à chacune des charges et la direction de leur champ électrique au point A. On suppose pour l'instant que $Q > 0$.

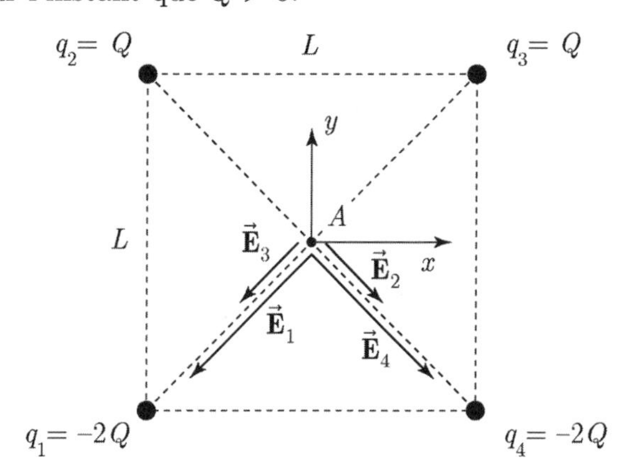

On note, grâce au théorème de Pythagore, que $r_1 = r_2 = r_3 = r_4 = \sqrt{\left(\frac{L}{2}\right)^2 + \left(\frac{L}{2}\right)^2} = \frac{L}{\sqrt{2}}$.

À cause de la valeur des charges et d'une distance au point choisi qui est la même pour les quatre charges, les modules des champs électriques sont égaux deux à deux, $E_1 = E_4$ et $E_2 = E_3$.

À cause de la symétrie, on peut conclure que la composante selon x du champ résultant est nulle et que

$\overrightarrow{\mathbf{E}} = \overrightarrow{\mathbf{E}}_1 + \overrightarrow{\mathbf{E}}_2 + \overrightarrow{\mathbf{E}}_3 + \overrightarrow{\mathbf{E}}_4 \implies$

$\overrightarrow{\mathbf{E}} = E_{1y}\overrightarrow{\mathbf{j}} + E_{2y}\overrightarrow{\mathbf{j}} + E_{3y}\overrightarrow{\mathbf{j}} + E_{4y}\overrightarrow{\mathbf{j}} = 2E_{1y}\overrightarrow{\mathbf{j}} + 2E_{2y}\overrightarrow{\mathbf{j}}$

$\overrightarrow{\mathbf{E}}_1$ est à un angle $\theta_1 = 180° + 45° = 225°$ par rapport à l'axe des x positifs et son module est $E_1 = \frac{k|q_1|}{r_1^2} = \frac{2kQ}{\left(\frac{L}{\sqrt{2}}\right)^2} = \frac{4kQ}{L^2}$. Avec la méthode énoncée à la section 2.3 du tome 1,

$E_{1y} = E_1 \sin\theta_1 = \frac{4kQ}{L^2}\left(-\frac{\sqrt{2}}{2}\right) = -\frac{2\sqrt{2}kQ}{L^2}$

$\overrightarrow{\mathbf{E}}_2$ est à un angle $\theta_2 = 270° + 45° = 315°$ ou $-45°$ par rapport à l'axe des x positifs et son module est $E_2 = \frac{k|q_2|}{r_2^2} = \frac{kQ}{\left(\frac{L}{\sqrt{2}}\right)^2} = \frac{2kQ}{L^2}$. Ainsi, $E_{2y} = E_2 \sin\theta_2 = \frac{2kQ}{L^2}\left(-\frac{\sqrt{2}}{2}\right) = -\frac{\sqrt{2}kQ}{L^2}$

Finalement,

$\overrightarrow{\mathbf{E}} = 2\left(-\frac{2\sqrt{2}kQ}{L^2}\right)\overrightarrow{\mathbf{j}} + 2\left(-\frac{\sqrt{2}kQ}{L^2}\right)\overrightarrow{\mathbf{j}} = -\frac{4\sqrt{2}kQ}{L^2}\overrightarrow{\mathbf{j}} - \frac{2\sqrt{2}kQ}{L^2}\overrightarrow{\mathbf{j}} = \boxed{-7{,}64 \times 10^{10}\frac{Q}{L^2}\overrightarrow{\mathbf{j}}}$

On note que la solution reste la même si $Q < 0$; le vecteur $\overrightarrow{\mathbf{E}}$ ne fait que changer de sens.

(b) Au point B, on a $r_1 = r_2 = \sqrt{L^2 + \left(\frac{L}{2}\right)^2} = \frac{\sqrt{5}}{2}L$ et $r_3 = r_4 = \frac{1}{2}L$. La figure donne la direction des champs électriques si $Q > 0$. Aucun des vecteurs ne possède le même module.

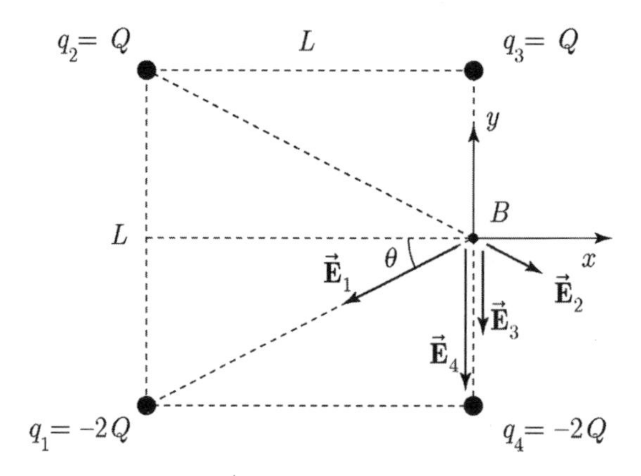

Le module de $\overrightarrow{\mathbf{E}}_1$ est $E_1 = \frac{k|q_1|}{r_1^2} = \frac{2kQ}{\left(\frac{\sqrt{5}}{2}L\right)^2} = \frac{8kQ}{5L^2}$. On obtient les composantes de $\overrightarrow{\mathbf{E}}_1$ en faisant appel à l'angle θ représenté dans la figure et en ajustant correctement le signe. Puisque $\cos\theta = \frac{L}{r_1} = \frac{L}{\frac{\sqrt{5}}{2}L} = \frac{2}{\sqrt{5}}$ et $\sin\theta = \frac{\frac{L}{2}}{r_1} = \frac{\frac{L}{2}}{\frac{\sqrt{5}}{2}L} = \frac{1}{\sqrt{5}}$,

$\overrightarrow{\mathbf{E}}_1 = -E_1\cos\theta\,\overrightarrow{\mathbf{i}} - E_1\sin\theta\,\overrightarrow{\mathbf{j}} = -\frac{8kQ}{5L^2}\frac{2}{\sqrt{5}}\overrightarrow{\mathbf{i}} - \frac{8kQ}{5L^2}\frac{1}{\sqrt{5}}\overrightarrow{\mathbf{j}} = \frac{kQ}{L^2}\left(-\frac{16}{5\sqrt{5}}\overrightarrow{\mathbf{i}} - \frac{8}{5\sqrt{5}}\overrightarrow{\mathbf{j}}\right)$

Le module de $\overrightarrow{\mathbf{E}}_2$ est $E_2 = \frac{k|q_2|}{r_2^2} = \frac{kQ}{\left(\frac{\sqrt{5}}{2}L\right)^2} = \frac{4kQ}{5L^2}$ et on obtient les composantes de $\overrightarrow{\mathbf{E}}_2$ avec le même angle θ :

$\overrightarrow{\mathbf{E}}_2 = E_2\cos\theta\,\overrightarrow{\mathbf{i}} - E_2\sin\theta\,\overrightarrow{\mathbf{j}} = \frac{4kQ}{5L^2}\frac{2}{\sqrt{5}}\overrightarrow{\mathbf{i}} - \frac{4kQ}{5L^2}\frac{1}{\sqrt{5}}\overrightarrow{\mathbf{j}} = \frac{kQ}{L^2}\left(\frac{8}{5\sqrt{5}}\overrightarrow{\mathbf{i}} - \frac{4}{5\sqrt{5}}\overrightarrow{\mathbf{j}}\right)$

Les deux derniers vecteurs champs sont directement sur l'axe des y :

$\overrightarrow{\mathbf{E}}_3 = -E_3\,\overrightarrow{\mathbf{j}} = -\frac{k|q_3|}{r_3^2}\overrightarrow{\mathbf{j}} = -\frac{kQ}{\left(\frac{L}{2}\right)^2}\overrightarrow{\mathbf{j}} = -\frac{4kQ}{L^2}\overrightarrow{\mathbf{j}}$

$\overrightarrow{\mathbf{E}}_4 = -E_4\,\overrightarrow{\mathbf{j}} = -\frac{k|q_4|}{r_4^2}\overrightarrow{\mathbf{j}} = -\frac{2kQ}{\left(\frac{L}{2}\right)^2}\overrightarrow{\mathbf{j}} = -\frac{8kQ}{L^2}\overrightarrow{\mathbf{j}}$

Finalement,

$\overrightarrow{\mathbf{E}} = \overrightarrow{\mathbf{E}}_1 + \overrightarrow{\mathbf{E}}_2 + \overrightarrow{\mathbf{E}}_3 + \overrightarrow{\mathbf{E}}_4 \Longrightarrow$

$\overrightarrow{\mathbf{E}} = \frac{kQ}{L^2}\left(-\frac{16}{5\sqrt{5}}\overrightarrow{\mathbf{i}} - \frac{8}{5\sqrt{5}}\overrightarrow{\mathbf{j}}\right) + \frac{kQ}{L^2}\left(\frac{8}{5\sqrt{5}}\overrightarrow{\mathbf{i}} - \frac{4}{5\sqrt{5}}\overrightarrow{\mathbf{j}}\right) - \frac{4kQ}{L^2}\overrightarrow{\mathbf{j}} - \frac{8kQ}{L^2}\overrightarrow{\mathbf{j}} \Longrightarrow$

$\overrightarrow{\mathbf{E}} = \frac{kQ}{L^2}\left(\left(-\frac{16}{5\sqrt{5}} + \frac{8}{5\sqrt{5}}\right)\overrightarrow{\mathbf{i}} - \left(\frac{8}{5\sqrt{5}} + \frac{4}{5\sqrt{5}} + 4 + 8\right)\overrightarrow{\mathbf{j}}\right) = \boxed{\left(-6{,}44\,\overrightarrow{\mathbf{i}} - 118\,\overrightarrow{\mathbf{j}}\right) \times 10^9 \frac{Q}{L^2}}$

Ici aussi, on note que la solution reste la même si $Q < 0$.

E6. On donne $Q_1 > 0$ et $Q_2 < 0$. Selon les coordonnées fournies, la distance entre chaque charge et l'un ou l'autre des deux points ($A\,(1\text{ m} ; 0)$ et $B\,(3\text{ m} ; 0)$) pour lesquels on donne le champ résultant sera $r_{1A} = 1$, $r_{2A} = 1$, $r_{1B} = 3$, $r_{2B} = 1$

Pour chaque point, on exprime le champ électrique résultant. Si on tient compte du signe des charges inconnues, alors $|Q_1| = Q_1$ et $|Q_2| = -Q_2$. Le sens de chaque champ dépend de la position relative des charges :

$\overrightarrow{\mathbf{E}}_A = \overrightarrow{\mathbf{E}}_{1A} + \overrightarrow{\mathbf{E}}_{2A} = \frac{k|Q_1|}{r_{1A}^2}\overrightarrow{\mathbf{i}} + \frac{k|Q_2|}{r_{2A}^2}\overrightarrow{\mathbf{i}} = (kQ_1 - kQ_2)\,\overrightarrow{\mathbf{i}} = 10{,}8\,\overrightarrow{\mathbf{i}}\text{ N/C} \Longrightarrow$

$Q_1 - Q_2 = 1{,}20 \times 10^{-9}$ (i)

$\vec{\mathbf{E}}_B = \vec{\mathbf{E}}_{1B} + \vec{\mathbf{E}}_{2B} = \frac{k|Q_1|}{r_{1B}^2}\vec{\mathbf{i}} - \frac{k|Q_2|}{r_{2B}^2}\vec{\mathbf{i}} = \left(\frac{1}{9}kQ_1 + kQ_2\right)\vec{\mathbf{i}} = -8{,}00\,\vec{\mathbf{i}}\ \text{N/C} \Longrightarrow$

$Q_1 + 9Q_2 = -8{,}00 \times 10^{-9}$ (ii)

On résout les équations (i) et (ii) et on trouve

$\boxed{Q_1 = 0{,}280\ \text{nC},\ Q_2 = -0{,}920\ \text{nC}}$

E7. On donne $m = 1 \times 10^{-13}$ kg et $q = 2e = 3{,}2 \times 10^{-19}$ C. La gouttelette subit son poids $\vec{\mathbf{F}}_g = m\vec{\mathbf{g}}$ vers le bas. Pour être en équilibre, elle doit subir une force électrique $\vec{\mathbf{F}}_E = q\vec{\mathbf{E}}$ vers le haut. Comme la charge est positive, $\vec{\mathbf{E}}$ est lui aussi vers le haut :

$\sum\vec{\mathbf{F}} = 0 \Longrightarrow \vec{\mathbf{F}}_g + \vec{\mathbf{F}}_E = m\vec{\mathbf{g}} + q\vec{\mathbf{E}} = 0 \Longrightarrow \vec{\mathbf{E}} = -\frac{m}{q}\vec{\mathbf{g}} = -\frac{m}{q}\left(-g\,\vec{\mathbf{j}}\right) \Longrightarrow$

$\vec{\mathbf{E}} = \frac{(1\times10^{-13})(9{,}8)}{3{,}2\times10^{-19}}\vec{\mathbf{j}} = \boxed{3{,}06 \times 10^6\,\vec{\mathbf{j}}\ \text{N/C}}$

E8. $q_1 = 3$ nC est au point $A\,(0\ \text{cm}\ ;\ 0\ \text{cm})$ et $q_2 = -7$ nC est au point $B\,(8\ \text{cm}\ ;\ 0\ \text{cm})$. La distance entre les deux charges est $r = 0{,}08$ m.

(a) On tient compte du signe de q_1 et de la position du point B :

$\vec{\mathbf{E}}_{1B} = \frac{k|q_1|}{r^2}\vec{\mathbf{i}} = \boxed{4{,}22 \times 10^3\,\vec{\mathbf{i}}\ \text{N/C}}$

(b) On tient compte du signe de q_2 et de la position du point A :

$\vec{\mathbf{E}}_{2A} = \frac{k|q_2|}{r^2}\vec{\mathbf{i}} = \boxed{9{,}84 \times 10^3\,\vec{\mathbf{i}}\ \text{N/C}}$

(c) À partir de l'équation 2.3a, on trouve

$\vec{\mathbf{F}}_{21} = q_2\vec{\mathbf{E}}_{1B} = \left(-7 \times 10^{-9}\right)\left(4{,}22 \times 10^3\,\vec{\mathbf{i}}\right) = \boxed{-2{,}95 \times 10^{-5}\,\vec{\mathbf{i}}\ \text{N}}$

(d) À partir de l'équation 2.3a, on obtient

$\vec{\mathbf{F}}_{12} = q_1\vec{\mathbf{E}}_{2A} = \left(3 \times 10^{-9}\right)\left(9{,}84 \times 10^3\,\vec{\mathbf{i}}\right) = \boxed{2{,}95 \times 10^{-5}\,\vec{\mathbf{i}}\ \text{N}}$

E9. On donne $q = -5\ \mu$C. La figure établit la direction du champ électrique de cette charge aux deux points choisis à partir de la règle de la section 2.1 :

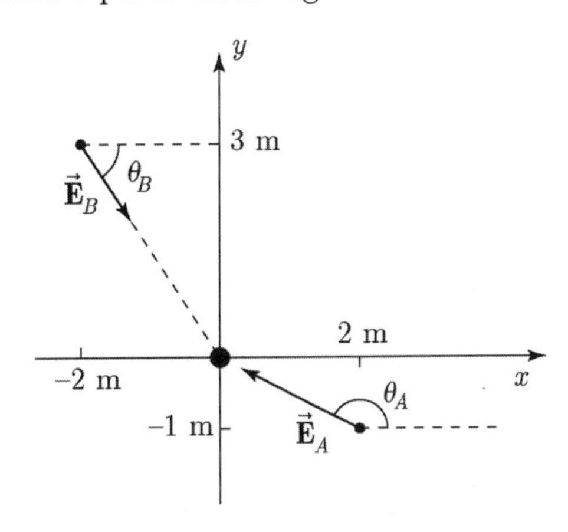

(a) Le module de $\vec{\mathbf{E}}_A$ est $E_A = \frac{k|q|}{r_A^2} = \frac{(9\times10^9)(5\times10^{-6})}{(2)^2+(-1)^2} = 9{,}00 \times 10^3$ N/C. On obtient les composantes de $\vec{\mathbf{E}}_A$ en utilisant l'angle $\theta_A = 180° - \arctan\left(\frac{1}{2}\right) = 153{,}4°$:

$\vec{\mathbf{E}}_A = E_A \cos\theta_A \vec{\mathbf{i}} + E_A \sin\theta_A \vec{\mathbf{j}} = \boxed{\left(-8{,}05\vec{\mathbf{i}} + 4{,}03\vec{\mathbf{j}}\right) \times 10^3 \text{ N/C}}$

(b) Le module de $\vec{\mathbf{E}}_B$ est $E_B = \frac{k|q|}{r_B^2} = \frac{(9\times10^9)(5\times10^{-6})}{(-2)^2+(3)^2} = 3{,}46 \times 10^3$ N/C. On obtient les composantes de $\vec{\mathbf{E}}_B$ en utilisant l'angle $\theta_B = \arctan\left(\frac{3}{2}\right) = 56{,}3°$ et en ajustant correctement les signes :

$\vec{\mathbf{E}}_B = E_B \cos\theta_B \vec{\mathbf{i}} - E_B \sin\theta_B \vec{\mathbf{j}} = \boxed{\left(1{,}92\vec{\mathbf{i}} - 2{,}88\vec{\mathbf{j}}\right) \times 10^3 \text{ N/C}}$

E10. On donne $Q_1 = -4$ μC et $Q_2 = 15$ μC.

Le vecteur déplacement qui va de Q_1 placée en (2 m ; 1 m) à P (3 m ; 5 m) est

$\vec{\mathbf{s}}_1 = (3-2)\vec{\mathbf{i}} + (5-1)\vec{\mathbf{j}} = \vec{\mathbf{i}} + 4\vec{\mathbf{j}}$

Ce vecteur a un module $s_1 = \sqrt{1^2+4^2} = \sqrt{17}$ m et fait un angle $\alpha_1 = \arctan\left(\frac{4}{1}\right) = 76{,}0°$ par rapport à l'axe des x positifs. Le champ électrique $\vec{\mathbf{E}}_1$ que crée $Q_1 < 0$ en P est de sens opposé à $\vec{\mathbf{s}}_1$ et fait un angle $\theta_1 = 180° + \alpha_1 = 256°$ par rapport à l'axe des x positifs. Le module de $\vec{\mathbf{E}}_1$ a pour valeur

$E_1 = \frac{k|Q_1|}{s_1^2} = \frac{(9\times10^9)(4\times10^{-6})}{17} = 2{,}12 \times 10^3$ N/C

et ses composantes sont

$\vec{\mathbf{E}}_1 = E_1 \cos\theta_1 \vec{\mathbf{i}} + E_1 \sin\theta_1 \vec{\mathbf{j}} = (2{,}12 \times 10^3)\cos(256°)\vec{\mathbf{i}} + (2{,}12\times10^3)\sin(256°)\vec{\mathbf{j}} \Longrightarrow$

$\vec{\mathbf{E}}_1 = \left(-0{,}512\vec{\mathbf{i}} - 2{,}06\vec{\mathbf{j}}\right) \times 10^3$ N/C

Le vecteur déplacement qui va de Q_2 placée en (1 m ; 4 m) à P (3 m ; 5 m) est

$\vec{\mathbf{s}}_2 = (3-1)\vec{\mathbf{i}} + (5-4)\vec{\mathbf{j}} = 2\vec{\mathbf{i}} + \vec{\mathbf{j}}$

Ce vecteur a un module $s_2 = \sqrt{2^2+1^2} = \sqrt{5}$ m et fait un angle $\theta_2 = \arctan\left(\frac{1}{2}\right) = 26{,}6°$ par rapport à l'axe des x positifs. Le champ électrique $\vec{\mathbf{E}}_2$ que crée $Q_2 > 0$ en P est dans le même sens que $\vec{\mathbf{s}}_2$ et fait le même angle par rapport à l'axe des x positifs. Le module de $\vec{\mathbf{E}}_2$ a pour valeur

$E_2 = \frac{k|Q_2|}{s_2^2} = \frac{(9\times10^9)(15\times10^{-6})}{5} = 2{,}70 \times 10^4$ N/C

et ses composantes sont

$\vec{\mathbf{E}}_2 = E_2 \cos\theta_2 \vec{\mathbf{i}} + E_2 \sin\theta_2 \vec{\mathbf{j}} \Longrightarrow$

$\vec{\mathbf{E}}_2 = (2{,}70 \times 10^3)\cos(26{,}6°)\vec{\mathbf{i}} + (2{,}70\times10^3)\sin(26{,}6°)\vec{\mathbf{j}} \Longrightarrow$

$\vec{\mathbf{E}}_2 = \left(2{,}41\vec{\mathbf{i}} + 1{,}21\vec{\mathbf{j}}\right) \times 10^4$ N/C

Finalement, $\vec{\mathbf{E}} = \vec{\mathbf{E}}_1 + \vec{\mathbf{E}}_2 = \boxed{(2{,}36\vec{\mathbf{i}} + 1{,}00\vec{\mathbf{j}}) \times 10^4 \text{ N/C}}$

E11. Pour faciliter l'écriture, on numérote les charges : $q_1 = -3$ μC, $q_2 = -2$ μC et $q_3 = 4$ μC.

Chacun des côtés du triangle équilatéral de la figure 2.43 mesure $d = 0{,}05$ m.

(a) À l'origine, le champ $\vec{E}_2$ que crée la charge $q_2 < 0$ est à un angle de $\theta_2 = 60°$ par rapport à l'axe des x positifs et son module est $E_2 = \frac{k|q_2|}{d^2} = 7{,}20 \times 10^6$ N/C, de sorte que

$\vec{E}_2 = E_2 \cos\theta_2 \vec{i} + E_2 \sin\theta_2 \vec{j} = \left(3{,}60\vec{i} + 6{,}24\vec{j}\right) \times 10^6$ N/C

$\vec{E}_3$, le champ de la charge q_3, ne possède qu'une seule composante :

$\vec{E}_3 = -E_3\vec{i} = -\frac{kq_3}{d^2}\vec{i} = -1{,}44 \times 10^7\vec{i}$ N/C

Le champ électrique résultant de ces deux charges est

$\vec{E} = \vec{E}_2 + \vec{E}_3 = \boxed{(-1{,}08\vec{i} + 0{,}624\vec{j}) \times 10^7 \text{ N/C}}$

(b) À partir de l'équation 2.3a :

$\vec{F}_1 = q_1\vec{E} = \left(-3 \times 10^{-6}\right)(-1{,}08\vec{i} + 0{,}624\vec{j}) \times 10^7 = \boxed{\left(32{,}4\vec{i} - 18{,}7\vec{j}\right) \text{ N}}$

(c) Si q_1 change de signe, le champ $\vec{E}$ des deux autres charges ne subit $\boxed{\text{aucun effet}}$.

E12. En chacun des trois points, pour que $\vec{E} = \vec{E}_1 + \vec{E}_2 = 0$, il faut que $\vec{E}_1$ et $\vec{E}_2$ soient de sens opposés et de même module. La suite du raisonnement est basé sur la figure suivante :

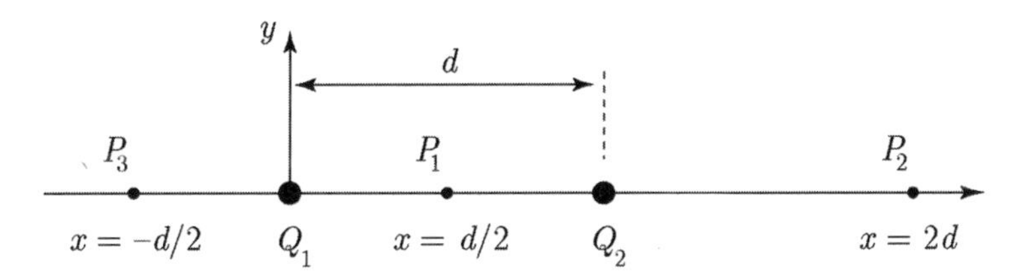

(a) En P_1, $r_1 = r_2 = \frac{d}{2}$. On en déduit que les deux charges doivent avoir la même grandeur. Comme elles sont de part et d'autre de P_1, elles doivent aussi avoir le même signe, donc

$\boxed{\frac{Q_1}{Q_2} = 1{,}00}$

(b) En P_2, $r_1 = 2d$ et $r_2 = d$. Si on compare le module des deux champs électriques,

$E_1 = E_2 \Longrightarrow \frac{k|Q_1|}{r_1^2} = \frac{k|Q_2|}{r_2^2} \Longrightarrow \frac{|Q_1|}{4d^2} = \frac{|Q_2|}{d^2} \Longrightarrow \frac{|Q_1|}{|Q_2|} = 4$

Comme les deux charges sont à gauche de P_2, elles doivent être de signes opposés; donc

$\boxed{\frac{Q_1}{Q_2} = -4}$

(c) En P_3, $r_1 = \frac{d}{2}$ et $r_2 = \frac{3d}{2}$.

$E_1 = E_2 \Longrightarrow \frac{k|Q_1|}{r_1^2} = \frac{k|Q_2|}{r_2^2} \Longrightarrow \frac{|Q_1|}{\left(\frac{d}{2}\right)^2} = \frac{|Q_2|}{\left(\frac{3d}{2}\right)^2} \Longrightarrow \frac{|Q_2|}{|Q_1|} = 9$

Comme les deux charges sont à droite de P_3, elles doivent être de signes opposés; donc

$\boxed{\frac{Q_2}{Q_1} = -9}$

E13. Soit $\vec{r}$, le vecteur position d'un point quelconque P par rapport à l'origine où se trouve Q. Selon l'équation 4.1 du tome 1, ce vecteur peut être exprimé en composantes cartésiennes :

$\vec{r} = x\vec{i} + y\vec{j} + z\vec{k}$ (i)

En P, le champ électrique $\vec{\mathbf{E}}$ produit par Q est parallèle au vecteur $\vec{\mathbf{r}}$, dans le même sens si $Q > 0$, dans le sens opposé si $Q < 0$. On peut exprimer $\vec{\mathbf{E}}$, pour ces deux possibilités, en multipliant $\pm E$ à un vecteur unitaire $\vec{\mathbf{u}}_r$ parallèle à $\vec{\mathbf{r}}$. On obtient ce vecteur unitaire en divisant $\vec{\mathbf{r}}$ par son module r (voir l'exemple 2.5 du tome 1) :

$\vec{\mathbf{E}} = \pm E\vec{\mathbf{u}}_r = \frac{kQ}{r^2}\frac{\vec{\mathbf{r}}}{r} = \frac{kQ}{r^3}\vec{\mathbf{r}}$

On note que le $\pm$ est remplacé par le signe de Q dans la dernière égalité. Si on utilise l'égalité (i), sachant que $\vec{\mathbf{E}} = E_x\vec{\mathbf{i}} + E_y\vec{\mathbf{j}} + E_z\vec{\mathbf{k}}$, alors

$\vec{\mathbf{E}} = E_x\vec{\mathbf{i}} + E_y\vec{\mathbf{j}} + E_z\vec{\mathbf{k}} = \frac{kQ}{r^3}\left(x\vec{\mathbf{i}} + y\vec{\mathbf{j}} + z\vec{\mathbf{k}}\right) \Longrightarrow$

$\boxed{E_\alpha = \frac{kQ}{r^3}\alpha \text{ où } \alpha = x,\ y \text{ ou } z} \Longrightarrow \boxed{\text{CQFD}}$

E14. (a) On donne $r = 0{,}8 \times 10^{-15}$ m et $Q = e$.

$E = \frac{kQ}{r^2} = \frac{(9\times10^9)(1{,}6\times10^{-19})}{(0{,}8\times10^{-15})^2} = \boxed{2{,}25 \times 10^{21} \text{ N/C}}$

(b) On reprend le calcul avec $r = 0{,}53 \times 10^{-10}$ m :

$E = \frac{kQ}{r^2} = \frac{(9\times10^9)(1{,}6\times10^{-19})}{(0{,}53\times10^{-10})^2} = \boxed{5{,}13 \times 10^{11} \text{ N/C}}$

E15. Pour faciliter l'écriture, on numérote les charges : $q_1 = q$ et $q_2 = -q$. On sait que $q > 0$. La figure montre les trois régions de l'axe des x où l'orientation relative de $\vec{\mathbf{E}}_1$ et $\vec{\mathbf{E}}_2$ reste la même :

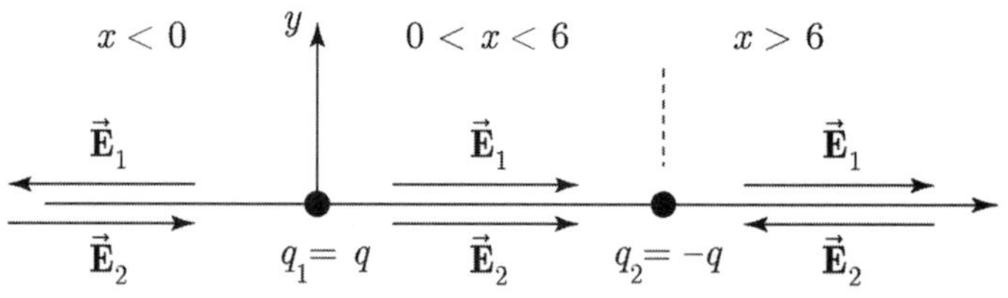

(a) Dans la région où $\boxed{x < 0}$, $r_1 = -x$ et $r_2 = 6 - x$. Sur l'axe des x, on obtient

$\vec{\mathbf{E}} = E_x\vec{\mathbf{i}} = \vec{\mathbf{E}}_1 + \vec{\mathbf{E}}_2 = -E_1\vec{\mathbf{i}} + E_2\vec{\mathbf{i}} = -\frac{k|q_1|}{r_1^2}\vec{\mathbf{i}} + \frac{k|q_2|}{r_2^2}\vec{\mathbf{i}} = -\frac{kq}{x^2}\vec{\mathbf{i}} + \frac{kq}{(6-x)^2}\vec{\mathbf{i}} \Longrightarrow$

$E_x = -\frac{kq}{x^2} + \frac{kq}{(6-x)^2} \Longrightarrow \boxed{E_x = kq\left(\frac{1}{(6-x)^2} - \frac{1}{x^2}\right)}$

Dans la région où $\boxed{0 < x < 6}$, $r_1 = x$ et $r_2 = 6 - x$. Sur l'axe des x, on obtient

$\vec{\mathbf{E}} = E_x\vec{\mathbf{i}} = \vec{\mathbf{E}}_1 + \vec{\mathbf{E}}_2 = E_1\vec{\mathbf{i}} + E_2\vec{\mathbf{i}} = \frac{k|q_1|}{r_1^2}\vec{\mathbf{i}} + \frac{k|q_2|}{r_2^2}\vec{\mathbf{i}} = \frac{kq}{x^2}\vec{\mathbf{i}} + \frac{kq}{(6-x)^2}\vec{\mathbf{i}} \Longrightarrow$

$E_x = \frac{kq}{x^2} + \frac{kq}{(6-x)^2} \Longrightarrow \boxed{E_x = kq\left(\frac{1}{(6-x)^2} + \frac{1}{x^2}\right)}$

Dans la région où $\boxed{x > 6}$, $r_1 = x$ et $r_2 = x - 6$. Sur l'axe des x, on obtient

$\vec{\mathbf{E}} = E_x\vec{\mathbf{i}} = \vec{\mathbf{E}}_1 + \vec{\mathbf{E}}_2 = E_1\vec{\mathbf{i}} - E_2\vec{\mathbf{i}} = \frac{k|q_1|}{r_1^2}\vec{\mathbf{i}} - \frac{k|q_2|}{r_2^2}\vec{\mathbf{i}} = \frac{kq}{x^2}\vec{\mathbf{i}} - \frac{kq}{(x-6)^2}\vec{\mathbf{i}} \Longrightarrow$

$E_x = \frac{kq}{x^2} - \frac{kq}{(x-6)^2} \Longrightarrow \boxed{E_x = kq\left(\frac{1}{x^2} - \frac{1}{(x-6)^2}\right)}$

(b) On fixe les valeurs de k et q. On définit ensuite l'expression de la composante du champ électrique $E_x(x)$ pour les trois régions. Finalement, on produit le graphe demandé :

```
> restart:
> k:=9e9;
> q:=1e-9;
> Ex1:=k*q*(1/(6-x)^2-1/x^2);
> Ex2:=k*q*(1/(6-x)^2+1/x^2);
> Ex3:=k*q*(1/x^2-1/(x-6)^2);
> Ex:=piecewise(x<0,Ex1,x<6,Ex2,Ex3);
> plot(Ex,x=-2..8,view=[-2..8,-100..100],discont=true);
```

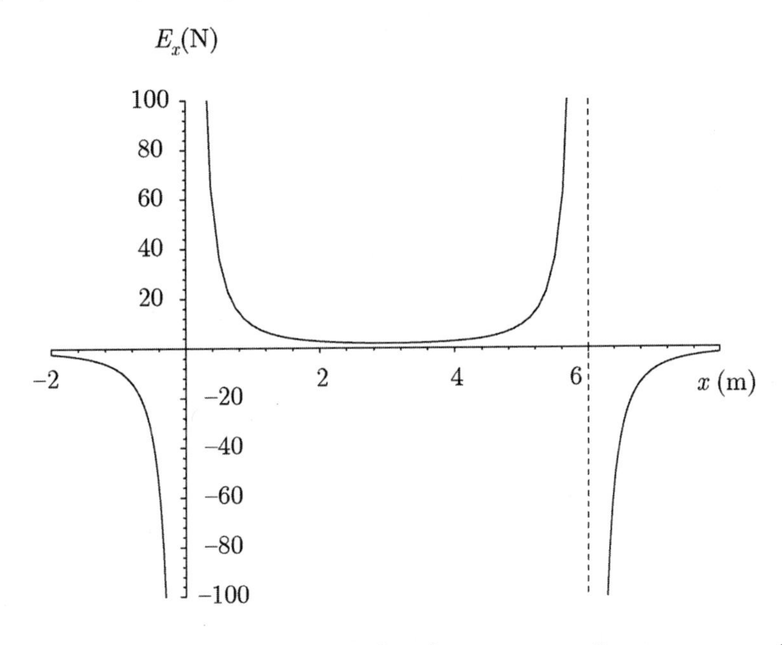

E16. Pour faciliter l'écriture, on numérote les charges : $q_1 = 2q$ et $q_2 = -q$. On sait que $q > 0$. La figure montre les trois régions de l'axe des x où l'orientation relative de $\vec{\mathbf{E}}_1$ et $\vec{\mathbf{E}}_2$ reste la même :

(a) Dans la région où $\boxed{x < 0}$, $r_1 = -x$ et $r_2 = 6 - x$. Sur l'axe des x, on obtient

$$\vec{\mathbf{E}} = E_x \vec{\mathbf{i}} = \vec{\mathbf{E}}_1 + \vec{\mathbf{E}}_2 = -E_1 \vec{\mathbf{i}} + E_2 \vec{\mathbf{i}} = -\frac{k|q_1|}{r_1^2}\vec{\mathbf{i}} + \frac{k|q_2|}{r_2^2}\vec{\mathbf{i}} = -\frac{2kq}{x^2}\vec{\mathbf{i}} + \frac{kq}{(6-x)^2}\vec{\mathbf{i}} \Longrightarrow$$

$$E_x = -\frac{2kq}{x^2} + \frac{kq}{(6-x)^2} \Longrightarrow \boxed{E_x = kq\left(\frac{1}{(6-x)^2} - \frac{2}{x^2}\right)}$$

Dans la région où $\boxed{0 < x < 6}$, $r_1 = x$ et $r_2 = 6 - x$. Sur l'axe des x, on obtient

$$\vec{\mathbf{E}} = E_x \vec{\mathbf{i}} = \vec{\mathbf{E}}_1 + \vec{\mathbf{E}}_2 = E_1 \vec{\mathbf{i}} + E_2 \vec{\mathbf{i}} = \frac{k|q_1|}{r_1^2}\vec{\mathbf{i}} + \frac{k|q_2|}{r_2^2}\vec{\mathbf{i}} = \frac{2kq}{x^2}\vec{\mathbf{i}} + \frac{kq}{(6-x)^2}\vec{\mathbf{i}} \Longrightarrow$$

$E_x = \frac{2kq}{x^2} + \frac{kq}{(6-x)^2} \implies \boxed{E_x = kq\left(\frac{1}{(6-x)^2} + \frac{2}{x^2}\right)}$

Dans la région où $\boxed{x > 6}$, $r_1 = x$ et $r_2 = x - 6$. Sur l'axe des x, on obtient

$\vec{\mathbf{E}} = E_x\vec{\mathbf{i}} = \vec{\mathbf{E}}_1 + \vec{\mathbf{E}}_2 = E_1\vec{\mathbf{i}} - E_2\vec{\mathbf{i}} = \frac{k|q_1|}{r_1^2}\vec{\mathbf{i}} - \frac{k|q_2|}{r_2^2}\vec{\mathbf{i}} = \frac{2kq}{x^2}\vec{\mathbf{i}} - \frac{kq}{(x-6)^2}\vec{\mathbf{i}} \implies$

$E_x = \frac{2kq}{x^2} - \frac{kq}{(x-6)^2} \implies \boxed{E_x = kq\left(\frac{2}{x^2} - \frac{1}{(x-6)^2}\right)}$

(b) À gauche de q_1, parce que $r_1 < r_2$ et $q_1 > |q_2|$, $\vec{\mathbf{E}}_2$ ne peut annuler $\vec{\mathbf{E}}_1$. Entre les deux charges, les deux champs ont la même orientation. Il ne reste qu'à droite de q_2, si, à partir du résultat de la partie (a) :

$\frac{2}{x^2} - \frac{1}{(x-6)^2} = 0 \implies x^2 - 24x + 72 = 0$

Les racines de cette équation quadratique sont $x = 3{,}51$ m et $x = 20{,}5$ m. Comme le point cherché doit se trouver à droite q_2, on ne conserve que le second résultat :

$x = \boxed{20{,}5 \text{ m}}$

(c) On fixe les valeurs de k et de q. On définit ensuite l'expression de la composante du champ électrique $E_x(x)$ pour les trois régions. Finalement, on produit le graphe demandé :

```
> restart:
> k:=9e9;
> q:=1e-9;
> Ex1:=k*q*(1/(6-x)^2-2/x^2);
> Ex2:=k*q*(1/(6-x)^2+2/x^2);
> Ex3:=k*q*(2/x^2-1/(x-6)^2);
> Ex:=piecewise(x<0,Ex1,x<6,Ex2,Ex3);
> plot(Ex,x=-2..8,view=[-2..8,-100..100],discont=true);
```

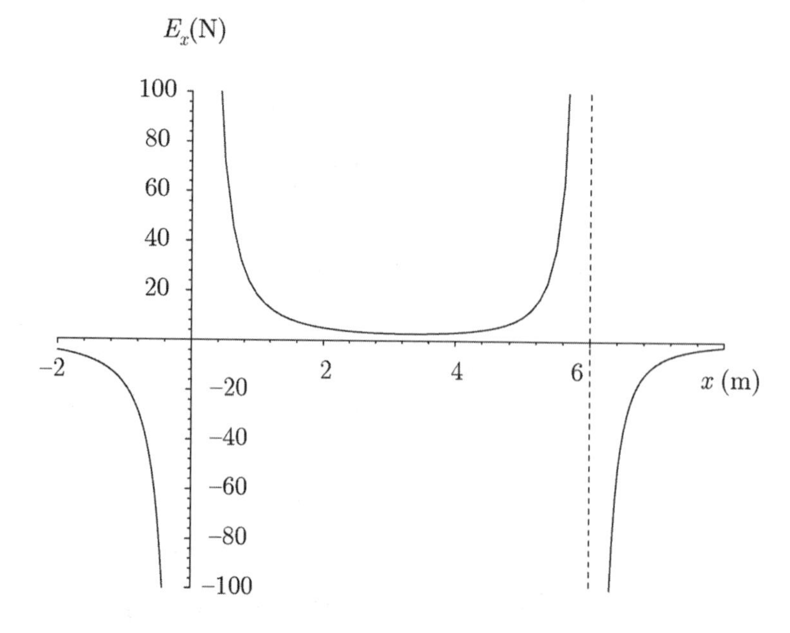

Du côté droit, la courbe remonte et passe au-dessus de zéro lorsque $x = 20{,}5$ m.

E17. Pour faciliter l'écriture, on numérote les charges : $q_1 = 2\ \mu\text{C}$ et $q_2 = 5\ \mu\text{C}$. Comme on le voit dans la figure, la charge q_2 subit le champ uniforme $\vec{\mathbf{E}}_0 = 500\,\vec{\mathbf{i}}$ N/C et le champ électrique $\vec{\mathbf{E}}_1$ de la charge q_1 :

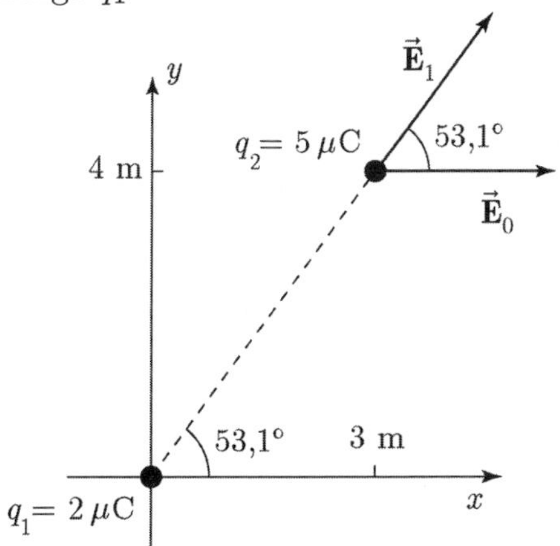

Le champ $\vec{\mathbf{E}}_1$ est à un angle $\theta_1 = \arctan\left(\frac{4}{3}\right) = 53{,}1^\circ$ par rapport à l'axe des x positifs et son module est $E_1 = \frac{k|q_1|}{3^2+4^2} = 720$ N/C, de sorte que

$\vec{\mathbf{E}}_1 = E_1 \cos\theta_1\,\vec{\mathbf{i}} + E_1 \sin\theta_1\,\vec{\mathbf{j}} = \left(432\,\vec{\mathbf{i}} + 576\,\vec{\mathbf{j}}\right)$ N/C

Le champ électrique résultant est

$\vec{\mathbf{E}} = \vec{\mathbf{E}}_1 + \vec{\mathbf{E}}_0 = 432\,\vec{\mathbf{i}} + 576\,\vec{\mathbf{j}} + 500\,\vec{\mathbf{i}} = 932\,\vec{\mathbf{i}} + 576\,\vec{\mathbf{j}}$ N/C

On calcule la force électrique résultante à l'aide de l'équation 2.3*a* :

$\vec{\mathbf{F}}_E = q_2\vec{\mathbf{E}} = \left(5{,}00 \times 10^{-6}\right)\left(932\,\vec{\mathbf{i}} + 576\,\vec{\mathbf{j}}\right) = \boxed{\left(4{,}66\,\vec{\mathbf{i}} + 2{,}88\,\vec{\mathbf{j}}\right)\text{ mN}}$

E18. (a) On donne $Q_1 = 25\ \mu\text{C}$, $Q_2 = -50\ \mu\text{C}$ et $q = 2\ \mu\text{C}$ à la figure 2.44. La distance entre Q_1 ou Q_2 et q est $r_1 = r_2 = \sqrt{3^2 + 4^2} = 5$ m.

Le champ $\vec{\mathbf{E}}_1$ que produit la charge Q_1 au point où se trouve q est à un angle $\alpha = \arctan\left(\frac{3}{4}\right) = 36{,}9^\circ$ sous l'axe des x positifs et son module est $E_1 = \frac{k|Q_1|}{r_1^2} = 9{,}00 \times 10^3$ N/C. On obtient les composantes de $\vec{\mathbf{E}}_1$ en faisant appel à l'angle α et en ajustant correctement le signe :

$\vec{\mathbf{E}}_1 = E_1 \cos\alpha\,\vec{\mathbf{i}} - E_1 \sin\alpha\,\vec{\mathbf{j}} = \left(7{,}20\,\vec{\mathbf{i}} - 5{,}40\,\vec{\mathbf{j}}\right)$ kN/C

Le champ $\vec{\mathbf{E}}_2$ que produit la charge Q_2 au point où se trouve q est à un angle $\alpha = 36{,}9^\circ$ sous l'axe des x négatifs et son module est $E_2 = \frac{k|Q_2|}{r_2^2} = 18{,}0 \times 10^3$ N/C. Ses composantes seront $\vec{\mathbf{E}}_2 = -E_2 \cos\alpha\,\vec{\mathbf{i}} - E_2 \sin\alpha\,\vec{\mathbf{j}} = \left(-14{,}39\,\vec{\mathbf{i}} - 10{,}8\,\vec{\mathbf{j}}\right)$ kN/C

Finalement, $\vec{\mathbf{E}} = \vec{\mathbf{E}}_1 + \vec{\mathbf{E}}_2 = \boxed{\left(-7{,}19\,\vec{\mathbf{i}} - 16{,}2\,\vec{\mathbf{j}}\right)\text{ kN/C}}$

(b) $\boxed{\text{Aucun changement}}$ car le champ électrique au point où se trouve q dépend uniquement de Q_1 et de Q_2.

(c) $\boxed{\text{Aucun changement}}$ car le champ électrique au point où se trouve q dépend uniquement de Q_1 et de Q_2.

E19. Pour faciliter l'écriture, la figure ci-dessous reprend la figure 2.45 en précisant le nom donné à chacune des charges et la direction de leur champ électrique au point A et au point B. On donne $q > 0$.

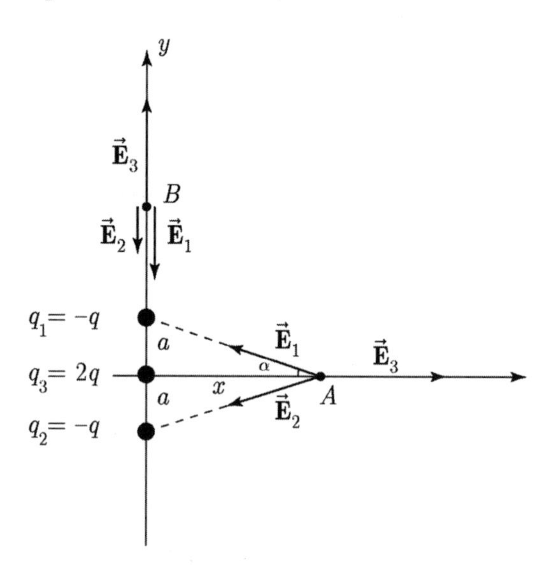

(a) Au point A, $\overrightarrow{\mathbf{E}}_1$ et $\overrightarrow{\mathbf{E}}_2$ sont symétriques par rapport à l'axe des x. Le champ électrique résultant $\overrightarrow{\mathbf{E}}$ ne possède donc qu'une seule composante selon x :

$\overrightarrow{\mathbf{E}} = E_x \overrightarrow{\mathbf{i}} = E_{1x} \overrightarrow{\mathbf{i}} + E_{2x} \overrightarrow{\mathbf{i}} + E_{3x} \overrightarrow{\mathbf{i}} = 2E_{1x} \overrightarrow{\mathbf{i}} + E_{3x} \overrightarrow{\mathbf{i}}$

On a $r_3 = x$, $r_1 = \sqrt{a^2 + x^2}$ et $\cos\alpha = \frac{x}{\sqrt{a^2+x^2}}$, de sorte que, en ajustant le signe,

$E_{1x} = -E_1 \cos\alpha = -\frac{k|q_1|}{r_1^2} \frac{x}{\sqrt{a^2+x^2}} = -\frac{kq}{(a^2+x^2)} \frac{x}{\sqrt{a^2+x^2}} = -\frac{kqx}{(a^2+x^2)^{3/2}}$

$E_{3x} = E_3 = \frac{k|q_3|}{r_3^2} = \frac{2kq}{x^2}$

Finalement,

$\overrightarrow{\mathbf{E}} = 2\left(-\frac{kqx}{(a^2+x^2)^{3/2}}\right) \overrightarrow{\mathbf{i}} + \frac{2kq}{x^2} \overrightarrow{\mathbf{i}} = \frac{2kq}{x^2}\left(1 - \frac{x^3}{(a^2+x^2)^{3/2}}\right) \overrightarrow{\mathbf{i}} \Longrightarrow$

$\overrightarrow{\mathbf{E}} = \frac{2kq}{x^2}\left(1 - \frac{1}{\left(\left(\frac{1}{x^2}\right)(a^2+x^2)\right)^{3/2}}\right) \overrightarrow{\mathbf{i}} = \boxed{\frac{2kq}{x^2}\left(1 - \left(1 + \frac{a^2}{x^2}\right)^{-3/2}\right) \overrightarrow{\mathbf{i}}}$

(b) Au point B, $\overrightarrow{\mathbf{E}}_1$, $\overrightarrow{\mathbf{E}}_2$ et $\overrightarrow{\mathbf{E}}_3$ sont verticaux. Le champ électrique résultant $\overrightarrow{\mathbf{E}}$ ne possède donc qu'une composante selon y :

$\overrightarrow{\mathbf{E}} = E_y \overrightarrow{\mathbf{i}} = E_{1y} \overrightarrow{\mathbf{i}} + E_{2y} \overrightarrow{\mathbf{i}} + E_{3y} \overrightarrow{\mathbf{i}}$

On a $r_1 = y - a$, $r_2 = y + a$ et $r_3 = y$, de sorte que, en ajustant le signe,

$E_{1y} = -E_1 = -\frac{k|q_1|}{r_1^2} = -\frac{kq}{(y-a)^2}$
$E_{2y} = -E_2 = -\frac{k|q_2|}{r_2^2} = -\frac{kq}{(y+a)^2}$
$E_{3y} = E_3 = \frac{k|q3|}{r_3^2} = \frac{2kq}{y^2}$

Finalement,

$$\overrightarrow{\mathbf{E}} = -\frac{kq}{(y-a)^2}\overrightarrow{\mathbf{j}} - \frac{kq}{(y+a)^2}\overrightarrow{\mathbf{j}} + \frac{2kq}{y^2}\overrightarrow{\mathbf{j}} = kq\left(\frac{-y^2(y+a)^2-y^2(y-a)^2+2(y+a)^2(y-a)^2}{y^2(y+a)^2(y-a)^2}\right)\overrightarrow{\mathbf{j}} \qquad \text{(i)}$$

On note que $(y+a)^2(y-a)^2 = ((y+a)(y-a))^2 = (y^2-a^2)^2 = y^4 - 2a^2y^2 + a^4$

Si on développe l'équation (i) et qu'on utilise ces égalités, on trouve

$$\overrightarrow{\mathbf{E}} = kq\left(\frac{-y^2(y^2+2ay+a^2)-y^2(y^2+2ay+a^2)+2(y^4-2a^2y^2+a^4)}{y^2(y^2-a^2)^2}\right)\overrightarrow{\mathbf{j}} = \boxed{\frac{2a^2kq(a^2-3y^2)}{y^2(y^2-a^2)^2}\overrightarrow{\mathbf{j}}}$$

(c) On traite d'abord le point A, pour lequel

$$E = \frac{2kq}{x^2}\left(1-\left(1+\frac{a^2}{x^2}\right)^{-3/2}\right)$$

Si $x \gg a$, on peut faire appel à l'approximation du binôme pour l'un des termes de la parenthèse. On aura $\left(1+\frac{a^2}{x^2}\right)^{-3/2} \approx 1 - \frac{3}{2}\frac{a^2}{x^2}$ et

$$E \approx \frac{2kq}{x^2}\left(1-\left(1-\frac{3}{2}\frac{a^2}{x^2}\right)\right) = \frac{3kqa^2}{x^4} \implies \boxed{E \propto \frac{1}{r^4}} \implies \boxed{\text{CQFD}}$$

Au point B pour lequel $E = -\frac{2a^2kq(a^2-3y^2)}{y^2(y^2-a^2)^2}$, si $y \gg a$, on peut poser que $(a^2-3y^2) \approx -3y^2$ et $(y^2-a^2) \approx y^2$ et

$$E \approx -\frac{2a^2kq(-3y^2)}{y^2(y^2)^2} = \frac{6kqa^2}{y^4} \implies \boxed{E \propto \frac{1}{r^4}} \implies \boxed{\text{CQFD}}$$

E20. La figure qui suit montre les charges et le triangle équilatéral d'arête a dont elles forment les sommets. Pour faciliter l'écriture, on a numéroté les charges et on a fixé la position de l'origine du système d'axes qui sera utilisé. La figure montre aussi les deux seuls points, A et B, où le champ électrique résultant $\overrightarrow{\mathbf{E}}$ des trois charges peut être nul. $\overrightarrow{\mathbf{E}}$ ne peut être nul ailleurs que sur l'axe des y et ces deux points sont ceux pour lesquels l'orientation des champs individuels est adéquate.

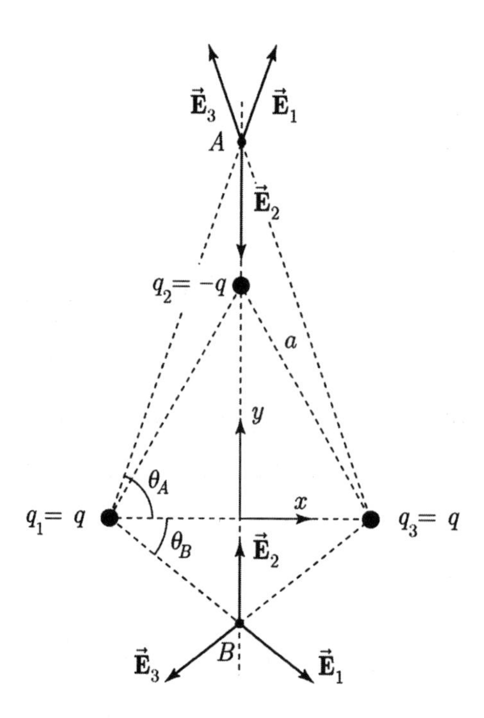

On cherche d'abord la position du point A où le champ résultant $\overrightarrow{\mathbf{E}}$ est nul.

À cause de la symétrie, la composante selon x du champ électrique résultant est nulle.

De plus, parce que $r_1 = r_3$,

$\overrightarrow{\mathbf{E}} = E_y \overrightarrow{\mathbf{i}} = E_{1y} \overrightarrow{\mathbf{i}} + E_{2y} \overrightarrow{\mathbf{i}} + E_{3y} \overrightarrow{\mathbf{i}} = 2E_{1y} \overrightarrow{\mathbf{i}} + E_{2y} \overrightarrow{\mathbf{i}}$ (i)

Le champ $\overrightarrow{\mathbf{E}}_1$ est à un angle θ_A par rapport à l'axe des x positifs et son module est

$E_1 = \frac{k|q_1|}{r_1^2} = \frac{k|q_1|}{\left(\sqrt{\left(\frac{a}{2}\right)^2 + y^2}\right)^2} = \frac{4kq}{(a^2+4y^2)}$

À partir de la figure, on trouve $\sin\theta_A = \frac{y}{r_1} = \frac{2y}{\sqrt{a^2+4y^2}}$; donc

$E_{1y} = E_1 \sin\theta_A = \frac{4kq}{(a^2+4y^2)} \frac{2y}{\sqrt{a^2+4y^2}} = \frac{8kqy}{(a^2+4y^2)^{3/2}}$

Le champ $\overrightarrow{\mathbf{E}}_2$ est orienté vers le bas. Comme q_2 est au sommet du triangle équilatéral, elle se trouve à $\sqrt{a^2 - \left(\frac{a}{2}\right)^2} = \frac{\sqrt{3}}{2}a$ de l'origine du système d'axes et $r_2 = y - \frac{\sqrt{3}}{2}a$. Ainsi,

$E_{2y} = -E_2 = -\frac{k|q_2|}{r_2^2} = -\frac{kq}{\left(y - \frac{\sqrt{3}}{2}a\right)^2}$

À partir de l'équation (i) et de l'expression des deux composantes, on obtient

$E_y = 2E_{1y} + E_{2y} = 0 \Longrightarrow 2\frac{8kqy}{(a^2+4y^2)^{3/2}} - \frac{kq}{\left(y - \frac{\sqrt{3}}{2}a\right)^2} = 0 \Longrightarrow$

$\frac{16y}{(a^2+4y^2)^{3/2}} = \frac{1}{\left(y - \frac{\sqrt{3}}{2}a\right)^2} \Longrightarrow 16y\left(y - \frac{\sqrt{3}}{2}a\right)^2 = \left(a^2 + 4y^2\right)^{3/2}$ (ii)

Pour résoudre l'équation (ii), on pourrait l'élever au carré et trouver à l'aide de méthodes empiriques les racines du polynome de degré 5 qui en découle. On peut aussi trouver les racines à l'aide du logiciel Maple, au moyen des lignes de commande suivantes :

```
> eq:=16*y*(y-(sqrt(3.0)/2)*a)^2=(a^2+4*y^2)^(3/2);
```

> solve(eq,y);

La seule racine réelle de l'équation (ii) qui soit au-delà de $\frac{\sqrt{3}}{2}a$ est $y = 3{,}10a$. C'est la position du point A.

On cherche ensuite la position du point B où le champ résultant $\vec{\mathbf{E}}$ est de nouveau nul. Comme en A, à cause de la symétrie, la composante selon x du champ électrique résultant est nulle et l'expression du champ résultant est identique à l'équation (i) :

$\vec{\mathbf{E}} = E_y \vec{\mathbf{i}} = E_{1y} \vec{\mathbf{i}} + E_{2y} \vec{\mathbf{i}} + E_{3y} \vec{\mathbf{i}} = 2E_{1y} \vec{\mathbf{i}} + E_{2y} \vec{\mathbf{i}}$

Ici, le champ $\vec{\mathbf{E}}_1$ est à un angle θ_B sous l'axe des x positifs mais son module est encore $E_1 = \frac{k|q_1|}{r_1^2} = \frac{k|q_1|}{\left(\sqrt{\left(\frac{a}{2}\right)^2 + y^2}\right)^2} = \frac{4kq}{(a^2+4y^2)}$.

À partir de la figure, comme $y < 0$, on a $\sin\theta_B = \frac{-y}{r_1} = \frac{-2y}{\sqrt{a^2+4y^2}}$; donc, en ajustant le signe, on trouve

$E_{1y} = -E_1 \sin\theta_B = -\frac{4kq}{(a^2+4y^2)} \frac{-2y}{\sqrt{a^2+4y^2}} = \frac{8kqy}{(a^2+4y^2)^{3/2}}$

En B, le champ $\vec{\mathbf{E}}_2$ est orienté vers le haut et, comme $y < 0$, $r_2 = \frac{\sqrt{3}}{2}a - y$. Ainsi,

$E_{2y} = E_2 = \frac{k|q_2|}{r_2^2} = \frac{kq}{\left(\frac{\sqrt{3}}{2}a - y\right)^2}$

À partir de l'équation (i) et de l'expression des deux composantes, on trouve

$E_y = 2E_{1y} + E_{2y} = 0 \implies 2\frac{8kqy}{(a^2+4y^2)^{3/2}} + \frac{kq}{\left(\frac{\sqrt{3}}{2}a + y\right)^2} = 0 \implies$

$\frac{16y}{(a^2+4y^2)^{3/2}} = -\frac{1}{\left(\frac{\sqrt{3}}{2}a - y\right)^2} \implies 16y\left(\frac{\sqrt{3}}{2}a - y\right)^2 = -\left(a^2 + 4y^2\right)^{3/2} \qquad \text{(iii)}$

En procédant comme pour le point A, on obtient la position du point B en calculant les racines de l'équation (iii). À l'aide du logiciel Maple, on trouve la seule racine qui soit cohérente, soit $y = -0{,}0731a$.

Finalement, pour le tracé des lignes de champ électrique, on pourrait s'en tenir aux propriétés énoncées à la page 25 du manuel. Toutefois, comme il existe plusieurs sites Internet où il est possible d'utiliser des logiciels de programmation gratuitement pour tracer ces lignes, on a opté pour leur utilisation. La figure qui suit a été obtenue à partir du site suivant :

http://www.slcc.edu/schools/hum_sci/physics/tutor/2220/e_fields/java/

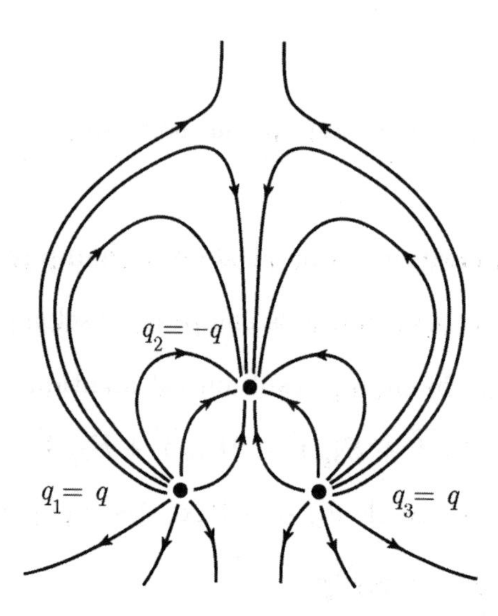

On note que les deux points où le champ électrique résultant est nul apparaissent dans la figure.

E21. La forme exacte des lignes de champ varie selon les valeurs relatives de la charge q_1 et de la densité de charge σ_2 sur le plan. Elle varie également selon la distance entre la charge et le plan. Plus on s'éloigne à gauche et à droite et plus les lignes de champ deviennent verticales. À partir du site Internet mentionné à l'exercice 20, on obtient les figures suivantes :

(a)

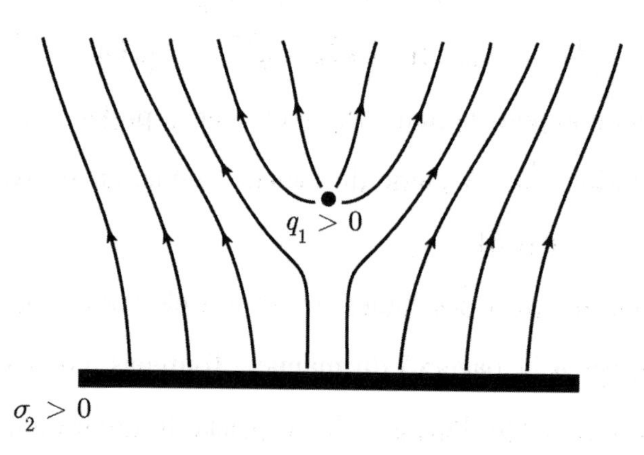

(b)

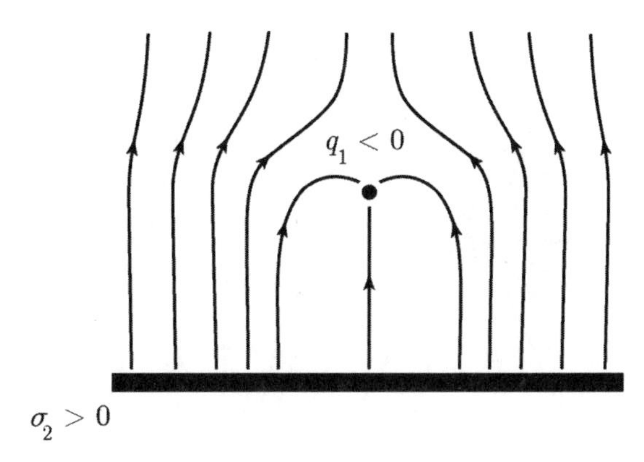

E22. À partir du site Internet mentionné à l'exercice 20, on obtient la figure suivante :

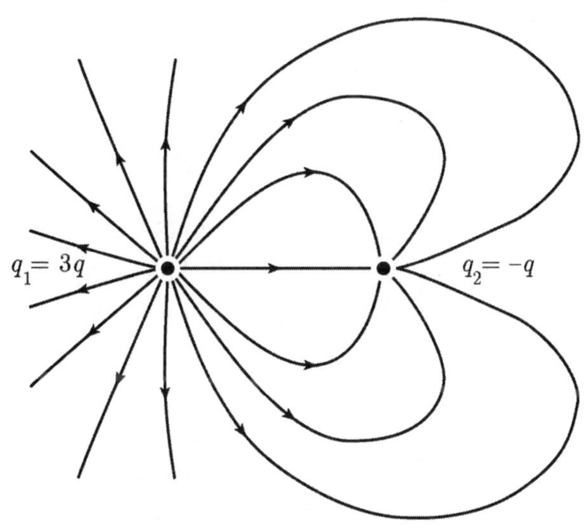

E23. À partir du site Internet mentionné à l'exercice 20, on obtient la figure suivante :

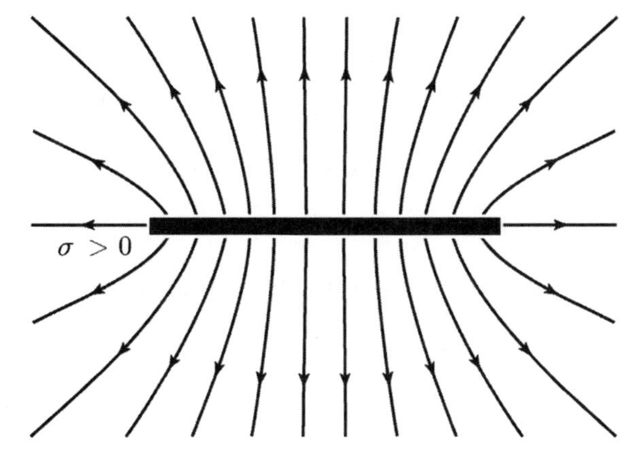

E24. À partir du site Internet mentionné à l'exercice 20, on obtient la figure suivante :

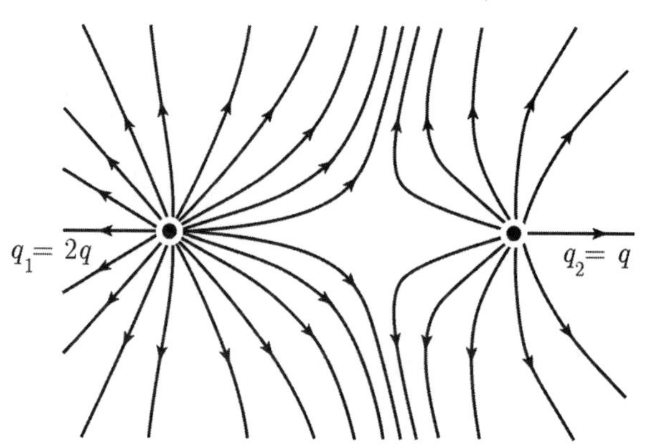

E25. À partir du site Internet mentionné à l'exercice 20, on obtient la figure suivante :

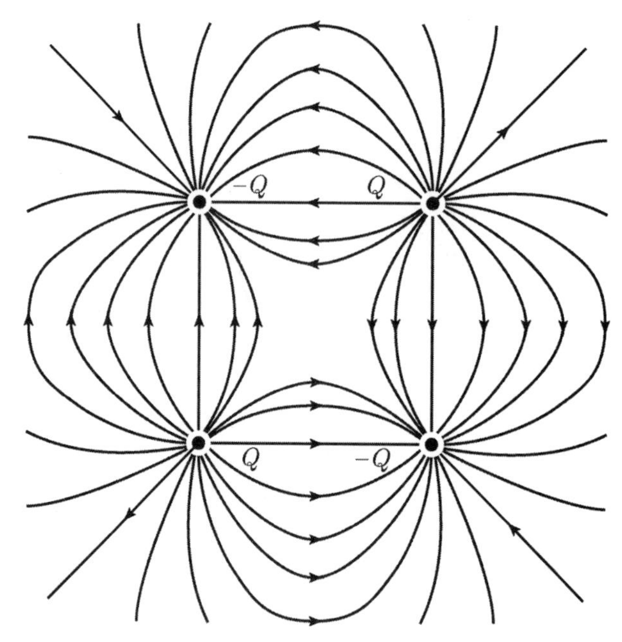

E26. Selon la propriété 1 des conducteurs à l'équilibre, le champ électrique doit être nul à l'intérieur du métal de la coquille. Comme on a placé une charge de 16 μC au centre de la cavité, cette propriété implique qu'une charge de -16 μC est induite sur la face intérieure de la coquille. Sans cette charge induite, le champ de la charge 16 μC traverserait la coquille.

Puisque la coquille porte déjà une charge de -8 μC et que cette charge *totale* ne peut être modifiée par la charge induite sur la face intérieure, une charge de 8,00 μC apparaît sur la surface extérieure de la coquille pour maintenir la valeur de la charge totale. L'apparition de ces deux charges de $\boxed{-16{,}0\ \mu\text{C sur la surface intérieure et de }8{,}00\ \mu\text{C sur la surface extérieure}}$ est en accord avec la propriété 3 des conducteurs à l'équilibre.

Le champ électrique à l'extérieur de la coquille vient de la charge de 8,00 μC sur la surface extérieure; il est donc moins intense que celui qui se trouve à l'intérieur de la coquille, là où le champ vient de la présence de la charge de 16 μC, placée au centre :

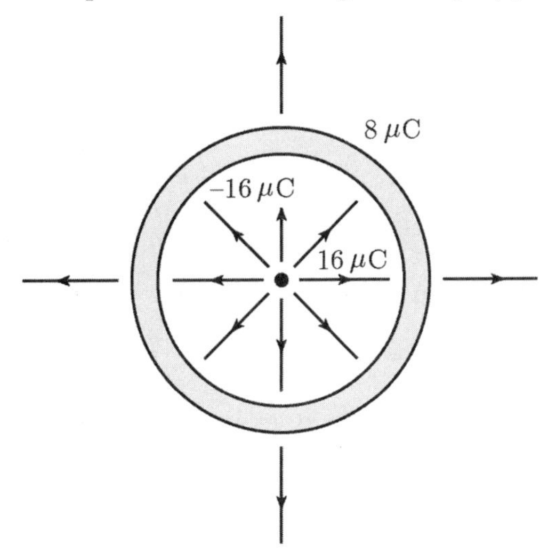

E27. On donne $q = -e$, $E = 10^5$ N/C, $m = 9{,}1 \times 10^{-31}$ kg. On suppose que le mouvement est dans le sens positif de l'axe des x et que $v_{x0} = 0$. On trouve l'accélération à partir de l'équation 2.6 :

$\overrightarrow{\mathbf{a}} = \frac{q\overrightarrow{\mathbf{E}}}{m} = \frac{-1{,}6\times10^{-19}}{9{,}11\times10^{-31}}\overrightarrow{\mathbf{E}}$

Ainsi, pour que l'accélération soit dans le sens positif, il faut que $\overrightarrow{\mathbf{E}} = -\left(10^5\right)\overrightarrow{\mathbf{i}}$ et que

$\overrightarrow{\mathbf{a}} = \frac{-1{,}6\times10^{-19}}{9{,}1\times10^{-31}}\left(-10^5\right)\overrightarrow{\mathbf{i}} \implies a_x = 1{,}76 \times 10^{16}\ \text{m/s}^2$

(a) On veut que $v_x = 0{,}1c = 0{,}1\left(3 \times 10^8\ \text{m/s}\right) = 3 \times 10^7$ m/s. À partir de l'équation 3.9 du tome 1, on trouve

$v_x = v_{x0} + a_x t \implies t = \frac{v_x - v_{x0}}{a_x} = \frac{3\times10^7-0}{1{,}76\times10^{16}} = \boxed{1{,}71\ \text{ns}}$

(b) À partir de l'équation 3.11 du tome 1, où $x_0 = 0$, on obtient

$x = x_0 + v_{x0}t + \frac{1}{2}a_x t^2 \implies x = \frac{1}{2}a_x t^2 = \frac{1}{2}\left(1{,}76 \times 10^{16}\right)\left(1{,}71 \times 10^{-9}\right)^2 = \boxed{2{,}57\ \text{cm}}$

(c) Selon l'équation 7.11 du tome 1,

$K = \frac{1}{2}mv_x^2 = \frac{1}{2}\left(9{,}1 \times 10^{-31}\right)\left(3 \times 10^7\right)^2 = \boxed{4{,}10 \times 10^{-16}\ \text{J}}$

E28. On donne $q = -e$ et $m = 9{,}1 \times 10^{-31}$ kg. On suppose que le mouvement est dans le sens positif de l'axe des x, que $v_{x0} = 0$, $v_x = 5 \times 10^6$ m/s et $\Delta x = 0{,}016$ m. On trouve l'accélération avec l'équation 3.12 du tome 1 :

$v_x^2 = v_{x0}^2 + 2a_x\Delta x \implies a_x = \frac{v_x^2 - v_{x0}^2}{2\Delta x} = \frac{\left(5\times10^6\right)^2-0}{2(0{,}016)} = 7{,}81 \times 10^{14}\ \text{m/s}^2$

À partir de l'équation 2.6, on obtient

$\overrightarrow{\mathbf{E}} = \frac{m\overrightarrow{\mathbf{a}}}{q} = \frac{\left(9{,}1\times10^{-31}\right)\left(7{,}81\times10^{14}\overrightarrow{\mathbf{i}}\right)}{-1{,}6\times10^{-19}} = -4{,}44\,\overrightarrow{\mathbf{i}}\ \text{kN/C} \implies E = \boxed{4{,}44\ \text{kN/C}}$

E29. On donne $q = e$ et $m = 1{,}67 \times 10^{-27}$ kg. On suppose que le mouvement est dans le sens positif de l'axe des x et que $v_{x0} = 8 \times 10^5$ m. Comme le champ électrique s'oppose au mouvement, $\overrightarrow{\mathbf{E}} = -2{,}4 \times 10^4 \overrightarrow{\mathbf{i}}$ N/C.

(a) On calcule d'abord l'accélération, avec l'équation 2.6 :

$\overrightarrow{\mathbf{a}} = \frac{q\overrightarrow{\mathbf{E}}}{m} = \frac{(1{,}6\times10^{-19})}{1{,}67\times10^{-27}}\left(-2{,}4 \times 10^4\right)\overrightarrow{\mathbf{i}} \implies a_x = -2{,}30 \times 10^{12} \text{ m/s}^2$

Avec l'équation 3.12 du tome 1, si $v_x = 0$, on peut écrire

$v_x^2 = v_{x0}^2 + 2a_x\Delta x \implies \Delta x = \frac{v_x^2 - v_{x0}^2}{2a_x} = \frac{0-(8\times10^5)^2}{2(-2{,}30\times10^{12})} \implies \Delta x = \boxed{13{,}9 \text{ cm}}$

(b) À partir de l'équation 3.9 du tome 1, on obtient

$v_x = v_{x0} + a_xt \implies t = \frac{v_x - v_{x0}}{a_x} = \frac{0-8\times10^5}{-2{,}30\times10^{12}} = \boxed{0{,}348\ \mu\text{s}}$

E30. On donne $q = -e$, $m = 9{,}1 \times 10^{-31}$ kg et la vitesse initiale $\overrightarrow{\mathbf{v}}_0 = 2 \times 10^6 \overrightarrow{\mathbf{i}}$ m/s.

Le champ électrique est vertical, mais son module E et son sens sont inconnus.

(a) L'électron ne subit aucune accélération selon l'axe des x. On peut donc calculer, à l'aide de l'équation 3.11 du tome 1, combien de temps il mettra à atteindre l'autre côté des plaques si $x - x_0 = 0{,}04$ m et $a_x = 0$:

$x = x_0 + v_{x0}t + \frac{1}{2}a_xt^2 \implies t = \frac{x - x_0}{v_{x0}} = \frac{0{,}04}{2\times10^6} = 2{,}00 \times 10^{-8}$ s

Comme l'électron pénètre du côté gauche, à mi-chemin entre les deux plaques, il ne peut être dévié verticalement que de $y - y_0 = \pm\frac{1{,}6 \text{ cm}}{2} = \pm0{,}008$ m au maximum, s'il doit ressortir. À partir de l'équation 3.11 du tome 1, on trouve le module de l'accélération verticale maximale qu'il peut subir. Comme la situation est symétrique, on choisit la déviation vers le haut et on rappelle que $v_{y0} = 0$:

$y = y_0 + v_{y0}t + \frac{1}{2}a_yt^2 \implies a_y = \frac{2(y-y_0)}{t^2} = \frac{2(0{,}008)}{(2{,}00\times10^{-8})^2} \implies a_{\max} = 4{,}00 \times 10^{13} \text{ m/s}^2$

Finalement, à partir de l'équation 2.6, on trouve le module du champ électrique maximal que peut subir l'électron :

$a_{\max} = \frac{|q|}{m}E_{\max} \implies E_{\max} = \frac{ma_{\max}}{e} = \frac{(9{,}1\times10^{-31})(4{,}00\times10^{13})}{1{,}6\times10^{-19}} = \boxed{228 \text{ N/C}}$

Selon le sens du champ électrique, la déviation de l'électron se fera vers le haut ou le bas.

(b) On choisit une déviation vers le haut; alors $\overrightarrow{\mathbf{E}} = -228\overrightarrow{\mathbf{j}}$ N/C pour que la force électrique sur l'électron soit dans le bon sens. On définit, dans le logiciel Maple, l'expression de l'accélération verticale, la vitesse initiale, la position selon x et la position selon y. Ensuite, on crée le graphe demandé :

```
> restart:
> ay:=4.00e13;
> vx0:=2e6;
```

```
> x:=vx0*t;
> y:=ay*t^2/2;
> tmax:=2e-8;
> plot([x,y,t=0..tmax]);
```

Le graphe permet de confirmer que la contrainte a été respectée et que l'électron *effleure* la plaque supérieure à la sortie.

E31. On donne $E = 3\times10^6$ N/C, $q = -e$ et $m = 9{,}1\times10^{-31}$ kg. On suppose que le mouvement est dans le sens positif de l'axe des x.

(a) On donne $K = 4\times10^{-19}$ J; alors

$$K = \frac{1}{2}mv_x^2 = 4\times10^{-19} \Longrightarrow v_x = \sqrt{\frac{2(4\times10^{-19})}{9{,}1\times10^{-31}}} = 9{,}38\times10^5 \text{ m/s}$$

Selon l'équation 2.6, si $E_x = -3\times10^6$ N/C,

$$a_x = \frac{qE_x}{m} = \frac{\left(-1{,}6\times10^{-19}\right)\left(-3\times10^6\right)}{9{,}1\times10^{-31}} = 5{,}27\times10^{17} \text{ m/s}^2$$

Avec l'équation 3.9 du tome 1, si $v_{x0} = 0$, on trouve

$$v_x = v_{x0} + a_xt \Longrightarrow t = \frac{v_x - v_{x0}}{a_x} = \frac{9{,}38\times10^5 - 0}{5{,}27\times10^{17}} = \boxed{1{,}78\times10^{-12} \text{ s}}$$

(b) Avec l'équation 3.12 du tome 1, on obtient

$$v_x^2 = v_{x0}^2 + 2a_x\Delta x \Longrightarrow \Delta x = \frac{v_x^2 - v_{x0}^2}{2a_x} = \frac{\left(9{,}38\times10^5\right)^2 - 0}{2(5{,}27\times10^{17})} \Longrightarrow \Delta x = \boxed{8{,}35\times10^{-7} \text{ m}}$$

E32. On donne $m_\text{e} = m_\text{p} = 9{,}1\times10^{-31}$ kg, $|q_\text{e}| = q_\text{p} = e$ et le rayon de l'orbite de l'une ou l'autre des particules est $r = 0{,}5\times10^{-10}$ m.

(a) La force électrique d'attraction agit comme force centripète. On se sert de l'équation 6.3 du tome 1, appliquée à l'une ou l'autre des particules puisqu'elles ont toutes les deux le même module de vitesse v :

$$F_E = \frac{mv^2}{r} \Longrightarrow \frac{k|q_\text{e}q_\text{p}|}{(2r)^2} = \frac{ke^2}{4r^2} = \frac{m_\text{p}v^2}{r} \Longrightarrow v = \sqrt{\frac{ke^2}{4rm_\text{p}}} = \boxed{1{,}13\times10^6 \text{ m/s}}$$

(b) Le module de la vitesse de chaque particule est lié à la circonférence du cercle et à la période du mouvement :

$$v = \frac{2\pi r}{T} \Longrightarrow T = \frac{2\pi r}{v} = \boxed{2{,}79\times10^{-16} \text{ s}}$$

E33. (a) On donne $q = -e$, $m = 9{,}1\times10^{-31}$ kg. Initialement, l'électron est à l'origine du système d'axes. Sa vitesse initiale est $\vec{\mathbf{v}}_0 = v_0\cos(45°)\,\vec{\mathbf{i}} + v_0\sin(45°)\,\vec{\mathbf{j}} = \frac{\sqrt{2}}{2}v_0\,\vec{\mathbf{i}} + \frac{\sqrt{2}}{2}v_0\,\vec{\mathbf{j}}$.

On donne aussi $\vec{\mathbf{E}} = 10^3\,\vec{\mathbf{j}}$ N/C, de sorte que, selon l'équation 2.6,

$$\vec{\mathbf{a}} = \frac{q\vec{\mathbf{E}}}{m} = \frac{\left(-1{,}6\times10^{-19}\right)}{9{,}1\times10^{-31}}\left(10^3\right)\vec{\mathbf{j}} \Longrightarrow a_y = -1{,}76\times10^{14} \text{ m/s}^2$$

L'accélération est donc vers le bas et la trajectoire de l'électron est une parabole concave vers le bas. Pour que l'électron ne frappe pas la plaque du haut, le sommet de cette parabole, donc le moment où la vitesse verticale devient nulle, ne doit pas dépasser $y = 0{,}02$ m.

À partir de l'équation 3.12 du tome 1, avec $v_y = 0$, on trouve

$v_y^2 = v_{y0}^2 + 2a_y(y - y_0) \implies v_{y0}^2 = -2a_y(y - y_0) \implies v_{y0} = \sqrt{-2a_y(y - y_0)} \implies$

$v_{y0} = \frac{\sqrt{2}}{2}v_0 = \sqrt{-2(-1{,}76 \times 10^{14})(0{,}02 - 0)} = 2{,}65 \times 10^6 \text{ m/s} \implies$

$v_0 = \boxed{3{,}75 \times 10^6 \text{ m/s}}$

Comme les plaques sont très longues, l'électron frappera inévitablement la plaque inférieure. Pour toute valeur supérieure de v_0, l'électron frappe la plaque supérieure.

(b) On définit, dans le logiciel Maple, l'expression de l'accélération verticale, la vitesse initiale, la position selon x et la position selon y :

```
> restart:
> ay:=-1.76e14;
> v0:=3.75e6;
> vx0:=sqrt(2)*v0/2;
> vy0:=sqrt(2)*v0/2;
> x:=vx0*t;
> y:=vy0*t+ay*t^2/2;
```

On calcule le moment où l'électron revient frapper la plaque du bas avec $y = 0$, on définit la valeur maximale du temps et on produit le graphe demandé :

```
> sol:=solve(y=0,t);
> tmax:=sol[2];
> plot([x,y,t=0..tmax]);
```

Le graphe confirme le résultat de l'étape (a) : le sommet de la trajectoire est bien à 2 cm.

E34. On donne $q = e$, $m = 1{,}67 \times 10^{-27}$ kg. Initialement, le proton est à l'origine du système d'axes. Sa vitesse initiale est

$\vec{\mathbf{v}}_0 = (8 \times 10^{15})\cos 30° \, \vec{\mathbf{i}} + (8 \times 10^{15})\sin 30° \, \vec{\mathbf{j}} = \left(6{,}93\,\vec{\mathbf{i}} + 4{,}00\,\vec{\mathbf{j}}\right) \times 10^5 \text{ m/s}$

On donne aussi $\vec{\mathbf{E}} = -10^5\,\vec{\mathbf{j}}$ N/C, de sorte que, selon l'équation 2.6,

$\vec{\mathbf{a}} = \frac{q\vec{\mathbf{E}}}{m} = \frac{(1{,}6\times10^{-19})}{1{,}67\times10^{-27}}\left(-10^5\right)\vec{\mathbf{j}} \implies a_y = -9{,}58 \times 10^{12} \text{ m/s}^2$

(a) Le mouvement selon x n'est pas accéléré et on peut trouver le temps que passera le proton entre les plaques avec l'équation 3.11 du tome 1. Si $x = 0{,}04$ m à la sortie,

$x = x_0 + v_{x0}t + \frac{1}{2}a_xt^2 \implies t = \frac{x - x_0}{v_{x0}} = \frac{0{,}04-0}{6{,}93\times10^5} = 5{,}77 \times 10^{-8} \text{ s}$

On applique à nouveau l'équation 3.11 du tome 1, mais au mouvement vertical. À la sortie des plaques,

$$y = y_0 + v_{y0}t + \frac{1}{2}a_y t^2 \implies y = v_{y0}t + \frac{1}{2}a_y t^2 \implies$$

$$y = \left(4{,}00 \times 10^5\right)\left(5{,}77 \times 10^{-8}\right) + \frac{1}{2}\left(-9{,}58 \times 10^{12}\right)\left(5{,}77 \times 10^{-8}\right)^2 = \boxed{7{,}13 \text{ mm}}$$

(b) La vitesse selon x ne change pas. La vitesse selon y à la sortie est donnée par l'équation 3.9 du tome 1 :

$$v_y = v_{y0} + a_y t \implies v_y = 4{,}00 \times 10^5 + \left(-9{,}58 \times 10^{12}\right)\left(5{,}77 \times 10^{-8}\right) = -1{,}53 \times 10^5 \text{ m/s}$$

L'angle θ traduisant l'orientation de la vitesse à la sortie est donné par

$$\tan\theta = \frac{v_y}{v_x} = \frac{v_y}{v_{x0}} \implies \theta = \arctan\left(\frac{-1{,}53\times10^5}{6{,}93\times10^5}\right) = \boxed{-12{,}5^\circ}$$

(c) On définit, dans le logiciel Maple, l'expression de l'accélération verticale, la vitesse initiale, la position selon x et la position selon y. Ensuite, on crée le graphe demandé :

```
> restart:
> ay:=-9.58e12;
> vx0:=6.93e5;
> vy0:=4.00e5;
> x:=vx0*t;
> y:=vy0*t+ay*t^2/2;
> tmax:=5.77e-8;
> plot([x,y,t=0..tmax]);
```

Le graphe confirme le résultat de l'étape (a).

E35. Pour simplifier l'écriture, on numérote les plaques de 1 à 3 à partir de la gauche dans la figure 2.49. On donne $\sigma_1 = 2\sigma$, $\sigma_2 = -2\sigma$ et $\sigma_3 = -\sigma$. Dans chaque région, le champ électrique d'une plaque est donné par $\vec{\mathbf{E}}_i = \pm\frac{|\sigma_i|}{2\varepsilon_0}\vec{\mathbf{i}}$. On détermine le sens du champ selon la région et la position relative de la plaque.

Dans la région I :

$$\vec{\mathbf{E}}_{\text{I}} = \vec{\mathbf{E}}_1 + \vec{\mathbf{E}}_2 + \vec{\mathbf{E}}_3 = -\frac{|\sigma_1|}{2\varepsilon_0}\vec{\mathbf{i}} + \frac{|\sigma_2|}{2\varepsilon_0}\vec{\mathbf{i}} + \frac{|\sigma_3|}{2\varepsilon_0}\vec{\mathbf{i}} = -\frac{2\sigma}{2\varepsilon_0}\vec{\mathbf{i}} + \frac{2\sigma}{2\varepsilon_0}\vec{\mathbf{i}} + \frac{\sigma}{2\varepsilon_0}\vec{\mathbf{i}} \implies \boxed{\vec{\mathbf{E}}_{\text{I}} = \frac{\sigma}{2\varepsilon_0}\vec{\mathbf{i}}}$$

Dans la région II :

$$\vec{\mathbf{E}}_{\text{II}} = \vec{\mathbf{E}}_1 + \vec{\mathbf{E}}_2 + \vec{\mathbf{E}}_3 = \frac{|\sigma_1|}{2\varepsilon_0}\vec{\mathbf{i}} + \frac{|\sigma_2|}{2\varepsilon_0}\vec{\mathbf{i}} + \frac{|\sigma_3|}{2\varepsilon_0}\vec{\mathbf{i}} = \frac{2\sigma}{2\varepsilon_0}\vec{\mathbf{i}} + \frac{2\sigma}{2\varepsilon_0}\vec{\mathbf{i}} + \frac{\sigma}{2\varepsilon_0}\vec{\mathbf{i}} \implies \boxed{\vec{\mathbf{E}}_{\text{II}} = \frac{5\sigma}{2\varepsilon_0}\vec{\mathbf{i}}}$$

Dans la région III :

$$\vec{\mathbf{E}}_{\text{III}} = \vec{\mathbf{E}}_1 + \vec{\mathbf{E}}_2 + \vec{\mathbf{E}}_3 = \frac{|\sigma_1|}{2\varepsilon_0}\vec{\mathbf{i}} - \frac{|\sigma_2|}{2\varepsilon_0}\vec{\mathbf{i}} + \frac{|\sigma_3|}{2\varepsilon_0}\vec{\mathbf{i}} = \frac{2\sigma}{2\varepsilon_0}\vec{\mathbf{i}} - \frac{2\sigma}{2\varepsilon_0}\vec{\mathbf{i}} + \frac{\sigma}{2\varepsilon_0}\vec{\mathbf{i}} \implies \boxed{\vec{\mathbf{E}}_{\text{III}} = \frac{\sigma}{2\varepsilon_0}\vec{\mathbf{i}}}$$

Dans la région IV :

$$\vec{\mathbf{E}}_{\text{IV}} = \vec{\mathbf{E}}_1 + \vec{\mathbf{E}}_2 + \vec{\mathbf{E}}_3 = \frac{|\sigma_1|}{2\varepsilon_0}\vec{\mathbf{i}} - \frac{|\sigma_2|}{2\varepsilon_0}\vec{\mathbf{i}} - \frac{|\sigma_3|}{2\varepsilon_0}\vec{\mathbf{i}} = \frac{2\sigma}{2\varepsilon_0}\vec{\mathbf{i}} - \frac{2\sigma}{2\varepsilon_0}\vec{\mathbf{i}} - \frac{\sigma}{2\varepsilon_0}\vec{\mathbf{i}} \implies \boxed{\vec{\mathbf{E}}_{\text{IV}} = -\frac{\sigma}{2\varepsilon_0}\vec{\mathbf{i}}}$$

E36. Sous l'influence du champ extérieur $\vec{\mathbf{E}}_{\text{ext}}$, il y a réarrangement de charges à l'intérieur de la plaque et en particulier sur les deux surfaces perpendiculaires au champ extérieur. La charge induite de signes opposés qui apparaît sur ces deux surfaces crée un champ induit $\vec{\mathbf{E}}_{\text{ind}}$ qui s'oppose au champ extérieur. Dans la plaque, le champ électrique résultant $\vec{\mathbf{E}}$ doit être nul, en accord avec la propriété 1 des conducteurs à l'équilibre (page 27 du manuel) :

$\vec{\mathbf{E}} = \vec{\mathbf{E}}_{\text{ext}} + \vec{\mathbf{E}}_{\text{ind}} = 0 \implies \vec{\mathbf{E}}_{\text{ind}} = -\vec{\mathbf{E}}_{\text{ext}} \implies E_{\text{ind}} = E_{\text{ext}} = 1000 \text{ N/C}$

Le module du champ électrique induit et la valeur absolue de la densité surfacique de la charge induite sont liés par l'équation 2.18 :

$E_{\text{ind}} = \frac{\sigma}{\varepsilon_0} \implies \sigma = E_{\text{ind}}\varepsilon_0 = 1000\left(8{,}85 \times 10^{-12}\right) = \boxed{8{,}85 \times 10^{-9} \text{ C/m}^2}$

La figure montre la plaque de côté et la position adéquate des charges induites. On suppose que $\vec{\mathbf{E}}_{\text{ext}}$ est orienté selon l'axe des x positifs :

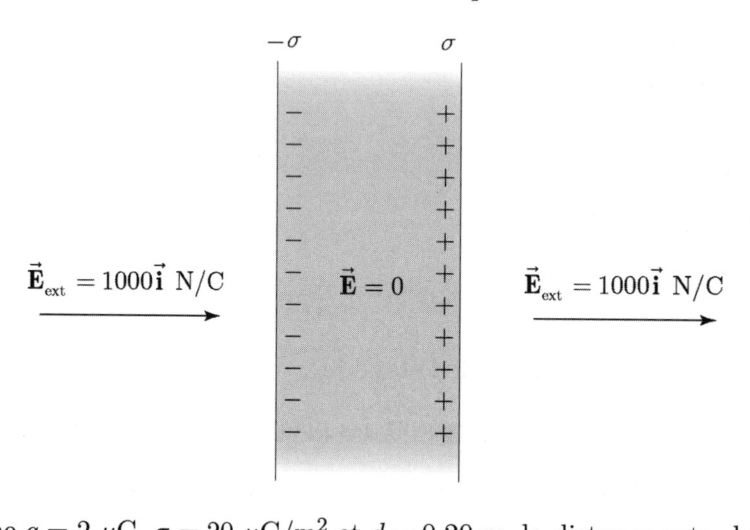

E37. On donne $q = 2\ \mu\text{C}$, $\sigma = 20\ \mu\text{C/m}^2$ et $d = 0{,}20$ m, la distance entre la charge ponctuelle et la plaque:

y
q = 2 μC
r
P
d
σ = 20 μC/m²

(a) La charge ponctuelle q subit une force électrique à cause de la feuille chargée. Le champ électrique de la feuille est donné par l'équation 2.17, $\vec{\mathbf{E}}_\sigma = \frac{\sigma}{2\varepsilon_0}\vec{\mathbf{j}}$, et le module de la force que subit la charge est donné par l'équation 2.3*b* :

$F_E = qE_\sigma = \frac{q\sigma}{2\varepsilon_0} = \frac{(2\times10^{-6})(20\times10^{-6})}{2(8{,}85\times10^{-12})} = \boxed{2{,}26\text{ N}}$

(b) Le champ électrique résultant $\vec{\mathbf{E}}$ est la somme vectorielle du champ de la charge ponctuelle et de la feuille chargée. Comme on peut s'en convaincre à partir de la figure de l'exercice 21a, c'est seulement sur la droite verticale qui relie la charge ponctuelle et la plaque que le champ résultant peut être nul. Partout ailleurs, les deux vecteurs champs ne seront pas parallèles, n'auront pas des sens opposés ou ne seront pas de même module. On cherche la distance r entre le point P de la figure ci-haut et la charge ponctuelle. Si, en ce point, le champ électrique résultant est nul :

$\vec{\mathbf{E}} = \vec{\mathbf{E}}_q + \vec{\mathbf{E}}_\sigma = 0 \Longrightarrow \vec{\mathbf{E}} = -\frac{kq}{r^2}\vec{\mathbf{j}} + \frac{\sigma}{2\varepsilon_0}\vec{\mathbf{j}} = 0 \Longrightarrow \frac{\sigma}{2\varepsilon_0} = \frac{kq}{r^2} \Longrightarrow r = \sqrt{\frac{2kq\varepsilon_0}{\sigma}} \Longrightarrow$

$r = \sqrt{\frac{2(9\times10^9)(2\times10^{-6})(8{,}85\times10^{-12})}{(20\times10^{-6})}} = 0{,}126\text{ m}$

Le point P cherché se trouve $\boxed{\text{à 12,6 cm de la charge, dans la direction de la plaque}}$.

E38. On donne la longueur de la tige $l = 0{,}10$ m et sa densité linéique de charge $\lambda = 2\ \mu\text{C/m}^2$. On raisonne à partir de cette figure :

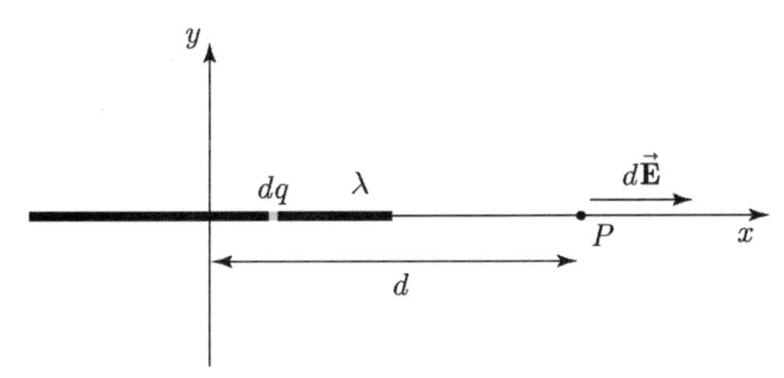

On cherche le champ électrique total de la tige au point P, à $d = 0{,}20$ m du centre de la tige. On utilise la méthode proposée à l'exemple 2.9 avec $r = d - x$, la distance entre un élément de charge et le point P :

$E_x = \int dE_x = \int k\frac{dq}{r^2} = \int k\lambda\frac{dx}{r^2} = k\lambda \int_{-l/2}^{l/2} \frac{dx}{(d-x)^2} = \left[k\lambda\left(\frac{1}{d-x}\right)\right|_{-l/2}^{l/2} \Longrightarrow$

$E_x = k\lambda\left(\frac{1}{d-\frac{l}{2}} - \frac{1}{d+\frac{l}{2}}\right) = (9\times10^9)(2\times10^{-6})\left(\frac{1}{0{,}15} - \frac{1}{0{,}25}\right) = 4{,}80\times10^4\text{ N/C} \Longrightarrow$

$E = \boxed{4{,}80\times10^4\text{ N/C}}$

E39. On utilise directement l'équation 2.15 avec $a = 0{,}04$ m, $y = 0{,}10$ m et $\sigma = 5\ \mu\text{C/m}^2$. Au point cherché, le module du champ électrique du disque est :

$E = 2\pi k|\sigma|\left(1 - \frac{y}{\sqrt{a^2+y^2}}\right) = 2\pi(9\times10^9)(5\times10^{-6})\left(1 - \frac{0{,}10}{\sqrt{(0{,}04)^2+(0{,}10)^2}}\right) \Longrightarrow$

$E = \boxed{2{,}02\times10^4\text{ N/C}}$

E40. On utilise directement l'équation 2.13 et, à partir de la figure 2.50, on fixe le sens du champ électrique de chacun des fils. Le champ du fil vertical dépend de x et celui du fil horizontal dépend de y Le champ électrique résultant est, si $\lambda > 0$,

$\vec{\mathbf{E}} = \frac{2k|\lambda|}{x}\vec{\mathbf{i}} + \frac{2k|\lambda|}{y}\vec{\mathbf{j}} = \boxed{2k\lambda\left(\frac{1}{x}\vec{\mathbf{i}} + \frac{1}{y}\vec{\mathbf{j}}\right)}$

E41. On donne $Q = 0{,}2 \times 10^{-6}$ C, $L = 0{,}05$ m et $d = 0{,}01$ m. Pour faciliter l'écriture, on nomme $\vec{\mathbf{E}}_1$ le champ électrique du fil horizontal, avec $\lambda_1 = \frac{-Q}{L}$, et $\vec{\mathbf{E}}_2$ le champ du fil vertical, avec $\lambda_2 = \frac{Q}{L}$. Compte tenu de la position de l'origine du système d'axes, la distance entre un élément de charge de la tige horizontale est $r_1 = -x$. Pour le fil vertical, $r_2 = -y$. Pour le fil horizontal,

$\vec{\mathbf{E}}_1 = \int dE_{1x}\vec{\mathbf{i}} = \int k|\lambda_1|\frac{dx}{r_1^2}\vec{\mathbf{i}} = \frac{kQ}{L}\int\limits_{-(L+d)}^{-d}\frac{dx}{x^2}\vec{\mathbf{i}} = \frac{kQ}{L}\left[\left(\frac{-1}{x}\right)\Big|_{-(L+d)}^{-d}\right]\vec{\mathbf{i}} \implies$

$\vec{\mathbf{E}}_1 = \frac{kQ}{L}\left(\frac{1}{L+d} - \frac{1}{d}\right)\vec{\mathbf{i}} \implies -\frac{kQ}{d(L+d)}\vec{\mathbf{i}}$

À partir d'un raisonnement similaire, on trouve

$\vec{\mathbf{E}}_2 = \frac{kQ}{d(L+d)}\vec{\mathbf{j}}$

Le champ électrique résultant correspond à

$\vec{\mathbf{E}} = \vec{\mathbf{E}}_1 + \vec{\mathbf{E}}_2 = \frac{kQ}{d(L+d)}\left(-\vec{\mathbf{i}} + \vec{\mathbf{j}}\right) = \boxed{3{,}00 \times 10^{6}\left(-\vec{\mathbf{i}} + \vec{\mathbf{j}}\right)\text{ N/C}}$

E42. (a) On donne $p = 3{,}8 \times 10^{-30}$ C·m et $E = 7 \times 10^{4}$ N/C. Puisqu'initialement $\vec{\mathbf{p}}$ est dans le même sens que $\vec{\mathbf{E}}$, alors $\theta_1 = 0°$ et $\theta_2 = 60°$ dans l'équation qu'on trouve à la page 40 du manuel :

$W_{\text{EXT}} = pE\left(-\cos\theta_2 + \cos\theta_1\right) = \left(3{,}8 \times 10^{-30}\right)\left(7 \times 10^{4}\right)\left(-\cos(60°) + \cos(0°)\right) \implies$

$W_{\text{EXT}} = \boxed{1{,}33 \times 10^{-25}\text{ J}}$

(b) Directement, à partir de l'équation 2.22, on obtient

$\tau = pE\sin\theta = \boxed{2{,}30 \times 10^{-25}\text{ N·m}}$

E43. (a) On donne $q = \pm 2$ nC, et $d = 0{,}04$ m. À partir de l'équation 2.19, on trouve

$p = |q|\,d = \left(2 \times 10^{-9}\right)(0{,}04) = \boxed{8{,}00 \times 10^{-11}\text{ C·m}}$

(b) On donne $E = 10^{5}$ N/C. Initialement $\vec{\mathbf{p}}$ est dans le même sens que $\vec{\mathbf{E}}$, alors $\theta_1 = 0°$. À la fin, ils sont perpendiculaires; donc $\theta_2 = 90°$. On insère ces valeurs dans l'équation 2.24 :

$\Delta U = U_2 - U_1 = -pE\cos\theta_2 + pE\cos\theta_1 = 0 + \left(8{,}00 \times 10^{-11}\right)\left(1 \times 10^{5}\right)\cos(0°) \implies$

$\Delta U = \boxed{8{,}00 \times 10^{-6}\text{ J}}$

E44. On donne $p = 6{,}2 \times 10^{-30}$ C·m et $q_{\text{d}} = \pm e$, de sorte que $d = \frac{p}{|q_{\text{d}}|} = 3{,}88 \times 10^{-11}$ m. L'ion subissant le champ électrique du dipôle possède une charge $q_{\text{ion}} = e$ et se trouve à une distance $r = 0{,}5$ nm.

(a) Ce cas est traité à la section 2.6. Le long de l'axe d'un dipôle, comme $r \gg d$, selon l'équation 2.21, $E = \frac{2kp}{r^3}$. À partir de l'équation 2.3*b*, on obtient

$$F_E = |q_{\text{ion}}|\, E = \left(1{,}6 \times 10^{-19}\right) \frac{2\left(9\times10^{9}\right)\left(6{,}2\times10^{-30}\right)}{\left(0{,}5\times10^{-9}\right)^3} = \boxed{1{,}43 \times 10^{-10}\ \text{N}}$$

(b) Ce cas est traité à la section 2.6. Le long de la médiatrice d'un dipôle, comme $r \gg d$, selon l'équation 2.20, $E = \frac{kp}{r^3}$. À partir de l'équation 2.3*b*, on trouve

$$F_E = |q_{\text{ion}}|\, E = \left(1{,}6 \times 10^{-19}\right) \frac{\left(9\times10^{9}\right)\left(6{,}2\times10^{-30}\right)}{\left(0{,}5\times10^{-9}\right)^3} = \boxed{7{,}14 \times 10^{-11}\ \text{N}}$$

E45. (a) On donne $r = 1500$ m, la distance entre chacune des charges et le point où on veut le module du champ électrique résultant. Comme le champ électrique de chacune des charges est dans le même sens et que $Q_1 = |Q_2| = 40$ C,

$$E = E_1 + E_2 = 2E_1 = \frac{2k(Q_1)}{r^2} = \frac{2\left(9\times10^{9}\right)(40)}{(1500)^2} = \boxed{3{,}20 \times 10^{5}\ \text{N/C}}$$

(b) Avec $q_e = -e$ et $m_e = 9{,}1 \times 10^{-31}$ kg, à partir du module de l'équation 2.6, on obtient

$$a = \frac{|q_e|E}{m_e} = \frac{\left(1{,}6\times10^{-19}\right)\left(3{,}20\times10^{5}\right)}{9{,}1\times10^{-31}} = \boxed{5{,}63 \times 10^{16}\ \text{m/s}^2}$$

E46. On donne $Q_1 = 2{,}2$ nC à l'origine et $Q_2 = -3{,}5$ nC en (4 m, 0).

(a) En (2 m, 0) on a

$$\vec{\mathbf{E}}_1 = E_1 \vec{\mathbf{i}} = \frac{k|Q_1|}{r_1^2}\vec{\mathbf{i}} = \frac{\left(9\times10^{9}\right)\left(2{,}2\times10^{-9}\right)}{2^2}\vec{\mathbf{i}} = 4{,}95\,\vec{\mathbf{i}}\ \text{N/C}$$

$$\vec{\mathbf{E}}_2 = E_2 \vec{\mathbf{i}} = \frac{k|Q_2|}{r_2^2}\vec{\mathbf{i}} = \frac{\left(9\times10^{9}\right)\left(3{,}5\times10^{-9}\right)}{2^2}\vec{\mathbf{i}} = 7{,}88\,\vec{\mathbf{i}}\ \text{N/C}$$

$$\vec{\mathbf{E}} = \vec{\mathbf{E}}_1 + \vec{\mathbf{E}}_2 = \boxed{12{,}8\,\vec{\mathbf{i}}\ \text{N/C}}$$

(b) En (0, 2 m) on a

$$\vec{\mathbf{E}}_1 = E_1 \vec{\mathbf{j}} = \frac{k|Q_1|}{r_1^2}\vec{\mathbf{j}} = \frac{\left(9\times10^{9}\right)\left(2{,}2\times10^{-9}\right)}{2^2}\vec{\mathbf{j}} = 4{,}95\,\vec{\mathbf{j}}\ \text{N/C}$$

Le module de $\vec{\mathbf{E}}_2$ est $E_2 = \frac{k|Q_2|}{r_2^2} = \frac{\left(9\times10^{9}\right)\left(3{,}5\times10^{-9}\right)}{(4)^2+(2)^2} = 1{,}58$ N/C. On obtient les composantes de $\vec{\mathbf{E}}_2$ en utilisant l'angle $\alpha = \arctan\left(\frac{2}{4}\right) = 26{,}6°$ que forme ce vecteur sous l'axe des x positifs et en ajustant correctement les signes :

$$\vec{\mathbf{E}}_2 = E_2 \cos\alpha\, \vec{\mathbf{i}} - E_2 \sin\alpha\, \vec{\mathbf{j}} = \left(1{,}41\,\vec{\mathbf{i}} - 0{,}707\,\vec{\mathbf{j}}\right)\ \text{N/C}$$

$$\vec{\mathbf{E}} = \vec{\mathbf{E}}_1 + \vec{\mathbf{E}}_2 = \boxed{\left(1{,}41\,\vec{\mathbf{i}} + 4{,}24\,\vec{\mathbf{j}}\right)\ \text{N/C}}$$

E47. Pour faciliter l'écriture, on numérote les charges de la figure 2.52. On donne $Q_1 = -Q$, la charge positive de gauche $Q_2 = Q$ et celle de droite $Q_3 = Q$. La distance entre chacune des charges et le centre du triangle est la même : $r = \frac{1}{2}\frac{L}{\cos(30°)} = \frac{L}{\sqrt{3}}$.

Par symétrie, on peut affirmer que le champ électrique résultant au centre du triangle ne possède qu'une composante verticale. À partir de la position des charges, on a

$$E_{1y} = E_1 = \frac{k|Q_1|}{r^2} = \frac{kQ}{\left(\frac{L}{\sqrt{3}}\right)^2} = \frac{3kQ}{L^2}$$

$\vec{\mathbf{E}}_2$ est à un angle $\theta_2 = 30°$ par rapport à l'axe des x positifs et son module est

$E_2 = \frac{k|Q_2|}{r^2} = \frac{kQ}{\left(\frac{L}{\sqrt{3}}\right)^2} = \frac{3kQ}{L^2}$. Comme $\vec{\mathbf{E}}_1$ et $\vec{\mathbf{E}}_2$ sont symétriques,

$E_{3y} = E_{2y} = E_2 \sin\theta_2 = \frac{3kQ}{L^2}\left(\frac{1}{2}\right) = \frac{3kQ}{2L^2}$

Finalement,

$\vec{\mathbf{E}} = (E_{1y} + E_{2y} + E_{3y})\,\vec{\mathbf{j}} = \left(\frac{3kQ}{L^2} + 2\left(\frac{3kQ}{2L^2}\right)\right)\vec{\mathbf{j}} = \boxed{\frac{6kQ}{L^2}\vec{\mathbf{j}}}$

E48. On donne $\theta = 12°$, $m = 0{,}5 \times 10^{-3}$ kg, $E = 1{,}3 \times 10^4$ N/C et on pose $Q > 0$. Cette situation est similaire à celle de l'exercice 12 du chapitre 1. Ici, toutefois, la petite sphère est directement repoussée par le champ électrique extérieur, que l'on suppose égal à $\vec{\mathbf{E}} = E\,\vec{\mathbf{i}}$. Si la sphère est à l'équilibre, la somme des forces est nulle selon les deux axes. Avec $\vec{\mathbf{F}}_E = Q\vec{\mathbf{E}}$, $m\vec{\mathbf{g}} = -mg\,\vec{\mathbf{j}}$ et $\vec{\mathbf{T}} = T_x\,\vec{\mathbf{i}} + T_y\,\vec{\mathbf{j}} = -T\sin\theta\,\vec{\mathbf{i}} + T\cos\theta\,\vec{\mathbf{j}}$,

$\sum F_x = 0 \implies -T\sin\theta + QE = 0 \implies T\sin\theta = QE \quad \text{(i)}$

$\sum F_y = 0 \implies T\cos\theta - mg = 0 \implies T\cos\theta = mg \quad \text{(ii)}$

Si on divise l'égalité (i) par l'égalité (ii), on obtient $\tan\theta = \frac{QE}{mg}$ et

$Q = \frac{mg\tan\theta}{E} = \frac{(0{,}5\times10^{-3})(9{,}8)\tan(12°)}{1{,}3\times10^4} = \boxed{80{,}1 \text{ nC}}$

La charge peut être positive ou négative.

E49. On donne $Q = 0{,}20$ nC à l'origine et la charge inconnue q se trouve en $(1 \text{ m}; 0)$. Comme le champ électrique résultant est nul à $x = 2{,}5$ m sur l'axe des x, il faut que $q < 0$. On exprime le champ électrique résultant en tenant compte de la position relative des charges et de leurs signes. On rappelle que si $q < 0$, alors $|q| = -q$:

$\vec{\mathbf{E}} = \frac{kQ}{(2{,}5)^2}\,\vec{\mathbf{i}} - \frac{k|q|}{(2{,}5-1)^2}\,\vec{\mathbf{i}} = 0 \implies q = -\frac{(2{,}5-1)^2}{(2{,}5)^2}Q$

$q = \boxed{-7{,}20 \times 10^{-11} \text{ C}}$

E50. On donne $Q_1 = -3{,}0$ nC à l'orgine et $Q_2 = 5{,}0$ nC en $(0\ ;\ 1 \text{ m})$. On cherche d'abord le champ électrique de chaque charge en (2 m ; 0). En tenant compte du signe des charges et de leur position relative, on a

$\vec{\mathbf{E}}_1 = -E_1\,\vec{\mathbf{i}} = -\frac{k|Q_1|}{r_1^2}\,\vec{\mathbf{i}} = -\frac{(9\times10^9)(3{,}0\times10^{-9})}{2^2}\,\vec{\mathbf{i}} = -6{,}75\,\vec{\mathbf{i}}$ N/C

Le module de $\vec{\mathbf{E}}_2$ est $E_2 = \frac{k|Q_2|}{r_2^2} = \frac{(9\times10^9)(5{,}0\times10^{-9})}{(2)^2+(1)^2} = 9{,}00$ N/C. On obtient les composantes de $\vec{\mathbf{E}}_2$ en utilisant l'angle $\alpha = \arctan\left(\frac{1}{2}\right) = 26{,}6°$ que forme ce vecteur sous l'axe des x positifs et en ajustant correctement les signes :

$\vec{\mathbf{E}}_2 = E_2\cos\alpha\,\vec{\mathbf{i}} - E_2\sin\alpha\,\vec{\mathbf{j}} = \left(8{,}05\,\vec{\mathbf{i}} - 4{,}03\,\vec{\mathbf{j}}\right)$ N/C

$\vec{\mathbf{E}} = \vec{\mathbf{E}}_1 + \vec{\mathbf{E}}_2 = \boxed{\left(1{,}30\,\vec{\mathbf{i}} - 4{,}03\,\vec{\mathbf{j}}\right) \text{ N/C}}$

E51. On donne $q = e$ et $m = 1{,}67 \times 10^{-27}$ kg. On suppose que le mouvement est dans le sens positif de l'axe des x, que $x - x_0 = 0{,}20$ m, $t = 0{,}65$ μs et $v_{x0} = 0$.

(a) À partir de l'équation 3.11 du tome 1, on trouv

$$x - x_0 = v_{x0}t + \tfrac{1}{2}a_x t^2 \implies a_x = \tfrac{2(x-x_0)}{t^2} = \tfrac{2(0{,}20)}{(0{,}65\times10^{-6})^2} \implies a_x = 9{,}47 \times 10^{11} \text{ m/s}^2$$

Et à partir de l'équation 2.6, on obtient

$$E_x = \tfrac{ma_x}{q} = \tfrac{(1{,}67\times10^{-27})(9{,}47\times10^{11})}{1{,}6\times10^{-19}} = 9{,}88 \times 10^3 \text{ N/C} \implies E = \boxed{9{,}88 \text{ kN/C}}$$

(b) À partir de l'équation 3.9 du tome 1, on trouve

$$v_x = v_{x0} + a_x t \implies t = \tfrac{v_x - v_{x0}}{a_x} = \tfrac{3{,}0\times10^6 - 0}{9{,}47\times10^{11}} \implies \boxed{t = 3{,}17\ \mu\text{s}}$$

E52. On donne $\lambda = \frac{2\times10^{-6}}{x}$ et le fil s'étend de $x = 1$ m à $x = 3$ m. À partir de la méthode proposée à l'exemple 2.8, on obtient

$$q = \int dq = \int \lambda dx = \int_1^3 \left(\tfrac{2\times10^{-6}}{x}\right) dx = \left(2 \times 10^{-6}\right) [\ln(x)|_1^3 \implies$$

$$q = \left(2 \times 10^{-6}\right) (\ln(3) - \ln(1)) = \boxed{2{,}20\ \mu\text{C}}$$

E53. On donne $\lambda = \left(2 \times 10^{-6}\right) x$ et le fil s'étend de $x = 2$ m à $x = 5$ m.

(a) À partir de la méthode proposée à l'exemple 2.8, on trouve

$$q = \int dq = \int \lambda dx = \int_2^5 \left(2 \times 10^{-6}\right) x dx = \left(2 \times 10^{-6}\right) \left[\tfrac{x^2}{2}\right|_2^5 = \left(2 \times 10^{-6}\right) \left(\tfrac{5^2}{2} - \tfrac{2^2}{2}\right) \implies$$

$$q = \boxed{21{,}0\ \mu\text{C}}$$

(b) On cherche le champ électrique total de la tige au point P, à $x = 0$. On utilise la méthode proposée à l'exemple 2.9 avec $r = x$, la distance entre un élément de charge de la tige et le point P où le champ électrique de la tige est vers la gauche :

$$E_x = \int dE_x = -\int k\tfrac{dq}{r^2} = -\int k\lambda\tfrac{dx}{x^2} = -k\left(2 \times 10^{-6}\right) \int_2^5 \tfrac{dx}{x} \implies$$

$$E_x = -\left(9 \times 10^9\right)\left(2 \times 10^{-6}\right) [(\ln(x)|_2^5 = -\left(18 \times 10^3\right)(\ln(5) - \ln(2)) \implies$$

$$E_x = -1{,}65 \times 10^4 \text{ N/C} \implies \vec{\mathbf{E}} = \boxed{-1{,}65 \times 10^4 \vec{\mathbf{i}} \text{ N/C}}$$

E54. On donne $\lambda = 4$ μC/m et le fil s'étend de $x = 1$ m à $x = 5$ m.

(a) Pour le calcul du champ électrique en $(-1 \text{ m}\ ;\ 0)$, on utilise la méthode proposée à l'exemple 2.9 avec $r = x + 1$, la distance entre un élément de charge de la tige et le point P où le champ électrique de la tige est vers la gauche :

$$E_x = \int dE_x = -\int k\tfrac{dq}{r^2} = -k\lambda \int \tfrac{dx}{(x+1)^2} = -\left(9 \times 10^9\right)\left(4 \times 10^{-6}\right) \int_1^5 \tfrac{dx}{(x+1)^2} \implies$$

$$E_x = -\left(36 \times 10^3\right) \left[\left(\tfrac{-1}{(x+1)}\right)\right|_1^5 = \left(36 \times 10^3\right)\left(\tfrac{1}{6} - \tfrac{1}{2}\right) = -12 \times 10^3 \text{ N/C} \implies$$

$$\vec{\mathbf{E}} = \boxed{-12{,}0\, \vec{\mathbf{i}} \text{ kN/C}}$$

(b) On raisonne à partir de la méthode proposée à l'exemple 2.10 et de la figure suivante :

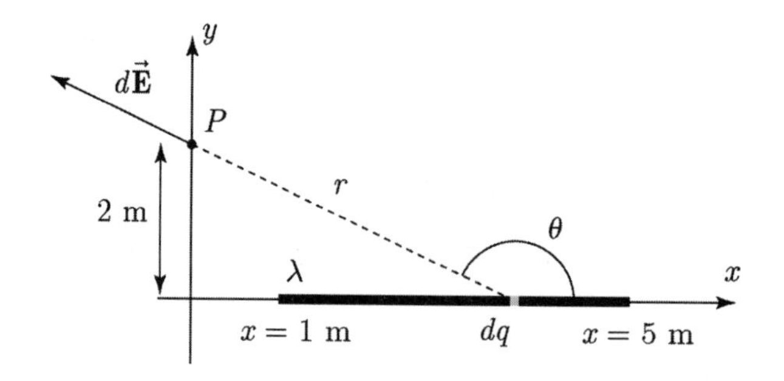

On a, si $r = \sqrt{x^2 + 2^2} = \sqrt{x^2 + 4}$:

$E_x = \int dE_x = \int dE \cos\theta = k\lambda \int \frac{dx}{r^2} \cos\theta$

À partir de la figure, on observe que $\cos\theta = \frac{-x}{\sqrt{x^2+2^2}} = \frac{-x}{\sqrt{x^2+4}}$ donc :

$E_x = k\lambda \int\limits_1^5 \frac{dx}{(x^2+4)} \left(\frac{-x}{\sqrt{x^2+4}}\right) = -\left(36 \times 10^3\right) \int\limits_1^5 \frac{xdx}{(x^2+4)^{3/2}} \implies$

$E_x = -\left(36 \times 10^3\right) \left[\left(-\frac{1}{(x^2+4)^{1/2}}\right)\right|_1^5 \implies$

$E_x = -\left(36 \times 10^3\right) \left(-\frac{1}{(5^2+4)^{1/2}} + \frac{1}{(1^2+4)^{1/2}}\right) = -9{,}42 \times 10^3 \text{ N/C}$

Ensuite, $E_y = \int dE_y = \int dE \sin\theta = k\lambda \int \frac{dx}{r^2} \sin\theta$

À partir de la figure, on observe que $\sin\theta = \frac{2}{\sqrt{x^2+4}}$; donc :

$E_y = k\lambda \int\limits_1^5 \frac{dx}{(x^2+4)} \left(\frac{2}{\sqrt{x^2+4}}\right) = \left(72 \times 10^3\right) \int\limits_1^5 \frac{dx}{(x^2+4)^{3/2}} = \left(72 \times 10^3\right) \left[\left(\frac{x}{4(x^2+4)^{1/2}}\right)\right|_1^5 \implies$

$E_y = \left(72 \times 10^3\right) \left(\frac{5}{4(5^2+4)^{1/2}} - \frac{1}{4(1^2+4)^{1/2}}\right) = 8{,}66 \times 10^3 \text{ N/C}$

Finalement,

$\vec{\mathbf{E}} = \boxed{\left(-9{,}42\,\vec{\mathbf{i}} + 8{,}66\,\vec{\mathbf{j}}\right) \text{ kN/C}}$

(c) La méthode est la même que celle utilisée à la partie (b), mais avec une distance entre un élément de charge de la tige et le point P, qui s'écrit $r = \sqrt{(x-2)^2 + 2^2}$, comme permet de le confirmer cette figure :

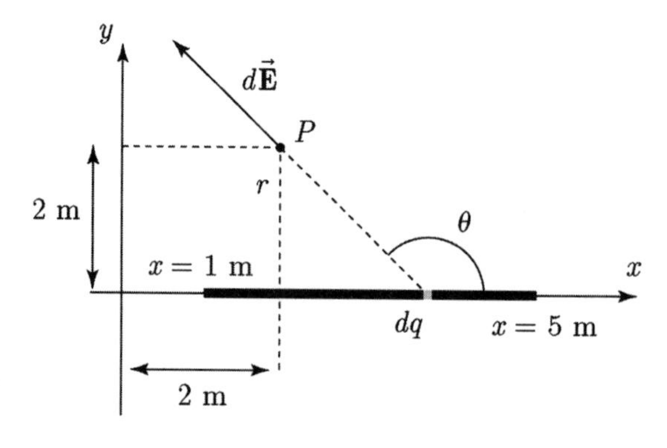

On constate aussi que le champ E_x créé par la portion de la tige qui s'étend de $x = 1$ m à $x = 3$ m s'annule par symétrie. Puisque $\cos\theta = \frac{-(x-2)}{\sqrt{(x-2)^2+4}}$,

$E_x = k\lambda \int_3^5 \frac{dx}{((x-2)^2+4)} \left(\frac{-(x-2)}{\sqrt{(x-2)^2+4}} \right) = -\left(36 \times 10^3\right) \int_3^5 \frac{(x-2)dx}{((x-2)^2+4)^{3/2}} \Longrightarrow$

$E_x = -\left(36 \times 10^3\right) \left[\left(-\frac{1}{(x^2-4x+8)^{1/2}} \right) \right|_3^5 \Longrightarrow$

$E_x = -\left(36 \times 10^3\right) \left(-\frac{1}{(5^2-4(5)+8)^{1/2}} + \frac{1}{(3^2-4(3)+8)^{1/2}} \right) = -6{,}12 \times 10^3 \text{ N/C}$

Et comme $\sin\theta = \frac{2}{\sqrt{(x-2)^2+4}}$:

$E_y = k\lambda \int_1^5 \frac{dx}{((x-2)^2+4)} \left(\frac{2}{\sqrt{(x-2)^2+4}} \right) = \left(72 \times 10^3\right) \int_1^5 \frac{dx}{((x-2)^2+4)^{3/2}} \Longrightarrow$

$E_y = \left(72 \times 10^3\right) \left[\left(\frac{(x-4)}{4(x^2-4x+8)^{1/2}} \right) \right|_1^5 \Longrightarrow$

$E_y = \left(72 \times 10^3\right) \left(\frac{(5-4)}{4(5^2-4(5)+8)^{1/2}} - \frac{(5-1)}{4(1^2-4(1)+8)^{1/2}} \right) = 23{,}0 \times 10^3 \text{ N/C}$

Finalement, $\vec{\mathbf{E}} = \boxed{\left(-6{,}12\,\vec{\mathbf{i}} + 23{,}0\,\vec{\mathbf{j}}\right) \text{ kN/C}}$

E55. (a) On donne $a = 1$ m et $Q = 100$ μC, la charge sur le disque. La densité surfacique de charge sur le disque est $\sigma = \frac{Q}{\pi a^2} = \frac{100\times10^{-6}}{\pi}$. À partir de l'équation 2.15, avec $y = 20$ m :

$E_{\text{d}} = 2\pi k\sigma \left(1 - \frac{y}{\sqrt{a^2+y^2}}\right) = 2\pi \left(9 \times 10^9\right) \left(\frac{100\times10^{-6}}{\pi}\right) \left(1 - \frac{20}{\sqrt{1^2+20^2}}\right) = \boxed{2245{,}79 \text{ N/C}}$

(b) À partir de l'équation 2.2, avec $r = 20$ m :

$E_{\text{p}} = \frac{kQ}{r^2} = \frac{\left(9\times10^9\right)\left(100\times10^{-6}\right)}{20^2} = \boxed{2250 \text{ N/C}}$

(c) $\frac{E_{\text{p}}-E_{\text{d}}}{E_{\text{p}}} = \boxed{0{,}187\ \%}$

Les résultats sont proches, parce qu'à cette distance, le disque se comporte presque comme une charge ponctuelle.

Problèmes

P1. On reprend le côté gauche de la figure 2.53. On y numérote les sommets du parcours en pointillés :

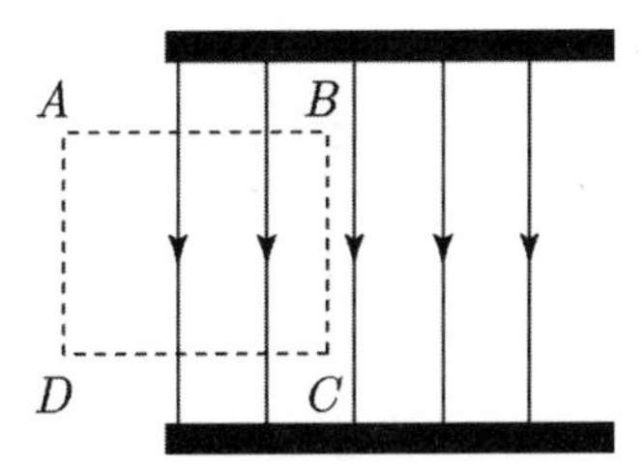

On déplace une charge d'essai positive q le long du parcours fermé $ABCD$. Le travail total que fera la force électrique sur cette charge doit être nul si la force est conservative. On sépare le calcul en quatre segments et on suppose, comme dans la figure, que le champ électrique est confiné dans l'espace entre les plaques, qu'il est uniforme et qu'il est toujours dirigé vers le bas. On aura, si on utilise l'équation 2.3*a*, pour chaque segment,

$W = \int \vec{\mathbf{F}}_E \cdot d\vec{\mathbf{s}} = \int q\vec{\mathbf{E}} \cdot d\vec{\mathbf{s}} = q \int \vec{\mathbf{E}} \cdot d\vec{\mathbf{s}}$

Sur le segment AB, $\vec{\mathbf{E}}$ est toujours perpendiculaire à $d\vec{\mathbf{s}}$, une portion infinitésimale de chemin, donc $\vec{\mathbf{E}} \cdot d\vec{\mathbf{s}} = 0$ sur tout le segment et $W_{AB} = 0$.

Sur le segment BC, $\vec{\mathbf{E}} \cdot d\vec{\mathbf{s}} = Eds\cos(0°) = Eds$ et

$W_{BC} = q \int Eds = qE \int ds > 0$

Sur le segment CD, comme pour le segment AB, $W_{CD} = 0$.

Sur le segment DA, $\vec{\mathbf{E}} = 0$, donc $W_{DA} = 0$.

Finalement, $W_{\text{tot}} = W_{AB} + W_{BC} + W_{CD} + W_{DA} > 0$, ce qui est contradictoire au comportement d'une force conservative. On en conclut que **le champ électrique ne peut se terminer brusquement** et qu'il doit exister à l'extérieur de l'espace entre les plaques, comme dans la figure qui suit. Il n'est pas nécessaire que le champ soit uniforme, mais uniquement qu'il soit symétrique.

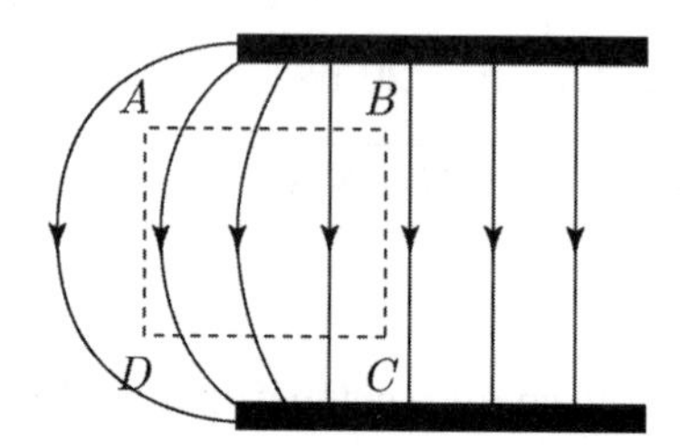

Si on reprend, avec cette figure, l'analyse de la relation entre $\vec{\mathbf{E}}$ et $d\vec{\mathbf{s}}$ sur les quatre segments, on obtient $W_{AB} < 0$, $W_{BC} > 0$, $W_{CD} > 0$ et $W_{DA} < 0$, pour un travail total nul. $\Longrightarrow$ **CQFD**

P2. On suppose pour l'instant que $\lambda > 0$. La figure qui suit reprend la figure 2.54 du manuel. On y ajoute un élément de charge dq et le champ électrique $d\vec{\mathbf{E}}$ qu'il produit :

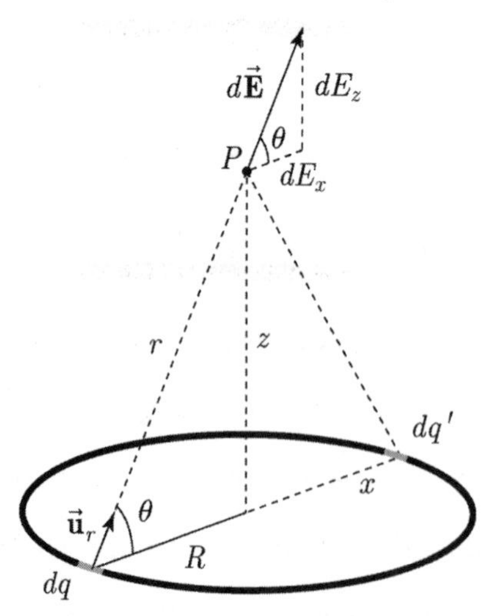

(a) Le champ électrique que produit l'élément de charge est $d\vec{\mathbf{E}} = \frac{kdq}{r^2}\vec{\mathbf{u}}_r$. On peut subdiviser ce champ en deux composantes perpendiculaires, comme dans la figure. L'anneau est symétrique, un élément de charge dq' situé du côté opposé de l'anneau crée un champ dont la composante selon x annule celle de dq. On peut annuler toutes les composantes de champ électrique qui sont parallèles au plan de l'anneau en considérant les éléments de charge deux à deux. Le champ électrique résultant en P ne comporte alors qu'une composante selon z :

$E_z = \int dE_z = \int dE \sin\theta = \int \frac{kdq}{r^2} \sin\theta$

L'élément de charge dq est à une distance $r = \sqrt{z^2 + R^2}$ du point P et, à partir de la figure, $\sin\theta = \frac{z}{r} = \frac{z}{\sqrt{z^2+R^2}}$. Ainsi,

$E_z = \int \frac{kdq}{(z^2+R^2)} \frac{z}{\sqrt{z^2+R^2}} = \frac{kz}{(z^2+R^2)^{3/2}} \int dq$

L'intégrale correspond à la charge totale sur l'anneau. On peut exprimer cette charge totale en considérant la densité linéique de charge et la longueur de l'anneau, $\int dq = \lambda(2\pi R)$:

$E_z = \frac{kz}{(z^2+R^2)^{3/2}}\lambda(2\pi R) \implies E = \boxed{\frac{2\pi Rk|\lambda|z}{(z^2+R^2)^{3/2}}}$

On ajoute la valeur absolue à λ dans l'éventualité que la charge soit négative.

(b) Le module du champ électrique prend une valeur maximale lorsque $\frac{dE}{dz} = 0$. À partir du résultat de (a), on trouve

$\frac{dE}{dz} = 2\pi R\,|\lambda|\,k\frac{d}{dz}\left(\frac{z}{(z^2+R^2)^{3/2}}\right) = 0 \implies$

$\frac{dE}{dz} = 2\pi R\,|\lambda|\,k\left(\frac{\left(z^2+R^2\right)^{3/2} - z\left(3z\sqrt{z^2+R^2}\right)}{(z^2+R^2)^3}\right) = 2\pi R\,|\lambda|\,k\left(\frac{z^2+R^2-3z^2}{(z^2+R^2)^{5/2}}\right) \implies$

$\frac{dE}{dz} = 2\pi R\,|\lambda|\,k\left(\frac{R^2-2z^2}{(z^2+R^2)^{5/2}}\right) = 0$

Si on exclut $z \longrightarrow \infty$, cette dérivée s'annule pour $R^2 - 2z^2 = 0$; donc

$z = \boxed{\pm\frac{R}{\sqrt{2}}}$

(c) Si $z \gg R$, on peut poser que $\left(z^2 + R^2\right) \approx z^2$ et, à partir du résultat de la partie (a),

$E \approx \frac{2\pi R|\lambda|kz}{(z^2)^{3/2}} \implies E \boxed{\approx \frac{2\pi R|\lambda|k}{z^2}}$

(d) On définit, dans le logiciel Maple, les différentes variables et l'expression du module du champ électrique. Ensuite on crée le graphe demandé :

```
> restart:
> R:=1;
> lambda:=1e-6;
> k:=9e9;
```

```
> E:='2*Pi*R*lambda*k*z/(z^2+R^2)^(3/2)';
> plot(E,z=0..4);
```

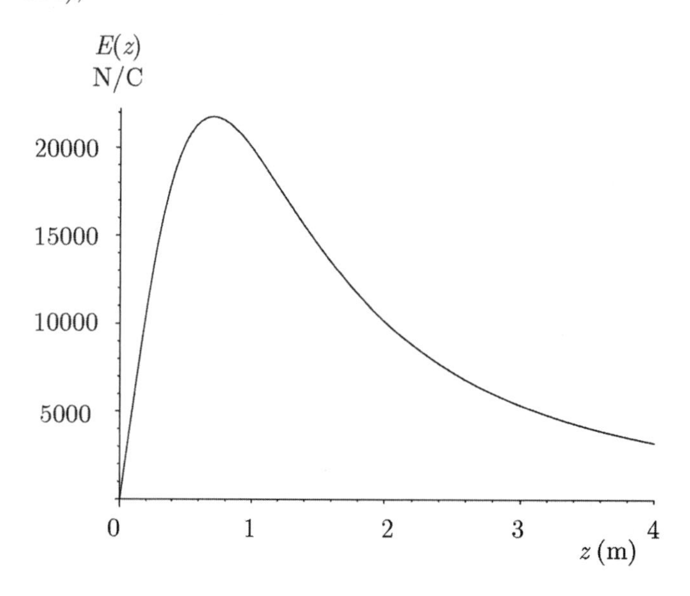

Le graphique permet de vérifier la réponse de la question (b).

P3. On donne $\overrightarrow{\mathbf{p}} = p\,\overrightarrow{\mathbf{i}}$ et $\overrightarrow{\mathbf{E}} = \frac{C}{x}\overrightarrow{\mathbf{i}}$. À partir de l'équation 2.25, on trouve

$F_x = p\frac{dE}{dx} = p\frac{d}{dx}\left(\frac{C}{x}\right) = -\frac{pC}{x^2} \implies \overrightarrow{\mathbf{F}} = \boxed{-\frac{pC}{x^2}\overrightarrow{\mathbf{i}}}$

P4. (a) La figure qui suit reprend la figure 2.55 du manuel. On y ajoute un élément de charge dq et le champ électrique $d\overrightarrow{\mathbf{E}}$ qu'il produit, sachant que $\lambda > 0$:

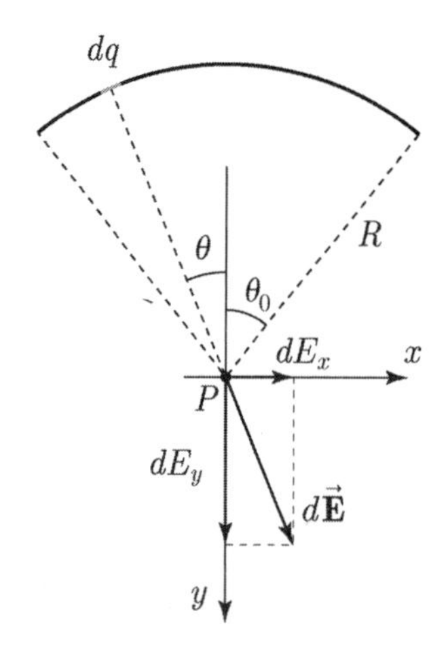

Pour chaque élement de charge à gauche de l'axe des y, comme celui qui est représenté, un élément de charge est placé symétriquement de l'autre côté. On peut conclure que la somme des composantes selon x de champ électrique s'annule et que le champ électrique résultant en P ne comporte qu'une composante selon y:

$E_y = \int dE_y = \int dE\cos\theta = \int \frac{k\,dq}{r^2}\cos\theta$

L'élément de charge dq est à une distance R du point P. Chaque élément de charge s'étend sur une portion d'arc de cercle de largeur infinitésimale ds; donc $dq = \lambda ds = \lambda R d\theta$. Ainsi,

$E_y = k \int\limits_{-\theta_0}^{\theta_0} \frac{\lambda R d\theta}{R^2} \cos\theta = \frac{k\lambda}{R} \int\limits_{-\theta_0}^{\theta_0} \cos\theta d\theta = \frac{k\lambda}{R} [\sin\theta|_{-\theta_0}^{\theta_0} = \frac{k\lambda}{R} (\sin\theta_0 - \sin(-\theta_0))$

Puisque $\sin(-\theta_0) = -\sin\theta_0$, alors

$\vec{\mathbf{E}} = \boxed{\frac{2k\lambda}{R} \sin(\theta_0) \vec{\mathbf{j}}}$

(b) Si la tige forme un demi-cercle, alors $\theta_0 = 90°$ et $\sin\theta_0 = 1$. Le résultat de la partie devient $E = \frac{2k\lambda}{R} \sin(\theta_0) \implies \boxed{E = \frac{2k\lambda}{R}} \implies \boxed{\text{CQFD}}$

P5. (a) De l'infini à gauche de Q_1 jusqu'à Q_1, le champ électrique résultant est horizontal, pointe selon les x négatifs et son module augmente quand on s'approche de Q_1.

De Q_1à l'origine, le champ est horizontal, selon les x positifs et son module diminue.

À l'origine, à mi-chemin entre Q_1 et Q_2, le champ résultant est nul.

De l'origine à Q_2, le champ électrique est horizontal, selon les x négatifs et son module augmente quand on s'approche de Q_2.

De Q_2 à l'infini à droite, le champ est horizontal, il pointe vers les x positifs et son module est décroissant.

(b) De l'infini à gauche de Q_1 jusqu'à Q_1, le champ électrique résultant est horizontal, pointe selon les x négatifs et son module augmente quand on s'approche de Q_1.

De Q_1à l'origine, le champ est horizontal, selon les x positifs et son module diminue.

À l'origine, à mi-chemin entre Q_1 et Q_2, le module du champ résultant est minimal.

De l'origine à Q_2, le champ électrique est horizontal, selon les x positifs et son module augmente quand on s'approche de Q_2.

De Q_2 à l'infini à droite, le champ est horizontal, il pointe vers les x négatifs et son module est décroissant.

P6. On veut connaître le champ électrique dans la sphère, à une distance $r < R$ du centre de la sphère. À cause de l'énoncé (i) du problème, on peut supposer que le champ électrique en ce point ne dépend pas de la portion de la charge qui se trouve dans la portion de la sphère qui va de r à R. La charge q qui se trouve à l'intérieur de ce rayon r peut être exprimée à partir de la densité volumique de charge de la sphère, $q = \frac{4}{3}\pi r^3 \rho$.

Si on se sert de l'énoncé (ii) du problème, le module du champ électrique en r est donné par l'équation 2.2 avec $|q|$ et on trouve

$E = \frac{k|q|}{r^2} = \frac{k}{r^2} \left(\frac{4}{3}\pi r^3 |\rho|\right) \implies \boxed{E \propto r} \implies \boxed{\text{CQFD}}$

P7. (a) On reprend la solution de l'exemple 2.10 à partir de l'équation :

$E_y = \int \frac{k\lambda dx \cos\theta}{r^2}$ (i)

Au lieu de résoudre l'intégrale à partir de l'angle θ, comme à l'exemple 2.10, on note que $r = \sqrt{x^2+y^2}$, où y est la position verticale du point P. De plus, $\cos\theta = \frac{y}{r} = \frac{y}{\sqrt{x^2+y^2}}$.

Avec ces égalités, l'équation (i) devient

$$E_y = \int_{-L/2}^{L/2} \frac{k\lambda dx}{(x^2+y^2)^2}\frac{y}{\sqrt{x^2+y^2}} = k\lambda y \int_{-L/2}^{L/2} \frac{dx}{(x^2+y^2)^{3/2}} = k\lambda y \left[\left(\frac{x}{y^2(x^2+y^2)^{1/2}}\right)\right|_{-L/2}^{L/2} \implies$$

$$E_y = k\lambda y \left(\frac{L}{2y^2\left(\frac{L^2}{4}+y^2\right)^{1/2}} + \frac{L}{2y^2\left(\frac{L^2}{4}+y^2\right)^{1/2}}\right) = \frac{k\lambda y L}{y^2\left(\frac{L^2}{4}+y^2\right)^{1/2}} = \frac{k\lambda L}{y\left(\frac{L^2}{4}+y^2\right)^{1/2}} \implies$$

$$E_y = \frac{k\lambda L}{y\left(\frac{1}{4}\right)^{1/2}(L^2+4y^2)^{1/2}} = \frac{2k\lambda L}{y(L^2+4y^2)^{1/2}}$$

La charge totale sur la tige est $Q = \lambda L$, et elle est positive; donc

$$\boxed{E = E_y = \frac{2kQ}{y(L^2+4y^2)^{1/2}}} \implies \boxed{\text{CQFD}}$$

(b) Si $y \gg L$, on peut poser que $(L^2+4y^2) \approx 4y^2$ et, à partir du résultat de la partie (a) :

$$E \approx \frac{2kQ}{y(4y^2)^{1/2}} \implies E \boxed{\approx \frac{kQ}{y^2}}$$

(c) Si $y \ll L$, on peut poser que $(L^2+4y^2) \approx L^2$ et, à partir du résultat de la partie (a) :

$$E \approx \frac{2kQ}{y(L^2)^{1/2}} \implies E \boxed{\approx \frac{2kQ}{yL}}$$

P8. On reprend la figure 2.18 de l'exemple 2.7 du manuel pour montrer le prolongement de la trajectoire de l'électron vers l'intérieur. Le segment en pointillés coupe la droite représentant la trajectoire initiale à une distance d du côté droit :

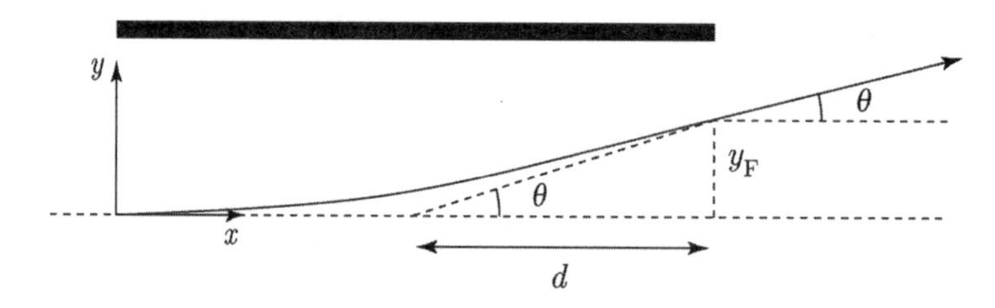

On a, selon l'équation (ii) de la solution de l'exemple :

$$\tan\theta = \frac{y_F}{d} \implies \frac{v_y}{v_x} = \frac{y_F}{d}$$

Mais on sait que $v_x = v_0$, $v_y = a_y t$, $y_F = \frac{a_y t^2}{2}$ et $t = \frac{\ell}{v_0}$. Si on insère ces égalités dans la relation pour l'angle, on obtient

$$\frac{a_y t}{v_0} = \frac{\frac{a_y t^2}{2}}{d} \implies \frac{a_y}{v_0}\frac{\ell}{v_0} = \frac{a_y}{2d}\left(\frac{\ell}{v_0}\right)^2 \implies \ell = \frac{\ell^2}{2d} \implies d = \frac{\ell}{2}$$

Ce résultat pour d implique que la droite représentant le prolongement de la trajectoire coupe la direction initiale au $\boxed{\text{milieu des plaques}}$. $\implies$ $\boxed{\text{CQFD}}$

P9. On considère le plan comme constitué de fils infinis parallèles de largeur dx. La figure montre l'un de ces fils et le champ électrique qu'il crée au point P; on suppose pour l'instant que $\lambda > 0$. Comme le fil est une portion infinitésimale du plan, ce champ est lui aussi inifinitésimal :

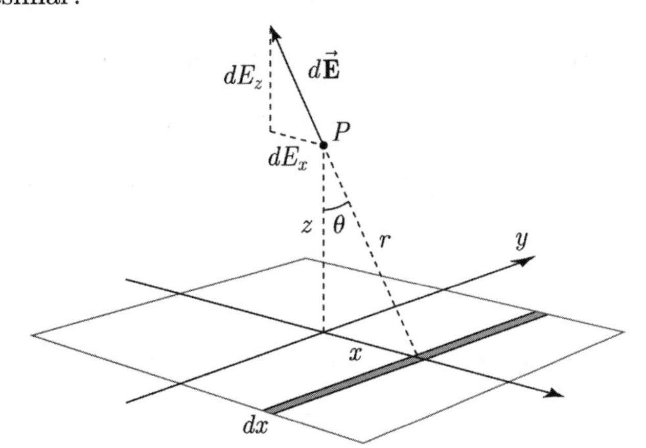

Comme le plan est infini dans la direction y, il n'y a pas de composantes de champ électrique selon cette direction. Pour chaque fil placé en x, il y a un fil placé en $x' = -x$; la somme des composantes selon x de champ est donc nulle par symétrie. Il ne reste alors qu'à additionner les composantes selon z. Pour chaque fil, on a $dE = \frac{2kd\lambda}{r}$, où $d\lambda = \sigma dx$; la densité linéique de charge est une parcelle de la densité surfacique de charge.

$E_z = \int dE_z = \int dE \cos\theta = \int \frac{2kd\lambda}{r}\cos\theta = 2k\sigma \int \frac{dx}{r}\cos\theta \qquad \text{(i)}$

Selon la figure, $\cos\theta = \frac{z}{r}$ et $r = \sqrt{x^2+z^2}$, de sorte que l'équation (i) devient

$E_z = 2k\sigma \int \frac{dx}{\sqrt{x^2+z^2}}\frac{z}{\sqrt{x^2+z^2}} = 2k\sigma z \int\limits_{-\infty}^{\infty} \frac{dx}{x^2+z^2} = 2k\sigma z \left[\left(\frac{1}{z}\arctan\left(\frac{x}{z}\right)\right)\right|_{-\infty}^{\infty} \implies$

$E_z = 2k\sigma\left(\frac{\pi}{2}+\frac{\pi}{2}\right) = 2\pi k\sigma = 2\pi\left(\frac{1}{4\pi\varepsilon_0}\right)\sigma \implies \boxed{E = \frac{|\sigma|}{2\varepsilon_0}} \implies \boxed{\text{CQFD}}$

Le résultat est valable quel que soit le signe de la charge sur le plan.

P10. On donne $\lambda > 0$ et la charge qui gravite autour du fil est négative. À une distance R du fil, le champ électrique que celui-ci produit a un module donné par l'équation 2.13, $E = \frac{2k\lambda}{R}$. Le module de la force ressentie par la charge est :

$F_E = |-q|\,E = \frac{2kq\lambda}{R}$

La force électrique agit comme force centripète. Selon l'équation 6.3 du tome 1 :

$F_E = \frac{mv^2}{R} \implies \frac{2kq\lambda}{R} = \frac{mv^2}{R} \qquad \text{(i)}$

Comme la trajectoire est circulaire, $v = \frac{2\pi R}{T}$, où T est la période du mouvement, et l'équation (i) devient

$\frac{2kq\lambda}{R} = \frac{m\left(\frac{2\pi R}{T}\right)^2}{R} \implies 2kq\lambda = m\left(\frac{4\pi^2R^2}{T^2}\right) \implies T^2 = \pi^2R^2\left(\frac{2m}{k\lambda q}\right) \implies$

$T = \boxed{\pi R\sqrt{\frac{2m}{k\lambda q}}}$

P11. La situation est représentée à la figure 2.33 du manuel. On suppose qu'un axe des z est perpendiculaire au plan de cette figure.

Selon l'équation 2.22 du manuel, le module τ du moment de force engendré par le champ électrique et ressenti par le dipôle est $pE\sin\theta$. Ce moment de force cherche à faire tourner le dipôle dans le sens horaire. Selon la définition qui a été donnée pour le moment de force à la section 12.4 du tome 1, il s'agit d'une composante négative de moment de force selon z :

$\tau_z = -pE\sin\theta \qquad \text{(i)}$

Selon l'équation 12.18 du tome 1, valable pour une rotation autour du centre de masse du dipôle, le moment de force et l'accélération sont liés par

$\tau_z = I\alpha_z = I\frac{d^2\theta}{dt^2} \qquad \text{(ii)}$

où I est le moment d'inertie du dipôle. Si on combine les équations (i) et (ii) et qu'on suppose que le déplacement angulaire est petit afin que $\sin\theta \approx \theta$,

$-pE\theta = I\frac{d^2\theta}{dt^2} \implies \frac{d^2\theta}{dt^2} + \left(\frac{pE}{I}\right)\theta = 0 \qquad \text{(iii)}$

L'équation (iii) a exactement la forme de l'équation 15.5a du tome 1 caractérisant un mouvement harmonique simple de fréquence angulaire $\omega = \sqrt{\frac{pE}{I}}$. Comme $\omega = 2\pi f$,

$\boxed{f = \frac{1}{2\pi}\sqrt{\frac{pE}{I}}} \implies \boxed{\text{CQFD}}$

P12. (a) On donne $\lambda > 0$. Dans la figure 2.57 du manuel, on suppose que l'origine du système d'axes est à l'extrémité droite du système d'axes. Ainsi, la distance r entre un élément de charge du fil et le point situé en $(R{,}0)$ est $r = R - x$. Le champ électrique total du fil ne possède qu'une composante selon x et, si $dq = \lambda dx$,

$E_x = \int dE_x = \int dE = \int \frac{kdq}{r^2} = \int\limits_{-\infty}^{0} \frac{k\lambda dx}{(R-x)^2} = k\lambda\left[\left(\frac{1}{R-x}\right)\Big|_{-\infty}^{0}\right] \implies$

$E_x = k\lambda\left(\frac{1}{R} - 0\right) \implies \vec{\mathbf{E}} = \boxed{\frac{k\lambda}{R}\vec{\mathbf{i}}}$

(b) On reprend la figure 2.57 du manuel pour y faire apparaître un élément de charge et le champ électrique qu'il crée au point $P\,(0{,}R)$:

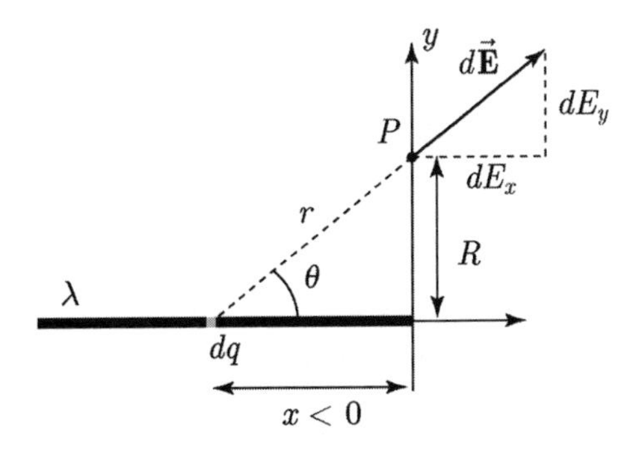

Le champ total possède une composante dans chaque direction. La distance r entre un élément de charge $dq = \lambda dx$ est $r = \sqrt{x^2 + R^2}$. On commence par le champ selon x en rappelant que $\cos\theta = \frac{-x}{r}$ puisque $x < 0$ pour un élément de charge.

$$E_x = \int dE_x = \int dE \cos\theta = \int \frac{kdq}{r^2}\frac{-x}{r} = k\lambda \int_{-\infty}^{0} \frac{-xdx}{(x^2+R^2)^{3/2}} = k\lambda \left[\left(\frac{1}{\sqrt{x^2+R^2}}\right)\right|_{-\infty}^{0} \implies$$

$$E_x = k\lambda\left(\frac{1}{R} - 0\right) = \frac{k\lambda}{R}$$

Selon y, si $\sin\theta = \frac{R}{r} = \frac{R}{\sqrt{x^2+R^2}}$,

$$E_y = \int dE_y = \int dE \sin\theta = \int \frac{kdq}{r^2}\frac{R}{r} = k\lambda R \int_{-\infty}^{0} \frac{dx}{(x^2+R^2)^{3/2}} = k\lambda R \left[\left(\frac{x}{R^2\sqrt{x^2+R^2}}\right)\right|_{-\infty}^{0}$$

Pour évaluer plus facilement l'intégrale, on la réécrit de façon différente. On rappelle que $x < 0$, donc $\sqrt{x^2 + R^2} = (-x)\sqrt{1 + \frac{R^2}{x^2}}$ et

$$E_y = \frac{k\lambda}{R}\left[\left(\frac{-1}{\sqrt{1+\frac{R^2}{x^2}}}\right)\right|_{-\infty}^{0} = \frac{k\lambda}{R}(0 - (-1)) = \frac{k\lambda}{R}$$

Finalement,

$$\vec{\mathbf{E}} = \boxed{\frac{k\lambda}{R}\left(\vec{\mathbf{i}} + \vec{\mathbf{j}}\right)}$$

P13. On donne $Q > 0$. On reprend la figure 2.58 du manuel en y ajoutant le champ électrique de chacune des deux charges, que l'on numérote pour faciliter les écritures :

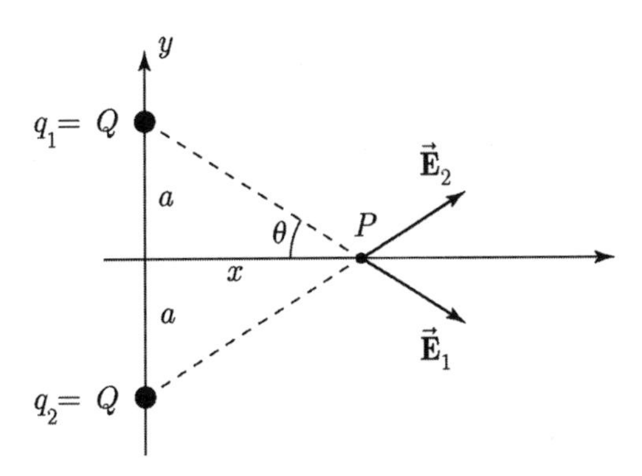

(a) Au point P, les composantes verticales de champ s'annulent par symétrie et les composantes horizontales sont les mêmes. On voit dans la figure que $r = \sqrt{a^2 + x^2}$ et que $\cos\theta = \frac{x}{r} = \frac{x}{\sqrt{a^2+x^2}}$, de sorte que

$E_x = E_{1x} + E_{2x} = 2E_{1x} = 2E_1 \cos\theta = 2\frac{kQ}{r^2}\frac{x}{\sqrt{a^2+x^2}} = \frac{2kQx}{(a^2+x^2)^{3/2}} \implies$

$\vec{\mathbf{E}} = \boxed{\frac{2kQx}{(a^2+x^2)^{3/2}}\vec{\mathbf{i}}}$

(b) Si $x \gg a$, on a $\left(a^2 + x^2\right)^{3/2} \approx x^3$ et

$E = \frac{2kQx}{(a^2+x^2)^{3/2}} \implies E \approx \frac{2kQx}{x^3} \implies E \boxed{\approx \frac{2kQ}{x2}}$

(c) Le module du champ électrique prend une valeur maximale lorsque $\frac{dE}{dz} = 0$. À partir du résultat de (a), on obtient

$\frac{dE}{dz} = 2kQ\frac{d}{dx}\left(\frac{x}{(a^2+x^2)^{3/2}}\right) = 0 \implies$

$\frac{dE}{dz} = 2kQ\left(\frac{\left(x^2+a^2\right)^{3/2} - x\left(3x\sqrt{x^2+a^2}\right)}{(x^2+a^2)^3}\right) = 2kQ\left(\frac{x^2+a^2-3x^2}{(x^2+a^2)^{5/2}}\right) = 2kQ\left(\frac{a^2-2x^2}{(x^2+a^2)^{5/2}}\right) = 0$

Si on exclut $x \longrightarrow \infty$, cette dérivée s'annule pour $a^2 - 2x^2 = 0$; donc

$x = \boxed{\pm\frac{a}{\sqrt{2}}}$

(d) On définit, dans le logiciel Maple, les différentes variables et l'expression du module du champ électrique. Ensuite, on crée le graphe demandé :

```
> restart:
> a:=1;
> Q:=1e-6;
> k:=9e9;
> E:='2*k*Q*x/(x^2+a^2)^(3/2)';
> plot(E,x=0..3*a);
```

Le graphe permet de confirmer la réponse de la question (c).

P14. On donne $E(x) = \frac{kQx}{(x^2+R^2)^{3/2}}$ pour le module du champ électrique à une distance $x > 0$, le long de l'axe d'un anneau portant une charge $Q > 0$.

(a) Si $R \gg x$, on a $\left(x^2 + R^2\right)^{3/2} \approx R^3$ et

$E(x) = \frac{kQx}{(x^2+R^2)^{3/2}} \boxed{\approx \frac{kQx}{R^3}}$

(b) Pour toute valeur de x, l'expression du module du champ le long de l'axe de l'anneau devient celle de sa composante selon x, avec le signe adéquat :

$\vec{\mathbf{E}} = \frac{kQx}{(x^2+R^2)^{3/2}}\vec{\mathbf{i}}$

Placée sur l'axe, une charge négative $-q$ subira une force

$\vec{\mathbf{F}}_E = (-q)\,\vec{\mathbf{E}} = -\frac{kqQx}{(x^2+R^2)^{3/2}}\vec{\mathbf{i}}$

qui cherche à la rapprocher du centre de l'anneau. Si $R \gg x$, ce qui est le cas pour de petits déplacements, on peut utiliser le résultat de la question (b) et

$\vec{\mathbf{F}}_E = -\frac{kqQx}{R^3}\vec{\mathbf{i}}$

S'il s'agit de l'unique force appliquée à la charge ponctuelle alors, selon la deuxième loi de Newton,

$\sum F_x = -\frac{kqQx}{R^3} = ma_x \implies -\left(\frac{kqQ}{mR^3}\right)x = \frac{d^2x}{dt^2} \implies \frac{d^2x}{dt^2} + \left(\frac{kqQ}{mR^3}\right)x = 0 \qquad \text{(i)}$

Cette équation a exactement la forme de l'équation 15.5a du tome 1 caractérisant un $\boxed{\text{mouvement harmonique simple}}$. $\implies \boxed{\text{CQFD}}$

(c) Si on compare l'équation (i) avec l'équation 15.5a du tome 1, on conclut que la fréquence angulaire de l'oscillation observée est $\boxed{\omega = \sqrt{\frac{kqQ}{mR^3}}} \implies \boxed{\text{CQFD}}$

P15. On suppose que $q > 0$. On ne connaît pas le rayon r de la goutte qui porte la charge et on cherche à éliminer cette variable de l'expression qui permet de calculer q. On sait que

$6\pi\eta r v_{\mathrm{L}} = m_{\mathrm{eff}}g = \frac{4}{3}\pi r^3(\rho - \rho_{\mathrm{A}})g$

Si on isole r dans cette égalité,

$r = \sqrt{\frac{18\eta v_{\mathrm{L}}}{4(\rho-\rho_{\mathrm{A}})g}} \qquad \text{(i)}$

Lorsqu'une goutte est à l'équilibre, le module de la force électrique qu'elle ressent est égal au module de son poids :

$qE = m_{\mathrm{eff}}g = \frac{4}{3}\pi r^3(\rho - \rho_{\mathrm{A}})g \qquad \text{(ii)}$

On remplace r dans l'équation (ii) par le résultat de l'équation (i) :

$qE = \frac{4}{3}\pi(\rho - \rho_{\mathrm{A}})g\left(\frac{18\eta v_{\mathrm{L}}}{4(\rho-\rho_{\mathrm{A}})g}\right)^{3/2} \implies qE = \frac{4}{3}\pi(\rho - \rho_{\mathrm{A}})g\sqrt{\left(\frac{18\eta v_{\mathrm{L}}}{4(\rho-\rho_{\mathrm{A}})g}\right)^3} \implies$

$qE = \frac{4}{3}\pi\sqrt{\left(\frac{9}{2}\right)^3\left(\frac{\eta^3 v_{\mathrm{L}}^3}{(\rho-\rho_{\mathrm{A}})g}\right)} \implies qE = \frac{4}{3}\pi\sqrt{\frac{(3^2)^3}{2(2^2)}\left(\frac{\eta^3 v_{\mathrm{L}}^3}{(\rho-\rho_{\mathrm{A}})g}\right)} \implies$

$qE = \frac{4}{3}\pi\frac{27}{2}\sqrt{\frac{\eta^3 v_{\mathrm{L}}^3}{2(\rho-\rho_{\mathrm{A}})g}} = 18\pi\sqrt{\frac{\eta^3 v_{\mathrm{L}}^3}{2(\rho-\rho_{\mathrm{A}})g}} \implies \boxed{q = \frac{18\pi}{E}\sqrt{\frac{\eta^3 v_{\mathrm{L}}^3}{2(\rho-\rho_{\mathrm{A}})g}}} \implies \boxed{\text{CQFD}}$

P16. On donne $q = -e$, $m_{\mathrm{e}} = 9{,}1 \times 10^{-31}$ kg et $\overrightarrow{\mathbf{E}} = 1000\,\overrightarrow{\mathbf{j}}$ N/C. On suppose que la position initiale de l'électron correspond à l'origine du système d'axes qui sera utilisé. Le module v_0 de la vitesse initiale de l'électron est inconnu, mais l'orientation de cette vitesse est $\theta = 30°$.

On calcule d'abord l'accélération subie par l'électron à partir de l'équation 2.6 :

$\overrightarrow{\mathbf{a}} = \frac{q\overrightarrow{\mathbf{E}}}{m_{\mathrm{e}}} = \frac{(-1{,}6\times10^{-19})(1000)}{9{,}1\times10^{-31}}\overrightarrow{\mathbf{j}} = -1{,}76 \times 10^{14}\,\overrightarrow{\mathbf{j}}\ \mathrm{m/s^2}$

Comme l'accélération subie par l'électron est vers le bas et que $y_0 = 0$, on peut reprendre l'équation (v) développée à l'exemple 4.2 du tome 1 pour la trajectoire d'un projectile en remplaçant $-g$ par $a_y = -1{,}76 \times 10^{14}$:

$y = x\tan(30°) + \frac{a_y x^2}{2v_0^2\cos^2(30°)} \qquad \text{(i)}$

À la sortie, $x = 0{,}04$ m et la position verticale, compte tenu de la distance entre les plaques, peut prendre deux valeurs extrêmes, soit $y = \pm 0{,}005$ m.

Avec $y = 0{,}005$ m, l'équation (i) donne $v_0 = 3{,}22 \times 10^6$ m/s et avec $y = -0{,}005$ m, on trouve $v_0 = 2{,}59 \times 10^6$ m/s. Finalement, l'électron ne frappera aucune des plaques si $\boxed{2{,}59 \times 10^6 \text{ m/s} < v_0 < 3{,}22 \times 10^6 \text{ m/s}}$

P17. On donne $q = -e$, $m_e = 9{,}1 \times 10^{-31}$ kg, $v_0 = 3 \times 10^6$ m/s et $\vec{\mathbf{E}} = 1000\,\vec{\mathbf{j}}$ N/C. On suppose que la position initiale de l'électron correspond à l'origine du système d'axes qui sera utilisé. L'accélération que subit l'électron a été calculée au problème 16 :

$\vec{\mathbf{a}} = -1{,}76 \times 10^{14}\,\vec{\mathbf{j}}$ m/s^2

Comme l'accélération subie par l'électron est vers le bas et que $y_0 = 0$, on peut reprendre l'équation (iv) développée à l'exemple 4.2 du tome 1 pour la portée R d'un projectile en remplaçant g par $|a_y| = 1{,}76 \times 10^{14}$. Cette équation donne le déplacement selon x lorsque la particule revient à la même position verticale $y = 0$. Dans ce problème, $R = 0{,}04$ m, la longueur des plaques, et θ correspond à la valeur initiale de l'angle de la vitesse :

$$R = \frac{v_0^2 \sin(2\theta)}{|a_y|} \implies 0{,}04 = \frac{\left(3\times10^6\right)^2 \sin(2\theta)}{1{,}76\times10^{14}} \implies \theta = \boxed{25{,}7^\circ}$$

On doit vérifier que la valeur maximale de la position verticale ne dépasse pas la distance permise de 0,005 m.

Selon l'exercice 32 du chapitre 4 du tome 1, cette valeur maximale est donnée par

$$y_{\max} = \frac{v_0^2 \sin^2\theta}{2|a_y|} = \frac{\left(3\times10^6\right)^2 \sin^2(25{,}7^\circ)}{2(1{,}76\times10^{14})} = 4{,}81 \times 10^{-3} \text{ m}$$

ce qui est juste en-dessous de la distance permise.

P18. La figure qui suit reprend la figure 2.60 du manuel. On y ajoute un élément de charge dq et le champ électrique $d\vec{\mathbf{E}}$ qu'il produit, sachant que $\lambda > 0$. La figure montre aussi un élément de charge $dq' < 0$ placé symétriquement par rapport à l'axe des y :

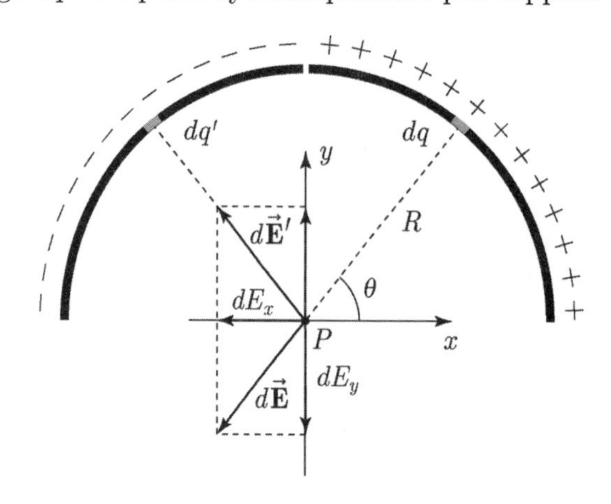

À cause de la symétrie, les composantes verticales dE_y et dE'_y s'annulent pour chaque paire d'éléments de charge placée symétriquement. Les composantes horizontales sont les mêmes, de sorte qu'on peut calculer l'unique composante du champ résultant à partir de la portion positive de l'arc de cercle en la multipliant par deux :

$$E_x = 2 \int_{x>0} dE_x = -2 \int_{x>0} dE \cos\theta = -2 \int_{x>0} \frac{kdq}{R^2} \cos\theta$$

L'élément de charge dq est réparti sur un segment d'arc de cercle de longueur $Rd\theta$, de sorte que $dq = \lambda R d\theta$ et

$$E_x = -2 \int_0^{\pi/2} \frac{k\lambda R d\theta}{R^2} \cos\theta = -\frac{2k\lambda}{R} \int_0^{\pi/2} \cos\theta d\theta = -\frac{2k\lambda}{R} \left[(\sin\theta)\right]_0^{\pi/2} = -\frac{2k\lambda}{R} (1-0) \implies$$

$$\vec{\mathbf{E}} = \boxed{-\frac{2k\lambda}{R} \vec{\mathbf{i}}}$$

P19. Le champ électrique de chaque fil semi-infini est dans le même sens à l'origine. À cause de la symétrie, le module de chacun de ces champs est le même. Au problème 12a, on a établi l'expression du champ électrique d'un fil semi-infini lorsqu'on s'éloigne d'une certaine distance le long de l'axe du fil. Il suffit de multiplier ce résultat par deux pour tenir compte des deux fils :

$$\vec{\mathbf{E}} = 2\left(\frac{k\lambda}{a}\right) \vec{\mathbf{i}} = \boxed{\frac{2k\lambda}{a} \vec{\mathbf{i}}}$$

P20. La figure qui suit reprend la figure 2.62 du manuel. On y ajoute un élément de charge dq et le champ électrique $d\vec{\mathbf{E}}$ qu'il produit :

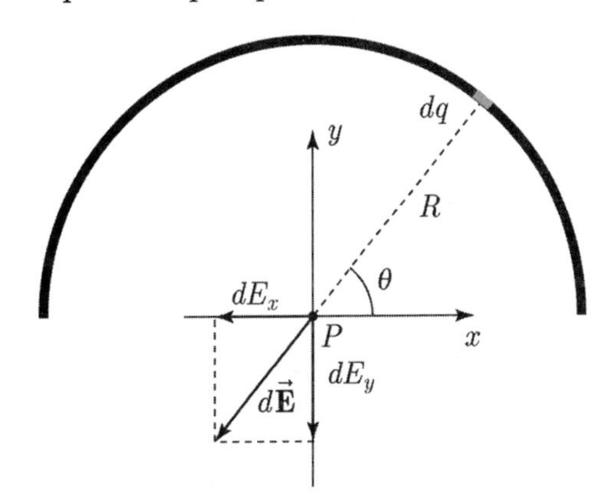

Comme $\lambda = \lambda_0 \sin\theta$, on peut prévoir que la composante selon x du champ électrique total sera nulle. En effet, si $dq = \lambda R d\theta$, comme au problème 18 :

$$E_x = \int dE_x = -\int dE \cos\theta = -\int \frac{kdq}{R^2} \cos\theta = -\frac{k}{R^2} \int \lambda_0 \sin\theta R d\theta \cos\theta \implies$$

$$E_x = -\frac{k\lambda_0}{R} \int_0^{\pi} (\sin\theta \cos\theta)\, d\theta = -\frac{k\lambda_0}{R} \left[\left(\tfrac{1}{2}\sin^2(\theta)\right)\right]_0^{\pi} = 0$$

Mais la composante verticale ne sera pas nulle :

$$E_y = \int dE_y = -\int dE \sin\theta = -\int \frac{kdq}{R^2} \sin\theta = -\frac{k}{R^2} \int \lambda_0 \sin\theta R d\theta \sin\theta \implies$$

$E_y = -\frac{k\lambda_0}{R}\int\limits_0^\pi \sin^2\theta d\theta = -\frac{k\lambda_0}{R}\left[\left(\frac{\theta}{2} - \frac{\sin\theta\cos\theta}{2}\right)\right|_0^\pi = -\frac{k\lambda_0}{R}\left(\frac{\pi}{2}\right) \implies$

$\vec{\mathbf{E}} = \boxed{-\frac{\pi k\lambda_0}{2R}\vec{\mathbf{j}}}$

P21. On pose $\lambda > 0$. La composante selon z du champ électrique produit par cette moitié d'anneau correspond à la moitié du résultat obtenu au problème 2 :

$E_z = \frac{\pi k\lambda R z}{(z^2+R^2)^{3/2}}$

Comme la symétrie demeure, selon l'axe des x, la composante de champ dans cette direction est nul :

$E_x = 0$

Selon y, on doit procéder à une intégration. Comme la moitié d'anneau se trouve du côté positif de y, on doit projeter chaque portion infinitésimale de champ $d\vec{\mathbf{E}}$ dans la direction y négative, comme on le voit dans cette figure :

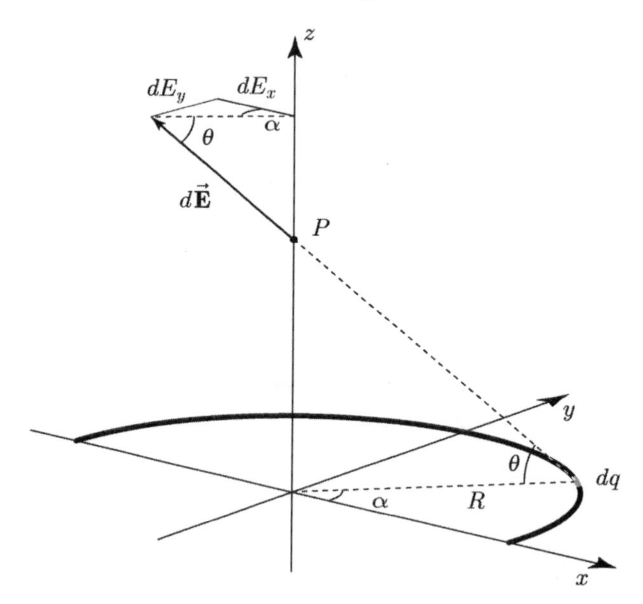

On note, dans cette figure, que la composante $dE_y = -dE\cos\theta\sin\alpha$, $dq = \lambda R d\alpha$, $r = \sqrt{R^2+z^2}$ et $\cos\theta = \frac{R}{r}$; donc

$E_y = \int dE_y = -\int dE\cos\theta\sin\alpha = -\cos\theta\int\frac{kdq}{r^2}\sin\alpha = -\frac{R}{r}\frac{k}{r^2}\int\lambda R d\alpha\sin\alpha \implies$

$E_y = -\frac{k\lambda R^2}{(R^2+z^2)^{3/2}}\int\limits_0^\pi \sin\alpha d\alpha = \left[(-\cos\alpha)\right|_0^\pi = -\frac{2k\lambda R^2}{(R^2+z^2)^{3/2}}$

Finalement,

$\vec{\mathbf{E}} = \boxed{-\frac{2k\lambda R^2}{(R^2+z^2)^{3/2}}\vec{\mathbf{j}} + \frac{\pi k\lambda R z}{(z^2+R^2)^{3/2}}\vec{\mathbf{k}}}$

La solution reste la même si $\lambda < 0$.

P22. (a) On donne $\lambda = \lambda_0\cos\theta$. Avec une telle densité linéique de charge, la symétrie selon x est maintenue et le champ électrique dans cette direction est nul. Si l'axe des y est positif vers le bas dans la figure 2.55, en faisant à la solution du problème 4, on calcule

$$E_y = \int dE_y = \int \frac{kdq}{R^2}\cos\theta = \frac{k}{R^2}\int_{-\theta_0}^{\theta_0} \lambda R d\theta \cos\theta = \frac{k\lambda_0}{R}\int_{-\theta_0}^{\theta_0} \cos^2\theta d\theta \implies$$

$$E_y = \frac{k\lambda_0}{R}\left[\left(\frac{\sin\theta\cos\theta}{2} + \frac{\theta}{2}\right)\right|_{-\theta_0}^{\theta_0} = \frac{k\lambda_0}{R}\left(\frac{\sin\theta_0\cos\theta_0}{2} + \frac{\theta_0}{2} - \frac{\sin(-\theta_0)\cos(-\theta_0)}{2} - \frac{-\theta_0}{2}\right)$$

Mais $\sin(-\theta_0) = -\sin\theta_0$ et $\cos(-\theta_0) = \cos\theta_0$, donc

$$\overrightarrow{\mathbf{E}} = \boxed{\frac{k\lambda_0}{R}(\cos\theta_0\sin\theta_0 + \theta_0)\,\overrightarrow{\mathbf{j}}}$$

(b) On donne $\lambda = \lambda_0 \sin\theta$. Dans la figure 2.55 et dans la figure que l'on trouve à la solution du problème 4, l'angle θ est mesuré positivement à partir de l'axe vertical dans la direction horaire. Il s'ensuit, à partir de la densité de charge proposée, que la partie de gauche est chargée négativement alors que la partie de droite est chargée positivement. Le champ électrique dans la direction verticale est maintenant nul par symétrie et il faut calculer sa composante selon l'axe des x, qui est positif vers la droite. De plus, comme les deux portions, gauche et droite, contribuent également au champ électrique total $\overrightarrow{\mathbf{E}}$, il suffit d'intégrer sur la partie de gauche et multiplier le résultat par deux :

$$E_x = \int dE_x = -\int \frac{kdq}{R^2}\sin\theta = -\frac{k}{R^2}\int_{-\theta_0}^{\theta_0} \lambda R d\theta \sin\theta = -2\frac{k\lambda_0}{R}\int_{-\theta_0}^{0} \sin^2\theta d\theta \implies$$

$$E_x = -2\frac{k\lambda_0}{R}\left[\left(\frac{\theta}{2} - \frac{\sin\theta\cos\theta}{2}\right)\right|_{-\theta_0}^{0} = -2\frac{k\lambda_0}{R}\left(0 - \frac{-\theta_0}{2} + \frac{\sin(-\theta_0)\cos(-\theta_0)}{2}\right) \implies$$

$$\overrightarrow{\mathbf{E}} = \boxed{-\frac{k\lambda_0}{R}(\theta_0 - \cos\theta_0\sin\theta_0)\,\overrightarrow{\mathbf{i}}}$$

P23. (a) On donne $\lambda = A|x|$. Cette densité linéique de charge implique que la tige reste positive de part et d'autre de l'origine. Le champ électrique selon x est donc nul et on peut obtenir la composante verticale du champ en considérant uniquement la portion de la tige qui s'étend de l'origine à $\frac{L}{2}$ multipliée par 2. Sur cette portion, $\lambda = Ax$, et comme au problème 7, on reprend la solution de l'exemple 2.10 à partir de $E_y = \int \frac{k\lambda dx\cos\theta}{r^2}$ en considérant que $r = \sqrt{x^2+y^2}$ et que $\cos\theta = \frac{y}{r} = \frac{y}{\sqrt{x^2+y^2}}$:

$$E_y = 2\int_0^{L/2} \frac{k\lambda dx}{(x^2+y^2)}\frac{y}{\sqrt{x^2+y^2}} = 2kAy\int_0^{L/2} \frac{xdx}{(x^2+y^2)^{3/2}} = 2kAy\left[\left(\frac{-1}{(x^2+y^2)^{1/2}}\right)\right|_0^{L/2} \implies$$

$$E_y = 2kAy\left(\frac{-1}{\left(\left(\frac{L}{2}\right)^2+y^2\right)^{1/2}} + \frac{1}{y}\right) \implies$$

$$\overrightarrow{\mathbf{E}} = \boxed{2kA\left(1 - \frac{2y}{\sqrt{4y^2+L^2}}\right)\overrightarrow{\mathbf{j}}}$$

(b) On donne $\lambda = Ax$. Cette densité linéique de charge implique que la charge est négative à gauche de l'origine et positive à droite. À cause de cette symétrie, le champ vertical est nul et il faut trouver la composante selon x. Encore une fois, il suffit de considérer la portion de la tige qui s'étend de l'origine à $\frac{L}{2}$ et de multiplier le résultat par 2. Dans la figure 2.25, on note que $\sin\theta = \frac{x}{\sqrt{x^2+y^2}}$:

$$E_x = -\int \frac{k\lambda dx}{r^2}\sin\theta = -2\int_0^{L/2} \frac{k\lambda dx}{(x^2+y^2)^2}\frac{x}{\sqrt{x^2+y^2}} = -2kA\int_0^{L/2} \frac{x^2dx}{(x^2+y^2)^{3/2}} \Longrightarrow$$

$$E_x = -2kA\left[\left(\ln\left(x+\sqrt{x^2+y^2}\right) - \frac{x}{\sqrt{x^2+y^2}}\right)\right|_0^{L/2} \Longrightarrow$$

$$E_x = -2kA\left(-\frac{\frac{L}{2}}{\sqrt{\left(\frac{L}{2}\right)^2+y^2}} + \ln\left(\frac{L}{2}+\sqrt{\left(\frac{L}{2}\right)^2+y^2}\right) - \ln(y)\right) \Longrightarrow$$

$$\overrightarrow{\mathbf{E}} = \boxed{-2kA\left(\ln\left(\frac{L+\sqrt{4y^2+L^2}}{2y}\right) - \frac{L}{\sqrt{4y^2+L^2}}\right)\overrightarrow{\mathbf{i}}}$$

P24. Selon l'exercice 13, le champ électrique d'une charge ponctuelle placée à l'origine s'exprime de la manière suivante :

$$\overrightarrow{\mathbf{E}} = E_x\overrightarrow{\mathbf{i}} + E_y\overrightarrow{\mathbf{j}} + E_z\overrightarrow{\mathbf{k}} = \frac{kq}{r^3}\left(x\overrightarrow{\mathbf{i}} + y\overrightarrow{\mathbf{j}} + z\overrightarrow{\mathbf{k}}\right)$$

On veut le champ électrique dans le plan xy, alors $z = 0$ en tout point et le champ électrique n'a pas de composante dans cette direction. De plus, $r = \left(x^2+y^2\right)^{1/2}$ est la distance entre tout point P du plan et l'origine.

Si une charge n'est pas à l'origine, il suffit de modifier x et y pour tenir compte des coordonnées de position de la charge et avoir la valeur correcte de la distance entre la charge et un point quelconque. Comme q_1 est en (-1 m, 0) et que q_2 est en (1 m, 0) alors $x_1 = x+1$, $y_1 = y$, $x_2 = x-1$ et $y_1 = y$ comme on le voit dans cette figure :

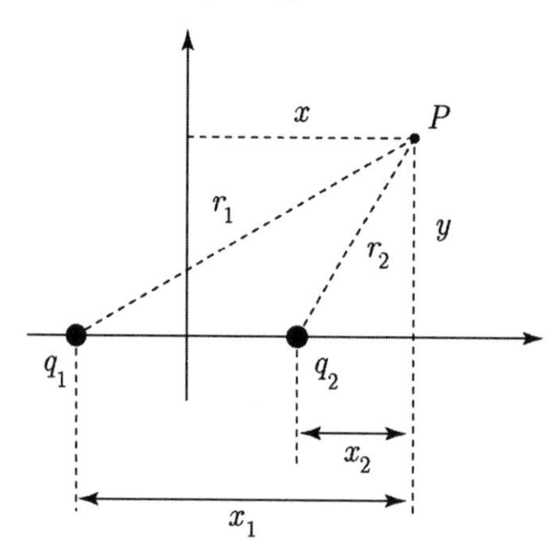

Le champ électrique de chaque charge est donné par :

$$\overrightarrow{\mathbf{E}}_1 = \frac{kq_1}{\left((x+1)^2+y^2\right)^{3/2}}\left((x+1)\overrightarrow{\mathbf{i}} + y\overrightarrow{\mathbf{j}} + z\overrightarrow{\mathbf{k}}\right)$$

$$\overrightarrow{\mathbf{E}}_2 = \frac{kq_2}{\left((x-1)^2+y^2\right)^{3/2}}\left((x-1)\overrightarrow{\mathbf{i}} + y\overrightarrow{\mathbf{j}} + z\overrightarrow{\mathbf{k}}\right)$$

et le champ électrique résultant en tout point du plan xy vaut :

$$\overrightarrow{\mathbf{E}} = \frac{kq_1}{\left((x+1)^2+y^2\right)^{3/2}}\left((x+1)\overrightarrow{\mathbf{i}} + y\overrightarrow{\mathbf{j}} + z\overrightarrow{\mathbf{k}}\right) + \frac{kq_2}{\left((x-1)^2+y^2\right)^{3/2}}\left((x-1)\overrightarrow{\mathbf{i}} + y\overrightarrow{\mathbf{j}} + z\overrightarrow{\mathbf{k}}\right)$$

Avec $q_1 = -3\times10^{-6}$ et $q_2 = 1\times10^{-6}$, on crée dans le logiciel Maple l'équivalent de cette expression vectorielle de champ et on trace le graphe demandé sur l'intervalle choisi :

```
> restart;
> q1:=-3e-6;
> q2:=1e-6;
> k:=9e9;
> r1:=sqrt((x+1)^2+y^2);
> r2:=sqrt((x-1)^2+y^2);
> Ex:=(k*q1/r1^3)*(x+1)+(k*q2/r2^3)*(x-1);
> Ey:=(k*q1/r1^3)*y+(k*q2/r2^3)*y;
> with(plots):
> fieldplot( [Ex,Ey],x=-2..2,y=-2..2,grid=[19,20],arrows=thick);
```

L'option ≪grid≫ permet de choisir le nombre de flèches représentées en fixant le nombre de points selon les deux axes. On a choisi les deux nombres pour éviter de calculer les composantes du champ résultant aux deux points où se trouvent les charges, là où r_1 ou r_2 deviennent nuls.

Le graphe est similaire à celui de la figure de l'exercice 22.

P25. On donne $a = 1$ et $Q_1 = 1$ μC. La charge Q_1 est en $(-a,\,0)$ et la charge Q_2 est en $(a,\,0)$.

(a) On pose $Q_1 = Q_2$

Dans la région où $x < -1$, $r_1 = -1 - x$ et $r_2 = 1 - x$. Sur l'axe des x,

$\vec{\mathbf{E}} = E_x\vec{\mathbf{i}} = \vec{\mathbf{E}}_1 + \vec{\mathbf{E}}_2 = -E_1\vec{\mathbf{i}} - E_2\vec{\mathbf{i}} = -\frac{k|Q_1|}{r_1^2}\vec{\mathbf{i}} - \frac{k|Q_2|}{r_2^2}\vec{\mathbf{i}} \Longrightarrow$

$\vec{\mathbf{E}} = -\frac{kQ_1}{(-1-x)^2}\vec{\mathbf{i}} - \frac{kQ_1}{(1-x)^2}\vec{\mathbf{i}} \Longrightarrow E_x = kQ_1\left(-\frac{1}{(-1-x)^2} - \frac{1}{(1-x)^2}\right)$

Dans la région où $-1 < x < 1$, $r_1 = 1 + x$ et $r_2 = 1 - x$. Sur l'axe des x,

$\vec{\mathbf{E}} = E_x\vec{\mathbf{i}} = \vec{\mathbf{E}}_1 + \vec{\mathbf{E}}_2 = E_1\vec{\mathbf{i}} - E_2\vec{\mathbf{i}} = \frac{k|Q_1|}{r_1^2}\vec{\mathbf{i}} - \frac{k|Q_2|}{r_2^2}\vec{\mathbf{i}} = \frac{kQ_1}{(1+x)^2}\vec{\mathbf{i}} - \frac{kQ_1}{(1-x)^2}\vec{\mathbf{i}} \Longrightarrow$

$E_x = kQ_1\left(\frac{1}{(1+x)^2} - \frac{1}{(1-x)^2}\right)$

Dans la région où $x > 1$, $r_1 = 1 + x$ et $r_2 = x - 1$. Sur l'axe des x,

$\vec{\mathbf{E}} = E_x\vec{\mathbf{i}} = \vec{\mathbf{E}}_1 + \vec{\mathbf{E}}_2 = E_1\vec{\mathbf{i}} + E_2\vec{\mathbf{i}} = \frac{k|Q_1|}{r_1^2}\vec{\mathbf{i}} + \frac{k|Q_2|}{r_2^2}\vec{\mathbf{i}} = \frac{kQ_1}{(1+x)^2}\vec{\mathbf{i}} + \frac{kQ_1}{(x-1)^2}\vec{\mathbf{i}} \Longrightarrow$

$E_x = kQ_1\left(\frac{1}{(1+x)^2} + \frac{1}{(x-1)^2}\right)$

On fixe les valeurs de k et Q_1. On définit ensuite l'expression de la composante du champ électrique $E_x(x)$ pour les trois régions. Finalement, on produit le graphe demandé :

```
> restart:
> k:=9e9;
> Q1:=1e-6;
> Ex1:=k*Q1*(-1/(-1-x)^2-1/(1-x)^2);
```

```
> Ex2:=k*Q1*(1/(1+x)^2-1/(1-x)^2);
> Ex3:=k*Q1*(1/(1+x)^2+1/(x-1)^2);
> Ex:=piecewise(x<-1,Ex1,x<1,Ex2,Ex3);
> plot(Ex,x=-2..2,view=[-2..2,-500000..500000],discont=true);
```

(b) On pose $Q_1 = -Q_2$

Dans la région où $x < -1$, $r_1 = -1 - x$ et $r_2 = 1 - x$. Sur l'axe des x,
$\overrightarrow{\mathbf{E}} = E_x \overrightarrow{\mathbf{i}} = \overrightarrow{\mathbf{E}}_1 + \overrightarrow{\mathbf{E}}_2 = -E_1 \overrightarrow{\mathbf{i}} + E_2 \overrightarrow{\mathbf{i}} = -\frac{k|Q_1|}{r_1^2} \overrightarrow{\mathbf{i}} + \frac{k|Q_2|}{r_2^2} \overrightarrow{\mathbf{i}} \implies$
$\overrightarrow{\mathbf{E}} = -\frac{kQ_1}{(-1-x)^2} \overrightarrow{\mathbf{i}} + \frac{kQ_1}{(1-x)^2} \overrightarrow{\mathbf{i}} \implies E_x = kQ_1 \left(-\frac{1}{(-1-x)^2} + \frac{1}{(1-x)^2} \right)$
Dans la région où $-1 < x < 1$, $r_1 = 1 + x$ et $r_2 = 1 - x$. Sur l'axe des x,
$\overrightarrow{\mathbf{E}} = E_x \overrightarrow{\mathbf{i}} = \overrightarrow{\mathbf{E}}_1 + \overrightarrow{\mathbf{E}}_2 = E_1 \overrightarrow{\mathbf{i}} + E_2 \overrightarrow{\mathbf{i}} = \frac{k|Q_1|}{r_1^2} \overrightarrow{\mathbf{i}} + \frac{k|Q_2|}{r_2^2} \overrightarrow{\mathbf{i}} = \frac{kQ_1}{(1+x)^2} \overrightarrow{\mathbf{i}} + \frac{kQ_1}{(1-x)^2} \overrightarrow{\mathbf{i}} \implies$
$E_x = kQ_1 \left(\frac{1}{(1+x)^2} + \frac{1}{(1-x)^2} \right)$
Dans la région où $x > 1$, $r_1 = 1 + x$ et $r_2 = x - 1$. Sur l'axe des x,
$\overrightarrow{\mathbf{E}} = E_x \overrightarrow{\mathbf{i}} = \overrightarrow{\mathbf{E}}_1 + \overrightarrow{\mathbf{E}}_2 = E_1 \overrightarrow{\mathbf{i}} - E_2 \overrightarrow{\mathbf{i}} = \frac{k|Q_1|}{r_1^2} \overrightarrow{\mathbf{i}} - \frac{k|Q_2|}{r_2^2} \overrightarrow{\mathbf{i}} = \frac{kQ_1}{(1+x)^2} \overrightarrow{\mathbf{i}} - \frac{kQ_1}{(x-1)^2} \overrightarrow{\mathbf{i}} \implies$
$E_x = kQ_1 \left(\frac{1}{(1+x)^2} - \frac{1}{(x-1)^2} \right)$
On modifie les dernières lignes de commande dans le logiciel Maple :

```
> Ex1:=k*Q1*(-1/(-1-x)^2+1/(1-x)^2);
> Ex2:=k*Q1*(1/(1+x)^2+1/(1-x)^2);
> Ex3:=k*Q1*(1/(1+x)^2-1/(x-1)^2);
> Ex:=piecewise(x<-1,Ex1,x<1,Ex2,Ex3);
> plot(Ex,x=-2..2,view=[-2..2,-500000..500000],discont=true);
```

Chapitre 3 : Le théorème de Gauss

Exercices

E1. On donne $r = 0{,}12$ m et $\vec{\mathbf{E}} = 450\,\vec{\mathbf{i}}$ N/C. L'aire de la plaque est $A = \pi r^2 = 0{,}0452$ m^2. Selon la figure 3.22, l'angle entre un vecteur $\vec{\mathbf{A}}$ perpendiculaire à la plaque et le champ $\vec{\mathbf{E}}$ est $\theta = 90° - 30° = 60°$. Selon l'équation 3.1,

$\Phi_E = \vec{\mathbf{E}} \cdot \vec{\mathbf{A}} = EA\cos\theta = 450\,(0{,}0452)\cos(60°) = \boxed{10{,}2 \text{ N·m}^2/\text{C}}$

E2. On donne $A = (0{,}04)\,(0{,}06) = 2{,}40 \times 10^{-3}$ m^2 et $\vec{\mathbf{E}} = -600\,\vec{\mathbf{j}}$ N/C. Selon la figure 3.23, l'angle entre un vecteur $\vec{\mathbf{A}}$ perpendiculaire à la plaque et le champ $\vec{\mathbf{E}}$ est

$\theta = 90° - 37° = 53°$. Selon l'équation 3.1,

$\Phi_E = \vec{\mathbf{E}} \cdot \vec{\mathbf{A}} = EA\cos\theta = 600\left(2{,}40 \times 10^{-3}\right)\cos(53°) = \boxed{0{,}867 \text{ N·m}^2/\text{C}}$

E3. Selon l'énoncé que l'on trouve à la page 56 du manuel, *le flux électrique traversant une surface est proportionnel au nombre de lignes de champ passant par cette surface.* Comme chacune des lignes de champ traversant la base de l'hémisphère traverse aussi ce dernier, on peut affirmer que le flux électrique est le même à travers la base et à travers l'hémisphère. À partir de l'équation 3.1, si $A_{\text{base}} = \pi R^2$ et que $\theta = 0°$ si le champ $\vec{\mathbf{E}}$ est parallèle à un vecteur $\vec{\mathbf{A}}$ perpendiculaire à la base, alors

$\Phi_E = \vec{\mathbf{E}} \cdot \vec{\mathbf{A}} = EA_{\text{base}}\cos\theta = E\left(\pi R^2\right)\cos 0° = \boxed{\pi R^2 E}$

E4. On donne $A = (0{,}12 \text{ m})^2 = 1{,}44 \times 10^{-2}$ m^2 et $\vec{\mathbf{E}} = \left(70\,\vec{\mathbf{i}} + 90\,\vec{\mathbf{k}}\right)$ N/C. La figure montre le vecteur champ électrique et un vecteur $\vec{\mathbf{A}}$ perpendiculaire à la plaque :

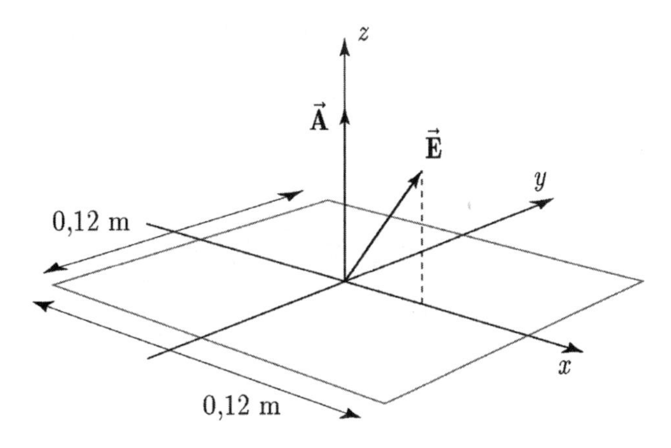

On constate que $\vec{\mathbf{A}} = 1{,}44 \times 10^{-2}\,\vec{\mathbf{k}}$ m^2 et, avec l'équation 3.1, on obtient

$\Phi_E = \vec{\mathbf{E}} \cdot \vec{\mathbf{A}} = E_xA_x + E_yA_y + E_zA_z = 0 + 0 + 90\left(1{,}44 \times 10^{-2}\right) = \boxed{1{,}30 \text{ N·m}^2/\text{C}}$

On a utilisé l'équation 2.11 du tome 1 pour le calcul du produit scalaire.

E5. On donne $q_1 = 6\times10^{-6}$ C et $q_2 = -8\times10^{-6}$ C. Le rayon de la surface n'a pas d'importance dans la mesure où les charges sont à l'intérieur. La charge totale est

$Q = q_1 + q_2 = -2{,}00 \times 10^{-6}$ C et, d'après le côté droit de l'équation 3.3,

$\Phi_E = \frac{Q}{\varepsilon_0} = \frac{-2{,}00\times10^{-6}}{8{,}85\times10^{-12}} = \boxed{-2{,}26 \times 10^5 \text{ N}\cdot\text{m}^2/\text{C}}$

E6. On donne $\Phi_{\text{face}} = 3 \times 10^4$ N·m²/C. Le flux électrique total à travers les six faces du cube est $\Phi_E = 6\Phi_{\text{face}} = 6\left(3 \times 10^4\right) = 18 \times 10^4$ N·m²/C. Au moyen du côté droit de l'équation 3.3, on calcule la charge totale à l'intérieur du cube :

$\Phi_E = \frac{Q}{\varepsilon_0} \implies Q = \Phi_E\varepsilon_0 = \left(18 \times 10^4\right)\left(8{,}85 \times 10^{-12}\right) = \boxed{1{,}59\ \mu\text{C}}$

E7. (a) La réponse à cette question est indépendante de la surface du cube, dans la mesure où la charge $Q = 60 \times 10^{-6}$ C est à l'intérieur. D'après le côté droit de l'équation 3.3,

$\Phi_E = \frac{Q}{\varepsilon_0} = \frac{60\times10^{-6}}{8{,}85\times10^{-12}} = \boxed{6{,}78 \times 10^6 \text{ N}\cdot\text{m}^2/\text{C}}$

(b) Si la charge est au centre du cube, la symétrie impose que le champ électrique qu'elle crée traverse chacune des faces du cube de la même manière. Le flux électrique à travers chacune des six faces est donc le même et

$\Phi_{\text{face}} = \frac{\Phi_E}{6} = \boxed{1{,}13 \times 10^6 \text{ N}\cdot\text{m}^2/\text{C}}$

(c) La réponse de la question (a) ne change pas puisque le flux total ne dépend pas de la position de la charge à l'intérieur. Toutefois, la position de la charge a des conséquences sur la symétrie. Si la charge n'est plus au centre, le flux n'est plus le même à travers chaque face, et l'on ne peut pas répondre à la question (b).

Donc, $\boxed{\text{non pour (a) et oui pour (b)}}$.

E8. La figure montre la charge Q placée à l'origine d'un système d'axes et, en traits pleins, le cube dont elle constitue l'un des sommets :

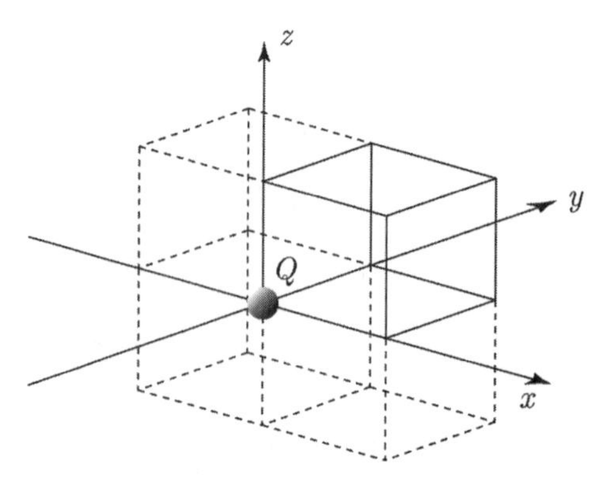

Trois des faces de ce cube coïncident avec les plans xy, xz et yz et ne sont pas traversées par le champ électrique de la charge. Le flux électrique à travers ces faces est nul. Les trois autres faces du cube en traits pleins sont placées symétriquement et sont traversées de la même manière par $\vec{\mathbf{E}}$. Le flux à travers ces trois faces a la même valeur.

La figure montre aussi trois autres cubes dont la charge peut constituer un sommet. Au total, huit de ces cubes, en comptant celui en traits pleins, remplissent l'espace autour de la charge. On compte donc 24 faces traversées également par le champ électrique et pour lesquelles le flux est égal. D'après le côté droit de l'équation 3.3, le flux total à travers ces 24 faces est $\Phi_E = \frac{Q}{\varepsilon_0}$ et le flux à travers une face est

$\Phi_{E\text{ (1 face)}} = \frac{\Phi_E}{24} = \boxed{\frac{Q}{24\varepsilon_0}}$

E9. On donne $r = 0{,}08$ m et $\sigma = 0{,}1$ nC/m^2. La charge totale à la surface du conducteur sphérique correspond à

$Q = \sigma A = \sigma\left(4\pi r^2\right) = \left(0{,}1 \times 10^{-9}\right)\left(4\pi\left(0{,}08\right)^2\right) = 8{,}04 \times 10^{-12}\text{ C}$

(a) La surface de la sphère constitue la limite de ce qui peut être considéré comme l'extérieur de la sphère. On peut donc utiliser le résultat de la partie (a) de l'exemple 3.2 et affirmer que le champ électrique de cette charge est le même que celui d'une charge ponctuelle. Comme la charge est positive, le champ est dans le même sens qu'un vecteur unitaire de direction radiale $\vec{\mathbf{u}}_r$:

$\vec{\mathbf{E}} = \frac{kQ}{r^2}\vec{\mathbf{u}}_r = \frac{\left(9\times10^9\right)\left(8{,}04\times10^{-12}\right)}{(0{,}08)^2}\vec{\mathbf{u}}_r = \boxed{11{,}3\vec{\mathbf{u}}_r\text{ N/C}}$

(b) Toute la charge de la sphère conductrice est dans la surface de Gauss et le raisonnement est le même qu'à la partie (a). Avec $r = 0{,}10$ m, on trouve

$\vec{\mathbf{E}} = \frac{kQ}{r^2}\vec{\mathbf{u}}_r = \frac{\left(9\times10^9\right)\left(8{,}04\times10^{-12}\right)}{(0{,}10)^2}\vec{\mathbf{u}}_r = \boxed{7{,}23\vec{\mathbf{u}}_r\text{ N/C}}$

E10. Soit $q_1 = 16$ μC, la charge ponctuelle au centre, et $q_2 = -8$ μC, la charge sur la coquille conductrice de rayon extérieur R_e et de rayon intérieur R_i.

(a) Comme à l'exemple 3.2*b,* on choisit d'abord une surface de rayon $r < R_\text{i}$ dont le centre coïncide avec la charge ponctuelle. Selon le théorème de Gauss, le champ dans cette région ne dépend que de la charge à l'intérieur de la surface; comme la situation est symétrique, on peut simplifier l'intégrale de gauche de l'équation 3.3 :

$\oint \vec{\mathbf{E}}_\text{int} \cdot d\vec{\mathbf{A}} = E_\text{int}\left(4\pi r^2\right) = \frac{Q}{\varepsilon_0} = \frac{q_1}{\varepsilon_0} \implies E_\text{int} = \frac{q_1}{4\pi r^2\varepsilon_0} = \frac{1}{4\pi}\frac{\left(16\times10^{-6}\right)}{\left(8{,}85\times10^{-12}\right)}\frac{1}{r^2} = \frac{1{,}44\times10^5}{r^2}$

Le champ est dirigé vers l'extérieur, donc :

$\boxed{\vec{\mathbf{E}}_\text{int} = \frac{1{,}44\times10^5}{r^2}\vec{\mathbf{u}}_r}$

Si maintenant on choisit une surface de rayon $r > R_\text{e}$ comme à l'exemple 3.2*a,* alors la charge totale $Q = q_1 + q_2 = 8\ \mu\text{C}$ et

$$\oint \overrightarrow{\mathbf{E}}_{\text{int}} \cdot d\overrightarrow{\mathbf{A}} = E_{\text{int}}\left(4\pi r^2\right) = \frac{Q}{\varepsilon_0} \Longrightarrow E_{\text{int}} = \frac{Q}{4\pi r^2 \varepsilon_0} = \frac{1}{4\pi}\frac{\left(8\times10^{-6}\right)}{\left(8{,}85\times10^{-12}\right)}\frac{1}{r^2} = \frac{0{,}720\times10^5}{r^2}$$

Ce champ électrique est lui aussi dirigé vers l'extérieur :

$$\boxed{\overrightarrow{\mathbf{E}}_{\text{ext}} = \frac{0{,}720\times10^5}{r^2}\overrightarrow{\mathbf{u}}_r}$$

(b) Si on choisit une surface de Gauss de rayon $R_{\text{i}} < r < R_{\text{e}}$, on sait, par la propriété 1 des conducteurs à l'équilibre (section 2.3), que le champ électrique est nul partout sur cette surface. Selon le théorème de Gauss, la charge totale à l'intérieur de la surface doit être nulle et il y a induction d'une charge de signe opposé à la charge ponctuelle, soit $\boxed{-16{,}0\ \mu\text{C à la surface intérieure de la coquille}}$. Comme la charge totale de la coquille ne peut changer, on doit retrouver $\boxed{8{,}00\ \mu\text{C sur la surface extérieure}}$ pour maintenir $q_2 = -8\ \mu\text{C}$.

(c) Il s'agit de la même figure que celle obtenue à l'exercice 26 du chapitre 2 :

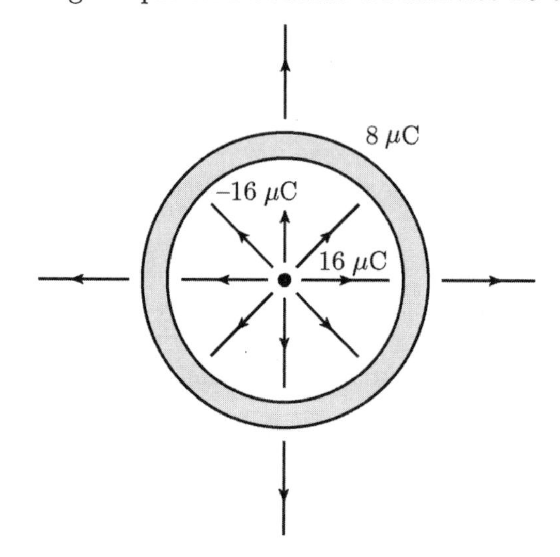

E11. Selon l'exemple 3.2*a*, le module du champ électrique à l'extérieur de la coquille sphérique de rayon R est donné par $E = \frac{k|Q|}{r^2}$, où $|Q|$ est la valeur absolue de la charge sur la coquille et r, la distance radiale au centre de la coquille. Comme on précise la densité surfacique de charge de la coquille, la valeur absolue de la charge totale sur la coquille est $|Q| = |\sigma|\,A = |\sigma|\left(4\pi R^2\right)$ et, à la surface de la coquille ($r = R$), le module du champ a pour valeur

$$E = \frac{k|Q|}{r^2} = \frac{k|\sigma|\left(4\pi R^2\right)}{R^2} = 4\pi k\,|\sigma| \Longrightarrow \boxed{E = \frac{|\sigma|}{\varepsilon_0}} \Longrightarrow \boxed{\text{CQFD}}$$

E12. (a) On donne $R = 0{,}02$ m, le rayon de la sphère chargée. Il s'agit d'une situation similaire à celle de l'exemple 3.2*a*. Toutefois, on précise que le champ électrique est dirigé vers l'intérieur, ce qui se produit si la charge totale à l'intérieur d'une surface de Gauss de rayon R est négative. On peut démontrer que la charge est négative à partir de l'équation 3.3 si on modifie correctement le terme de gauche. On doit simplement se rappeler que chaque vecteur $d\vec{\mathbf{A}}$ pointe vers l'extérieur; donc

$\oint \vec{\mathbf{E}} \cdot d\vec{\mathbf{A}} = \oint EdA\cos(180°) = -E\oint dA = -E\left(4\pi R^2\right)$

Si on complète l'équation 3.3, avec $E = 800$ N/C, alors

$-E\left(4\pi R^2\right) = \frac{Q}{\varepsilon_0} \Longrightarrow Q = E\left(4\pi R^2\right)\varepsilon_0 = \boxed{-3{,}56 \times 10^{-11}\text{ C}}$

(b) $\boxed{\text{Non}}$, il suffit que la charge soit à l'intérieur de la surface de Gauss et qu'elle soit distribuée de façon symétrique.

E13. On suppose pour l'instant que $\sigma > 0$. La figure montre les deux feuilles, numérotées, et le champ électrique qu'elles créent dans les trois régions qu'elles définissent. Pour chaque feuille, on considère le raisonnement suivi à l'exemple 3.5 du manuel. Le module de chaque champ est donné par l'équation 3.8, $E_1 = E_2 = \frac{|\sigma|}{2\varepsilon_0}$:

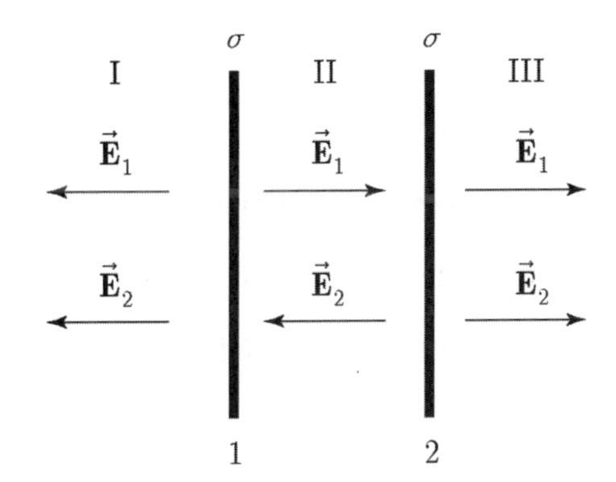

Pour chaque région, on obtient le champ résultant par le principe de superposition (équation 2.4), $\vec{\mathbf{E}} = \sum \vec{\mathbf{E}}_i$.

(a) Dans la région II, le champ électrique de chacune des feuilles est dans un sens opposé. Comme $\vec{\mathbf{E}}_1$ et $\vec{\mathbf{E}}_2$ sont de même module, le module du champ résultant est $E_{\text{II}} = \boxed{0}$

(b) Comme on le voit dans la figure, pour les régions I et III, $\vec{\mathbf{E}}_1$ et $\vec{\mathbf{E}}_2$ sont dans le même sens, de sorte que $E_{\text{I}} = E_{\text{III}} = E_1 + E_2 = \boxed{\frac{|\sigma|}{\varepsilon_0}}$

Le résultat est le même, quel que soit le signe de σ.

E14. On donne $\sigma > 0$. Comme chaque face de chaque plaque non conductrice est chargée, le problème est équivalent à celui de quatre feuilles infinies, comme à l'exemple 3.5. La figure montre les deux plaques et le sens de l'axe des x qui est utilisé. Chaque face de chaque plaque, qui crée un champ de module $\frac{\sigma}{2\varepsilon_0}$, est numéroté pour faciliter les écritures :

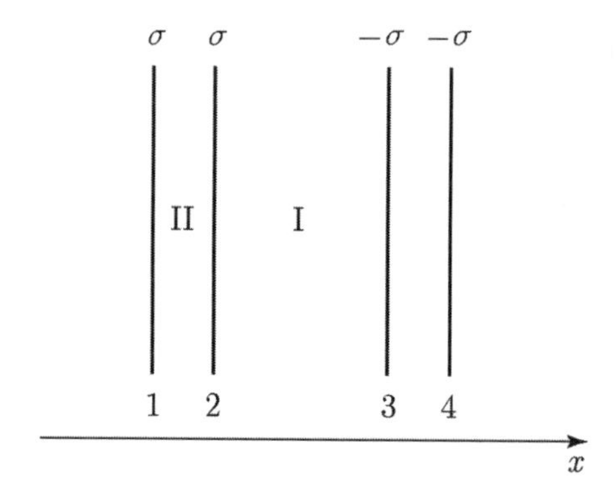

Le champ résultant est obtenu par le principe de superposition (équation 2.4), $\overrightarrow{\mathbf{E}} = \sum \overrightarrow{\mathbf{E}}_i$, appliqué à l'ensemble des faces.

(a) Dans la région I, si on tient compte du signe des charges,
$\overrightarrow{\mathbf{E}} = \overrightarrow{\mathbf{E}}_1 + \overrightarrow{\mathbf{E}}_2 + \overrightarrow{\mathbf{E}}_3 + \overrightarrow{\mathbf{E}}_4 = +\frac{\sigma}{2\varepsilon_0}\overrightarrow{\mathbf{i}} + \frac{\sigma}{2\varepsilon_0}\overrightarrow{\mathbf{i}} + \frac{\sigma}{2\varepsilon_0}\overrightarrow{\mathbf{i}} + \frac{\sigma}{2\varepsilon_0}\overrightarrow{\mathbf{i}} = \frac{2\sigma}{\varepsilon_0}\overrightarrow{\mathbf{i}} \implies E = \boxed{\frac{2\sigma}{\varepsilon_0}}$

(b) Dans la région II, si on tient compte du signe des charges,
$\overrightarrow{\mathbf{E}} = \overrightarrow{\mathbf{E}}_1 + \overrightarrow{\mathbf{E}}_2 + \overrightarrow{\mathbf{E}}_3 + \overrightarrow{\mathbf{E}}_4 = +\frac{\sigma}{2\varepsilon_0}\overrightarrow{\mathbf{i}} - \frac{\sigma}{2\varepsilon_0}\overrightarrow{\mathbf{i}} + \frac{\sigma}{2\varepsilon_0}\overrightarrow{\mathbf{i}} + \frac{\sigma}{2\varepsilon_0}\overrightarrow{\mathbf{i}} = \frac{\sigma}{\varepsilon_0}\overrightarrow{\mathbf{i}} \implies E = \boxed{\frac{\sigma}{\varepsilon_0}}$
On rappelle qu'il s'agit d'une plaque non conductrice et que le champ électrique n'a pas à être nul à l'intérieur de celle-ci.

E15. On donne $\sigma > 0$. Comme il s'agit de deux plaques conductrices chargées, mais de signes opposés, la charge sur chacune des plaques est attirée vers l'autre plaque. En conséquence, seules les faces intérieures des plaques possèdent une charge. La figure montre les deux plaques, l'emplacement des charges et le sens de l'axe des x utilisé. Les deux faces chargées, qui créent un champ de module $\frac{\sigma}{2\varepsilon_0}$, sont numérotées pour faciliter les écritures :

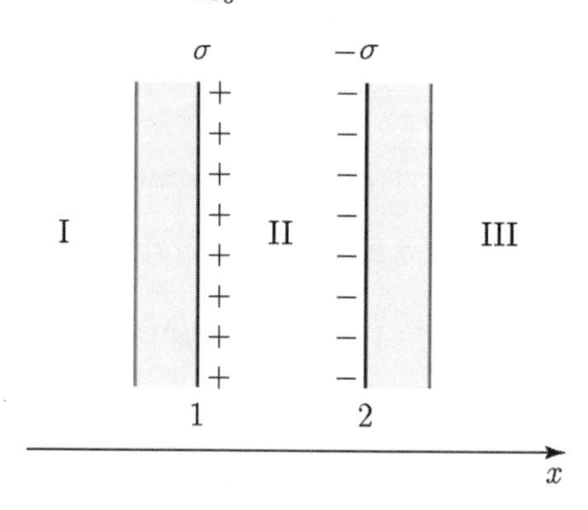

Pour chaque région, on obtient le champ résultant par le principe de superposition (équation 2.4), $\overrightarrow{\mathbf{E}} = \sum \overrightarrow{\mathbf{E}}_i$.

(a) Dans la région II, si on tient compte du signe des charges,
$\overrightarrow{\mathbf{E}} = \overrightarrow{\mathbf{E}}_1 + \overrightarrow{\mathbf{E}}_2 = +\frac{\sigma}{2\varepsilon_0}\overrightarrow{\mathbf{i}} + \frac{\sigma}{2\varepsilon_0}\overrightarrow{\mathbf{i}} = \frac{\sigma}{\varepsilon_0}\overrightarrow{\mathbf{i}} \implies E = \boxed{\frac{\sigma}{\varepsilon_0}}$

(b) Dans la région I, qui englobe l'intérieur de la plaque de gauche, en tenant compte du signe des charges,

$\vec{\mathbf{E}} = \vec{\mathbf{E}}_1 + \vec{\mathbf{E}}_2 = -\frac{\sigma}{2\varepsilon_0}\vec{\mathbf{i}} + \frac{\sigma}{2\varepsilon_0}\vec{\mathbf{i}} = (0)\vec{\mathbf{i}} \implies E = \boxed{0}$

Le résultat est le même pour la région III, qui englobe l'intérieur de la plaque de droite.

E16. On suppose pour l'instant que $a,b > 0$. La figure montre le cube ainsi que le vecteur champ électrique $\vec{\mathbf{E}} = (a + bx)\vec{\mathbf{i}}$:

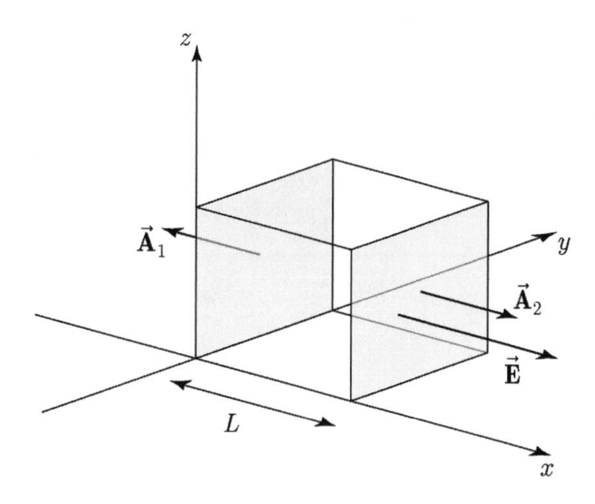

(a) Le champ électrique est parallèle à quatre des faces du cube, celles qui sont parallèles au plan xz et celles qui sont parallèles au plan xy. Pour ces quatre faces, le flux électrique est nul. Les deux autres faces, marquées par les vecteurs $\vec{\mathbf{A}}_1 = -L^2\vec{\mathbf{i}}$ et $\vec{\mathbf{A}}_2 = L^2\vec{\mathbf{i}}$ dans la figure, sont le siège d'un flux dont la valeur est obtenue par l'équation 3.1. La face $\vec{\mathbf{A}}_1$ est en $x = 0$ et la face $\vec{\mathbf{A}}_2$ est en $x = L$.

$\Phi_{E1} = \vec{\mathbf{E}} \cdot \vec{\mathbf{A}_1} = E_x A_{1x} = (a + b(0)\left(-L^2\right) = -aL^2$

$\Phi_{E2} = \vec{\mathbf{E}} \cdot \vec{\mathbf{A}_2} = E_x A_{2x} = (a + b(L)\left(L^2\right) = aL^2 + bL^3$

Le flux total à travers le cube est

$\Phi_E = \Phi_{E1} + \Phi_{E2} = aL^2 + bL^3 - aL^2 = \boxed{bL^3}$

Le résultat est indépendant du signe de b.

(b) Au moyen du côté droit de l'équation 3.3, on calcule la charge totale à l'intérieur du cube :

$\Phi_E = \frac{Q}{\varepsilon_0} \implies Q = \Phi_E \varepsilon_0 = \boxed{\varepsilon_0 b L^3}$

Le résultat est indépendant du signe de b. La position exacte de cette charge n'est pas précisée.

E17. On suppose pour l'instant que $\sigma_1 > 0$. Il s'agit d'une situation à symétrie cylindrique, comme celle qui est décrite à l'exemple 3.4 et dans la figure 3.12. Comme dans l'exemple, on enveloppe le câble coaxial d'une surface de Gauss cylindrique de rayon $r > b$, de longueur L et dont l'axe coïncide avec celui du câble. Le raisonnement de l'exemple 3.4 s'applique ici aussi et on peut affirmer que seule l'enveloppe S_1 de la surface de Gauss est traversée par le champ électrique des deux portions du câble coaxial et que la contribution de S_2 et de S_3 au flux total est nulle.

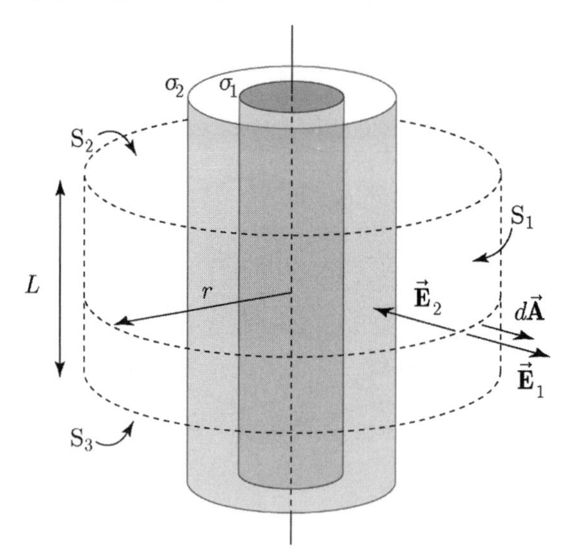

On s'intéresse au champ résultant, $\overrightarrow{\mathbf{E}} = \overrightarrow{\mathbf{E}}_1 + \overrightarrow{\mathbf{E}}_2$, sur l'enveloppe de rayon r. À partir de l'équation 3.3, on trouve

$$\oint \overrightarrow{\mathbf{E}} \cdot d\overrightarrow{\mathbf{A}} = \frac{Q}{\varepsilon_0} \implies \int_{S_1} \overrightarrow{\mathbf{E}} \cdot d\overrightarrow{\mathbf{A}} = \frac{Q}{\varepsilon_0} \implies \int_{S_1} \left(\overrightarrow{\mathbf{E}}_1 + \overrightarrow{\mathbf{E}}_2\right) \cdot d\overrightarrow{\mathbf{A}} = \frac{Q}{\varepsilon_0}$$

Comme on veut que $\overrightarrow{\mathbf{E}}_1 + \overrightarrow{\mathbf{E}}_2 = 0$ partout sur l'enveloppe de Gauss, la charge totale Q à l'intérieur de l'enveloppe de Gauss de longueur L doit être nulle :

$$Q = \sigma_1 A_1 + \sigma_2 A_2 = 0 \qquad \text{(i)}$$

où $A_1 = 2\pi a L$ et $A_2 = 2\pi b L$ représentent l'aire de chaque portion du câble qui se trouve à l'intérieur de la surface de Gauss. L'équation (i) devient

$$\sigma_2 (2\pi b L) = -\sigma_1 (2\pi a L) \implies \boxed{\sigma_2 = -\frac{a}{b}\sigma_1}$$

Le résultat est indépendant du signe de σ_1.

E18. On enveloppe le câble coaxial avec une surface de Gauss cylindrique de longueur L, comme dans la figure de l'exercice 17. Toutefois, le rayon r du cylindre peut varier. Comme dans l'exemple 3.4 du manuel, seule l'enveloppe S_1 du cylindre de Gauss est traversée par le champ électrique et contribue au calcul du flux électrique.

(a) On utilise une surface de Gauss de rayon $a < r < b$. La charge du conducteur intérieur est positive et elle est seule responsable du champ électrique dans cette région. Celui-ci sera donc radial et dirigé vers l'extérieur, $\vec{\mathbf{E}} = E\vec{\mathbf{u}}_r$. Avec $d\vec{\mathbf{A}} = dA\vec{\mathbf{u}}_r$, l'équation 3.3 s'écrit

$$\oint \vec{\mathbf{E}} \cdot d\vec{\mathbf{A}} = \frac{Q}{\varepsilon_0} \Longrightarrow \int_{S_1} \vec{\mathbf{E}} \cdot d\vec{\mathbf{A}} = \frac{Q}{\varepsilon_0} \Longrightarrow \int_{S_1} (E\vec{\mathbf{u}}_r) \cdot (dA\vec{\mathbf{u}}_r) = \frac{Q}{\varepsilon_0} \Longrightarrow$$

$$\int_{S_1} EdA = \frac{Q}{\varepsilon_0} \Longrightarrow E(2\pi rL) = \frac{Q}{\varepsilon_0} \quad \text{(i)}$$

La charge Q est celle qui se trouve dans le cylindre de Gauss de longueur L; donc $Q = \sigma(2\pi aL)$ et l'équation (i) devient

$$E = \frac{\sigma(2\pi aL)}{2\pi rL\varepsilon_0} = \boxed{\frac{\sigma a}{\varepsilon_0 r}}$$

(b) On utilise une surface de Gauss de rayon $r > b$. Celle-ci enveloppe les deux portions du câble coaxial et intercepte une charge totale $Q = \sigma(2\pi aL) - \sigma(2\pi bL) = 2\pi\sigma L(a-b)$. Comme $a < b$, cette charge totale est négative et le champ électrique résultant qui traverse la surface de Gauss pointe vers le câble, $\vec{\mathbf{E}} = -E\vec{\mathbf{u}}_r$. On reprend l'équation 3.3 et on trouve

$$\oint \vec{\mathbf{E}} \cdot d\vec{\mathbf{A}} = \frac{Q}{\varepsilon_0} \Longrightarrow \int_{S_1} \vec{\mathbf{E}} \cdot d\vec{\mathbf{A}} = \frac{2\pi\sigma L(a-b)}{\varepsilon_0} \Longrightarrow \int_{S_1} (-E\vec{\mathbf{u}}_r) \cdot (dA\vec{\mathbf{u}}_r) = \frac{2\pi\sigma L(a-b)}{\varepsilon_0} \Longrightarrow$$

$$-\int_{S_1} EdA = \frac{2\pi\sigma L(a-b)}{\varepsilon_0} \Longrightarrow -E(2\pi rL) = \frac{2\pi\sigma L(a-b)}{\varepsilon_0} \Longrightarrow E = -\frac{2\pi\sigma L(a-b)}{2\pi rL\varepsilon_0} = \boxed{\frac{\sigma}{\varepsilon_0 r}(b-a)}$$

E19. Ce problème est similaire à l'exercice 17. On reprend la même figure et le raisonnement est le même jusqu'à l'affirmation voulant que la charge totale Q à l'intérieur du cylindre de Gauss de longueur L doive être nulle. Au lieu de considérer, pour chaque partie du câble coaxial, une densité surfacique de charge σ_1 ou σ_2, on suppose une densité linéique de charge λ_1 ou λ_2; donc

$$Q = \lambda_1 L + \lambda_2 L = 0 \Longrightarrow \boxed{\lambda_1 = -\lambda_2}$$

E20. (a) Ce problème est similaire à l'exercice 18*a*. On reprend la même figure et le raisonnement est le même jusqu'à l'équation (i), qui établit le lien entre le module du champ E dans la région $a < r < b$ et la charge Q à l'intérieur de la surface de Gauss de longueur L. Seul le conducteur intérieur contribue à cette charge et $Q = \lambda L$; alors

$$E(2\pi rL) = \frac{Q}{\varepsilon_0} = \frac{\lambda L}{\varepsilon_0} \Longrightarrow E = \frac{\lambda}{2\pi\varepsilon_0 r} = \boxed{\frac{2k\lambda}{r}}$$

(b) On utilise une surface de Gauss cylindrique de rayon $r > b$ et de longueur L comme dans la figure de l'exercice 17. La charge totale Q à l'intérieur de cette surface est nulle parce que les deux portions du câble ont une densité linéique de charge de même grandeur et de signes opposés :

$Q = \lambda L - \lambda L = 0$

Encore une fois, seule l'enveloppe S_1 contribue au calcul du flux électrique et l'équation 3.3 s'écrit

$$\oint \vec{\mathbf{E}} \cdot d\vec{\mathbf{A}} = \frac{Q}{\varepsilon_0} \implies \int_{S_1} \vec{\mathbf{E}} \cdot d\vec{\mathbf{A}} = 0 \implies \int_{S_1} EdA = 0 \implies E = \boxed{0}$$

Le champ électrique résultant est nul partout à l'extérieur du câble coaxial.

E21. Cet exercice est semblable à la partie (a) de l'exemple 3.2. Le module du champ électrique ne dépend que de la charge totale à l'intérieur de la surface de Gauss sphérique de rayon r et son expression est la même que pour une charge ponctuelle (équation 2.2).

(a) Si $a < r < b$, alors la charge totale à l'intérieur de la surface de Gauss est Q, celle de la sphère intérieure de rayon a. Donc, $E = \boxed{\frac{kQ}{r^2}}$

(b) Si $r > b$, alors la charge totale à l'intérieur de la surface de Gauss est $Q - Q = 0$ puisqu'il faut considérer aussi la charge négative de la coquille. Donc, $E = \boxed{0}$

E22. Cet exercice est semblable à la partie (a) de l'exemple 3.2. Le module du champ électrique ne dépend que de la charge totale à l'intérieur de la surface de Gauss sphérique de rayon r et son expression est la même que pour une charge ponctuelle (équation 2.2).

(a) Si $a < r < b$, alors la charge totale à l'intérieur de la surface de Gauss est celle de la sphère intérieure de rayon a. Si on l'exprime à partir de la densité surfacique de charge, $Q = \sigma A = \sigma\left(4\pi a^2\right)$ et, si $4\pi k = \frac{1}{\varepsilon_0}$, $E = \frac{kQ}{r^2} = \frac{k\sigma\left(4\pi a^2\right)}{r^2} = \boxed{\frac{\sigma a^2}{\varepsilon_0 r^2}}$

(b) Si $r > b$, alors la charge totale à l'intérieur de la surface de Gauss inclut la contribution de la sphère de rayon a et de la coquille de rayon b. Si on exprime ces charges à partir des densités surfaciques de charge de signes contraires, on trouve

$Q = \sigma A_{\text{sphère}} - \sigma A_{\text{coquille}} = \sigma\left(4\pi a^2\right) - \sigma\left(4\pi b^2\right) = 4\pi\sigma(a^2 - b^2)$

Comme $a < b$, la charge totale est négative et le champ électrique pointe vers la coquille. Son module est malgré tout donné par l'équation 2.2 :

$E = \frac{k|Q|}{r^2} = \frac{k\left|4\pi\sigma(a^2-b^2)\right|}{r^2} = \frac{4\pi k\sigma(b^2-a^2)}{r^2} = \boxed{\frac{\sigma\left(b^2-a^2\right)}{\varepsilon_0 r^2}}$

(c) Comme le graphe demandé va de 0 à $2b$, on doit rappeler qu'à l'intérieur de la sphère de rayon a le champ électrique est nul puisqu'il s'agit d'un conducteur. On rappelle aussi que le graphe doit montrer la composante radiale du champ résultant. Pour $a < r < b$, $E_r = E$, et pour $r > b$, $E_r = -E$ parce que le champ pointe vers la coquille.

On donne une valeur aux différentes variables, on définit l'expression du champ pour les trois régions et on crée le graphe demandé :

```
> restart:
> a:=1;
> b:=2;
> sigma:=1;
> epsilon:=8.85e-12;
> Er:='piecewise(r<a,0,r<b,sigma*a^2/(epsilon*r^2),-sigma*(b^2-a^2)/(epsilon*r^2))';
> plot(Er,r=0..2*b);
```

E23. Cet exercice est semblable à la partie (a) de l'exemple 3.2. Le module du champ électrique ne dépend que de la charge totale Q à l'intérieur de la surface de Gauss sphérique de rayon r et son expression est la même que pour une charge ponctuelle, $E = \frac{k|Q|}{r^2}$. Comme on veut que le module du champ électrique soit nul, $Q = 0$.

Si $r > b$, la charge totale Q à l'intérieur de la surface de Gauss inclut la contribution de la sphère de rayon a et de la coquille de rayon b. Si on exprime ces charges à partir des densités surfaciques de la sphère métallique (σ_{a}) de rayon a et de la coquille métallique (σ_{b}) de rayon b,

$$Q = \sigma_{\text{a}} A_{\text{sphère}} + \sigma_{\text{b}} A_{\text{coquille}} = \sigma_{\text{a}} \left(4\pi a^2\right) + \sigma_{\text{b}} \left(4\pi b^2\right) = 0 \implies \boxed{\frac{\sigma_{\text{a}}}{\sigma_{\text{b}}} = -\frac{b^2}{a^2}}$$

E24. (a) Le champ électrique est nul à l'intérieur de la coquille métallique. En raison du théorème de Gauss et en suivant un raisonnement similaire à celui de l'exercice 10, on affirme qu'une charge induite de valeur $-Q$ apparaît sur la paroi intérieure de la coquille pour que la charge totale soit nulle avec une surface de Gauss sphérique de rayon $R_1 < r < R_2$. Donc, si l'aire de cette paroi intérieure est $A_{\text{int}} = 4\pi R_1^2$,

$$\sigma_{\text{int}} = \frac{-Q}{A_{\text{int}}} \implies \boxed{\sigma_{\text{int}} = -\frac{Q}{4\pi R_1^2}}$$

Pour que la charge totale sur la coquille métallique reste nulle, il doit y avoir une charge induite Q sur sa paroi extérieure. Ainsi, avec $A_{\text{ext}} = 4\pi R_1^2$,

$$\sigma_{\text{ext}} = \frac{Q}{A_{\text{ext}}} \implies \boxed{\sigma_{\text{ext}} = \frac{Q}{4\pi R_2^2}}$$

(b) On choisit une surface de Gauss sphérique de rayon $r < R_1$. La charge à l'intérieur de cette surface est celle de la charge ponctuelle ponctuelle Q. Le champ $\overrightarrow{\mathbf{E}}$ sera radial et dirigé vers l'extérieur. Selon l'équation 3.3 et en suivant le raisonnement de l'exemple 3.2,

$$\oint \overrightarrow{\mathbf{E}} \cdot d\overrightarrow{\mathbf{A}} = \frac{Q}{\varepsilon_0} \implies \int E dA = \frac{Q}{\varepsilon_0} \implies E\left(4\pi r^2\right) = \frac{Q}{\varepsilon_0} \implies E = \boxed{\frac{kQ}{r^2}}$$

(c) On choisit une surface de Gauss sphérique de rayon $r > R_2$. Comme la charge totale à l'intérieur de cette surface est la même qu'à la question précédente, le résultat est le même, $E = \boxed{\frac{kQ}{r^2}}$

(d) $\boxed{\text{Non}}$, car la situation n'est plus symétrique et le raisonnement permettant de sortir le module du champ électrique de l'intégrale dans l'équation 3.3 ne s'applique pas.

E25. On donne $\lambda = 3$ nC/m. À partir de l'équation 3.7, avec $r = 0{,}10 + 0{,}12 = 0{,}22$ m,

$E = \frac{2k\lambda}{r} = \frac{2(9\times10^{9})(3\times10^{-9})}{0{,}22} = \boxed{245 \text{ N/C}}$

E26. On donne $\lambda_1 = 3$ nC/m, $\lambda_2 = -7$ nC/m, $a = 0{,}02$ m et $b = 0{,}05$ m. On enveloppe le câble coaxial avec une surface de Gauss cylindrique de longueur L, comme dans la figure de l'exercice 17, mais dont le rayon r sera différent. Comme dans l'exemple 3.4 du manuel, seule l'enveloppe S_1 du cylindre de Gauss est traversée par le champ électrique et contribue au calcul du flux électrique.

(a) On utilise une surface de Gauss de rayon $r = 0{,}04$ m. La charge du cylindre intérieur est positive et elle est seule responsable du champ électrique dans cette région. Celui-ci sera donc radial et dirigé vers l'extérieur: $\vec{\mathbf{E}} = E\vec{\mathbf{u}}_r$. Avec $d\vec{\mathbf{A}} = dA\vec{\mathbf{u}}_r$, l'équation 3.3 s'écrit :

$\oint \vec{\mathbf{E}} \cdot d\vec{\mathbf{A}} = \frac{Q}{\varepsilon_0} \Longrightarrow \int_{S_1} \vec{\mathbf{E}} \cdot d\vec{\mathbf{A}} = \frac{Q}{\varepsilon_0} \Longrightarrow \int_{S_1} (E\vec{\mathbf{u}}_r) \cdot (dA\vec{\mathbf{u}}_r) = \frac{Q}{\varepsilon_0} \Longrightarrow$

$\int_{S_1} EdA = \frac{Q}{\varepsilon_0} \Longrightarrow E\,(2\pi rL) = \frac{Q}{\varepsilon_0} \quad \text{(i)}$

La charge Q est celle qui se trouve dans le cylindre de Gauss de longueur L; donc $Q = \lambda_1 L$ et l'équation (i) devient $E = \frac{\lambda_1 L}{2\pi rL\varepsilon_0} = \frac{2k\lambda_1}{r} = \frac{2(9\times10^{9})(3\times10^{-9})}{0{,}04} = \boxed{1{,}35 \text{ kN/C}}$

(b) On utilise une surface de Gauss de rayon $r = 0{,}08$ m. Cette surface de Gauss enveloppe les deux portions du câble coaxial et intercepte une charge totale $Q = \lambda_1 L + \lambda_2 L$. Comme $\lambda_1 < |\lambda_2|$, cette charge totale est négative et le champ électrique résultant qui traverse la surface de Gauss pointe vers le câble: $\vec{\mathbf{E}} = -E\vec{\mathbf{u}}_r$. On reprend l'équation 3.3:

$\oint \vec{\mathbf{E}} \cdot d\vec{\mathbf{A}} = \frac{Q}{\varepsilon_0} \Longrightarrow \int_{S_1} \vec{\mathbf{E}} \cdot d\vec{\mathbf{A}} = \frac{\lambda_1 L+\lambda_2 L}{\varepsilon_0} \Longrightarrow \int_{S_1} (-E\vec{\mathbf{u}}_r) \cdot (dA\vec{\mathbf{u}}_r) = \frac{\lambda_1 L+\lambda_2 L}{\varepsilon_0} \Longrightarrow$

$-\int_{S_1} EdA = \frac{\lambda_1 L+\lambda_2 L}{\varepsilon_0} \Longrightarrow -E\,(2\pi rL) = \frac{\lambda_1 L+\lambda_2 L}{\varepsilon_0} \Longrightarrow E = -\frac{\lambda_1 L+\lambda_2 L}{2\pi rL\varepsilon_0} \Longrightarrow$

$E = -\frac{\lambda_1+\lambda_2}{2\pi r\varepsilon_0} = -\frac{2k(\lambda_1+\lambda_2)}{r} = -\frac{2(9\times10^{9})(3\times10^{-9}-7\times10^{-9})}{0{,}08} = \boxed{900 \text{ N/C}}$

E27. On donne $R = 0{,}10$ m, le rayon de la sphère, et $r = 0{,}10 + 0{,}12 = 0{,}22$ m, la distance radiale à partir du centre de la sphère où le module du champ est connu. Selon l'exemple 3.2*a*, à l'extérieur d'une sphère chargée, le champ électrique est décrit par la même expression que celle d'une charge ponctuelle. Donc, avec $E = \frac{k|Q|}{r^2}$ et $Q = \sigma\left(4\pi R^2\right)$, et en affirmant que la charge est négative à cause du sens du champ, on trouve

$E = \frac{k|Q|}{r^2} = \frac{4\pi k|\sigma|R^2}{r^2} = \frac{|\sigma|R^2}{\varepsilon_0 r^2} \implies$

$|\sigma| = \frac{\varepsilon_0 r^2 E}{R^2} = \frac{(8{,}85\times10^{-12})(0{,}22)^2(1800)}{(0{,}10)^2} = 7{,}71 \times 10^{-8}\ \text{C/m}^2 \implies$

$\sigma = \boxed{-7{,}71 \times 10^{-8}\ \text{C/m}^2}$

E28. Dans les deux cas, on utilise le résultat de l'exemple 3.2*a* : le module du champ électrique est le même que dans le cas d'une charge ponctuelle et son sens dépend du signe de la charge. Dans les deux cas, comme $Q > 0$, le champ est radial et dirigé vers l'extérieur.

(a) Avec $r = 0{,}07$ m et $Q = 7$ nC :

$\vec{\mathbf{E}} = \frac{k|Q|}{r^2}\vec{\mathbf{u}}_r = \frac{(9\times10^9)(7\times10^{-9})}{(0{,}07)^2}\vec{\mathbf{u}}_r = \boxed{1{,}29 \times 10^4\vec{\mathbf{u}}_r\ \text{N/C}}$

(b) Avec $r = 0{,}10$ m et $Q = 7\ \text{nC} + 4\ \text{nC} = 11$ nC :

$\vec{\mathbf{E}} = \frac{k|Q|}{r^2}\vec{\mathbf{u}}_r = \frac{(9\times10^9)(11\times10^{-9})}{(0{,}10)^2}\vec{\mathbf{u}}_r = \boxed{9{,}90\vec{\mathbf{u}}_r\ \text{kN/C}}$

E29. (a) On combine le résultat de l'exercice 7 avec l'équation 3.1. Si la charge $Q = 2{,}2$ nC est au centre du cube d'arête $L = 0{,}40$ m, le flux électrique qu'elle crée à travers chaque face est $\frac{Q}{6\varepsilon_e}$. Quant au champ électrique $\vec{\mathbf{E}} = -500\vec{\mathbf{j}}$ N/C, le flux qu'il produit à travers la surface représentée par le vecteur $\vec{\mathbf{A}} = L^2\vec{\mathbf{j}}$ est

$\vec{\mathbf{E}} \cdot \vec{\mathbf{A}} = (-500)(0{,}40)^2 = 80{,}0\ \text{N·m}^2\text{/C}$

Le flux électrique total à travers la surface est

$\Phi_E = \frac{Q}{6\varepsilon_e} - 80{,}0 = \frac{2{,}2\times10^{-9}}{6(8{,}85\times10^{-12})} - 80{,}0 = \boxed{-38{,}6\ \text{N·m}^2\text{/C}}$

(b) Dans cette situation, seul le vecteur représentant la surface est modifié, $\vec{\mathbf{A}} = -L^2\vec{\mathbf{j}}$, et le flux électrique total est $\Phi_E = \frac{Q}{6\varepsilon_e} + 80{,}0 = \frac{2{,}2\times10^{-9}}{6(8{,}85\times10^{-12})} + 80{,}0 = \boxed{122\ \text{N·m}^2\text{/C}}$

E30. (a) On arrive à la solution directement, à partir de l'exemple 3.2*a*. Comme la charge est positive, le champ est radial et il pointe vers l'extérieur. Son module vaut

$E = \frac{k(2Q)}{r^2} = \boxed{\frac{2kQ}{r^2}}$

(b) Dans ce cas, le champ est radial et pointe vers la coquille parce que la charge totale est négative. Son module vaut

$E = \frac{k|2Q-3Q|}{r^2} = \boxed{\frac{kQ}{r^2}}$

E31. Cette situation est décrite dans l'exemple 3.3 du manuel.

(a) L'équation 3.6 du manuel décrit le module du champ électrique à l'intérieur de la sphère, $E = \frac{kQ_{\text{tot}}r}{R^3}$. De cette équation, avec $R = 0{,}10$ m, $r = 0{,}05$ m, $E = 2000$ N/C et $Q_{\text{tot}} = \rho V = \rho\left(\frac{4\pi R^3}{3}\right)$, on tire

$E = \frac{k\left(\frac{4\pi R^3}{3}\rho\right)r}{R^3} \implies E = \frac{4\pi k\rho r}{3} = \frac{\rho r}{3\varepsilon_0} \implies \rho = \frac{3\varepsilon_0 E}{r} = \frac{3(8{,}85\times10^{-12})(2000)}{0{,}05} = \boxed{1{,}06\ \mu\text{C/m}^3}$

(b) La charge totale vaut

$$Q_{\text{tot}} = \rho\left(\frac{4\pi R^3}{3}\right) = \left(1{,}06\times10^{-6}\right)\left(\frac{4}{3}\pi\left(0{,}10\right)^3\right) = 4{,}45\times10^{-9}\ \text{C}$$

Le module du champ électrique est donné par l'expression d'une charge ponctuelle avec $r = 0{,}20$ m :

$$E = \frac{kQ_{\text{tot}}}{r^2} = \frac{\left(9\times10^9\right)\left(4{,}45\times10^{-9}\right)}{\left(0{,}20\right)^2} = \boxed{1{,}00\ \text{kN/C}}$$

E32. On suit un raisonnement similaire à l'exercice 3. Le flux électrique à travers les 4 faces de la pyramide est le même que celui qui traverse sa base. Comme la base est perpendiculaire au champ, le flux à travers la base carrée d'arête L est EL^2. Chaque face supérieure est traversée de la même manière par le champ électrique; donc le flux se partage également à travers chaque face :

$$\Phi_{\text{face}} = \boxed{\frac{EL^2}{4}}$$

Problèmes

P1. Cette situation est similaire à celle de l'exemple 3.3 du manuel. Au lieu de la charge totale, on donne plutôt la densité volumique de charge. Le lien entre ces deux quantités est $Q_{\text{tot}} = \rho V = \rho\left(\frac{4\pi R^3}{3}\right) = \frac{4}{3}\pi R^3\rho$, où R est le rayon de la sphère.

(a) On reprend directement l'équation 3.6 du manuel en rappelant que le champ est radial et dirigé vers l'extérieur. Si $4\pi k = \frac{1}{\varepsilon_0}$,

$$\vec{\mathbf{E}} = \frac{kQ_{\text{tot}}r}{R^3}\vec{\mathbf{u}}_r = \frac{k\left(\frac{4}{3}\pi R^3\rho\right)r}{R^3}\vec{\mathbf{u}}_r = \boxed{\frac{\rho r}{3\varepsilon_0}\vec{\mathbf{u}}_r}$$

(b) On reprend directement l'équation 3.5 du manuel en rappelant que le champ est radial et dirigé vers l'extérieur :

$$\vec{\mathbf{E}} = \frac{kQ_{\text{tot}}}{r^2}\vec{\mathbf{u}}_r = \frac{k\left(\frac{4}{3}\pi R^3\rho\right)}{r^2}\vec{\mathbf{u}}_r = \boxed{\frac{\rho R^3}{3\varepsilon_0 r^2}\vec{\mathbf{u}}_r}$$

$\boxed{\text{Oui}}$, lorsque $r = R$, les résultat (a) et (b) concordent.

(c) On donne une valeur aux différentes variables, on définit l'expression du champ pour les deux régions et on crée le graphe demandé :

```
> restart:
> R:=1;
> rho:=1e-9;
> epsilon:=8.85e-12;
> Er:='piecewise(r<R,rho*r/(3*epsilon),rho*R^3/(3*epsilon*r^2))';
> plot(Er,r=0..2*R);
```

Le graphe est similaire à celui de la figure 3.11*b* du manuel.

P2. (a) On considère la figure 3.11*a* du manuel, qui montre la surface de Gauss utilisée lorsqu'on cherche le module du champ électrique à une distance radiale $r < R$. Si $\rho > 0$, le champ électrique est dirigé vers l'extérieur et l'équation 3.3 devient

$$\oint \vec{\mathbf{E}} \cdot d\vec{\mathbf{A}} = \frac{Q_r}{\varepsilon_0} \Longrightarrow \int \vec{\mathbf{E}} \cdot d\vec{\mathbf{A}} = \frac{Q_r}{\varepsilon_0} \Longrightarrow \int \left(E\vec{\mathbf{u}}_r\right) \cdot \left(dA\vec{\mathbf{u}}_r\right) = \frac{Q_r}{\varepsilon_0} \Longrightarrow$$

$$E\int dA = \frac{Q_r}{\varepsilon_0} \Longrightarrow E(4\pi r^2) = \frac{Q_r}{\varepsilon_0} \Longrightarrow E = \frac{Q_r}{4\pi\varepsilon_0 r^2} \quad \text{(i)}$$

où Q_r représente la fraction de la charge de la sphère qui se trouve dans la surface de Gauss de rayon r. Puisque $\rho = Ar$, on calcule cette charge avec

$$Q_r = \int dQ = \int \rho dV = \int_0^r Ar(4\pi r^2)dr = 4\pi A\int_0^r r^3 dr = \pi A r^4$$

La charge totale Q sur la sphère vaut $Q = 4\pi A\int_0^R r^3 dr = \pi A R^4$; donc $A = \frac{Q}{\pi R^4}$et

$$Q_r = \frac{\pi r^4}{\pi R^4}Q = \frac{r^4}{R^4}Q$$

L'équation (i) devient

$$E = \frac{\left(\frac{r^4}{R^4}Q\right)}{4\pi\varepsilon_0 r^2} = \frac{1}{4\pi\varepsilon_0}\frac{r^2 Q}{R^4} \Longrightarrow \vec{\mathbf{E}} = \boxed{\frac{kQr^2}{R^4}\vec{\mathbf{u}}_r}$$

(b) On reprend directement l'équation 3.5 du manuel en rappelant que le champ est radial et dirigé vers l'extérieur et que Q représente la charge totale sur la sphère.

$$\vec{\mathbf{E}} = \boxed{\frac{kQ}{r^2}\vec{\mathbf{u}}_r}$$

$\boxed{\text{Oui}}$, lorsque $r = R$, les résultats (a) et (b) concordent.

(c) On calcule d'abord A pour que la charge totale soit la même que celle de la partie (c) du problème 1. On définit ensuite l'expression du champ pour les deux régions et on crée le graphe demandé. On définit aussi le champ électrique obtenu pour le problème 1. Finalement, on superpose le graphe des deux situations :

```
> restart:
> R:=1;
> rho:=1e-9;
> epsilon:=8.85e-12;
> eq:='Pi*A*R^4=rho*(4*Pi*R^3/3)';
> A:=solve(eq,A);
> Q:=Pi*A*R^4;
> k:=1/(4*Pi*epsilon);
> Er2:='piecewise(r<R,k*Q*r^2/R^4,k*Q/r^2)';
> Er1:='piecewise(r<R,rho*r/(3*epsilon),rho*R^3/(3*epsilon*r^2))';
> plot([Er1,Er2],r=0..2*R,color=[blue,red]);
```

Entre la situation de ce problème et celle du problème 1, il n'y a de différence que pour

$r < R$.

P3. (a) Comme on l'a vu à la section 2.3, le champ électrique doit être nul à l'intérieur de la coquille conductrice, c'est-à-dire pour $R_1 < r < R_2$. Toutefois, si on applique le théorème de Gauss à cette coquille et qu'on utilise une surface sphérique centrée sur la coquille et dont le rayon $R_1 < r < R_2$, alors la charge totale à l'intérieur de la surface doit être nulle pour que $E = 0$.

On en conclut qu'une charge q doit se trouver dans l'espace intérieur de la coquille, c'est-à-dire pour $r < R_1$, que cette charge doit être de symétrie sphérique, qu'elle est de même grandeur que celle que l'on retrouve sur la paroi intérieure de la coquille mais de signe contraire :

$$q = -\sigma A_{\text{int}} = -\sigma(4\pi R_1^2) = \boxed{-4\pi\sigma R_1^2}$$

(b) La charge totale Q sur la coquille est la somme des charges que l'on trouve sur ses deux parois :

$$Q = \sigma A_{\text{int}} - \sigma A_{\text{ext}} = \sigma(4\pi R_1^2) - \sigma(4\pi R_2^2) = 4\pi\sigma\left(R_1^2 - R_2^2\right) = \boxed{-4\pi\sigma\left(R_2^2 - R_1^2\right)}$$

La charge totale sur la coquille est négative puisque $R_2 > R_1$.

(c) La charge totale Q_{tot} que l'on trouve à l'intérieur d'une surface de Gauss de rayon $r > R_2$ est $Q_{\text{tot}} = Q + q = -4\pi\sigma\left(R_2^2 - R_1^2\right) - 4\pi\sigma R_1^2 = -4\pi\sigma R_2^2$

Comme cette charge est négative, le champ $\vec{\mathbf{E}}$ est radial et dirigé vers la coquille pour $r > R_2$. On utilise directement l'équation 3.5 de l'exemple 3.3 du manuel en tenant compte du signe de la charge :

$$\vec{\mathbf{E}} = -\frac{k|Q_{\text{tot}}|}{r^2}\vec{\mathbf{u}}_r = -\frac{k\left(4\pi\sigma R_2^2\right)}{r^2}\vec{\mathbf{u}}_r = \boxed{-\frac{\sigma R_2^2}{\varepsilon_0 r^2}\vec{\mathbf{u}}_r}$$

P4. Comme on le démontre à l'exemple 3.6 et en particulier à la figure 3.17, le champ électrique à proximité d'une parcelle de charge dQ du conducteur est le résultat de la contribution de la parcelle, que l'on appelle le champ local, $E_{\text{local}} = \frac{\sigma}{2\varepsilon_0}$, et du reste des charges, $E_{\text{lointain}} = \frac{\sigma}{2\varepsilon_0}$. Chaque parcelle de charge ne peut subir que le champ des autres charges; donc, la force électrique ressentie par dQ est $dF = E_{\text{lointain}} dQ$.

Si la parcelle de charge s'étend sur une parcelle de surface dA, alors

$$dF = E_{\text{lointain}}\,(\sigma dA) \implies \boxed{\frac{dF}{dA} = \frac{\sigma^2}{2\varepsilon_0}} \implies \boxed{\text{CQFD}}$$

P5. On suppose pour l'instant que $\rho > 0$.

(a) La figure montre le cylindre chargé et la surface de Gauss cylindrique (en pointillés) de rayon $r < R$ et de longueur L utilisée. L'axe du cylindre de Gauss coïncide avec celui du cylindre chargé. Le raisonnement de l'exemple 3.4 s'applique et on peut affirmer que seule l'enveloppe S_1 de la surface de Gauss est traversée par le champ électrique de la portion du cylindre chargé qui est à l'intérieur de la surface de Gauss :

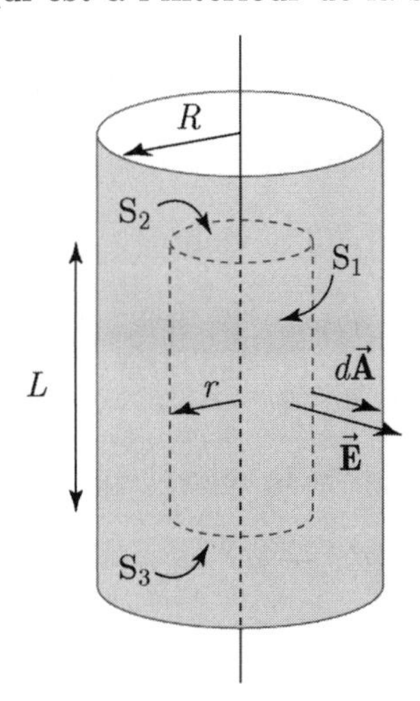

Comme la charge du cylindre est positive, le champ électrique est radial et dirigé vers l'extérieur, $\vec{\mathbf{E}} = E\vec{\mathbf{u}}_r$. Avec $d\vec{\mathbf{A}} = dA\,\vec{\mathbf{u}}_r$, l'équation 3.3 s'écrit :

$$\oint \vec{\mathbf{E}} \cdot d\vec{\mathbf{A}} = \frac{Q}{\varepsilon_0} \Longrightarrow \int_{S_1} \vec{\mathbf{E}} \cdot d\vec{\mathbf{A}} = \frac{Q}{\varepsilon_0} \Longrightarrow \int_{S_1} \left(E\vec{\mathbf{u}}_r\right) \cdot \left(dA\,\vec{\mathbf{u}}_r\right) = \frac{Q}{\varepsilon_0} \Longrightarrow$$

$$\int_{S_1} EdA = \frac{Q}{\varepsilon_0} \Longrightarrow E\left(2\pi rL\right) = \frac{Q}{\varepsilon_0} \Longrightarrow E = \frac{Q}{2\pi\varepsilon_0 rL} \qquad \text{(i)}$$

La charge Q est celle qui se trouve dans le cylindre de Gauss de longueur L; donc

$Q = \rho V = \rho\left(\pi r^2 L\right)$, et l'équation (i) devient

$$E = \frac{\rho\left(\pi r^2 L\right)}{2\pi\varepsilon_0 rL} = \frac{\rho r}{2\varepsilon_0} \Longrightarrow \vec{\mathbf{E}} = \boxed{\frac{\rho r}{2\varepsilon_0}\vec{\mathbf{u}}_r}$$

Le résultat est indépendant du signe de ρ.

(b) Si $r > R$, le cylindre de Gauss de la figure est à l'extérieur du cylindre chargé. Le raisonnement est le même qu'à la partie (a) jusqu'à l'équation (i).

La charge Q est maintenant celle que l'on trouve sur une portion de longueur L du cylindre chargé, $Q = \rho V = \rho\left(\pi R^2 L\right)$, et l'équation (i) devient

$$E = \frac{\rho\left(\pi R^2 L\right)}{2\pi\varepsilon_0 rL} = \frac{\rho R^2}{2\varepsilon_0 r} \Longrightarrow \vec{\mathbf{E}} = \boxed{\frac{\rho R^2}{2\varepsilon_0 r}\vec{\mathbf{u}}_r}$$

Le résultat est indépendant du signe de ρ.

$\boxed{\text{Oui}}$, lorsque $r = R$, les résultats (a) et (b) concordent.

P6. (a) Cette situation est similaire à celle de la partie (a) de l'exemple 3.3 du manuel. Au lieu de la charge totale de la coquille, on donne plutôt la densité volumique de charge $\rho > 0$. Le lien entre ces deux quantités est $Q_{\text{tot}} = \rho V = \rho\left(\frac{4\pi R^3}{3} - \frac{4\pi a^3}{3}\right) = \frac{4}{3}\pi\rho\left(R^3 - a^3\right)$, où

R est le rayon extérieur de la coquille et a son rayon intérieur.

On reprend directement l'équation 3.5 du manuel en rappelant que le champ est radial et dirigé vers l'extérieur. Si $4\pi k = \frac{1}{\varepsilon_0}$:

$\vec{\mathbf{E}} = \frac{kQ_{\text{tot}}}{r^2}\vec{\mathbf{u}}_r = \frac{k\left(\frac{4}{3}\pi\rho\left(R^3-a^3\right)\right)}{r^2}\vec{\mathbf{u}}_r = \boxed{\frac{\rho\left(R^3-a^3\right)}{3\varepsilon_0 r^2}\vec{\mathbf{u}}_r}$

(b) Cette situation est similaire à celle de la partie (b) de l'exemple 3.3 du manuel. La surface de Gauss utilisée doit avoir un rayon $a < r < R$. Si $\rho > 0$, le champ électrique est dirigé vers l'extérieur et l'équation 3.3 devient

$\oint \vec{\mathbf{E}} \cdot d\vec{\mathbf{A}} = \frac{Q_r}{\varepsilon_0} \implies \int \vec{\mathbf{E}} \cdot d\vec{\mathbf{A}} = \frac{Q_r}{\varepsilon_0} \implies \int \left(E\vec{\mathbf{u}}_r\right) \cdot \left(dA\vec{\mathbf{u}}_r\right) = \frac{Q_r}{\varepsilon_0} \implies$

$E\int dA = \frac{Q_r}{\varepsilon_0} \implies E(4\pi r^2) = \frac{Q_r}{\varepsilon_0} \implies E = \frac{Q_r}{4\pi\varepsilon_0 r^2} \qquad \text{(i)}$

où Q_r représente la fraction de la charge de la sphère qui se trouve dans la surface de Gauss de rayon r. Puisque $Q_r = \rho V = \rho\left(\frac{4\pi r^3}{3} - \frac{4\pi a^3}{3}\right) = \frac{4}{3}\pi\rho\left(r^3 - a^3\right)$, l'équation (i) devient

$E = \frac{\frac{4}{3}\pi\rho\left(r^3-a^3\right)}{4\pi\varepsilon_0 r^2} = \frac{\rho\left(r^3-a^3\right)}{3\varepsilon_0 r^2} \implies \vec{\mathbf{E}} = \boxed{\frac{\rho\left(r^3-a^3\right)}{3\varepsilon_0 r^2}\vec{\mathbf{u}}_r}$

(c) Comme le graphe demandé va de 0 à $2R$, on doit rappeler que, dans le volume intérieur de la coquille, lorsque $r < a$, le champ électrique est nul. On rappelle aussi que le graphe doit montrer la composante radiale du champ résultant.

On donne une valeur aux différentes variables, on définit l'expression du champ pour les trois régions et on crée le graphe demandé :

```
> restart:
> a:=1;
> R:=2;
> rho:=1e-9;
> epsilon:=8.85e-12;
> Er:='piecewise(r<a,0,r<R,rho*(r^3-a^3)/(3*epsilon*r^2),rho*(R^3-a^3)/
  (3*epsilon*r^2))';
> plot(Er,r=0..2*R);
```

P7. (a) Comme à l'exemple 3.3*b*, on utilise une surface de Gauss sphérique de rayon $r < R$. La charge négative de l'électron ne devenant égale à celle du proton que lorsqu'on atteint le rayon R, on peut poser que la charge totale à l'intérieur de la sphère de Gauss est positive. Ainsi, le champ électrique est dirigé vers l'extérieur et l'équation 3.3 devient :

$\oint \vec{\mathbf{E}} \cdot d\vec{\mathbf{A}} = \frac{Q_r}{\varepsilon_0} \implies \int \vec{\mathbf{E}} \cdot d\vec{\mathbf{A}} = \frac{Q_r}{\varepsilon_0} \implies \int \left(E\vec{\mathbf{u}}_r\right) \cdot \left(dA\vec{\mathbf{u}}_r\right) = \frac{Q_r}{\varepsilon_0} \implies$

$E\int dA = \frac{Q_r}{\varepsilon_0} \implies E(4\pi r^2) = \frac{Q_r}{\varepsilon_0} \implies E = \frac{Q_r}{4\pi\varepsilon_0 r^2} \qquad \text{(i)}$

où Q_r représente la charge totale dans la surface de Gauss, donc la charge du proton additionnée de la fraction de la charge de l'électron que l'on trouve dans le volume $V_r = \frac{4}{3}\pi r^3$. La densité volumique de charge de l'électron est $\rho_e = \frac{-e}{V_e} = \frac{-e}{\frac{4}{3}\pi R^3}$ et

$Q_r = e + \rho_e V_r = e + \rho_e \left(\frac{4}{3}\pi r^3\right) = e + \frac{-e}{\frac{4}{3}\pi R^3}\left(\frac{4}{3}\pi r^3\right) = e - e\left(\frac{r^3}{R^3}\right)$

Avec cette valeur et en rappelant que $\frac{1}{4\pi\varepsilon_0} = k$, l'équation (i) devient

$E = \frac{e - e\left(\frac{r^3}{R^3}\right)}{4\pi\varepsilon_0 r^2} \Longrightarrow \boxed{E = ke\left(\frac{1}{r^2} - \frac{r}{R^3}\right)} \Longrightarrow \boxed{\text{CQFD}}$

(b) On trouve la valeur de r pour laquelle le champ est maximal à partir de $\frac{dE}{dr} = 0$.

On définit l'expression du module du champ dans le logiciel Maple et on cherche le résultat :

```
> restart;
> E:=k*e*(1/r^2-r/R^3);
> eq:=diff(E,r)=0;
> solve(eq,r);
```

On constate qu'aucun des résultats ne convient. On en conclut que la valeur maximale du module est atteinte à la surface du proton, c'est-à-dire pour un rayon d'environ 10^{-15} m. On ne peut rien affirmer sur ce qui se produit à l'intérieur du proton.

(c) On définit les variables et on trace le graphe demandé :

```
> k:=9e9;
> e:=1.6e-19;
> R:=1e-10;
> plot(E,r=0.1*R..R);
```

La borne inférieure du graphe est fixée à $r = 0{,}1R$ puisqu'en $r = 0$, il y a une asymptote verticale.

P8. La figure qui suit montre une masse m ponctuelle entourée d'une surface de Gauss sphérique de rayon r. On remarque que le vecteur $\vec{\mathbf{g}}$ décrivant le champ gravitationnel pointe vers la masse, dans le sens opposé d'un $d\vec{\mathbf{A}}$ quelconque :

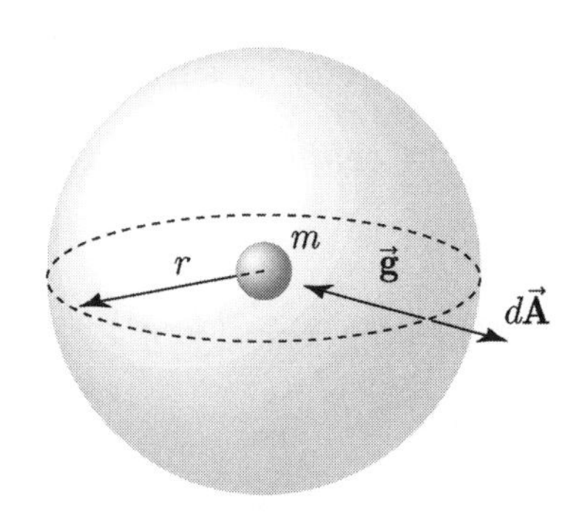

Dans la direction radiale, on a $\vec{g} = -g\vec{u}_r$ et $d\vec{A} = dA\vec{u}_r$. Le théorème de Gauss pour le champ gravitationnel s'écrit

$\oint \vec{g} \cdot d\vec{A} = -4\pi Gm \implies \int \left(-g\vec{u}_r\right) \cdot \left(dA\vec{u}_r\right) = -4\pi Gm \implies$

$-g\int dA = -4\pi Gm \implies -g\left(4\pi r^2\right) = -4\pi Gm \implies g = \frac{Gm}{r^2} \implies \vec{g} = -\frac{Gm}{r^2}\vec{u}_r$

Cette expression est bien celle que l'on connaît pour le vecteur champ gravitationnel d'une masse ponctuelle (équation 13.3 du tome 1). Une autre masse m' placée à une distance r de m ressentirait une force égale à $\vec{F}_g = m'\vec{g} = -\frac{Gmm'}{r^2}\vec{u}_r$, soit l'expression que l'on connaît pour la $\boxed{\text{loi de la gravitation universelle}}$. $\implies$ $\boxed{\text{CQFD}}$

P9. Cet exercice est semblable à la partie (a) de l'exemple 3.2. Le module du champ électrique ne dépend que de la charge totale à l'intérieur de la surface de Gauss sphérique de rayon r et son expression est la même que pour une charge ponctuelle (équation 2.2).

(a) Si $a < r < b$, alors la charge totale à l'intérieur de la surface de Gauss est Q, celle de la sphère intérieure de rayon a. Comme cette charge est positive,

$\vec{E} = \boxed{\frac{kQ}{r^2}\vec{u}_r}$

(b) Si $r > c$, alors la charge totale à l'intérieur de la surface de Gauss n'est pas modifiée par la coquille, qui n'est pas chargée. Le résultat est le même qu'à la partie (a) :

$\vec{E} = \boxed{\frac{kQ}{r^2}\vec{u}_r}$

P10. On considère la figure 3.11*a* du manuel, qui montre la surface de Gauss utilisée lorsqu'on cherche le module du champ électrique à une distance radiale $r < R$. Ici, toutefois, une cavité sphérique de rayon a existe au centre de la sphère et la surface de Gauss utilisée doit posséder un rayon $a < r < R$.

Si $\rho > 0$, le champ électrique est dirigé vers l'extérieur et l'équation 3.3 devient

$\oint \vec{E} \cdot d\vec{A} = \frac{Q_r}{\varepsilon_0} \implies \int \vec{E} \cdot d\vec{A} = \frac{Q_r}{\varepsilon_0} \implies \int \left(E\vec{u}_r\right) \cdot \left(dA\vec{u}_r\right) = \frac{Q_r}{\varepsilon_0} \implies$

$E\int dA = \frac{Q_r}{\varepsilon_0} \implies E(4\pi r^2) = \frac{Q_r}{\varepsilon_0} \implies E = \frac{Q_r}{4\pi\varepsilon_0 r^2} \qquad \text{(i)}$

où Q_r représente la fraction de la charge de la sphère non conductrice qui se trouve dans la surface de Gauss de rayon r. Puisque $\rho = \frac{A}{r}$, on calcule cette charge avec

$$Q_r = \int dQ = \int \rho dV = \int_a^r \left(\frac{A}{r}\right)(4\pi r^2)dr = 4\pi A \int_a^r r dr = 2\pi A\left(r^2 - a^2\right)$$

Avec ce résultat, l'équation (i) devient

$$E = \frac{2\pi A\left(r^2-a^2\right)}{4\pi\varepsilon_0 r^2} = \frac{A}{2\varepsilon_0}\left(1 - \frac{a^2}{r^2}\right) \implies \vec{\mathbf{E}} = \boxed{\frac{A}{2\varepsilon_0}\left(1 - \frac{a^2}{r^2}\right)\vec{\mathbf{u}}_r}$$

P11. (a) Cette situation est identique à celle du problème $5a$. On peut utiliser la même figure montrant la surface de Gauss cylindrique de rayon r et de longueur l utilisée. Toutefois, comme le cylindre possède une cavité de rayon a, le rayon de la surface de Gauss doit se trouver entre a et R. La solution est la même que celle du problème $5a$, jusqu'à l'équation (i) :

$$E = \frac{Q}{2\pi\varepsilon_0 rL} \quad \text{(i)}$$

où Q représente la charge à l'intérieur de la surface de Gauss :

$$Q = \rho V = \rho\left(\pi r^2 L - \pi a^2 L\right) = \pi\rho L\left(r^2 - a^2\right)$$

Avec cette valeur, l'équation (i) devient

$$E = \frac{\pi\rho L\left(r^2-a^2\right)}{2\pi\varepsilon_0 rL} = \frac{\rho\left(r^2-a^2\right)}{2\varepsilon_0 r} \implies \vec{\mathbf{E}} = \boxed{\frac{\rho\left(r^2-a^2\right)}{2\varepsilon_0 r}\vec{\mathbf{u}}_r}$$

(b) Si $r > R$, le cylindre de Gauss de la figure est à l'extérieur du cylindre chargé. Le raisonnement est le même qu'à la partie (a) jusqu'à l'équation (i).

La charge Q est maintenant celle que l'on trouve sur une portion de longueur L du cylindre chargé, $Q = \rho V = \rho\left(\pi R^2 L - \pi a^2 L\right) = \pi\rho L\left(R^2 - a^2\right)$, et l'équation (i) devient

$$E = \frac{\pi\rho L\left(R^2-a^2\right)}{2\pi\varepsilon_0 rL} = \frac{\rho\left(R^2-a^2\right)}{2\varepsilon_0 r} \implies \vec{\mathbf{E}} = \boxed{\frac{\rho\left(R^2-a^2\right)}{2\varepsilon_0 r}\vec{\mathbf{u}}_r}$$

P12. On considère la figure 3.11a du manuel qui montre la surface de Gauss utilisée lorsqu'on cherche le module du champ électrique à une distance radiale $r < R$. Si $\rho_0 > 0$, le champ électrique est dirigé vers l'extérieur et l'équation 3.3 devient

$$\oint \vec{\mathbf{E}} \cdot d\vec{\mathbf{A}} = \frac{Q_r}{\varepsilon_0} \implies \int \vec{\mathbf{E}} \cdot d\vec{\mathbf{A}} = \frac{Q_r}{\varepsilon_0} \implies \int \left(E\vec{\mathbf{u}}_r\right) \cdot \left(dA\vec{\mathbf{u}}_r\right) = \frac{Q_r}{\varepsilon_0} \implies$$

$$E\int dA = \frac{Q_r}{\varepsilon_0} \implies E(4\pi r^2) = \frac{Q_r}{\varepsilon_0} \implies E = \frac{Q_r}{4\pi\varepsilon_0 r^2} \quad \text{(i)}$$

où Q_r représente la fraction de la charge de la sphère qui se trouve dans la surface de Gauss de rayon r. Puisque $\rho = \rho_0\left(1 - \frac{r}{R}\right)$, on calcule cette charge avec

$$Q_r = \int dQ = \int \rho dV = \int_0^r \rho_0\left(1 - \frac{r}{R}\right)(4\pi r^2)dr = 4\pi\rho_0 \int_0^r \left(r^2 - \frac{r^3}{R}\right)dr \implies$$

$$Q_r = 4\pi\rho_0\left[\left(\frac{r^3}{3} - \frac{r^4}{4R}\right)\Big|_0^r\right] = 4\pi\rho_0\left(\frac{r^3}{3} - \frac{r^4}{4R}\right)$$

Avec cette valeur, l'équation (i) devient

$$E = \frac{4\pi\rho_0\left(\frac{r^3}{3} - \frac{r^4}{4R}\right)}{4\pi\varepsilon_0 r^2} = \frac{\rho_0}{\varepsilon_0}\left(\frac{r}{3} - \frac{r^2}{4R}\right) \implies \vec{\mathbf{E}} = \boxed{\frac{\rho_0}{\varepsilon_0}\left(\frac{r}{3} - \frac{r^2}{4R}\right)\vec{\mathbf{u}}_r}$$

P13. La figure montre la plaque non-conductrice ainsi que la surface de Gauss (en pointillés). Pour respecter la symétrie, la surface de Gauss possède deux faces parallèles à la plaque, une aire A et elle est centrée sur la plaque. La distance au plan central de chaque face de la surface de Gauss est y.

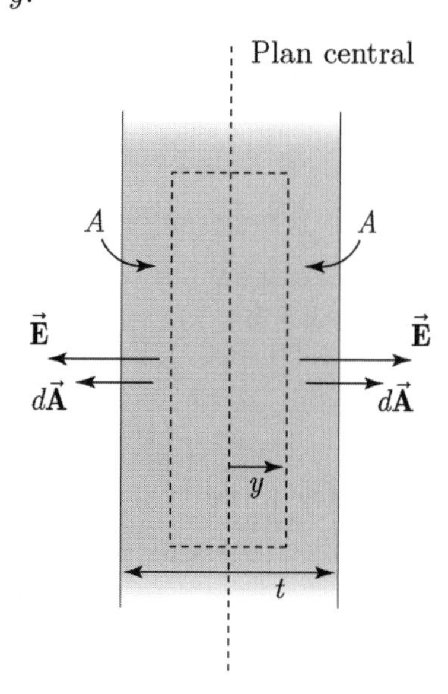

Comme il a été démontré à l'exemple 3.5, seules les faces parallèles à la plaque d'aire A contribuent au flux électrique, et l'équation 3.3 s'écrit

$\oint \overrightarrow{\mathbf{E}} \cdot d\overrightarrow{\mathbf{A}} = \frac{Q_r}{\varepsilon_0} \implies EA + EA = \frac{Q_r}{\varepsilon_0} \implies E = \frac{Q_r}{2A\varepsilon_0}$ (i)

où Q_r est la charge dans la surface de Gauss.

Si $y < \frac{t}{2}$, alors $Q_r = \rho A(2y)$ et l'équation (i) devient

$E = \frac{\rho A(2y)}{2A\varepsilon_0} = \frac{\rho y}{\varepsilon_0}$

Si $y \geq \frac{t}{2}$, alors $Q_r = \rho At$ et l'équation (i) devient

$E = \frac{\rho At}{2A\varepsilon_0} = \frac{\rho t}{2\varepsilon_0}$

En résumé, $\boxed{\text{pour } y < \frac{t}{2} : E = \frac{\rho y}{\varepsilon_0}, \text{ pour } y \geq \frac{t}{2} : E = \frac{\rho t}{2\varepsilon_0}}$

Le vecteur $\overrightarrow{\mathbf{E}}$ est perpendiculaire à la plaque et dirigé vers l'extérieur par rapport au plan central.

P14. (a) Pour traiter cette situation, on suppose que la sphère est pleine et que, là où se trouve la cavité, une charge négative uniforme annule la charge positive de la sphère. Puisque la densité volumique de charge de la sphère est ρ, celle de la charge négative est $-\rho$.

Pour décrire le champ électrique de la sphère pleine (sp) et de la charge négative (cn) de rayon a, on utilise le résultat du problème 1a. Le champ électrique résultant à l'intérieur de la cavité est donc

$$\vec{\mathbf{E}} = \vec{\mathbf{E}}_{\text{sp}} + \vec{\mathbf{E}}_{\text{cn}} = \frac{\rho \vec{\mathbf{r}}}{3\varepsilon_0} + \frac{-\rho \vec{\mathbf{r}}'}{3\varepsilon_0} = \frac{\rho}{3\varepsilon_0}\left(\vec{\mathbf{r}} - \vec{\mathbf{r}}'\right)$$

où $\vec{\mathbf{r}}$ et $\vec{\mathbf{r}}'$ sont définis à la figure 3.30. Comme $\vec{\mathbf{d}} = \vec{\mathbf{r}} - \vec{\mathbf{r}}'$, le champ dans la cavité est donné par $\vec{\mathbf{E}} = \frac{\rho \vec{\mathbf{d}}}{3\varepsilon_0}$.

Il s'agit d'un vecteur constant; donc le champ électrique est uniforme à l'intérieur de la cavité. $\Longrightarrow$ CQFD

(b) On rappelle que $\vec{\mathbf{E}} = \boxed{\frac{\rho}{3\varepsilon_0}\vec{\mathbf{d}}}$

Chapitre 4 : Le potentiel électrique

Exercices

E1. On donne $|q| = 30$ C et $|\Delta V| = 10^8$ V.

(a) Dans cet exercice, outre la référence à l'éclair, on ne fournit aucun détail sur la façon de déplacer la charge entre le nuage et le sol, c'est-à-dire librement ou en subissant la contrainte d'un agent extérieur. Toutefois, les équations 4.1 et 4.4 montrent que le produit d'une différence de potentiel et d'une charge correspond à une quantité d'énergie. Comme sa forme est inconnue, on la représente par E et sa valeur est, en joules :

$E = |q|\,|\Delta V| = (30)\left(1 \times 10^8\right) = 3{,}0 \times 10^9$ J

Exprimée en électronvolt, cette quantité d'énergie est

$E = 3{,}0 \times 10^9 \text{ J} \times \left(\frac{1 \text{ eV}}{1{,}602 \times 10^{-19} \text{ J}}\right) = \boxed{1{,}88 \times 10^{28} \text{ eV}}$

(b) À la section 7.4 du tome 1, on définit la puissance, exprimée en watt, comme le rapport entre une quantité d'énergie, exprimée en joules, et un délai en temps, exprimé en secondes, $P = \frac{E}{\Delta t}$.

On modifie cette relation et on calcule le délai en temps nécessaire pour écouler la quantité d'énergie E calculée à la partie (a) :

$\Delta t = \frac{E}{P} = \frac{3{,}0 \times 10^9 \text{ J}}{60 \text{ W}} = \left(5{,}00 \times 10^7 \text{ s}\right) \times \left(\frac{1 \text{ a}}{3{,}156 \times 10^7 \text{ s}}\right) = \boxed{1{,}58 \text{ a}}$

E2. On donne $\Delta V = 12$ V.

(a) $q = (80 \text{ A} \cdot \text{h}) \times \frac{3600 \text{ C}}{1 \text{ A·h}} = \boxed{2{,}88 \times 10^5 \text{ C}}$

(b) À partir de l'équation 4.1 du manuel, on obtient

$\Delta U = q\Delta V = \left(2{,}88 \times 10^5\right)(12) = \boxed{3{,}46 \times 10^6 \text{ J}}$

E3. On donne $W_{\text{EXT}} = 4 \times 10^{-7}$ J, $q = -5$ nC et $V_B = -20$ V. Selon l'équation 4.4 du manuel,

$W_{\text{EXT}} = q\,(V_B - V_A) \implies V_A = V_B - \frac{W_{\text{EXT}}}{q} = -20 - \frac{4 \times 10^{-7}}{-5 \times 10^{-9}} = \boxed{60{,}0 \text{ V}}$

E4. On donne $\vec{\mathbf{E}} = -180\,\vec{\mathbf{k}}$ N/C et $\vec{\mathbf{s}} = (z_B - z_A)\,\vec{\mathbf{k}} = 0{,}10\,\vec{\mathbf{k}}$ m. On rappelle que le produit scalaire de deux vecteurs peut être calculé en utilisant l'une ou l'autre des équations 2.9 et 2.11 du tome 1 :

$\vec{\mathbf{A}} \cdot \vec{\mathbf{B}} = AB\cos\theta = A_xB_x + A_yB_y + A_zB_z$

(a) À partir de l'équation 4.6a du manuel, on écrit

$\Delta V = V_B - V_A = -\vec{\mathbf{E}} \cdot \vec{\mathbf{s}} = -E_zs_z = -(-180)(0{,}10) = \boxed{18{,}0 \text{ V}}$

(b) Toujours à partir de l'équation 4.6a et étant donné $\Delta V = 27$ V, on obtient

$\Delta V = -\vec{\mathbf{E}} \cdot \vec{\mathbf{s}} = -E_z s_z \implies s_z = \frac{\Delta V}{-E_z} = \frac{27}{-(-180)} = \boxed{0{,}150 \text{ m}}$

E5. On donne $\vec{\mathbf{E}} = 2x\,\vec{\mathbf{i}} - 3y^2\,\vec{\mathbf{j}}$, $\vec{\mathbf{r}}_A = \left(\vec{\mathbf{i}} - 2\,\vec{\mathbf{j}}\right)$ m et $\vec{\mathbf{r}}_B = \left(2\,\vec{\mathbf{i}} + \vec{\mathbf{j}} + 3\,\vec{\mathbf{k}}\right)$ m. On se sert de l'équation 4.5b du manuel, en tenant compte de la définition du produit scalaire (équation 2.11 du tome 1) :

$V_B - V_A = -\int_A^B \vec{\mathbf{E}} \cdot d\vec{\mathbf{s}} = -\int_A^B (E_x dx + E_y dy) = -\int_A^B E_x dx - \int_A^B E_y dy \implies$

$V_B - V_A = -\int_1^2 2x dx + \int_{-2}^1 3y^2 dy \qquad \text{(i)}$

On constate que le déplacement selon z n'a aucune influence sur la différence de potentiel.

L'équation (i) donne

$V_B - V_A = -\left[\left(x^2\right)\right|_1^2 + \left[\left(y^3\right)\right|_{-2}^1 = -(4-1) + (1-(-8)) = \boxed{6{,}00 \text{ V}}$

E6. On adapte l'équation 4.5b du manuel. On pose $V_A = 0$ et $V_B = V$, le potentiel en un point quelconque de l'axe des x.

(a) On donne $\vec{\mathbf{E}} = \frac{A}{x}\vec{\mathbf{i}}$ et $V = 0$ en $x = x_0$. À partir de l'équation 4.5b, on trouve

$V_B - V_A = -\int_A^B \vec{\mathbf{E}} \cdot d\vec{\mathbf{s}} \implies V = -\int_{x_0}^x E_x dx = -A\int_{x_0}^x \frac{1}{x} dx = -A\left[\ln(x)\right|_{x_0}^x = \boxed{-A\ln\left(\frac{x}{x_0}\right)}$

(b) On donne $\vec{\mathbf{E}} = Ae^{-Bx}\vec{\mathbf{i}}$ et $V = 0$ en $x = 0$. À partir de l'équation 4.5b, on obtient

$V_B - V_A = -\int_A^B \vec{\mathbf{E}} \cdot d\vec{\mathbf{s}} \implies V = -\int_0^x E_x dx = -A\int_0^x e^{-Bx} dx = -A\left[-\frac{1}{B}e^{-Bx}\right|_0^x \implies$

$V = \frac{A}{B}\left(e^{-Bx} - e^0\right) = \boxed{\frac{A}{B}\left(e^{-Bx} - 1\right)}$

E7. On donne $q = -e$, $m = 9{,}1 \times 10^{-31}$ kg et $v_{\text{i}} = 0$. Dans les trois cas, on utilise l'équation 4.7 du manuel.

(a) Si $v_{\text{f}} = 330$ m/s,

$\Delta K = -q\Delta V \implies \frac{1}{2}mv_{\text{f}}^2 - \frac{1}{2}mv_{\text{i}}^2 = -q\Delta V \implies$

$\Delta V = \frac{mv_{\text{f}}^2}{2(-q)} = \frac{\left(9{,}1\times10^{-31}\right)(330)^2}{2\left(1{,}6\times10^{-19}\right)} = \boxed{3{,}10 \times 10^{-7} \text{ V}}$

(b) Si $v_{\text{f}} = 11{,}2 \times 10^3$ m/s,

$\Delta V = \frac{mv_{\text{f}}^2}{2(-q)} = \frac{\left(9{,}1\times10^{-31}\right)\left(11{,}2\times10^3\right)^2}{2\left(1{,}6\times10^{-19}\right)} = \boxed{3{,}57 \times 10^{-4} \text{ V}}$

(c) Si $v_{\text{f}} = 0{,}1c = 3{,}00 \times 10^7$ m/s,

$\Delta V = \frac{mv_{\text{f}}^2}{2(-q)} = \frac{\left(9{,}1\times10^{-31}\right)\left(3{,}00\times10^7\right)^2}{2\left(1{,}6\times10^{-19}\right)} = \boxed{2{,}56 \times 10^3 \text{ V}}$

E8. On donne $q = e$, $m = 1{,}67 \times 10^{-27}$ kg et $v_{\text{i}} = 0$. Dans les trois cas, on utilise l'équation 4.7 du manuel.

(a) Si $v_{\text{f}} = 330$ m/s,

$\Delta K = -q\Delta V \implies \frac{1}{2}mv_{\text{f}}^2 - \frac{1}{2}mv_{\text{i}}^2 = -q\Delta V \implies$

$$\Delta V = \frac{mv_f^2}{2(-q)} = \frac{(1{,}67\times10^{-27})(330)^2}{2(-1{,}6\times10^{-19})} = \boxed{-5{,}68 \times 10^{-4}\ \text{V}}$$

(b) Si $v_f = 11{,}2 \times 10^3$ m/s,

$$\Delta V = \frac{mv_f^2}{2(-q)} = \frac{(1{,}67\times10^{-27})(11{,}2\times10^3)^2}{2(-1{,}6\times10^{-19})} = \boxed{-0{,}655\ \text{V}}$$

(c) Si $v_f = 0{,}1c = 3{,}00 \times 10^7$ m/s,

$$\Delta V = \frac{mv_f^2}{2(-q)} = \frac{(1{,}67\times10^{-27})(3{,}00\times10^7)^2}{2(-1{,}6\times10^{-19})} = \boxed{-4{,}70 \times 10^6\ \text{V}}$$

E9. On donne $|\Delta V| = 12$ V et $v_i = 0$. On suppose que la batterie d'automobile est branchée à deux conducteurs de manière à créer une différence de potentiel dans l'espace où on souhaite accélérer l'électron ou le proton. Il n'est pas nécessaire d'utiliser un système de plaques parallèles, il suffit que les particules accélérées subissent une différence de potentiel de ±12 V. Dans les deux cas, on utilise l'équation 4.7 du manuel.

(a) Si $q = -e$ et $m = 9{,}1 \times 10^{-31}$ kg,

$$\Delta K = -q\Delta V \implies \tfrac{1}{2}mv_f^2 = -q\Delta V \implies v_f = \sqrt{\frac{-2q\Delta V}{m}} \qquad \text{(i)}$$

Pour que l'électron accélère, la différence de potentiel doit être positive ($\Delta V = 12$ V) :

$$v_f = \sqrt{\frac{-2(-1{,}6\times10^{-19})(12)}{9{,}1\times10^{-31}}} = \boxed{2{,}05 \times 10^6\ \text{m/s}}$$

(b) On a plutôt $q = e$ et $m = 1{,}67 \times 10^{-27}$ kg. Pour que le proton accélère, la différence de potentiel doit être négative ($\Delta V = -12$ V) dans l'équation (i) :

$$v_f = \sqrt{\frac{-2(1{,}6\times10^{-19})(-12)}{1{,}67\times10^{-27}}} = \boxed{4{,}80 \times 10^4\ \text{m/s}}$$

E10. On donne $E = 3 \times 10^6$ V/m et $d = 0{,}001$ m. À partir de la valeur absolue de l'équation 4.6*c*, on obtient

$$|\Delta V| = Ed = (3 \times 10^6)(0{,}001) = \boxed{3{,}00 \times 10^3\ \text{V}}$$

E11. On donne $q = -2\ \mu$C, $V_A = -5$ V et $V_B = -15$ V. Comme la charge est déplacée à vitesse constante, on peut utiliser l'équation 4.4 du manuel :

$$W_{\text{EXT}} = q(V_B - V_A) = (-2 \times 10^{-6})(-15 - (-5)) = \boxed{2{,}00 \times 10^{-5}\ \text{J}}$$

Le travail est positif parce qu'on déplace une charge négative vers un potentiel décroissant.

E12. On donne $\vec{\mathbf{E}} = 600\,\vec{\mathbf{i}}$ V/m et, si un axe des x pointe vers la droite dans la figure 4.34, le vecteur déplacement qui va du point A au point B est $\vec{\mathbf{s}} = -0{,}04\,\vec{\mathbf{i}}$ m. On rappelle que le produit scalaire de deux vecteurs peut être calculé en utilisant l'une ou l'autre des équations 2.9 et 2.11 du tome 1 :

$$\vec{\mathbf{E}} \cdot \vec{\mathbf{s}} = Es\cos\theta = E_x s_x + E_y s_y + E_z s_z$$

(a) À partir de l'équation 4.6*a* du manuel, on calcule

$$\Delta V = V_B - V_A = -\overrightarrow{\mathbf{E}} \cdot \overrightarrow{\mathbf{s}} = -E_x s_x = -(600)(-0{,}04) = \boxed{24{,}0 \text{ V}}$$

(b) On donne $q = -3\ \mu$C. À partir de l'équation 4.1 du manuel, on obtient

$$\Delta U = q\Delta V = \left(-3 \times 10^{-6}\right)(24{,}0) = \boxed{-7{,}20 \times 10^{-5} \text{ J}}$$

Il y a diminution de l'énergie potentielle parce qu'une charge négative se déplace vers un potentiel croissant.

Dans cet exercice, la façon dont la charge q est déplacée du point A au point B n'a pas d'importance. En effet, que la charge se déplace à vitesse constante ou en accélérant, l'équation 4.6a du manuel s'applique toujours.

E13. On donne $d = 0{,}05$ m, $q = 8\ \mu$C et $\overrightarrow{\mathbf{F}}_E = 2{,}4 \times 10^{-2}\,\overrightarrow{\mathbf{i}}$ N. Comme la force est orientée selon l'axe des x positifs, les deux plaques doivent être selon y pour que le champ électrique et la différence de potentiel soient dans le bon sens. De plus, comme $\overrightarrow{\mathbf{F}}_E = q\overrightarrow{\mathbf{E}}$ et que la charge est positive, le champ électrique est selon l'axe des x positifs. La figure montre les plaques, le champ électrique, le déplacement total et la charge à un instant quelconque durant le déplacement :

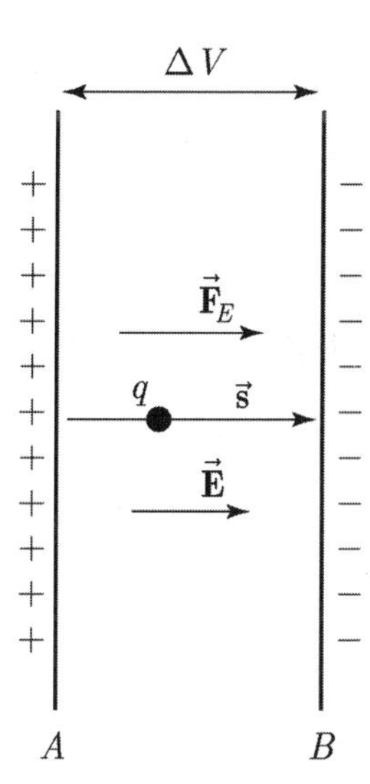

On calcule le champ électrique :

$$\overrightarrow{\mathbf{E}} = \frac{\overrightarrow{\mathbf{F}}_E}{q} = \frac{2{,}4\times10^{-2}\,\overrightarrow{\mathbf{i}}}{8\times10^{-6}} = 3{,}00 \times 10^{3}\,\overrightarrow{\mathbf{i}} \text{ V/m}$$

Ensuite, à partir de la valeur absolue de l'équation 4.6c, on trouve

$$|\Delta V| = Ed = \left(3{,}00 \times 10^{3}\right)(0{,}05) = \boxed{150 \text{ V}}$$

Comme on peut le voir dans la figure, le potentiel diminue de 150 V dans le sens du déplacement et $V_B - V_A = -150$ V.

E14. On donne $v_{\text{i}} = 0$, $v_{\text{f}} = 0{,}1c = 3{,}00 \times 10^{7}$ m/s et u $= 1{,}66 \times 10^{-27}$ kg. Dans les deux cas, on utilise l'équation 4.7 du manuel.

(a) Si $q = 2e = 2\left(1{,}6 \times 10^{-19}\right) = 3{,}2 \times 10^{-19}$ C et

$m = 4\text{u} \ = 4\left(1{,}66 \times 10^{-27}\right) = 6{,}64 \times 10^{-27}$ kg, alors

$\Delta K = -q\Delta V \implies \frac{1}{2}mv_{\text{f}}^2 - \frac{1}{2}mv_{\text{i}}^2 = -q\Delta V \implies$

$\Delta V = \frac{mv_{\text{f}}^2}{2(-q)} = \frac{\left(6{,}64\times10^{-27}\right)\left(3{,}00\times10^{7}\right)^2}{2\left(-3{,}2\times10^{-19}\right)} = \boxed{-9{,}34 \times 10^6 \text{ V}}$

(b) Si $q = 92e = 92\left(1{,}6 \times 10^{-19}\right) = 1{,}472 \times 10^{-17}$ C et

$m = 235\text{u} \ = 235\left(1{,}66 \times 10^{-27}\right) = 3{,}90 \times 10^{-25}$ kg :

$\Delta K = -q\Delta V \implies \frac{1}{2}mv_{\text{f}}^2 - \frac{1}{2}mv_{\text{i}}^2 = -q\Delta V \implies$

$\Delta V = \frac{mv_{\text{f}}^2}{2(-q)} = \frac{\left(3{,}90\times10^{-25}\right)\left(3{,}00\times10^{7}\right)^2}{2\left(-1{,}472\times10^{-17}\right)} = \boxed{-1{,}19 \times 10^7 \text{ V}}$

E15. On donne $\overrightarrow{\mathbf{E}} = -120\,\overrightarrow{\mathbf{j}}$ V/m. On rappelle que le produit scalaire de deux vecteurs peut être calculé en utilisant l'une ou l'autre des équations 2.9 et 2.11 du tome 1 :

$\overrightarrow{\mathbf{E}} \cdot \overrightarrow{\mathbf{s}} = Es\cos\theta = E_x s_x + E_y s_y + E_z s_z$

Pour les deux questions, le point A correspond au sol et le point B est à la hauteur spécifiée.

(a) On donne $\overrightarrow{\mathbf{s}} = 1{,}8\,\overrightarrow{\mathbf{j}}$ m. À partir de l'équation 4.6a du manuel, on calcule

$\Delta V = V_B - V_A = -\overrightarrow{\mathbf{E}} \cdot \overrightarrow{\mathbf{s}} = -E_y s_y = -(-120)(1{,}8) = \boxed{216 \text{ V}}$

(b) Avec $\overrightarrow{\mathbf{s}} = 433\,\overrightarrow{\mathbf{j}}$ m, on obtient

$\Delta V = V_B - V_A = -\overrightarrow{\mathbf{E}} \cdot \overrightarrow{\mathbf{s}} = -E_y s_y = -(-120)(433) = \boxed{52{,}0 \text{ kV}}$

E16. On donne $d = 0{,}03$ m, $v_{\text{i}} = 0$, $q = -e$, $m = 9{,}1 \times 10^{-31}$ m. Comme l'électron se déplace à partir du point de potentiel le plus bas, on peut poser que $V_A = 0$ V et $V_B = 120$ V.

(a) À partir de la valeur absolue de l'équation 4.6c, on trouve

$|\Delta V| = Ed \implies E = \frac{|\Delta V|}{d} = \frac{120}{0{,}03} = \boxed{4{,}00 \times 10^3 \text{ V/m}}$

(b) Par définition (équation 8.4 du tome 1), le travail d'une force conservative et l'énergie potentielle qui lui est associée sont reliés par $W_{\text{c}} = -\Delta U$. Dans le cas de la force électrique, cette équation devient $W_E = -\Delta U$. Si on utilise aussi l'équation 4.1, on obtient

$W_E = -\Delta U = -q\Delta V = -q\left(V_B - V_A\right) = -\left(-1.6 \times 10^{-19}\right)(120) = \boxed{1{,}92 \times 10^{-17} \text{ J}}$

Il est naturel que ce travail soit positif, étant donné que l'électron accélère.

(c) L'énoncé du problème précise que l'électron va vers le potentiel le plus élevé; ainsi,

$\Delta V = V_B - V_A = \boxed{120 \text{ V}}$

(d) À partir de l'équation 4.1, on trouve

$\Delta U = q\Delta V = \left(-1{,}6 \times 10^{-19}\right)(120) = \boxed{-1{,}92 \times 10^{-17}\ \text{J}}$

E17. On donne $q = -15\ \mu\text{C}$, $m = 2 \times 10^{-5}$ kg, $v_\text{i} = 0$, $v_\text{f} = 400$ m/s et

$\Delta V = V_B - V_A = -6000$ V.

La variation d'énergie cinétique de la particule est

$\Delta K = \frac{1}{2}mv_\text{f}^2 - \frac{1}{2}mv_\text{i}^2 = \frac{1}{2}mv_\text{f}^2 = \frac{1}{2}\left(2 \times 10^{-5}\right)(400)^2 = 1{,}60$ J

La variation d'énergie potentielle est calculée à partir de l'équation 4.1 du manuel :

$\Delta U = q\Delta V = \left(-15 \times 10^{-6}\right)(-6000) = 0{,}0900$ J

On trouve le travail extérieur à partir de l'équation 4.3 :

$W_\text{EXT} = \Delta K + \Delta U = 1{,}60 + 0{,}0900 = \boxed{1{,}69\ \text{J}}$

E18. (a) On adapte l'équation 4.5*b* du manuel. On pose $V_A = 0$ et $V_B = V$, le potentiel en un point quelconque de l'axe des x.

On donne $\vec{\mathbf{E}} = \frac{\sigma}{2\varepsilon_0}\vec{\mathbf{i}}$ et $V = 0$ en $x = x_0$. À partir de l'équation 4.5*b*, on obtient

$$V_B - V_A = -\int_A^B \vec{\mathbf{E}} \cdot d\vec{\mathbf{s}} \implies V = -\int_{x_0}^{x} E_x dx = -\frac{\sigma}{2\varepsilon_0}\int_{x_0}^{x} dx = -\frac{\sigma}{2\varepsilon_0}\left[x\right]_{x_0}^{x} = \boxed{\frac{\sigma(x_0 - x)}{2\varepsilon_0}}$$

(b) On donne $|V| = 20$ V et $\sigma = 7\ \text{nC/m}^2$. On cherche $\Delta x = x - x_0$. À partir du résultat de la partie (a), on obtient

$$|\Delta x| = \frac{2\varepsilon_0|V|}{|\sigma|} = \frac{2\left(8{,}85 \times 10^{-12}\right)(20)}{7 \times 10^{-9}} = 0{,}0506\ \text{m} \implies \Delta x = \boxed{\pm 5{,}06\ \text{cm}}$$

Dans un sens ou dans l'autre, le potentiel varie de 20 V.

E19. À partir de la figure 4.35, si $E = 400$ V/m, on obtient

$$\vec{\mathbf{E}} = E\cos(37°)\,\vec{\mathbf{i}} - E\sin(37°)\,\vec{\mathbf{j}} = \left(319\,\vec{\mathbf{i}} - 241\,\vec{\mathbf{j}}\right)\ \text{V/m}$$

Dans les deux cas, on utilise l'équation 4.6*a* du manuel. On rappelle que le produit scalaire de deux vecteurs peut être calculé en utilisant l'une ou l'autre des équations 2.9 et 2.11 du tome 1 :

$$\vec{\mathbf{A}} \cdot \vec{\mathbf{B}} = AB\cos\theta = A_xB_x + A_yB_y + A_zB_z$$

(a) Comme on désire calculer $V_B - V_A$, on évalue la différence de potentiel du point A au point B, et $\vec{\mathbf{s}} = 0{,}03\,\vec{\mathbf{i}}$ m :

$$\Delta V = -\vec{\mathbf{E}} \cdot \vec{\mathbf{s}} = -E_xs_x = -(319)(0{,}03) = \boxed{-9{,}57\ \text{V}}$$

(b) Comme on désire calculer $V_B - V_C$, on évalue la différence de potentiel du point C au point B, et $\vec{\mathbf{s}} = -0{,}03\,\vec{\mathbf{j}}$ m :

$$\Delta V = -\vec{\mathbf{E}} \cdot \vec{\mathbf{s}} = -E_ys_y = -(-241)(-0{,}03) = \boxed{-7{,}23\ \text{V}}$$

E20. On donne $q = -e$, $m = 9{,}1 \times 10^{-31}$ kg, $v_\text{i} = 8 \times 10^6$ m/s, $v_\text{f} = 3 \times 10^6$ m/s et

$\vec{\mathbf{s}} = 0{,}003\,\vec{\mathbf{i}}$ m. Le champ électrique ne possède qu'une composante selon x, $\vec{\mathbf{E}} = E_x\,\vec{\mathbf{i}}$.

(a) Selon l'équation 4.7,

$$\Delta K = \tfrac{1}{2}mv_{\mathrm{f}}^2 - \tfrac{1}{2}mv_{\mathrm{i}}^2 = -q\Delta V \implies \Delta V = -\tfrac{m}{2q}\left(v_{\mathrm{f}}^2 - v_{\mathrm{i}}^2\right) \implies$$

$$\Delta V = -\tfrac{9{,}1\times10^{-31}}{2(-1{,}6\times10^{-19})}\left(\left(3\times10^6\right)^2 - \left(8\times10^6\right)^2\right) = \boxed{-156\ \mathrm{V}}$$

(b) À partir de l'équation 4.6a et de l'équation 2.11 du tome 1, on trouve

$$\Delta V = -\vec{\mathbf{E}}\cdot\vec{\mathbf{s}} = -E_x s_x \implies E_x = -\tfrac{\Delta V}{s_x} = -\tfrac{-156}{0{,}003} = 5{,}20\times10^4\ \mathrm{V/m} \implies$$

$$E = \boxed{5{,}20\times10^4\ \mathrm{V/m}}$$

E21. (a) On donne $q_1 = q_2 = e$ et $r_{12} = 1\times10^{-15}$ m. Selon l'équation 4.12b :

$$U = \tfrac{kq_1q_2}{r_{12}} = \tfrac{\left(9\times10^9\right)\left(1{,}6\times10^{-19}\right)^2}{1\times10^{-15}} = \boxed{2{,}30\times10^{-13}\ \mathrm{J}}$$

(b) On donne $v_{\mathrm{i}} = 0$ pour les deux protons et $m = 1{,}67\times10^{-27}$ kg. Du résultat (a), on tire $U_{\mathrm{i}} = 2{,}30\times10^{-13}$ J. L'énergie potentielle finale, calculée comme à l'étape (a), donne $U_{\mathrm{f}} = 5{,}75\times10^{-14}$ J. Pour obtenir la vitesse finale, on étude la conservation de l'énergie mécanique. En l'absence de forces non conservatives, selon l'équation 8.9 du tome 1, on obtient

$$\Delta K + \Delta U = 0 \implies (K_{\mathrm{f}} - K_{\mathrm{i}}) + (U_{\mathrm{f}} - U_{\mathrm{i}}) = 0 \implies$$

$$K_{\mathrm{f}} = -\left(U_{\mathrm{f}} - U_{\mathrm{i}}\right) = -\left(5{,}75\times10^{-14} - 2{,}30\times10^{-13}\right) = 1{,}73\times10^{-13}\ \mathrm{J}$$

Ce résultat correspond à l'énergie cinétique gagnée par chacun des protons. Pour trouver la vitesse finale de l'un ou de l'autre, puisque l'énergie sera partagée également, on pose, pour un proton,

$$\tfrac{1}{2}mv_{\mathrm{f}}^2 = \tfrac{K_{\mathrm{f}}}{2} \implies v_{\mathrm{f}}^2 = \tfrac{K_{\mathrm{f}}}{m} \implies v_{\mathrm{f}} = \sqrt{\tfrac{K_{\mathrm{f}}}{m}} = \sqrt{\tfrac{1{,}73\times10^{-13}}{1{,}67\times10^{-27}}} = \boxed{1{,}02\times10^7\ \mathrm{m/s}}$$

E22. On donne $q_1 = 48e$, $q_2 = 44e$, $r_{12} = 7\times10^{-15}$ m et $K_{\mathrm{i}} = 0$. Selon l'équation 4.12b,

$$U_{\mathrm{i}} = \tfrac{kq_1q_2}{r_{12}} = \tfrac{\left(9\times10^9\right)(48)(44)e^2}{7\times10^{-15}} = 6{,}95\times10^{-11}\ \mathrm{J}$$

Puisqu'à la fin les fragments sont séparés par une distance infinie, $U_{\mathrm{f}} = 0$. Comme à l'exercice 21, on utilise le principe de conservation de l'énergie mécanique :

$$\Delta K + \Delta U = 0 \implies (K_{\mathrm{f}} - K_{\mathrm{i}}) + (U_{\mathrm{f}} - U_{\mathrm{i}}) = 0 \implies$$

$$K_{\mathrm{f}} = -\left(-U_{\mathrm{i}}\right) = -\left(-6{,}95\times10^{-11}\right) = \boxed{6{,}95\times10^{-11}\ \mathrm{J}}$$

E23. Pour faciliter l'écriture, on numérote les charges : $q_1 = 2\ \mu$C, $q_2 = 4\ \mu$C, $q_3 = -3\ \mu$C.

(a) En observant la figure 4.36, on note que

$$r_1 = 0{,}04\ \mathrm{m}$$

$$r_2 = \sqrt{(0{,}04)^2 + (0{,}04)^2} = 0{,}0566\ \mathrm{m}$$

$r_3 = 0{,}04$ m

On insère ces valeurs dans l'équation 4.10 et on calcule

$V = \sum \frac{kq_i}{r_i} = \frac{kq_1}{r_1} + \frac{kq_2}{r_2} + \frac{kq_3}{r_3} = k\left(\frac{q_1}{r_1} + \frac{q_2}{r_2} + \frac{q_3}{r_3}\right) \Longrightarrow$

$V = (9 \times 10^9)\left(\frac{2\times10^{-6}}{0{,}04} + \frac{4\times10^{-6}}{0{,}0566} + \frac{-3\times10^{-6}}{0{,}04}\right) = \boxed{4{,}11 \times 10^5 \text{ V}}$

(b) Avec $q_4 = -2$ μC, du résultat de la partie (a) et de l'équation 4.11, on calcule

$U = q_4 V = (-2 \times 10^{-6})(4{,}11 \times 10^5) = \boxed{-0{,}822 \text{ J}}$

(c) Avec $r_{12} = r_{23} = r_{34} = r_{14} = 0{,}04$ m et $r_{13} = r_{24} = 0{,}0566$ dans l'équation 4.12*b*, on calcule

$U = \sum \frac{kq_iq_j}{r_{ij}} = \frac{kq_1q_2}{r_{12}} + \frac{kq_1q_3}{r_{13}} + \frac{kq_1q_4}{r_{14}} + \frac{kq_2q_3}{r_{23}} + \frac{kq_2q_4}{r_{24}} + \frac{kq_3q_4}{r_{34}} \Longrightarrow$

$U = k\left(\frac{q_1q_2}{r_{12}} + \frac{q_1q_3}{r_{13}} + \frac{q_1q_4}{r_{14}} + \frac{q_2q_3}{r_{23}} + \frac{q_2q_4}{r_{24}} + \frac{q_3q_4}{r_{34}}\right) \Longrightarrow$

$U = (9 \times 10^9)(1 \times 10^{-6})^2\left(\frac{(2)(4)}{0{,}04} + \frac{(2)(-3)}{0{,}0566} + \frac{(2)(-2)}{0{,}04} + \frac{(4)(-3)}{0{,}04} + \frac{(4)(-2)}{0{,}0566} + \frac{(-3)(-2)}{0{,}04}\right) \Longrightarrow$

$U = \boxed{-2{,}68 \text{ J}}$

E24. On donne $q_1 = 0{,}6$ μC, $q_2 = 2{,}2$ μC, $q_3 = -3{,}6$ μC et $q_4 = 4{,}8$ μC. La distance r entre chacune de ces charges et le centre du carré d'arête $L = 0{,}10$ m est $r = \frac{\sqrt{2}}{2}L = 0{,}0707$ m. On calcule le potentiel total de ces quatres charges au centre du carré avec l'équation 4.10 :

$V_{\text{centre}} = \sum \frac{kq_i}{r_i} = \frac{kq_1}{r} + \frac{kq_2}{r} + \frac{kq_3}{r} + \frac{kq_3}{r} = \frac{k}{r}(q_1 + q_2 + q_3 + q_4) \Longrightarrow$

$V_{\text{centre}} = \frac{(9\times10^9)}{0{,}0707}\left((0{,}6 + 2{,}2 - 3{,}6 + 4{,}8) \times 10^{-6}\right) = 5{,}09 \times 10^5$ V

Si on transporte la charge $q_5 = -5$ μC de l'infini ($V_\infty = 0$) jusqu'au centre du carré, la variation de potentiel subie par la charge durant ce déplacement correspond à

$\Delta V = V_{\text{centre}} - V_\infty = 5{,}09 \times 10^5$ V

À partir de l'équation 4.4 du manuel, on obtient

$W_{\text{ext}} = q_5\Delta V = (-5 \times 10^{-6})(5{,}09 \times 10^5) = \boxed{-2{,}55 \text{ J}}$

La charge négative subit une augmentation de potentiel et le travail fait par l'agent extérieur sert à retenir la charge pour maintenir constante sa vitesse pendant le déplacement.

E25. On donne $q_1 = Q = 5$ μC et $q_2 = -Q = -5$ μC. À partir de la figure 4.37, on trouve la distance entre chaque charge et les points A et B : $r_{1A} = r_{2A} = 2$ m, $r_{1B} = 3$ m, $r_{2B} = 1$ m.

(a) On calcule le potentiel total en chaque point à partir de l'équation 4.10 :

$V_A = \frac{kq_1}{r_{1A}} + \frac{kq_2}{r_{2A}} = k\left(\frac{q_1}{r_{1A}} + \frac{q_2}{r_{2A}}\right) = (9 \times 10^9)\left(\frac{5\times10^{-6}}{2} + \frac{-5\times10^{-6}}{2}\right) = 0$

$V_B = \frac{kq_1}{r_{1B}} + \frac{kq_2}{r_{2B}} = k\left(\frac{q_1}{r_{1B}} + \frac{q_2}{r_{2B}}\right) = (9 \times 10^9)\left(\frac{5\times10^{-6}}{3} + \frac{-5\times10^{-6}}{1}\right) = -30{,}0 \text{ kV}$

Finalement,

$V_B - V_A = \boxed{-30{,}0 \text{ kV}}$

(b) On donne $m = 0{,}3 \times 10^{-3}$ kg, $q = 2 \times 10^{-6}$ C, la masse et la charge d'une particule qui se déplace de A à B et subit le potentiel des deux autres charges. On donne $v_\text{i} = 0$. À partir de l'équation 4.7 du manuel, on trouve

$\Delta K = -q\Delta V = -q(V_B - V_A) \implies \frac{1}{2}mv_\text{f}^2 = -q(V_B - V_A) \implies v_\text{f} = \sqrt{\frac{-2q(V_B - V_A)}{m}} \implies$

$v_\text{f} = \sqrt{\frac{-2(2\times10^{-6})(-30{,}0\times10^3)}{0{,}3\times10^{-3}}} = \boxed{20{,}0 \text{ m/s}}$

E26. On donne $q_1 = 5$ μC, la charge en $(-3 \text{ m}\,;\, 0)$ et $q_2 = 5$ μC, la charge en $(3 \text{ m}\,;\, 0)$. À partir de la figure 4.38, on trouve la distance entre chaque charge et les points A et B : $r_{1A} = r_{2A} = \sqrt{3^2 + 4^2} = 5$ m, $r_{1B} = r_{2B} = 3$ m.

(a) On calcule le potentiel total en chaque point à partir de l'équation 4.10 :

$V_A = \frac{kq_1}{r_{1A}} + \frac{kq_2}{r_{2A}} = k\left(\frac{q_1}{r_{1A}} + \frac{q_2}{r_{2A}}\right) = (9 \times 10^9)\left(\frac{5\times10^{-6}}{5} + \frac{5\times10^{-6}}{5}\right) = 18{,}0 \times 10^3 \text{ V}$

$V_B = \frac{kq_1}{r_{1B}} + \frac{kq_2}{r_{2B}} = k\left(\frac{q_1}{r_{1B}} + \frac{q_2}{r_{2B}}\right) = (9 \times 10^9)\left(\frac{5\times10^{-6}}{3} + \frac{5\times10^{-6}}{3}\right) = 30{,}0 \times 10^3 \text{ V}$

Finalement,

$V_B - V_A = \boxed{12{,}0 \text{ kV}}$

(b) On donne $m = 3 \times 10^{-8}$ kg, $q = -5 \times 10^{-6}$ C, la masse et la charge d'une particule qui se déplace de A à B et subit le potentiel des deux autres charges. On donne $v_\text{i} = 0$. À partir de l'équation 4.7 du manuel, on obtient

$\Delta K = -q\Delta V = -q(V_B - V_A) \implies \frac{1}{2}mv_\text{f}^2 = -q(V_B - V_A) \implies v_\text{f} = \sqrt{\frac{-2q(V_B - V_A)}{m}} \implies$

$v_\text{f} = \sqrt{\frac{-2(-5\times10^{-6})(12{,}0\times10^3)}{3\times10^{-8}}} = \boxed{2{,}00 \text{ km/s}}$

E27. On donne $E = 200$ V/m et $V = 600$ V. Comme le potentiel est positif, on peut affirmer que $Q > 0$. Selon les équations 2.2 et 4.9 du manuel,

$E = \frac{kQ}{r^2}$ (i)

$V = \frac{kQ}{r}$ (ii)

Si on divise l'équation (ii) par l'équation (i), on trouve $r = \frac{V}{E} \implies \boxed{r = 3{,}00 \text{ m}}$

En interpolant cette valeur dans l'équation (ii), on trouve

$Q = \frac{Vr}{k} = \frac{600(3{,}00)}{9\times10^9} \implies \boxed{Q = 2{,}00 \times 10^{-7} \text{ C}}$

E28. (a) Pour faciliter l'écriture, on numérote les charges $q_1 = 4Q$ et $q_2 = -Q$. Comme on le voit dans l'équation 4.10, le potentiel total en un point dépend de la distance de chaque charge et aussi de son signe. Ici, on a deux charges de signes contraires; le potentiel total peut donc être nul. Toutefois, pour compenser le fait que $q_1 < |q_2|$, on doit se trouver plus près de q_2. La figure montre les deux points P et S sur l'axe des x où cette condition est obtenue :

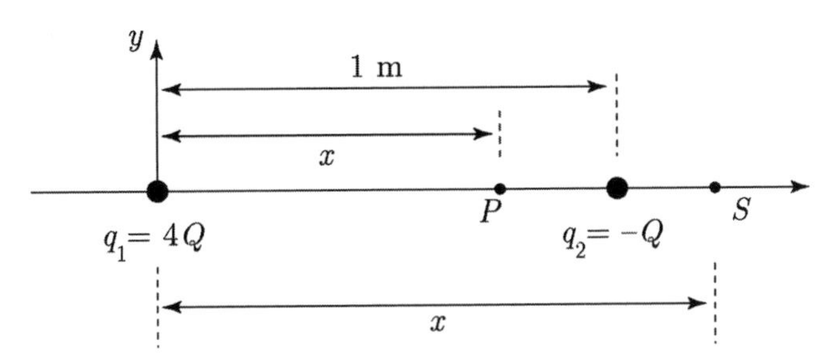

Au point P, on a $r_{1P} = x$ et $r_{2P} = 1-x$. Avec ces deux valeurs introduites dans l'équation 4.10, on obtient

$V_P = \frac{kq_1}{r_{1P}} + \frac{kq_2}{r_{2P}} = 0 \implies \frac{4Q}{x} + \frac{-Q}{1-x} = 0 \implies \frac{4}{x} = \frac{1}{1-x} \implies$

$4 - 4x = x \implies 4 = 5x \implies x = 0{,}800 \text{ m}$

Au point S, on a $r_{1S} = x$ et $r_{2S} = x - 1$, et

$V_S = \frac{kq_1}{r_{1S}} + \frac{kq_2}{r_{2S}} = 0 \implies \frac{4Q}{x} + \frac{-Q}{x-1} = 0 \implies \frac{4}{x} = \frac{1}{x-1} \implies$

$4x - 4 = x \implies 3x = 4 \implies x = 1{,}33 \text{ m}$

En résumé, les points P et S sont aux coordonnées $\boxed{x = 0{,}800 \text{ m et } 1{,}33 \text{ m}}$

(b) On donne plutôt $q_1 = 4Q$ et $q_2 = -9Q$. Comme $q_1 < |q_2|$, on doit se trouver plus près de q_1 pour que le potentiel total soit nul. La figure montre les deux points P et S sur l'axe des x où cette condition est obtenue :

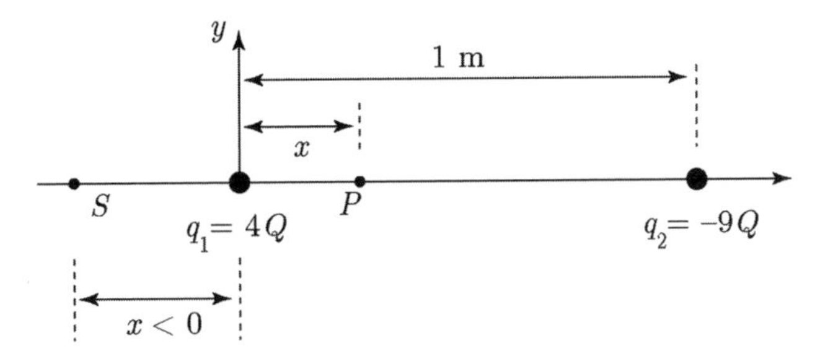

Au point P, on a $r_{1P} = x$ et $r_{2P} = 1-x$. Avec ces deux valeurs introduites dans l'équation 4.10, on obtient

$V_P = \frac{kq_1}{r_{1P}} + \frac{kq_2}{r_{2P}} = 0 \implies \frac{4Q}{x} + \frac{-9Q}{1-x} = 0 \implies \frac{4}{x} = \frac{9}{1-x} \implies$

$4 - 4x = 9x \implies 4 = 13x \implies x = 0{,}308 \text{ m}$

Au point S, comme $x < 0$, on a $r_{1S} = -x$ et $r_{2S} = 1 - x$, et

$V_S = \frac{kq_1}{r_{1S}} + \frac{kq_2}{r_{2S}} = 0 \implies \frac{4Q}{-x} + \frac{-9Q}{1-x} = 0 \implies \frac{4}{-x} = \frac{9}{1-x} \implies$

$4 - 4x = -9x \implies 4 = -5x \implies x = -0{,}800$ m

En résumé, les points P et S sont aux coordonnées $\boxed{x = 0{,}308 \text{ m et } -0{,}800 \text{ m}}$

E29. On donne $Q_1 = 3\ \mu$C, $Q_2 = -2\ \mu$C, $Q_3 = 5\ \mu$C et la charge qui sera déplacée de A à B, $q = -4\ \mu$C. Le carré a une arête $L = 0{,}10$ m.

En observant la figure 4.39, on note que $r_{1A} = r_{2A} = r_{3A} = \frac{\sqrt{2}}{2}L$, $r_{1B} = r_{3B} = L$ et $r_{2B} = \sqrt{2}L$.

On calcule le potentiel total en chaque point à partir de l'équation 4.10 :

$$V_A = \frac{kq_1}{r_{1A}} + \frac{kq_2}{r_{2A}} + \frac{kq_3}{r_{3A}} = k\left(\frac{q_1}{r_{1A}} + \frac{q_2}{r_{2A}} + \frac{q_3}{r_{3A}}\right) = \frac{k}{\frac{\sqrt{2}}{2}L}(q_1 + q_2 + q_3) \implies$$

$$V_A = \frac{(9\times10^9)}{\frac{\sqrt{2}}{2}(0{,}10)}\left(3\times10^{-6} - 2\times10^{-6} + 5\times10^{-6}\right) = 7{,}64\times10^5 \text{ V}$$

$$V_B = \frac{kq_1}{r_{1B}} + \frac{kq_2}{r_{2B}} + \frac{kq_3}{r_{3B}} = k\left(\frac{q_1}{r_{1B}} + \frac{q_2}{r_{2B}} + \frac{q_3}{r_{3B}}\right) = \frac{k}{L}\left(q_1 + \frac{q_2}{\sqrt{2}} + q_3\right) \implies$$

$$V_B = \frac{(9\times10^9)}{0{,}10}\left(3\times10^{-6} - \frac{2\times10^{-6}}{\sqrt{2}} + 5\times10^{-6}\right) = 5{,}93\times10^5 \text{ V}$$

Comme la charge est déplacée à vitesse constante, on peut utiliser l'équation 4.4 du manuel :

$$W_{\text{EXT}} = q\left(V_B - V_A\right) = \left(-4\times10^{-6}\right)\left(5{,}93\times10^5 - 7{,}64\times10^5\right) = \boxed{0{,}684 \text{ J}}$$

Comme on transporte une charge négative vers un potentiel plus faible, il faut la pousser pour maintenir constante la vitesse, ce qui entraîne un travail positif.

E30. On donne $q = 5\times10^{-6}$ C. On utilise l'équation 4.9 en se servant de la figure 4.40 pour déterminer r.

(a) Pour $r_A = 0{,}0150$ m :

$$V_A = \frac{kq}{r_A} = \frac{(9\times10^9)(5\times10^{-6})}{0{,}0150} = \boxed{3{,}00\times10^6 \text{ V}}$$

(b) Pour $r_B = \sqrt{(0{,}02)^2 + (0{,}01)^2} = 0{,}0224$ m :

$$V_B = \frac{kq}{r_B} = \frac{(9\times10^9)(5\times10^{-6})}{0{,}0224} = \boxed{2{,}01\times10^6 \text{ V}}$$

(c) Pour $r_C = 0{,}025$ m :

$$V_C = \frac{kq}{r_C} = \frac{(9\times10^9)(5\times10^{-6})}{0{,}025} = \boxed{1{,}80\times10^6 \text{ V}}$$

E31. (a) Pour faciliter l'écriture, on numérote les charges : $q_1 = -4\ \mu$C et $q_2 = 6\ \mu$C. On note à la figure 4.41 que $r_1 = 0{,}07$ m et $r_2 = 0{,}05$ m. On calcule le potentiel à l'origine à l'aide de l'équation 4.10 :

$$V = \frac{kq_1}{r_1} + \frac{kq_2}{r_2} = k\left(\frac{q_1}{r_1} + \frac{q_2}{r_2}\right) = \left(9\times10^9\right)\left(1\times10^{-6}\right)\left(\frac{-4}{0{,}07} + \frac{6}{0{,}05}\right) = \boxed{0{,}566 \text{ MV}}$$

(b) Comme le point A est à l'infini, $V_A = 0$ et $V_B = 0{,}566$ MV. Comme la charge $q = 2\ \mu$C est déplacée à vitesse constante, on peut utiliser l'équation 4.4 du manuel :

$W_{\text{EXT}} = q(V_B - V_A) = (2 \times 10^{-6})(5{,}66 \times 10^5 - 0) = \boxed{1{,}13 \text{ J}}$

E32. Pour faciliter l'écriture, on reprend la figure 1.25 en numérotant les charges :

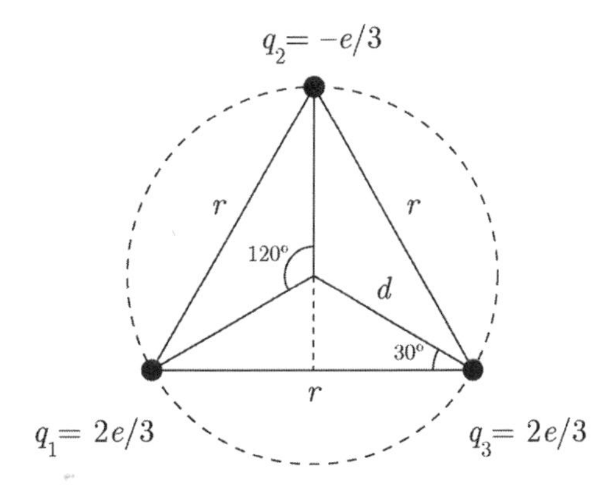

On donne $d = 1{,}2 \times 10^{-15}$ m. La distance r entre chaque paire de charges est

$r = 2d\cos(30°) = 2d\frac{\sqrt{3}}{2} = \sqrt{3}d = 2{,}08 \times 10^{-15}$

À partir de l'équation 4.12*b*, on trouve

$U = \sum \frac{kq_iq_j}{r_{ij}} = \frac{kq_1q_2}{r} + \frac{kq_1q_3}{r} + \frac{kq_2q_3}{r} = \frac{k}{r}(q_1q_2 + q_1q_3 + q_2q_3) \Longrightarrow$

$U = \frac{k}{r}\left(\left(\frac{2e}{3}\right)\left(\frac{-e}{3}\right) + \left(\frac{2e}{3}\right)\left(\frac{2e}{3}\right) + \left(\frac{-e}{3}\right)\left(\frac{2e}{3}\right)\right) = \frac{k}{r}\left(-\frac{2e}{3} + \frac{4e}{3} - \frac{2e}{3}\right) = \boxed{0 \text{ J}}$

E33. On donne $q_1 = -4\ \mu$C en (0,03 m ; 0) et $q_2 = 3{,}2\ \mu$C en (0 ; 0,05 m). En se servant de la position des deux charges, on calcule que $r_{12} = r_{21} = \sqrt{(0{,}03)^2 + (0{,}05)^2} = 0{,}0583$ m.

(a) À partir de l'équation 4.9, on trouve

$V_{21} = \frac{kq_2}{r_{21}} = \frac{(9\times10^9)(3{,}2\times10^{-6})}{0{,}0583} = \boxed{4{,}94 \times 10^5 \text{ V}}$

(b) De la même façon,

$V_{12} = \frac{kq_1}{r_{12}} = \frac{(9\times10^9)(-4\times10^{-6})}{0{,}0583} = \boxed{-6{,}17 \times 10^5 \text{ V}}$

(c) À partir de l'équation 4.12*a*, on obtient

$U = \frac{kq_1q_2}{r_{12}} = \frac{(9\times10^9)(3{,}2\times10^{-6})(-4\times10^{-6})}{0{,}0583} = \boxed{-1{,}98 \text{ J}}$

E34. On donne $q_1 = 6\ \mu$C, $q_2 = -2\ \mu$C et q_3 qui est inconnue. On note à la figure 4.42 que la distance entre chacune de ces trois charges et l'origine du système d'axes est

$r_1 = 0{,}03$ m, $r_2 = 0{,}025$ m et $r_3 = 0{,}025$ m.

(a) À partir de l'équation 4.10, on exprime le potentiel total à l'origine et on en extrait la valeur de q_3 :

$V = \frac{kq_1}{r_1} + \frac{kq_2}{r_2} + \frac{kq_3}{r_3} = 0 \Longrightarrow \frac{q_1}{r_1} + \frac{q_2}{r_2} + \frac{q_3}{r_3} = 0 \Longrightarrow$

$\frac{q_3}{r_3} = -\frac{q_1}{r_1} - \frac{q_2}{r_2} \Longrightarrow q_3 = r_3\left(-\frac{q_1}{r_1} - \frac{q_2}{r_2}\right) \Longrightarrow$

$q_3 = (0{,}025)\left(-\frac{6\times10^{-6}}{0{,}03} - \frac{-2\times10^{-6}}{0{,}025}\right) = \boxed{-3{,}00\ \mu\text{C}}$

(b) De la même façon,

$V = \frac{kq_1}{r_1} + \frac{kq_2}{r_2} + \frac{kq_3}{r_3} = -400 \times 10^3 \text{ V} \Longrightarrow \frac{q_1}{r_1} + \frac{q_2}{r_2} + \frac{q_3}{r_3} = \frac{-400 \times 10^3}{k} \Longrightarrow$

$\frac{q_1}{r_1} + \frac{q_2}{r_2} + \frac{q_3}{r_3} = \frac{-400 \times 10^3}{9 \times 10^9} = -4{,}44 \times 10^{-5} \Longrightarrow \frac{q_3}{r_3} = -4{,}44 \times 10^{-5} - \frac{q_1}{r_1} - \frac{q_2}{r_2} \Longrightarrow$

$q_3 = (0{,}025)\left(-4{,}44 \times 10^{-5} - \frac{6 \times 10^{-6}}{0{,}03} - \frac{-2 \times 10^{-6}}{0{,}025}\right) = \boxed{-4{,}11\ \mu\text{C}}$

E35. On donne $q_1 = -10\ \mu\text{C}$ en $(0\ ;\ 0{,}03\text{ m})$ et $q_2 = 6\ \mu\text{C}$ en $(0{,}04\text{ m}\ ;\ 0)$. Le point $A\,(0\ ;\ 0)$, le point $B\,(0{,}04\text{ m}\ ;\ 0{,}03\text{ m})$ et le point C qui correspond à l'infini. On calcule la distance entre les deux charges et les points A et B : $r_{1A} = r_{2B} = 0{,}03$ m, $r_{1B} = r_{2A} = 0{,}04$ m.

(a) On calcule d'abord le potentiel total aux points A et B à partir de l'équation 4.10 :

$V_A = \frac{kq_1}{r_{1A}} + \frac{kq_2}{r_{2A}} = k\left(\frac{q_1}{r_{1A}} + \frac{q_2}{r_{2A}}\right) = (9 \times 10^9)\left(\frac{-10 \times 10^{-6}}{0{,}03} + \frac{6 \times 10^{-6}}{0{,}04}\right) = -1{,}65 \times 10^6 \text{ V}$

$V_B = \frac{kq_1}{r_{1B}} + \frac{kq_2}{r_{2B}} = k\left(\frac{q_1}{r_{1B}} + \frac{q_2}{r_{2B}}\right) = (9 \times 10^9)\left(\frac{-10 \times 10^{-6}}{0{,}04} + \frac{6 \times 10^{-6}}{0{,}03}\right) = -4{,}50 \times 10^5 \text{ V}$

Finalement,

$V_B - V_A = -4{,}50 \times 10^5 - \left(-1{,}65 \times 10^6\right) = \boxed{1{,}20\text{ MV}}$

(b) On donne $q = -2\ \mu\text{C}$, que l'on veut déplacer du point C, l'infini, au point A. Pour $V_C = 0$ et à partir de l'équation 4.4, on obtient

$W_{\text{EXT}} = q\,(V_C - V_A) = \left(-2 \times 10^{-6}\right)\left(-1{,}65 \times 10^6 - 0\right) = \boxed{3{,}30\text{ J}}$

E36. On donne $q_1 = q_2 = 46e$, $r_{12} = 7{,}4 \times 10^{-15}$ m et $K_\text{i} = 0$.

(a) Selon l'équation 4.12b,

$U_\text{i} = \frac{kq_1q_2}{r_{12}} = \frac{(9 \times 10^9)(46e)^2}{7{,}4 \times 10^{-15}} = \boxed{6{,}59 \times 10^{-11}\text{ J}}$

(b) Puisqu'à la fin les fragments sont séparés par une distance infinie, $U_\text{f} = 0$. Comme à l'exercice 21, on utilise le principe de conservation de l'énergie mécanique :

$\Delta K + \Delta U = 0 \Longrightarrow (K_\text{f} - K_\text{i}) + (U_\text{f} - U_\text{i}) = 0 \Longrightarrow$

$K_\text{f} = -\left(-U_\text{i}\right) = -\left(-6{,}59 \times 10^{-11}\right) = \boxed{6{,}59 \times 10^{-11}\text{ J}}$

(c) Si 30 % de l'énergie cinétique des fragments est récupérable dans un réacteur, alors le nombre N de fissions nécessaires par seconde pour produire une puissance de 1 MW est

$\frac{N(0{,}30)\left(6{,}59 \times 10^{-11}\text{ J}\right)}{1\text{ s}} = 1 \times 10^6\text{ W} \Longrightarrow N = \frac{1 \times 10^6}{(0{,}30)(6{,}59 \times 10^{-11})} = \boxed{5{,}06 \times 10^{16}\text{ fissions/s}}$

E37. Pour faciliter l'écriture, la figure ci-dessous reprend la figure 4.43 en précisant le nom donné à chacune des charges connues :

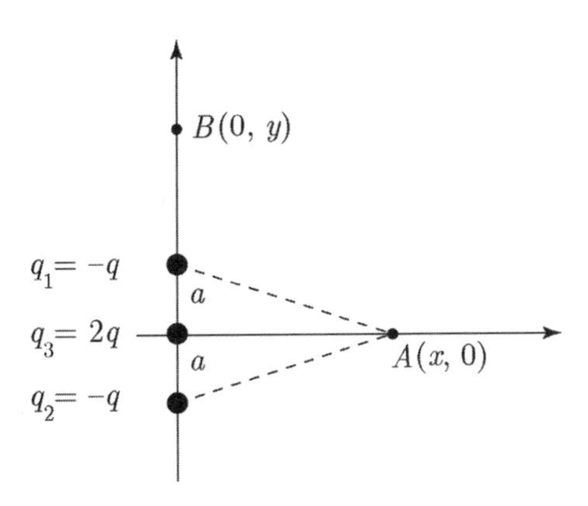

(a) À partir de la figure, on note que $r_{1A} = r_{2A} = \sqrt{a^2 + x^2}$, $r_{3A} = x$. On calcule le potentiel total au moyen de l'équation 4.10 :

$$V_A = \frac{kq_1}{r_{1A}} + \frac{kq_2}{r_{2A}} + \frac{kq_3}{r_{3A}} = \frac{-kq}{\sqrt{a^2+x^2}} + \frac{-kq}{\sqrt{a^2+x^2}} + \frac{k(2q)}{x} = \boxed{2kq\left(\frac{1}{x} - \frac{1}{\sqrt{a^2+x^2}}\right)}$$

On réécrit le résultat avant de le modifier lorsque $r \gg a$, c'est-à-dire lorsque $x \gg a$:

$$V_A = \frac{2kq}{x}\left(1 - \frac{x}{\sqrt{a^2+x^2}}\right) = \frac{2kq}{x}\left(1 - \frac{1}{\sqrt{\frac{a^2}{x^2}+1}}\right) = \frac{2kq}{x}\left(1 - \left(1 + \frac{a^2}{x^2}\right)^{-1/2}\right) \quad \text{(i)}$$

Selon l'approximation du binôme, si dans $(1+z)^n$ on a $1 \gg z$, alors $(1+z)^n \approx 1 + nz$. C'est ce qui se produit avec l'équation (i) puisque $1 \gg \frac{a^2}{x^2}$. Donc,

$$V_A = \frac{2kq}{x}\left(1 - \left(1 + \frac{a^2}{x^2}\right)^{-1/2}\right) \approx \frac{2kq}{x}\left(1 - \left(1 - \frac{1}{2}\frac{a^2}{x^2}\right)\right) = \frac{2kq}{x}\left(\frac{1}{2}\frac{a^2}{x^2}\right) = \frac{kqa^2}{x^3}$$

ce qui confirme que $\boxed{V \propto \frac{1}{x^3}} \implies \boxed{\text{CQFD}}$

(b) À partir de la figure, on note que $r_{1B} = y - a$, $r_{2B} = y + a$, $r_{3B} = y$. Donc,

$$V_B = \frac{kq_1}{r_{1B}} + \frac{kq_2}{r_{2B}} + \frac{kq_3}{r_{3B}} = \frac{-kq}{y-a} + \frac{-kq}{y+a} + \frac{k(2q)}{y} = \boxed{-\frac{2kqa^2}{y(y^2-a^2)}}$$

Lorsque $r \gg a$, c'est-à-dire lorsque $y \gg a$, on peut simplement négliger le a^2 dans le terme au dénominateur

$$V_B = -\frac{2kqa^2}{y(y^2-a^2)} \approx -\frac{2kqa^2}{y^3}$$

ce qui confirme que $\boxed{V \propto \frac{1}{y^3}} \implies \boxed{\text{CQFD}}$

(c) On donne une valeur aux différentes variables, on définit l'expression selon les deux axes du potentiel total et on trace le graphe demandé. Afin de superposer les graphes, la même variable de distance est utilisée. La borne inférieure du graphe est supérieure à a afin de rester dans le domaine d'application du résultat de la partie (b) :

```
> restart:
> a:=1.0;
> q:=1.0;
> k:=1.0;
> Vx:=2*k*q*(1/x-1/sqrt(a^2+x^2));
> Vy:=-2*k*q*a^2/(x*(x^2-a^2));
```

> plot([Vx,abs(Vy)],x=1.2*a..3*a,color=[red,blue]);

(d) On remplace la variable x par b dans les deux expressions de potentiel et on crée une équation à partir de la contrainte :

> x:=b;
> eq:=abs(Vy)=2*Vx;
> solve(eq,b);

Le résultat obtenu, $b = 0{,}424$, n'est pas acceptable parce qu'il est inférieur à valeur de a fixée pour faire le graphe. On en conclut que le seul résultat acceptable est $\boxed{b \longrightarrow \infty}$, ce que confirme le calcul suivant :

> limit(abs(Vy)-2*Vx,b=infinity);

E38. (a) On donne $q_1 = 2$ nC, placée à l'origine. On calcule la distance r entre la charge et les valeurs fournies d'équipotentielle avec l'équation 4.9, $r = \frac{kq_1}{V}$:

V (V)	0,5	1,0	1,5	2,0	2,5	3,0	3,5
r (m)	36	18	12	9	7,2	6	5,14

(b) On reprend le même calcul avec $q_2 = -2$ nC :

V (V)	−0,5	−1,0	−1,5	−2,0	−2,5	−3,0	−3,5
r (m)	36	18	12	9	7,2	6	5,14

(c) La figure qui suit respecte les consignes de l'exercice :

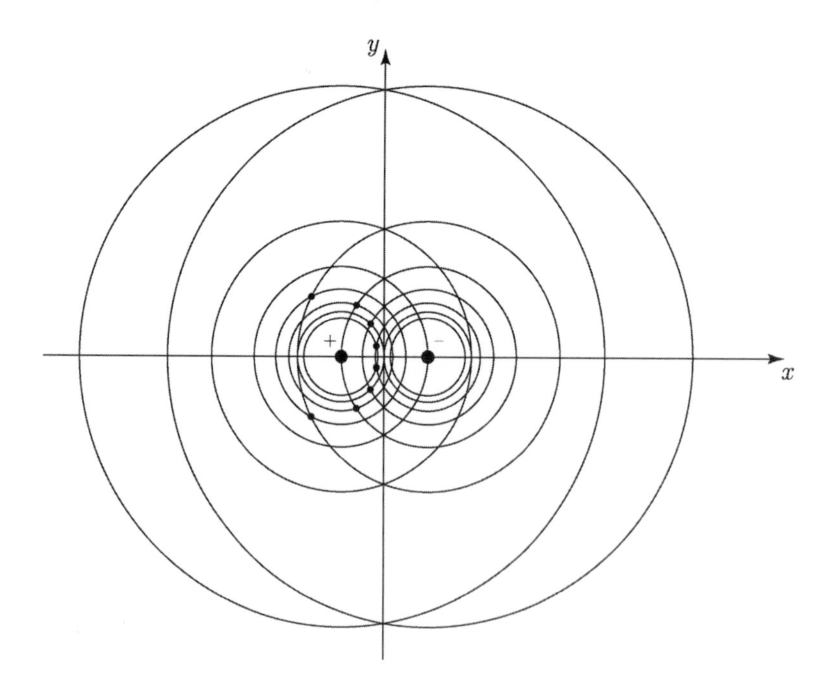

On laisse le soin à l'élève de découvrir à quelle valeur de potentiel sont associés les points d'intersection des équipotentielles de la figure.

E39. On donne $q = 2$ nC et $r_0 = 1$ m. À cette distance, selon l'équation 4.9,

$V_0 = \frac{kq}{r_0} = \frac{(9\times10^9)(2\times10^{-9})}{1} = 18$ V. On cherche Δr, le déplacement dans la direction radiale qui entraîne une modification ΔV de cette valeur de potentiel.

(a) Si $\Delta V = 1$ V, alors

$V = V_0 + \Delta V = \frac{kq}{r_0+\Delta r} \implies \Delta r = \frac{kq}{V_0+\Delta V} - r_0 = \frac{(9\times10^9)(2\times10^{-9})}{18+1} - 1 = -5{,}26\times10^{-2}$ m

Donc, on doit se déplacer de $\boxed{\text{5,26 cm vers la charge}}$.

(b) Si $\Delta V = -1$ V, alors

$\Delta r = \frac{kq}{V_0+\Delta V} - r_0 = \frac{(9\times10^9)(2\times10^{-9})}{18-1} - 1 = 5{,}88\times10^{-2}$ m

Donc, on doit se déplacer de $\boxed{\text{5,88 cm vers l'extérieur}}$.

E40. On donne $m_\alpha = 6{,}7\times10^{-27}$ kg, $q_\alpha = 2e$, $K_a = 4{,}2$ MeV et la charge du noyau d'or, $q_{\text{Au}} = 79e$.

Il s'agit d'une situation similaire à celle de l'exercice 36, où il était question de la séparation des deux fragments d'un noyau d'uranium. Ici, c'est le contraire : initialement, la particule alpha et le noyau d'or peuvent être considérés comme éloignés à l'infini l'un de l'autre, mais seule la particule alpha possède de l'énergie cinétique. En se rapprochant, la particule alpha ralentit et perd cette énergie au profit de l'énergie potentielle électrique existant entre elle et le noyau d'or. Au point le plus proche, il ne reste que de l'énergie potentielle, et la particule alpha s'arrête momentanément. La particule alpha s'éloigne ensuite à l'infini et récupère son énergie cinétique.

On peut donc poser que

$U_{\text{i}} = 0$

$K_{\text{i}} = K_\alpha = (4{,}2 \text{ MeV}) \times \left(\frac{1{,}602\times10^{-19}\text{ J}}{1\text{ eV}}\right) = 6{,}73\times10^{-13}$ J

$K_{\text{f}} = 0$

$U_{\text{f}} = \frac{kq_\alpha q_{\text{Au}}}{r_{\text{f}}} = \frac{(9\times10^9)(2)(79)(1{,}6\times10^{-19})^2}{r_{\text{f}}} = \frac{3{,}64\times10^{-26}}{r_{\text{f}}}$

En l'absence de forces non conservatives, selon l'équation 8.9 du tome 1,

$\Delta K + \Delta U = 0 \implies (K_{\text{f}} - K_{\text{i}}) + (U_{\text{f}} - U_{\text{i}}) = 0 \implies$

$U_{\text{f}} = -(-K_{\text{i}}) = K_{\text{i}} \implies \frac{3{,}64\times10^{-26}}{r_{\text{f}}} = 6{,}73\times10^{-13} \implies r_{\text{f}} = \boxed{5{,}41\times10^{-14}\text{ m}}$

E41. On donne $q_\alpha = 2e$, $q_{\text{Th}} = 90e$, $m_\alpha = 4u$, $m_\alpha = 234u$, $r_{\text{i}} = 7{,}4\times10^{-15}$ m et $K_{\text{i}} = 0$, si les deux particules sont à peu près au repos initialement.

On note aussi que u $= 1{,}661\times10^{-27}$ kg.

(a) Selon l'équation 4.12*b*,

$U_\text{i} = \frac{kq_\alpha q_\text{Th}}{r_\text{i}} = \frac{(9\times10^9)(2e)(90e)}{7{,}4\times10^{-15}} = \boxed{5{,}60 \times 10^{-12}\ \text{J}}$

(b) Comme à l'exercice 36, toute l'énergie potentielle devient de l'énergie cinétique lorsque les particules sont séparés par une distance infinie ($U_\text{f} = 0$). Comme on considère que le thorium reste au repos, l'énergie cinétique finale est celle de la particule alpha. À partir de l'équation 8.9 du tome 1, on trouve

$\Delta K + \Delta U = 0 \implies (K_\text{f} - K_\text{i}) + (U_\text{f} - U_\text{i}) = 0 \implies$

$K_\text{f} = -(-U_\text{i}) = U_\text{i} = \boxed{5{,}60 \times 10^{-12}\ \text{J}}$

E42. Selon l'exemple 4.8, le potentiel d'une sphère chargée de rayon R est le même que celui d'une charge ponctuelle en tout point pour lequel $r \geq R$.

(a) Pour $r = 1 \times 10^{-15}$ m et $Q = e$ dans l'équation 4.9, on obtient

$V = \frac{kQ}{r} = \frac{(9\times10^9)(1{,}6\times10^{-19})}{1\times10^{-15}} = \boxed{1{,}44 \times 10^6\ \text{V}}$

(b) Pour $r = 5{,}3 \times 10^{-11}$ m, on trouve

$V = \frac{kQ}{r} = \frac{(9\times10^9)(1{,}6\times10^{-19})}{15{,}3\times10^{-11}} = \boxed{27{,}2\ \text{V}}$

(c) Il suffit que la charge soit distribuée selon une symétrie sphérique pour que les conclusions de l'exemple 4.8 restent valables; donc dans ce cas il n'y a $\boxed{\text{aucune modification}}$.

E43. À partir de la figure suivante :

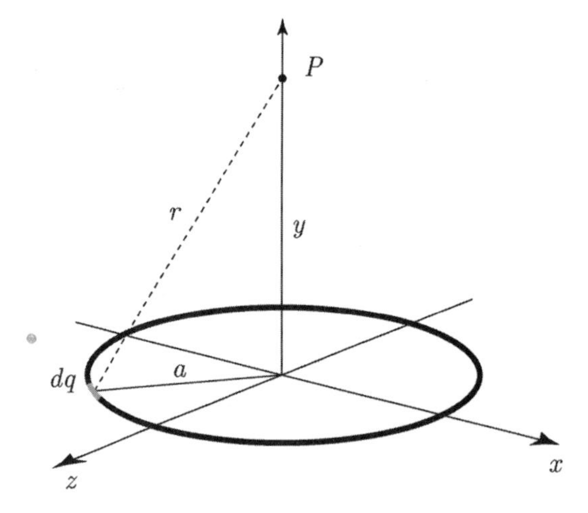

(a) Comme il s'agit d'un objet chargé de dimensions finies, on peut obtenir le potentiel de l'anneau au point P à partir de l'équation 4.13. On note, à partir de la figure, que $r = \sqrt{a^2 + y^2}$; donc,

$V = k\int \frac{dq}{r} = k\int \frac{dq}{\sqrt{a^2+y^2}}$ (i)

Dans ce type de problème, l'intégrale sert à balayer l'objet chargé pour tenir compte de tous les éléments de charge. Étant donné que tous les dq sont à la même distance du point P, l'équation (i) devient

$V = \frac{k}{\sqrt{a^2+y^2}} \int dq = \boxed{\frac{kQ}{\sqrt{a^2+y^2}}}$

où $Q = \int dq$, la charge totale sur l'anneau.

Si $y \gg a$, on peut négliger a^2 dans le dénominateur et on obtient

$V \approx \frac{kQ}{\sqrt{y^2}} \implies V \boxed{\approx \frac{kQ}{y}}$

(b) Selon l'équation 4.17, étant donné que le potentiel ne dépend que de y,

$\vec{\mathbf{E}} = -\frac{dV}{dy}\vec{\mathbf{j}} = -\frac{d}{dy}\left(\frac{kQ}{\sqrt{a^2+y^2}}\right)\vec{\mathbf{j}} = -kQ\left(-\frac{1}{2}\frac{1}{(a^2+y^2)^{3/2}}\frac{d}{dy}\left(a^2+y^2\right)\right)\vec{\mathbf{j}} \implies$

$\vec{\mathbf{E}} = \boxed{\frac{kQy}{(a^2+y^2)^{3/2}}\vec{\mathbf{j}}}$

Si $y \gg a$, on peut négliger a^2 dans le dénominateur et on trouve

$\vec{\mathbf{E}} \approx \frac{kQy}{(y^2)^{3/2}}\vec{\mathbf{j}} \implies \vec{\mathbf{E}} \boxed{\approx \frac{kQ}{y^2}\vec{\mathbf{j}}}$

Ce résultat est logique : à une grande distance de l'anneau le long de son axe, le champ électrique se comporte comme s'il s'agissait d'une charge ponctuelle.

E44. À la surface d'un conducteur sphérique de rayon R portant une charge Q, le module du champ électrique et le potentiel électrique sont donnés par les équations 2.2 et 4.9 :

$E = \frac{k|Q|}{R^2}$ (i)

$V = \frac{kQ}{R}$ (ii)

Si on divise l'équation (i) par l'équation (ii) en respectant le fait que le signe de la charge est inconnu, on trouve $V = \pm ER$.

On donne $E = 3 \times 10^6$ V/m, le module du champ électrique disruptif.

(a) Pour $R = 1 \times 10^{-5}$ m

$V = \pm\left(3 \times 10^6\right)\left(1 \times 10^{-5}\right) = \boxed{\pm 30{,}0 \text{ V}}$

(b) Pour $R = 1 \times 10^{-2}$ m

$V = \pm\left(3 \times 10^6\right)\left(1 \times 10^{-2}\right) = \boxed{\pm 30{,}0 \text{ kV}}$

(c) Pour $R = 1$ m

$V = \pm\left(3 \times 10^6\right)(1) = \boxed{\pm 3{,}00 \text{ MV}}$

E45. (a) Selon l'exemple 4.8, le potentiel à la surface de la sphère de rayon $R = 0{,}01$ m est décrit par l'équation 4.9. La charge que porte la sphère est donc

$V = \frac{kQ}{R} \implies Q = \frac{VR}{k} = \frac{\left(1\times10^4\right)(0{,}01)}{9\times10^9} = 1{,}11 \times 10^{-8}$ C

Par définition, la densité surfacique de charge est le rapport entre la charge et l'aire sur laquelle on la retrouve :

$\sigma = \frac{Q}{4\pi R^2} = \frac{1{,}11\times10^{-8}}{4\pi(0{,}01)^2} = \boxed{8{,}84 \times 10^{-6}\ \mathrm{C/m^2}}$

(b) Le nombre N d'électrons de charges $-e$ enlevés est donné par

$Ne = Q \implies N = \frac{Q}{e} = \frac{1{,}11\times10^{-8}}{1{,}6\times10^{-19}} = \boxed{6{,}94 \times 10^{10}}$ électrons enlevés

(c) Selon l'exercice 44, la relation entre le module du champ électrique à la surface d'un conducteur sphérique de rayon R et son potentiel est $V = \pm ER$. Comme la sphère est chargée positivement,

$E = \frac{V}{R} = \frac{1\times10^4}{0{,}01} = \boxed{1{,}00 \times 10^6\ \mathrm{V/m}}$

E46. On donne $q_1 = Q$, la charge sur la coquille intérieure mince de rayon a et $q_2 = -2Q$, la charge sur la coquille extérieure de rayon b.

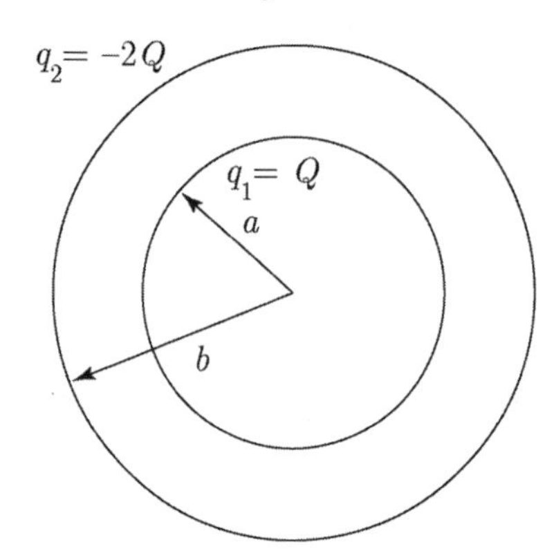

Pour chaque région, la méthode consiste à trouver la composante radiale de champ électrique et ensuite à calculer la variation de potentiel.

Pour $r \geq b$:

Selon l'exemple 3.2, le champ électrique est celui d'une charge ponctuelle de valeur $q = q_1 + q_2 = -Q$; donc, $\vec{\mathbf{E}} = -\frac{k|q|}{r^2}\vec{\mathbf{u}}_r = -\frac{kQ}{r^2}\vec{\mathbf{u}}_r$.

De même, selon l'exemple 4.8, le potentiel est aussi décrit par l'expression qui s'applique dans le cas d'une charge ponctuelle, $V(r) = \frac{kq}{r} = -\frac{kQ}{r}$.

Pour $a \leq r \leq b$:

Selon le théorème de Gauss, seule compte la charge qui se trouve à l'intérieur d'une surface de Gauss de rayon r. Ainsi, le champ électrique ne dépend que de la charge q_1 sur la coquille intérieure; il est radial et dirigé vers l'extérieur parce que $q_1 > 0$:

$\vec{\mathbf{E}} = \frac{k|q_1|}{r^2}\vec{\mathbf{u}}_r = \frac{kQ}{r^2}\vec{\mathbf{u}}_r$

En $r = b$, le potentiel électrique est calculé à partir du résultat obtenu pour la région précédente, $V_b = -\frac{kQ}{b}$. On calcule le potentiel V sur l'ensemble de la région qui va de $r = a$ à $r = b$ à l'aide de l'équation 4.14. Comme on connaît la valeur du potentiel en b, on calcule l'intégrale d'une valeur quelconque de r à b. Si $d\vec{\mathbf{s}} = dr\vec{\mathbf{u}}_r$,

$$V_b - V(r) = -\int_r^b \vec{\mathbf{E}} \cdot d\vec{\mathbf{s}} \implies V(r) = \int_r^b \vec{\mathbf{E}} \cdot d\vec{\mathbf{s}} + V_b = \int_r^b \left(\frac{kQ}{r^2}\vec{\mathbf{u}}_r\right) \cdot \left(dr\vec{\mathbf{u}}_r\right) + V_b \implies$$

$$V(r) = \int_r^b \frac{kQ}{r^2}dr - \frac{kQ}{b} = kQ\left[-\frac{1}{r}\right|_r^b - \frac{kQ}{b} = -\frac{kQ}{b} + \frac{kQ}{r} - \frac{kQ}{b} = kQ\left(\frac{1}{r} - \frac{2}{b}\right)$$

Pour $r \leq a$:

À l'intérieur de la coquille de rayon a, $\vec{\mathbf{E}} = 0$ selon l'exemple 3.2 du manuel. Le potentiel électrique conserve la valeur calculée pour la région précédente :

$$V(r) = V_a = kQ\left(\frac{1}{a} - \frac{2}{b}\right)$$

En résumé,

(a) Pour $r \leq a$: $\boxed{V(r) = kQ\left(\frac{1}{a} - \frac{2}{b}\right)}$ $\boxed{E_r = 0}$

(b) Pour $a \leq r \leq b$: $\boxed{V(r) = kQ\left(\frac{1}{r} - \frac{2}{b}\right)}$ $\boxed{E_r = \frac{kQ}{r^2}}$

(c) Pour $r \geq b$: $\boxed{V(r) = -\frac{kQ}{r}}$ $\boxed{E_r = -\frac{kQ}{r^2}}$

(d) On donne une valeur aux différentes variables, on définit l'expression de la composante radiale du champ et du potentiel électrique pour les trois régions et on crée les deux graphes demandés :

```
> restart:
> a:=1;
> b:=3;
> Q:=1e-9;
> k:=9e9;
> Vr:='piecewise(r<a,k*Q*(1/a-2/b),r<b,k*Q*(1/r-2/b),-k*Q/r)';
> Er:='piecewise(r<a,0,r<b,k*Q/r^2,-k*Q/r^2)';
> plot(Vr,r=0..1.5*b);
> plot(Er,r=0..1.5*b,discont=true);
```

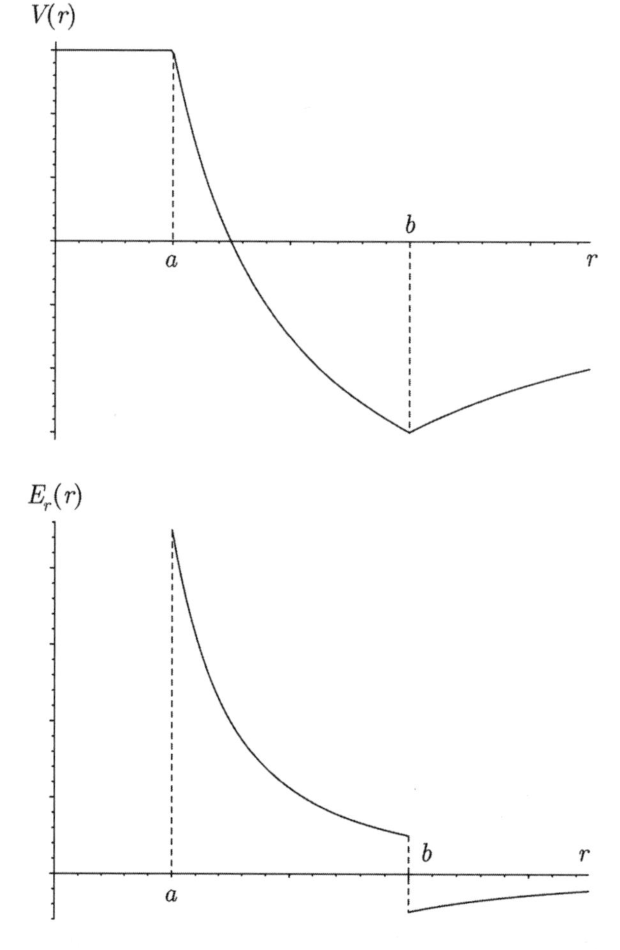

E47. (a) On donne la figure suivante, où les charges ont été numérotées pour faciliter l'écriture :

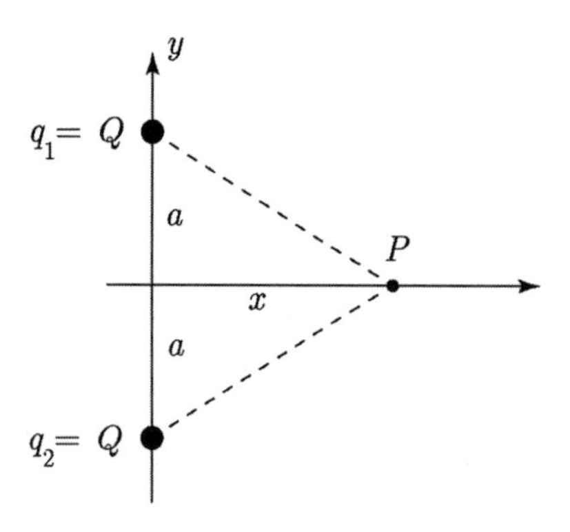

Le potentiel total en un point P situé sur l'axe des x est donné par l'équation 4.10, dans laquelle $r_1 = r_2 = \sqrt{a^2 + x^2}$:

$$V = \frac{kq_1}{r_1} + \frac{kq_2}{r_2} = \frac{kQ}{\sqrt{a^2+x^2}} + \frac{kQ}{\sqrt{a^2+x^2}} = \boxed{\frac{2kQ}{\sqrt{a^2+x^2}}}$$

(b) Selon l'équation 4.17, étant donné que le potentiel ne dépend que de x,

$$\vec{\mathbf{E}} = -\frac{dV}{dx}\vec{\mathbf{i}} = -\frac{d}{dx}\left(\frac{2kQ}{\sqrt{a^2+x^2}}\right)\vec{\mathbf{i}} = -2kQ\left(-\frac{1}{2}\frac{1}{(a^2+x^2)^{3/2}}\frac{d}{dx}\left(a^2+x^2\right)\right)\vec{\mathbf{i}} \Longrightarrow$$

$$\vec{\mathbf{E}} = \boxed{\frac{2kQx}{(a^2+x^2)^{3/2}}\vec{\mathbf{i}}}$$

(c) On donne une valeur aux différentes variables, on définit l'expression du potentiel et on trace le graphe demandé :

```
> restart:
> a:=1.0;
> Q:=1.0;
> k:=1.0;
> V:='2*k*Q/sqrt(a^2+x^2)';
> plot(V,x=-3*a..3*a);
```

E48. (a) On donne la figure suivante, où les charges ont été numérotées pour faciliter l'écriture :

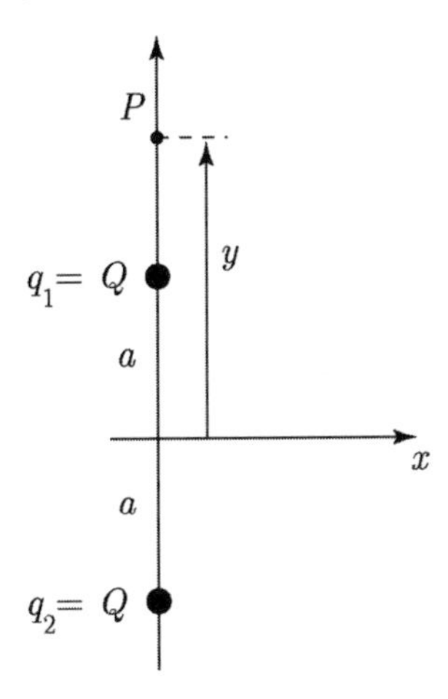

Le potentiel total en un point P situé sur l'axe des y est donné par l'équation 4.10, dans laquelle $r_1 = y - a$ et $r_2 = y + a$:

$V = \frac{kq_1}{r_1} + \frac{kq_2}{r_2} = \frac{kQ}{y-a} + \frac{kQ}{y+a} = kQ\left(\frac{(y+a)+(y-a)}{(y-a)(y+a)}\right) \Longrightarrow$

$V = kQ\left(\frac{2y}{(y-a)(y+a)}\right) = \boxed{\frac{2kQy}{y^2-a^2}}$

(b) Selon l'équation 4.17, étant donné que le potentiel ne dépend que de y,

$\vec{\mathbf{E}} = -\frac{dV}{dy}\vec{\mathbf{j}} = -\frac{d}{dy}\left(\frac{2kQy}{y^2-a^2}\right)\vec{\mathbf{j}} = -2kQ\left(\frac{\frac{d}{dy}(y)(y^2-a^2)-y\frac{d}{dy}(y^2-a^2)}{(y^2-a^2)^2}\right)\vec{\mathbf{j}} \Longrightarrow$

$\vec{\mathbf{E}} = -2kQ\left(\frac{(y^2-a^2)-y(2y)}{(y^2-a^2)^2}\right)\vec{\mathbf{j}} = \boxed{\frac{2kQ(y^2+a^2)}{(y^2-a^2)^2}\vec{\mathbf{j}}}$

Cette expression n'est valable que pour $y > a$.

(c) Pour répondre à la question, on doit d'abord trouver l'expression du potentiel dans la région $0 < y < a$ pour laquelle $r_1 = a - y$ et $r_2 = y + a$:

$V = \frac{kq_1}{r_1} + \frac{kq_2}{r_2} = \frac{kQ}{a-y} + \frac{kQ}{y+a} = kQ\left(\frac{(y+a)+(a-y)}{(a-y)(y+a)}\right) \Longrightarrow$

$V = kQ\left(\frac{2a}{(a-y)(y+a)}\right) = \frac{2kQa}{a^2-y^2}$

Puis, on donne une valeur aux différentes variables, on définit l'expression du potentiel pour les portions $y > a$, $y < a$ et, en ajustant le signe, lorsque $y < 0$. On trace ensuite le graphe demandé :

```
> restart;
> a:=1.0;
> Q:=1.0;
> k:=1.0;
> V:='piecewise(y<-a,2*k*Q*abs(y)/(y^2-a^2),y<a,2*k*Q*a/(a^2-y^2)
  ,2*k*Q*y/(y^2-a^2))';
> plot(V,y=-3*a..3*a,view=[-3*a..3*a,0..10],discont=true);
```

E49. (a) On donne la figure suivante, où les charges ont été numérotées pour faciliter l'écriture :

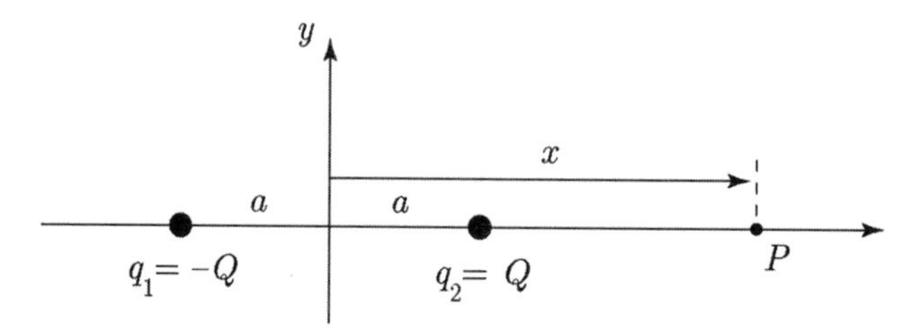

Le potentiel total en un point P situé sur l'axe des x est donné par l'équation 4.10, dans laquelle $r_1 = x + a$ et $r_2 = x - a$:

$$V = \frac{kq_1}{r_1} + \frac{kq_2}{r_2} = \frac{k(-Q)}{x+a} + \frac{kQ}{x-a} = kQ\left(\frac{-(x-a)+(x+a)}{(x+a)(x-a)}\right) \Longrightarrow$$

$$V = kQ\left(\frac{2a}{(x+a)(x-a)}\right) = \boxed{\frac{2kQa}{x^2-a^2}}$$

(b) Selon l'équation 4.17, étant donné que le potentiel ne dépend que de x,

$$\overrightarrow{\mathbf{E}} = -\frac{dV}{dx}\overrightarrow{\mathbf{i}} = -\frac{d}{dx}\left(\frac{2kQa}{x^2-a^2}\right)\overrightarrow{\mathbf{i}} = -2kQa\left(\frac{d}{dx}\left(\left(x^2-a^2\right)^{-1}\right)\right)\overrightarrow{\mathbf{i}} \Longrightarrow$$

$$\overrightarrow{\mathbf{E}} = -2kQa\left(-\frac{1}{(x^2-a^2)^{-2}}(2x)\right)\overrightarrow{\mathbf{i}} = \boxed{\frac{4kQax}{(x^2-a^2)^2}\overrightarrow{\mathbf{i}}}$$

(c) Pour répondre à la question, on doit d'abord trouver l'expression du potentiel dans la région $0 < x < a$ pour laquelle $r_1 = x + a$ et $r_2 = a - x$:

$$V = \frac{kq_1}{r_1} + \frac{kq_2}{r_2} = \frac{k(-Q)}{x+a} + \frac{kQ}{a-x} = kQ\left(\frac{-(a-x)+(x+a)}{(x+a)(a-x)}\right) \Longrightarrow$$

$$V = kQ\left(\frac{2a}{(x+a)(a-x)}\right) = \frac{2kQx}{a^2-x^2}$$

Puis, on donne une valeur aux différentes variables, on définit l'expression du potentiel pour les portions $x > a$, $x < a$ et, en ajustant le signe, lorsque $x < 0$. On trace ensuite le graphe demandé :

```
> restart;
> a:=1.0;
> Q:=1.0;
> k:=1.0;
> V:='piecewise(x<-a,-2*k*Q*a/(x^2-a^2),x<a,2*k*Q*x/(a^2-x^2),2*k*Q*a/(x^2-a^2))';
> plot(V,x=-3*a..3*a,view=[-3*a..3*a,-10..10],discont=true);
```

E50. À partir de l'équation 4.17, appliquée dans la direction radiale, on trouve

$$E_r = -\frac{dV}{dr} = -\frac{d}{dr}\left(\frac{kQ(3R^2-r^2)}{2R^3}\right) = -\frac{kQ}{2R^3}\frac{d}{dr}\left(3R^2-r^2\right) = \boxed{\frac{kQr}{R^3}}$$

E51. On donne r_0 et $V(r_0)$, qui sont des constantes. À partir de l'équation 4.17, appliquée dans la direction radiale, on obtient

$$\vec{\mathbf{E}} = -\frac{dV}{dr}\vec{\mathbf{u}}_r = -\frac{d}{dr}\left(V(r_0) - 2k\lambda\ln\left(\frac{r}{r_0}\right)\right)\vec{\mathbf{u}}_r \implies$$

$$\vec{\mathbf{E}} = -\frac{d}{dr}\left(V(r_0) - 2k\lambda\ln(r) + 2k\lambda\ln(r_0)\right)\vec{\mathbf{u}}_r \implies$$

$$\vec{\mathbf{E}} = -\frac{d}{dr}\left(-2k\lambda\ln(r)\right)\vec{\mathbf{u}}_r = 2k\lambda\frac{d}{dr}\left(\ln(r)\right)\vec{\mathbf{u}}_r = \boxed{\frac{2k\lambda}{r}\vec{\mathbf{u}}_r}$$

E52. Selon l'exemple 4.6,

$$V = 2\pi k\sigma\left(\sqrt{a^2+y^2} - y\right)$$

Selon l'équation 4.17, étant donné que le potentiel ne dépend que de y,

$$\vec{\mathbf{E}} = -\frac{dV}{dy}\vec{\mathbf{j}} = -\frac{d}{dy}\left(2\pi k\sigma\left(\sqrt{a^2+y^2} - y\right)\right)\vec{\mathbf{j}} = -2\pi k\sigma\frac{d}{dy}\left(\sqrt{a^2+y^2} - y\right)\vec{\mathbf{j}} \implies$$

$$\vec{\mathbf{E}} = -2\pi k\sigma\left(\frac{1}{2}\frac{1}{\sqrt{a^2+y^2}}\frac{d}{dy}\left(a^2+y^2\right) - 1\right)\vec{\mathbf{j}} = -2\pi k\sigma\left(\frac{1}{2}\frac{2y}{\sqrt{a^2+y^2}} - 1\right)\vec{\mathbf{j}} \implies$$

$$\vec{\mathbf{E}} = 2\pi k\sigma\left(1 - \frac{y}{\sqrt{a^2+y^2}}\right)\vec{\mathbf{j}} \implies E = \boxed{2\pi k\sigma\left(1 - \frac{y}{\sqrt{a^2+y^2}}\right)}$$

E53. (a) On donne $V = 2x^3y - 3xy^2z + 5yz^3$. À partir de l'équation 4.18, dans laquelle l'utilisation de la dérivée partielle est nécessaire puisqu'on a une fonction de plusieurs variables, on trouve

$$\vec{\mathbf{E}} = -\frac{\partial V}{\partial x}\vec{\mathbf{i}} - \frac{\partial V}{\partial y}\vec{\mathbf{j}} - \frac{\partial V}{\partial z}\vec{\mathbf{k}} \implies$$

$$\vec{\mathbf{E}} = -\left(6x^2y - 3y^2z\right)\vec{\mathbf{i}} - \left(2x^3 - 6xyz + 5z^3\right)\vec{\mathbf{j}} - \left(-3xy^2 + 15yz^2\right)\vec{\mathbf{k}} \implies$$

$$\vec{\mathbf{E}} = \boxed{\left(3y^2z - 6x^2y\right)\vec{\mathbf{i}} + \left(6xyz - 2x^3 - 5z^3\right)\vec{\mathbf{j}} + \left(3xy^2 - 15yz^2\right)\vec{\mathbf{k}}}$$

(b) Dans le logiciel Maple, on définit l'expression du potentiel, on crée ensuite l'équipotentielle $V = 1000$ V et on trace cette équipotentielle :

```
> restart;
> V:=2*x^3*y-3*x*y^2*z+5*y*z^3;
> eq:=V=1000;
> plots[implicitplot3d](eq,x=-10..10,y=-10..10,z=-10..10,numpoints=2000,
  scaling=constrained,axes=normal);
```

E54. On donne $\vec{\mathbf{E}} = \left(-2\vec{\mathbf{i}} + 3\vec{\mathbf{j}} - 5\vec{\mathbf{k}}\right)$ V/m, $\vec{\mathbf{r}}_A = \left(-\vec{\mathbf{i}} + 2\vec{\mathbf{j}} + 3\vec{\mathbf{k}}\right)$ m et $\vec{\mathbf{r}}_B = \left(3\vec{\mathbf{i}} - \vec{\mathbf{j}} + 7\vec{\mathbf{k}}\right)$ m. On calcule d'abord le déplacement :

$$\vec{\mathbf{s}} = \vec{\mathbf{r}}_B - \vec{\mathbf{r}}_A = \left(3\vec{\mathbf{i}} - \vec{\mathbf{j}} + 7\vec{\mathbf{k}}\right) - \left(-\vec{\mathbf{i}} + 2\vec{\mathbf{j}} + 3\vec{\mathbf{k}}\right) = \left(4\vec{\mathbf{i}} - 3\vec{\mathbf{j}} + 4\vec{\mathbf{k}}\right) \text{ m}$$

Selon l'équation 4.6*a* du manuel,

$$\Delta V = V_B - V_A = -\vec{\mathbf{E}}\cdot\vec{\mathbf{s}} = -\left(-2\vec{\mathbf{i}} + 3\vec{\mathbf{j}} - 5\vec{\mathbf{k}}\right)\left(4\vec{\mathbf{i}} - 3\vec{\mathbf{j}} + 4\vec{\mathbf{k}}\right) \implies$$

$V_B - V_A = -(-2(4) + 3(-3) - 5(4)) = \boxed{-37{,}0 \text{ V}}$

E55. On donne $Q_1 = 5\ \mu\text{C}$, $Q_2 = 2\ \mu\text{C}$, $\vec{\mathbf{r}}_1 = \left(2\vec{\mathbf{i}} + 3\vec{\mathbf{j}} - 5\vec{\mathbf{k}}\right)$ m et $\vec{\mathbf{r}}_2 = \left(-\vec{\mathbf{i}} + 4\vec{\mathbf{j}} + 2\vec{\mathbf{k}}\right)$ m. La distance r entre les deux charges est donnée par

$r = \left\|\vec{\mathbf{r}}_2 - \vec{\mathbf{r}}_1\right\| = \left\|\left(-\vec{\mathbf{i}} + 4\vec{\mathbf{j}} + 2\vec{\mathbf{k}}\right) - \left(2\vec{\mathbf{i}} + 3\vec{\mathbf{j}} - 5\vec{\mathbf{k}}\right)\right\| = \left\|-3\vec{\mathbf{i}} + \vec{\mathbf{j}} + 7\vec{\mathbf{k}}\right\| \Longrightarrow$

$r = \sqrt{(-3)^2 + 1 + 7^2} = 7{,}68 \text{ m}$

L'énergie potentielle est donnée par l'équation 4.12a :

$U = \frac{kQ_1Q_2}{r} = \frac{(9\times10^9)(5\times10^{-6})(2\times10^{-6})}{7{,}68} = \boxed{11{,}7 \text{ mJ}}$

E56. On donne $Q_1 = 3$ nC, $Q_2 = -2$ nC, $\vec{\mathbf{r}}_1 = \left(3\vec{\mathbf{i}} - 2\vec{\mathbf{j}} + \vec{\mathbf{k}}\right)$ m et $\vec{\mathbf{r}}_2 = \left(\vec{\mathbf{i}} - 2\vec{\mathbf{j}} + 6\vec{\mathbf{k}}\right)$ m.

(a) Le module du vecteur $\vec{\mathbf{r}}$ donnant la position de chacune des charges représente la distance à l'origine; donc, $r_1 = \sqrt{3^2 + (-2)^2 + 1} = 3{,}74$ m et $r_2 = \sqrt{1 + (-2)^2 + 6^2} = 6{,}40$ m. À partir de l'équation 4.10, on trouve

$V = \frac{kQ_1}{r_1} + \frac{kQ_2}{r_2} = k\left(\frac{Q_1}{r_1} + \frac{Q_2}{r_2}\right) = \left(9 \times 10^9\right)\left(\frac{3\times10^{-9}}{3{,}74} + \frac{-2\times10^{-9}}{6{,}40}\right) = \boxed{4{,}41 \text{ V}}$

(b) On donne $q = -5$ nC. L'énergie potentielle de q associée à Q_1 et Q_2 est, selon l'équation 4.11, $U_{q(Q_1Q_2)} = qV = \left(-5 \times 10^{-9}\right)(4{,}41) = -2{,}21 \times 10^{-8}$ J.

À cette valeur, on doit ajouter l'énergie potentielle du couple formé des charges Q_1 et Q_2. La distance r_{12} vaut

$r_{12} = \left\|\vec{\mathbf{r}}_2 - \vec{\mathbf{r}}_1\right\| = \left\|\left(\vec{\mathbf{i}} - 2\vec{\mathbf{j}} + 6\vec{\mathbf{k}}\right) - \left(3\vec{\mathbf{i}} - 2\vec{\mathbf{j}} + \vec{\mathbf{k}}\right)\right\| = \left\|-2\vec{\mathbf{i}} + 5\vec{\mathbf{k}}\right\| \Longrightarrow$

$r_{12} = \sqrt{(-2)^2 + 5^2} = 5{,}39 \text{ m}$

$U_{12} = \frac{kQ_1Q_2}{r_{12}} = \frac{(9\times10^9)(3\times10^{-9})(-2\times10^{-9})}{5{,}39} = -1{,}00 \times 10^{-8} \text{ J}$

L'énergie potentielle totale est

$U = U_{q(Q_1Q_2)} + U_{12} = -2{,}21 \times 10^{-8} - 1{,}00 \times 10^{-8} = \boxed{-32{,}1 \text{ nJ}}$

E57. On donne Q_1 à l'origine et Q_2 en $x = 2$ m. Le champ électrique et le potentiel en $x = 1$ m sont $\vec{\mathbf{E}} = -27\vec{\mathbf{i}}$ N/C et $V = 63$ V.

Avec $r_1 = r_2 = 1$ m, le potentiel total est donné par

$V = \frac{kQ_1}{r_1} + \frac{kQ_2}{r_2} = 63 \text{ V} \Longrightarrow Q_1 + Q_2 = \frac{63}{9\times10^9} = 7{,}00 \times 10^{-9} \text{ C} \qquad \text{(i)}$

Compte tenu de la position relative des charges et de leur signe inconnu, l'unique composante du champ est

$E_x = \frac{kQ_1}{r_1^2} - \frac{kQ_2}{r_2^2} = -27 \text{ N/C} \Longrightarrow Q_1 - Q_2 = \frac{-27}{9\times10^9} = 3{,}00 \times 10^{-9} \text{ C} \qquad \text{(ii)}$

Si on résout les équations (i) et (ii), on trouve $\boxed{Q_1 = 2{,}00 \text{ nC}}$ et $\boxed{Q_2 = 5{,}00 \text{ nC}}$

E58. On donne $q_1 = q_2 = q_3 = q_4 = q = 2$ nC, que l'on doit amener aux quatres coins d'un carré d'arête $L = 0{,}14$ m. Le travail extérieur nécessaire pour amener ces charges aux quatre coins du carré correspond directement à l'énergie potentielle électrique du système. À l'aide de l'équation 4.12*b*, si on considère quatre couples séparés par une distance L et deux couples séparés par $\sqrt{2}L$, on trouve

$W_{\text{ext}} = U = \sum \frac{kq_iq_j}{r_{ij}} = 4\left(\frac{kq^2}{L}\right) + 2\left(\frac{kq^2}{\sqrt{2}L}\right) = \frac{kq^2}{L}\left(4 + \frac{2}{\sqrt{2}}\right) \implies$

$W_{\text{ext}} = \frac{\left(9\times10^9\right)\left(2\times10^{-9}\right)^2}{0{,}14}\left(4 + \frac{2}{\sqrt{2}}\right) = \boxed{1{,}39\ \mu\text{J}}$

E59. On donne $\lambda = 2{,}2$ nC/m. Comme il s'agit d'un objet chargé de dimensions finies, on obtient le potentiel au centre de l'anneau à partir de l'équation 4.13. On note que la distance entre chaque parcelle de charge dq et le centre de l'anneau est R, son rayon, qui est une quantité inconnue. La charge totale sur la moitié de l'anneau est $\int dq = \lambda(\pi R)$. Ainsi,

$V = k\int \frac{dq}{r} = k\int \frac{dq}{R} = \frac{k}{R}\int dq = \frac{k}{R}\lambda(\pi R) = \pi k\lambda = \pi\left(9\times10^9\right)\left(2{,}2\times10^{-9}\right) = \boxed{62{,}2\ \text{V}}$

E60. On donne $a = 0{,}03$ m, le rayon de l'anneau, $\lambda = 1{,}5$ nC/m, la densité linéique de charge qu'il porte et $q = 2$ nC, la charge placée au centre de l'anneau.

(a) Le potentiel créé par l'anneau en son centre est calculé à partir du résultat de l'exercice 43, pour $y = 0$:

$V = \frac{kQ}{a} = \frac{k\lambda(2\pi a)}{a} = 2\pi k\lambda$

L'énergie potentielle de la charge q placée au centre est donnée ensuite par l'équation 4.11 :

$U = qV = q\left(2\pi k\lambda\right) = 2\pi kq\lambda = 2\pi\left(9\times10^9\right)\left(2\times10^{-9}\right)\left(1{,}5\times10^{-9}\right) = \boxed{0{,}170\ \mu\text{J}}$

(b) Si on déplace légèrement la charge q, l'équilibre est rompu et la charge subit une force qui l'éloigne en l'accélérant jusqu'à une distance infinie pour laquelle $U_{\text{f}} = 0$. En l'absence de force non conservative, l'énergie mécanique est conservée :

$\Delta K + \Delta U = 0 \implies (K_{\text{f}} - K_{\text{i}}) + (U_{\text{f}} - U_{\text{i}}) = 0 \implies$

$K_{\text{f}} = -\left(U_{\text{f}} - U_{\text{i}}\right) = U_{\text{i}} = 0{,}170\ \mu\text{J}$

L'énergie cinétique finale n'appartient qu'à la charge q de masse $m = 1\times10^{-5}$ kg :

$K_{\text{f}} = \frac{1}{2}mv_{\text{f}}^2 \implies v_{\text{f}} = \sqrt{\frac{2K_{\text{f}}}{m}} = \sqrt{\frac{2\left(1{,}70\times10^{-7}\right)}{1\times10^{-5}}} = \boxed{18{,}4\ \text{cm/s}}$

E61. Le point A est à l'infini, donc $V_A = 0$, et le point B est à $y = 0{,}10$ m au-dessus d'un disque de rayon $a = 0{,}20$ m portant une densité surfacique de charge $\sigma = 2$ nC/m^2. À partir du résultat de l'exemple 4.6, on trouve

$$V = 2\pi k\sigma \left(\sqrt{a^2+y^2} - y\right) = 2\pi \left(9 \times 10^9\right)\left(2 \times 10^{-9}\right)\left(\sqrt{(0{,}20)^2+(0{,}10)^2} - 0{,}10\right) \implies$$

$V = 14{,}0$ V

Le travail extérieur pour amener $q = 5$ nC de A à B est

$$W_{\text{EXT}} = q\,(V_B - V_A) = \left(5 \times 10^{-9}\right)(14{,}0 - 0) = \boxed{70{,}0 \text{ nJ}}$$

E62. À une distance $r = (0{,}15 \text{ m}) + (0{,}10 \text{ m}) = 0{,}25$ m du centre d'une sphère chargée de rayon $R = 0{,}10$ m, le potentiel est $V = 3{,}8$ kV. La charge Q sur la sphère est donnée par l'équation 4.9 :

$$V = \frac{kQ}{r} \implies Q = \frac{Vr}{k} = \frac{\left(3{,}80\times10^3\right)(0{,}25)}{9\times10^9} = 1{,}06 \times 10^{-7} \text{ C}$$

La densité surfacique de charge sur la sphère est

$$\sigma = \frac{Q}{4\pi R^2} = \frac{1{,}06\times10^{-7}}{4\pi(0{,}10)^2} = \boxed{0{,}844\ \mu\text{C/m}^2}$$

E63. On donne $R_1 = 0{,}4$ m, $R_2 = 0{,}25$ m et $\sigma_1 = 8{,}2$ nC/m^2. Le raisonnement suivi à la section 4.5 conduit à l'équation 4.16 du manuel :

$$\frac{\sigma_1}{\sigma_2} = \frac{R_2}{R_1} \implies \sigma_2 = \frac{R_1}{R_2}\sigma_1$$

Mais $\sigma_2 = \frac{Q_2}{4\pi R_2^2}$, donc

$$\frac{Q_2}{4\pi R_2^2} = \frac{R_1}{R_2}\sigma_1 \implies Q_2 = 4\pi\sigma_1 R_1 R_2 = \boxed{0{,}103 \text{ nC}}$$

E64. La charge initiale Q_i et le rayon initial R_i de chaque goutte sont inconnus. Le potentiel à la surface de chaque goutte est $V_\text{i} = 1000$ V; donc

$$V_\text{i} = \frac{kQ_\text{i}}{R_\text{i}} \implies \frac{Q_\text{i}}{R_\text{i}} = \frac{1000}{9\times10^9} = 1{,}11 \times 10^{-7} \text{ C/m} \qquad \text{(i)}$$

On sait que la charge finale $Q_\text{f} = 2Q_\text{i}$ et le rayon final de l'unique sphère formée des deux gouttes sont obtenus en comparant les volumes :

$$\frac{4}{3}\pi R_\text{f}^3 = 2\left(\frac{4}{3}\pi R_\text{i}^3\right) \implies R_\text{f}^3 = 2R_\text{i}^3 \implies R_\text{f} = (2)^{1/3} R_\text{i}$$

Le potentiel à la surface de la sphère finale est obtenu par l'équation 4.9 et en faisant appel à l'équation (i) :

$$V_\text{f} = \frac{kQ_\text{f}}{R_\text{f}} = \frac{k(2Q_\text{i})}{(2)^{1/3}R_\text{i}} = \frac{2k}{(2)^{1/3}}\frac{Q_\text{i}}{R_\text{i}} = \frac{2\left(9\times10^9\right)}{(2)^{1/3}}1{,}11 \times 10^{-7} = \boxed{1{,}59 \text{ kV}}$$

E65. On donne $R_1 = 0{,}03$ m et $R_2 = 0{,}07$ m. On sait que

$$Q_1 + Q_2 = 30 \text{ nC} \qquad \text{(i)}$$

et on peut utiliser l'équation 4.15 :

$$\frac{Q_1}{R_1} = \frac{Q_2}{R_2} \qquad \text{(ii)}$$

On résout les équations (i) et (ii) et on trouve

$\boxed{Q_1 = 9{,}00 \text{ nC}}$ et $\boxed{Q_2 = 21{,}0 \text{ nC}}$

E66. On donne $V(x) = 3x^2 - 15x + 7$. Comme cette fonction potentiel ne dépend que de la variable x, le champ électrique ne possède qu'une composante dans cette direction. À partir de l'équation 4.17 appliquée dans la direction x, on trouve

$E_x = -\frac{dV(x)}{dx} = -\frac{d}{dx}\left(3x^2 - 15x + 7\right) = -6x + 15$

(a) Cette composante de champ sera nulle lorsque

$-6x + 15 = 0 \implies x = \boxed{2{,}50 \text{ m}}$

(b) On définit la fonction potentiel et on trace le graphe demandé :

```
> restart;
> V:=3*x^2-15*x+7;
> plot(V,x=0..5);
```

Le graphe confirme la réponse (a) car en $x = 2{,}50$ m, la pente est nulle.

Problèmes

P1. On donne $q_\alpha = 2e$, $q_{\text{Th}} = 90e$, $m_\alpha = 4u$, $m_\alpha = 234u$, $r_{\text{i}} = 7{,}4 \times 10^{-15}$ m et $K_{\text{i}} = 0$, si les deux particules sont à peu près au repos initialement. On note aussi que

$u = 1{,}661 \times 10^{-27}$ kg.

Selon l'équation 4.12*b*,

$U_{\text{i}} = \frac{kq_\alpha q_{\text{Th}}}{r_{\text{i}}} = \frac{\left(9\times10^9\right)(2e)(90e)}{7{,}4\times10^{-15}} = 5{,}60 \times 10^{-12}$ J

Toute l'énergie potentielle devient de l'énergie cinétique lorsque les particules sont séparées par une distance infinie $(U_{\text{f}} = 0)$. D'après l'équation 8.9 du tome 1,

$\Delta K + \Delta U = 0 \implies (K_{\text{f}} - K_{\text{i}}) + (U_{\text{f}} - U_{\text{i}}) = 0 \implies$

$K_{\text{f}} = -\left(-U_{\text{i}}\right) = U_{\text{i}} = 5{,}60 \times 10^{-12}$ J

Il s'agit de l'énergie cinétique totale des deux particules. Si v_α et v_{Th} sont les modules de leurs vitesses à l'infini, alors

$\frac{1}{2}m_\alpha v_\alpha^2 + \frac{1}{2}m_{\text{Th}}v_{\text{Th}}^2 = 5{,}60 \times 10^{-12}$ J (i)

Il y a deux inconnues. Pour résoudre le problème, on doit faire appel au principe de conservation de la quantité de mouvement (voir le chapitre 9 du tome 1). Comme on peut supposer qu'il n'y aucune force extérieure sur les deux particules, alors la quantité $m_\alpha \overrightarrow{\mathbf{v}}_\alpha + m_{\text{Th}} \overrightarrow{\mathbf{v}}_{\text{Th}}$ reste constante durant tout le processus. Comme elle était nulle avant la désintégration, alors, en supposant que les particules se déplacent le long de l'axe des x et que le noyau de thorium recule,

$m_\alpha v_{\alpha x} + m_{\text{Th}} v_{\text{Th}x} = 0 \implies m_\alpha v_\alpha - m_{\text{Th}} v_{\text{Th}} = 0 \qquad \text{(ii)}$

En fonction de l'unité de masse atomique, les deux équations deviennent

$\frac{1}{2}(4u)\,v_\alpha^2 + \frac{1}{2}(234u)\,v_{\text{Th}}^2 = 5{,}60 \times 10^{-12} \implies$

$2v_\alpha^2 + 117v_{\text{Th}}^2 = \frac{5{,}60\times10^{-12}}{u} = \frac{5{,}60\times10^{-12}}{1{,}661\times10^{-27}} \implies 2v_\alpha^2 + 117v_{\text{Th}}^2 = 3.37 \times 10^{15} \qquad \text{(iii)}$

et

$4uv_\alpha - 234uv_{\text{Th}} = 0 \implies 2v_\alpha - 117v_{\text{Th}} = 0 \qquad \text{(iv)}$

Si on résout les équations (iii) et (iv), on trouve $v_\alpha = 4{,}07 \times 10^7$ m/s et $v_{\text{Th}} = 6{,}96 \times 10^5$ m/s; les énergies cinétiques finales sont

$K_\alpha = \frac{1}{2}m_\alpha v_\alpha^2 = \frac{1}{2}\left(4(1{,}661 \times 10^{-27})\right)\left(4{,}07 \times 10^7\right)^2 \implies \boxed{K_\alpha = 5{,}50 \times 10^{-12}\ \text{J}}$

$K_{\text{Th}} = \frac{1}{2}m_{\text{Th}} v_{\text{Th}}^2 = \frac{1}{2}\left(234(1{,}661 \times 10^{-27})\right)\left(6{,}96 \times 10^5\right)^2 \implies \boxed{K_{\text{Th}} = 9{,}41 \times 10^{-14}\ \text{J}}$

P2. Cette situation est similaire à celle de l'exemple 4.6. Toutefois, comme le disque est percé, on doit calculer l'intégrale de la borne intérieure a à la borne extérieure a :

$V = 2\pi k\sigma \int_a^b \frac{xdx}{(x^2+y^2)} = 2\pi k\sigma \left[\left(x^2+y^2\right)^{1/2}\Big|_a^b\right] \implies$

$V = \boxed{2\pi k\sigma \left(\left(b^2+y^2\right)^{1/2} - \left(a^2+y^2\right)^{1/2}\right)}$

P3. On donne $q_{\text{Na}} = e$, $q_{\text{Cl}} = -e$ et $d = 2{,}82 \times 10^{-10}$ m, le pas du réseau.

On doit visualiser le réseau cristallin. On peut y arriver en reproduisant dans les trois directions la figure 4.44. On peut aussi, avec le logiciel Maple, dessiner une partie du réseau :

```
> restart;
> Na:=[[0,0,0],[0,d,-d],[0,d,d],[0,-d,-d],[0,-d,d],[d,d,0],[d,-d,0],[-d,d,0],[-d,-d,0],[d,0,d],
  [d,0,-d],[-d,0,d],[-d,0,-d]];
> Cl:=[[d,0,0],[-d,0,0],[0,d,0],[0,-d,0],[0,0,d],[0,0,-d],[d,d,d],[-d,d,d],[d,-d,d],[-d,-d,d],
  [d,d,-d],[-d,d,-d],[d,-d,-d],[-d,-d,-d]];
> d:=2.82e-10;
> with(plots): with(plottools):
> for i to 13 do
  nag||i:=sphere(Na[i],3e-11,color=plum):
  end:
> for i to 14 do
  clg||i:=sphere(Cl[i],6e-11,color=yellow):
  end:
```

```
> display({seq(nag||i,i=1..13),seq(clg||i,i=1..14)}, scaling=constrained);
```

(a) Une nouvelle figure permet de confirmer que les six voisins immédiats sont des atomes de chlore :

```
> for i to 6 do
  cll||i:=line([0,0,0],Cl[i],color=red,thickness=3):
  end:
> display({seq(nag||i,i=1..13),seq(clg||i,i=1..14),seq(cll||i,i=1..6)},
  scaling=constrained);
```

Les six segments rouges, de longueur d, relient l'ion sodium à ses voisins. Le potentiel total de ces six ions chlore à l'origine est

$$V_{6\mathrm{Cl}} = 6\left(\frac{kq_{\mathrm{Cl}}}{d}\right) = \frac{6(9\times10^{9})(-1{,}6\times10^{-19})}{2{,}82\times10^{-10}} = -3{,}06\times10^{1}\ \mathrm{V}$$

L'énergie potentielle associée à ces ions et à l'ion sodium à l'origine est

$$U_{\mathrm{Na(6Cl)}} = q_{\mathrm{Na}}V_{6\mathrm{Cl}} = \boxed{-4{,}90\times10^{-18}\ \mathrm{J}}$$

(b) Une autre figure montre que les douze voisins qui suivent sont des atomes de sodium :

```
> for i to 12 do
  nal||i:=line([0,0,0],Na[i+1],color=blue,thickness=3):
  end:
> display({seq(nag||i,i=1..13),seq(clg||i,i=1..14),seq(nal||i,i=1..12)},
  scaling=constrained);
```

Les douze segments bleus, de longueur $\sqrt{2}d$, relient l'ion sodium à ses voisins. Le potentiel total de six de ces douze ions sodium à l'origine est

$$V_{6\mathrm{Na}} = 6\left(\frac{kq_{\mathrm{Na}}}{\sqrt{2}d}\right) = \frac{6(9\times10^{9})(1{,}6\times10^{-19})}{\sqrt{2}(2{,}82\times10^{-10})} = 2{,}17\times10^{1}\ \mathrm{V}$$

L'énergie potentielle associée à ces ions et à l'ion sodium à l'origine est

$$U_{\mathrm{Na(6Na)}} = q_{\mathrm{Na}}V_{6\mathrm{Na}} = 3{,}47\times10^{-18}\ \mathrm{J}$$

L'énergie potentielle totale de l'ion sodium avec les douze ions est

$$U = U_{\mathrm{Na(6Cl)}} + U_{\mathrm{Na(6Na)}} = \left(-4{,}90\times10^{-18}\right) + \left(3{,}47\times10^{-18}\right) = \boxed{-1{,}43\times10^{-18}\ \mathrm{J}}$$

P4. L'énergie libérée par un électron correspond au produit de la valeur absolue de sa charge avec la différence de potentiel $\Delta V = 20\times10^{3}$ V. Le débit d'électrons est de 4×10^{16} électrons/s. Si on considère que 30 % de cette énergie peut servir à chauffer la cible en tungstène, alors la puissance associée à cet apport de chaleur est

$$P = |-e|\,\Delta V\times\left(\frac{4\times10^{6}\ \text{électrons}}{1\ \mathrm{s}}\right)\times(0{,}30)\implies$$

$$P = \left(1{,}6\times10^{-19}\ \mathrm{C}\right)\left(20\times10^{3}\ \mathrm{V}\right)\times\left(\frac{4\times10^{16}\ \text{électrons}}{1\ \mathrm{s}}\right)\times(0{,}30) = 38{,}4\ \mathrm{W}$$

Selon l'équation 17.1 du tome 1, la chaleur ΔQ nécessaire pour élever de $\Delta T = 10°\text{C}$ la température d'une masse $m = 0{,}500$ kg de tungstène est

$\Delta Q = mc\Delta T$

où $c = 134$ J/(K·kg), la chaleur spécifique du tungstène. Comme $P = \frac{\Delta Q}{\Delta t}$, on trouve

$P\Delta t = \Delta Q = mc\Delta T \implies \Delta t = \frac{mc\Delta T}{P} = \frac{0{,}500(134)(10)}{38{,}4} = \boxed{17{,}4 \text{ s}}$

P5. Ce problème présente une situation identique à celle de l'exercice 46. Nous suggérons la lecture de la solution de cet exercice pour comprendre comment le potentiel aux deux endroits demandés a déjà été calculé.

La sphère métallique de rayon R_1 porte une charge Q_1 dont le signe est inconnu. La coquille conductrice de rayon R_2 porte une charge Q_2 négative. On adapte simplement les résultats de l'exercice 46 à ces variables.

(a) $V_1 = \boxed{k\left(\frac{Q_1}{R_1} + \frac{Q_2}{R_2}\right)}$

(b) $V_2 = \boxed{\frac{k}{R_2}(Q_1 + Q_2)}$

(c) La différence est obtenue à partir des deux premiers résultats :

$V_1 - V_2 = k\left(\frac{Q_1}{R_1} + \frac{Q_2}{R_2}\right) - \frac{k}{R_2}(Q_1 + Q_2) = k\boxed{Q_1\left(\frac{1}{R_1} - \frac{1}{R_2}\right)}$

(d) À partir du résultat de la partie (c), on voit que cette différence peut être nulle si $R_1 = R_2$, ce qui élimine l'existence de l'un ou l'autre des objets chargés, ou encore si $\boxed{Q_1 = 0}$.

P6. Dans l'exemple 4.9, on montre que l'énergie potentielle d'une sphère conductrice de rayon R portant une charge Q équivaut à $U = \frac{kQ^2}{2R}$. On suggère de calculer la dérivée de l'énergie potentielle pour obtenir la composante radiale de force. Ce calcul est possible dans la mesure où l'on considère que R est la variable représentant la distance radiale :

$F_r = -\frac{dU}{dr} = -\frac{dU}{dR} = -\frac{d}{dR}\left(\frac{kQ^2}{2R}\right) = -\frac{kQ^2}{2}\left(-\frac{1}{R^2}\right) = \frac{kQ^2}{2R^2}$

La force subie par unité d'aire est le rapport entre cette composante de force et l'aire $A = 4\pi R^2$ de la sphère. Si $Q = \sigma A$, alors

$\frac{F_r}{A} = \frac{kQ^2}{2R^2 A} = \frac{k(\sigma A)^2}{2R^2 A} = \frac{k(\sigma A)^2}{2R^2 A} = \frac{k\sigma^2 A}{2R^2} = \frac{k\sigma^2(4\pi R^2)}{2R^2} = 2\pi k\sigma^2 \implies$

$\boxed{\frac{F_r}{A} = \frac{\sigma^2}{2\varepsilon_0}} \implies \boxed{\text{CQFD}}$

P7. On donne a, le rayon du fil intérieur d'un câble coaxial d'une densité linéique de charge $\lambda > 0$ et b, le rayon de la gaine extérieure portant une densité linéique de charge $-\lambda$. Selon l'exercice 20 du chapitre 3 et parce que la charge intérieure est positive, le champ électrique dans l'espace qui sépare le fil de la gaine est donné par $\vec{\mathbf{E}} = \frac{2k\lambda}{r}\vec{\mathbf{u}}_r$.

(a) On utilise l'équation 4.14 avec $d\vec{\mathbf{s}} = dr\,\vec{\mathbf{u}}_r$:

$V_b - V_a = -\int_a^b \vec{\mathbf{E}} \cdot d\vec{\mathbf{s}} = -\int_a^b \left(\frac{2k\lambda}{r}\vec{\mathbf{u}}_r\right) \cdot \left(dr\,\vec{\mathbf{u}}_r\right) = -2k\lambda \int_a^b \frac{dr}{r} \implies$

$V_b - V_a = -2k\lambda \left[\ln(r)\right|_a^b \implies \boxed{V_b - V_a = -2k\lambda \ln\left(\frac{b}{a}\right)} \implies \boxed{\text{CQFD}}$

(b) On donne $a = 3 \times 10^{-5}$ m, $b = 2{,}5 \times 10^{-2}$ m et $\Delta V = 800$ V. On calcule d'abord le produit $2k\lambda$ avec le résultat de la partie (a), en se rappelant que le potentiel diminue vers l'extérieur, donc $V_b - V_a = -800$ V :

$V_b - V_a = -2k\lambda \ln\left(\frac{b}{a}\right) \implies 2k\lambda = \frac{V_b - V_a}{\ln\left(\frac{a}{b}\right)} = \frac{-800}{-6{,}73} = 1{,}19 \times 10^2$ V

Le module du champ électrique lorsque $r = a$ est

$E_a = \frac{2k\lambda}{a} = \frac{1{,}19 \times 10^2}{3 \times 10^{-5}} = \boxed{3{,}97 \times 10^6 \text{ V/m}}$

P8. (a) La figure ci-dessous reprend la figure 4.46 du manuel en montrant la variable ℓ utilisée pour décrire la position d'un élément de charge sur la tige. On utilise l'équation 4.13 avec $dq = \lambda d\ell$ et $r = x - \ell$ la distance entre un élément de charge et le point P

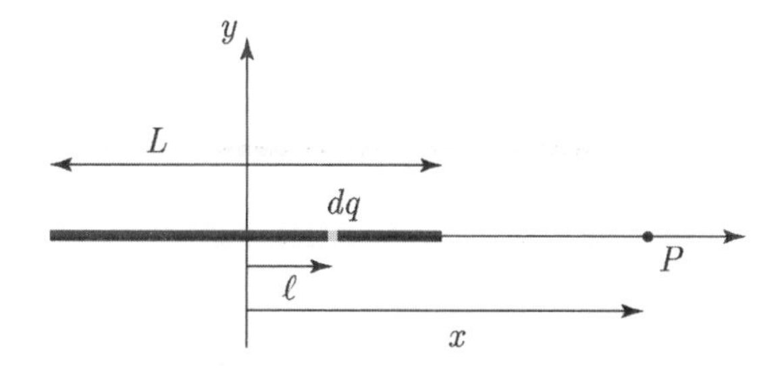

$V = k\int \frac{dq}{r} = k \int_{-\ell/2}^{\ell/2} \frac{\lambda d\ell}{x-\ell} = k\lambda \int_{-\ell/2}^{\ell/2} \frac{d\ell}{x-\ell} = k\lambda \left[-\ln(x-\ell)\right|_{-\ell/2}^{\ell/2} \implies$

$V = k\lambda\left(-\ln\left(x - \frac{\ell}{2}\right) + \ln\left(x + \frac{\ell}{2}\right)\right) = k\lambda \ln\left(\frac{x + \frac{L}{2}}{x - \frac{L}{2}}\right)$

Comme $\lambda = \frac{Q}{\ell}$,

$V = \boxed{\frac{kQ}{L} \ln\left(\frac{x + \frac{L}{2}}{x - \frac{L}{2}}\right)}$

(b) Le potentiel en un point situé à une distance y du centre de la tige peut être calculé à partir du résultat du problème 9. Comme la tige est deux fois plus longue, on multiplie le résultat par deux et on remplace la longueur L du résultat par $\frac{L}{2}$ en rappelant que $\lambda = \frac{Q}{\ell}$:

$V = \boxed{\frac{2kQ}{L} \ln\left(\frac{\frac{L}{2} + \left(\left(\frac{L}{2}\right)^2 + y^2\right)^{1/2}}{y}\right)}$

(c) On donne une valeur aux différentes variables, on définit l'expression selon les deux axes du potentiel total et on trace le graphe demandé. Pour rester dans le domaine d'application du résultat (a), la borne inférieure est fixée à $\frac{L}{2}$:

```
> restart;
> Q:=1;
> L:=1;
> k:=1;
> Vx:='(k*Q/L)*ln((x+L/2)/(x-L/2))';
> Vy:='(2*k*Q/L)*ln((L/2+sqrt((L/2)^2+x^2))/x)';
> plot([Vx,Vy],x=L/2..2*L,color=[red,blue]);
```

Le graphe confirme que la décroissance est plus rapide dans la direction x.

P9. La figure ci-dessous reprend la figure 4.47 du manuel en montrant la variable ℓ utilisée pour décrire la position d'un élément de charge sur la tige. On utilise l'équation 4.13 avec $dq = \lambda d\ell$ et $r = \sqrt{\ell^2 + y^2}$, la distance entre un élément de charge et le point P

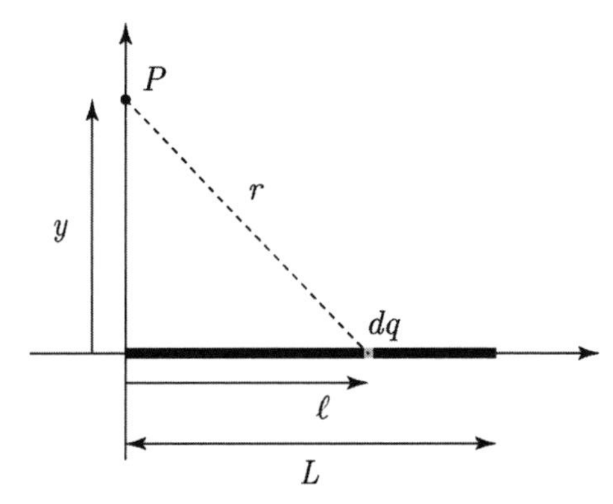

$$V = k\int \frac{dq}{r} = k\int_0^L \frac{\lambda d\ell}{\sqrt{\ell^2+y^2}} = k\lambda \left[\ln\left(\ell + \sqrt{\ell^2+y^2}\right)\right|_0^L \implies$$

$$V = k\lambda\left(\ln\left(L + \sqrt{L^2+y^2}\right) - \ln(y)\right) \implies \boxed{k\lambda \ln\left(\frac{L+\sqrt{L^2+y^2}}{y}\right)}$$

P10. Selon l'exemple 3.3 du manuel, le champ électrique mesuré à l'intérieur d'une sphère chargée uniformément est $\overrightarrow{\mathbf{E}} = \frac{kQr}{R^3}\overrightarrow{\mathbf{u}}_r$, où R est le rayon de la sphère et Q, la charge totale sur la sphère.

On sait aussi que le potentiel à la surface de la sphère $V(R)$ est donné par l'équation 4.9, soit $V(R) = \frac{kQ}{R}$.

Pour trouver la valeur du potentiel en tout point à l'intérieur de la sphère, on applique l'équation 4.14 de r à R. Comme $d\overrightarrow{\mathbf{s}} = dr\overrightarrow{\mathbf{u}}_r$,

$$V(R) - V(r) = -\int_r^R \overrightarrow{\mathbf{E}} \cdot d\overrightarrow{\mathbf{s}} = -\int_r^R \left(\frac{kQr}{R^3}\overrightarrow{\mathbf{u}}_r\right) \cdot \left(dr\overrightarrow{\mathbf{u}}_r\right) = -\int_r^R \frac{kQr}{R^3}dr \implies$$

$$V(r) = \int_r^R \frac{kQr}{R^3}dr + V(R) = \frac{kQ}{R^3}\int_r^R r\,dr + \frac{kQ}{R} = \frac{kQ}{R^3}\left[\frac{r^2}{2}\right|_r^R + \frac{kQ}{R} \implies$$

$$V(r) = \frac{kQ}{R^3}\left(\frac{R^2}{2} - \frac{r^2}{2}\right) + \frac{kQ}{R} = \frac{kQ}{2R^3}\left(R^2 - r^2 + 2R^2\right) = \boxed{\frac{kQ}{2R^3}\left(3R^2 - r^2\right)} \implies \boxed{\text{CQFD}}$$

P11. L'énergie potentielle de la sphère U correspond au travail extérieur qu'on doit accomplir pour créer l'arrangement de charges. On suppose que la charge est transportée de l'infini en quantité infinitésimale et qu'elle s'additionne à la charge déjà présente par couche ou coquille successive d'épaisseur dr, comme dans la figure ci-dessous :

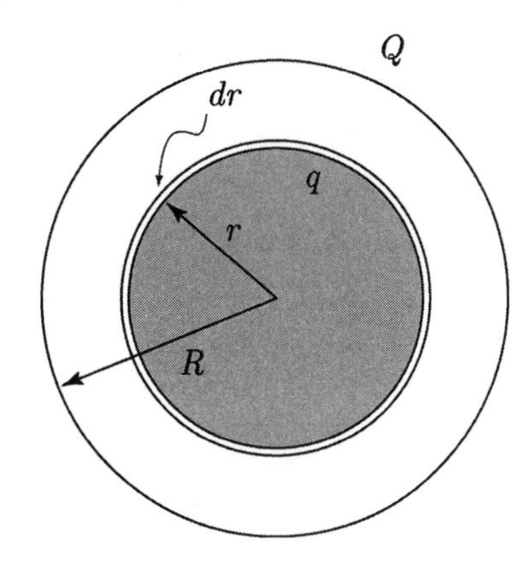

Si q est la charge déjà présente, le travail à faire correspond à $dW_{\text{EXT}} = V dq$, où V est le potentiel à la surface de la charge q déjà présente. Pour évaluer le travail total, on calcule la somme des dW_{EXT} :

$W_{\text{EXT}} = \int dW_{\text{EXT}} = \int V dq \qquad \text{(i)}$

À un moment quelconque durant l'accumulation de charge, le potentiel $V = \frac{kq}{r}$ selon l'exemple 4.8. On peut exprimer la charge q en fonction de la charge totale Q sur la sphère à partir d'un rapport de volume :

$q = \frac{\frac{4}{3}\pi r^3}{\frac{4}{3}\pi R^3}Q = \frac{r^3}{R^3}Q \qquad \text{(ii)}$

La parcelle de charge dq est le produit de la densité volumique de charge $\rho = \frac{Q}{\frac{4}{3}\pi R^3}$ et du volume associé à une coquille d'épaisseur dr; donc

$dq = \rho\left(4\pi r^2 dr\right) = \frac{Q}{\frac{4}{3}\pi R^3}\left(4\pi r^2 dr\right) = \frac{3r^2 Q}{R^3}dr \qquad \text{(iii)}$

On utilise les égalités (ii) et (iii) dans (i). On calcule l'intégrale pour r allant de 0 à R:

$W_{\text{EXT}} = \int \frac{kq}{r}dq = \int \frac{k}{r}\left(\frac{r^3}{R^3}Q\right)\left(\frac{3r^2 Q}{R^3}dr\right) = \frac{3kQ^2}{R^6}\int_0^R r^4 dr = \frac{3kQ^2}{R^6}\left[\frac{r^5}{5}\right]_0^R \implies$

$W_{\text{EXT}} = \frac{3kQ^2}{R^6}\frac{R^5}{5} \implies \boxed{U = \frac{3kQ^2}{5R}} \implies \boxed{\text{CQFD}}$

P12. (a) À l'aide de la figure 4.48, on établit le potentiel total du dipôle au point quelconque représenté :

$V = \frac{kq}{r_+} + \frac{k(-q)}{r_-} = \frac{kq}{r_+} - \frac{kq}{r_-} = kq\left(\frac{r_- - r_+}{r_+ r_-}\right) \qquad \text{(i)}$

Si $r \gg a$ et qu'on fait appel aux approximations suggérées dans la donnée,

$r_- - r_+ \approx 2a\cos\theta$ et $r_+ r_- \approx r^2$, alors l'équation (i) devient, si $p = 2aq$,

$V = kq\left(\frac{2a\cos\theta}{r^2}\right) = \frac{2kqa\cos\theta}{r^2} \implies \boxed{V = \frac{kp\cos\theta}{r^2}} \implies \boxed{\text{CQFD}}$

(b) Le potentiel dépend de θ et de r. On calcule directement les composantes du champ électrique avec les équations fournies dans l'énoncé du problème :

$$E_r = -\frac{\partial V}{\partial r} = -\frac{\partial}{\partial r}\left(\frac{kp\cos\theta}{r^2}\right) = -kp\cos\theta\frac{\partial}{\partial r}\left(\frac{1}{r^2}\right) \Longrightarrow \boxed{E_r = \frac{2kp\cos\theta}{r^3}}$$

$$E_\theta = -\frac{1}{r}\frac{\partial V}{\partial \theta} = -\frac{1}{r}\frac{\partial}{\partial \theta}\left(\frac{kp\cos\theta}{r^2}\right) = \frac{-kp}{r^3}\frac{\partial}{\partial \theta}(\cos\theta) \Longrightarrow \boxed{E_\theta = \frac{kp\sin\theta}{r^3}}$$

P13. On suppose que le dipôle est orienté selon l'axe des x; donc $\vec{\mathbf{p}} = p\,\vec{\mathbf{i}}$.

Soit $V = \frac{k\vec{\mathbf{p}}\cdot\vec{\mathbf{r}}}{r^3}$, le potentiel de ce dipôle électrique en un point éloigné. On peut exprimer ce potentiel en coordonnées cartésiennes en considérant aussi les égalités suivantes :

$\vec{\mathbf{r}} = x\,\vec{\mathbf{i}} + y\,\vec{\mathbf{j}}$

$r = \sqrt{x^2+y^2}$

De cette façon, on trouve

$$V = \frac{k\vec{\mathbf{p}}\cdot\vec{\mathbf{r}}}{r^3} = \frac{k}{(x^2+y^2)^{3/2}}\left(p\,\vec{\mathbf{i}}\right)\cdot\left(x\,\vec{\mathbf{i}} + y\,\vec{\mathbf{j}}\right) = \frac{kpx}{(x^2+y^2)^{3/2}}$$

On calcule les composantes du champ avec l'équation 4.17. Selon x,

$$E_x = -\frac{\partial V}{\partial x} = -\frac{\partial}{\partial x}\left(\frac{kpx}{(x^2+y^2)^{3/2}}\right) = -kp\left(\left(x^2+y^2\right)^{-3/2} + x\left(\frac{-3}{2}\right)\left(x^2+y^2\right)^{-5/2}(2x)\right) \Longrightarrow$$

$$E_x = \frac{-kp}{(x^2+y^2)^{5/2}}\left(\left(x^2+y^2\right) - 3x^2\right) = \frac{-kp\left(y^2-2x^2\right)}{r^5} \Longrightarrow \boxed{E_x = \frac{kp\left(2x^2-y^2\right)}{r^5}} \Longrightarrow \boxed{\text{CQFD}}$$

Selon y,

$$E_y = -\frac{\partial V}{\partial y} = -\frac{\partial}{\partial y}\left(\frac{kpx}{(x^2+y^2)^{3/2}}\right) = -kpx\left(\frac{-3}{2}\left(x^2+y^2\right)^{-5/2}(2y)\right) \Longrightarrow$$

$$E_y = \frac{3kpxy}{(x^2+y^2)^{5/2}} \Longrightarrow \boxed{E_y = \frac{3kpxy}{r^5}} \Longrightarrow \boxed{\text{CQFD}}$$

P14. On donne $\vec{\mathbf{E}} = \frac{k}{r^3}\left(3\left(\vec{\mathbf{p}}\cdot\vec{\mathbf{u}}_r\right)\vec{\mathbf{u}}_r - \vec{\mathbf{p}}\right)$

Si $\vec{\mathbf{p}} = p\,\vec{\mathbf{i}}$, $\vec{\mathbf{r}} = x\,\vec{\mathbf{i}} + y\,\vec{\mathbf{j}}$ et que $\vec{\mathbf{u}}_r = \frac{x}{r}\,\vec{\mathbf{i}} + \frac{y}{r}\,\vec{\mathbf{j}}$, alors

$$\vec{\mathbf{p}}\cdot\vec{\mathbf{u}}_r = \left(p\,\vec{\mathbf{i}}\right)\cdot\left(\frac{x}{r}\,\vec{\mathbf{i}} + \frac{y}{r}\,\vec{\mathbf{j}}\right) = \frac{px}{r}$$

$$\left(\vec{\mathbf{p}}\cdot\vec{\mathbf{u}}_r\right)\vec{\mathbf{u}}_r = \frac{px}{r}\left(\frac{x}{r}\,\vec{\mathbf{i}} + \frac{y}{r}\,\vec{\mathbf{j}}\right) = \frac{px^2}{r^2}\,\vec{\mathbf{i}} + \frac{pxy}{r^2}\,\vec{\mathbf{j}}$$

et l'expression du champ électrique devient

$$\vec{\mathbf{E}} = \frac{k}{r^3}\left(3\left(\frac{px^2}{r^2}\,\vec{\mathbf{i}} + \frac{pxy}{r^2}\,\vec{\mathbf{j}}\right) - p\,\vec{\mathbf{i}}\right) = \frac{kp}{r^5}\left(3r^2\left(\frac{x^2}{r^2}\,\vec{\mathbf{i}} + \frac{xy}{r^2}\,\vec{\mathbf{j}}\right) - r^2\,\vec{\mathbf{i}}\right) \Longrightarrow$$

$$\vec{\mathbf{E}} = \frac{kp}{r^5}\left(\left(3x^2-r^2\right)\vec{\mathbf{i}} + 3xy\,\vec{\mathbf{j}}\right) = \frac{kp}{r^5}\left(\left(3x^2-x^2-y^2\right)\vec{\mathbf{i}} + 3xy\,\vec{\mathbf{j}}\right) \Longrightarrow$$

$$\boxed{\vec{\mathbf{E}} = \frac{kp}{r^5}\left(\left(2x^2-y^2\right)\vec{\mathbf{i}} + 3xy\,\vec{\mathbf{j}}\right)} \Longrightarrow \boxed{\text{CQFD}}$$

P15. Selon le problème 14, on sait que $\vec{\mathbf{E}}_1 = \frac{k}{r^3}\left(3\left(\vec{\mathbf{p}}_1\cdot\vec{\mathbf{u}}_r\right)\vec{\mathbf{u}}_r - \vec{\mathbf{p}}_1\right)$.

On calcule

$$U = -\vec{\mathbf{p}}_2\cdot\vec{\mathbf{E}}_1 = -\vec{\mathbf{p}}_2\cdot\frac{k}{r^3}\left(3\left(\vec{\mathbf{p}}_1\cdot\vec{\mathbf{u}}_r\right)\vec{\mathbf{u}}_r - \vec{\mathbf{p}}_1\right) \Longrightarrow$$

$$U = -\frac{k}{r^3}\left(\vec{\mathbf{p}}_2\cdot\left(3\left(\vec{\mathbf{p}}_1\cdot\vec{\mathbf{u}}_r\right)\vec{\mathbf{u}}_r\right) - \vec{\mathbf{p}}_2\cdot\vec{\mathbf{p}}_1\right) \Longrightarrow$$

$$\boxed{U = \frac{k}{r^3}\left(\vec{\mathbf{p}}_1\cdot\vec{\mathbf{p}}_2 - 3\left(\vec{\mathbf{p}}_1\cdot\vec{\mathbf{u}}_r\right)\left(\vec{\mathbf{p}}_2\cdot\vec{\mathbf{u}}_r\right)\right)} \Longrightarrow \boxed{\text{CQFD}}$$

Pour les quatre calculs demandés, on donne $p_1 = p_2 = 6{,}2 \times 10^{-10}$ C·m et $r = 0{,}4$ nm. Comme dans la figure 4.48, le vecteur $\vec{\mathbf{u}}_r$ est parallèle à la droite qui relie les deux molécules de $\vec{\mathbf{p}}_1$ vers $\vec{\mathbf{p}}_2$.

(a) Les moments dipolaires sont côte à côte et parallèles; alors $\vec{\mathbf{p}}_1 \cdot \vec{\mathbf{p}}_2 = p_1 p_2$,

$\vec{\mathbf{p}}_1 \cdot \vec{\mathbf{u}}_r = \vec{\mathbf{p}}_2 \cdot \vec{\mathbf{u}}_r = 0$, et

$$U = \frac{k}{r^3}(p_1 p_2) = \frac{(9\times10^9)(6{,}2\times10^{-10})^2}{(0{,}4\times10^{-9})^3} = \boxed{5{,}41 \times 10^{-21}\text{ J}}$$

(b) Les moments dipolaires sont côte à côte et antiparallèles; alors

$\vec{\mathbf{p}}_1 \cdot \vec{\mathbf{p}}_2 = p_1 p_2 \cos(180°) = -p_1 p_2$, $\vec{\mathbf{p}}_1 \cdot \vec{\mathbf{u}}_r = \vec{\mathbf{p}}_2 \cdot \vec{\mathbf{u}}_r = 0$, et

$$U = \frac{k}{r^3}(-p_1 p_2) = -\frac{(9\times10^9)(6{,}2\times10^{-10})^2}{(0{,}4\times10^{-9})^3} = \boxed{-5{,}41 \times 10^{-21}\text{ J}}$$

(c) Les moments dipolaires sont sur la même droite et parallèles; alors

$\vec{\mathbf{p}}_1 \cdot \vec{\mathbf{p}}_2 = p_1 p_2$, $\vec{\mathbf{p}}_1 \cdot \vec{\mathbf{u}}_r = p_1$, et $\vec{\mathbf{p}}_2 \cdot \vec{\mathbf{u}}_r = p_2$, et

$$U = \frac{k}{r^3}(p_1 p_2 - 3(p_1)(p_2)) = -2\frac{k p_1 p_2}{r^3} = -2\frac{(9\times10^9)(6{,}2\times10^{-10})^2}{(0{,}4\times10^{-9})^3} = \boxed{-10{,}8 \times 10^{-21}\text{ J}}$$

(d) Les moments dipolaires sont sur la même droite et antiparallèles; alors

$\vec{\mathbf{p}}_1 \cdot \vec{\mathbf{p}}_2 = -p_1 p_2$, $\vec{\mathbf{p}}_1 \cdot \vec{\mathbf{u}}_r = p_1$, et $\vec{\mathbf{p}}_2 \cdot \vec{\mathbf{u}}_r = -p_2$, et

$$U = \frac{k}{r^3}(-p_1 p_2 + 3(p_1)(p_2)) = 2\frac{k p_1 p_2}{r^3} = 2\frac{(9\times10^9)(6{,}2\times10^{-10})^2}{(0{,}4\times10^{-9})^3} = \boxed{10{,}8 \times 10^{-21}\text{ J}}$$

P16. Le potentiel total créé par un nombre j de charges à l'endroit où se trouve la charge q_i est donné par l'équation 4.10 :

$$V_{ij} = \sum_j \frac{k q_j}{r_{ij}}$$

L'énergie potentielle associée à la charge q_i et au potentiel que créent les autres charges est donnée par l'équation 4.11 :

$$q_i V_{ij} = q_i \sum_j \frac{k q_j}{r_{ij}} = \sum_j \frac{k q_i q_j}{r_{ij}}$$

Si on reprend ce calcul pour toutes les charges, on arrive à une somme sur les indices i et j :

$$\sum_i q_i V_{ij} = \sum_i q_i \sum_j \frac{k q_j}{r_{ij}} = \sum_{i,j} \frac{k q_i q_j}{r_{ij}}$$

Si on exclut les couples i et j tels que $i = j$, ce calcul correspond exactement à l'énoncé de l'équation 4.12*b*, mais dont chacun des termes apparaît deux fois. On en conclut que

$$\boxed{\frac{1}{2}\sum_i q_i V_{ij} = \sum_{i<j} \frac{k q_i q_j}{r_{ij}}} \Longrightarrow \boxed{\text{CQFD}}$$

P17. La figure ci-dessous montre le point P de coordonnées $(x{,}0)$ et le point S, en $(0{,}y)$, où l'on cherche le potentiel total. La position d'un élément de charge sur la tige est indiquée par la variable ℓ.

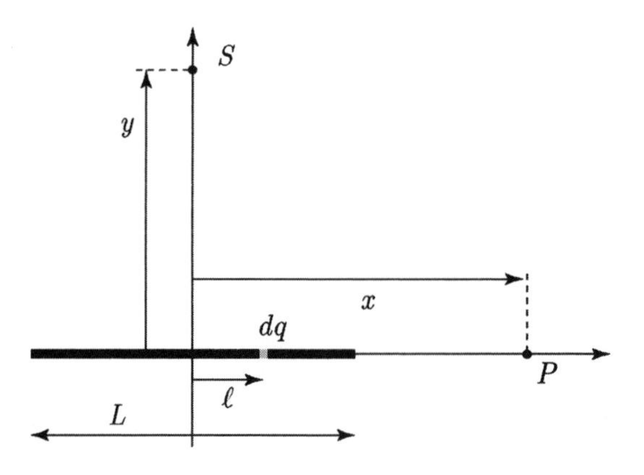

(a) On donne $\lambda = A\,|\ell|$ pour $A > 0$.

Au point P :

Comme $dq = \lambda d\ell = A\,|\ell|\,d\ell$, la charge est positive des deux côtés de l'origine. La distance entre un élément de charge quelconque et le point P est $r = x - \ell$, mais on doit séparer l'intégrale de l'équation 4.13 à cause de la valeur absolue. Lorsque $\ell > 0$, $|\ell| = \ell$ et si $\ell < 0$, alors $|\ell| = -\ell$.

$V(x) = k\int \frac{dq}{r} = k\int\limits_{-L/2}^{L/2} \frac{A|\ell|d\ell}{x-\ell} = -kA\int\limits_{-L/2}^{0} \frac{\ell d\ell}{x-\ell} + kA\int\limits_{0}^{L/2} \frac{\ell d\ell}{x-\ell} \implies$

$V(x) = -kA\left[(-\ell - x\ln(x-\ell))\right|_{-L/2}^{0} + kA\left[(-\ell - x\ln(x-\ell))\right|_{0}^{L/2} \implies$

$V(x) = -kA\left(-x\ln x - \frac{L}{2} + x\ln\left(x+\frac{L}{2}\right)\right) + kA\left(-\frac{L}{2} - x\ln\left(x-\frac{L}{2}\right) + x\ln x\right) \implies$

$V(x) = kA\left(\frac{L}{2} - x\ln\left(\frac{x+\frac{L}{2}}{x}\right)\right) + kA\left(-\frac{L}{2} - x\ln\left(\frac{x-\frac{L}{2}}{x}\right)\right) \implies$

$V(x) = kA\left(\frac{L}{2} - x\ln\left(\frac{x+\frac{L}{2}}{x}\right) - \frac{L}{2} - x\ln\left(\frac{x-\frac{L}{2}}{x}\right)\right) = kAx\ln\left(\frac{x^2}{\left(x-\frac{L}{2}\right)\left(x+\frac{L}{2}\right)}\right)$

Donc, $\boxed{\text{en } (x{,}0),\ V(x) = kAx\ln\left(\frac{x^2}{x^2-\frac{L^2}{4}}\right)}$

Au point S :

Les deux côtés de la tige contribuent de façon identique au potentiel total; on calcule donc l'intégrale uniquement pour le côté droit, où $\ell > 0$, pour $r = \sqrt{y^2+\ell^2}$:

$V(y) = k\int \frac{dq}{r} = 2k\int\limits_{0}^{L/2} \frac{A|\ell|d\ell}{\sqrt{y^2+\ell^2}} = 2kA\int\limits_{0}^{L/2} \frac{\ell d\ell}{\sqrt{y^2+\ell^2}} = 2kA\left[\sqrt{y^2+\ell^2}\right|_{0}^{L/2}$

Donc, $\boxed{\text{en } (0{,}y),\ V(y) = 2kA\sqrt{y^2+\frac{L^2}{4}}}$

(b) On donne $\lambda = A\ell$ pour $A > 0$.

Au point P :

On procède comme à la partie (a), mais sans séparer l'intégrale en deux :

$V(x) = k\int \frac{dq}{r} = k\int\limits_{-L/2}^{L/2} \frac{A\ell d\ell}{x-\ell} = kA\left[(-\ell - x\ln(x-\ell))\right|_{-L/2}^{L/2} \Longrightarrow$

$V(x) = kA\left(-\frac{L}{2} - x\ln\left(x-\frac{L}{2}\right)\right) - kA\left(\frac{L}{2} - x\ln\left(x+\frac{L}{2}\right)\right) \Longrightarrow$

$V(x) = kA\left(x\ln\left(x+\frac{L}{2}\right) - x\ln\left(x-\frac{L}{2}\right) - L\right) \Longrightarrow$

$V(x) = kA\left(x\ln\left(\frac{x+\frac{L}{2}}{x-\frac{L}{2}}\right) - L\right)$

Donc, $\boxed{\text{en } (x{,}0),\ V(x) = kAx\ln\left(\frac{2x+L}{2x-L}\right) - kAL}$

Au point S :

La charge est négative à gauche de l'origine et positive à droite. La contribution au potentiel total de ces deux charges s'annule par symétrie.

Donc, $\boxed{\text{en } (0{,}y),\ V(y) = 0}$

P18. (a) Selon le problème 8, le long de l'axe de la tige, on a

$V = \frac{kQ}{L}\ln\left(\frac{x+\frac{L}{2}}{x-\frac{L}{2}}\right)$

À partir de l'équation 4.17, selon x, on trouve

$E_x = -\frac{dV}{dx} = -\frac{d}{dx}\left(\frac{kQ}{L}\ln\left(\frac{x+\frac{L}{2}}{x-\frac{L}{2}}\right)\right) = -\frac{kQ}{L}\left(\frac{d\ln\left(x+\frac{L}{2}\right)}{dx} - \frac{d\ln\left(x-\frac{L}{2}\right)}{dx}\right) \Longrightarrow$

$E_x = -\frac{kQ}{L}\left(\frac{1}{x+\frac{L}{2}} - \frac{1}{x-\frac{L}{2}}\right) = -\frac{kQ}{L}\left(\frac{\left(x-\frac{L}{2}\right)-\left(x+\frac{L}{2}\right)}{\left(x+\frac{L}{2}\right)\left(x-\frac{L}{2}\right)}\right) = -\frac{kQ}{L}\left(\frac{-L}{x^2-\frac{L^2}{4}}\right) = \frac{kQ}{x^2-\frac{L^2}{4}} \Longrightarrow$

$E_x = \frac{4kQ}{4x^2-L^2} \Longrightarrow \vec{\mathbf{E}} = \boxed{\frac{4kQ}{4x^2-L^2}\,\vec{\mathbf{i}}}$

(b) Selon le problème 8, en un point situé au-dessus du centre de la tige, on a

$V = \frac{2kQ}{L}\ln\left(\frac{\frac{L}{2}+\left(\left(\frac{L}{2}\right)^2+y^2\right)^{1/2}}{y}\right)$

À partir de l'équation 4.17, selon y, on trouve

$E_y = -\frac{dV}{dy} = -\frac{d}{dy}\left(\frac{2kQ}{L}\ln\left(\frac{\frac{L}{2}+\left(\left(\frac{L}{2}\right)^2+y^2\right)^{1/2}}{y}\right)\right)$

Pour obtenir le résultat de cette dérivée, on définit l'expression dans le logiciel Maple et on demande de faire le calcul :

```
> restart;
> V:=(2*k*Q/L)*ln((L/2+sqrt((L/2)^2+y^2))/y);
> Ey:=-diff(V,y);
> simplify(Ey);
```

Le résultat confirme que

$\vec{\mathbf{E}} = \boxed{\frac{2kQ}{y\sqrt{L^2+4y^2}}\,\vec{\mathbf{j}}}$

P19. On reprend la solution de l'exemple 4.6 à partir de la première équation centrée :

$dV = k\frac{dq}{r} = \frac{k\sigma(2\pi x dx)}{(x^2+y^2)^{1/2}}$

et on calcule l'intégrale de l'équation 4.13 sur toute la surface du disque :

$$V = 2\pi k \int_0^a \frac{\sigma x dx}{(x^2+y^2)^{1/2}}$$

(a) Si $\sigma = Bx$ pour $B > 0$:

$$V = 2\pi k \int_0^a \frac{Bx^2 dx}{(x^2+y^2)^{1/2}} = 2\pi k B \int_0^a \frac{x^2 dx}{(x^2+y^2)^{1/2}} \Longrightarrow$$

$$V = 2\pi k B \left[\frac{x\sqrt{x^2+y^2}}{2} - \frac{1}{2}y^2 \ln\left(x + \sqrt{x^2+y^2}\right)\right]_0^a \Longrightarrow$$

$$V = 2\pi k B \left(\frac{a\sqrt{a^2+y^2}}{2} - \frac{1}{2}y^2 \ln\left(a + \sqrt{a^2+y^2}\right) - \frac{y^2}{2}\ln(y)\right) \Longrightarrow$$

$$V = \pi k B \left(a\sqrt{a^2+y^2} - y^2 \ln\left(a + \sqrt{a^2+y^2}\right) - y^2 \ln(y)\right) \Longrightarrow$$

$$V = \boxed{\pi k B \left(a\sqrt{a^2+y^2} + y^2 \ln\left(\frac{y}{a+\sqrt{a^2+y^2}}\right)\right)}$$

(b) Si $\sigma = Cx^2$ pour $C > 0$:

$$V = 2\pi k \int_0^a \frac{Cx^3 dx}{(x^2+y^2)^{1/2}} = 2\pi k C \int_0^a \frac{x^3 dx}{(x^2+y^2)^{1/2}} = 2\pi k C \left[\frac{1}{3}\left(x^2\sqrt{x^2+y^2} - 2y^2\sqrt{x^2+y^2}\right)\right]_0^a \Longrightarrow$$

$$V = \frac{2\pi k C}{3}\left(a^2\sqrt{a^2+y^2} - 2y^2\sqrt{a^2+y^2} + 2y^3\right) \Longrightarrow$$

$$V = \boxed{\frac{\pi k C}{3}\left(2a^2\sqrt{a^2+y^2} - 4y^2\sqrt{a^2+y^2} + 4y^3\right)}$$

P20. On obtient l'expression de la charge totale avec

$$Q = \int dq = \int \sigma dA = \int \sigma (2\pi x dx) = 2\pi \int_0^a \sigma x dx$$

(a) Si $\sigma = Bx$ pour $B > 0$:

$$Q = 2\pi \int_0^a Bx^2 dx = 2\pi B \frac{a^3}{3} \Longrightarrow B = \frac{3Q}{2\pi a^3}$$

et on transforme facilement le résultat du problème 19a pour obtenir

$$V = \boxed{\frac{3kQ}{2a^3}\left(a\sqrt{a^2+y^2} + y^2 \ln\left(\frac{y}{a+\sqrt{a^2+y^2}}\right)\right)}$$

(b) Si $\sigma = Cx^2$ pour $C > 0$:

$$Q = 2\pi \int_0^a Cx^3 dx = 2\pi C \frac{a^4}{4} \Longrightarrow C = \frac{2Q}{\pi a^4}$$

et on transforme facilement le résultat du problème 19b pour obtenir

$$V = \boxed{\frac{2kQ}{3a^4}\left(2a^2\sqrt{a^2+y^2} - 4y^2\sqrt{a^2+y^2} + 4y^3\right)}$$

P21. On donne $Q_1 = 1$ μC en $(0\ ,\ a)$ et $Q_2 = -1$ μC en $(0\ ,\ -a)$ pour $a = 0{,}5$ m. Le potentiel d'une charge donné en un point P quelconque est $\frac{kQ}{r}$, où r est la distance entre la charge et le point P. Si la charge est à l'origine et que le point P est dans le plan $z = 0$, cette distance correspond à $\sqrt{x^2+y^2}$. Si la charge n'est pas à l'origine mais plutôt au point $(u,\ v)$, la distance entre entre la charge et le point P est $\sqrt{(x-u)^2+(y-v)^2}$.

(a) Si on tient compte de cette correction, l'expression cartésienne du potentiel total des deux charges est

$V = \frac{kQ_1}{r_1} + \frac{kQ_2}{r_2} = \frac{kQ_1}{\sqrt{(x-a)^2+y^2}} + \frac{kQ_2}{\sqrt{(x+a)^2+y^2}} = \boxed{\frac{9000}{\sqrt{(x-0{,}5)^2+y^2}} - \frac{9000}{\sqrt{(0{,}5+x)^2+y^2}}}$

(b) On définit l'expression du potentiel et on trace le graphe demandé :

```
> restart;
> k:=9e9;
> Q:=1e-6;
> V:='k*Q/sqrt((x-0.5)^2+y^2)-k*Q/sqrt((x+0.5)^2+y^2)';
> plot3d(V,x=-1..1,y=-1..1,view=[-1..1,-1..1,-50000..50000],style=patchcontour,
  contours=20);
```

Le graphe confirme la représentation de la figure 4.11. Une version plus spectaculaire du graphe est donnée par cette ligne de commande :

```
> plot3d(V,x=-1.5..1.5,y=-1.5..1.5,view=[-1.5..1.5,-1.5..1.5,-50000..50000],
  axes=framed,contours=20,shading=xyz,lightmodel=light2,
  style=patchcontour,projection=0.9,grid=[40,40],orientation=[90,0]);
```

P22. On donne $Q_1 = 1\ \mu\text{C}$ en $(0\ ,\ a)$ et $Q_2 = 1\ \mu\text{C}$ en $(0\ ,\ -a)$ pour $a = 0{,}5$ m. On suit le même raisonnement qu'au problème 21.

(a) L'expression cartésienne du potentiel total des deux charges est

$V = \frac{kQ_1}{r_1} + \frac{kQ_2}{r_2} = \frac{kQ_1}{\sqrt{(x-a)^2+y^2}} + \frac{kQ_2}{\sqrt{(x+a)^2+y^2}} = \boxed{\frac{9000}{\sqrt{(x-0{,}5)^2+y^2}} + \frac{9000}{\sqrt{(0{,}5+x)^2+y^2}}}$

(b) On définit l'expression du potentiel et on trace le graphe demandé :

```
> restart;
> k:=9e9;
> Q:=1e-6;
> V:='k*Q/sqrt((x-0.5)^2+y^2)+k*Q/sqrt((x+0.5)^2+y^2)';
> plot3d(V,x=-1.5..1.5,y=-1.5..1.5,view=[-1.5..1.5,-1.5..1.5,-50000..50000],
  contours=20,style=patchcontour);
```

Le graphe confirme la représentation de la figure 4.12. Une version plus spectaculaire du graphe est donnée par cette ligne de commande :

```
> plot3d(V,x=-1.5..1.5,y=-1.5..1.5,view=[-1.5..1.5,-1.5..1.5,-50000..50000],
  axes=framed,contours=20,shading=xyz,lightmodel=light2,
  style=patchcontour,projection=0.9,grid=[40,40],orientation=[90,0]);
```

Chapitre 5 : Condensateurs et diélectriques

Exercices

E1. On donne $r = 0{,}06$ m, le rayon des armatures; donc $A = \pi r^2 = \pi\,(0{,}06) = 36\pi \times 10^{-4}$ m et $d = 0{,}002$ m, la distance entre les armatures.

(a) À partir de l'équation 5.3, on trouve

$$C = \frac{\varepsilon_0 A}{d} = \frac{\left(8{,}85\times10^{-12}\right)\left(36\pi\times10^{-4}\right)}{0{,}002} = 50{,}0 \times 10^{-12}\text{ F} = \boxed{50{,}0\text{ pF}}$$

(b) On donne $\Delta V = 12$ V. À partir de l'équation 5.1, on obtient

$$Q = C\Delta V = \left(50{,}0 \times 10^{-12}\right)(12) = 6{,}00 \times 10^{-10}\text{ C} = \boxed{600\text{ pC}}$$

E2. On donne $a = 0{,}5$ mm, $b = 0{,}5$ cm et $\Delta V = 24$ V.

(a) À partir de l'exemple 5.5 et de l'équation 5.6 du manuel, on trouve

$$C = \frac{2\pi\varepsilon_0 L}{\ln\left(\frac{b}{a}\right)} \Longrightarrow \frac{C}{L} = \frac{2\pi\varepsilon_0}{\ln\left(\frac{b}{a}\right)} = \frac{2\pi\left(8{,}85\times10^{-12}\right)}{\ln\left(\frac{0{,}5\times10^{-2}}{0{,}5\times10^{-3}}\right)} = \boxed{24{,}1\text{ pF/m}}$$

(b) Si $L = 2{,}5$ m, alors $C = \left(\frac{C}{L}\right)L = \left(24{,}1 \times 10^{-12}\right)(2{,}5) = 60{,}3$ pF et, selon l'équation 5.2,

$$C = \frac{Q}{\Delta V} \Longrightarrow Q = C\Delta V = \left(60{,}3 \times 10^{-12}\right)(24) = \boxed{1{,}45\text{ nC}}$$

E3. On donne $C = 240$ pF, $Q = 40$ nC et $d = 0{,}2$ mm.

(a) À partir de l'équation 5.3, on obtient

$$C = \frac{\varepsilon_0 A}{d} \Longrightarrow A = \frac{Cd}{\varepsilon_0} = \frac{\left(240\times10^{-12}\right)\left(0{,}2\times10^{-3}\right)}{8{,}85\times10^{-12}} = 5{,}42\times10^{-3}\text{ m}^2\times\left(\frac{100\text{ cm}}{1\text{ m}}\right)^2 = \boxed{54{,}2\text{ cm}^2}$$

(b) À partir de l'équation 5.2, on trouve

$$C = \frac{Q}{\Delta V} \Longrightarrow \Delta V = \frac{Q}{C} = \frac{40\times10^{-9}}{240\times10^{-12}} = \boxed{167\text{ V}}$$

(c) À partir de l'équation 4.6*c* du manuel, on obtient

$$\Delta V = Ed \Longrightarrow E = \frac{\Delta V}{d} = \frac{167}{0{,}2\times10^{-3}} = \boxed{8{,}35 \times 10^5\text{ V/m}}$$

E4. On donne $d = 0{,}8$ mm, $Q = 60$ nC et $E = 3 \times 10^4$ V/m.

(a) À partir de l'équation 4.6*c* du manuel, on trouve

$$\Delta V = Ed = \left(3 \times 10^4\right)\left(0{,}8 \times 10^{-3}\right) = \boxed{24{,}0\text{ V}}$$

(b) À partir de l'équation 5.2, on obtient

$$C = \frac{Q}{\Delta V} = \frac{60\times10^{-9}}{24{,}0} = \boxed{2{,}50\text{ nF}}$$

(c) À partir de l'équation 5.3, on trouve

$$C = \frac{\varepsilon_0 A}{d} \Longrightarrow A = \frac{Cd}{\varepsilon_0} = \frac{\left(2{,}50\times10^{-9}\right)\left(0{,}8\times10^{-3}\right)}{8{,}85\times10^{-12}} = \boxed{0{,}226\text{ m}^2}$$

E5. On donne $R_{\text{T}} = 6400$ km, $R_{\text{sphère}} = 6450$ km et $\overrightarrow{\mathbf{E}} = -100\overrightarrow{\mathbf{u}}_r$ N/C.

(a) Selon le théorème de Gauss, le champ électrique entre la surface de la Terre et la sphère ne dépend que de la charge sur la Terre. Comme le champ est dirigé vers l'intérieur, la charge doit être négative. À partir du résultat de l'exemple 3.2 et si $Q = \sigma\left(4\pi R_{\rm T}^2\right)$, la charge à la surface de la Terre, on trouve

$E = \frac{k|Q|}{R_{\rm T}^2} \implies Q = -\frac{ER_{\rm T}^2}{k} \implies \sigma\left(4\pi R_{\rm T}^2\right) = -\frac{ER_{\rm T}^2}{k} \implies \sigma = -\frac{ER_{\rm T}^2}{4\pi k R_{\rm T}^2} = -\frac{E}{4\pi k} \implies$

$\sigma = -\varepsilon_0 E = -\left(8{,}85\times10^{-12}\right)(100) = \boxed{8{,}85\times10^{-10}\ \mathrm{C/m^2}}$

(b) À partir de l'exemple 5.4 et de l'équation 5.5 du manuel, on obtient

$C = \frac{R_{\rm T}R_{\rm sphère}}{k\left(R_{\rm sphère}-R_{\rm T}\right)} = \frac{\left(6400\times10^3\right)\left(6450\times10^3\right)}{\left(9\times10^9\right)\left(50\times10^3\right)} = \boxed{91{,}7\ \mathrm{mF}}$

(c) À partir de l'exemple 5.3 et de l'équation 5.4 du manuel, on trouve

$C = 4\pi\varepsilon_0 R_{\rm T} = 4\pi\left(8{,}85\times10^{-12}\right)\left(6400\times10^3\right) = 710\ \mu\mathrm{F}$

Cette valeur est 129 fois plus petite que le résultat de la question (b). La capacité de la Terre est donc beaucoup plus faible sans la sphère conductrice.

E6. On donne $a = 1$ mm, $b = r_2$, $\lambda = 4$ nC/m et $\Delta V = V_b - V_a = -27$ V, puisque le potentiel diminue dans la direction radiale. Selon l'exemple 5.5,

$V_b - V_a = -2k\lambda\ln\left(\frac{b}{a}\right) \implies \ln\left(\frac{b}{a}\right) = \frac{V_b-V_a}{-2k\lambda} = \frac{-27}{-2\left(9\times10^9\right)\left(4\times10^{-9}\right)} = 0{,}375 \implies$

$\frac{b}{a} = e^{0{,}375} = 1{,}45 \implies r_2 = 1{,}45a = \boxed{1{,}45\ \mathrm{mm}}$

E7. On reprend la figure 5.22 en numérotant les plaques. On suppose que le côté gauche du condensateur est branché au côté positif de la pile.

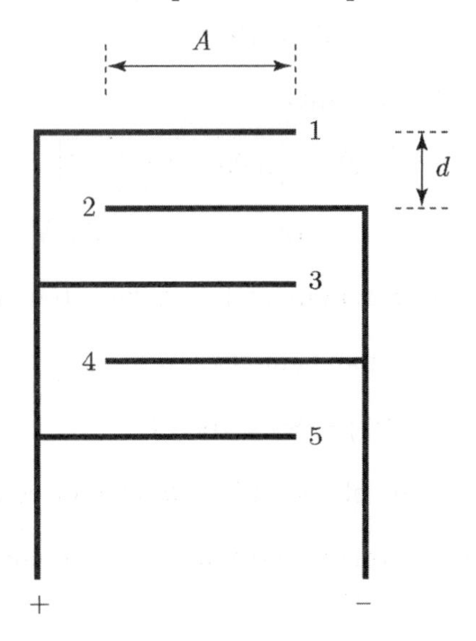

À cause de l'induction et parce que le champ électrique doit être nul à l'intérieur de chacune des plaques conductrices, une charge Q apparaît de part et d'autre de la plaque 3 et une charge $-Q$ de chaque côté des plaques 2 et 4. Avec la charge Q qui apparaît au bas de la plaque 1 et en haut de la plaque 5, on obtient une charge totale de $\pm 4Q$ de part et d'autre du système.

Pour une paire de plaques ij, la capacité est $C_{ij} = \frac{\varepsilon_0 A}{d} = \frac{Q}{\Delta V}$; donc la capacité totale est

$C = \frac{4Q}{\Delta V} = 4\frac{Q}{\Delta V} = 4C_{ij} = \boxed{\frac{4\varepsilon_0 A}{d}}$

E8. On donne $C = 24$ pF et $A = 0{,}06$ m^2. Le module du champ disruptif est

$E_{\text{max}} = 3 \times 10^6$ V/m.

(a) À partir de l'équation 5.3, on trouve

$C = \frac{\varepsilon_0 A}{d} \Longrightarrow d = \frac{\varepsilon_0 A}{C} = \frac{(8{,}85 \times 10^{-12})(0{,}06)}{24 \times 10^{-12}} = 0{,}0221$ m

À partir de l'équation 4.6c du manuel, on obtient

$\Delta V_{\text{max}} = E_{\text{max}} d = (3 \times 10^6)(0{,}0221) = \boxed{6{,}63 \times 10^4 \text{ V}}$

(b) À partir de l'équation 5.1, on trouve

$Q = C\Delta V = (24 \times 10^{-12})(6{,}63 \times 10^4) = \boxed{1{,}59\ \mu\text{C}}$

E9. On donne $N = 10^{12}$ électrons et $\Delta V = 20$ V. La charge Q associée à ce transfert d'électrons est $Q = Ne = (10^{12})(1{,}6 \times 10^{-19}) = 1{,}6 \times 10^{-7}$ C.

À partir de l'équation 5.2, on trouve

$C = \frac{Q}{\Delta V} = \frac{1{,}6 \times 10^{-7}}{20} = \boxed{8{,}00 \text{ nF}}$

E10. On donne $R_1 = 0{,}15$ m, $R_2 = 0{,}20$ m et $\Delta V = 12$ V.

À partir de l'exemple 5.4 et de l'équation 5.5 du manuel, on obtient

$C = \frac{R_1 R_2}{k(R_2 - R_1)} = \frac{(0{,}15)(0{,}20)}{(9 \times 10^9)(0{,}05)} = 6{,}67 \times 10^{-11}$ F

À partir de l'équation 5.1, on trouve

$Q = C\Delta V = (6{,}67 \times 10^{-11})(12) = \boxed{8{,}00 \times 10^{-10} \text{ C}}$

E11. On donne $C_1 = 4\ \mu$F, $C_2 = 6\ \mu$F et $\Delta V_0 = 20$ V, la différence de potentiel de la pile à laquelle on branche initialement le condensateur C_1. La charge Q_{10} initialement accumulée sur C_1 est donnée par l'équation 5.1 :

$Q_{10} = C_1 \Delta V_0 = (4 \times 10^{-6})(20) = 80 \times 10^{-6}$ C

Si on débranche C_1 de la pile et qu'on le branche au condensateur C_2 vide, la situation à l'équilibre correspond à ce que montre la figure qui suit :

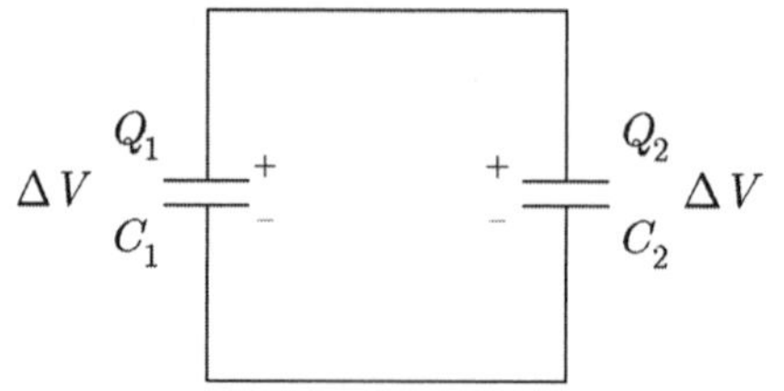

Q_1 ΔV C_1 + −   + − Q_2 ΔV C_2

Comme on l'a montré à la section 4.5 du manuel, tout le haut et tout le bas du circuit formé des deux condensateurs deviennent des équipotentielles à l'équilibre. Une quantité exacte de charge est donc transférée de C_1 à C_2 pour que la différence de potentiel de chacun des condensateurs soit la même, à une nouvelle valeur ΔV. Ainsi, selon l'équation 5.2,

$\Delta V = \frac{Q_1}{C_1} = \frac{Q_2}{C_2}$ (i)

où Q_1 et Q_2 sont les valeurs finales de charge sur chaque condensateur. Comme la charge totale correspond à la charge initiale sur C_1,

$Q_1 + Q_2 = Q_{10}$ (ii)

On résout les équations (i) et (ii) et on trouve

$\boxed{Q_1 = 32{,}0\ \mu\text{C}}$ et $\boxed{Q_2 = 48{,}0\ \mu\text{C}}$

et finalement $\Delta V = \frac{Q_1}{C_1} = \frac{32{,}0\times10^{-6}}{4\times10^{-6}} = 8{,}00\ \text{V} \Longrightarrow \boxed{\Delta V_1 = \Delta V_2 = 8{,}00\ \text{V}}$

E12. Si on suit le même raisonnement qu'à l'exercice 7, cet arrangement de sept armatures est équivalent à six condensateurs dont la capacité est donnée par $C = \frac{6\varepsilon_0 A}{d}$, où $d = 1$ mm mais où A correspond à la portion de la surface des plaques qui se superpose pour différentes valeurs de θ. La figure ci-dessous montre comment obtenir A :

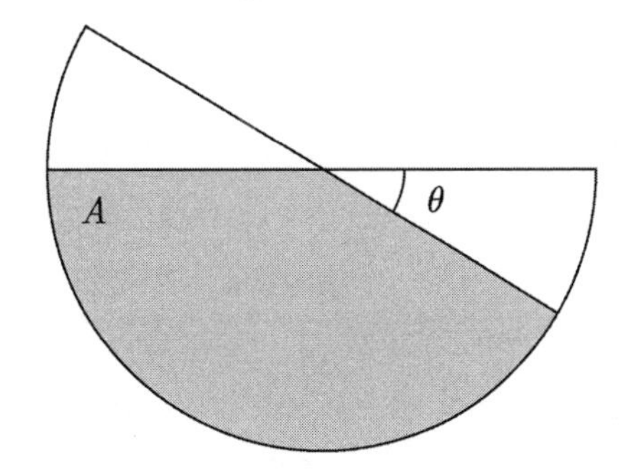

Si $R = 0{,}02$ m, on trouve A en retranchant à l'aire d'un demi-cercle l'aire du secteur d'angle θ :

$A = \frac{\pi R^2}{2} - \pi R^2 \left(\frac{\theta}{360°}\right) = \frac{\pi R^2}{2}\left(1 - \frac{\theta}{180°}\right)$

et l'expression de la capacité devient

$C = \frac{6\pi\varepsilon_0 R^2}{2d}\left(1 - \frac{\theta}{180°}\right) = \frac{6\pi\left(8{,}85\times10^{-12}\right)(0{,}02)^2}{2(1\times10^{-3})}\left(1 - \frac{\theta}{180°}\right) = 33{,}4\left(1 - \frac{\theta}{180°}\right)\ \text{pF}$

(a) Si $\theta = 0°$:

$C = 33{,}4\left(1 - \frac{0°}{180°}\right)\ \text{pF} = \boxed{33{,}4\ \text{pF}}$

(b) Si $\theta = 45°$:

$C = 33{,}4\left(1 - \frac{45°}{180°}\right)\ \text{pF} = \boxed{25{,}1\ \text{pF}}$

(c) Si $\theta = 135°$:

$C = 33{,}4\left(1 - \frac{135°}{180°}\right)\ \text{pF} = \boxed{8{,}35\ \text{pF}}$

E13. On donne $R_1 = 0{,}03$ m, $R_2 = 0{,}11$ m et $\Delta V = 5$ V.

(a) À partir de l'exemple 5.4 et de l'équation 5.5 du manuel, on trouve

$$C = \frac{R_1 R_2}{k(R_2 - R_1)} = \frac{(0{,}03)(0{,}11)}{(9\times10^9)(0{,}08)} = \boxed{4{,}58 \text{ pF}}$$

(b) À partir de l'équation 5.1, on obtient

$$Q = C\Delta V = \left(4{,}58\times10^{-12}\right)(5) = 2{,}29\times10^{-11} \text{ C}$$

Le nombre N d'électrons qui doivent être transférés pour créer cette charge est donné par :

$$N = \frac{Q}{e} = \frac{2{,}29\times10^{-11}}{1{,}6\times10^{-19}} = \boxed{1{,}43\times10^{8}} \text{ électrons}$$

E14. On donne $C_1 = 0{,}1$ μF, $C_2 = 0{,}25$ μF et $\Delta V = 12$ V

(a) Si les condensateurs sont branchés en série, la capacité équivalente est donné par l'équation 5.7 du manuel :

$$\frac{1}{C_{\text{éq}}} = \frac{1}{C_1} + \frac{1}{C_2} \implies C_{\text{éq}} = \left(\frac{1}{C_1} + \frac{1}{C_2}\right)^{-1} = \left(\frac{1}{(0{,}1\times10^{-6})} + \frac{1}{(0{,}25\times10^{-6})}\right)^{-1} = 0{,}0714\ \mu\text{F}$$

La charge sur le condensateur équivalent est donnée par l'équation 5.1 :

$$Q = C_{\text{éq}}\Delta V = \left(0{,}0714\times10^{-6}\right)(12) = 0{,}857\ \mu\text{C}$$

Comme les condensateurs sont branchés en série, $\boxed{Q_1 = Q_2 = 0{,}857\ \mu\text{C}}$

La différence de potentiel sur chaque condensateur est obtenue par l'équation 5.2 :

$$C_1 = \frac{Q_1}{\Delta V_1} \implies \Delta V_1 = \frac{Q_1}{C_1} = \frac{0{,}857\times10^{-6}}{0{,}1\times10^{-6}} \implies \boxed{\Delta V_1 = 8{,}57 \text{ V}}$$

$$C_2 = \frac{Q_2}{\Delta V_2} \implies \Delta V_2 = \frac{Q_2}{C_2} = \frac{0{,}857\times10^{-6}}{0{,}25\times10^{-6}} \implies \boxed{\Delta V_2 = 3{,}43 \text{ V}}$$

(b) Si les condensateurs sont branchés en parallèle, la différence de potentiel est la même pour chaque condensateur et $\boxed{\Delta V_1 = \Delta V_2 = 12{,}0 \text{ V}}$

La charge sur chaque condensateur est donnée par l'équation 5.1 :

$$Q_1 = C_1\Delta V_1 = \left(0{,}1\times10^{-6}\right)(12{,}0) \implies \boxed{Q_1 = 1{,}20\ \mu\text{C}}$$

$$Q_2 = C_2\Delta V_2 = \left(0{,}25\times10^{-6}\right)(12{,}0) \implies \boxed{Q_2 = 3{,}00\ \mu\text{C}}$$

E15. La figure qui suit reprend la figure 5.24*a*. Les condensateurs ont été numérotés pour simplifier les écritures. La figure montre comment on passe du circuit actuel à celui qui ne contient que le condensateur équivalent :

C_2 C_1 C_3 ⇒ C_a C_3 ⇒ $C_{\text{éq}}$

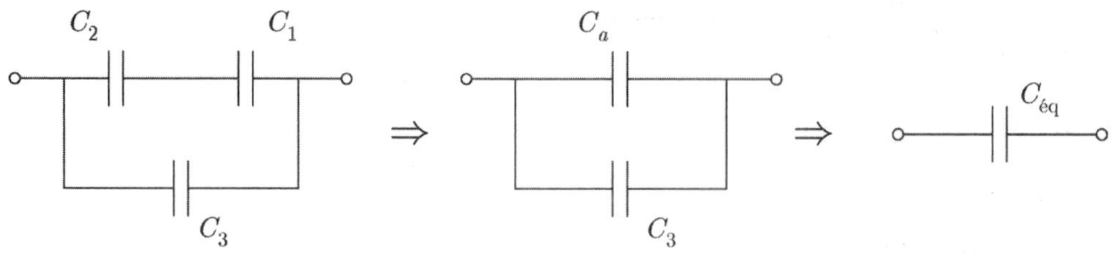

On donne $C_2 = 4\ \mu$F, $C_3 = 10\ \mu$F, $C_{\text{éq}} = 12{,}4\ \mu$F; la valeur du condensateur C_1 est inconnue. À partir de la figure, on voit que le condensateur $C_{\text{éq}}$ remplace C_a et C_3 en parallèle; donc :

$$C_{\text{éq}} = C_a + C_3 \implies C_a = C_{\text{éq}} - C_3 = \left(12{,}4 \times 10^{-6}\right) - \left(10{,}0 \times 10^{-6}\right) = 2{,}4\ \mu\text{F}$$

Le condensateur C_a remplace C_1 et C_2 en série, ainsi

$$\frac{1}{C_a} = \frac{1}{C_1} + \frac{1}{C_2} \implies \frac{1}{C_1} = \frac{1}{C_a} - \frac{1}{C_2} \implies C_1 = \left(\frac{1}{C_a} - \frac{1}{C_2}\right)^{-1} = \left(\frac{1}{2{,}4 \times 10^{-6}} - \frac{1}{4{,}0 \times 10^{-6}}\right)^{-1} \implies$$

$$C_1 = \boxed{6{,}00\ \mu\text{F}}$$

E16. La figure qui suit reprend la figure 5.24*b*. Les condensateurs ont été numérotés pour simplifier les écritures. La figure montre comment on passe du circuit actuel à celui qui ne contient que le condensateur équivalent :

On donne $C_1 = 4\ \mu$F, $C_3 = 2\ \mu$F, $C_{\text{éq}} = 2{,}77\ \mu$F; la valeur du condensateur C_2 est inconnue. À partir de la figure, on voit que le condensateur $C_{\text{éq}}$ remplace C_a et C_1 en série; donc :

$$\frac{1}{C_{\text{éq}}} = \frac{1}{C_1} + \frac{1}{C_a} \implies \frac{1}{C_a} = \frac{1}{C_{\text{éq}}} - \frac{1}{C_1} \implies$$

$$C_1 = \left(\frac{1}{C_{\text{éq}}} - \frac{1}{C_1}\right)^{-1} = \left(\frac{1}{2{,}77 \times 10^{-6}} - \frac{1}{4{,}0 \times 10^{-6}}\right)^{-1} \implies$$

$$C_a = 9{,}01\ \mu\text{F}$$

Le condensateur C_a remplace C_2 et C_3 en parallèle; ainsi

$$C_a = C_2 + C_3 \implies C_2 = C_a - C_3 = \left(9{,}01 \times 10^{-6}\right) - \left(2{,}00 \times 10^{-6}\right) = \boxed{7{,}01\ \mu\text{F}}$$

E17. On donne $C_1 = C_2 = C_3 = C_4 = 10\ \mu$F.

(a) On veut que $C_{\text{éq}} = 4\ \mu$F. La figure qui suit donne la réponse :

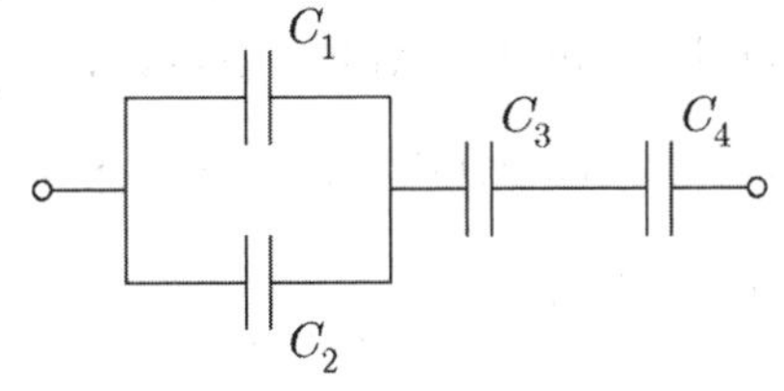

On laisse le soin à l'élève de vérifier par un calcul qu'il s'agit de la bonne réponse.

(b) On veut que $C_{\text{éq}} = 2{,}5\ \mu$F. La figure qui suit donne la réponse :

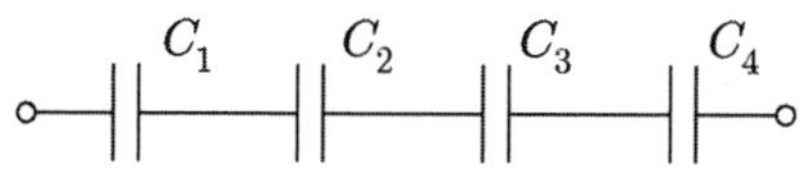

On laisse le soin à l'élève de vérifier par un calcul qu'il s'agit de la bonne réponse.

E18. Tous les condensateurs ont la même valeur $C = 1\ \mu\text{F}$. On raisonne à partir de la figure 5.25.

Les trois condensateurs de la branche de droite sont en série; on les remplace par C_a :

$\frac{1}{C_a} = \frac{1}{C} + \frac{1}{C} + \frac{1}{C} \implies \frac{1}{C_a} = 3\frac{1}{C} \implies C_a = \frac{1}{3}C = 0{,}333\ \mu\text{F}$

Le condensateur C_a est en parallèle avec le condensateur de la branche verticale de droite.

On remplace ces deux condensateurs par C_b :

$C_b = C_a + C = 1{,}333\ \mu\text{F}$

Le nouveau condensateur C_b est à nouveau en série avec deux condensateurs C :

$\frac{1}{C_c} = \frac{1}{C_b} + \frac{1}{C} + \frac{1}{C} \implies C_c = \left(\frac{1}{C_b} + 2\frac{1}{C}\right)^{-1} = 0{,}364\ \mu\text{F}$

Et C_c est à nouveau en parallèle avec le condensateur de la branche verticale de gauche :

$C_d = C_c + C = 1{,}364\ \mu\text{F}$

Finalement, C_d est en série avec les deux derniers condensateurs et

$\frac{1}{C_{\text{éq}}} = \frac{1}{C_d} + \frac{1}{C} + \frac{1}{C} \implies C_{\text{éq}} = \left(\frac{1}{C_d} + 2\frac{1}{C}\right)^{-1} = \boxed{0{,}366\ \mu\text{F}}$

E19. On donne $C_1 = 2\ \mu\text{F}$, $C_2 = 4\ \mu\text{F}$ et $\Delta V_0 = 18$ V, la différence de potentiel de la pile à laquelle on branche initialement les deux condensateurs en série.

On doit chercher la charge initiale que porte chaque condensateur. Comme ils sont branchés en série,

$\frac{1}{C_{\text{éq}}} = \frac{1}{C_1} + \frac{1}{C_2} \implies C_{\text{éq}} = \left(\frac{1}{C_1} + \frac{1}{C_2}\right)^{-1} = \left(\frac{1}{2\times10^{-6}} + \frac{1}{4\times10^{-6}}\right)^{-1} = 1{,}333\ \mu\text{F}$

Et la charge sur chaque condensateur est donnée par l'équation 5.1 :

$Q_{10} = Q_{20} = C_{\text{éq}}\Delta V = \left(1{,}333 \times 10^{-6}\right)(18) = 24{,}0\ \mu\text{C}$

On débranche les deux condensateurs et on les branche en reliant les armatures de même signe. Comme à l'exercice 11, il doit y avoir déplacement de charges pour que la différence de potentiel finale de chacun des condensateurs soit la même. La situation à l'équilibre est décrite par la figure qui suit :

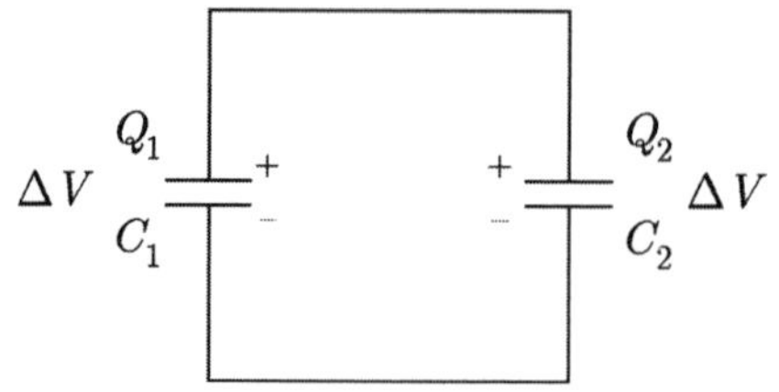

La différence de potentiel finale ΔV n'est pas la même que ΔV_0. Sa valeur est donnée par l'équation 5.2 :

$\Delta V = \frac{Q_1}{C_1} = \frac{Q_2}{C_2}$ (i)

où Q_1 et Q_2 sont les valeurs finales de charge sur chaque condensateur. Puisqu'on a relié les armatures de même signe, la charge totale ne change pas et correspond à la charge initiale sur C_1 et C_2:

$Q_1 + Q_2 = Q_{10} + Q_{20} = 48{,}0\ \mu\text{C}$ (ii)

On résout les équations (i) et (ii) et on trouve

$\boxed{Q_1 = 16{,}0\ \mu\text{C}}$ et $\boxed{Q_2 = 32{,}0\ \mu\text{C}}$

et finalement $\Delta V = \frac{Q_1}{C_1} = \frac{16{,}0\times10^{-6}}{2\times10^{-6}} = 8{,}00\ \text{V} \Longrightarrow \boxed{\Delta V_1 = \Delta V_2 = 8{,}00\ \text{V}}$

E20. On donne $C_1 = 2\ \mu\text{F}$, $C_2 = 6\ \mu\text{F}$ et $\Delta V_0 = 60\ \text{V}$, la différence de potentiel de la pile à laquelle on branche initialement les deux condensateurs en parallèle.

On doit chercher la charge initiale que porte chaque condensateur. Comme ils sont branchés en parallèle, ils ont la même différence de potentiel ΔV_0 et, selon l'équation 5.1,

$Q_{10} = C_1\Delta V_0 = \left(2 \times 10^{-6}\right)(60) = 120\ \mu\text{C}$

$Q_{20} = C_2\Delta V_0 = \left(6 \times 10^{-6}\right)(60) = 360\ \mu\text{C}$

On débranche les deux condensateurs et on les branche en reliant les armatures de signes contraires. Comme à l'exercice 11, la différence de potentiel finale de chacun des condensateurs doit être la même. Toutefois, comme on branche les condensateurs en mettant en contact des armatures portant des charges de signes contraires, le déplacement de charges va d'abord servir à éliminer l'une des deux charges. Ensuite, la charge qui reste se redistribue afin que la différence de potentiel soit la même pour les deux condensateurs. La figure qui suit résume comment on passe à l'équilibre :

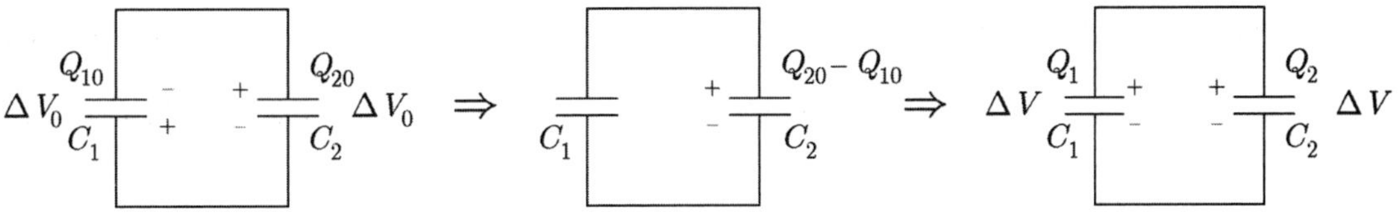

La différence de potentiel finale ΔV n'est pas la même que ΔV_0. Sa valeur est donnée par l'équation 5.2 :

$\Delta V = \frac{Q_1}{C_1} = \frac{Q_2}{C_2}$ (i)

où Q_1 et Q_2 sont les valeurs finales de charge sur chaque condensateur. Puisqu'on a relié les armatures de signes contraires ensemble et que $Q_{20} > Q_{10}$, la charge totale qui reste correspond à

$Q_1 + Q_2 = Q_{20} - Q_{10} = 240{,}0\ \mu\text{C}$ (ii)

On résout les équations (i) et (ii) et on trouve

$\boxed{Q_1 = 60{,}0\ \mu\text{C}}$ et $\boxed{Q_2 = 180\ \mu\text{C}}$

et finalement $\Delta V = \frac{Q_1}{C_1} = \frac{60{,}0\times10^{-6}}{2\times10^{-6}} = 30{,}0\ \text{V} \implies \boxed{\Delta V_1 = \Delta V_2 = 30{,}0\ \text{V}}$

E21. On donne $C_1 = 3\ \mu\text{F}$, $\Delta V_{10} = 12\ \text{V}$, $C_2 = 5\ \mu\text{F}$ et $\Delta V_{20} = 10\ \text{V}$. On calcule la charge initiale sur chaque condensateur avec l'équation 5.1 :

$Q_{10} = C_1\Delta V_0 = \left(3\times10^{-6}\right)(12) = 36\ \mu\text{C}$

$Q_{20} = C_2\Delta V_0 = \left(5\times10^{-6}\right)(10) = 50\ \mu\text{C}$

(a) Si on branche les deux condensateurs en reliant ensemble les armatures de même signe, la situation est similaire à celle de l'exercice 19. Une charge totale correspondant à la somme $Q_{10} + Q_{20}$ se redistribue pour que la différence de potentiel finale soit la même sur les deux condensateurs. Les deux équations à utiliser sont

$\Delta V = \frac{Q_1}{C_1} = \frac{Q_2}{C_2}$ (i)

et

$Q_1 + Q_2 = Q_{10} + Q_{20} = 86{,}0\ \mu\text{C}$ (ii)

où Q_1 et Q_2 sont les valeurs finales de charge sur chaque condensateur. On résout les équations (i) et (ii) et on trouve

$\boxed{Q_1 = 32{,}2\ \mu\text{C}}$ et $\boxed{Q_2 = 53{,}8\ \mu\text{C}}$

et finalement $\Delta V = \frac{Q_2}{C_2} = \frac{53{,}8\times10^{-6}}{5\times10^{-6}} = 10{,}8\ \text{V} \implies \boxed{\Delta V_1 = \Delta V_2 = 10{,}8\ \text{V}}$

(b) Si on branche les deux condensateurs en reliant ensemble les armatures de signes contraires, la situation est similaire à celle de l'exercice 20. Comme $Q_{20} > Q_{10}$, une charge totale correspondant à la différence $Q_{20} - Q_{10}$ se redistribue pour que la différence de potentiel finale soit la même sur les deux condensateurs. Les deux équations à utiliser sont :

$\Delta V = \frac{Q_1}{C_1} = \frac{Q_2}{C_2}$ (i)

et

$Q_1 + Q_2 = Q_{20} - Q_{10} = 14{,}0\ \mu\text{C}$ (ii)

où Q_1 et Q_2 sont les valeurs finales de charge sur chaque condensateur. On résout les équations (i) et (ii) et on trouve

$\boxed{Q_1 = 5{,}25\ \mu\text{C}}$ et $\boxed{Q_2 = 8{,}75\ \mu\text{C}}$

et finalement $\Delta V = \frac{Q_1}{C_1} = \frac{5{,}25\times10^{-6}}{3\times10^{-6}} = 1{,}75\ \text{V} \Longrightarrow \boxed{\Delta V_1 = \Delta V_2 = 1{,}75\ \text{V}}$

E22. On donne $C_1 = 1\ \mu$F, $C_2 = 2\ \mu$F et $C_3 = 4\ \mu$F. Si on inclut les valeurs individuelles, il existe $\boxed{\text{17 possibilités}}$ de branchement des trois condensateurs. On laisse le soin à l'élève de trouver ces 17 circuits en lui fournissant la valeur des 17 capacités équivalentes :

$C_{\text{éq}} = 1{,}00\ \mu\text{F},\ 2{,}00\ \mu\text{F},\ 4{,}00\ \mu\text{F},\ 0{,}667\ \mu\text{F},\ 0{,}800\ \mu\text{F},\ 1{,}33\ \mu\text{F},\ 0{,}571\ \mu\text{F},\ 3{,}00\ \mu\text{F},$

$5{,}00\ \mu\text{F},\ 6{,}00\ \mu\text{F},\ 7{,}00\ \mu\text{F},\ 4{,}67\ \mu\text{F},\ 2{,}80\ \mu\text{F},\ 2{,}33\ \mu\text{F},\ 1{,}72\ \mu\text{F},\ 1{,}43\ \mu\text{F},\ 0{,}857\ \mu\text{F}$

E23. On donne $U_E = 100$ MeV et $\Delta V = 12$ V. En joules, l'énergie à emmagasiner correspond à $U_E = (100\ \text{MeV}) \times \left(\frac{1{,}602\times10^{-19}\ \text{J}}{1\ \text{eV}}\right) = 1{,}6 \times 10^{-11}$ J.

À partir de l'équation 5.9, on trouve

$$U_E = \frac{1}{2}C\Delta V^2 \Longrightarrow C = \frac{2U_E}{\Delta V^2} = \frac{2\left(1{,}6\times10^{-11}\right)}{(12)^2} = \boxed{0{,}222\ \text{pF}}$$

E24. On donne $C_1 = C_2 = 50\ \mu$F et $\Delta V = 20$ V, la différence de potentiel de la pile à laquelle on branche initialement les deux condensateurs.

(a) Si les condensateurs sont branchés en parallèle, alors

$$C_{\text{éq}} = C_1 + C_2 = 100\ \mu\text{F}$$

Et l'énergie emmagasinée est donnée par l'équation 5.9 :

$$U_E = \frac{1}{2}C_{\text{éq}}\Delta V^2 = \frac{1}{2}\left(100 \times 10^{-6}\right)(20)^2 = \boxed{0{,}0200\ \text{J}}$$

(b) Si les condensateurs sont branchés en série, alors

$$\frac{1}{C_{\text{éq}}} = \frac{1}{C_1} + \frac{1}{C_2} \Longrightarrow C_{\text{éq}} = \left(2\frac{1}{C_1}\right)^{-1} = \frac{C_1}{2} = 25{,}0\ \mu\text{F}$$

Et l'énergie emmagasinée est donnée par l'équation 5.9 :

$$U_E = \frac{1}{2}C_{\text{éq}}\Delta V^2 = \frac{1}{2}\left(25 \times 10^{-6}\right)(20)^2 = \boxed{5{,}00\ \text{mJ}}$$

E25. On donne $A = 40\ \text{cm}^2 = 40 \times 10^{-4}\ \text{m}^2$, $d = 2{,}5$ mm et $\Delta V = 24$ V.

(a) À partir de l'équation 5.3, on trouve

$$C = \frac{\varepsilon_0 A}{d} = \frac{\left(8{,}85\times10^{-12}\right)\left(40\times10^{-4}\right)}{0{,}0025} = \boxed{14{,}2\ \text{pF}}$$

(b) À partir de l'équation 5.9, on obtient

$$U_E = \frac{1}{2}C\Delta V^2 = \frac{1}{2}\left(14{,}2 \times 10^{-12}\right)(24)^2 = \boxed{4{,}09\ \text{nJ}}$$

(c) À partir de l'équation 4.6*c* du manuel, on trouve

$$\Delta V = Ed \Longrightarrow E = \frac{\Delta V}{d} = \frac{24}{0{,}0025} = \boxed{9{,}60 \times 10^3\ \text{V/m}}$$

(d) À partir de l'équation 5.10, on obtient

$$u_E = \frac{1}{2}\varepsilon_0 E^2 = \frac{1}{2}\left(8{,}85 \times 10^{-12}\right)\left(9{,}60 \times 10^3\right)^2 = \boxed{4{,}08 \times 10^{-4}\ \text{J/m}^3}$$

E26. On donne $d = 0{,}6$ mm, $Q = 0{,}03$ μC et $E = 4 \times 10^5$ V/m.

(a) On combine les équations 5.2 et 4.6c du manuel :

$C = \frac{Q}{\Delta V} = \frac{Q}{Ed} = \frac{0{,}03 \times 10^{-6}}{(4 \times 10^5)(0{,}0006)} = \boxed{125 \text{ pF}}$

(b) À partir de l'équation 5.9, on trouve

$U_E = \frac{Q^2}{2C} = \frac{\left(0{,}03 \times 10^{-6}\right)^2}{2(125 \times 10^{-12})} = \boxed{3{,}60\ \mu\text{J}}$

E27. On donne $C = 400$ pF, $d = 1{,}2$ mm et $\Delta V = 250$ V.

On combine les équations 5.10 et 4.6c du manuel :

$u_E = \frac{1}{2}\varepsilon_0 E^2 = \frac{1}{2}\varepsilon_0^2 \left(\frac{\Delta V}{d}\right)^2 = \frac{1}{2}\left(8{,}85 \times 10^{-12}\right)\left(\frac{250}{0{,}0012}\right)^2 = \boxed{0{,}192 \text{ J/m}^3}$

E28. On donne $C_1 = 3$ μF, $C_2 = 5$ μF et $\Delta V = 20$ V, la différence de potentiel de la pile à laquelle on branche initialement les deux condensateurs.

(a) Si on branche les condensateurs en parallèle, chacun subit la même différence de potentiel et l'énergie emmagasinée correspond à

$U_1 = \frac{1}{2}C_1 \Delta V^2 = \frac{1}{2}\left(3 \times 10^{-6}\right)(20)^2 \Longrightarrow \boxed{U_1 = 0{,}600 \text{ mJ}}$

$U_2 = \frac{1}{2}C_2 \Delta V^2 = \frac{1}{2}\left(5 \times 10^{-6}\right)(20)^2 \Longrightarrow \boxed{U_2 = 1{,}00 \text{ mJ}}$

(b) Si on les branche en série, on doit d'abord trouver la charge sur chacun des condensateurs. On a

$\frac{1}{C_{\text{éq}}} = \frac{1}{C_1} + \frac{1}{C_2} \Longrightarrow C_{\text{éq}} = \left(\frac{1}{C_1} + \frac{1}{C_2}\right)^{-1} = \left(\frac{1}{3 \times 10^{-6}} + \frac{1}{5 \times 10^{-6}}\right)^{-1} = 1{,}88\ \mu\text{F}$

et la charge identique sur chaque condensateur est $Q_1 = Q_2 = C_{\text{éq}}\Delta V = 37{,}6$ μC. L'énergie emmagasinée correspond à :

$U_1 = \frac{Q_1^2}{2C_1} = \frac{\left(37{,}6 \times 10^{-6}\right)^2}{2(3 \times 10^{-6})} \Longrightarrow \boxed{U_1 = 0{,}234 \text{ mJ}}$

$U_1 = \frac{Q_2^2}{2C_2} = \frac{\left(37{,}6 \times 10^{-6}\right)^2}{2(5 \times 10^{-6})} \Longrightarrow \boxed{U_2 = 0{,}141 \text{ mJ}}$

E29. On donne $C_1 = 2$ μF, $C_2 = 5$ μF et $\Delta V_0 = 20$ V, la différence de potentiel de la pile à laquelle on branche initialement les deux condensateurs en série.

On doit chercher la charge initiale que porte chaque condensateur. Comme ils sont branchés en série,

$\frac{1}{C_{\text{éq}}} = \frac{1}{C_1} + \frac{1}{C_2} \Longrightarrow C_{\text{éq}} = \left(\frac{1}{C_1} + \frac{1}{C_2}\right)^{-1} = \left(\frac{1}{2 \times 10^{-6}} + \frac{1}{5 \times 10^{-6}}\right)^{-1} = 1{,}43\ \mu\text{F}$

Et la charge sur chaque condensateur est donnée par l'équation 5.1 :

$Q_{10} = Q_{20} = C_{\text{éq}}\Delta V = \left(1{,}43 \times 10^{-6}\right)(20) = 28{,}6\ \mu\text{C}$

On calcule maintenant l'énergie initialement emmagasinée sur chaque condensateur :

$U_{10} = \frac{Q_{10}^2}{2C_1} = \frac{\left(28{,}6 \times 10^{-6}\right)^2}{2(2 \times 10^{-6})} \Longrightarrow \boxed{U_{10} = 204\ \mu\text{J}}$

$U_{20} = \frac{Q_{20}^2}{2C_2} = \frac{(28{,}6\times10^{-6})^2}{2(5\times10^{-6})} \implies \boxed{U_{20} = 81{,}8\ \mu\text{J}}$

Si on branche les deux condensateurs en reliant ensemble les armatures de même signe, la situation est similaire à celle de l'exercice 19. Une charge totale correspondant à la somme $Q_{10} + Q_{20}$ se redistribue pour que la différence de potentiel finale soit la même sur les deux condensateurs. Les deux équations à utiliser sont

$\Delta V = \frac{Q_1}{C_1} = \frac{Q_2}{C_2}$ (i)

et

$Q_1 + Q_2 = Q_{10} + Q_{20} = 57{,}2\ \mu\text{C}$ (ii)

où Q_1 et Q_2 sont les valeurs finales de charge sur chaque condensateur. On résout les équations (i) et (ii) et on trouve $Q_1 = 16{,}34\ \mu\text{C}$ et $Q_2 = 40{,}86\ \mu\text{C}$, ce qui permet de calculer l'énergie emmagasinée à la fin sur chaque condensateur :

$U_1 = \frac{Q_1^2}{2C_1} = \frac{(16{,}34\times10^{-6})^2}{2(2\times10^{-6})} \implies \boxed{U_1 = 66{,}7\ \mu\text{J}}$

$U_2 = \frac{Q_2^2}{2C_2} = \frac{(40{,}86\times10^{-6})^2}{2(5\times10^{-6})} \implies \boxed{U_2 = 167\ \mu\text{J}}$

E30. On donne $C_1 = 2\ \mu\text{F}$, $C_2 = 5\ \mu\text{F}$ et $\Delta V_0 = 40$ V. Puisque les condensateurs sont branchés en parallèle, leur différence de potentiel est la même à ΔV_0, et on calcule directement la charge initiale sur chaque condensateur avec l'équation 5.1 :

$Q_{10} = C_1\Delta V_0 = (2\times10^{-6})(40) = 80\ \mu\text{C}$

$Q_{20} = C_2\Delta V_0 = (5\times10^{-6})(40) = 200\ \mu\text{C}$

On calcule maintenant l'énergie initialement emmagasinée sur chaque condensateur :

$U_{10} = \frac{Q_{10}^2}{2C_1} = \frac{(80\times10^{-6})^2}{2(2\times10^{-6})} \implies \boxed{U_{10} = 1{,}60\ \text{mJ}}$

$U_{20} = \frac{Q_{20}^2}{2C_2} = \frac{(200\times10^{-6})^2}{2(5\times10^{-6})} \implies \boxed{U_{20} = 4{,}00\ \text{mJ}}$

Si on branche les deux condensateurs en reliant ensemble les armatures de signes contraires, la situation est similaire à celle de l'exercice 20. Comme $Q_{20} > Q_{10}$, une charge totale correspondant à la différence $Q_{20} - Q_{10}$ se redistribue pour que la différence de potentiel finale soit la même sur les deux condensateurs. Les deux équations à utiliser sont

$\Delta V = \frac{Q_1}{C_1} = \frac{Q_2}{C_2}$ (i)

et

$Q_1 + Q_2 = Q_{20} - Q_{10} = 120\ \mu\text{C}$ (ii)

où Q_1 et Q_2 sont les valeurs finales de charge sur chaque condensateur. On résout les équations (i) et (ii) et on trouve $Q_1 = 34{,}3\ \mu\text{C}$ et $Q_2 = 85{,}7\ \mu\text{C}$, ce qui permet de calculer l'énergie emmagasinée à la fin sur chaque condensateur :

$$U_1 = \frac{Q_1^2}{2C_1} = \frac{\left(34{,}3\times10^{-6}\right)^2}{2(2\times10^{-6})} \implies \boxed{U_1 = 0{,}294 \text{ mJ}}$$

$$U_2 = \frac{Q_2^2}{2C_2} = \frac{\left(85{,}7\times10^{-6}\right)^2}{2(5\times10^{-6})} \implies \boxed{U_2 = 0{,}735 \text{ mJ}}$$

E31. La figure qui suit reprend la figure 5.26. Les condensateurs ont été numérotés pour simplifier les écritures.

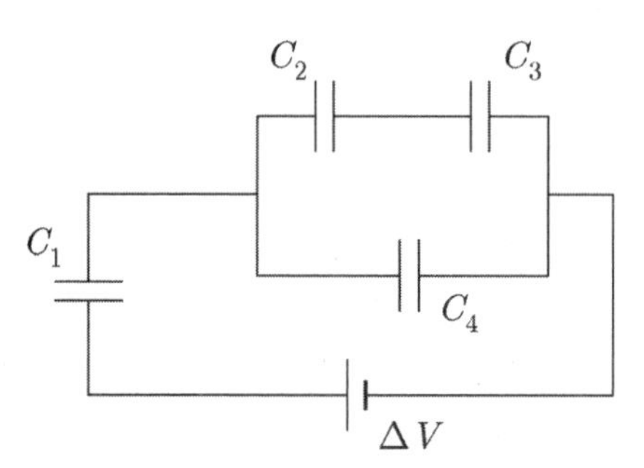

On donne $C_1 = 5\ \mu$F, $C_2 = 2\ \mu$F, $C_3 = 4\ \mu$F, $C_4 = 12\ \mu$F et $\Delta V = 20$ V. Avant de pouvoir évaluer l'énergie emmagasinée, on doit connaître la charge sur les deux condensateurs concernés. Pour y arriver, on doit calculer la capacité équivalente de l'ensemble.

Les condensateurs C_2 et C_3 sont en série. Le condensateur C_a qui les remplace a pour valeur

$$\frac{1}{C_a} = \frac{1}{C_2} + \frac{1}{C_3} \implies C_a = \left(\frac{1}{C_2} + \frac{1}{C_3}\right)^{-1} = \left(\frac{1}{2\times10^{-6}} + \frac{1}{4\times10^{-6}}\right)^{-1} = 1{,}333\ \mu\text{F}$$

Les condensateurs C_a et C_4 sont en parallèles. Le condensateur C_b qui les remplace a pour valeur

$$C_b = C_a + C_4 = \left(1{,}333 \times 10^{-6}\right) + \left(12 \times 10^{-6}\right) = 13{,}33\ \mu\text{F}$$

Finalement, les condensateurs C_1 et C_b sont en série et le condensateur $C_{\text{éq}}$ équivalent à tout le circuit a pour valeur

$$\frac{1}{C_{\text{éq}}} = \frac{1}{C_1} + \frac{1}{C_b} \implies C_{\text{éq}} = \left(\frac{1}{C_1} + \frac{1}{C_b}\right)^{-1} = \left(\frac{1}{5\times10^{-6}} + \frac{1}{13{,}33\times10^{-6}}\right)^{-1} = 3{,}64\ \mu\text{F}$$

(a) Comme C_1 est en série avec C_b, sa charge, ou celle de C_b, a pour valeur

$$Q_1 = C_{\text{éq}}\Delta V = \left(3{,}64 \times 10^{-6}\right)(20) = 72{,}8 \times 10^{-6} \text{ C}$$

L'énergie emmagasinée par ce condensateur est donnée par l'équation 5.9 :

$$U_1 = \frac{Q_1^2}{2C_1} = \frac{\left(72{,}8\times10^{-6}\right)^2}{2(5\times10^{-6})} \implies U_1 = \boxed{530\ \mu\text{J}}$$

(b) Afin de répondre à la question, on doit *remonter* à la charge sur le condensateur C_3. La différence de potentiel ΔV_b aux bornes du condensateur C_b peut être calculée parce que la charge sur ce condensateur est la même que celle sur C_1 :

$$Q_b = Q_1 = C_b\Delta V_b \implies \Delta V_b = \frac{Q_b}{C_b} = \frac{72{,}8\times10^{-6}}{13{,}33\times10^{-6}} = 5{,}46 \text{ V}$$

Mais le condensateur C_b remplace C_a et C_4, qui sont en parallèle; donc $\Delta V_a = \Delta V_b$. On peut alors calculer la charge sur C_a :

$Q_a = C_a \Delta V_a = (1{,}333 \times 10^{-6})\,(5{,}46) = 7{,}28 \times 10^{-6}$ C

Finalement, comme C_a remplace C_2 et C_3 qui sont en série, ces deux derniers condensateurs portent la même charge que C_a et l'énergie emmagasinée sur C_3 peut être calculée :

$U_3 = \frac{Q_3^2}{2C_3} = \frac{(7{,}28 \times 10^{-6})^2}{2(4 \times 10^{-6})} \Longrightarrow U_3 = \boxed{6{,}62\ \mu\text{J}}$

E32. On donne $C = 5$ pF, $\Delta V = 25$ V et $A = 40$ cm$^3 = 40 \times 10^{-4}$ m^2.

(a) On calcule l'énergie emmagasinée avec l'équation 5.9 :

$U_E = \frac{1}{2} C \Delta V^2 = \frac{1}{2}\,(5 \times 10^{-12})\,(25)^2 = \boxed{1{,}56\ \text{nJ}}$

(b) Le module du champ électrique entre les armatures du condensateur est donné par l'équation 2.18, $E = \frac{|\sigma|}{\varepsilon_0}$, mais ici $\sigma = \frac{Q}{A}$, de sorte que $E = \frac{Q}{A\varepsilon_0}$. Comme $Q = C\Delta V$, alors $E = \frac{C\Delta V}{A\varepsilon_0}$ et l'équation 5.10 qui donne la densité d'énergie s'écrit

$u_E = \frac{1}{2}\varepsilon_0 E^2 = \frac{1}{2}\varepsilon_0 \left(\frac{C\Delta V}{A\varepsilon_0}\right)^2 = \frac{C^2 \Delta V^2}{2A^2 \varepsilon_0} = \frac{(5 \times 10^{-12})^2 (25)^2}{2(40 \times 10^{-4})^2 (8{,}85 \times 10^{-12})} = \boxed{55{,}2\ \mu\text{J/m}^3}$

E33. (a) Le bloc placé entre les deux armatures est conducteur. Si une charge $\pm Q$ apparaît sur chacune des armatures du condensateur, une charge induite apparaît sur chacune des faces du bloc. Pour maintenir le champ électrique nul à l'intérieur du bloc, cette charge induite doit avoir la même valeur que celle qui apparaît sur les armatures du condensateur. Ce système est équivalent à deux condensateurs C_s en série.

Chacun de ces condensateurs C_s possède une aire A, et la distance entre ses armatures est réduite à $d_\text{s} = \frac{d-\ell}{2}$ si le bloc métallique est à mi-chemin. La capacité de chacun des nouveaux condensateurs C_s est donnée par l'équation 5.3 :

$C_\text{s} = \frac{\varepsilon_0 A}{d_\text{s}} = \frac{\varepsilon_0 A}{\frac{d-\ell}{2}} = \frac{2\varepsilon_0 A}{d-\ell}$

La capacité équivalente de l'ensemble est

$\frac{1}{C_\text{éq}} = \frac{1}{C_\text{s}} + \frac{1}{C_\text{s}} = \frac{2}{C_\text{s}} \Longrightarrow C_\text{éq} = \frac{C_\text{s}}{2} = \boxed{\frac{\varepsilon_0 A}{d-\ell}}$

(b) Si on déplace le bloc et qu'il vient en contact avec l'une des armatures du condensateur, le système est équivalent à un seul condensateur d'aire A et d'épaisseur $d-\ell$. La capacité équivalente est obtenue directement par l'équation 5.3 :

$C_\text{éq} = \frac{\varepsilon_0 A}{d-\ell}$

On note qu'il n'y a $\boxed{\text{aucun changement}}$ par rapport à la réponse de la question (a). On pourrait montrer que la capacité équivalente conserve la même valeur quelle que soit la position du bloc.

E34. Branché à une différence de potentiel ΔV, le condensateur possède une capacité C_{i} avec une distance $d_{\text{i}} = d$ entre ses armatures. Parce que $d_{\text{f}} = 2d$, la capacité du condensateur est modifiée pour C_{f}.

(a) Si le condensateur reste branché à la pile, la différence de potentiel entre ses armatures n'est pas affectée :

$$\boxed{\Delta V_{\text{f}} = \Delta V_{\text{i}} = \Delta V}$$

(b) On a $C_{\text{i}} = \frac{\varepsilon_0 A}{d_{\text{i}}} = \frac{\varepsilon_0 A}{d}$ et $C_{\text{f}} = \frac{\varepsilon_0 A}{d_{\text{f}}} = \frac{\varepsilon_0 A}{2d}$. Le rapport entre les charges est obtenu par l'équation 5.1 :

$$\frac{Q_{\text{f}}}{Q_{\text{i}}} = \frac{C_{\text{f}} \Delta V}{C_{\text{i}} \Delta V} = \frac{C_{\text{f}}}{C_{\text{i}}} = \frac{\frac{\varepsilon_0 A}{2d}}{\frac{\varepsilon_0 A}{d}} = \frac{1}{2} \implies \boxed{Q_{\text{f}} = \frac{1}{2} Q_{\text{i}}}$$

(c) Le rapport entre les énergies emmagasinée est obtenu par l'équation 5.9 :

$$\frac{U_{\text{f}}}{U_{\text{i}}} = \frac{\frac{1}{2} C_{\text{f}} \Delta V^2}{\frac{1}{2} C_{\text{i}} \Delta V^2} = \frac{C_{\text{f}}}{C_{\text{i}}} = \frac{\frac{\varepsilon_0 A}{2d}}{\frac{\varepsilon_0 A}{d}} = \frac{1}{2} \implies \boxed{U_{\text{f}} = \frac{1}{2} U_{\text{i}}}$$

E35. On a $C_{\text{i}} = \frac{\varepsilon_0 A}{d_{\text{i}}} = \frac{\varepsilon_0 A}{d}$ et $C_{\text{f}} = \frac{\varepsilon_0 A}{d_{\text{f}}} = \frac{\varepsilon_0 A}{2d}$

(a) On charge le condensateur alors qu'il possède une capacité C_{i} sur une pile ΔV. On le débranche et on sépare les armatures pour passer à C_{f}. Dans cette situation, c'est la charge sur le condensateur qui reste constante. Sa valeur est Q et le rapport entre les différences de potentiel est donné par l'équation 5.2 :

$$\frac{\Delta V_{\text{f}}}{\Delta V_{\text{i}}} = \frac{\frac{Q}{C_{\text{f}}}}{\frac{Q}{C_{\text{i}}}} = \frac{C_{\text{i}}}{C_{\text{f}}} = \frac{\frac{\varepsilon_0 A}{d}}{\frac{\varepsilon_0 A}{2d}} = 2 \implies \boxed{\Delta V_{\text{f}} = 2 \Delta V_{\text{i}}}$$

(b) La charge sur le condensateur reste constante, $\boxed{Q_{\text{f}} = Q_{\text{i}}}$

(c) Le rapport entre les énergies emmagasinée est obtenu par l'équation 5.9 :

$$\frac{U_{\text{f}}}{U_{\text{i}}} = \frac{\frac{Q^2}{2C_{\text{f}}}}{\frac{Q^2}{2C_{\text{i}}}} = \frac{C_{\text{i}}}{C_{\text{f}}} = \frac{\frac{\varepsilon_0 A}{d}}{\frac{\varepsilon_0 A}{2d}} = 2 \implies \boxed{U_{\text{f}} = 2 U_{\text{i}}}$$

E36. La figure qui suit reprend la figure 5.28. On numérote les condensateurs pour simplifier les écritures.

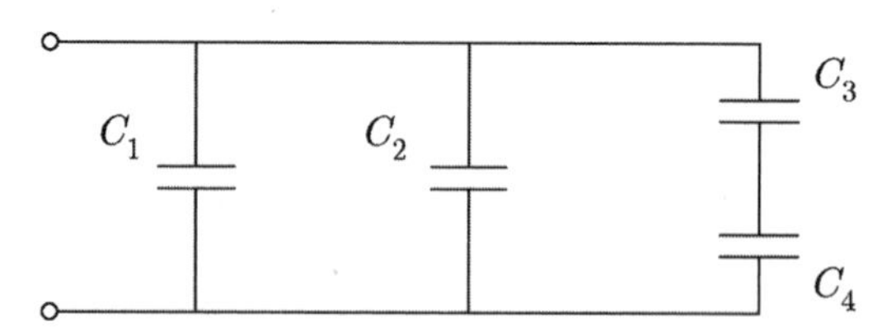

On donne $C_1 = 4\ \mu\text{F}$, $C_2 = 5\ \mu\text{F}$, $C_3 = 3\ \mu\text{F}$, $C_4 = 6\ \mu\text{F}$ et $U_2 = 200$ mJ. Avant de pouvoir répondre à la question, on doit utiliser l'énergie emmagasinée dans C_2 pour trouver la différence de potentiel entre ses armatures. À partir de l'équation 5.9, on trouve

$$U_2 = \frac{1}{2} C_2 \Delta V_2^2 \implies \Delta V_2 = \sqrt{\frac{2U_2}{C_2}} = \sqrt{\frac{2(200 \times 10^{-3})}{5 \times 10^{-6}}} = 282{,}8\ \text{V}$$

(a) Comme C_2 et C_1 sont branchés en parallèle, $\Delta V_1 = \Delta V_2$, et l'énergie emmagasinée dans C_1 est

$U_1 = \frac{1}{2}C_1\Delta V_1^2 = \frac{1}{2}\left(4\times10^{-6}\right)(282{,}8)^2 = \boxed{160\text{ mJ}}$

(b) Les condensateurs C_3 et C_4 sont en série et le condensateur C_a qui leur est équivalent a pour valeur

$\frac{1}{C_a} = \frac{1}{C_3} + \frac{1}{C_4} \Longrightarrow C_a = \left(\frac{1}{C_3}+\frac{1}{C_4}\right)^{-1} = \left(\frac{1}{3\times10^{-6}}+\frac{1}{6\times10^{-6}}\right)^{-1} = 2{,}00\ \mu\text{F}$

Comme C_a est en parallèle avec C_2, il subit la même différence de potentiel et la charge sur C_a a pour valeur

$Q_a = C_a\Delta V_a = \left(2\times10^{-6}\right)(282{,}8) = 5{,}66\times10^{-4}\text{ C}$

Comme C_3 et C_4 sont en série, $Q_3 = Q_a$ et l'énergie sur C_3 est

$U_3 = \frac{Q_3^2}{2C_3} = \frac{\left(5{,}66\times10^{-4}\right)^2}{2(3\times10^{-6})} = \boxed{53{,}4\text{ mJ}}$

E37. On donne $E = 4{,}5\times10^8$ V/m. À partir de l'équation 5.10, on trouve

$u_E = \frac{1}{2}\varepsilon_0E^2 = \frac{1}{2}\left(8{,}85\times10^{-12}\right)(4{,}5\times10)^2 = \boxed{8{,}96\times10^5\text{ J/m}^3}$

E38. On donne $E = 120$ V/m et $L = 10$ m, l'arête d'un cube. L'énergie contenue dans un certain volume correspond à la densité d'énergie u_E multipliée par le volume :

$U_E = u_EL^3 = \frac{1}{2}\varepsilon_0E^2L^3 = \frac{1}{2}\left(8{,}85\times10^{-12}\right)(120)^2(10)^3 = \boxed{63{,}7\ \mu\text{J}}$

E39. On donne $d = 1$ mm et $u_E = 1{,}8\times10^{-4}$ J/m^3. On calcule d'abord le module du champ électrique :

$u_E = \frac{1}{2}\varepsilon_0E^2 \Longrightarrow E = \sqrt{\frac{2u_E}{\varepsilon_0}} = \sqrt{\frac{2(1{,}8\times10^{-4})}{8{,}85\times10^{-12}}} = 6{,}38\times10^3\text{ V/m}$

Et la différence de potentiel s'obtient au moyen de l'équation 4.6*c* :

$\Delta V = Ed = \left(6{,}38\times10^3\right)\left(1{,}00\times10^{-3}\right) = \boxed{6{,}38\text{ V}}$

E40. On donne $C = 15$ pF, $\Delta V = 48$ V et $A = 80\text{ cm}^2 = 80\times10^{-4}\text{ m}^2$. Le module du champ électrique entre les armatures du condensateur est donné par l'équation 2.18, $E = \frac{|\sigma|}{\varepsilon_0}$, mais ici $\sigma = \frac{Q}{A}$, de sorte que $E = \frac{Q}{A\varepsilon_0}$. Comme $Q = C\Delta V$, $E = \frac{C\Delta V}{A\varepsilon_0}$ et l'équation 5.10 qui donne la densité d'énergie s'écrit

$u_E = \frac{1}{2}\varepsilon_0E^2 = \frac{1}{2}\varepsilon_0\left(\frac{C\Delta V}{A\varepsilon_0}\right)^2 = \frac{C^2\Delta V^2}{2A^2\varepsilon_0} = \frac{\left(15\times10^{-12}\right)^2(48)^2}{2(80\times10^{-4})^2(8{,}85\times10^{-12})} = \boxed{4{,}58\times10^{-4}\ \mu\text{J/m}^3}$

E41. Ce système est équivalent à deux condensateurs en parallèle. Dans la figure 5.29, le condensateur de gauche C_g possède des armatures d'aire $\frac{A}{2}$ séparées d'une distance d et entre lesquelles se trouve un diélectrique κ_1. Le condensateur de droite C_d a les mêmes caractéristiques, sauf pour le diélectrique de constante κ_2. La capacité équivalente C de ces deux condensateurs est, d'après les équations 5.13 et 5.3 :

$$C = C_g + C_d = \frac{\kappa_1 \varepsilon_0 \left(\frac{A}{2}\right)}{d} + \frac{\kappa_2 \varepsilon_0 \left(\frac{A}{2}\right)}{d} = (\kappa_1 + \kappa_2) \frac{\varepsilon_0 A}{2d} = \frac{1}{2} (\kappa_1 + \kappa_2) \frac{\varepsilon_0 A}{d}$$

La capacité du même condensateur sans les diélectriques est $C_0 = \frac{\varepsilon_0 A}{d}$; donc

$$C = \boxed{\frac{1}{2} (\kappa_1 + \kappa_2) C_0}$$

E42. Ce système est équivalent à deux condensateurs en série. Dans la figure 5.30, le condensateur du haut C_h possède des armatures d'aire A séparées d'une distance $\frac{d}{2}$ et entre lesquelles se trouve un diélectrique κ_1. Le condensateur du bas C_b a les mêmes caractéristiques, sauf pour le diélectrique de constante κ_2. La capacité équivalente C de ces deux condensateurs est, d'après les équations 5.13 et 5.3 :

$$\frac{1}{C} = \frac{1}{C_h} + \frac{1}{C_b} \Longrightarrow C = \left(\frac{1}{\frac{\kappa_1 \varepsilon_0 A}{\frac{d}{2}}} + \frac{1}{\frac{\kappa_2 \varepsilon_0 A}{\frac{d}{2}}} \right)^{-1} = \left(\frac{d}{2\kappa_1 \varepsilon_0 A} + \frac{d}{2\kappa_2 \varepsilon_0 A} \right)^{-1} \Longrightarrow$$

$$C = \left(\frac{d}{2\varepsilon_0 A} \left(\frac{1}{\kappa_1} + \frac{1}{\kappa_2} \right) \right)^{-1} = \left(\frac{d}{2\varepsilon_0 A} \left(\frac{\kappa_1 + \kappa_2}{\kappa_1 \kappa_2} \right) \right)^{-1} = \frac{2\varepsilon_0 A}{d} \left(\frac{\kappa_1 \kappa_2}{\kappa_1 + \kappa_2} \right)$$

La capacité du même condensateur sans les diélectriques est $C_0 = \frac{\varepsilon_0 A}{d}$; donc

$$C = \boxed{2 \left(\frac{\kappa_1 \kappa_2}{\kappa_1 + \kappa_2} \right) C_0}$$

E43. On donne $d = 1$ cm, $\ell = 0{,}3$ cm, $\sigma = 2$ nC/m^2, $\kappa = 5$ et $A = 40\text{ cm}^2 = 40 \times 10^{-4}\text{ m}^2$. Cette situation a déjà été traitée dans l'exemple 5.11, où on a démontré que $C = \frac{\varepsilon_0 A}{d + \ell\left(\frac{1}{\kappa} - 1\right)}$.

(a) On sait que $Q = \sigma A$. On calcule ensuite la différence de potentiel avec l'équation 5.2 :

$$C = \frac{Q}{\Delta V} \Longrightarrow \Delta V = \frac{Q}{C} = \frac{\sigma A}{\frac{\varepsilon_0 A}{d + \ell\left(\frac{1}{\kappa} - 1\right)}} = \frac{\sigma\left(d + \ell\left(\frac{1}{\kappa} - 1\right)\right)}{\varepsilon_0} = \frac{(2 \times 10^{-9})\left(0{,}01 + 0{,}003\left(\frac{1}{5} - 1\right)\right)}{8{,}85 \times 10^{-12}} = \boxed{1{,}72\text{ V}}$$

(b) $C = \frac{\varepsilon_0 A}{d + \ell\left(\frac{1}{\kappa} - 1\right)} = \frac{(8{,}85 \times 10^{-12})(40 \times 10^{-4})}{0{,}01 + 0{,}003\left(\frac{1}{5} - 1\right)} = \boxed{4{,}66\text{ pF}}$

E44. On donne $C_0 = 0{,}1$ μF, la capacité du condensateur sans le diélectrique, $\Delta V = 12$ V et $\kappa = 4$.

La charge initiale que porte le condensateur est

$$Q_\text{i} = C_0 \Delta V = \left(0{,}1 \times 10^{-6}\right)(12) = 1{,}20 \times 10^{-6}\text{ C}$$

Si le condensateur reste branché à la pile, la charge finale est

$$Q_\text{f} = \kappa C_0 \Delta V = 4\left(0{,}1 \times 10^{-6}\right)(12) = 4{,}80 \times 10^{-6}\text{ C}$$

De sorte que

$$\Delta Q = Q_\text{f} - Q_\text{i} = \boxed{3{,}60\ \mu\text{C}}$$

E45. On donne $C = 50$ pF et $d = 0{,}1$ mm. Comme il s'agit du mica, alors $\kappa = 6$ selon le tableau 5.1 et $E_\text{max} = 150 \times 10^6$ V/m, la valeur de sa rigidité diélectrique.

(a) Selon les équations 5.3 et 5.13,

$C = \frac{\kappa\varepsilon_0 A}{d} \Longrightarrow A = \frac{Cd}{\kappa\varepsilon_0} = \frac{(50\times10^{-12})(0{,}1\times10^{-3})}{6(8{,}85\times10^{-12})} = 0{,}942 \times 10^{-4}\ \mathrm{m}^2 = \boxed{0{,}942\ \mathrm{cm}^2}$

(b) À partir de l'équation 4.6c, on trouve

$\Delta V_{\max} = E_{\max} d = \left(150 \times 10^6\right)\left(0{,}1 \times 10^{-3}\right) = \boxed{15{,}0\ \mathrm{kV}}$

E46. (a) On donne $C = 1{,}5C_0 \Longrightarrow \kappa = \boxed{1{,}50}$

(b) La charge n'est pas modifiée, donc $Q = Q_0$ et on donne $\Delta V = 0{,}75\Delta V_0$. Alors

$C = \frac{Q}{\Delta V} = \frac{Q_0}{0{,}75\Delta V_0} = 1{,}33\frac{Q_0}{V_0} = 1{,}33C_0 \Longrightarrow \kappa = \boxed{1{,}33}$

(c) La différence de potentiel n'est pas modifiée, donc $\Delta V = \Delta V_0$ et on donne $Q = 2Q_0$. Alors

$C = \frac{Q}{\Delta V} = \frac{2Q_0}{\Delta V_0} = 2\frac{Q_0}{V_0} = 2C_0 \Longrightarrow \kappa = \boxed{2{,}00}$

E47. On donne $C = 4{,}2$ pF et $\Delta V = 1000$ V.

(a) À partir de l'équation 5.4, on obtient

$C = 4\pi\varepsilon_0 R \Longrightarrow R = \frac{C}{4\pi\varepsilon_0} = kC = \left(9 \times 10^9\right)\left(4{,}2 \times 10^{-12}\right) = \boxed{3{,}78\ \mathrm{cm}}$

(b) $Q = C\Delta V$ et

$\sigma = \frac{Q}{4\pi R^2} = \frac{C\Delta V}{4\pi R^2} = \frac{(4{,}2\times10^{-12})(1000)}{4\pi(3{,}78\times10^{-2})^2} = \boxed{234\ \mathrm{nC/m^2}}$

E48. On donne $C = 6$ pF, $d = 4$ mm et $A = \pi R^2$, qui correspond à l'aire de chaque plaque. Alors

$C = \frac{\varepsilon_0 A}{d} = \frac{\varepsilon_0(\pi R^2)}{d} \Longrightarrow R = \sqrt{\frac{Cd}{\pi\varepsilon_0}} = \sqrt{\frac{(6\times10^{-12})(4\times10^{-3})}{\pi(8{,}85\times10^{-12})}} = \boxed{2{,}94\ \mathrm{cm}}$

E49. On donne $\Delta V = 12$ V et $\sigma = 15\ \mathrm{nC/m^2}$. Comme $Q = \sigma A$, alors

$C = \frac{Q}{\Delta V} = \frac{\varepsilon_0 A}{d} \Longrightarrow \frac{\sigma A}{\Delta V} = \frac{\varepsilon_0 A}{d} \Longrightarrow d = \frac{\varepsilon_0 \Delta V}{\sigma} = \frac{(8{,}85\times10^{-12})(12)}{15\times10^{-9}} = \boxed{7{,}08\ \mathrm{mm}}$

E50. On donne $C = 15$ pF, $L = 0{,}12$ m et $b = 0{,}7$ cm.

(a) Selon l'équation 5.6,

$C = \frac{2\pi\varepsilon_0 L}{\ln\left(\frac{b}{a}\right)} \Longrightarrow \ln\left(\frac{b}{a}\right) = \frac{2\pi\varepsilon_0 L}{C} \Longrightarrow \frac{b}{a} = e^{\frac{2\pi\varepsilon_0 L}{C}} \Longrightarrow a = be^{-\frac{2\pi\varepsilon_0 L}{C}} \Longrightarrow$

$a = \left(0{,}7 \times 10^{-2}\right) e^{-\frac{2\pi\left(8{,}85\times10^{-12}\right)(0{,}12)}{15\times10^{-12}}} = \boxed{0{,}449\ \mathrm{cm}}$

(b) On donne $\Delta V = 24$ V. Par définition, $\lambda = \frac{Q}{L}$, mais $Q = C\Delta V$, donc

$\lambda = \frac{Q}{L} = \frac{C\Delta V}{L} = \frac{(15\times10^{-12})(24)}{0{,}12} = \boxed{3{,}00\ \mathrm{nC/m}}$

E51. On donne $C_1 = 20\ \mu\mathrm{F}$, $\Delta V_0 = 26$ V, la différence de potentiel initiale du condensateur C_1, et $\Delta V = 16$ V, la différence de potentiel finale de C_1 et C_2. On cherche la charge initiale sur C_1 :

$Q_{10} = C_1\Delta V_0 = \left(20 \times 10^{-6}\right)(26) = 520 \times 10^{-6}$ C

Cette situation est similaire à celle de l'exercice 11. Lorsqu'on branche le condensateur C_1

à C_2, une partie de la charge se déplace vers le second condensateur pour que la différence de potentiel finale soit la même pour les deux condensateurs. Les deux équations à utiliser sont

$\Delta V = \frac{Q_1}{C_1} = \frac{Q_2}{C_2}$ (i)

et

$Q_1 + Q_2 = Q_{10} = 520\ \mu\text{C}$ (ii)

où Q_1 et Q_2 sont les valeurs finales de charge sur chaque condensateur. Sachant que $\Delta V = 16$ V, on trouve d'abord $Q_1 = 320\ \mu\text{C}$ à partir de l'équation (i) et, à partir de l'équation (ii), $Q_2 = 200\ \mu\text{C}$. Ce résultat permet de calculer la capacité du deuxième condensateur :

$C_2 = \frac{Q_2}{\Delta V} = \frac{200\times10^{-6}}{16} = \boxed{12{,}5\ \mu\text{F}}$

E52. On donne $C = 50\ \mu\text{F}$ et $\Delta V = 240$ V. L'énergie emmagasinée dans le condensateur est $U_E = \frac{1}{2}C\Delta V^2 = \frac{1}{2}\left(50\times10^{-6}\right)(240)^2 = 1{,}44$ J. Si le condensateur se vide en $\Delta t = 0{,}2$ ms, alors

$P = \frac{U_E}{\Delta t} = \frac{1{,}44}{0{,}2\times10^{-3}} = \boxed{7{,}20\ \text{kW}}$

Problèmes

P1. On sait que $C = \kappa C_0 = \frac{\kappa\varepsilon_0 A}{d}$ et que $\Delta V = Ed$, où la différence de potentiel et le module du champ électrique sont mesurés en présence du diélectrique. L'énergie emmagasinée dans un condensateur est, selon l'équation 5.9,

$U_E = \frac{1}{2}C\Delta V^2 = \frac{1}{2}\left(\frac{\kappa\varepsilon_0 A}{d}\right)(Ed)^2$

La densité d'énergie est donnée par le rapport entre cette énergie et le volume de l'espace entre les armatures du condensateur Ad :

$u_E = \frac{U_E}{Ad} = \frac{1}{2}\left(\frac{\kappa\varepsilon_0 A}{d}\right)(Ed)^2\left(\frac{1}{Ad}\right) \implies \boxed{u_E = \frac{1}{2}\kappa\varepsilon_0 E^2} \implies \boxed{\text{CQFD}}$

P2. La situation initiale est représentée à la figure 5.27. On donne ΔV, la différence de potentiel à laquelle reste branché le condensateur, $C_\text{i} = \frac{\varepsilon_0 A}{d-\ell}$, la capacité du condensateur avec le bloc selon l'exercice 33, et $C_\text{f} = \frac{\varepsilon_0 A}{d}$, la capacité sans le bloc. Les valeurs initiale et finale de l'énergie emmagasinée sont

$U_\text{i} = \frac{1}{2}C_\text{i}\Delta V^2 = \frac{1}{2}\left(\frac{\varepsilon_0 A}{d-\ell}\right)\Delta V^2$

$U_\text{f} = \frac{1}{2}C_\text{f}\Delta V^2 = \frac{1}{2}\left(\frac{\varepsilon_0 A}{d}\right)\Delta V^2$

Le travail extérieur W_ext correspond à la différence d'énergie emmagasinée :

$W_{\text{ext}} = U_{\text{f}} - U_{\text{i}} = \frac{1}{2}\left(\frac{\varepsilon_0 A}{d}\right)\Delta V^2 - \frac{1}{2}\left(\frac{\varepsilon_0 A}{d-\ell}\right)\Delta V^2 = \frac{1}{2}(\varepsilon_0 A)\left(\frac{1}{d} - \frac{1}{d-\ell}\right)\Delta V^2 \Longrightarrow$

$W_{\text{ext}} = \frac{1}{2}(\varepsilon_0 A)\left(\frac{d-\ell-d}{d(d-\ell)}\right)\Delta V^2 = \boxed{-\frac{1}{2}\frac{\varepsilon_0 A\ell\Delta V^2}{d(d-\ell)}}$

Ce résultat négatif s'explique par le fait que $C_{\text{i}} > C_{\text{f}}$. Comme la charge finale sera plus faible, une partie de la charge initiale doit disparaître sous forme de courant dans le circuit auquel est branché le condensateur. Le travail extérieur est la somme du travail positif que fera la force responsable de tirer sur le bloc pendant son extraction et celui, négatif, que fera la charge disparaissant dans le circuit.

P3. La situation initiale est représentée à la figure 5.27. On donne ΔV, la différence de potentiel à laquelle est branché le condensateur au départ, $C_{\text{i}} = \frac{\varepsilon_0 A}{d-\ell}$, la capacité du condensateur avec le bloc selon l'exercice 33, et $C_{\text{f}} = \frac{\varepsilon_0 A}{d}$, la capacité sans le bloc. Comme on débranche le condensateur avant de retirer le bloc, les valeurs initiale et finale de l'énergie emmagasinée sont calculées à partir de la charge Q que porte le condensateur au départ et qui restera constante. On a

$Q = C_{\text{i}}\Delta V$

Les valeurs initiale et finale de l'énergie emmagasinée sont

$U_{\text{i}} = \frac{1}{2}\frac{Q^2}{C_{\text{i}}} = \frac{1}{2}\frac{(C_{\text{i}}\Delta V)^2}{C_{\text{i}}} = \frac{1}{2}C_{\text{i}}\Delta V^2 = \frac{1}{2}\left(\frac{\varepsilon_0 A}{d-\ell}\right)\Delta V^2$

$U_{\text{f}} = \frac{1}{2}\frac{Q^2}{C_{\text{f}}} = \frac{1}{2}\frac{(C_{\text{i}}\Delta V)^2}{C_{\text{f}}} = \frac{1}{2}\frac{\left(\frac{\varepsilon_0 A}{d-\ell}\right)^2\Delta V^2}{\frac{\varepsilon_0 A}{d}} = \frac{1}{2}\frac{d}{(d-\ell)^2}\varepsilon_0 A\Delta V^2$

Le travail extérieur W_{ext} correspond à la différence d'énergie emmagasinée :

$W_{\text{ext}} = U_{\text{f}} - U_{\text{i}} = \frac{1}{2}\frac{d}{(d-\ell)^2}\varepsilon_0 A\Delta V^2 - \frac{1}{2}\left(\frac{\varepsilon_0 A}{d-\ell}\right)\Delta V^2 = \frac{1}{2}(\varepsilon_0 A)\left(\frac{d}{(d-\ell)^2} - \frac{1}{d-\ell}\right)\Delta V^2 \Longrightarrow$

$W_{\text{ext}} = \frac{1}{2}(\varepsilon_0 A)\left(\frac{d-(d-\ell)}{(d-\ell)^2}\right)\Delta V^2 = \boxed{\frac{1}{2}\frac{\varepsilon_0 A\ell\Delta V^2}{(d-\ell)^2}}$

Ici, contrairement au problème 2, le travail est positif parce qu'il ne correspond qu'à l'effort nécessaire pour tirer le bloc vers l'extérieur.

P4. On sait que $C_{10} = C_{20}$. Pour les deux condensateurs, $A = 16\ \text{cm}^2 = 16 \times 10^{-4}\ \text{m}^2$ et $d = 0{,}4$ mm. Les deux condensateurs sont branchés en série à $\Delta V = 12$ V.

(a) On calcule d'abord la capacité de l'un ou l'autre des condensateurs :

$C_{10} = C_{20} = \frac{\varepsilon_0 A}{d} = \frac{(8{,}85\times10^{-12})(16\times10^{-4})}{0{,}4\times10^{-3}} = 35{,}4\ \text{pF}$

Les deux condensateurs étant branchés en série, la capacité équivalente est

$\frac{1}{C_{\text{éq}}} = \frac{1}{C_1} + \frac{1}{C_2} = 2\frac{1}{C_1} \Longrightarrow C_{\text{éq}} = \frac{1}{2}C_1 = 17{,}7\ \text{pF}$

La charge sur chaque condensateur a pour valeur

$Q_{10} = Q_{20} = C_{\text{éq}}\Delta V = \left(17{,}7 \times 10^{-12}\right)(12) \Longrightarrow \boxed{Q_{10} = Q_{20} = 212\ \text{pC}}$

La différence de potentiel sur l'un ou l'autre des condensateurs est donnée par

$\Delta V_{10} = \Delta V_{20} = \frac{Q_{10}}{C_1} = \frac{212\times10^{-12}}{35{,}4\times10^{-12}} \Longrightarrow \boxed{\Delta V_{10} = \Delta V_{20} = 6{,}00 \text{ V}}$

(b) On donne $C_1 = C_{10} = 35{,}4$ pF et $C_2 = \kappa C_{20} = 5\left(35{,}4 \times 10^{-12}\right) = 177$ pF. Comme les condensateurs sont branchés en série,

$\frac{1}{C_{\text{éq}}} = \frac{1}{C_1} + \frac{1}{C_2} \Longrightarrow C_{\text{éq}} = \left(\frac{1}{C_1} + \frac{1}{C_2}\right)^{-1} = \left(\frac{1}{35{,}4\times10^{-12}} + \frac{1}{177\times10^{-12}}\right)^{-1} = 29{,}5 \text{ pF}$

La charge sur chaque condensateur a pour valeur

$Q_1 = Q_2 = C_{\text{éq}}\Delta V = \left(29{,}5 \times 10^{-12}\right)(12) \Longrightarrow \boxed{Q_1 = Q_2 = 354 \text{ pC}}$

Et la différence de potentiel pour chaque condensateur est

$\Delta V_1 = \frac{Q_1}{C_1} = \frac{354\times10^{-12}}{35{,}4\times10^{-12}} \Longrightarrow \boxed{\Delta V_1 = 10{,}0 \text{ V}}$

$\Delta V_2 = \frac{Q_2}{C_2} = \frac{354\times10^{-12}}{177\times10^{-12}} \Longrightarrow \boxed{\Delta V_2 = 2{,}00 \text{ V}}$

P5. On donne $C = 50$ pF, la capacité de chacun des condensateurs du circuit de la figure 5.32. Si, comme on le mentionne dans la donnée, la succession de condensateurs se poursuit indéfiniment vers la droite, la capacité équivalente entre les points a et b, qu'elle soit nulle, infinie ou qu'elle possède une valeur donnée, ne devrait pas changer si on retire les trois condensateurs de gauche et qu'on mesure la capacité entre les points a' et b'. On peut donc représenter le circuit en remplaçant ce qui se trouve entre ces deux points vers la droite par un condensateur possédant la même valeur que celle que l'on cherche :

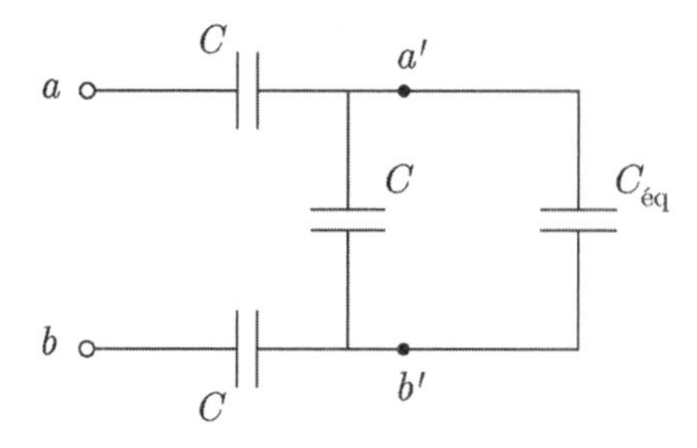

Les deux branches verticales sont en parallèle, le condensateur C_a qui les remplace a pour valeur

$C_a = C + C_{\text{éq}}$

Ce condensateur C_a est en série avec deux condensateurs de capacité C. La capacité équivalente de cet ensemble est la valeur $C_{\text{éq}}$:

$\frac{1}{C_{\text{éq}}} = \frac{1}{C} + \frac{1}{C} + \frac{1}{C_a} = \frac{2}{C} + \frac{1}{C+C_{\text{éq}}} \Longrightarrow \frac{1}{C_{\text{éq}}} = \frac{2(C+C_{\text{éq}})+C}{C(C+C_{\text{éq}})} = \frac{3C+2C_{\text{éq}}}{C(C+C_{\text{éq}})} \Longrightarrow$

$C^2 + CC_{\text{éq}} = 3CC_{\text{éq}} + 2C_{\text{éq}}^2 \Longrightarrow 2C_{\text{éq}}^2 + 2CC_{\text{éq}} - C^2$

On résout cette équation quadratique en $C_{\text{éq}}$ et on trouve

$C_{\text{éq}} = \frac{-2C\pm\sqrt{4C^2+8C^2}}{4} = \frac{-2C\pm2\sqrt{3}C}{4} = \frac{\pm\sqrt{3}-1}{2}C$

On ne retient que le résultat positif et

$C_{\text{éq}} = \frac{\sqrt{3}-1}{2}C = \frac{\sqrt{3}-1}{2}\left(50 \times 10^{-12}\right) = \boxed{18{,}3 \text{ pF}}$

P6. On donne $C_1 = 2\ \mu\text{F}$, $C_2 = 4\ \mu\text{F}$ et $C_3 = 3\ \mu\text{F}$. On suppose qu'une différence de potentiel ΔV est appliquée entre les extrémités du circuit. La différence de potentiel entre les armatures de chacune des trois valeurs de capacité est $\Delta V_1 = \frac{Q_1}{C_1}$, $\Delta V_2 = \frac{Q_2}{C_2}$ et $\Delta V_3 = \frac{Q_3}{C_3}$. On calcule la somme des différences de potentiel rencontrées en suivant différents parcours de gauche à droite dans la figure 5.33.

Directement par la branche supérieure :

$\Delta V = \Delta V_1 + \Delta V_2 \implies \Delta V = \frac{Q_1}{C_1} + \frac{Q_2}{C_2} \qquad \text{(i)}$

Par le condensateur C_1 en haut à gauche, la branche verticale contenant C_3 et le condensateur C_1 en bas à droite : on fait l'hypothèse que le condensateur C_3 a son armature négative en haut du circuit, de sorte qu'on rencontre une variation positive de potentiel en le traversant vers le bas :

$\Delta V = \Delta V_1 + \Delta V_3 + \Delta V_1 = 2\Delta V_1 + \Delta V_3 \implies \Delta V = \frac{2Q_1}{C_1} + \frac{Q_3}{C_3} \qquad \text{(ii)}$

Par le condensateur C_2 en bas à gauche, la branche verticale contenant C_3 et le condensateur C_2 en haut à droite : attention, on traverse maintenant C_3 dans le sens opposé :

$\Delta V = \Delta V_2 - \Delta V_3 + \Delta V_2 = 2\Delta V_2 - \Delta V_3 \implies \Delta V = \frac{2Q_2}{C_2} - \frac{Q_3}{C_3} \qquad \text{(iii)}$

De plus, si on considère la portion du circuit qui contient l'armature supérieure de C_3 et l'une des armatures des condensateurs C_1 et C_2 du haut, on peut affirmer que

$Q_1 - Q_2 - Q_3 = 0 \qquad \text{(iv)}$

Ce système de quatre équations contient quatre inconnues qui sont les valeurs des charges et la valeur de la différence de potentiel. En réalité, ce système d'équations ne permet pas de trouver une valeur à ΔV et il conduit plutôt à une valeur pour les charges qui contient cette inconnue. On laisse le soin à l'élève d'appliquer la méthode de son choix pour trouver la valeur des trois charges. Les lignes de commande permettant de trouver le résultat par Maple sont suggérées ici :

```
> restart;
> eq1:=DV=Q1/C1+Q2/C2;
> eq2:=DV=2*Q1/C1+Q3/C3;
> eq3:=DV=2*Q2/C2-Q3/C3;
> eq4:=Q1-Q2-Q3=0;
> solve({eq1,eq2,eq3,eq4},{Q1,Q2,Q3,DV});
```

On trouve ainsi que $Q_1 = \frac{C_1(C_2+C_3)}{C_1+C_2+2C_3}\Delta V$ et $Q_2 = \frac{C_2(C_1+C_3)}{C_1+C_2+2C_3}\Delta V$. Si le circuit doit être remplacé par un seul condensateur $C_{\text{éq}}$, il devra contenir une charge correspondant à la somme des charges qu'on retrouve sur les deux armatures de gauche, donc $Q_1 + Q_2$. L'équation 5.2 permet donc d'affirmer que

$$C_{\text{éq}} = \frac{Q_1+Q_2}{\Delta V} = \frac{C_1(C_2+C_3)}{C_1+C_2+2C_3} + \frac{C_2(C_1+C_3)}{C_1+C_2+2C_3} = \frac{2C_1C_2+C_3(C_1+C_2)}{C_1+C_2+2C_3} = \frac{34}{12}\ \mu\text{F} \Longrightarrow$$

$$C_{\text{éq}} = \boxed{2{,}83\ \mu\text{F}}$$

P7. On donne A pour l'aire des armatures et d pour la distance entre les armatures que l'on remplace par la variable x. Comme $C = \frac{\varepsilon_0 A}{x}$, l'énergie emmagasinée est :

$$U_E = \frac{Q^2}{2C} = \frac{Q^2}{2\left(\frac{\varepsilon_0 A}{x}\right)} = \frac{Q^2 x}{2\varepsilon_0 A}$$

Si on utilise la relation proposée dans la donnée

$$F_x = -\frac{dU_E}{dx} = -\frac{d}{dx}\left(\frac{Q^2 x}{2\varepsilon_0 A}\right) = -\frac{Q^2}{2\varepsilon_0 A} \Longrightarrow F = \boxed{\frac{Q^2}{2\varepsilon_0 A}}$$

Les deux armatures sont de signes opposés; il s'agit donc d'une $\boxed{\text{force d'attraction}}$.

P8. On donne C, la capacité du condensateur sans le diélectrique et la différence de potentiel initiale. Si on débranche le condensateur avant d'introduire le diélectrique, la charge Q qu'il porte reste constante mais la différence de potentiel est réduite à $\Delta V_{\text{d}} = \frac{\Delta V}{\kappa}$, comme on l'explique à la section 5.5. La nouvelle valeur de la capacité est $C_{\text{d}} = \kappa C$ et l'énergie emmagasinée est

$$U_{\text{d}} = \frac{1}{2}C_{\text{d}}\Delta V_{\text{d}}^2 = \frac{1}{2}(\kappa C)\left(\frac{\Delta V}{\kappa}\right)^2 = \boxed{\frac{C\Delta V^2}{2\kappa}}$$

P9. Contrairement au problème, dans cette situation la différence de potentiel reste la même; donc

$$U_{\text{d}} = \frac{1}{2}C_{\text{d}}\Delta V^2 = \frac{1}{2}(\kappa C)\Delta V^2 = \boxed{\frac{\kappa C\Delta V^2}{2}}$$

P10. La capacité d'un condensateur cylindrique, selon l'équation 5.6, est

$$C = \frac{2\pi\varepsilon_0 L}{\ln\left(\frac{b}{a}\right)}$$

Si $b - a \ll b$, le dénominateur de cette expression peut être modifié. On commence par exprimer ce terme de façon différente, en posant que $d = b - a$, la distance entre les deux armatures :

$$\ln\left(\frac{b}{a}\right) = \ln\left(\frac{a+b-a}{a}\right) = \ln\left(\frac{a+d}{a}\right) = \ln\left(1+\frac{d}{a}\right)$$

Comme on l'affirme dans les pages liminaires de la fin du manuel, lorsque $x \ll 1$, $\ln(1+x) \approx x$. C'est le cas ici; donc

$$\ln\left(1+\frac{d}{a}\right) \approx \frac{d}{a}$$

et l'expression de la capacité devient

$C = \frac{2\pi\varepsilon_0 L}{\ln\left(\frac{b}{a}\right)} \approx \frac{2\pi\varepsilon_0 L}{\frac{d}{a}} \approx \frac{2\pi\varepsilon_0 La}{d}$

Si l'espace entre les deux armatures est réduit, l'aire de l'une ou l'autre des armatures correspond à $A = 2\pi aL$ et $\boxed{C \approx \frac{\varepsilon_0 A}{d}}$, ce qui est bien l'expression de la capacité d'un condensateur plan. $\Longrightarrow$ $\boxed{\text{CQFD}}$

P11. La capacité d'un condensateur sphérique, selon l'équation 5.5, est

$C = \frac{R_1 R_2}{k(R_2 - R_1)}$

(a) Si $R_2 - R_1 \ll R_2$, alors les parois des deux sphères sont très rapprochées. On pose $d = R_2 - R_1$, la distance entre les armatures. Si R représente la valeur moyenne des deux rayons, alors $R_1 R_2 \approx R^2$ et l'expression de la capacité devient

$C = \frac{R_1 R_2}{k(R_2 - R_1)} \approx \frac{R^2}{kd}$

Si l'espace entre les deux armatures est réduit, l'aire de l'une ou l'autre des armatures correspond à $A = 4\pi R^2$ et l'expression de la capacité prend la même forme que pour un condensateur plan :

$C \approx \frac{R^2}{kd} = \frac{\left(\frac{A}{4\pi}\right)}{kd} = \frac{A}{4\pi kd} \Longrightarrow \boxed{C \approx \frac{\varepsilon_0 A}{d}} \Longrightarrow \boxed{\text{CQFD}}$

(b) On réécrit l'expression de la capacité d'un condensateur de la manière suivante :

$C = \frac{R_1 R_2}{k(R_2 - R_1)} = \frac{R_1}{k}\left(\frac{R_2}{R_2 - R_1}\right)$

Si $R_2 \gg R_1$, alors $\frac{R_2}{R_2 - R_1} \approx 1$ et la capacité du condensateur devient

$C \approx \frac{R_1}{k} \Longrightarrow \boxed{C \approx 4\pi\varepsilon_0 R_1}$

qui est bien l'expression de la capacité d'une sphère isolée. $\Longrightarrow$ $\boxed{\text{CQFD}}$

P12. (a) La densité d'énergie dans un champ électrique est donnée par l'équation 5.10, $u_E = \frac{1}{2}\varepsilon_0 E^2$, et le module du champ électrique à l'intérieur d'un condensateur cylindrique (ou câble coaxial) par l'équation 3.7, $E = \frac{2k\lambda}{r}$. On interpole la seconde expression dans la première en rappelant que $k = \frac{1}{4\pi\varepsilon_0}$:

$u_E = \frac{1}{2}\varepsilon_0 \left(\frac{2k\lambda}{r}\right)^2 = \frac{4\lambda^2 \varepsilon_0 k^2}{2r^2} = \frac{2\lambda^2 \varepsilon_0}{r^2}\left(\frac{1}{4\pi\varepsilon_0}\right)^2 = \boxed{\frac{\lambda^2}{8\varepsilon_0 \pi^2 r^2}}$

(b) L'énergie emmagasinée dans une mince coquille cylindrique d'épaisseur dr et de volume $2\pi rLdr$ est $dU_E = u_E\,(2\pi rL)\,dr$ et l'énergie totale entre les deux armatures de rayons a et b est

$U_E = \int dU_E = \int_a^b \left(\frac{\lambda^2}{8\varepsilon_0 \pi^2 r^2}\right)(2\pi rL)\,dr = \frac{\lambda^2 L}{4\pi\varepsilon_0}\int_a^b \frac{1}{r}dr = \frac{\lambda^2 L}{4\pi\varepsilon_0}\left[\ln(r)\right|_a^b \Longrightarrow$

$U_E = \boxed{\frac{\lambda^2 L}{4\pi\varepsilon_0}\ln\left(\frac{b}{a}\right)}$

(c) L'énergie emmagasinée peut être calculée avec

$U_E = \frac{Q^2}{2C}$

où $C = \frac{2\pi\varepsilon_0 L}{\ln\left(\frac{b}{a}\right)}$ et $Q = \lambda L$, donc

$U_E = \frac{(\lambda L)^2}{2\left(\frac{2\pi\varepsilon_0 L}{\ln\left(\frac{b}{a}\right)}\right)} = \frac{\lambda^2 L}{4\pi\varepsilon_0} \ln\left(\frac{b}{a}\right)$

On observe qu'il s'agit du $\boxed{\text{même résultat}}$ qu'à la question (b).

P13. Selon l'équation 5.15 de la section 5.7,

$\frac{\sigma_\mathrm{f}}{\varepsilon_0} - \frac{\sigma_\mathrm{b}}{\varepsilon_0} = \frac{\sigma_\mathrm{f}}{\kappa\varepsilon_0}$

Si on isole σ_b dans cette expression, on trouve

$\frac{\sigma_\mathrm{b}}{\varepsilon_0} = \frac{\sigma_\mathrm{f}}{\varepsilon_0} - \frac{\sigma_\mathrm{f}}{\kappa\varepsilon_0} \implies \sigma_\mathrm{b} = \sigma_\mathrm{f}\left(1 - \frac{1}{\kappa}\right) \implies \boxed{\sigma_\mathrm{b} = \sigma_\mathrm{f}\left(\frac{\kappa-1}{\kappa}\right)} \implies \boxed{\text{CQFD}}$

Chapitre 6 : Courant et résistance

Exercices

E1. On donne $I = 1{,}9$ mA, $r = 0{,}5$ mm, le rayon du faisceau, et $A = \pi r^2$, son aire.

(a) Le courant correspond au nombre de coulombs, par seconde qui atteignent l'écran. Le nombre N d'électrons par seconde atteignant l'écran vaut

$N = \frac{I}{e} = \left(1{,}9 \times 10^{-3}\ \text{C/s}\right) \times \left(\frac{1\ \text{électron}}{1{,}6\times10^{-19}\ \text{C}}\right) = \boxed{1{,}19 \times 10^{16}\ \text{s}^{-1}}$

Cette façon de représenter N est conforme à l'idée qu'il s'agit d'un *nombre* d'électrons par seconde.

(b) À partir de l'équation 6.3, on obtient

$J = \frac{I}{A} = \frac{(1{,}9\times10^{-3})}{\pi(0{,}5\times10^{-3})^2} = \boxed{2{,}42 \times 10^3\ \text{A/m}^2}$

E2. On donne $v = 5 \times 10^6$ m/s, la vitesse des protons, $I = 1\ \mu$A, le courant associé à ces protons, et $r = 1$ mm, le rayon du faisceau des protons.

(a) À partir de l'équation 6.3, pour $A = \pi r^2$ qui correspond à l'aire du faisceau, on obtient

$J = \frac{I}{A} = \frac{(1\times10^{-6})}{\pi(1\times10^{-3})^2} = \boxed{0{,}318\ \text{A/m}^2}$

(b) On utilise l'équation 6.2, mais on remplace v_d par la vitesse des protons :

$I = nAev \implies n = \frac{I}{Aev} = \frac{1\times10^{-6}}{\pi(1\times10^{-3})^2(1{,}6\times10^{-19})(5\times10^6)} = \boxed{3{,}98 \times 10^{11}\ \text{m}^{-3}}$

Cette façon de représenter n est conforme à l'idée qu'il s'agit d'un *nombre* d'électrons par mètre au cube.

E3. On donne $I = 200$ mA, $r = 0{,}8$ mm, le rayon du fil, et $n = 5{,}8 \times 10^{28}\ \text{m}^{-3}$, le nombre d'électrons libres par mètre cube d'argent.

(a) On utilise l'équation 6.2, pour $A = \pi r^2$ qui correspond à l'aire du faisceau :

$I = nAev_\text{d} \implies v_\text{d} = \frac{I}{nAe} = \frac{0{,}2}{(5{,}8\times10^{28})\pi(0{,}8\times10^{-3})^2(1{,}6\times10^{-19})} = \boxed{1{,}07 \times 10^{-5}\ \text{m/s}}$

(b) On trouve la résistivité de l'argent au tableau 6.1, $\rho = 1{,}5 \times 10^{-8}\ \Omega{\cdot}\text{m}$. Avec le module de l'équation 6.8, on trouve

$J = \frac{E}{\rho} \implies E = \rho J = \rho\left(\frac{I}{A}\right) = \left(1{,}5 \times 10^{-8}\right)\frac{(0{,}2)}{\pi(0{,}8\times10^{-3})^2} = \boxed{1{,}49 \times 10^{-3}\ \text{V/m}}$

E4. On donne $\ell = 30$ km, $r = 0{,}5$ cm, le rayon du fil, $I = 500$ A et $n = 8{,}43 \times 10^{28}\ \text{m}^{-3}$, le nombre d'électrons libres par mètre cube de cuivre. On trouve la résistivité du cuivre au tableau 6.1, $\rho = 1{,}7 \times 10^{-8}\ \Omega{\cdot}\text{m}$.

(a) À partir de l'équation 6.3, pour $A = \pi r^2$ qui correspond à l'aire du fil, on obtient

$$J = \frac{I}{A} = \frac{(500)}{\pi(0{,}5\times10^{-2})^2} = \boxed{6{,}37\times10^{6}\ \mathrm{A/m^2}}$$

(b) Avec le module de l'équation 6.8, on trouve

$$J = \frac{E}{\rho} \implies E = \rho J = \left(1{,}7\times10^{-8}\right)\left(6{,}37\times10^{6}\right) = \boxed{0{,}108\ \mathrm{V/m}}$$

(c) Avec le module de l'équation 6.4, on obtient

$$J = nev_{\mathrm{d}} \implies v_{\mathrm{d}} = \frac{J}{ne} = \frac{6{,}37\times10^{6}}{(8{,}43\times10^{28})(1{,}6\times10^{-19})} = \boxed{4{,}72\times10^{-4}\ \mathrm{m/s}}$$

(d) Il s'agit d'un mouvement à vitesse constante; donc

$$\ell = v_{\mathrm{d}}\Delta t \implies \Delta t = \frac{\ell}{v_{\mathrm{d}}} = \frac{30\times10^{3}}{4{,}72\times10^{-4}} = \boxed{6{,}36\times10^{7}\ \mathrm{s}} \text{ ou } 2{,}01\ \mathrm{a}$$

E5. On donne $I = 80$ A, $r = 0{,}3$ cm. On trouve la résistivité du cuivre au tableau 6.1, $\rho = 1{,}7\times10^{-8}\ \Omega\cdot\mathrm{m}$.

(a) À partir de l'équation 6.3, pour $A = \pi r^2$ qui correspond à l'aire du fil, on obtient

$$J = \frac{I}{A} = \frac{(80)}{\pi(0{,}3\times10^{-2})^2} = \boxed{2{,}83\times10^{6}\ \mathrm{A/m^2}}$$

(b) Avec le module de l'équation 6.8, on trouve

$$J = \frac{E}{\rho} \implies E = \rho J = \left(1{,}7\times10^{-8}\right)\left(2{,}83\times10^{6}\right) = \boxed{48{,}1\ \mathrm{mV/m}}$$

E6. On donne $I = 15$ A, $r = 0{,}814$ mm, le rayon du fil, et $n = 8{,}43\times10^{28}\ \mathrm{m^{-3}}$, le nombre d'électrons libres par mètre cube de cuivre. On trouve la résistivité du cuivre au tableau 6.1, $\rho = 1{,}7\times10^{-8}\ \Omega\cdot\mathrm{m}$.

(a) À partir de l'équation 6.3, pour $A = \pi r^2$ qui correspond à l'aire du fil, on obtient

$$J = \frac{I}{A} = \frac{(15)}{\pi(0{,}814\times10^{-3})^2} = \boxed{7{,}21\times10^{6}\ \mathrm{A/m^2}}$$

(b) Avec le module de l'équation 6.4, on trouve

$$J = nev_{\mathrm{d}} \implies v_{\mathrm{d}} = \frac{J}{ne} = \frac{7{,}21\times10^{6}}{(8{,}43\times10^{28})(1{,}6\times10^{-19})} = \boxed{5{,}35\times10^{-4}\ \mathrm{m/s}}$$

E7. On donne $r = 5{,}3\times10^{-11}$ m, le rayon de l'orbite de l'électron de charge $|q| = e$, et $v = 2{,}2\times10^{6}$ m/s, le module de sa vitesse sur cette orbite. Comme pour la définition du courant, on suppose une surface imaginaire coupant la trajectoire de l'électron. Au bout d'un délai en temps $\Delta t = \frac{2\pi r}{v}$, l'électron revient traverser la surface. Le courant est le rapport entre sa charge et ce délai :

$$I = \frac{\Delta q}{\Delta t} = \frac{e}{\frac{2\pi r}{v}} = \frac{ev}{2\pi r} = \frac{\left(1{,}6\times10^{-19}\right)\left(2{,}2\times10^{6}\right)}{2\pi\left(5{,}3\times10^{-11}\right)} = \boxed{1{,}06\ \mathrm{mA}}$$

E8. On donne $I = 2t^2 - 3t + 5$, $t_{\mathrm{i}} = 2$ s et $t_{\mathrm{f}} = 5$ s. On calcule la charge qui traverse une section du fil durant un intervalle de temps en inversant l'équation 6.1*b* :

$$I = \frac{dQ}{dt} \implies dQ = I dt \implies \int dQ = \int I dt \implies \Delta Q = \int_2^5 \left(2t^2 - 3t + 5\right) dt \implies$$

$$\Delta Q = \left[\frac{2t^3}{3} - \frac{3t^2}{2} + 5t\right|_2^5 = \left(\frac{2(5)^3}{3} - \frac{3(5)^2}{2} + 5(5)\right) - \left(\frac{2(2)^3}{3} - \frac{3(2)^2}{2} + 5(2)\right) = \boxed{61{,}5\ \mathrm{C}}$$

E9. On donne $I = 12$ A, $\ell = 10$ m, $r = 0{,}75$ mm, le rayon du fil, et $n = 1 \times 10^{29}$ m^{-3}, le nombre d'électrons libres par mètre cube d'aluminium. On trouve la résistivité de l'aluminium au tableau 6.1, $\rho = 2{,}8 \times 10^{-8}$ Ω·m.

(a) À partir de l'équation 6.3, pour $A = \pi r^2$ qui correspond à l'aire du fil, on trouve

$$J = \frac{I}{A} = \frac{(12)}{\pi(0{,}75\times10^{-3})^2} = \boxed{6{,}79 \times 10^6 \text{ A/m}^2}$$

(b) Avec le module de l'équation 6.4, on obtient

$$J = nev_\text{d} \implies v_\text{d} = \frac{J}{ne} = \frac{6{,}79\times10^6}{(1\times10^{29})(1{,}6\times10^{-19})} = \boxed{4{,}24 \times 10^{-4} \text{ m/s}}$$

(c) Avec le module de l'équation 6.8, on trouve

$$J = \frac{E}{\rho} \implies E = \rho J = \left(2{,}8 \times 10^{-8}\right)\left(6{,}79 \times 10^6\right) = \boxed{0{,}190 \text{ V/m}}$$

E10. On donne $\Delta V = 100$ V, $\ell = 25$ m, $r = 1$ mm et $I = 11$ A. On trouve la résistance à partir de l'équation 6.5 :

$$R = \frac{\Delta V}{I} = \frac{100}{11} = 9{,}09\ \Omega$$

Avec l'équation 6.6, si $A = \pi r^2$ correspond à l'aire du fil, on obtient

$$R = \frac{\rho\ell}{A} \implies \rho = \frac{RA}{\ell} = \frac{(9{,}09)\pi\left(1\times10^{-3}\right)^2}{25} = \boxed{1{,}14 \times 10^{-6}\ \Omega\text{·m}}$$

E11. On donne $\ell = 1$ cm, $r = 2$ mm et $\Delta V = 120$ V. On trouve la résistivité du silicium au tableau 6.1, $\rho = 2200$ Ω·m. On trouve I en combinant les équations 6.5 et 6.6, en se rappelant que $A = \pi r^2$ correspond à l'aire du fil :

$$R = \frac{\Delta V}{I} = \frac{\rho\ell}{A} \implies I = \frac{A\Delta V}{\rho\ell} = \frac{\pi r^2 \Delta V}{\rho\ell} = \frac{\pi\left(2\times10^{-3}\right)^2(120)}{(2200)(1\times10^{-2})} = \boxed{68{,}5\ \mu\text{A}}$$

E12. On donne ℓ, A et $R = \frac{\rho\ell}{A}$, la longueur, la section et la résistance initiales d'un fil. Si la même quantité de matériau est utilisée, le volume $V = A\ell$ est constant. Si A' est la nouvelle section du fil et que $\ell' = 2\ell$, alors

$$A'\ell' = A\ell \implies A' = \frac{A\ell}{\ell'} = \frac{A\ell}{2\ell} \implies A' = \frac{A}{2}$$

À partir de l'équation 6.6, on trouve, si $\rho' = \rho$,

$$R' = \frac{\rho\ell'}{A'} = \frac{\rho(2\ell)}{\frac{A}{2}} = 4\left(\frac{\rho\ell}{A}\right) = \boxed{4R}$$

E13. On donne ℓ, la longueur du tube, et a et b, ses rayons intérieur et extérieur. L'aire de la section du tube est $A = \pi b^2 - \pi a^2 = \pi\left(b^2 - a^2\right)$. À partir de l'équation 6.6, on obtient

$$R = \frac{\rho\ell}{A} = \boxed{\frac{\rho\ell}{\pi(b^2-a^2)}}$$

E14. On donne $R_{20°} = 1{,}20\ \Omega$, la résistance d'un fil d'argent à $T_\text{i} = 20$°C et $T_\text{f} = 35$°C. Selon le tableau 6.1, le coefficient de résistivité thermique de l'argent est $\alpha = 3{,}8 \times 10^{-3}$ (°C)$^{-1}$. À partir de l'exemple 6.4, on trouve

$$R_{35^\circ} = R_{20^\circ}\left(1 + \alpha\left(T_\mathrm{f} - T_\mathrm{i}\right)\right) = (1{,}20)\left(1 + \left(3{,}8 \times 10^{-3}\right)(35 - 20)\right) = \boxed{1{,}27\ \Omega}$$

E15. On donne $R_{20^\circ} = 0{,}8\ \Omega$, la résistance d'un fil de cuivre à $T_\mathrm{i} = 20°\mathrm{C}$, et $R = 1{,}2\ \Omega$, sa résistance à une température inconnue T_f. Selon le tableau 6.1, le coefficient de résistivité thermique du cuivre est $\alpha = 3{,}9 \times 10^{-3}\ (°\mathrm{C})^{-1}$. À partir de l'exemple 6.4, on trouve

$$R = R_{20^\circ}\left(1 + \alpha\left(T_\mathrm{f} - T_\mathrm{i}\right)\right) \Longrightarrow \alpha\left(T_\mathrm{f} - T_\mathrm{i}\right) = \frac{R}{R_{20^\circ}} - 1 \Longrightarrow T_\mathrm{f} = \frac{1}{\alpha}\left(\frac{R}{R_{20^\circ}} - 1\right) + T_\mathrm{i} \Longrightarrow$$

$$T_\mathrm{f} = \frac{1}{(3{,}9 \times 10^{-3})}\left(1 - \frac{1{,}2}{0{,}8}\right) + 20 = \boxed{148°\mathrm{C}}$$

E16. On donne $R_{20^\circ} = 16\ \Omega$, la résistance d'un fil de cuivre à $T_\mathrm{i} = 20°\mathrm{C}$, et $R_{35^\circ} = 16{,}5\ \Omega$, sa résistance à $T_\mathrm{f} = 35°\mathrm{C}$. La longueur et le diamètre du fil sont inutiles dans l'équation de l'exemple 6.4 :

$$R_{35^\circ} = R_{20^\circ}\left(1 + \alpha\left(T_\mathrm{f} - T_\mathrm{i}\right)\right) \Longrightarrow \alpha\left(T_\mathrm{f} - T_\mathrm{i}\right) = \frac{R_{35^\circ}}{R_{20^\circ}} - 1 \Longrightarrow \alpha = \frac{\frac{R_{35^\circ}}{R_{20^\circ}} - 1}{\left(T_\mathrm{f} - T_\mathrm{i}\right)} \Longrightarrow$$

$$\alpha = \frac{\frac{16{,}5}{16} - 1}{15} = \boxed{2{,}08 \times 10^{-3}\ (°\mathrm{C})^{-1}}$$

E17. On donne $R_\mathrm{Cu} = R_\mathrm{Al}$ et comme $r_\mathrm{Cu} = r_\mathrm{Al}$, alors $A_\mathrm{Cu} = A_\mathrm{Al}$. Au tableau 6.1, on donne la résistivité du cuivre, $\rho_\mathrm{Cu} = 1{,}7 \times 10^{-8}\ \Omega\cdot\mathrm{m}$, et celle de l'aluminium, $\rho_\mathrm{Al} = 2{,}8 \times 10^{-8}\ \Omega\cdot\mathrm{m}$. À partir de l'équation 6.6, on obtient

$$R_\mathrm{Cu} = R_\mathrm{Al} \Longrightarrow \frac{\rho_\mathrm{Cu}\ell_\mathrm{Cu}}{A_\mathrm{Cu}} = \frac{\rho_\mathrm{Al}\ell_\mathrm{Al}}{A_\mathrm{Al}} \Longrightarrow \frac{\ell_\mathrm{Cu}}{\ell_\mathrm{Al}} = \frac{\rho_\mathrm{Al}}{\rho_\mathrm{Cu}} = \frac{2{,}8 \times 10^{-8}}{1{,}7 \times 10^{-8}} = \boxed{1{,}65}$$

E18. Soit R_C, la valeur de la résistance de carbone à une température quelconque déterminée par $\alpha_\mathrm{C} = -0{,}5 \times 10^{-3}\ (°\mathrm{C})^{-1}$, et R_N, la valeur de la résistance de nichrome à une température quelconque lorsque $\alpha_\mathrm{N} = 0{,}4 \times 10^{-3}\ (°\mathrm{C})^{-1}$. Si les deux résistances sont placées bout à bout, la résistance totale est la somme des deux valeurs individuelles. Si on utilise l'expression de l'exemple 6.4, dans laquelle R_C0 et R_N0 sont les valeurs à la température de départ, on obtient

$$R_\mathrm{C} + R_\mathrm{N} = R_\mathrm{C0}\left(1 + \alpha_\mathrm{C}\Delta T\right) + R_\mathrm{N0}\left(1 + \alpha_\mathrm{N}\Delta T\right) = R_\mathrm{C0} + R_\mathrm{N0} + \left(R_\mathrm{C0}\alpha_\mathrm{C} + R_\mathrm{N0}\alpha_\mathrm{N}\right)\Delta T$$

Si la valeur de la résistance totale doit être indépendante de la variation de température, alors le terme qui multiplie ΔT doit toujours être nul :

$$R_\mathrm{C0}\alpha_\mathrm{C} + R_\mathrm{N0}\alpha_\mathrm{N} = 0 \Longrightarrow \frac{R_\mathrm{C0}}{R_\mathrm{N0}} = -\frac{\alpha_\mathrm{N}}{\alpha_\mathrm{C}} = -\frac{0{,}4 \times 10^{-3}}{-0{,}5 \times 10^{-3}} = 0{,}8 \Longrightarrow R_\mathrm{C0} = 0{,}8R_\mathrm{N0}$$

La fraction de la résistance en carbone est donnée par

$$\frac{R_\mathrm{C0}}{R_\mathrm{C0} + R_\mathrm{N0}} = \frac{0{,}8R_\mathrm{N0}}{0{,}8R_\mathrm{N0} + R_\mathrm{N0}} = \frac{0{,}8}{1{,}8} = \boxed{44{,}4\ \%}$$

E19. On donne $R_\mathrm{Cu} = R_\mathrm{Al}$ et $\ell_\mathrm{Cu} = \ell_\mathrm{Al}$. Au tableau 6.1, on donne la résistivité du cuivre, $\rho_\mathrm{Cu} = 1{,}7 \times 10^{-8}\ \Omega\cdot\mathrm{m}$, et celle de l'aluminium, $\rho_\mathrm{Al} = 2{,}8 \times 10^{-8}\ \Omega\cdot\mathrm{m}$. À partir de l'équation 6.6, on trouve

$R_{\text{Cu}} = R_{\text{Al}} \Longrightarrow \frac{\rho_{\text{Cu}}\ell_{\text{Cu}}}{A_{\text{Cu}}} = \frac{\rho_{\text{Al}}\ell_{\text{Al}}}{A_{\text{Al}}} \Longrightarrow \frac{A_{\text{Cu}}}{A_{\text{Al}}} = \frac{\rho_{\text{Cu}}}{\rho_{\text{Al}}} = \frac{1{,}7\times10^{-8}}{2{,}8\times10^{-8}} = 0{,}607$

En fonction du diamètre d de chaque fil, on obtient

$\frac{A_{\text{Cu}}}{A_{\text{Al}}} = \frac{\frac{\pi}{4}d_{\text{Cu}}^2}{\frac{\pi}{4}d_{\text{Al}}^2} = 0{,}607 \Longrightarrow \frac{d_{\text{Cu}}}{d_{\text{Al}}} = \sqrt{0{,}607} = \boxed{0{,}779}$

E20. On donne $I = 2$ A et $\Delta V = 60$ V. Selon l'équation 6.5, on obtient

$R = \frac{\Delta V}{I} = \frac{60}{2} = 30\ \Omega \Longrightarrow G = \frac{1}{R} = \boxed{0{,}0333\ \text{S}}$

E21. On donne $r = 2$ mm, le rayon du fil, $\ell = 12$ m et $R = 0{,}027\ \Omega$. Avec l'équation 6.6, si $A = \pi r^2$ correspond à l'aire du fil, on trouve

$R = \frac{\rho\ell}{A} \Longrightarrow \rho = \frac{RA}{\ell} = \frac{(0{,}027)\pi\left(2\times10^{-3}\right)^2}{12} = \boxed{2{,}83 \times 10^{-6}\ \Omega\cdot\text{m}}$

Selon le tableau 6.1, il ne peut s'agir que de $\boxed{\text{l'aluminium}}$.

E22. On donne $R_{0°} = 0{,}6\ \Omega$ et, selon le tableau 6.1, $\alpha_{\text{C}} = -0{,}5 \times 10^{-3}\ (°\text{C})^{-1}$. À partir de l'équation développée à l'exemple 6.4, on obtient

$R_{30°} = R_{0°}\left(1 + \alpha_{\text{C}}\Delta T\right) = 0{,}6\left(1 + \left(-0{,}5 \times 10^{-3}\right)(30)\right) = \boxed{0{,}591\ \Omega}$

E23. On donne $\ell_1 = 10$ m, $r_1 = 0{,}6$ mm, le rayon initial du fil, et $R_1 = 1{,}4\ \Omega$. On donne aussi $\ell_2 = 16$ m et $r_2 = 0{,}4$ mm. Puisqu'il s'agit du même fil, la résistivité ne change pas. À partir de l'équation 6.6, si $A = \pi r^2$ correspond à l'aire du fil, on obtient

$R_1 = \frac{\rho\ell_1}{A_1} \Longrightarrow \rho = \frac{A_1R_1}{\ell_1} = \frac{A_2R_2}{\ell_2} \Longrightarrow R_2 = \frac{R_1\ell_2A_1}{\ell_1A_2} \Longrightarrow$

$R_2 = \frac{1{,}4(16)\pi\left(0{,}6\times10^{-3}\right)^2}{10\pi\left(0{,}4\times10^{-3}\right)^2} = \boxed{5{,}04\ \Omega}$

E24. On donne $\Delta V = 6$ V, $I_{20°} = 2$ A et $I_{100°} = 1{,}7$ A. On calcule les deux valeurs de la résistance avec l'équation 6.5 :

$R_{20°} = \frac{\Delta V}{I_{20°}} = \frac{6}{2} = 3{,}00\ \Omega$

$R_{100°} = \frac{\Delta V}{I_{100°}} = \frac{6}{1{,}7} = 3{,}53\ \Omega$

À partir de l'équation développée à l'exemple 6.4, pour $\Delta T = 80°$C, on obtient

$R_{100°} = R_{20°}\left(1 + \alpha\Delta T\right) \Longrightarrow \alpha\Delta T = \frac{R_{100°}}{R_{20°}} - 1 \Longrightarrow \alpha = \frac{\frac{R_{100°}}{R_{20°}}-1}{\Delta T} \Longrightarrow$

$\alpha = \frac{\frac{3{,}53}{3{,}00}-1}{80} = \boxed{2{,}21 \times 10^{-3}\ (°\text{C})^{-1}}$

E25. On donne $R_{20°} = 1\ \Omega$ à $T_0 = 20°$T et, selon le tableau 6.1, $\alpha_{\text{Cu}} = 3{,}9 \times 10^{-3}\ (°\text{C})^{-1}$.

(a) $R = (110\ \%)\,R_{20°} = 1{,}10R_{20°}$ est la résistance à la température inconnue T. Dans l'équation de l'exemple 6.4, on calcule

$R = R_{20°}\left(1 + \alpha_{\text{Cu}}\Delta T\right) \Longrightarrow \alpha_{\text{Cu}}\Delta T = \frac{R}{R_{20°}} - 1 \Longrightarrow \Delta T = \frac{\frac{R}{R_{20°}}-1}{\alpha_{\text{Cu}}} = \frac{1{,}10-1}{3{,}9\times10^{-3}} = 25{,}6°\text{C}$

$T = T_0 + \Delta T = 20° + 25{,}6° = \boxed{45{,}6°\text{C}}$

(b) Avec $R = (90\ \%)\,R_{20°} = 0{,}90R_{20°}$ dans l'équation de la partie (a), on calcule

$$\Delta T = \frac{\frac{R}{R_{20^\circ}}-1}{\alpha_{\mathrm{Cu}}} = \frac{0{,}90-1}{3{,}9\times10^{-3}} = -25{,}64^\circ\mathrm{C}$$

$$T = T_0 + \Delta T = 20^\circ + 25{,}64^\circ = \boxed{-5{,}64^\circ\mathrm{C}}$$

E26. On donne $r = 0{,}512$ mm, le rayon du fil, $\ell = 20$ m, sa longueur, et, comme il s'agit de cuivre, $\rho = 1{,}7 \times 10^{-8}$ Ω·m.

(a) Selon l'équation 6.6, si $A = \pi r^2$ correspond à l'aire du fil, on obtient

$$R_{\mathrm{fil}} = \frac{\rho\ell}{A} = \frac{(1{,}7\times10^{-8})(20)}{\pi(0{,}512\times10^{-3})^2} = \boxed{0{,}413\ \Omega}$$

(b) La puissance totale dissipée dans le fil et le haut-parleur de résistance $R_{\mathrm{hp}} = 4\ \Omega$ est fournie par l'amplificateur. On utilise l'équation 6.12 :

$$= P_{\mathrm{fil}} + P_{\mathrm{hp}} = R_{\mathrm{fil}}I^2 + R_{\mathrm{hp}}I^2$$

La fraction de la puissance totale qui se dissipe dans le fil vaut

$$\frac{P_{\mathrm{fil}}}{P} = \frac{P_{\mathrm{fil}}}{P_{\mathrm{fil}}+P_{\mathrm{hp}}} = \frac{R_{\mathrm{fil}}I^2}{R_{\mathrm{fil}}I^2+R_{\mathrm{hp}}I^2} = \frac{R_{\mathrm{fil}}}{R_{\mathrm{fil}}+R_{\mathrm{hp}}} = \frac{0{,}413}{0{,}413+4} = 0{,}0936 = \boxed{9{,}36\ \%}$$

E27. On donne $\ell_0 = 200$ km, $R_0 = 10\ \Omega$ et $I = 1200$ A. Selon l'équation 6.6, la résistance et la longueur sont directement proportionnelles. Pour une longueur $\ell = 200$ m, on obtient

$$R = \frac{\ell}{\ell_0}R_0 = \frac{200}{200\times10^3}(10) = 0{,}01\ \Omega$$

On calcule la différence de potentiel avec l'équation 6.5 :

$$R = \frac{\Delta V}{I} \Longrightarrow \Delta V = RI = 0{,}01\,(1200) = \boxed{12{,}0\ \mathrm{V}}$$

E28. On donne $I_{14\,\mathrm{max}} = 15$ A avec $r_{14} = 0{,}814$ mm, le rayon du fil de calibre 14, et $I_{18\,\mathrm{max}} = 5$ A avec $r_{18} = 0{,}512$ mm, le rayon du fil de calibre 18. Pour chaque fil, on donne $\ell = 10$ m, et $\rho = 1{,}7 \times 10^{-8}$ Ω·m pour le cuivre. Comme $A = \pi r^2$, on trouve les différences de potentiel maximales applicables à partir des équations 6.5 et 6.6 :

$$\Delta V_{14} = R_{14}I_{14\,\mathrm{max}} = \left(\frac{\rho\ell}{\pi r_{14}^2}\right)I_{14\,\mathrm{max}} = \frac{(1{,}7\times10^{-8})(10)}{\pi(0{,}814\times10^{-3})^2}(15) \Longrightarrow \boxed{\Delta V_{14} = 1{,}23\ \mathrm{V}}$$

$$\Delta V_{18} = R_{18}I_{18\,\mathrm{max}} = \left(\frac{\rho\ell}{\pi r_{18}^2}\right)I_{18\,\mathrm{max}} = \frac{(1{,}7\times10^{-8})(10)}{\pi(0{,}512\times10^{-3})^2}(5) \Longrightarrow \boxed{\Delta V_{18} = 1{,}03\ \mathrm{V}}$$

E29. On donne $\Delta V = 12$ V, $P = 25$ W et $\Delta Q = 80$ A·h.

(a) On exprime simplement en coulombs la charge affichée sur la batterie :

$$\Delta Q = (80\ \mathrm{A}\cdot\mathrm{h}) \times \left(\frac{3600\ \mathrm{s}}{1\ \mathrm{h}}\right) = \boxed{2{,}88 \times 10^5\ \mathrm{C}}$$

(b) On calcule le courant qui sort de la batterie à partir de l'équation 6.11 :

$$P = I\Delta V \Longrightarrow I = \frac{P}{\Delta V} = \frac{25}{12} = 2{,}083\ \mathrm{A}$$

À partir de l'équation 6.1a, on trouve

$$I = \frac{\Delta Q}{\Delta T} \Longrightarrow \Delta T = \frac{\Delta Q}{I} = \frac{2{,}880\times10^5}{2{,}083} = 1{,}383 \times 10^5\ \mathrm{s}\ \times \left(\frac{1\ \mathrm{h}}{3600\ \mathrm{s}}\right) = \boxed{38{,}4\ \mathrm{h}}$$

E30. On donne $\Delta V = 120$ V, $I = 7$ A et $\Delta t = 30$ s. Un kilowattheure correspond à

$1 \text{ kWh} = \left(\frac{1000 \text{ J}}{1 \text{ s}}\right) \times (1 \text{ h}) \times \left(\frac{3600 \text{ s}}{1 \text{ h}}\right) = 3{,}6 \times 10^6 \text{ J}$

et coûte 0,06 $.

La puissance nécessaire s'élève à $P = I\Delta V = 7\,(120) = 840$ W, et, comme on l'utilise pendant $\Delta t = 30$ s, la quantité d'énergie dépensée est

$\Delta E = P\Delta t = (840)\,(30) = 2{,}52 \times 10^4$ J. On calcule le coût comme suit :

$\text{Coût} = \left(\frac{0{,}06\ \$}{3{,}6\times10^6 \text{ J}}\right) \times \left(2{,}52 \times 10^4 \text{ J}\right) = \boxed{0{,}000420\ \$}$

E31. On donne $r_{14} = 0{,}814$ mm, le rayon du fil de calibre 14, et $r_{18} = 0{,}512$ mm, le rayon du fil de calibre 18. Pour chaque fil, on donne $I = 8$ A, $\ell = 10$ m, et $\rho = 1{,}7 \times 10^{-8}$ Ω·m pour le cuivre. Comme $A = \pi r^2$, on trouve les puissances dissipées à partir des équations 6.6 et 6.12 :

$$P_{14} = R_{14}I^2 = \left(\frac{\rho\ell}{\pi r_{14}^2}\right) I^2 = \frac{\left(1{,}7\times10^{-8}\right)(10)}{\pi(0{,}814\times10^{-3})^2}\,(8)^2 \implies \boxed{P_{14} = 5{,}23 \text{ W}}$$
$$P_{18} = R_{18}I^2 = \left(\frac{\rho\ell}{\pi r_{18}^2}\right) I^2 = \frac{\left(1{,}7\times10^{-8}\right)(10)}{\pi(0{,}512\times10^{-3})^2}\,(8)^2 \implies \boxed{P_{14} = 13{,}2 \text{ W}}$$

E32. On donne $I = 10$ A et $\Delta V = 12$ V, donc la puissance dissipée par les phares est $P = I\Delta V = 10\,(12) = 120$ W. Si les phares sont utilisés pendant $\Delta t = 3600$ s, une quantité $\Delta E = P\Delta t = (120)\,(3600) = 4{,}32 \times 10^5$ J est nécessaire.

Un litre d'essence contient 3×10^7 J, mais on ne peut *utiliser* que 25 % de cette quantité d'énergie. Le volume d'essence nécessaire pour faire fonctionner les phares est

$V_{\text{essence}} = \left(\frac{1 \text{ L}}{0{,}25(3\times10^7 \text{ J})}\right) \times \left(4{,}32 \times 10^5 \text{ J}\right) = 0{,}0576 \text{ L} = \boxed{57{,}6 \text{ mL}}$

E33. On donne $P = 30$ mW, $R = 8$ Ω et $\Delta t = 60$ s. On calcule d'abord le courant qui traverse le haut-parleur avec l'équation 6.12 :

$P = RI^2 \implies I = \sqrt{\frac{P}{R}} = \sqrt{\frac{30\times10^{-3}}{8}} = 0{,}0612 \text{ A}$

On calcule ensuite la quantité de charges qui traverse le fil en une minute avec l'équation 6.1*a* :

$I = \frac{\Delta Q}{\Delta t} \implies \Delta Q = I\Delta t = (0{,}0612 \text{ A}) \times (60 \text{ s}) \times \left(\frac{1 \text{ électron}}{1{,}6\times10^{-19} \text{ C}}\right) = \boxed{2{,}30 \times 10^{19}}$ électrons

E34. On donne $r = 1{,}025$ mm, le rayon du fil de calcibre 12, $I = 12$ A, $\ell = 20$ m et $\rho = 1{,}7\times10^{-8}$ Ω·m pour le cuivre. On combine les équations 6.6 et 6.12 (rappel : $A = \pi r^2$) :

$P = RI^2 = \left(\frac{\rho\ell}{\pi r^2}\right) I^2 = \frac{\left(1{,}7\times10^{-8}\right)(20)}{\pi(1{,}025\times10^{-3})^2}\,(12)^2 = \boxed{14{,}8 \text{ W}}$

E35. On donne $\frac{R}{\ell} = 1{,}8 \times 10^{-3}$ Ω/m, $\ell = 10$ km et $I = 200$ A. La résistance du fil est $R = \left(\frac{R}{\ell}\right)\ell = \left(1{,}8 \times 10^{-3}\right)\left(10 \times 10^3\right) = 18$ Ω, et la puissance est calculée avec l'équation 6.12 :

$P = RI^2 = 18\,(200)^2 = \boxed{720 \text{ kW}}$

E36. On donne $\Delta V = 240$ V et un courant $I = 10$ A si un moteur soulève un bloc de masse $m = 2000$ kg à la vitesse constante de module $v = 2{,}5$ cm/s.

(a) Selon l'équation 7.15 du tome 1, si le moteur génère une force dont le module correspond au poids du bloc, la puissance mécanique $P_{\text{méc}}$ qu'il fournit équivaut à

$$P_{\text{méc}} = Fv = mgv = 2000\,(9{,}8)\left(2{,}5 \times 10^{-2}\right) = 490 \text{ W}$$

On convertit cette puissance en chevaux-vapeur britanniques :

$$P_{\text{méc}} = (490 \text{ W}) \times \left(\frac{1 \text{ hp}}{745{,}7 \text{ W}}\right) = \boxed{0{,}657 \text{ hp}}$$

(b) La puissance électrique consommée par le moteur est:

$$P_E = I\Delta V = 10\,(240) = 2400 \text{ W}$$

Le rendement correspond à la fraction de cette puissance qui fait du travail mécanique :

$$\text{Rendement} = \frac{P_{\text{méc}}}{P_E} = \frac{490}{2400} = 0{,}204 = \boxed{20{,}4\ \%}$$

E37. On donne $P_{\text{centrale}} = 100$ kW, la puissance fournie par une centrale à un système d'appareils électriques qui la consomme. Pour alimenter le système, l'énergie électrique voyage dans un réseau de câbles dont la résistance totale est $R = 5\ \Omega$. On suppose que le passage du courant dans les câbles ne se traduit pas par une modification mesurable de la différence de potentiel entre l'entrée au réseau et le système d'appareils qui l'utilise. Comme la puissance de la centrale se dissipe dans les câbles et est utilisée par le système, on trouve

$$P_{\text{centrale}} = P_{\text{système}} + P_{\text{câbles}} = I\Delta V + RI^2 \implies 100 \times 10^3 = I\Delta V + 5I^2 \qquad \text{(i)}$$

(a) On remplace $\Delta V = 10^4$ V dans l'équation (i) :

$$100 \times 10^3 = I\left(10^4\right) + 5I^2 \implies 5I^2 + 10^4 I - 10^5 = 0$$

Les racines de cette équation quadratique sont $I = -2{,}01 \times 10^{-3}$ A et $I = 9{,}95$ A. Comme le courant doit être positif, on ne conserve que le second résultat. Finalement, la puissance se dissipant dans les câbles est

$$P_{\text{câbles}} = RI^2 = 5\,(9{,}95)^2 = \boxed{495 \text{ W}}$$

(b) On remplace $\Delta V = 2 \times 10^5$ V dans l'équation (i) :

$$100 \times 10^3 = I\left(2 \times 10^5\right) + 5I^2 \implies 5I^2 + \left(2 \times 10^5\right) I - 10^5 = 0$$

Les racines de cette équation quadratique sont $I = -4{,}00 \times 10^4$ A et $I = 0{,}500$ A. Comme le courant doit être positif, on ne conserve que le second résultat. Finalement, la puissance se dissipant dans les câbles est

$P_{\text{câbles}} = RI^2 = 5\,(0{,}500)^2 = \boxed{1{,}25 \text{ W}}$

E38. On donne $\Delta V = 120$ V, $\Delta T = 90° - 20° = 70°$C, la variation de température subie par l'eau, et $\Delta t = 480$ s, le temps nécessaire pour que l'eau atteigne la température finale.

Il y a 1000 L d'eau dans un 1 m^3, et la masse volumique de l'eau est de $\rho_m = 1000$ kg/m^3.

La masse d'eau qui a été chauffée est

$m = (1{,}5 \text{ L}) \times \left(\frac{1 \text{ m}^3}{1000 \text{ L}}\right) \times \left(\frac{1000 \text{ kg}}{1 \text{ m}^3}\right) = 1{,}5 \text{ kg}$

La quantité de chaleur ΔU nécessaire pour que l'eau atteigne la température finale est donnée par l'équation 17.1 du tome 1 :

$\Delta U = mc\Delta T \qquad \text{(i)}$

La variable c est la chaleur spécifique de l'eau, soit $c = 4190$ J/(kg· (°C)). Avec l'équation (i), on trouve

$\Delta U = (1{,}5)\,(4190)\,(70) = 4{,}40 \times 10^5 \text{ J}$

et la puissance électrique nécessaire, si on suppose qu'il n'y aucune perte, est

$P = \frac{\Delta E}{\Delta t} = \frac{4{,}40 \times 10^5}{480} = 917$ W. Finalement, à partir de l'équation 6.11, on calcule

$P = I\Delta V \implies I = \frac{P}{\Delta V} = \frac{917}{120} = \boxed{7{,}64 \text{ A}}$

E39. On donne $r = 1$ cm, le rayon intérieur du tube, $\ell = 20$ cm, sa longueur, $\Delta T = 30°$C, la variation de température, $\Delta t = 240$ s, le délai nécessaire pour chauffer l'eau, et $\rho = 10^{-2}$ Ω·m, la résistivité de l'eau.

On calcule la masse d'eau qui est chauffée à partir du volume intérieur du tube :

$m = \pi r^2 \ell \times \left(\frac{1000 \text{ kg}}{1 \text{ m}^3}\right) = \pi \left(1 \times 10^{-2}\right)^2 \left(20 \times 10^{-2}\right) \times \left(\frac{1000 \text{ kg}}{1 \text{ m}^3}\right) = 0{,}0628 \text{ kg}$

Comme à l'exercice précédent, on calcule la chaleur ΔU nécessaire pour chauffer l'eau avec l'équation 17.1 du tome 1 :

$\Delta U = mc\Delta T = (0{,}0628)\,(4190)\,(30) = 7{,}89 \times 10^3 \text{ J}$

La puissance électrique nécessaire est $P = \frac{\Delta E}{\Delta t} = \frac{7{,}89 \times 10^3}{240} = 32{,}9$ W. La résistance du tube formé d'eau est donnée par l'équation 6.6 :

$R = \frac{\rho \ell}{A} = \frac{\rho \ell}{\pi r^2} = \frac{\left(1 \times 10^{-2}\right)\left(20 \times 10^{-2}\right)}{\pi \left(1 \times 10^{-2}\right)^2} = 6{,}37\ \Omega$

La différence de potentiel nécessaire se calcule au moyen de l'équation 6.12 :

$P = \frac{\Delta V^2}{R} \implies \Delta V = \sqrt{PR} = \sqrt{(32{,}9)\,(6{,}37)} = \boxed{14{,}5 \text{ V}}$

E40. On donne $\Delta V = 120$ V, et les trois valeurs de puissance dissipée, $P_a = 100$ W,

$P_b = 70$ W et $P_c = 40$ W. Si la différence de potentiel est la même, l'équation 6.12 $\left(P = \frac{\Delta V^2}{R}\right)$ permet d'affirmer que plus la résistance est grande, plus la puissance diminue. On considère que les deux filaments ont la même aire A, sont constitués du même matériau et donc possèdent la même résistivité ρ, mais qu'ils ont une longueur ℓ différente. Si on les place en série, donc bout à bout, la longueur totale $\ell_1 + \ell_2$, plus grande, augmente la résistance selon l'équation 6.6 et réduit la puissance. La plus faible valeur de puissance est donc associée à cette situation, ce qui permet de calculer directement R_1 et R_2 avec P_a et P_b :

$$P_a = \frac{\Delta V^2}{R_1} \implies R_1 = \frac{\Delta V^2}{P_a} = \frac{(120)^2}{100} \implies \boxed{R_1 = 144\ \Omega}$$

$$P_b = \frac{\Delta V^2}{R_2} \implies R_2 = \frac{\Delta V^2}{P_b} = \frac{(120)^2}{70} \implies \boxed{R_2 = 206\ \Omega}$$

La résistance totale des deux filaments, calculée à partir de l'équation 6.6 est ainsi de

$$R = \frac{\rho(\ell_1+\ell_2)}{A} = \frac{\rho\ell_1}{A} + \frac{\rho\ell_2}{A} = R_1 + R_2 = 144 + 206 = 350\ \Omega$$

Et la puissance dissipée, dans ce cas, est $P_c = \frac{\Delta V^2}{R} = \frac{(120)^2}{350} \approx 41$ W, soit la valeur fournie.

E41. On donne $\Delta V = 120$ V, et les trois valeurs de puissance dissipée, $P_a = 50$ W, $P_b = 100$ W et $P_c = 150$ W. Si la différence de potentiel est la même, l'équation 6.12 $\left(P = \frac{\Delta V^2}{R}\right)$ permet d'affirmer que plus la résistance est faible, plus la puissance augmente. On considère que les deux filaments possèdent la même longueur ℓ, sont constitués du même matériau et ont donc la même résistivité ρ, mais qu'ils ont une aire A différente. Si on les place en parallèle, donc côte à côte, l'aire totale $A_1 + A_2$, plus grande, réduit la résistance selon l'équation 6.6 et augmente la puissance. La plus grande valeur de puissance est donc associée à cette situation, ce qui permet de calculer directement R_1 et R_2 avec P_a et P_b :

$$P_a = \frac{\Delta V^2}{R_1} \implies R_1 = \frac{\Delta V^2}{P_a} = \frac{(120)^2}{50} \implies \boxed{R_1 = 288\ \Omega}$$

$$P_b = \frac{\Delta V^2}{R_2} \implies R_2 = \frac{\Delta V^2}{P_b} = \frac{(120)^2}{100} \implies \boxed{R_2 = 144\ \Omega}$$

La résistance totale des deux filaments, qu'on calcule à partir de l'équation 6.6 en utilisant une astuce sur laquelle on reviendra au chapitre 7 pour le calcul des résistances équivalentes équivaut ainsi à

$$R = \frac{\rho\ell}{A_1+A_2} \implies \frac{1}{R} = \frac{A_1+A_2}{\rho\ell} = \frac{A_1}{\rho\ell} + \frac{A_2}{\rho\ell} = \frac{1}{R_1} + \frac{1}{R_2} \implies R = \left(\frac{1}{R_1} + \frac{1}{R_2}\right)^{-1} = 96\ \Omega$$

Et la puissance dissipée, dans ce cas, est $P_c = \frac{\Delta V^2}{R} = \frac{(120)^2}{96} = 150$ W, soit la valeur fournie.

E42. (a) Le calcul du nombre d'électrons libres par mètre cube a déjà été fait à l'exemple 6.2 pour le cuivre, qui possède un électron libre par atome. On reprend le résultat de cet exemple en adaptant la formule à l'aluminium, qui possède trois électrons libres par atome. Avec $\rho_m = 2700$ kg/m^3 et $M = 26{,}98 \times 10^{-3}$ kg/mol, on calcule

$n = 3n_{\text{a}} = \frac{3\rho_m N_A}{M} = \frac{3(2700)\left(6{,}02\times10^{23}\right)}{26{,}98\times10^{-3}} = \boxed{1{,}81 \times 10^{29}\ \text{m}^{-3}}$

(b) À partir de l'équation 6.2, pour $A = \pi r^2 = \pi\left(0{,}7 \times 10^{-3}\ \text{m}\right)$ et $I = 10$ A, on obtient

$I = nAev_{\text{d}} \Longrightarrow v_{\text{d}} = \frac{I}{nAe} = \frac{10}{(1{,}81\times10^{29})\pi(0{,}7\times10^{-3})^2(1{,}6\times10^{-19})} = \boxed{2{,}24 \times 10^{-4}\ \text{m/s}}$

E43. On donne $q(t) = 3 - 4t + 5t^2$.

(a) À partir de l'équation 6.1*b*, on obtient

$I = \frac{dq}{dt} = \frac{d}{dt}\left(3 - 4t + 5t^2\right) = \boxed{10t - 4}$

(b) On donne $A = 2\ \text{cm}^2 = 2 \times 10^{-4}\ \text{m}^2$. Avec l'équation 6.3, à $t = 1$ s, on trouve

$J = \frac{I}{A} = \frac{10(1)-4}{2\times10^{-4}} = \boxed{3{,}00 \times 10^4\ \text{A/m}^2}$

E44. On indique par des crochets les unités d'une variable. On fait appel à l'équation 6.5 et l'équation 4.11 :

$[R] = \left[\frac{\Delta V}{I}\right] = \left[\frac{U}{qI}\right] = \frac{\text{N}\cdot\text{m}}{\text{C}\cdot\text{A}} = \frac{\text{kg}\cdot\text{m}\cdot\text{m}}{\text{s}^2\cdot\text{A}\cdot\text{s}\cdot\text{A}} \Longrightarrow \boxed{[R] = \frac{\text{kg}\cdot\text{m}^2}{\text{A}^2\cdot\text{s}^3}} \Longrightarrow \boxed{\text{CQFD}}$

E45. On donne $A = 5{,}0 \times 10^{-3}\ \text{m}^3$, $\ell = 10$ km et $\rho = 3{,}0 \times 10^{-7}\ \Omega\cdot$m. À partir de l'équation 6.6, on obtient

$R = \frac{\rho\ell}{A} = \frac{\left(3{,}0\times10^{-7}\right)\left(10\times10^3\right)}{5{,}0\times10^{-3}} = \boxed{0{,}600\ \Omega}$

E46. (a) À $T_0 = 20$°C, la résistance d'un fil de cuivre est $R_{0\text{Cu}} = 6{,}52$ mΩ et celle d'un fil de tungstène est $R_{0\text{W}} = 6{,}45$ mΩ. On donne $\alpha_{\text{W}} = 4{,}5 \times 10^{-3}$ (°C)$^{-1}$ et on trouve au tableau 6.1 $\alpha_{\text{Cu}} = 3{,}9 \times 10^{-3}$ (°C)$^{-1}$. On cherche ΔT, la variation de température qui entraîne que R, telle qu'elle est calculée avec l'équation de l'exemple 6.4, possède la même valeur pour les deux matériaux :

$R_{\text{Cu}} = R_{\text{W}} \Longrightarrow R_{0\text{Cu}}\left(1 + \alpha_{\text{Cu}}\Delta T\right) = R_{0\text{W}}\left(1 + \alpha_{\text{W}}\Delta T\right) \Longrightarrow$

$R_{0\text{Cu}} + R_{0\text{Cu}}\alpha_{\text{Cu}}\Delta T = R_{0\text{W}} + R_{0\text{W}}\alpha_{\text{W}}\Delta T \Longrightarrow$

$R_{0\text{Cu}}\alpha_{\text{Cu}}\Delta T - R_{0\text{W}}\alpha_{\text{W}}\Delta T = R_{0\text{W}} - R_{0\text{Cu}} \Longrightarrow$

$\Delta T\left(R_{0\text{Cu}}\alpha_{\text{Cu}} - R_{0\text{W}}\alpha_{\text{W}}\right) = R_{0\text{W}} - R_{0\text{Cu}} \Longrightarrow \Delta T = \frac{R_{0\text{W}} - R_{0\text{Cu}}}{R_{0\text{Cu}}\alpha_{\text{Cu}} - R_{0\text{W}}\alpha_{\text{W}}} \Longrightarrow$

$\Delta T = \frac{\left(6{,}45\times10^{-3}\right)-\left(6{,}52\times10^{-3}\right)}{(6{,}52\times10^{-3})(3{,}9\times10^{-3})-(6{,}45\times10^{-3})(4{,}5\times10^{-3})} = 19{,}5\text{°C}$

Et la température finale est :

$T = T_0 + \Delta T = 20 + 19{,}5 = \boxed{39{,}5°\text{C}}$

(b) On définit dans le logiciel Maple la résistance des deux matériaux à toute température et on superpose le graphe de ces deux expressions :

```
> restart;
> RCu:=6.52e-3*(1+3.9e-3*(T-20));
> RW:=6.45e-3*(1+4.5e-3*(T-20));
> plot({RCu,RW },T=38..42);
```

Le graphe confirme la réponse obtenue en (a).

E47. On donne $r = 1{,}2$ mm, le rayon du fil, $E = 0{,}1$ V/m, le module du champ électrique dans le fil, et $I = 16$ A. À partir du module de l'équation 6.8 et de l'équation 6.3, pour $A = \pi r^2$, on obtient

$J = \frac{E}{\rho} \Longrightarrow \frac{I}{\pi r^2} = \frac{E}{\rho} \Longrightarrow \rho = \frac{E\pi r^2}{I} = \frac{(0{,}1)\pi\left(1{,}2\times10^{-3}\right)^2}{16} = \boxed{2{,}83 \times 10^{-8}\ \Omega\cdot\text{m}}$

E48. On donne $m = 21$ g, la masse du fil, $R = 0{,}065\ \Omega$, sa résistance, et $\rho_m = 8900$ kg/m^3, la masse volumique du cuivre. Au tableau 6.1, on trouve $\rho = 1{,}7 \times 10^{-8}\ \Omega\cdot$m, sa résistivité. Les deux inconnues sont la longueur ℓ et l'aire de section A du fil. On peut écrire deux équations. La première à partir de la masse volumique :

$m = \rho_m V = \rho_m A\ell \qquad \text{(i)}$

La seconde à partir de la résistance :

$R = \frac{\rho\ell}{A} \qquad \text{(ii)}$

On résout les équations (i) et (ii), et on trouve :

(a) $\ell = \boxed{3{,}00\ \text{m}}$

(b) $A = \boxed{7{,}86 \times 10^{-7}\ \text{m}^2}$

E49. On donne $\alpha = 0{,}4 \times 10^{-3}$ (°C)$^{-1}$ pour le nichrome au tableau 6.1. À partir de l'équation 6.10, si la différence de potentiel reste constante, on peut écrire

$\Delta V = R_0 I_0 = RI \Longrightarrow \frac{I_0}{I} = \frac{R}{R_0}$

Cependant, comme $I = 0{,}96 I_0$,

$\frac{R}{R_0} = \frac{1}{0{,}96}$

On utilise l'équation de l'exemple 6.4, ce qui entraîne que

$\frac{R}{R_0} = (1 + \alpha\Delta T) = \frac{1}{0{,}96} \Longrightarrow \Delta T = \frac{\frac{1}{0{,}96}-1}{\alpha} = \frac{\frac{1}{0{,}96}-1}{0{,}4\times10^{-3}} = 104°\text{C}$

Et la température finale est $T = T_0 + \Delta T = 20 + 104 = \boxed{124°\text{C}}$

E50. On donne $\rho_m = 8900$ kg/m^3, la masse volumique du cuivre, et $\ell = 1000$ m, la longueur du fil. La résistivité du cuivre est donnée au tableau 6.1, $\rho = 1{,}7 \times 10^{-8}$ Ω·m. D'une part, on sait que

$m = \rho_m V = \rho_m A\ell \Longrightarrow A = \frac{m}{\rho_m \ell}$

ce qu'on insère dans l'équation 6.6 et qui donne

$R = \frac{\rho\ell}{A} = \frac{\rho\ell(\rho_m\ell)}{m} = \frac{\rho\rho_m\ell^2}{m} \Longrightarrow m = \frac{\rho\rho_m\ell^2}{R} = \frac{(1{,}7\times10^{-8})(8900)(1000)^2}{1} = \boxed{151\text{ kg}}$

Problèmes

P1. On donne $\Delta V = 120$ V, $R_{20^\circ} = 16$ Ω, la résistance d'un fil de nichrome à $T_0 = 20$°C. Au tableau 6.1, on trouve $\alpha = 0{,}4 \times 10^{-3}$ (°C)$^{-1}$ et $\rho = 1{,}2 \times 10^{-6}$ Ω·m pour ce matériau.

(a) On donne $r = 1$ mm. À partir de l'équation 6.6, si $A = \pi r^2$, on obtient

$R_{20^\circ} = \frac{\rho\ell}{A} \Longrightarrow \ell = \frac{R_{20^\circ}A}{\rho} = \frac{R_{20^\circ}\pi r^2}{\rho} = \frac{16\pi(1\times10^{-3})^2}{1{,}2\times10^{-6}} = \boxed{41{,}9\text{ m}}$

(b) À partir de l'équation développée à l'exemple 6.4, on trouve

$R_{200^\circ} = R_{20^\circ}(1 + \alpha(T - T_0)) = 16\left(1 + \left(0{,}4\times10^{-3}\right)(200 - 20)\right) = 17{,}2\ \Omega$

Le courant à cette température est donc $I = \frac{\Delta V}{R_{200^\circ}} = \frac{120}{17{,}2} = \boxed{6{,}98\text{ A}}$

P2. (a) Si on trace un graphe de ΔV en fonction de I à partir des données fournies, il est facile de voir que les points forment une droite :

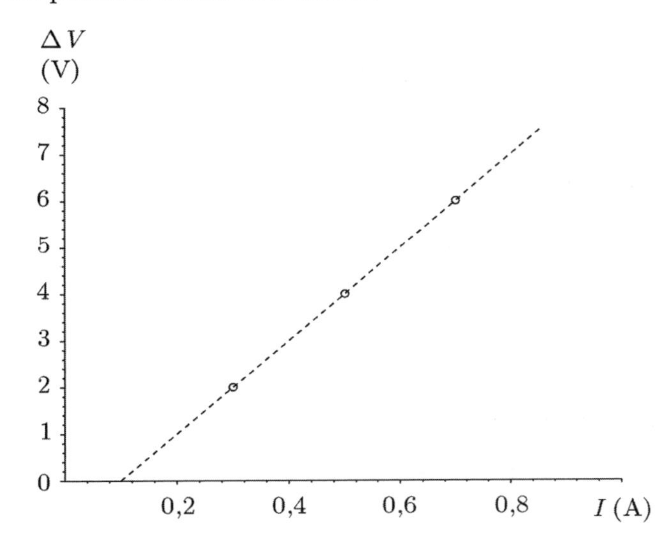

On observe sur le graphe que, lorsque $\Delta V = 5$ V, $I \approx 0{,}6$ A, donc $R = \frac{\Delta V}{I}$ $\boxed{\approx 8\ \Omega}$

(b) Si la différence de potentiel est nulle, le courant ne peut être que nul, donc $I = \boxed{0\text{ A}}$

(c) Le graphe montre, en pointillés, la droite qui passe par les trois points. Pour que l'élément obéisse à la loi d'Ohm, cette droite est nécessaire, mais elle doit aussi passer par l'origine. Donc, $\boxed{\text{non}}$, l'élément de circuit n'est pas ohmique.

P3. (a) On donne L, la longueur du tube, a, son rayon intérieur, b, son rayon extérieur, et ρ, la résistivité du matériau qui le constitue. Comme le courant circule radialement, l'aire qui est traversée augmente avec la distance r au centre du tube. On sait que $J = \frac{E}{\rho}$ et que $E_r = -\frac{dV}{dr}$. Si on combine ces deux équations, en se rappelant que, dans la première, on parle du module du champ électrique, alors $J = \frac{1}{\rho}\frac{dV}{dr}$, donc $J\rho dr = dV$. Cette relation montre comment, pour chaque coquille cylindrique d'épaisseur dr, on mesure la différence de potentiel dV. Comme $J = \frac{I}{A}$, si on divise de part et d'autre par I, on obtient

$$\frac{J\rho dr}{I} = \frac{1}{I}dV \implies \frac{\rho dr}{A} = \frac{1}{I}dV$$

L'épaisseur A d'une mince coquille cylindrique de rayon r est $A = 2\pi rL$. Si on intègre cette dernière équation de part et d'autre, on obtient

$$\int_a^b \frac{\rho dr}{2\pi rL} = \frac{1}{I}\int dV \implies \frac{\rho}{2\pi L}\int_a^b \frac{dr}{r} = \frac{\Delta V}{I} \implies \frac{\rho}{2\pi L}\ln\left(\frac{a}{b}\right) = \frac{\Delta V}{I}$$

Mais le terme de droite de cette égalité est la résistance du tube dans la direction radiale, si une différence de potentiel ΔV existe entre les rayons intérieur et extérieur, et que le courant vaut I. Ainsi,

$$\boxed{R = \frac{\rho}{2\pi L}\ln\left(\frac{a}{b}\right)} \implies \boxed{\text{CQFD}}$$

(b) On donne $L = 30$ cm, $a = 0{,}4$ cm, $b = 3$ cm et $\rho = 3{,}5 \times 10^{-5}$ Ω·m. On calcule

$$R = \frac{(3{,}5\times10^{-5})}{2\pi(0{,}30)}\ln\left(\frac{0{,}4\times10^{-2}}{3\times10^{-2}}\right) = \boxed{37{,}4\ \mu\Omega}$$

P4. On donne a, le rayon intérieur de la coquille sphérique, b, son rayon extérieur, et ρ, la résistivité du matériau qui la constitue. Si le courant circule radialement, l'aire traversée augmente avec le rayon. On suit le raisonnement du problème et on reprend à partir de la relation :

$$\frac{\rho dr}{A} = \frac{1}{I}dV$$

Dans ce cas, l'aire d'une mince coquille sphérique est $A = 4\pi r^2$ et, si on intègre cette dernière équation de part et d'autre, on obtient

$$\int_a^b \frac{\rho dr}{4\pi r^2} = \frac{1}{I}\int dV \implies \frac{\rho}{4\pi}\int_a^b \frac{dr}{r^2} = \frac{\Delta V}{I} \implies \frac{\rho}{4\pi}\left[-\frac{1}{r}\right|_a^b = \frac{\Delta V}{I} \implies \frac{\rho}{4\pi}\left(\frac{1}{a} - \frac{1}{b}\right) = \frac{\Delta V}{I}$$

Mais le terme de droite de cette égalité est la résistance de la coquille sphérique. Ainsi,

$$\boxed{R = \frac{\rho}{4\pi}\left(\frac{1}{a} - \frac{1}{b}\right)} \implies \boxed{\text{CQFD}}$$

P5. La figure qui suit reprend la figure 6.28 du manuel et montre la surface imaginaire traversée par la charge :

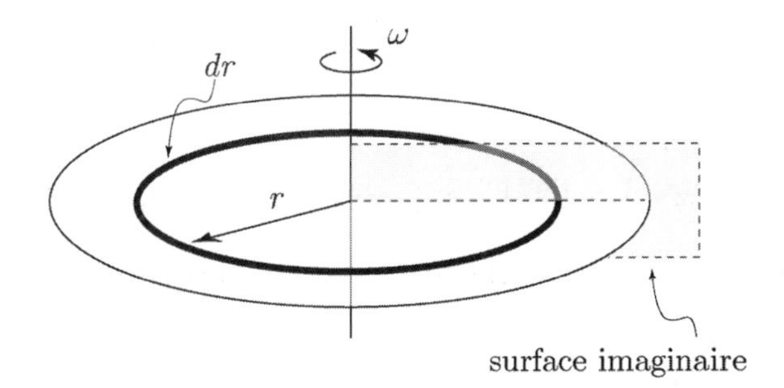

Pour chaque bande de largeur dr, un élément de courant dI traverse la surface en un temps Δt. Comme $dq = \sigma dA = \sigma (2\pi r dr)$ si $\Delta t = T = \frac{2\pi}{\omega}$, la période de rotation de la plaque, alors $dI = \frac{1}{\Delta t} dq = \frac{\omega}{2\pi} \sigma (2\pi r dr) = \sigma \omega r dr$. On trouve le courant total en intégrant ce dernier résultat :

$$I = \int dI = \int_0^a \sigma \omega r dr = \sigma \omega \int_0^a r dr = \boxed{\tfrac{1}{2} \sigma \omega a^2}$$

P6. On donne $\Delta V = 2$ V, $\ell = 30$ m, $r = 0{,}25$ mm, le rayon du fil, $\rho = 1{,}5 \times 10^{-8}$ Ω·m, la résistivité de l'argent, et $n = 5{,}8 \times 10^{28}$ m^{-3}, le nombre d'électrons libres par unité de volume dans l'argent.

(a) On calcule d'abord la résistance du fil, pour $A = \pi r^2$:

$$R = \frac{\rho \ell}{A} = \frac{\rho \ell}{\pi r^2} = \frac{(1{,}5 \times 10^{-8})(30)}{\pi (0{,}25 \times 10^{-3})^2} = 2{,}29\ \Omega$$

On calcule ensuite le courant qui parcourt le fil :

$$\Delta V = RI \implies I = \frac{\Delta V}{R} = \frac{2}{2{,}29} = 0{,}873\ \text{A}$$

Finalement, on calcule la vitesse de dérive :

$$I = nAev_{\text{d}} \implies v_{\text{d}} = \frac{I}{nAe} = \frac{0{,}873}{(5{,}8 \times 10^{28}) \pi (0{,}25 \times 10^{-3})^2 (1{,}6 \times 10^{-19})} = \boxed{4{,}79 \times 10^{-4}\ \text{m/s}}$$

(b) Avec $m = 9{,}1 \times 10^{-31}$ kg, la masse d'un électron, et à partir de l'équation 6.13, on trouve

$$\rho = \frac{m}{ne^2 \tau} \implies \tau = \frac{m}{ne^2 \rho} = \frac{9{,}1 \times 10^{-31}}{(5{,}8 \times 10^{28})(1{,}6 \times 10^{-19})^2 (1{,}5 \times 10^{-8})} = \boxed{4{,}09 \times 10^{-14}\ \text{s}}$$

(c) On doit d'abord connaître la vitesse quadratique moyenne des électrons à 300 K. On utilise l'équation de la section 6.6 qui correspond à l'équation 18.6a du tome 1. Avec $k = 1{,}381 \times 10^{-23}$ J/K, la constante de Boltzmann, on obtient

$$v_{\text{qm}} = \sqrt{\frac{3kT}{m}} = \sqrt{\frac{3(1{,}381 \times 10^{-23})(300)}{9{,}1 \times 10^{-31}}} = 1{,}17 \times 10^5\ \text{m/s}$$

Ensuite, toujours selon la section 6.6, on trouve

$$\lambda = v_{\text{qm}} \tau = \left(1{,}17 \times 10^5\right) \left(4{,}09 \times 10^{-14}\right) = \boxed{4{,}79\ \text{mm}}$$

P7. Le courant $I = 0{,}2$ A dépose également les ions Ag^+ et NO_3^-. La charge associée au courant pour l'argent est, si $\Delta t = 600$ s

$$\Delta Q = I \Delta t = (0{,}1)(600) = 60\ \text{C}$$

Pour chaque électron, on dépose un ion argent. Le nombre N d'ions argent déposés est donc

$N = \Delta Q \times \left(\frac{1 \text{ ion}}{1{,}6\times10^{-19}\text{ C}}\right) = (60 \text{ C}) \times \left(\frac{1 \text{ ion}}{1{,}6\times10^{-19}\text{ C}}\right) = 3{,}75 \times 10^{20}$ ions

Chaque ion argent possède une masse de 108u. Conséquemment, la masse totale déposée est

$m = N\,(108\text{u}) = \left(3{,}75 \times 10^{20} \text{ ions}\right) \times \left(\frac{108\left(1{,}661\times10^{-27}\text{ kg}\right)}{1 \text{ ion}}\right) = \boxed{67{,}3 \text{ mg}}$

P8. On donne $\Delta V = 12$ V, la différence de potentiel pour chacune des 20 batteries, et $\Delta Q = 100$ A·h, la charge que peut débiter chaque batterie.

(a) Si l'automobile avance à vitesse constante ($v = 60$ km/h $= 16{,}7$ m/s) en subissant une force qui s'oppose à son mouvement et dont le module est 180 N, le moteur électrique doit fournir, selon l'équation 7.15 du tome 1, une puissance

$P = Fv = 180\,(16{,}7) = 3{,}00 \times 10^3$ W.

Chaque batterie doit donc fournir une puissance $P_{\text{bat}} = \frac{P}{20} = 150$ W, et le courant qui parcourt chaque batterie sera $I = \frac{P_{\text{bat}}}{\Delta V} = \frac{150}{12} = 12{,}5$ A. À partir de l'équation 6.1*a*, on trouve :

$\Delta t = \frac{\Delta Q}{I} = \frac{100 \text{ A·h}}{12{,}5 \text{ A}} = \boxed{8{,}00 \text{ h}}$

(b) Pour maintenir la vitesse constante dans cette situation, la force qui vient du moteur doit s'opposer à la friction et à la fraction du poids de l'automobile qui agit vers le bas du plan incliné et s'oppose au mouvement (voir entre autres, à ce sujet, les exemples 5.5 ou 5.6 du tome 1). Si $m = 600$ kg et $\theta = 10°$, on obtient

$F = F_{\text{friction}} + mg\sin\theta = 180 + 600\,(9{,}8)\sin(10°) = 1{,}2 \times 10^3$ N

Si on reprend la série de calculs de la partie (a) avec cette force, à laquelle s'oppose le moteur électrique, on arrive à :

$t = \boxed{1{,}20 \text{ h}}$

P9. On donne $r = 1$ mm et $\ell = 40$ m, le rayon et la longueur de l'un ou l'autre des fils. Au tableau 6.1, on trouve $\rho_{\text{Cu}} = 1{,}7 \times 10^{-8}$ Ω·m et $\rho_{\text{ac}} = 40 \times 10^{-8}$ Ω·m.

(a) On calcule d'abord la résistance de chaque fil, pour $A = \pi r^2$:

$R_{\text{Cu}} = \frac{\rho_{\text{Cu}}\ell}{A} = \frac{\rho_{\text{Cu}}\ell}{\pi r^2} = \frac{\left(1{,}7\times10^{-8}\right)(40)}{\pi\left(1\times10^{-3}\right)^2} = 0{,}217\ \Omega$

$R_{\text{acier}} = \frac{\rho_{\text{acier}}\ell}{A} = \frac{\rho_{\text{acier}}\ell}{\pi r^2} = \frac{\left(40\times10^{-8}\right)(40)}{\pi\left(1\times10^{-3}\right)^2} = 5{,}09\ \Omega$

Si les deux fils sont placés bout à bout, on peut supposer que la résistance totale est la somme des deux valeurs individuelles de résistance :

$R = R_{\text{Cu}} + R_{\text{acier}} = 0{,}217 + 5{,}09 = 5{,}31\ \Omega$

Et, si $\Delta V = 10$ V, le courant qui circule est

$I = \frac{\Delta V}{R} = \frac{10}{5{,}31} = 1{,}88$ A

Comme les résistances sont placées bout à bout, le courant qui les traverse possède la même valeur. On calcule finalement la puissance avec l'équation 6.12 :

$P_{\text{Cu}} = R_{\text{Cu}} I^2 = (0{,}217)\,(1{,}88)^2 \Longrightarrow \boxed{P_{\text{Cu}} = 0{,}767\ \text{W}}$

$P_{\text{acier}} = R_{\text{acier}} I^2 = (5{,}09)\,(1{,}88)^2 \Longrightarrow \boxed{P_{\text{acier}} = 18{,}0\ \text{W}}$

(b) Directement, à partir de l'équation 4.6*c*, si $\ell = 40$ m pour chaque fil, on trouve

$\Delta V = E\ell \Longrightarrow E = \frac{\Delta V}{\ell} = \frac{RI}{\ell} \Longrightarrow$

$E_{\text{Cu}} = \frac{R_{\text{Cu}} I}{\ell} = \frac{(0{,}217)(1{,}88)}{40} \Longrightarrow \boxed{E_{\text{Cu}} = 0{,}0102\ \text{V/m}}$

$E_{\text{acier}} = \frac{R_{\text{acier}} I}{\ell} = \frac{(5{,}09)(1{,}88)}{40} \Longrightarrow \boxed{E_{\text{Cu}} = 0{,}239\ \text{V/m}}$

Chapitre 7 : Les circuits à courant continu

Exercices

E1. On donne $R_1 = 4\ \Omega$ et $\Delta V_1 = 9{,}5$ V, la différence de potentiel aux bornes de cette résistance, et $R_2 = 6\ \Omega$ et $\Delta V_2 = 10$ V. Le courant qui parcourt chacune des résistances est, selon l'équation 6.10 :

$I_1 = \frac{\Delta V_1}{R_1} = \frac{9{,}5}{4} = 2{,}38$ A

$I_2 = \frac{\Delta V_2}{R_2} = \frac{10}{6} = 1{,}67$ A

Dans les deux cas, la résistance est alimentée par la même pile réelle ayant une f.é.m. ξ et une résistance interne r, et la différence de potentiel aux bornes de la pile réelle est identique à celle qu'on mesure aux bornes de la résistance. Si on utilise l'équation 7.2a, on obtient

$\Delta V_1 = \xi - rI_1 \implies 9{,}5 = \xi - r\,(2{,}38)$ (i)

$\Delta V_2 = \xi - rI_2 \implies 10 = \xi - r\,(1{,}67)$ (ii)

On résout les équations (i) et (ii), et on trouve $\boxed{r = 0{,}706\ \Omega}$ et $\boxed{\xi = 11{,}2\ \text{V}}$

E2. Lorsqu'il n'y a pas de courant, on mesure directement la f.é.m., soit $\xi = 12{,}4$ V. Avec l'équation 7.2a, $\Delta V = 11{,}2$ V et $I = 80$ A, on trouve

$\Delta V = \xi - rI \implies r = \frac{\xi - \Delta V}{I} = \frac{12{,}4 - 11{,}2}{80} = \boxed{0{,}0150\ \Omega}$

E3. On donne R, la résistance de valeur inconnue à laquelle on branche une pile réelle de f.é.m. ξ et de résistance interne r. Pour un courant $I_1 = 6$ A, la différence de potentiel aux bornes de R ou de la pile réelle est $\Delta V_1 = 8{,}4$ V. Si le courant passe à une valeur $I_2 = 8$ A, on mesure plutôt $\Delta V_2 = 7{,}2$ V.

Comme à l'exercice 1, on peut appliquer l'équation 7.2a à chaque situation :

$\Delta V_1 = \xi - rI_1 \implies 8{,}4 = \xi - r\,(6)$ (i)

$\Delta V_2 = \xi - rI_2 \implies 7{,}2 = \xi - r\,(8)$ (ii)

On résout les équations (i) et (ii), et on trouve $\boxed{r = 0{,}600\ \Omega}$ et $\boxed{\xi = 12{,}0\ \text{V}}$

E4. Soit R_1, une résistance de valeur inconnue, et $R_2 = 2\ \Omega$. Comme on utilise une f.é.m. idéale ξ, on peut appliquer directement l'équation 6.10. Pour le circuit contenant R_1, si $I_1 = 8$ A, on obtient

$\xi = R_1 I_1 \implies \xi = 8R_1$ (i)

Pour le circuit contenant R_1 et R_2 en série et où $I_2 = 6$ A, si on utilise l'équation 7.3, on trouve

$\xi = (R_1 + R_2)\, I_2 \implies \xi = 6\,(R_1 + 2) \qquad \text{(ii)}$

On résout les équations (i) et (ii), et on trouve $\boxed{R_1 = 6{,}00\ \Omega}$ et $\boxed{\xi = 48{,}0\ \text{V}}$

E5. On donne $\xi = 16$ V, $R = 4\ \Omega$, la valeur de la résistance branchée à la pile réelle, et $P_R = 50$ W, la puissance dissipée dans R.

(a) On calcule le courant qui parcourt R avec l'équation 6.12 :

(i) $\quad P_R = RI^2 \implies I = \sqrt{\frac{P}{R}} = \sqrt{\frac{50}{4}} = 3{,}54$ A

La différence de potentiel aux bornes de la résistance est $\Delta V = RI = 4\,(3{,}54) = 14{,}16$ V. On mesure la même différence de potentiel aux bornes de la pile réelle. Avec l'équation 7.2a, on trouve

(ii) $\quad \Delta V = \xi - rI \implies r = \frac{\xi - \Delta V}{I} = \frac{16-14{,}16}{3{,}54} = \boxed{0{,}520\ \Omega}$

(b) On utilise la même pile réelle, mais on veut que $P_R = 100$ W. On reprend les équations (i) et (ii) de la partie (a) en posant que R est inconnue :

$P_R = RI^2 \implies 100 = RI^2 \qquad \text{(iii)}$

$\Delta V = \xi - rI \implies RI = \xi - rI \implies RI = 16 - 0{,}520I \qquad \text{(iv)}$

On multiplie l'équation (iv) par I et on utilise l'équation (iii) :

$RI^2 = 16I - 0{,}520I^2 \implies 100 = 16I - 0{,}520I^2 \implies 0{,}520I^2 - 16I + 100 = 0$

On résout cette équation quadratique, et on trouve $I_1 = 22{,}0$ A et $I_2 = 8{,}72$ A. On a ainsi deux valeurs possibles pour R, calculée avec l'équation 6.12 :

$R_1 = \frac{P_E}{I_1^2} = \frac{100}{(22{,}0)^2} = 0{,}207\ \Omega$

$R_2 = \frac{P_E}{I_2^2} = \frac{100}{(8{,}72)^2} = 1{,}32\ \Omega$

Donc $\boxed{R = 0{,}207\ \Omega \text{ ou } 1{,}32\ \Omega}$

E6. On donne $\xi = 12{,}4$ V, la f.é.m., et $r = 0{,}05\ \Omega$, la résistance interne d'une pile réelle branchée à une f.é.m. idéale, soit $\xi_0 = 14{,}2$ V. La différence de potentiel aux bornes de ξ_0 identique à celle qu'on mesure aux bornes de la pile réelle. Comme la pile réelle se recharge, on utilise l'équation 7.2b pour trouver la valeur du courant :

$\xi_0 = \xi - rI \implies 14{,}2 = 12{,}4 - (0{,}05)\, I \implies I = 36$ A

(a) Seule la résistance interne dissipe de l'énergie sous forme de chaleur. Avec l'équation 6.12, on trouve

$P_r = rI^2 = (0{,}05)\,(36)^2 = \boxed{64{,}8 \text{ W}}$

(b) Avec l'équation 6.11 appliquée à la f.é.m. de la pile réelle qui se recharge, on obtient

$P_\xi = I\xi = 36\,(12{,}4) = \boxed{446 \text{ W}}$

E7. On donne $\xi = 12$ V, la f.é.m. de la pile réelle, et $P_R = 50$ W, la puissance que cette pile réelle fournit à une résistance externe. La différence de potentiel aux bornes de la résistance ou de la pile réelle est $\Delta V = 11{,}2$ V.

La puissance fournie par la f.é.m. idéale se dissipe en chaleur dans la résistance interne et dans la résistance externe. Au moyen des équations 6.11 et 6.12, on trouve

$P_\xi = P_r + P_R \implies \xi I = rI^2 + 50 \implies 12I = rI^2 + 50 \qquad \text{(i)}$

Mais

$P_R = I\Delta V \implies I = \frac{P}{\Delta V} = \frac{50}{11{,}2} = 4{,}46 \text{ A}$

Si on insère ce résultat dans l'équation (i), on obtient

$12\,(4{,}46) = r\,(4{,}46)^2 + 50 \implies r = \boxed{0{,}177\ \Omega}$

E8. On donne $\xi = 10$ V, la f.é.m., et $r = 1\ \Omega$, la résistance interne d'une pile réelle. On branche la pile réelle à une résistance de valeur inconnue R. Si la puissance dissipée dans R est P, le courant qui traverse la résistance ou la pile réelle est, selon l'équation 6.12

$P = RI^2 \implies I = \sqrt{\frac{P}{R}} \qquad \text{(i)}$

On trouve la puissance fournie par la f.é.m. qui se dissipe dans la résistance interne et la résistance externe au moyen des équations 6.11 et 6.12 :

$P_\xi = P_r + P_R \implies \xi I = rI^2 + P \implies 10I = I^2 + P \qquad \text{(ii)}$

Si on combine les équations (i) et (ii), on obtient

$10\sqrt{\frac{P}{R}} = \frac{P}{R} + P \qquad \text{(iii)}$

(a) On donne $R' = 1{,}5R$ et $P' = 1{,}25P$. L'équation (i) donne $I' = \sqrt{\frac{1{,}25P}{1{,}5R}}$, que l'on remplace dans l'équation (ii) :

$10\sqrt{\frac{1{,}25P}{1{,}5R}} = \frac{1{,}25P}{1{,}5R} + 1{,}25P \qquad \text{(iv)}$

On résout les équations (iii) et (iv), et on trouve $R = \boxed{0{,}236\ \Omega}$

(b) On donne $R' = 1{,}5R$ et $P' = 0{,}75P$. L'équation (i) donne $I' = \sqrt{\frac{0{,}75P}{1{,}5R}}$, que l'on remplace dans l'équation (ii) :

$10\sqrt{\frac{0{,}75P}{1{,}5R}} = \frac{0{,}75P}{1{,}5R} + 0{,}75P \qquad \text{(v)}$

On résout les équations (iii) et (v), et on trouve $R = \boxed{4{,}83\ \Omega}$

E9. On reprend la figure 7.41 du manuel en numérotant les résistances pour faciliter les écritures :

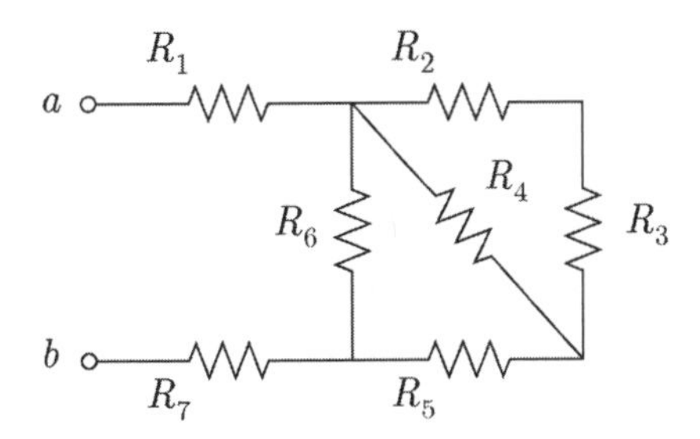

On donne $R_1 = 2\ \Omega$, $R_2 = 3\ \Omega$, $R_3 = 3\ \Omega$, $R_4 = 4\ \Omega$, $R_5 = 2\ \Omega$, $R_6 = 1\ \Omega$, $R_7 = 5\ \Omega$.

(a) On suit la technique proposée à l'exemple 7.2 et on utilise les équations 7.3 et 7.4. Les résistances R_2 et R_3 sont en série. La résistance R_a qui les remplace a pour valeur

$R_a = R_2 + R_3 = 3{,}00 + 3{,}00 = 6{,}00\ \Omega$

La résistance R_a est en parallèle avec R_4. La résistance R_b qui les remplace a pour valeur

$\frac{1}{R_b} = \frac{1}{R_a} + \frac{1}{R_4} \Longrightarrow R_b = \left(\frac{1}{R_a} + \frac{1}{R_4}\right)^{-1} = \left(\frac{1}{6{,}00} + \frac{1}{4{,}00}\right)^{-1} = 2{,}40\ \Omega$

Les résistances R_b et R_5 sont en série. La résistance R_c qui les remplace a pour valeur

$R_c = R_b + R_5 = 2{,}40 + 2{,}00 = 4{,}40\ \Omega$

La résistance R_c est en parallèle avec R_6. La résistance R_d qui les remplace a pour valeur

$\frac{1}{R_d} = \frac{1}{R_c} + \frac{1}{R_6} \Longrightarrow R_b = \left(\frac{1}{R_c} + \frac{1}{R_6}\right)^{-1} = \left(\frac{1}{4{,}40} + \frac{1}{1{,}00}\right)^{-1} = 0{,}815\ \Omega$

Finalement, les résistances R_1, R_d et R_7 sont en série, et la résistance équivalente au circuit a pour valeur

$R_{\text{éq}} = R_1 + R_d + R_7 = 2{,}00 + 0{,}815 + 5{,}00 = \boxed{7{,}82\ \Omega}$

(b) On donne $\Delta V = 10$ V, la différence de potentiel appliquée entre les points a et b. On calcule d'abord le courant traversant le circuit ne contenant que la résistance équivalente :

$I = \frac{\Delta V}{R_{\text{éq}}} = \frac{10}{7{,}82} = 1{,}28$ A

Ce courant traverse R_1, R_d et R_7, qui sont en série. La différence de potentiel que l'on mesure à travers la résistance R_d a pour valeur

$\Delta V_d = R_d I = (0{,}815)\,(1{,}28) = 1{,}043$ V

Cette différence de potentiel est celle que l'on mesure aux bornes des résistances R_c et R_6, qui sont en parallèle. On peut donc utiliser ΔV_d pour trouver le courant qui parcourt R_c :

$I_c = \frac{\Delta V_d}{R_c} = \frac{1{,}043}{4{,}40} = 0{,}237$ A

Comme R_c est constituée de R_b et R_5, en série, I_c est le courant qui traverse ces deux résistances. La différence de potentiel que l'on mesure à travers la résistance R_b a pour valeur

$\Delta V_b = R_b I_c = (2{,}40)\,(0{,}237) = 0{,}568$ V

Finalement, comme R_b remplace R_a et R_4, qui sont en parallèle, la différence de potentiel ΔV_b est aussi celle que l'on mesure aux bornes de R_4, soit

$\Delta V_4 = \boxed{0{,}568 \text{ V}}$

E10. On donne $R_{\text{éq}} = 16\ \Omega$, la résistance équivalente au circuit de la figure 7.42. Les trois résistances de gauche sont en parallèle. Selon l'équation 7.4, la résistance R_a qui les remplace a pour valeur

$\frac{1}{R_a} = \frac{1}{R} + \frac{1}{R} + \frac{1}{R} = \frac{3}{R} \Longrightarrow R_a = \frac{R}{3}$

La résistance R_a est en série avec la résistance R de droite. Ainsi,

$R_{\text{éq}} = R_a + R = \frac{R}{3} + R \Longrightarrow 16 = \frac{4}{3}R \Longrightarrow R = \boxed{12{,}0\ \Omega}$

E11. On donne $R_1 = 2\ \Omega$, $R_2 = 3\ \Omega$ et $R_3 = 4\ \Omega$. Si on inclut les valeurs individuelles, il existe 17 possibilités de branchement des trois résistances, qui conduisent à 16 valeurs de résistance équivalente. On laisse le soin à l'élève de trouver ces 17 circuits en lui fournissant la valeur des 16 résistances équivalentes :

$R_{\text{éq}} = \boxed{2{,}00\ \Omega,\ 3{,}00\ \Omega,\ 4{,}00\ \Omega,\ 5{,}00\ \Omega,\ 6{,}00\ \Omega,\ 7{,}00\ \Omega,\ 9{,}00\ \Omega,\ 1{,}20\ \Omega}$

$\boxed{1{,}33\ \Omega,\ 1{,}71\ \Omega,\ 0{,}923\ \Omega,\ 5{,}20\ \Omega,\ 4{,}33\ \Omega,\ 3{,}71\ \Omega,\ 2{,}22\ \Omega,\ 1{,}55\ \Omega}$

E12. La figure ci-dessous donne la première méthode :

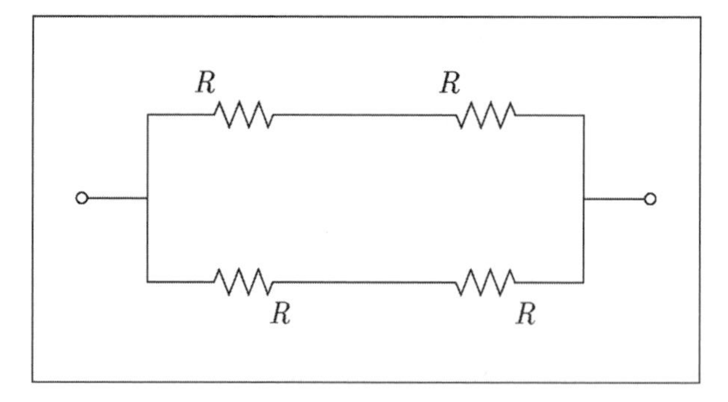

Dans cette figure, on note que les deux résistances de la branche du haut sont en série, de sorte que la résistance R_a qui les remplace vaut $2R$. De même, la résistance R_b qui remplace les deux résistances du bas en série vaut aussi $2R$. Finalement, R_a et R_b sont en parallèle :

$\frac{1}{R_{\text{éq}}} = \frac{1}{R_a} + \frac{1}{R_b} = \frac{1}{2R} + \frac{1}{2R} = \frac{1}{R} \Longrightarrow \boxed{R_{\text{éq}} = R} \Longrightarrow \boxed{\text{CQFD}}$

Et la seconde méthode est décrite par cette figure :

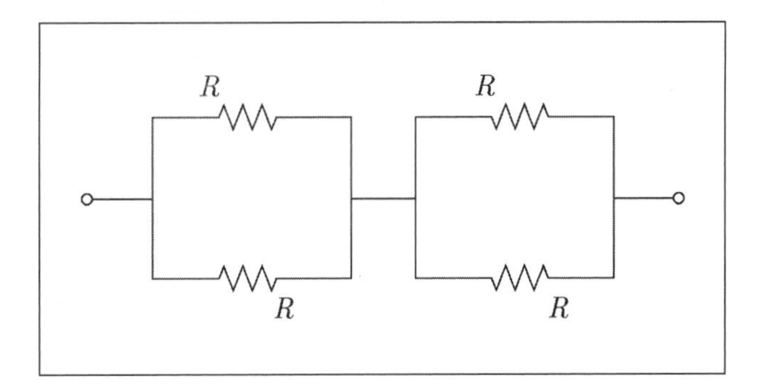

Les deux résistances de gauche sont en parallèle, de sorte que la résistance R_a qui les remplace a pour valeur

$\frac{1}{R_a} = \frac{1}{R} + \frac{1}{R} = \frac{2}{R} \Longrightarrow R_a = \frac{1}{2}R$

Les deux résistances de droite sont aussi en parallèle, de sorte que R_b la résistance qui les remplace vaut aussi $\frac{1}{2}R$. Finalement, R_a et R_b sont en série :

$R_{\text{éq}} = R_a + R_b = \frac{1}{2}R + \frac{1}{2}R \Longrightarrow \boxed{R_{\text{éq}} = R} \Longrightarrow \boxed{\text{CQFD}}$

E13. On peut le faire avec 4 groupes de 4 résistances, soit l'ensemble comportant des résistances de $\boxed{1{,}00\ \Omega,\ 2{,}00\ \Omega,\ 3{,}00\ \Omega,\ 4{,}00\ \Omega}$

ou de $\boxed{1{,}00\ \Omega,\ 2{,}00\ \Omega,\ 4{,}00\ \Omega,\ 5{,}00\ \Omega}$

ou de $\boxed{1{,}00\ \Omega,\ 2{,}00\ \Omega,\ 4{,}00\ \Omega,\ 4{,}00\ \Omega}$

ou de $\boxed{1{,}00\ \Omega,\ 2{,}00\ \Omega,\ 2{,}00\ \Omega,\ 5{,}00\ \Omega}$

E14. On donne $R = 5\ \Omega$, la valeur individuelle de chaque résistance, et $P_{R\max} = 10$ W, la puissance maximale qui peut se dissiper pour chacune des résistances.

(a) Comme on les place en série, la résistance équivalente aux trois résistances est $R_{\text{éq}} = 3R$. Les trois résistances sont traversées par le même courant. La puissance maximale et le courant qui traverse chaque résistance sont liés par

$P_{R\max} = RI_{\max}^2 \Longrightarrow 10 = 5I_{\max}^2 \Longrightarrow I_{\max} = \sqrt{2} = 1{,}41$ A

La valeur maximale de la différence de potentiel qui peut être appliquée à l'ensemble est

$\Delta V_{\max} = R_{\text{éq}} I_{\max} = 3RI_{\max} = 3\,(5)\,(1{,}41) = \boxed{21{,}2\ \text{V}}$

(b) Lorsqu'on branche les trois résistances comme à la figure 7.43*a*, le courant qui traverse la branche du haut n'est pas le même que celui qui traverse la branche du bas. Comme la branche du haut est constituée de deux résistances en série, sa résistance équivalente est de 10 Ω, donc supérieure à celle du bas, qui est de 5 Ω.

Si on applique au circuit une différence de potentiel de plus en plus élevée, le courant de la branche du bas sera toujours deux fois plus élevé que celui de la branche du haut; c'est donc la résistance du bas qui *grillera* la première. On trouve directement la différence de potentiel maximale qu'il est possible de lui appliquer avec l'équation 6.12 :

$P_{R\max} = \frac{\Delta V_{\max}^2}{R} \Longrightarrow \Delta V_{\max} = \sqrt{RP_{R\max}} = \sqrt{5\,(10)} = \boxed{7{,}07 \text{ V}}$

Cette différence de potentiel est aussi appliquée à la branche du haut, mais elle ne fera pas *griller* les deux résistances du haut.

E15. On donne $R = 4\ \Omega$, la valeur individuelle de chaque résistance, et $P_{R\max} = 20$ W, la puissance maximale qui peut se dissiper pour chacune des résistances.

(a) Comme on les branche en parallèle, les trois résistances subiront la même différence de potentiel. La valeur maximale de cette différence de potentiel est donnée par l'équation 6.12 :

$P_{R\max} = \frac{\Delta V_{\max}^2}{R} \Longrightarrow \Delta V_{\max} = \sqrt{RP_{R\max}} = \sqrt{4\,(20)} = \boxed{8{,}94 \text{ V}}$

(b) Lorsqu'on branche les trois résistances comme à la figure 7.43*b*, le courant qui traverse les trois résistances n'est pas le même. Les deux résistances de gauche sont branchées en parallèle, de sorte que la résistance R_a qui les remplace a pour valeur

$\frac{1}{R_a} = \frac{1}{R} + \frac{1}{R} = \frac{2}{R} \Longrightarrow R_a = \frac{1}{2}R = \frac{1}{2}\,(4) = 2\ \Omega$

La résistance R_a et la résistance R de droite sont traversées par le même courant. Comme $R > R_a$ et que $RI^2 > R_aI^2$, c'est la résistance de droite qui *grillera* la première si on augmente de plus en plus la différence de potentiel appliquée au circuit.

On trouve d'abord la valeur maximale du courant qui peut traverser la résistance de droite :

$P_{R\max} = RI_{\max}^2 \Longrightarrow 20 = 4I_{\max}^2 \Longrightarrow I_{\max} = \sqrt{5} = 2{,}24 \text{ A}$

Ensuite, on calcule la valeur maximale de la différence de potentiel qui peut être appliquée au circuit (rappel : R_a et la résistance R de droite sont en série) :

$\Delta V_{\max} = R_{\text{éq}}I_{\max} = (R_a + R)\,I_{\max} = (2 + 4)\,(2{,}24) = \boxed{13{,}4 \text{ V}}$

E16. On donne $\xi_1 = 1{,}53$ V, $r_1 = 0{,}05\ \Omega$, $\xi_2 = 1{,}48$ V, $r_1 = 0{,}15\ \Omega$. Pour répondre aux deux questions, on doit d'abord trouver le courant qui parcourt le circuit. On suppose, de façon arbitraire, que le courant circule dans le *sens horaire.*

On applique la loi des mailles en parcourant le circuit de la figure 7.44 dans le sens horaire, à partir du point a :

$\xi_1 - r_1I - r_2I - \xi_2 = 0 \Longrightarrow I = \frac{\xi_1 - \xi_2}{r_1 + r_2} = \frac{1{,}53 - 1{,}48}{0{,}05 + 0{,}15} = 0{,}25 \text{ A}$

Le courant circule dans le sens choisi de façon arbitraire.

Pour trouver la différence de potentiel entre les points a et b, on procède comme à l'exemple 7.12b, en évaluant les variations de potentiel en se déplaçant du point b au point a. Comme le parcours n'a pas d'importance, on choisit de passer par la branche du haut :

$$V_a + \xi_1 - r_1 I = V_b \implies V_b - V_a = \xi_1 - r_1 I = 1{,}53 - 0{,}05\,(0{,}25) \implies \boxed{V_b - V_a = 1{,}52 \text{ V}}$$

Les résistances internes dissipent l'énergie sous forme de chaleur; donc

$$P_r = P_{r_1} + P_{r_2} = r_1 I^2 + r_2 I^2 = (r_1 + r_2)\, I^2 = (0{,}05 + 0{,}15)\,(0{,}25)^2 \implies \boxed{P_r = 12{,}5 \text{ mW}}$$

E17. On donne $\Delta V = 120$ V, et les valeurs maximales de puissance se trouvent à la figure 7.45. Tous les éléments du circuit sont branchés en parallèle : ils subissent donc tous la même différence de potentiel ΔV. On trouve le courant qui traverse chaque élément au moyen de l'équation 6.11 :

$$I_{\text{lampe}} = \frac{P_{\text{lampe}}}{\Delta V} = \frac{60}{120} \implies \boxed{I_{\text{lampe}} = 0{,}500 \text{ A}}$$

$$I_{\text{radio}} = \frac{P_{\text{radio}}}{\Delta V} = \frac{10}{120} \implies \boxed{I_{\text{radio}} = 0{,}0833 \text{ A}}$$

$$I_{\text{gr.-pain}} = \frac{P_{\text{gr.-pain}}}{\Delta V} = \frac{1000}{120} \implies \boxed{I_{\text{gr.-pain}} = 8{,}33 \text{ A}}$$

$$I_{\text{radiateur}} = \frac{P_{\text{radiateur}}}{\Delta V} = \frac{1500}{120} \implies \boxed{I_{\text{radiateur}} = 12{,}5 \text{ A}}$$

E18. On donne $\xi_1 = 12$ V, $\xi_2 = 6$ V, $r_1 = r_2 = 1\ \Omega$ et $R_1 = 3\ \Omega$. Le courant qui circule dans l'ampèremètre est de 2 A, et la position du + et du − dans la figure 7.46 permet d'affirmer qu'il circule vers la droite (voir la section 7.2). À cause de la loi des nœuds, le courant dans les deux branches verticales de droite circule vers le bas.

Dans la figure ci-dessous, on reprend la figure 7.47, en affichant la direction des courants et en définissant le sens dans lequel on applique la loi des mailles dans la maille de gauche :

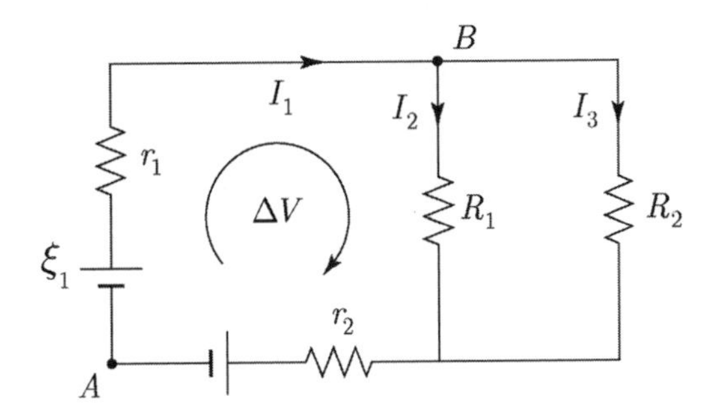

On applique la loi des mailles à la maille de gauche dans le sens présenté, à partir du point A (rappel : $I_1 = 2$ A) :

$$\xi_1 - r_1 I_1 - R_1 I_2 - r_2 I_1 - \xi_2 = 0 \implies 12 - 2 - 3I_2 - 2 - 6 = 0 \implies I_2 = 0{,}6667 \text{ A}$$

Si on applique la loi des nœuds au point B, on obtient

$I_1 = I_2 + I_3 \implies I_3 = I_1 - I_2 = 2 - 0{,}6667 = 1{,}333$ A

(a) À partir de la valeur de I_2, on calcule comme suit la différence de potentiel dans R_1 :

$\Delta V_1 = R_1 I_2 = 3\,(0{,}6667) = 2{,}00$ V

La différence de potentiel dans la résistance R_2 est identique. Comme on connaît I_3, on trouve

$\Delta V_1 = \Delta V_2 = R_2 I_3 \implies R_2 = \frac{\Delta V_2}{I_3} = \frac{2{,}00}{1{,}333} = \boxed{1{,}50\ \Omega}$

(b) Au moyen de l'équation 6.12, on obtient directement

$P_{R_1} = R_1 I_2^2 = 3\,(0{,}6667)^2 \implies \boxed{P_{R_1} = 1{,}33\ \text{W}}$

$P_{R_2} = R_2 I_3^2 = (1{,}50)\,(1{,}333)^2 \implies \boxed{P_{R_2} = 2{,}67\ \text{W}}$

(c) La pile 1 est traversée par un courant dans le sens normal. Selon l'équation 7.2*a*, on obtient

$\Delta V_{\xi_1} = \xi_1 - r_1 I_1 = 12 - 1\,(2) \implies \boxed{\Delta V_{\xi_1} = 10{,}0\ \text{V}}$

La pile 2 est traversée par un courant qui la recharge. Selon l'équation 7.2b, on trouve

$\Delta V_{\xi_2} = \xi_2 + r_2 I_1 = 6 + 1\,(2) \implies \boxed{\Delta V_{\xi_2} = 8{,}00\ \text{V}}$

(d) Pour la pile 1, au moyen de l'équation 6.11, on obtient directement

$P_{\xi_1} = \xi_1 I_1 = 12\,(2) \implies \boxed{P_{\xi_1} = 24{,}0\ \text{W}}$

Comme on l'explique à l'exemple 7.11*b*, la pile 2 se recharge et retire de l'énergie du circuit. On peut symboliser ce comportement par une puissance négative :

$P_{\xi_2} = -\xi_2 I_1 = -6\,(2) \implies \boxed{P_{\xi_2} = -12{,}0\ \text{W}}$

E19. On donne $\xi_1 = 9$ V, $\xi_2 = 6$ V, $R_1 = 2\ \Omega$ et $R_2 = 4\ \Omega$.

(a) On suppose, de façon arbitraire, que le courant circule dans le *sens horaire.*

On applique la loi des mailles en parcourant le circuit de la figure 7.47 dans le sens horaire, à partir du coin inférieur gauche :

$\xi_1 - R_1 I - \xi_2 - R_2 I = 0 \implies I = \frac{\xi_1 - \xi_2}{R_1 + R_2} = \frac{9-6}{2+4} = \boxed{0{,}500\ \text{A}}$

Le courant circule dans le sens choisi de façon arbitraire.

(b) Au moyen de l'équation 6.12, on obtient directement

$P_{R_1} = R_1 I^2 = 2\,(0{,}500)^2 \implies \boxed{P_{R_1} = 0{,}500\ \text{W}}$

$P_{R_2} = R_2 I^2 = 4\,(0{,}500)^2 \implies \boxed{P_{R_2} = 1{,}00\ \text{W}}$

(c) Pour la pile 1, au moyen de l'équation 6.11, on obtient directement

$P_{\xi_1} = \xi_1 I_1 = 9\,(0{,}500) \implies \boxed{P_{\xi_1} = 4{,}50 \text{ W}}$

Comme on l'explique à l'exemple 7.11*b*, la pile 2 se recharge et retire de l'énergie du circuit. On peut symboliser ce comportement par une puissance négative :

$P_{\xi_2} = -\xi_2 I_1 = -6\,(0{,}500) \implies \boxed{P_{\xi_2} = -3{,}00 \text{ W}}$

E20. On donne $\xi_1 = 5$ V, $\xi_2 = 9{,}5$ V, $r_1 = 1\ \Omega$, $r_2 = 2\ \Omega$ et $R = 1{,}5.\Omega$. Pour répondre aux trois questions, on doit d'abord trouver le courant qui parcourt le circuit. On suppose, en tenant compte de la valeur des f.é.m., que le courant circule dans le *sens anti-horaire.*

On applique la loi des mailles en parcourant le circuit de la figure 7.48 dans le sens horaire, à partir du point P :

$r_2 I - \xi_2 + RI + \xi_1 + r_1 I = 0 \implies I = \frac{\xi_2 - \xi_1}{r_1 + r_2 + R} = \frac{9{,}5-5}{1+2+1{,}5} = 1{,}00 \text{ A}$

Le courant circule dans le sens choisi.

(a) Pour trouver la valeur du potentiel en P, on considère que le potentiel au coin inférieur droit est nul puisqu'il s'agit d'une mise à la terre ($V_0 = 0$). Ensuite, on procède comme à l'exemple 7.12*b*, en calculant les variations de potentiel entre la mise à la terre et le point P. On parcourt le circuit par la branche du bas :

$V_0 + \xi_1 + r_1 I = V_P \implies V_P = 5 + 1\,(1) = \boxed{6{,}00 \text{ V}}$

(b) La pile 1 est traversée par un courant qui la recharge. Selon l'équation 7.2*b*, on obtient

$\Delta V_{\xi_1} = \xi_1 + r_1 I = 5 + 1\,(1) \implies \boxed{\Delta V_{\xi_1} = 6{,}00 \text{ V}}$

La pile 2 est traversée par un courant dans le sens normal. Selon l'équation 7.2*a*, on obtient

$\Delta V_{\xi_2} = \xi_2 - r_2 I = 9{,}5 - 2\,(1) \implies \boxed{\Delta V_{\xi_2} = 7{,}50 \text{ V}}$

(c) Au moyen de l'équation 6.12, on trouve directement

$P_R = RI^2 = 1{,}5\,(1)^2 = \boxed{1{,}50 \text{ W}}$

E21. Si on observe la figure 7.49, on constate que toute la branche horizontale du centre est à la même valeur de potentiel puisqu'on n'y trouve aucun élément de circuit. On en conclut que les deux extrémités de la résistance de 7 Ω sont au même potentiel et que celle-ci ne sera parcourue d'aucun courant; donc $\boxed{I_{7\ \Omega} = 0}$.

Les deux autres résistances sont directement branchées à la f.é.m. idéale et subissent une différence de potentiel égale à celle-ci, soit $\xi = 10$ V. Le courant qui parcourt chaque résistance est directement donné par l'équation 6.10 :

$I_{3\,\Omega} = \frac{\xi}{3\,\Omega} = \frac{10}{3} \implies \boxed{I_{3\,\Omega} = 3{,}33 \text{ A}}$

$I_{4\,\Omega} = \frac{\xi}{4\,\Omega} = \frac{10}{4} \implies \boxed{I_{4\,\Omega} = 2{,}50 \text{ A}}$

E22. Le circuit de la figure 7.50 ne contient qu'une seule f.é.m. idéale. Il est donc facile de déduire la direction du courant dans toutes les branches. La figure ci-dessous reprend la figure 7.50. On y montre la direction des courants dans chaque branche en les numérotant. De même, on numérote les résistances :

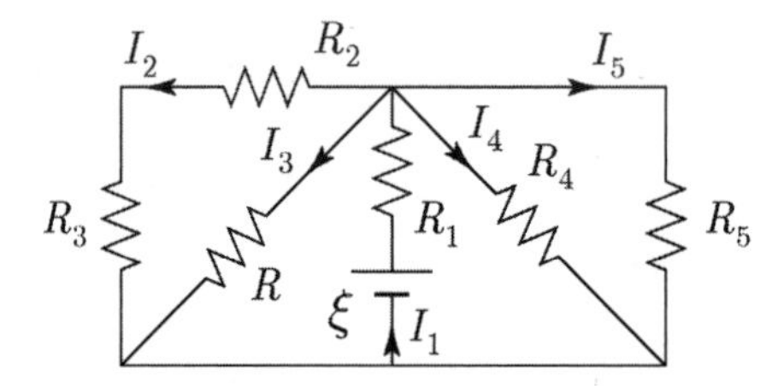

On donne $R_1 = 1\ \Omega$, $R_2 = 2\ \Omega$, $R_3 = 4\ \Omega$ et $R_4 = R_5 = 3\ \Omega$. On fournit aussi la différence de potentiel mesurée à travers la résistance R_2, $\Delta V_2 = 4$ V, et le courant $I_3 = 2$ A.

On cherche ξ et R. Dans un tel problème, on peut appliquer les lois de Kirchhoff et construire un système de plusieurs équations, duquel on tirera la réponse. On peut aussi fonctionner par raisonnement et *remonter* aux deux inconnues.

Comme on connaît la chute de potentiel dans R_2, on peut déduire I_2 :

$I_2 = \frac{\Delta V_2}{R_2} = \frac{4}{2} = 2{,}00$ A

On peut alors déduire la chute de potentiel dans R_3, qui est aussi traversée par I_2 :

$\Delta V_3 = R_3 I_2 = 4\,(2{,}00) = 8{,}00$ V

La somme $\Delta V = \Delta V_2 + \Delta V_3 = 12$ V correspond à la différence de potentiel dans les quatre autres branches contenant des résistances. On peut alors trouver R puisque I_3 est connu :

$\Delta V = R I_3 \implies R = \frac{\Delta V}{I_3} = \frac{12}{2} \implies \boxed{R = 6{,}00\ \Omega}$

Pour calculer ξ, on doit connaître le courant I_1. On calcule d'abord les courants I_4 et I_5, sachant que $\Delta V_4 = \Delta V_5 = \Delta V = 12$ V :

$I_4 = I_5 = \frac{\Delta V}{R_4} = \frac{12}{3} = 4$ A

On applique la loi des nœuds au point de jonction qui se trouve en haut du circuit, au centre :

$I_1 = I_2 + I_3 + I_4 + I_5 = 2{,}00 + 2{,}00 + 4{,}00 + 4{,}00 = 12$ A

Finalement,

$\Delta V = \xi - R_1 I_1 \implies \xi = \Delta V + R_1 I_1 = 12 + 1\,(12) \implies \boxed{\xi = 24{,}0 \text{ V}}$

E23. On reprend ci-dessous la figure 7.51. Les f.é.m. et les résistances internes ont été numérotées. On illustre la direction arbitraire choisie pour les courants et le sens dans lequel on parcourt les mailles :

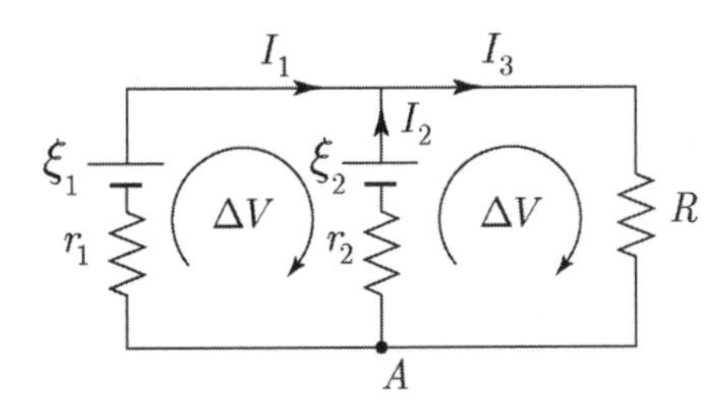

On donne $\xi_1 = \xi_2 = \xi$ et $r_1 = r_2 = r$. Pour répondre à la question (a), on doit d'abord trouver une expression pour la puissance P_R dissipée par R qui soit fonction de ξ, r et R.

On applique la loi des mailles à la maille de gauche à partir du point A :

$$-r_1 I_1 + \xi_1 - \xi_2 + r_2 I_2 = 0 \implies -rI_1 + \xi - \xi + rI_2 = 0 \implies I_1 = I_2 \qquad \text{(i)}$$

On applique la loi des mailles à la maille de droite à partir du point A :

$$-r_2 I_2 + \xi_2 - RI_3 = 0 \implies -rI_2 + \xi - RI_3 = 0 \qquad \text{(ii)}$$

On applique la loi des nœuds au point A en utilisant le résultat (i) :

$$I_3 = I_1 + I_2 = 2I_2 \implies I_2 = \frac{I_3}{2} \qquad \text{(iii)}$$

Si on combine les équations (ii) et (iii), on obtient

$$-r\left(\frac{I_3}{2}\right) + \xi - RI_3 = 0 \implies I_3 = \frac{\xi}{\frac{r}{2}+R}$$

Avec cette valeur pour I_3, la puissance dissipée par R est

$$P_R = RI_3^2 = R\left(\frac{\xi}{\frac{r}{2}+R}\right)^2 = \frac{R\xi^2}{\left(\frac{r}{2}+R\right)^2}$$

(a) La puissance dissipée dans R est maximale pour $\frac{dP_R}{dR} = 0$:

$$\frac{dP_R}{dR} = \frac{d}{dR}\left(\frac{R\xi^2}{\left(\frac{r}{2}+R\right)^2}\right) = \xi^2\left(\frac{\left(\frac{r}{2}+R\right)^2 - R\left(2\left(\frac{r}{2}+R\right)\right)}{\left(\frac{r}{2}+R\right)^4}\right) = \xi^2\left(\frac{\frac{r^2}{4}+rR+R^2-rR-2R^2}{\left(\frac{r}{2}+R\right)^4}\right) = 0 \implies$$

$$\frac{dP_R}{dR} = \xi^2\left(\frac{\frac{r^2}{4}-R^2}{\left(\frac{r}{2}+R\right)^4}\right) = 0$$

Comme $R > 0$, seul le numérateur permet d'annuler l'expression lorsque

$$\frac{r^2}{4} - R^2 = 0 \implies R = \sqrt{\frac{r^2}{4}} \implies R = \boxed{\frac{r}{2}}$$

(b) On fixe dans le logiciel Maple les valeurs de r et ξ. On définit l'expression de la puissance dissipée et on trace le graphe demandé :

```
> restart;
> r:=1; xi:=1;
> P:='R*xi^2/(r/2+R)^2';
```

> plot(P,R=0..2);

Le graphe confirme la réponse à la question (a).

E24. Soit ΔV, la différence de potentiel appliquée au circuit de la figure 7.52. On nomme I_1, I_2 et I_C, les courants qui parcourent les trois résistances. Avant de répondre à la question, on doit trouver pour I_C une expression qui ne dépende que de ΔV et de la valeur des résistances.

Les résistances R_2 et R_C sont en parallèle. La résistance R_a qui les remplace a pour valeur

$$\frac{1}{R_a} = \frac{1}{R_2} + \frac{1}{R_C} \Longrightarrow R_a = \left(\frac{1}{R_2} + \frac{1}{R_C}\right)^{-1} = \left(\frac{R_C+R_2}{R_2R_C}\right)^{-1} = \frac{R_2R_C}{R_C+R_2}$$

La résistance R_1 est en série avec R_a. La résistance équivalente à tout le circuit a pour valeur

$$R_{\text{éq}} = R_1 + R_a = R_1 + \frac{R_2R_C}{R_C+R_2} = \frac{R_1(R_C+R_2)+R_2R_C}{R_C+R_2} = \frac{R_1R_C+R_1R_2+R_2R_C}{R_C+R_2}$$

Le courant qui traverse la résistance équivalente est identique à celui qui traverse R_1; donc

$$I_1 = \frac{\Delta V}{R_{\text{éq}}} = \frac{(R_C+R_2)\Delta V}{R_1R_C+R_1R_2+R_2R_C}$$

La différence de potentiel mesurée à travers R_a est la même qu'à travers R_C, ce qui permet d'écrire

$$R_aI_1 = R_CI_C \Longrightarrow \left(\frac{R_2R_C}{R_C+R_2}\right)\frac{(R_C+R_2)\Delta V}{R_1R_C+R_1R_2+R_2R_C} = R_CI_C \Longrightarrow$$

$$I_C = \frac{1}{R_C}\frac{R_2R_C\Delta V}{R_1R_C+R_1R_2+R_2R_C} = \frac{R_2\Delta V}{R_1R_C+R_1R_2+R_2R_C}$$

On peut maintenant calculer la puissance dissipée dans R_C :

$$P_{R_C} = R_CI_C^2 = R_C\left(\frac{R_2\Delta V}{R_1R_C+R_1R_2+R_2R_C}\right)^2 = \frac{R_CR_2^2\Delta V^2}{(R_1R_C+R_1R_2+R_2R_C)^2}$$

La puissance dissipée dans R_C est maximale pour $\frac{dP_{R_C}}{dR} = 0$:

$$\frac{dP_{R_C}}{dR} = \frac{d}{dR_C}\left(\frac{R_CR_2^2\Delta V^2}{(R_1R_C+R_1R_2+R_2R_C)^2}\right) = R_2^2\Delta V^2\frac{d}{dR_C}\left(\frac{R_C}{(R_1R_C+R_1R_2+R_2R_C)^2}\right) \Longrightarrow$$

$$\frac{dP_{R_C}}{dR} = R_2^2\Delta V^2\left(\frac{(R_1R_C+R_1R_2+R_2R_C)^2-R_C(2(R_1R_C+R_1R_2+R_2R_C)(R_1+R_2))}{(R_1R_C+R_1R_2+R_2R_C)^4}\right)$$

Comme $R_C > 0$, la dérivée ne peut être nulle que si le numérateur de la fraction devient nul; donc

$$(R_1R_C + R_1R_2 + R_2R_C)^2 - 2R_C(R_1R_C + R_1R_2 + R_2R_C)(R_1 + R_2) = 0$$

On laisse le soin à l'élève de vérifier que cette égalité n'est vraie que si

$$R_C = \boxed{\frac{R_1R_2}{R_1+R_2}}$$

E25. À partir de la figure 7.53, où la direction des courants est fixée de façon arbitraire, on applique les lois de Kirchhoff. On donne $\xi_1 = 26$ V, $\xi_2 = 25$ V, $R_1 = 2\ \Omega$ et

$R_2 = R_3 = 5\ \Omega$.

(a) On applique la loi des mailles en parcourant la maille de gauche dans le sens horaire, à partir du point B :

$-\xi_1 + R_1I_1 - R_3I_3 = 0 \implies -26 + 2I_1 - 5I_3 = 0 \quad \text{(i)}$

En parcourant la maille de droite dans le sens horaire à partir du point A, on trouve

$\xi_2 + R_2I_2 + R_3I_3 = 0 \implies 25 + 5I_2 + 5I_3 = 0 \quad \text{(ii)}$

On applique la loi des nœuds au point qui se trouve au bas de la branche centrale :

$I_1 + I_3 = I_2 \quad \text{(iii)}$

On résout les équations (i), (ii) et (iii), et on trouve $I_1 = 3{,}00$ A, $I_2 = -1{,}00$ A et $I_3 = -4{,}00$ A. Ce résultat implique que le sens arbitraire choisi pour I_2 et I_3 était incorrect. Dans ce cas, on change le signe pour ces deux courants et on inverse le sens du courant dans la figure. En résumé,

$\boxed{I_1 = 3{,}00\ \text{A}}$

$\boxed{I_2 = 1{,}00\ \text{A, dans le sens opposé à celui de la figure}}$

$\boxed{I_3 = 4{,}00\ \text{A, dans le sens opposé à celui de la figure}}$

La différence de potentiel dans chaque résistance est donnée par l'équation 6.10 :

$\Delta V_{R_1} = R_1I_1 = 2\,(3) \implies \boxed{\Delta V_{R_1} = 6{,}00\ \text{V}}$

$\Delta V_{R_2} = R_2I_2 = 5\,(1) \implies \boxed{\Delta V_{R_2} = 5{,}00\ \text{V}}$

$\Delta V_{R_3} = R_3I_3 = 5\,(4) \implies \boxed{\Delta V_{R_3} = 20{,}0\ \text{V}}$

(b) On évalue les variations de potentiel du point B au point A en passant par la branche de gauche :

$V_B - \xi_1 + R_1I_1 = V_A \implies V_A - V_B = -\xi_1 + R_1I_1 = -26 + 2\,(3) = \boxed{-20{,}0\ \text{V}}$

E26. On reprend ci-dessous la figure 7.54. On montre la direction arbitraire choisie pour les courants et le sens dans lequel on parcourt les mailles :

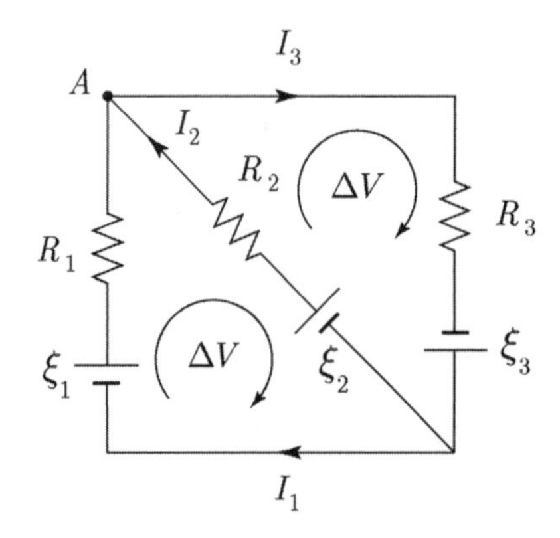

On donne $\xi_1 = 12$ V, $\xi_2 = 8$ V, $\xi_3 = 6$ V, $R_1 = R_2 = 2\ \Omega$ et $R_3 = 3\ \Omega$.

On applique la loi des mailles à la maille de gauche à partir du point A:

$R_2I_2 - \xi_2 + \xi_1 - R_1I_1 = 0 \implies 2I_2 + 4 - 2I_1 = 0 \qquad \text{(i)}$

On applique la loi des mailles à la maille de droite à partir du point A:

$-R_3I_3 + \xi_3 + \xi_2 - R_2I_2 = 0 \implies -3I_3 + 14 - 2I_2 = 0 \qquad \text{(ii)}$

On applique la loi des nœuds au point A:

$I_1 + I_2 = I_3 \qquad \text{(iii)}$

On résout les équations (i), (ii) et (iii), et on trouve:

$\boxed{I_1 = 3{,}00\ \text{A}}\ \boxed{I_2 = 1{,}00\ \text{A}}\ \boxed{I_3 = 4{,}00\ \text{A}}$

Les trois courants circulent dans le sens arbitraire choisi.

La différence de potentiel dans chaque résistance est donnée par l'équation 6.10:

$\Delta V_{R_1} = R_1I_1 = 2\,(3) \implies \boxed{\Delta V_{R_1} = 6{,}00\ \text{V}}$

$\Delta V_{R_2} = R_2I_2 = 2\,(1) \implies \boxed{\Delta V_{R_2} = 2{,}00\ \text{V}}$

$\Delta V_{R_3} = R_3I_3 = 3\,(4) \implies \boxed{\Delta V_{R_3} = 12{,}0\ \text{V}}$

E27. La solution est identique à celle de l'exercice 26 sauf pour l'énoncé des trois équations.

Si on insère les valeurs fournies, soit $\xi_1 = 12$ V, $\xi_2 = 7$ V, $\xi_3 = 5$ V, $R_1 = 4\Omega$,

$R_2 = R_3 = 3\ \Omega$, on obtient

$R_2I_2 - \xi_2 + \xi_1 - R_1I_1 = 0 \implies 3I_2 + 5 - 4I_1 = 0 \qquad \text{(i)}$

$-R_3I_3 + \xi_3 + \xi_2 - R_2I_2 = 0 \implies -3I_3 + 12 - 3I_2 = 0 \qquad \text{(ii)}$

$I_1 + I_2 = I_3 \qquad \text{(iii)}$

On résout les équations (i), (ii) et (iii), et on trouve:

$\boxed{I_1 = 2{,}00\ \text{A}}\ \boxed{I_2 = 1{,}00\ \text{A}}\ \boxed{I_3 = 3{,}00\ \text{A}}$

Les trois courants circulent dans le sens arbitraire choisi.

La différence de potentiel dans chaque résistance est donnée par l'équation 6.10:

$\Delta V_{R_1} = R_1 I_1 = 4\,(2) \implies \boxed{\Delta V_{R_1} = 8{,}00 \text{ V}}$

$\Delta V_{R_2} = R_2 I_2 = 3\,(1) \implies \boxed{\Delta V_{R_2} = 3{,}00 \text{ V}}$

$\Delta V_{R_3} = R_3 I_3 = 3\,(3) \implies \boxed{\Delta V_{R_3} = 9{,}00 \text{ V}}$

E28. À la figure 7.55, on nomme le courant dans chacune des branches. Afin d'utiliser les lois de Kirchhoff, on fixe le sens arbitraire de ces courants : I_1 circule vers le haut dans la branche de gauche, I_2 et I_3 vers le bas.

On applique la loi des nœuds à l'un ou l'autre des points de jonction du centre :

$I_1 = I_2 + I_3 \qquad \text{(i)}$

On applique la loi des mailles à la maille de gauche à partir du point A dans le sens horaire :

$-3I_1 - 5I_3 - 7 - 2I_1 + 12 = 0 \implies -5I_1 - 5I_3 + 5 = 0 \qquad \text{(ii)}$

On applique la loi des mailles à la maille de droite à partir du point B dans le sens horaire :

$7 + 5I_3 - 2I_2 - 3I_2 + 13 = 0 \implies 20 + 5I_3 - 5I_2 = 0 \qquad \text{(iii)}$

On résout les équations (i), (ii) et (iii), et on trouve $I_1 = 2{,}00$ A, $I_2 = 3{,}00$ A et $I_3 = -1{,}00$ A. Ce résultat implique que le sens arbitraire choisi pour I_3 était incorrect : ce courant circule vers le haut dans la branche centrale. Finalement,

$\boxed{I_1 = 2{,}00 \text{ A}}\ \boxed{I_2 = 3{,}00 \text{ A}}\ \boxed{I_3 = 1{,}00 \text{ A}}$

On évalue les variations de potentiel du point B au point A en passant par le bas et la branche de gauche :

$V_B - 2I_1 + 12 = V_A \implies V_A - V_B = -2I_1 + 12 = -2\,(2) + 12 \implies \boxed{V_A - V_B = 8{,}00 \text{ V}}$

E29. On reprend ci-dessous la figure 7.56. Les f.é.m., les courants et les résistances ont été numérotées. On présente la direction arbitraire choisie pour les courants. Dans le cas du courant I_3, l'ampèremètre confirme le sens choisi.

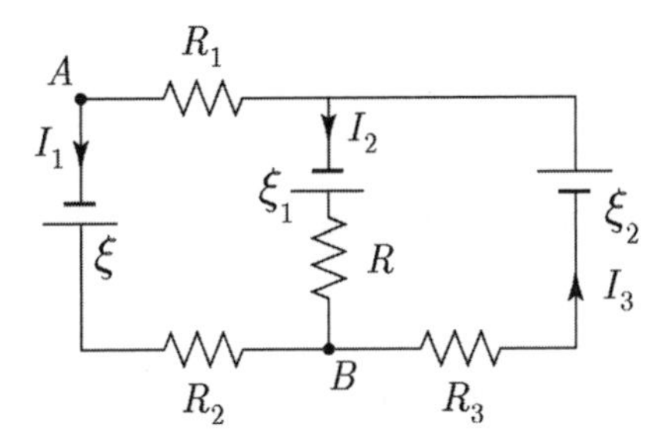

On donne $\xi_1 = 12$ V, $\xi_2 = 16$ V, $R_1 = 3\ \Omega$, $R_2 = 2\ \Omega$ et $R_3 = 4\ \Omega$. ξ et R sont inconnues. Selon l'information fournie par l'ampèremètre et le voltmètre, $I_3 = 6{,}0$ A et

$V_B - V_A = 14$ V.

On applique la loi des nœuds au point B :

$I_1 + I_2 = I_3 \implies I_1 = 6 - I_2 \quad$ (i)

On applique la loi des mailles à la maille de droite dans le sens horaire à partir du point B :

$RI_2 - \xi_1 - \xi_2 + R_3 I_3 = 0 \implies RI_2 - 4 = 0 \implies RI_2 = 4 \quad$ (ii)

On applique la loi des mailles à la maille de gauche dans le sens horaire à partir du point A :

$R_1 I_1 + \xi_1 - RI_2 + R_2 I_1 - \xi = 0 \implies 5I_1 + 12 - RI_2 - \xi = 0 \quad$ (iii)

Finalement, on peut écrire que

$V_A + \xi - R_2 I_1 = V_B \implies V_B - V_A = \xi - R_2 I_1 \implies 14 = \xi - 2I_1 \quad$ (iv)

Ces quatre équations contiennent quatre inconnues, soit I_1, I_2, ξ et R. Si on utilise l'égalité (ii) dans l'équation (iii), on obtient

$5I_1 + 12 - 4 - \xi = 0 \implies 5I_1 + 8 - \xi = 0 \quad$ (v)

Si on résout les équations (iv) et (v), on trouve $I_1 = 2$ A et $\boxed{\xi = 18{,}0 \text{ V}}$

Si on utilise I_1 dans l'équation (i), on trouve $I_2 = 4$ A et, dans l'équation (ii), $\boxed{R = 1{,}00\ \Omega}$

E30. (a) On nomme I le courant circulant dans l'ampèremètre et la branche du bas du circuit de la figure 7.57, I_1 le courant qui circule dans la branche du centre et I_2 le courant qui circule dans la branche du haut. Comme il n'y a qu'une f.é.m., le courant I circule vers la gauche, I_1 et I_2 vers la droite.

À cause de la loi des nœuds :

$I = I_1 + I_2 \quad$ (i)

On applique la loi des mailles à la maille inférieure dans le sens horaire à partir de l'ampèremètre :

$48 - 4I_1 - 5I_1 = 0 \implies I_1 = \frac{48}{9} = 5{,}33$ A

On applique la loi des mailles à la maille supérieure dans le sens horaire à partir du coin supérieur gauche :

$-6I_2 - 3I_2 + 5I_1 + 4I_1 = 0 \implies -9I_2 + 9\,(5{,}33) = 0 \implies I_2 = \frac{48{,}0}{9} = 5{,}33$ A

Avec l'équation (i), on trouve

$I = 5{,}33 + 5{,}33 \implies \boxed{I = 10{,}7 \text{ A}}$

Le voltmètre mesure la différence de potentiel aux bornes de la résistance de 3 Ω :

$\Delta V = RI_2 = 3\,(5{,}33) \implies \boxed{\Delta V = 16{,}0 \text{ V}}$

(b) Si l'interrupteur est fermé, le circuit de la figure 7.57 est équivalent à celui de cette figure :

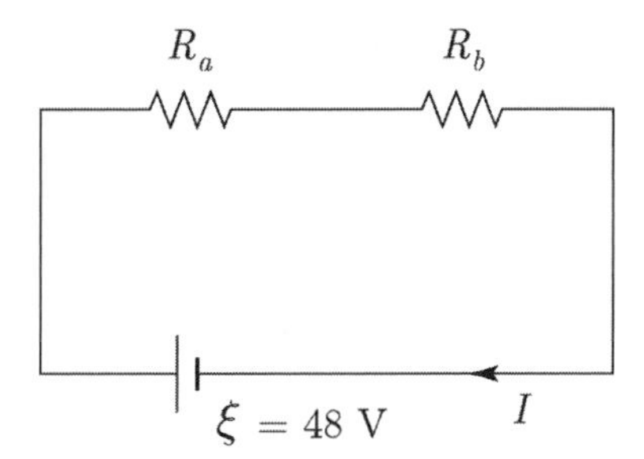

dans laquelle R_a remplace les résistances de 6 Ω et 4 Ω, qui sont en parallèle, de sorte que

$\frac{1}{R_a} = \frac{1}{6} + \frac{1}{4} \implies R_a = \left(\frac{1}{6} + \frac{1}{4}\right)^{-1} = 2{,}40\ \Omega$

et R_b remplace les résistances de 3 Ω et 5 Ω, qui sont en parallèle, de sorte que

$\frac{1}{R_b} = \frac{1}{3} + \frac{1}{5} \implies R_b = \left(\frac{1}{3} + \frac{1}{5}\right)^{-1} = 1{,}88\ \Omega$

Le courant qui traverse l'ampèremètre est celui de cette maille unique, soit

$I = \frac{\xi}{R_a+R_b} = \frac{48}{2{,}40+1{,}88} \implies \boxed{I = 11{,}2 \text{ A}}$

Le voltmètre mesure la différence de potentiel aux bornes de la résistance de 3 Ω, donc de R_b :

$\Delta V = R_b I = 1{,}88\,(11{,}2) \implies \boxed{\Delta V = 21{,}1 \text{ V}}$

E31. On donne $R_1 = 3\ \Omega$ et on cherche R_2. On suppose que les résistances sont branchées à une f.é.m. idéale ξ.

Si elles sont reliées en parallèle, la résistance équivalente est

$\frac{1}{R_{\text{éq}}} = \frac{1}{R_1} + \frac{1}{R_2} \implies R_{\text{éq}} = \left(\frac{1}{R_1} + \frac{1}{R_2}\right)^{-1} = \frac{R_1 R_2}{R_1+R_2} = \frac{3R_2}{3+R_2}$

Et la puissance totale qu'elles dissipent est

$P_{\text{paral.}} = \frac{\xi^2}{R_{\text{éq}}} = \frac{(3+R_2)\xi^2}{3R_2}$

Si elles sont reliées en série, la résistance équivalente est

$R_{\text{éq}} = R_1 + R_2 = 3 + R_2$

Et la puissance totale qu'elles dissipent est

$P_{\text{série}} = \frac{\xi^2}{R_{\text{éq}}} = \frac{\xi^2}{3+R_2}$

Selon l'énoncé de la question, $P_{\text{paral.}} = 4P_{\text{série}}$; donc

$\frac{(3+R_2)\xi^2}{3R_2} = 4\left(\frac{\xi^2}{3+R_2}\right) \implies (3+R_2)^2 = 12R_2 \implies 9 + 6R_2 + R_2^2 = 12R_2 \implies$

$R_2^2 - 6R_2 + 9 = 0$

La seule racine de cette équation quadratique est $R_2 = \boxed{3{,}00\ \Omega}$

E32. (a) On peut, pour ce circuit, appliquer les lois de Kirchhoff, créer un système d'équations et le résoudre. On peut aussi arriver assez rapidement au résultat en considérant la symétrie dans l'arrangement des résistances.

À cause de la symétrie, les deux résistances de gauche de la figure 7.58 seront parcourues par le même courant, et la même différence de potentiel peut être mesurée aux bornes de ces résistances. Le même raisonnement s'applique aux deux résistances de droite, de sorte que la valeur du potentiel aux deux bornes de la résistance verticale ne peut être qu'identique, soit $\boxed{\Delta V_{R_{\text{verticale}}} = 0}$

Entre les extrémités gauche et droite du circuit, on mesure ΔV. Toujours en raison de la symétrie, la différence de potentiel dans les deux résistances de gauche ne peut être différente de la différence de potentiel dans les deux résistances de droite. On conclut donc que ΔV se sépare également et que, quelle que soit la résistance horizontale, $\boxed{\Delta V_{R_{\text{horizontale}}} = \frac{\Delta V}{2}}$

(b) Si la résistance verticale ne subit aucune différence de potentiel, on peut la traiter de deux façons. Soit on suppose que ses deux extrémités sont en contact et que le circuit prend la forme de la seconde solution proposée à l'exercice 12, soit on suppose que la résistance verticale peut être enlevée et qu'alors le circuit est ouvert entre ces deux extrémités. Dans ce cas, le circuit prend la forme de la première solution de l'exercice 12.

Dans les deux cas, comme on le montre à l'exercice 12, $R_{\text{éq}} = \boxed{R}$

E33. (a) On donne $R_1 = 2\ \Omega$, $R_2 = 4\ \Omega$ et $R_3 = 2\ \Omega$. La valeur de la f.é.m. ξ est inconnue, mais on veut que $P_{R_3} = 6$ W.

Les résistances R_2 et R_3 sont en parallèle; si on les remplace par R_a, le circuit devient :

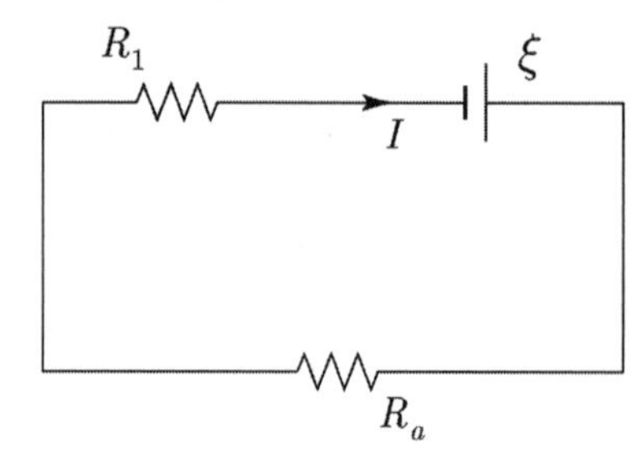

On calcule R_a comme suit :

$\frac{1}{R_a} = \frac{1}{R_2} + \frac{1}{R_3} \implies R_a = \left(\frac{1}{4} + \frac{1}{2}\right)^{-1} = 1{,}333\ \Omega$

Le courant de cette maille unique est

$I = \frac{\xi}{R_1+R_a} = \frac{\xi}{2{,}00+1{,}333} = 0{,}300\xi$

La différence de potentiel aux bornes de R_1 est

$\Delta V_1 = R_1 I = 2\,(0{,}300\xi) = 0{,}600\xi$

La différence de potentiel aux bornes de R_3 est la même que celle qu'on mesure aux bornes de R_a. Puisque $\xi = \Delta V_1 + \Delta V_a$, alors

$\Delta V_3 = \Delta V_a = \xi - \Delta V_1 = \xi - 0{,}600\xi = 0{,}400\xi$

On peut finalement utiliser la contrainte sur la puissance dissipée par R_3 et calculer ξ :

$P_{R_3} = \frac{\Delta V_3^2}{R_3} = \frac{(0{,}400\xi)^2}{2} \Longrightarrow 6 = 0{,}0800\xi^2 \Longrightarrow \xi = \sqrt{75{,}0} = \boxed{8{,}66 \text{ V}}$

(b) $P_{R_1} = \frac{\Delta V_1^2}{R_1} = \frac{(0{,}600(8{,}66))^2}{2} \Longrightarrow \boxed{P_{R_1} = 13{,}5 \text{ W}}$

Comme $\Delta V_2 = \Delta V_3$,

$P_{R_2} = \frac{\Delta V_2^2}{R_2} = \frac{(0{,}400(8{,}66))^2}{4} \Longrightarrow \boxed{P_{R_2} = 3{,}00 \text{ W}}$

E34. (a) À partir de la loi des nœuds et de la figure 7.60, on conclut que le courant I_2 qui traverse ξ_2 a pour valeur $I_2 = 1 + 2 = 3$ A et circule vers la droite. On applique la loi des mailles à la maille inférieure dans le sens horaire à partir du point b:

$2\,(2) - \xi_2 + 3I_2 = 0 \Longrightarrow 2\,(2) - \xi_2 + 3\,(3) = 0 \Longrightarrow \xi_2 = 2\,(2) + 3\,(3) \Longrightarrow \boxed{\xi_2 = 13{,}0 \text{ V}}$

On applique la loi des mailles à la maille supérieure dans le sens horaire à partir du point a:

$-2\,(2) + 1\,(1) + \xi_1 = 0 \Longrightarrow \xi_1 = 2\,(2) - 1\,(1) \Longrightarrow \boxed{\xi_1 = 3{,}00 \text{ V}}$

(b) On parcourt le circuit du point a au point b par la branche inférieure en évaluant les variations de potentiel:

$V_a - \xi_2 + 3I_2 = V_b \Longrightarrow V_b - V_a = -\xi_2 + 3I_2 = -13{,}0 + 3\,(3) = \boxed{-4{,}00 \text{ V}}$

E35. On donne $C = 0{,}01\ \mu$F, branchée en parallèle avec une f.é.m. ξ et une résistance R comme à la figure 7.25. Il n'est pas nécessaire que le condensateur atteigne la valeur maximale de charge; on suppose simplement que sa valeur est Q_0.

Si on débranche la f.é.m. idéale, on suppose que le condensateur est directement branché à la résistance et que sa décharge est décrite par l'équation 7.8a. Après un temps $t = 2$ ms, on affirme que $Q = 0{,}25Q_0$; donc

$Q = Q_0 e^{-\frac{t}{RC}} \Longrightarrow 0{,}25Q_0 = Q_0 e^{-\frac{t}{RC}} \Longrightarrow -\frac{t}{RC} = \ln(0{,}25) \Longrightarrow$

$R = -\frac{t}{C\ln(0{,}25)} = -\frac{(2\times10^{-3})}{(0{,}01\times10^{-6})\ln(0{,}25)} = \boxed{1{,}44 \times 10^5\ \Omega}$

E36. On doit remplacer les quatre condensateurs par un seul. Les trois condensateurs de la branche de droite sont en série. Selon l'équation 5.7, le condensateur C_a qui les remplace a pour capacité

$\frac{1}{C_a} = \frac{1}{C} + \frac{1}{C} + \frac{1}{C} = \frac{3}{C} \implies C_a = \frac{1}{3}C$

Le condensateur C_a est en parallèle avec le condensateur C de la branche verticale du centre. Selon l'équation 5.8, on trouve

$C_{\text{éq}} = C_a + C = \frac{1}{3}C + C = \frac{4}{3}C$

Même si elles ne sont pas l'une à côté de l'autre, les deux résistances R sont en série, et la résistance qui leur est équivalente a pour valeur

$R_{\text{éq}} = R + R = 2R$

Finalement,

$\tau = R_{\text{éq}}C_{\text{éq}} = 2R\left(\frac{4}{3}C\right) = \boxed{\frac{8}{3}RC}$

E37. On donne $R = 10^4\ \Omega$ et on cherche C. De l'instant initial à $t = 2$ s, la charge Q passe de 0 à $0{,}90Q_0$, où Q_0 est la valeur maximale de la charge dans l'équation 7.12*a* :

$Q = Q_0\left(1 - e^{-\frac{t}{RC}}\right) \implies 0{,}90Q_0 = Q_0\left(1 - e^{-\frac{t}{RC}}\right) \implies e^{-\frac{t}{RC}} = 1 - 0{,}90 = 0{,}10 \implies$

$-\frac{t}{RC} = \ln(0{,}10) \implies C = -\frac{t}{R\ln(0{,}10)} = -\frac{2}{(10^4)\ln(0{,}10)} = \boxed{86{,}9\ \mu\text{F}}$

E38. On donne $\xi = 200$ V, $R = 2 \times 10^5\ \Omega$, $C = 50\ \mu$F. Le condensateur est vide à l'instant initial, comme on le montre au paragraphe (ii) de la section 7.5. La constante de temps, selon l'équation 7.9, vaut

$\tau = RC = \left(2 \times 10^5\right)\left(50 \times 10^{-6}\right) = 10$ s

(a) La différence de potentiel aux bornes du condensateur est donnée à tout moment par l'équation 7.12*b*. Après une constante de temps ($t = \tau$), on obtient

$\Delta V_C = \xi\left(1 - e^{-\frac{t}{\tau}}\right) = 200\left(1 - e^{-1}\right) = 126{,}4 = \boxed{126\ \text{V}}$

(b) Si on applique la loi des mailles au circuit de la figure 7.25, on trouve

$\xi = \Delta V_R + \Delta V_C \implies \Delta V_R = \xi - \Delta V_C$

Après une constante de temps, $\Delta V_R = 200 - 126{,}4 = \boxed{73{,}6\ \text{V}}$

(c) On calcule la différence de potentiel aux bornes du condensateur avec l'équation 7.12*b* et $t = 5\ \text{s} = 0{,}5\tau$:

$\Delta V_C = \xi\left(1 - e^{-\frac{t}{\tau}}\right) = 200\left(1 - e^{-0{,}5}\right) = 78{,}7$ V

L'énergie emmagasinée dans le condensateur est donnée par l'équation 5.9 :

$U_E = \frac{1}{2}C\Delta V_C^2 = \frac{1}{2}\left(50\times10^{-6}\right)(78{,}7)^2 = \boxed{0{,}155\ \text{J}}$

(d) Comme à la partie (b), on calcule directement la différence de potentiel aux bornes de la résistance après $t = 0{,}5\tau$:

$\Delta V_R = \xi - \Delta V_C = 200 - 78{,}7 = 121{,}3\ \text{V}$

La puissance dissipée dans la résistance à cet instant est donnée par l'équation 6.12 :

$P_R = \frac{\Delta V_R^2}{R} = \frac{(121{,}3)^2}{2\times10^5} = \boxed{73{,}6\ \text{mW}}$

E39. On donne $R = 2{,}5\times10^4\ \Omega$ et $C = 40\ \mu\text{F}$. La différence de potentiel aux bornes du condensateur à l'instant initial, $\Delta V_{C0} = 25$ V, remplace la valeur de la f.é.m. ξ dans les équations qui décrivent la décharge du condensateur.

La constante de temps, selon l'équation 7.9, vaut

$\tau = RC = \left(2{,}5\times10^4\right)\left(40\times10^{-6}\right) = 1\ \text{s}$

La valeur initiale de la charge est

$Q_0 = C\Delta V_{C0} = \left(40\times10^{-6}\right)(25) = 1\times10^{-3}\ \text{C}$

La valeur initiale du courant est

$I_0 = \frac{\Delta V_{C0}}{R} = \frac{25}{2{,}5\times10^4} = 1\times10^{-3}\ \text{A}$

(a) Selon les équations 7.8a et 7.11, lorsque $t = \tau$, on obtient

$Q = Q_0 e^{-\frac{t}{\tau}} = \left(1\times10^{-3}\right)e^{-1} \implies \boxed{Q = 0{,}368\ \text{mC}}$

$I = I_0 e^{-\frac{t}{\tau}} = \left(1\times10^{-3}\right)e^{-1} \implies \boxed{I = 0{,}368\ \text{mA}}$

(b) D'après le résultat de la partie (a) et de l'équation 5.9, on trouve

$U_E = \frac{Q^2}{2C} = \frac{\left(0{,}368\times10^{-3}\right)^2}{2\left(40\times10^{-6}\right)} = \boxed{1{,}69\ \text{mJ}}$

(c) Au moyen de l'équation 7.11, on calcule la valeur du courant à $t = 0{,}5\ \text{s} = 0{,}5\tau$:

$I = I_0 e^{-\frac{t}{\tau}} = \left(1\times10^{-3}\right)e^{-0{,}5} = 6{,}065\times10^{-4}\ \text{A}$

Ensuite, avec l'équation 6.12, on obtient

$P_R = RI^2 = \left(2{,}5\times10^4\right)\left(6{,}065\times10^{-4}\right)^2 = \boxed{9{,}20\ \text{mW}}$

(d) On combine les équations 5.9 et 7.8b, ce qui donne

$U_E = \frac{1}{2}C\Delta V_C^2 = \frac{1}{2}C\left(\Delta V_{C0}e^{-\frac{t}{\tau}}\right)^2 = \frac{1}{2}C\Delta V_{C0}^2 e^{-\frac{2t}{\tau}}$

Le taux de changement de cette quantité d'énergie s'obtient en prenant la dérivée :

$\frac{dU_E}{dt} = \frac{d}{dt}\left(\frac{1}{2}C\Delta V_{C0}^2 e^{-\frac{2t}{\tau}}\right) = \frac{1}{2}C\Delta V_{C0}^2\frac{d}{dt}\left(e^{-\frac{2t}{\tau}}\right) = \frac{1}{2}C\Delta V_{C0}^2\left(-\frac{2}{\tau}e^{-\frac{2t}{\tau}}\right) \implies$

$\frac{dU_E}{dt} = -\frac{C\Delta V_{C0}^2}{RC}e^{-\frac{2t}{\tau}} = -\frac{\Delta V_{C0}^2}{R}e^{-\frac{2t}{\tau}}$

À $t = 0{,}5\ \text{s} = 0{,}5\tau$, on a

$\frac{dU_E}{dt} = -\frac{(25)^2}{2,5\times10^4}e^{-1} = \boxed{-9,20 \text{ mW}}$

Ce résultat est normal, puisque l'énergie qui apparaît en chaleur dans la résistance vient du condensateur.

(e) On fixe dans le logiciel Maple les valeurs de Q_0 et τ. On définit l'expression pour Q et on trace le graphe demandé :

```
> restart;
> Q0:=1e-3;
> tau:=1;
> Q:='Q0*exp(-t/tau)';
> plot(Q,t=0..8*tau);
```

En effet, à partir du graphe, il est difficile de voir que la charge n'est pas nulle après l'écoulement de 8 constantes de temps.

(f) On doit d'abord, dans le logiciel Maple, redonner à τ son statut de variable :

```
> tau:='tau';
```

Ensuite, on crée l'équation dont on cherche la solution :

```
> solve(Q=1.609e-19,t);
```

La réponse qu'indique le logiciel Maple est $36,368\tau$. Comme on veut que la charge sur le condensateur soit inférieure à celle d'un électron, il faut arrondir, et la réponse est $t = \boxed{37\tau}$

E40. À tout moment, incluant l'instant initial, la charge sur le condensateur qui se charge est donnée par l'équation 7.12a, dans laquelle $Q_0 = C\xi$:

$Q = Q_0\left(1 - e^{-\frac{t}{RC}}\right) = C\xi\left(1 - e^{-\frac{t}{RC}}\right)$

(a) On obtient le résultat en dérivant l'expression pour la charge et en l'évaluant ensuite à $t = 0$:

$\frac{dQ}{dt} = \frac{d}{dt}\left(C\xi\left(1 - e^{-\frac{t}{RC}}\right)\right) = C\xi\frac{d}{dt}\left(1 - e^{-\frac{t}{RC}}\right) = C\xi\left(\frac{1}{RC}e^{-\frac{t}{RC}}\right) = \frac{\xi}{R}e^{-\frac{t}{RC}}$

À l'intant initial, on a

$\left(\frac{dQ}{dt}\right)_{t=0 \text{ s}} = \frac{\xi}{R}e^{-\frac{(0)}{RC}} = \boxed{\frac{\xi}{R}}$

(b) On résout l'équation comme suit :

$Q_0 = \left(\frac{dQ}{dt}\right)_{t=0 \text{ s}}\Delta t \implies C\xi = \frac{\xi}{R}\Delta t \implies \Delta t = \boxed{RC}$

E41. (a) On donne $I = 0,10I_0$ à $t = 5$ s. Au moyen de l'équation 7.11, qui décrit le courant dans un condensateur qui se décharge, on obtient

$I = I_0 e^{-\frac{t}{\tau}} \implies 0{,}10 I_0 = I_0 e^{-\frac{5}{\tau}} \implies 0{,}10 = e^{-\frac{5}{\tau}} \implies -\frac{5}{\tau} = \ln(0{,}10) \implies$

$\tau = -\frac{5}{\ln(0{,}10)} = 2{,}17 \text{ s}$

On reprend l'équation 7.11, pour $I = 0{,}50 I_0$, ce qui donne

$I = I_0 e^{-\frac{t}{\tau}} \implies 0{,}50 I_0 = I_0 e^{-\frac{t}{\tau}} \implies e^{-\frac{t}{\tau}} = 0{,}50 \implies -\frac{t}{\tau} = \ln(0{,}50) \implies$

$t = -\tau \ln(0{,}50) = -(2{,}17)\ln(0{,}50) = \boxed{1{,}50 \text{ s}}$

(b) Encore au moyen de l'équation 7.11, on obtient pour $t = 10$ s

$I = I_0 e^{-\frac{t}{\tau}} = I_0 e^{-\frac{10}{2{,}17}} = 0{,}00997 I_0 = \boxed{0{,}997\ \%}$ de I_0

E42. On donne $C_0 = 250$ pF, la capacité du condensateur en l'absence de diélectrique, et $R = 2 \times 10^6\ \Omega$. On charge le condensateur jusqu'à une différence de potentiel initiale ΔV_0. Si on insère le diélectrique avant d'amorcer la décharge, cette différence de potentiel initiale ne sera pas modifiée.

On donne $I = 0{,}05 I_0$ à $t = 0{,}02$ s. Au moyen de l'équation 7.11, qui décrit le courant dans un condensateur qui se décharge, on obtient

$I = I_0 e^{-\frac{t}{\tau}} \implies 0{,}05 I_0 = I_0 e^{-\frac{0{,}02}{\tau}} \implies 0{,}05 = e^{-\frac{0{,}02}{\tau}} \implies -\frac{0{,}02}{\tau} = \ln(0{,}05) \implies$

$\tau = -\frac{0{,}02}{\ln(0{,}05)} = 6{,}68 \times 10^{-3}$ s

Comme $\tau = RC$, la capacité du condensateur avec diélectrique est

$C = \frac{\tau}{R} = \frac{6{,}68 \times 10^{-3}}{2 \times 10^6} = 3{,}34 \times 10^{-9}$ F

Selon l'équation 5.13, on trouve que

$C = \kappa C_0 \implies \kappa = \frac{C}{C_0} = \frac{3{,}34 \times 10^{-9}}{250 \times 10^{-12}} = \boxed{13{,}4}$

E43. (a) Quand le régime permanent est établi, le condensateur a atteint la charge nécessaire et empêche le passage du courant dans la branche du haut du circuit de la figure 7.62. On peut donc affirmer que $\boxed{I_{3\ \Omega} = 0}$

On suppose qu'un courant I circule dans le sens horaire dans la maille inférieure. On applique ensuite la loi des mailles à cette maille dans le sens horaire à partir du coin inférieur droit :

$-5I + 4 + 6 - I = 0 \implies I = \frac{10}{6} = 1{,}667$ A

Ainsi, $\boxed{I_{5\ \Omega} = I_{1\ \Omega} = 1{,}67 \text{ A}}$

(b) On donne $C = 5\ \mu$F. Pour trouver ΔV_C, on applique la loi des mailles à la maille supérieure à partir du coin supérieur gauche et en parcourant le circuit dans le sens anti-horaire. Rappelons que la résistance de 3 Ω n'est parcourue par aucun courant :

$-5I + 4 + \Delta V_C = 0 \implies \Delta V_C = 5I - 4 = 5\,(1{,}667) - 4 = 4{,}34 \text{ V}$

La charge sur le condensateur est $Q = C\Delta V_C = \left(5 \times 10^{-6}\right)(4{,}34) = \boxed{21{,}7\ \mu\text{C}}$

E44. La sensibilité du multimètre est de 20000 Ω/V.

(a) Comme on l'explique à la section 7.6, le courant qui engendre la déviation maximale est l'inverse de la sensibilité :

$I = \frac{1}{20000\ \Omega/\text{V}} = 0{,}5 \times 10^{-4}\ \text{V}/\Omega\ = \boxed{50{,}0\ \mu\text{A}}$

(b) On multiplie la sensibilité avec la différence de potentiel mesurée :

$R = (20000\ \Omega/\text{V})\,(50\ \text{V}) = \boxed{1{,}00\ \text{M}\Omega}$

E45. On donne $R_\text{G} = 50\ \Omega$ et $I_\text{G} = 1$ mA. Cette situation est identique à celle de l'exemple 7.17*b* et au circuit de la figure 7.28. Si on mesure $\Delta V_1 = 1$ V entre le premier et le second contact, la résistance R_1 doit prendre une valeur telle que

$\Delta V_1 = (R_\text{G} + R_1)\,I_\text{G} \implies R_1 = \frac{\Delta V_1}{I_\text{G}} - R_\text{G} = \frac{1}{1\times10^{-3}} - 50 \implies \boxed{R_1 = 950\ \Omega}$

Si on mesure $\Delta V_2 = 10$ V entre le premier et le troisième contact, la résistance R_2 doit prendre une valeur telle que

$\Delta V_2 = (R_\text{G} + R_1 + R_2)\,I_\text{G} \implies$

$R_2 = \frac{\Delta V_2}{I_\text{G}} - (R_\text{G} + R_1) = \frac{10}{1\times10^{-3}} - 1000 \implies \boxed{R_2 = 9{,}00\ \text{k}\Omega}$

Si on mesure $\Delta V_3 = 50$ V entre le premier et le quatrième contact, la résistance R_3 doit prendre une valeur telle que

$\Delta V_3 = (R_\text{G} + R_1 + R_2 + R_3)\,I_\text{G} \implies$

$R_3 = \frac{\Delta V_3}{I_\text{G}} - (R_\text{G} + R_1 + R_2) = \frac{50}{1\times10^{-3}} - 10000 \implies \boxed{R_3 = 40{,}0\ \text{k}\Omega}$

E46. On donne $R_\text{G} = 40\ \Omega$, et la sensibilité du multimètre est de 20000 Ω/V.

(a) Comme on l'explique à la section 7.6, le courant qui engendre la déviation maximale est l'inverse de la sensibilité :

$I_\text{G} = \frac{1}{20000\ \Omega/\text{V}} = 0{,}5 \times 10^{-4} = \boxed{50{,}0\ \mu\text{A}}$

(b) Cette situation est identique à celle de l'exemple 7.17*b* et au circuit de la figure 7.28. Si on mesure $\Delta V = 250$ V, la valeur de la résistance en série nécessaire est donnée par

$\Delta V = (R_\text{G} + R_\text{S})\,I_\text{G} \implies R_\text{S} = \frac{\Delta V}{I_\text{G}} - R_\text{G} = \frac{250}{0{,}5\times10^{-4}} - 40 \implies R_\text{s} = \boxed{5{,}00\ \text{M}\Omega}$

(c) Cette situation est identique à celle de l'exemple 7.17*a* et au circuit de la figure 7.27. Si on mesure $I = 5$ A, la portion du courant qui passe dans la résistance du shunt est

$I = I_\text{G} + I_\text{sh} \implies I_\text{sh} = I - I_\text{G} = 5 - \left(0{,}4 \times 10^{-4}\right) = 5{,}00 \text{ A}$

Et la valeur de la résistance du shunt nécessaire est donnée par

$$R_G I_G = R_{sh} I_{sh} \implies R_{sh} = \frac{R_G I_G}{I_{sh}} = \frac{40(0{,}5\times 10^{-4})}{5{,}00} = \boxed{4{,}00 \times 10^{-4}\ \Omega}$$

E47. On donne $R_G = 20\ \Omega$ et $I_G = 50\ \mu$A.

(a) Selon l'exemple 7.17*b*, si on mesure $\Delta V = 10$ V, la valeur de la résistance en *série* nécessaire est donnée par

$$\Delta V = (R_G + R_S)\, I_G \implies R_S = \frac{\Delta V}{I_G} - R_G = \frac{10}{50\times 10^{-6}} - 20 \implies \boxed{R_{\text{série}} = 200\ \text{k}\Omega}$$

(b) Selon l'exemple 7.17*a*, si on mesure $I = 500$ mA, le courant dévié dans une résistance de *shunt* a pour valeur

$$I = I_G + I_{sh} \implies I_{sh} = I - I_G = \left(500 \times 10^{-3}\right) - \left(50 \times 10^{-6}\right) = 499{,}95\ \text{mA}$$

Et la valeur de la résistance du shunt est donnée par

$$R_G I_G = R_{sh} I_{sh} \implies R_{sh} = \frac{R_G I_G}{I_{sh}} = \frac{20(50\times 10^{-6})}{500\times 10^{-3}} = \boxed{R_{\text{shunt}} = 2{,}00 \times 10^{-3}\ \Omega}$$

E48. (a) Si $R_C = 0$, il y a un court-circuit. Tout le courant passe par R_C, la variation de potentiel dans cette résistance est nulle, et $V_P = \boxed{0\ \text{V}}$, soit la même valeur qu'à la borne inférieure.

(b) Si $R_C \longrightarrow \infty$, la valeur R_a de la résistance équivalente à R_2 et R_C, qui sont en parallèle, est

$$\frac{1}{R_a} = \frac{1}{R_2} + \frac{1}{R_C} = \frac{1}{R_2} + 0 \implies R_a = R_2$$

ce qui revient à dire que la branche contenant R_C n'est plus là. Le courant I qui parcourt alors le circuit est donné par

$$I = \frac{\Delta V}{R_1+R_2} = \frac{V-0}{R_1+R_2} = \frac{V}{R_1+R_2}$$

Comme la borne inférieure est à une valeur nulle de potentiel, le potentiel au point P correspond à la variation de potentiel mesurée à travers R_2 :

$$V_P = R_2 I = \boxed{\frac{R_2 V}{R_1+R_2}}$$

(c) Si $R_C = R_2$, la valeur R_a de la résistance équivalente à R_2 et R_C, qui sont en parallèle, est

$$\frac{1}{R_a} = \frac{1}{R_2} + \frac{1}{R_C} = \frac{1}{R_2} + \frac{1}{R_2} = \frac{2}{R_2} \implies R_a = \frac{R_2}{2}$$

Le courant I qui parcourt alors le circuit est donné par

$$I = \frac{\Delta V}{R_1+R_a} = \frac{V-0}{R_1+\frac{R_2}{2}} = \frac{2V}{2R_1+R_2}$$

Le potentiel au point P correspond à la variation de potentiel mesurée à travers R_a :

$$V_P = R_a I = \left(\frac{R_2}{2}\right)\left(\frac{2V}{2R_1+R_2}\right) = \boxed{\frac{R_2 V}{2R_1+R_2}}$$

(d) Si $R_C = 0{,}5R_2$, la valeur R_a de la résistance équivalente à R_2 et R_C, qui sont en parallèle, est

$\frac{1}{R_a} = \frac{1}{R_2} + \frac{1}{R_C} = \frac{1}{R_2} + \frac{1}{0{,}5R_2} = \frac{1}{R_2} + \frac{2}{R_2} = \frac{3}{R_2} \Longrightarrow R_a = \frac{R_2}{3}$

Le courant I qui parcourt alors le circuit est donné par

$I = \frac{\Delta V}{R_1+R_a} = \frac{V-0}{R_1+\frac{R_2}{3}} = \frac{3V}{3R_1+R_2}$

Le potentiel au point P correspond à la variation de potentiel mesurée à travers R_a :

$V_P = R_a I = \left(\frac{R_2}{3}\right)\left(\frac{3V}{3R_1+R_2}\right) = \boxed{\frac{R_2 V}{3R_1+R_2}}$

E49. On donne $R_V = 1$ kΩ, $R_A = 0{,}1$ Ω, $R = 10$ Ω et $\xi = 100$ V dans le circuit de la figure 7.64*a*.

(a) Le courant qui traverse la branche contenant la résistance R est

$I_R = \frac{\xi}{R+R_A} = \frac{100}{10+0{,}1} = 9{,}90000 \Longrightarrow \boxed{I_R = 9{,}90 \text{ A}}$

La différence de potentiel aux bornes de R est

$\Delta V_R = RI_R = 10\,(9{,}90) \Longrightarrow \boxed{\Delta V_R = 99{,}0 \text{ V}}$

(b) L'ampèremètre mesure le courant dans sa branche, à savoir $\boxed{I = 9{,}90 \text{ A}}$, et le voltmètre mesure la valeur réelle de la f.é.m., soit $\boxed{\Delta V = 100 \text{ V}}$

E50. On donne $R_V = 1$ kΩ, $R_A = 0{,}1$ Ω, $R = 10$ Ω et $\xi = 100$ V dans le circuit de la figure 7.64*b*.

(a) La valeur de la résistance R_a équivalente à R et R_V est

$\frac{1}{R_a} = \frac{1}{R} + \frac{1}{R_V} \Longrightarrow R_a = \left(\frac{1}{R} + \frac{1}{R_V}\right)^{-1} = \left(\frac{1}{10} + \frac{1}{1000}\right)^{-1} = 9{,}90099$ Ω

La résistance $R_{éq}$ équivalente à tout le circuit est

$R_{éq} = R_a + R_A = 9{,}90099 + 0{,}1 = 10{,}00099$ Ω

Le courant I qui circule dans $R_{éq}$ a pour valeur

$I = \frac{\xi}{R_{éq}} = \frac{100}{10{,}00099} = 9{,}999$ A

La différence de potentiel aux bornes de R_a et donc de R est

$\Delta V_R = \Delta V_{R_a} = R_a I = (9{,}90099)\,(9{,}999) \Longrightarrow \boxed{\Delta V_R = 99{,}0 \text{ V}}$

Finalement, le courant I_R qui traverse R vaut

$I_R = \frac{\Delta V_R}{R} = \frac{99{,}0}{10} \Longrightarrow \boxed{I_R = 9{,}90 \text{ A}}$

(b) L'ampèremètre mesure 9,999 A, ce qui est équivalent à $\boxed{I = 10{,}0 \text{ A}}$

Le voltmètre mesure ΔV_{R_a}, donc $\boxed{\Delta V = 99{,}0 \text{ V}}$

E51. On donne $r = 0{,}2$ Ω et $R = 2{,}3$ Ω. La différence de potentiel $\Delta V = 11{,}4$ V mesurée aux bornes de la résistance est la même que celle mesurée aux bornes de la pile réelle. Le courant I qui traverse R est donné par

$I = \frac{\Delta V}{R} = \frac{11,4}{2,3} = 4,96$ A

Ce courant est aussi celui qui traverse la pile réelle. Avec l'équation 7.2a, on obtient

$\Delta V = \xi - rI \implies \xi = \Delta V + rI = 11,4 + (0,2)(4,96) = \boxed{12,4 \text{ V}}$

E52. Si la résistance R est branchée seule ou avec une autre résistance de 2 Ω en parallèle à une f.é.m. idéale, la différence de potentiel aux bornes de R et de l'autre résistance demeure ξ.

Si R est seule, le courant vaut

$I_R = \frac{\xi}{R} = 1,4 \text{ A} \implies \xi = 1,4R \qquad \text{(i)}$

Si R est en parallèle avec la résistance de 2 Ω, la résistance $R_{\text{éq}}$ équivalente à l'ensemble est

$\frac{1}{R_{\text{éq}}} = \frac{1}{R} + \frac{1}{2} \implies R_{\text{éq}} = \left(\frac{1}{R} + \frac{1}{2}\right)^{-1} = \frac{2R}{R+2}$

et le courant dans cette résistance équivalente vaut

$I_{\text{éq}} = \frac{\xi}{\left(\frac{2R}{R+2}\right)} = 1,82 \text{ A} \implies \xi = 1,82\left(\frac{2R}{R+2}\right) = \frac{3,64R}{R+2} \qquad \text{(ii)}$

Si on combine les équations (i) et (ii), on obtient

$1,4R = \frac{3,64R}{R+2} \implies 1,4 = \frac{3,64}{R+2} \implies 1,4R + 2,8 = 3,64 \implies R = \boxed{0,600\ \Omega}$

E53. On peut établir deux équations :

$R_{\text{série}} = R_1 + R_2 = 8,0\ \Omega \qquad \text{(i)}$

$R_{\text{paral.}} = \left(\frac{1}{R_1} + \frac{1}{R_2}\right)^{-1} = 1,5\ \Omega \qquad \text{(ii)}$

Si on résout ces équations, on trouve $\boxed{R_1 = 2,00\ \Omega}$ et $\boxed{R_2 = 6,00\ \Omega}$

E54. On donne $I_R = 0,8$ A. Soit $I_{4\ \Omega}$, le courant inconnu qui traverse la résistance de 4 Ω dans le circuit de la figure 7.65.

Selon la loi des nœuds, le courant qui traverse la résistance de 3,6 Ω et la f.é.m. de 12 V est $I_R + I_{4\ \Omega} = 0,8 + I_{4\ \Omega}$. On suppose que les courants circulent dans le sens *anti-horaire* et on applique la loi des mailles à la maille inférieure dans le sens *horaire* à partir du coin inférieur droit :

$-12 + 4I_{4\ \Omega} + 3,6\,(0,8 + I_{4\ \Omega}) = 0 \implies I_{4\ \Omega} = 1,20 \text{ A}$

La différence de potentiel aux bornes de R et la résistance de 4 Ω est la même, soit

$4I_{4\ \Omega} = RI_R \implies 4\,(1,20) = 0,8R \implies R = \boxed{6,00\ \Omega}$

E55. Indépendamment de la mesure du voltmètre, à cause du sens des deux f.é.m., on peut conclure que le courant circule dans le sens horaire dans la maille du haut du circuit de la figure 7.66. On évalue ensuite la variation de potentiel à travers la branche qui contient ξ, en allant du côté droit au côté gauche :

$V_\text{d} - 3I + \xi = V_\text{g} \implies V_\text{g} - V_\text{d} = -3I + \xi$

Pour la branche du haut, on obtient

$V_\text{d} - 5 + 2I = V_\text{g} \implies V_\text{g} - V_\text{d} = -5 + 2I$

(a) Si $V_\text{g} - V_\text{d} = -1$ V, on obtient

$-1 = -3I + \xi \quad \text{(i)}$

$-1 = -5 + 2I \quad \text{(ii)}$

On résout les équations (i) et (ii), et on trouve $I = 2{,}00$ A et $\boxed{\xi = 5{,}00 \text{ V}}$

(b) Si $V_\text{g} - V_\text{d} = 1$ V, on trouve

$1 = -3I + \xi \quad \text{(i)}$

$1 = -5 + 2I \quad \text{(ii)}$

On résout les équations (i) et (ii), et on trouve $I = 3{,}00$ A et $\boxed{\xi = 10{,}0 \text{ V}}$

E56. On donne $R_1 = 2{,}0\ \Omega$ et $R_2 = 5{,}0\ \Omega$ avec $P_{R\max} = 10$ W pour les deux résistances.

(a) Si on les branche en parallèle, la différence de potentiel est la même pour les deux résistances. Toutefois, comme $P_R = \frac{\Delta V^2}{R}$, la valeur maximale du potentiel appliqué est déterminée par la plus faible résistance, R_1. On obtient que

$\Delta V_\text{max} = \sqrt{R_1 P_{R\max}} = \sqrt{2\,(10)} = \boxed{4{,}47 \text{ V}}$

(b) Si on les branche en série, le courant est le même pour les deux résistances, mais la différence de potentiel est plus élevée pour R_2 puisque $R_2 I > R_1 I$. La valeur maximale du potentiel appliqué dépend donc de R_2.

La différence de potentiel appliquée aux deux résistances et le courant I sont reliés par

$\Delta V = (R_1 + R_2)\, I \implies I = \frac{\Delta V}{R_1 + R_2} = \frac{\Delta V}{7}$

La valeur maximale de cette différence de potentiel est donnée par

$P_{R\max} = R_2 I_\text{max}^2 = R_2 \left(\frac{\Delta V_\text{max}}{7}\right)^2 \implies 10 = \frac{5}{49} \Delta V_\text{max}^2 \implies \Delta V_\text{max} = \boxed{9{,}90 \text{ V}}$

E57. On donne $\xi_1 = 1{,}6$ V, $\xi_2 = 6{,}3$ V, $R_1 = R_3 = 30\ \Omega$ et $R_2 = 50\ \Omega$. La direction arbitraire des trois courants est fixée dans le circuit de la figure 7.67. On applique la loi des mailles à la maille de gauche en la parcourant dans le sens *horaire* à partir du nœud supérieur :

$-R_2 I_2 + \xi_1 + R_1 I_1 = 0 \implies -50 I_2 + 1{,}6 + 30 I_1 = 0 \quad \text{(i)}$

On applique la loi des mailles à la maille de droite en la parcourant dans le sens *horaire* à partir du noeud supérieur :

$R_3 I_3 - \xi_2 + R_2 I_2 = 0 \implies 30 I_3 - 6{,}3 + 50 I_2 = 0 \qquad \text{(ii)}$

On applique la loi des nœuds au nœud supérieur :

$I_3 = I_1 + I_2 \qquad \text{(iii)}$

On résout les équations (i), (ii) et (iii), et on trouve

$\boxed{I_1 = 47{,}9 \text{ mA}}$, $\boxed{I_2 = 60{,}8 \text{ mA}}$ et $\boxed{I_3 = 109 \text{ mA}}$

E58. La donnée et le circuit de la figure 7.68 permettent d'écrire deux équations, reliant la f.é.m. idéale ξ au courant I qui la traverse. Si le commutateur est ouvert, on obtient

$\xi = 12I \qquad \text{(i)}$

Si le commutateur est fermé et que la résistance équivalente à la maille de droite est

$R_{\text{éq}} = \left(\frac{1}{12} + \frac{1}{R}\right)^{-1} = \frac{12R}{12+R}$

on obtient

$\xi = \left(\frac{12R}{12+R}\right)(3I) \qquad \text{(ii)}$

Si on fait le rapport des deux équations, on obtient

$1 = \frac{12}{3\left(\frac{12R}{12+R}\right)} \implies \left(\frac{3R}{12+R}\right) = 1 \implies 12 + R = 3R \implies R = \boxed{6{,}00\ \Omega}$

E59. On donne $I_1 = 0{,}8$ A et $\Delta V_1 = 1{,}44$ V pour la pile qui fournit de l'énergie. On insère ces valeurs dans l'équation 7.2*a* :

$\Delta V_1 = \xi - rI_1 \implies 1{,}44 = \xi - 0{,}8r \qquad \text{(i)}$

On donne aussi $I_2 = 0{,}5$ A et $\Delta V_2 = 1{,}7$ V pour la pile qui se recharge. On insère ces valeurs dans l'équation 7.2*b* :

$\Delta V_2 = \xi + rI_2 \implies 1{,}7 = \xi + 0{,}5r \qquad \text{(ii)}$

On résout les équations (i) et (ii), et on trouve $\boxed{\xi = 1{,}60 \text{ V}}$ et $\boxed{r = 0{,}200\ \Omega}$

E60. On exprime la différence de potentiel entre le côté droit et le côté gauche du circuit de la figure 7.69 en passant par la branche du haut :

$V_\text{d} + 4I_1 - 6 = V_\text{g} \implies V_\text{g} - V_\text{d} = 4I_1 - 6$

Mais, selon la donnée, $V_\text{g} - V_\text{d} = 2{,}0$ V; donc $4I_1 - 6 = 2 \implies \boxed{I_1 = 2{,}00 \text{ A}}$

Si on applique la loi des nœuds à l'extrémité droite de la branche centrale, on trouve

$I_1 + 2 = I_2 \implies \boxed{I_2 = 4{,}00 \text{ A}}$

Finalement, on reprend le calcul de la variation de potentiel entre le côté droit et le côté gauche par la branche du bas :

$V_d + 14 - RI_2 = V_g \implies V_g - V_d = 14 - RI_2 \implies 2 = 14 - 4R \implies \boxed{R = 3{,}00\ \Omega}$

E61. On observe le circuit de la figure 7.70, notamment le sens et la valeur des trois f.é.m. Comme $\xi_3 > \xi_1 + \xi_2$, on conclut que le courant I circule dans le sens *horaire*. On applique la loi des mailles dans le sens *horaire* à partir du point a :

$-R_4I + \xi_3 - R_3I - R_2I - \xi_2 - R_1I - \xi_1 = 0 \implies$

$I = \frac{\xi_3 - \xi_2 - \xi_1}{R_1 + R_2 + R_3 + R_4} = \frac{10-3-2}{1+4+2+5} = 0{,}417\ \text{A}$

(a) $P_{R_2} = R_2I^2 = 4\,(0{,}417)^2 = \boxed{0{,}695\ \text{W}}$

(b) $P_{\xi_3} = \xi_3 I = 10\,(0{,}417) = \boxed{4{,}17\ \text{W}}$

(c) On se déplace du point b au point a par la gauche et par le haut en évaluant les variations de potentiel :

$V_b - R_2I - \xi_2 - R_1I - \xi_1 = V_a \implies V_a - V_b = -R_2I - \xi_2 - R_1I - \xi_1 \implies$

$V_a - V_b = -4\,(0{,}417) - 3 - 1\,(0{,}417) - 2 = \boxed{-7{,}09\ \text{V}}$

E62. On donne $R_1 = 2{,}0 \times 10^5\ \Omega$, $C_1 = 60\ \mu\text{F}$ et $C_2 = 20\ \mu\text{F}$. Si les deux commutateurs sont ouverts, la constante de temps vaut $\tau = R_1C_1$.

Si les deux commutateurs sont fermés, la résistance équivalente est

$\frac{1}{R_{\text{éq}}} = \frac{1}{R_1} + \frac{1}{R_2} \implies R_{\text{éq}} = \left(\frac{1}{R_1} + \frac{1}{R_2}\right)^{-1} = \frac{R_1R_2}{R_1 + R_2}$

et la capacité équivalente est

$C_{\text{éq}} = C_1 + C_2$

Selon l'énoncé de la question, la constante de temps conserve la même valeur; donc

$\tau = R_{\text{éq}}C_{\text{éq}} \implies R_1C_1 = \left(\frac{R_1R_2}{R_1+R_2}\right)(C_1 + C_2) \implies$

$\left(2{,}0 \times 10^5\right)\left(60 \times 10^{-6}\right) = \frac{\left(2{,}0\times10^5\right)R_2}{\left(2{,}0\times10^5\right)+R_2}\left(80 \times 10^{-6}\right) \implies R_2 = \boxed{6{,}00 \times 10^5\ \Omega}$

E63. Si le commutateur est fermé, le courant I dans la maille de gauche est donné par

$I = \frac{24\ \text{V}}{300\ \Omega + 500\ \Omega} = 0{,}03\ \text{A}$

et la différence de potentiel aux bornes de la résistance de 500 Ω est

$\Delta V_{500\ \Omega} = 500I = 15{,}0\ \text{V}$

(a) On donne $C = 60\ \mu\text{F}$. À l'équilibre, il n'y aura plus de courant dans la résistance de 200 Ω, et la différence de potentiel aux bornes du condensateur sera égale à celle que l'on mesure aux bornes de la résistance de 500 Ω. La charge maximale sur le condensateur est donnée par

$\Delta V_{C0} = \frac{Q_0}{C} \implies 15 = \frac{Q_0}{60\times10^{-6}} \implies Q_0 = \boxed{900\ \mu\text{C}}$

(b) Lorsqu'on ouvre le commutateur, la décharge du condensateur est décrite par l'équation 7.8a. L'énergie du condensateur se dissipe dans les résistances de 500 Ω et de 200 Ω, qui sont en série; donc $R = 700\ \Omega$ dans

$Q = Q_0 e^{-\frac{t}{RC}}$

On cherche l'instant t où $Q = 0{,}25Q_0$; donc

$0{,}25Q_0 = Q_0 e^{-\frac{t}{RC}} \implies \ln(0{,}25) = -\frac{t}{RC} \implies t = -RC\ln(0{,}25) \implies$

$t = -700\left(60 \times 10^{-6}\right)\ln(0{,}25) = \boxed{58{,}2\ \text{ms}}$

E64. On donne $R = 1{,}0\ \Omega$ et $\xi = 20$ V. Sans ampèremètre, le courant I dans la résistance vaut

$I = \frac{\xi}{R} = \frac{20}{1} = 20\ \text{A}$

À cause de la résistance R_S de l'ampèremètre, le courant chute à une valeur égale à $I' = 0{,}99I = 19{,}8$ A. La valeur de la résistance de l'ampèremètre est donnée par

$I' = \frac{\xi}{R+R_S} \implies R_S = \frac{\xi}{I'} - R = \frac{20}{19{,}8} - 1 = \boxed{10{,}1\ \text{m}\Omega}$

Problèmes

P1. On donne $R_G = 20\ \Omega$ et $I_G = 2$ mA. On évalue d'abord la différence de potentiel ΔV_a entre le premier et le quatrième contact au bas du circuit de la figure 7.73 en passant par le galvanomètre :

$\Delta V_a = R_G I_G = 20\left(2 \times 10^{-3}\right) = 0{,}04\ \text{V}$

Si le courant qui doit circuler dans l'appareil entre le premier et le quatrième contact est de 100 mA, la fraction I_a de ce courant qui traverse les résistances R_1, R_2 et R_3 en série est $I_a = 100\ \text{mA} - I_G = 98$ mA. Comme on mesure aussi ΔV_a à travers les trois résistances de la branche du bas, on trouve

$\Delta V_a = (R_1 + R_2 + R_3)\, I_a \implies R_1 + R_2 + R_3 = \frac{\Delta V_a}{I_a} = \frac{0{,}04}{98\times10^{-3}}$

$R_1 + R_2 + R_3 = 0{,}408\ \Omega \qquad \text{(i)}$

Si le courant qui doit circuler dans l'appareil entre le premier et le troisième contact est de 1 A, la fraction I_b de ce courant qui traverse les résistances R_1 et R_2 en série est

$I_b = 1\ \text{A} - I_G = 0{,}998\ \text{mA}$

La résistance R_3 est maintenant en série avec R_G, et la différence de potentiel ΔV_b entre le premier et le troisième contact, mesurée à travers ces résistances, est

$\Delta V_b = (R_G + R_3)\, I_G = (20 + R_3)\left(2 \times 10^{-3}\right) \qquad \text{(ii)}$

La même différence de potentiel ΔV_b, mesurée à travers R_1 et R_2, donne

$\Delta V_b = (R_1 + R_2) I_b = 0{,}998 (R_1 + R_2)$ (iii)

Si on combine les équations (ii) et (iii), on obtient

$(20 + R_3)(2 \times 10^{-3}) = 0{,}998 (R_1 + R_2) \implies 0{,}998 R_1 + 0{,}998 R_2 - 0{,}002 R_3 = 0{,}04$ (iv)

Si le courant qui doit circuler dans l'appareil entre le premier et le deuxième contact est de 5 A, la fraction I_c de ce courant qui traverse la résistance R_1 est

$I_c = 5 \text{ A} - I_G = 4{,}998 \text{ mA}$

Les résistances R_2 et R_3 sont maintenant en série avec R_G, et la différence de potentiel ΔV_c entre le premier et le deuxième contact, mesurée à travers ces résistances, est

$\Delta V_c = (R_G + R_2 + R_3) I_G = (20 + R_2 + R_3)(2 \times 10^{-3})$ (v)

La même différence de potentiel ΔV_c, mesurée à travers R_1, donne

$\Delta V_c = R_1 I_c = 4{,}998 R_1$ (vi)

Si on combine les équations (v) et (vi), on trouve

$(20 + R_2 + R_3)(2 \times 10^{-3}) = 4{,}998 R_1 \implies 4{,}998 R_1 - 0{,}002 R_2 - 0{,}002 R_3 = 0{,}04$ (vii)

Les équations (i), (iv) et (vii) contiennent les trois inconnues. On les résout et on trouve

$\boxed{R_1 = 8{,}16 \text{ m}\Omega}$, $\boxed{R_2 = 32{,}7 \text{ m}\Omega}$ et $\boxed{R_3 = 367 \text{ m}\Omega}$

P2. On donne R, la valeur de chacune des résistances du circuit de la figure 7.74. Si, comme on le mentionne dans l'énoncé de la question, la succession de résistances se poursuit indéfiniment vers la droite, la résistance équivalente entre les points a et b, qu'elle soit nulle, infinie ou qu'elle possède une valeur donnée, ne devrait pas changer si on retire les trois résistances de gauche et qu'on mesure la résistance entre les points a' et b'. On peut donc représenter le circuit en remplaçant ce qui se trouve vers la droite entre ces deux points par une résistance possédant la même valeur que celle que l'on cherche :

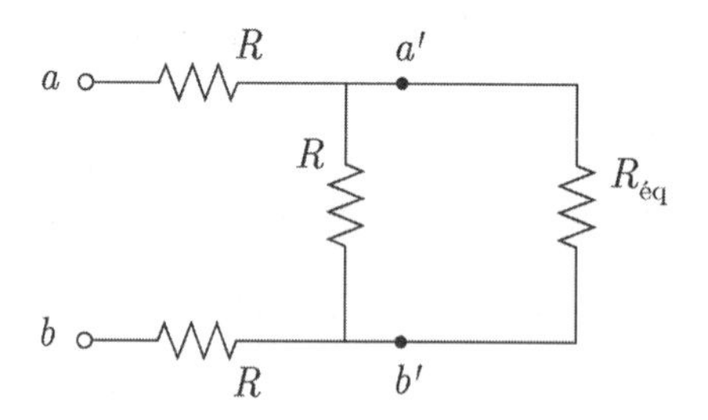

Les deux branches verticales sont en parallèle, et la résistance R_a qui les remplace a pour valeur

$\frac{1}{R_a} = \frac{1}{R} + \frac{1}{R_{\text{éq}}} \implies R_a = \left(\frac{1}{R} + \frac{1}{R_{\text{éq}}}\right)^{-1} = \frac{R_{\text{éq}} R}{R_{\text{éq}} + R}$

Cette résistance R_a est en série avec deux résistances R. La résistance équivalente de cet ensemble est la valeur $R_{\text{éq}}$, soit

$R_{\text{éq}} = 2R + R_a = 2R + \frac{R_{\text{éq}}R}{R_{\text{éq}}+R} \implies (R_{\text{éq}} - 2R)(R_{\text{éq}} + R) = R_{\text{éq}}R \implies$

$R_{\text{éq}}^2 - 2R_{\text{éq}}R + R_{\text{éq}}R - 2R^2 = R_{\text{éq}}R \implies R_{\text{éq}}^2 - 2R_{\text{éq}}R - 2R^2 = 0$

On résout cette équation quadratique en $R_{\text{éq}}$ et on trouve $R_{\text{éq}} = \left(1 \pm \sqrt{3}\right) R$.

De ces deux racines, on ne conserve que la positive:

$\boxed{R_{\text{éq}} = \left(1 + \sqrt{3}\right) R} \implies \boxed{\text{CQFD}}$

P3. On reprend la figure 7.75 du manuel, en numérotant les sommets du cube:

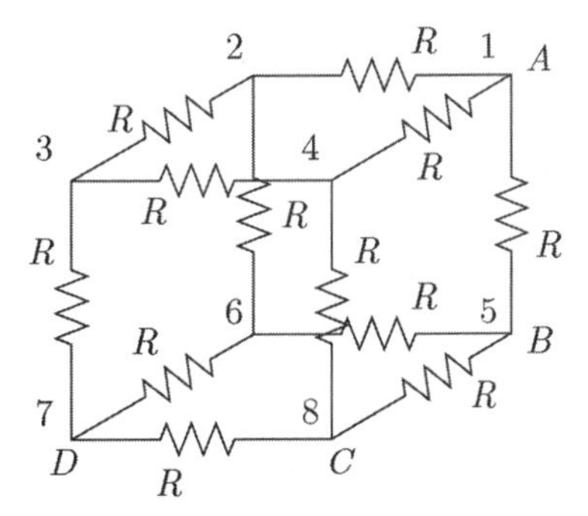

Une différence de potentiel extérieure est appliquée entre les points A et D, et on cherche la résistance équivalente $R_{\text{éq}}$ entre ces deux points. La symétrie dans l'organisation des résistances permet toutefois d'affirmer que la valeur V_e du potentiel aux points 2, 4 et 5 est la même. Les points 3, 6 et 8 auront aussi la même valeur de potentiel V_f, de sorte que le circuit peut être représenté de la manière suivante:

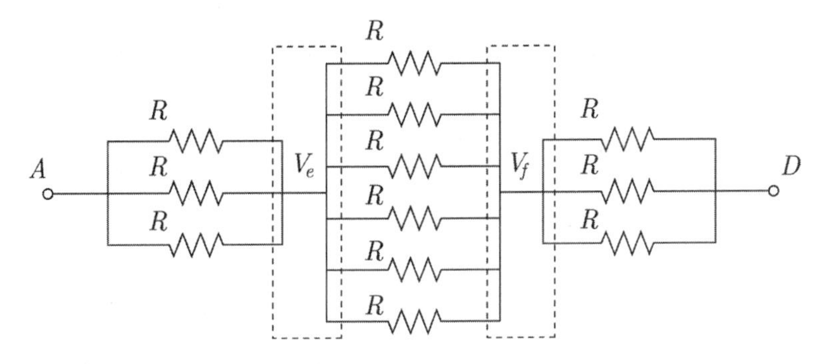

Les trois résistances de gauche et de droite ont une résistance équivalente égale à $\frac{R}{3}$, et celles du centre sont équivalentes à $\frac{R}{6}$. Ainsi, la résistance équivalente à tout le circuit est

$R_{\text{éq}} = \frac{R}{3} + \frac{R}{6} + \frac{R}{3} = \boxed{\frac{5}{6}R}$

P4. (a) Une différence de potentiel extérieure est appliquée entre les points A et B, et on cherche la résistance équivalente $R_{\text{éq}}$ entre ces deux points. La symétrie permet d'affirmer que le potentiel V_g est le même aux points 2 et 4. De même, le potentiel prend la même valeur

V_h aux points 6 et 8. Si on aplatit le circuit sur une feuille en étirant adéquatement les arêtes du cube, il est possible de le redessiner de la manière suivante :

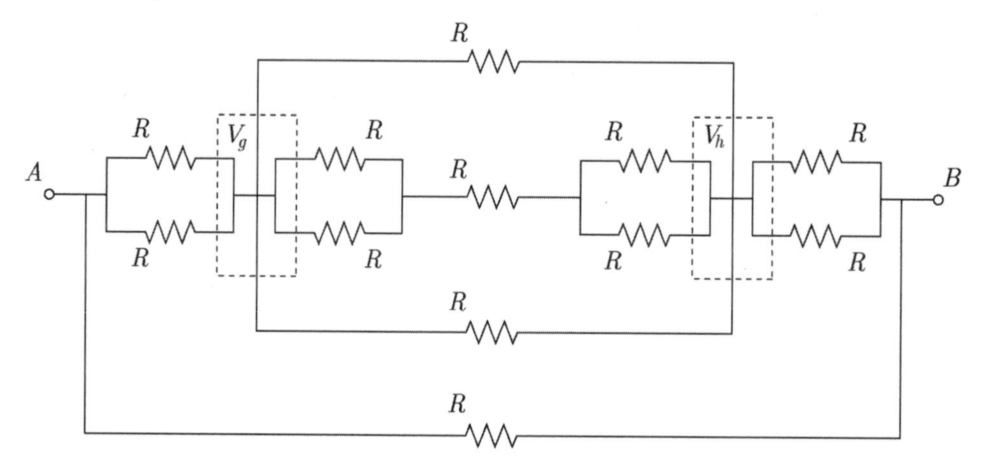

On laisse le soin à l'élève, qui doit utiliser les équations 7.3 et 7.4 du manuel, de montrer que la résistance équivalente à ce circuit est

$R_{\text{éq}} = \boxed{\frac{7}{12}R}$

(b) Une différence de potentiel extérieure est appliquée entre les points A et C, et on cherche la résistance équivalente $R_{\text{éq}}$ entre ces deux points. La symétrie permet d'affirmer que le potentiel V_i est le même aux points 4 et 5. De même, le potentiel prend la même valeur V_j aux points 3 et 6. Si on aplatit le circuit sur une feuille en étirant adéquatement les arêtes du cube, il est possible de le redessiner de la manière suivante :

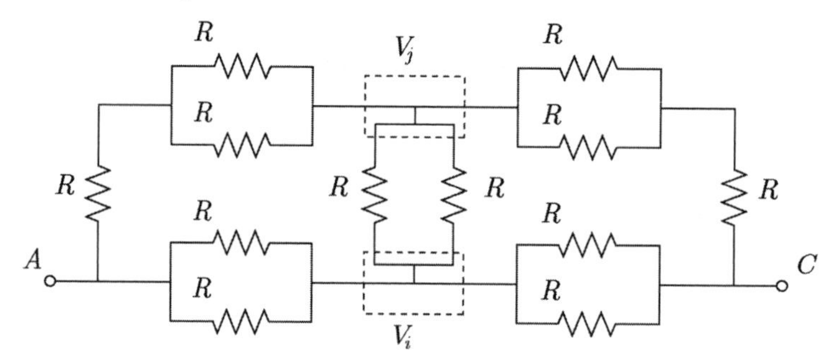

À nouveau, la symétrie dans le circuit permet de le simplifier, mais en considérant la loi des nœuds. En effet, à gauche et à droite du point i, sur la branche du bas, le courant doit avoir la même valeur. De même, sur la branche du haut, de part et d'autre du point j, le courant doit avoir la même valeur. On en conclut qu'il n'y aura aucun courant dans la branche verticale du centre et que le circuit prend la forme suivante :

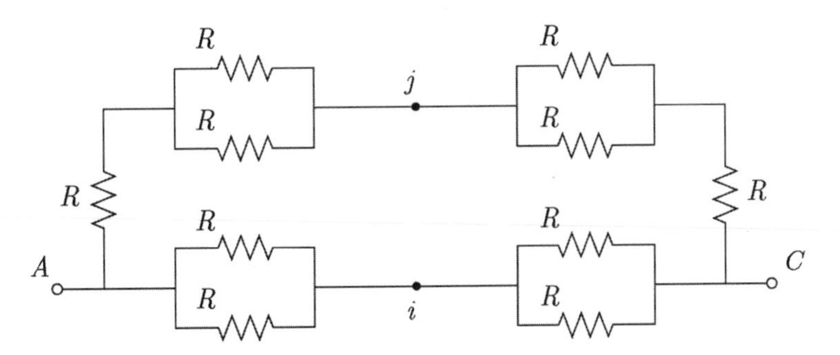

On laisse le soin à l'élève, qui doit utiliser les équations 7.3 et 7.4 du manuel, de montrer que la résistance équivalente à ce circuit simplifié est

$R_{éq} = \boxed{\frac{3}{4}R}$

P5. Soit A, l'aire des plaques du condensateur, et d, la distance qui les sépare. La résistance effective du condensateur est donnée par l'équation 6.6 du manuel :

$R = \frac{\rho d}{A}$

La capacité est donnée par les équations 5.3 et 5.13 :

$C = \frac{\kappa\varepsilon_0 A}{d}$

Finalement, la constante de temps vaut

$\tau = RC = \left(\frac{\rho d}{A}\right)\left(\frac{\kappa\varepsilon_0 A}{d}\right) \Longrightarrow \boxed{\tau = \rho\kappa\varepsilon_0} \Longrightarrow \boxed{\text{CQFD}}$

P6. On donne

$\Delta V_e = \Delta V_0\left(1 - e^{-\frac{t}{RC}}\right) \Longrightarrow \frac{\Delta V_e}{\Delta V_0} = 1 - e^{-\frac{t}{RC}} \Longrightarrow e^{-\frac{t}{RC}} = \frac{\Delta V_0 - \Delta V_e}{\Delta V_0} \qquad \text{(i)}$

et

$\Delta V_a = \Delta V_0\left(1 - e^{-\frac{(t+T)}{RC}}\right) \Longrightarrow \frac{\Delta V_a}{\Delta V_0} = 1 - e^{-\frac{(t+T)}{RC}} \Longrightarrow e^{-\frac{(t+T)}{RC}} = \frac{\Delta V_0 - \Delta V_a}{\Delta V_0} \qquad \text{(ii)}$

Si on divise l'équation (i) par l'équation (ii), on obtient

$e^{\frac{T}{RC}} = \frac{\Delta V_0 - \Delta V_e}{\Delta V_0 - \Delta V_a} \Longrightarrow \boxed{T = RC\ln\left(\frac{\Delta V_0 - \Delta V_e}{\Delta V_0 - \Delta V_a}\right)} \Longrightarrow \boxed{\text{CQFD}}$

P7. On donne $R_G = 20\ \Omega$, $R_1 = 4\ \Omega$, $R_2 = 1\ \Omega$, $R_3 = 3\ \Omega$, $R_4 = 6\ \Omega$ et $\xi = 20$ V. On laisse le soin à l'élève de vérifier, au moyen des équations qui sont fournies à la section 7.6, que le pont de Wheatstone n'est pas équilibré et que le courant I_G n'est pas nul. On reprend la figure 7.77 en indiquant le nom et le sens des courants utilisés dans les équations de Kirchhoff :

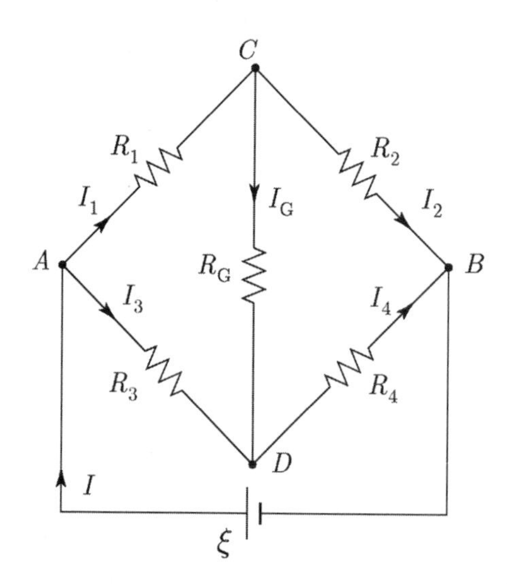

On applique la loi des nœuds, dans l'ordre, aux points A, C et D :

$I = I_1 + I_3$ (i)

$I_1 = I_2 + I_G$ (ii)

$I_3 + I_G = I_4$ (iii)

L'application de la loi des nœuds au point B est inutile, car cela fournit une équation qui peut être obtenue en remaniant les trois précédentes.

On applique la loi des mailles à la maille ACD, dans le sens *horaire*, à partir du point A :

$-R_1 I_1 - R_G I_G + R_3 I_3 = 0 \implies -4I_1 - 20I_G + 3I_3 = 0$ (iv)

On applique la loi des mailles à la maille CBD, dans le sens *horaire*, à partir du point B :

$R_4 I_4 + R_G I_G - R_2 I_2 = 0 \implies 6I_4 + 20I_G - I_2 = 0$ (v)

Finalement, on applique la loi des mailles à la maille inférieure dans le sens *horaire* à partir du point B :

$\xi - R_3 I_3 - R_4 I_4 = 0 \implies 20 - 3I_3 - 6I_4 = 0$ (vi)

Les équations (i) à (vi) forment un système contenant six inconnues, les six courants. On laisse le soin à l'élève de résoudre ce système menant à la réponse. Dans un tel cas toutefois, il est avantageux d'avoir recours à un logiciel de calcul symbolique comme Maple. Il suffit de définir les équations, soit

```
> restart;
> eq1:=i=i1+i3;
> eq2:=i1=i2+ig;
> eq3:=i3+ig=i4;
```

```
> eq4:=-4*i1-20*ig+3*i3=0;
> eq5:=-i2+6*i4+20*ig=0;
> eq6:=-3*i3-6*i4+20.0=0;
```

et de les résoudre :

```
> solve({eq1,eq2,eq3,eq4,eq5,eq6},{i,i1,i2,i3,i4,ig});
```

Le résultat de $-0{,}409$ A obtenu pour $I_{\rm G}$ indique que le sens arbitraire choisi pour ce courant était mauvais. Ce courant circule vers le haut dans le circuit, et sa valeur est

$\boxed{I_{\rm G} = 0{,}409 \text{ A}}$

P8. On donne $C = 40$ μF, la capacité, $R = 8000$ Ω, la résistance, et $Q_0 = 50$ μC, la charge initiale sur le condensateur.

(a) La valeur initiale de la différence de potentiel aux bornes du condensateur est

$\Delta V_0 = \frac{Q_0}{C} = \frac{50\times10^{-6}}{40\times10^{-6}} = 1{,}25 \text{ V}$

et la valeur initiale du courant est

$I_0 = \frac{\Delta V_0}{R} = \frac{1{,}25}{8000} = 156{,}25\ \mu\text{A}$

On calcule le courant à $t = 10$ ms avec l'équation 7.11 :

$I = I_0 e^{-\frac{t}{RC}} = \left(156{,}25\times10^{-6}\right) e^{-\frac{10\times10^{-3}}{8000\left(40\times10^{-6}\right)}} = \boxed{1{,}51\times10^{-4} \text{ A}}$

(b) On calcule la charge à $t = 10$ ms avec l'équation 7.8a :

$Q = Q_0 e^{-\frac{t}{RC}} = \left(50\times10^{-6}\right) e^{-\frac{10\times10^{-3}}{8000\left(40\times10^{-6}\right)}} = \boxed{48{,}5\ \mu\text{C}}$

(c) Avec l'équation 6.12, on obtient

$P_R = RI^2 = 8000\left(1{,}51\times10^{-4}\right)^2 = \boxed{0{,}182 \text{ mW}}$

(d) L'énergie initiale dans le condensateur est donnée par $U_0 = \frac{1}{2}\frac{Q_0^2}{C}$. Si $U = 0{,}10U_0$, on obtient

$U = \frac{1}{2}\frac{Q^2}{C} = \frac{1}{2}\frac{\left(Q_0 e^{-\frac{t}{RC}}\right)^2}{C} = 0{,}10\left(\frac{1}{2}\frac{Q_0^2}{C}\right) \implies e^{-\frac{2t}{RC}} = 0{,}10 \implies -\frac{2t}{RC} = \ln(0{,}10) \implies$
$t = -\frac{RC}{2}\ln(0{,}10) = -\frac{8000\left(40\times10^{-6}\right)}{2}\ln(0{,}10) = \boxed{0{,}368 \text{ s}}$

P9. (a) Si l'interrupteur S_2 du circuit de la figure 7.78 est ouvert, le circuit se comporte comme si la branche contenant le condensateur n'existait pas. On appelle I_2 le courant dans la branche du haut et I_1 le courant dans la branche centrale. Ces deux courants circulent vers la gauche. Si I est le courant dans la branche du bas circulant vers la droite, la loi des mailles appliquée à la maille inférieure dans le sens *horaire* à partir du coin inférieur gauche donne

$3I_1 + 3I_1 - 24 = 0 \implies 6I_1 - 24 = 0 \qquad \text{(i)}$

La loi des mailles appliquée à la maille supérieure dans le sens *horaire* à partir du coin supérieur gauche donne

$I_2 + 5I_2 - 3I_1 - 3I_1 = 0 \implies 6I_2 - 6I_1 = 0 \implies I_1 = I_2 \qquad \text{(ii)}$

Si on combine les équations (i) et (ii) avec la loi des nœuds, $I = I_2 + I_3$, on montre facilement que $I_1 = I_2 = 4$ A et que $I = 8$ A. On obtient la différence de potentiel demandée en parcourant le circuit du point b au point a par le côté droit et en évaluant les variations de potentiel :

$V_b + 5I_2 - 3I_1 = V_a \implies V_a - V_b = 5I_2 - 3I_1 = 5\,(4) - 3\,(4) = \boxed{8{,}00 \text{ V}}$

(b) Initialement, lorsque l'interrupteur S_2 est fermé, la différence de potentiel est modifiée parce que le condensateur crée, en se chargeant, un contact entre les points a et b. Un courant circule dans sa branche. Après un certain temps, le condensateur se charge, et la situation redevient identique à celle qui a été décrite à la partie (a). Autrement dit, le condensateur, pleinement chargé, possède la même différence de potentiel que celle calculée en (a), soit $V_a - V_b = \boxed{8{,}00 \text{ V}}$

(c) On donne $C = 10\ \mu$F. Si on ouvre l'interrupteur S_1, le condensateur se décharge dans les deux portions de circuit qui lui sont contiguës et qui sont en parallèle. La résistance équivalente à ces deux branches est

$\frac{1}{R_{\text{éq}}} = \frac{1}{1\ \Omega + 3\ \Omega} + \frac{1}{5\ \Omega + 3\ \Omega} = \frac{3}{8} \implies R_{\text{éq}} = 2{,}6667\ \Omega$

La constante de temps vaut

$\tau = RC = (2{,}6667)\left(10 \times 10^{-6}\right) = \boxed{26{,}7\ \mu\text{s}}$

P10. On peut résoudre ce problème de façon élégante en appliquant successivement la loi des mailles aux trois mailles du problème.

On applique la loi des mailles à la boucle inférieure droite. Le courant dans la résistance de 3 Ω doit absolument circuler vers le haut :

$2 - 3I_{3\ \Omega} = 0 \implies \boxed{I_{3\ \Omega} = 0{,}667 \text{ A}}$

On applique la loi des mailles à la maille du haut. Le courant dans la résistance de 4 Ω doit absolument circuler vers la gauche :

$6 - 4I_{4\ \Omega} + 8 = 0 \implies \boxed{I_{4\ \Omega} = 3{,}50 \text{ A}}$

On applique la loi des mailles à la boucle inférieure gauche. Le courant dans la résistance de 2 Ω doit absolument circuler vers le haut pour qu'une solution à l'équation existe :

$8+3I_{3\,\Omega}-2I_{2\,\Omega}=0 \implies I_{2\,\Omega}=\frac{8+3I_{3\,\Omega}}{2}=\frac{8+3(0{,}667)}{2} \implies \boxed{I_{2\,\Omega}=5{,}00\text{ A}}$

P11. Comme au problème précédent, on applique successivement la loi des mailles à chaque boucle.

On applique la loi des mailles à la boucle de gauche. Le courant dans la résistance de 1 Ω doit absolument circuler vers le bas :

$5-I_{1\,\Omega}=0 \implies \boxed{I_{1\,\Omega}=5{,}00\text{ A}}$

On applique la loi des mailles à la boucle de droite. Le courant dans la résistance de 2 Ω doit absolument circuler vers le haut :

$3-2I_{2\,\Omega}=0 \implies \boxed{I_{2\,\Omega}=1{,}50\text{ A}}$

On applique la loi des mailles à la boucle du centre. Le courant dans la résistance de 4 Ω doit absolument circuler vers la gauche :

$3-4I_{4\,\Omega}+5=0 \implies \boxed{I_{4\,\Omega}=2{,}00\text{ A}}$

P12. (a) Comme le condensateur est vide ($\Delta V_{C0}=0$) et que les deux résistances sont en parallèle, on obtient $\boxed{I_{10}=\frac{\xi}{R_1}}$ et $\boxed{I_{20}=\frac{\xi}{R_2}}$

(b) La situation reste la même pour la résistance R_1, soit $\boxed{I_1=\frac{\xi}{R_1}}$, et le courant cesse de circuler dans la branche qui contient R_2; donc $\boxed{I_2=0\text{ A}}$

(c) Lorsqu'il est chargé, la différence de potentiel dans le condensateur est égale à celle de la f.é.m.; ainsi, $U_E=\boxed{\frac{C\xi^2}{2}}$

(d) Le condensateur dissipe son énergie dans les deux résistances en série; donc

$\tau=\boxed{(R_1+R_2)\,C}$

P13. (a) À l'instant initial, le condensateur est vide, et la différence de potentiel à ses bornes et à celles de la résistance R_2 est nulle, ce qui implique que $\boxed{I_{20}=0}$

Par la loi des mailles, le courant dans R_1 est tel que

$\xi-R_1I_{10}=0 \implies \boxed{I_{10}=\frac{\xi}{R_1}}$

(b) Lorsque $t\longrightarrow\infty$, le condensateur chargé bloque tout courant dans la branche qui le contient. Le circuit prend la forme d'une maille unique, où R_1 et R_2 sont en série; donc

$I_1=I_2=\boxed{\frac{\xi}{R_1+R_2}}$

(c) Le courant I_1 qui traverse R_1 circule vers la droite dans le circuit de la figure 7.82. Le courant I_2 circule vers le bas dans la résistance R_2. Une charge positive s'accumule sur l'armature du haut du condensateur C (rappel : l'équation 5.2 permet d'établir la variation de potentiel dans un condensateur, et le signe de cette variation dépend du sens où l'on traverse le condensateur). On applique la loi des mailles à la maille de gauche en la parcourant dans le sens *horaire* :

$\xi - R_1 I_1 - \frac{Q}{C} = 0 \qquad \text{(i)}$

On applique la loi des mailles à la maille de droite en la parcourant dans le sens *horaire* :

$-R_2 I_2 + \frac{Q}{C} = 0 \implies R_2 I_2 = \frac{Q}{C} \implies I_2 = \frac{Q}{R_2 C} \qquad \text{(ii)}$

On applique la loi des nœuds à l'embranchement qui relie le condensateur aux deux résistances :

$I_1 = I_\mathrm{C} + I_2 \qquad \text{(iii)}$

On remplace l'égalité (iii) dans l'équation (i) :

$\xi - R_1 (I_\mathrm{C} + I_2) - \frac{Q}{C} = 0 \qquad \text{(iv)}$

On remplace l'égalité (ii) dans l'équation (iv) :

$\xi - R_1 \left(I_\mathrm{C} + \frac{Q}{R_2 C} \right) - \frac{Q}{C} = 0 \qquad \text{(v)}$

Mais $I_\mathrm{C} = \frac{dQ}{dt}$, ce qui permet de réécrire l'équation (v) :

$\xi - R_1 \left(\frac{dQ}{dt} + \frac{Q}{R_2 C} \right) - \frac{Q}{C} = 0 \implies \xi - \frac{R_1 dQ}{dt} - \frac{R_1 Q}{R_2 C} - \frac{Q}{C} = 0 \implies$

$\xi - \frac{R_1 dQ}{dt} - \frac{(R_1+R_2)Q}{R_2 C} = 0 \implies \frac{\xi}{R_1} - \frac{dQ}{dt} - \frac{(R_1+R_2)Q}{R_1 R_2 C} = 0 \implies$

$\frac{dQ}{dt} = \frac{\xi}{R_1} - \frac{(R_1+R_2)Q}{R_1 R_2 C} \qquad \text{(vi)}$

On remplace le terme qui multiplie Q par $\tau = \frac{R_1 R_2 C}{(R_1+R_2)}$. C'est, selon l'exercice 62, la constante de temps obtenue si R_1 et R_2 sont en parallèle. L'équation (vi) devient

$\frac{dQ}{dt} = \frac{\xi}{R_1} - \frac{Q}{\tau} \implies dQ = \left(\frac{\xi}{R_1} - \frac{Q}{\tau} \right) dt \implies dQ = \left(\frac{\tau\xi}{R_1} - Q \right) \frac{1}{\tau} dt \implies \frac{dQ}{\left(\frac{\tau\xi}{R_1} - Q \right)} = \frac{1}{\tau} dt$

On intègre la dernière égalité de part et d'autre :

$\int_0^Q \frac{dQ}{\left(\frac{\tau\xi}{R_1} - Q \right)} = \frac{1}{\tau} \int_0^t dt \implies \left[-\ln \left(\frac{\tau\xi}{R_1} - Q \right) \right|_0^Q = \frac{1}{\tau} \left[t \right|_0^t \implies$

$-\ln \left(\frac{\tau\xi}{R_1} - Q \right) + \ln \left(\frac{\tau\xi}{R_1} \right) = \frac{t}{\tau} \implies \ln \left(\frac{\frac{\tau\xi}{R_1} - Q}{\frac{\tau\xi}{R_1}} \right) = -\frac{t}{\tau} \implies$

$\frac{\frac{\tau\xi}{R_1} - Q}{\frac{\tau\xi}{R_1}} = e^{-\frac{t}{\tau}} \implies Q = \frac{\tau\xi}{R_1} \left(1 - e^{-\frac{t}{\tau}} \right)$

On obtient l'équation pour le courant I_C en dérivant le dernier résultat :

$I_\mathrm{C} = \frac{dQ}{dt} = \frac{d}{dt} \left(\frac{\tau\xi}{R_1} \left(1 - e^{-\frac{t}{\tau}} \right) \right) \implies \boxed{I_\mathrm{C} = \frac{\tau\xi}{R_1} e^{-\frac{t}{\tau}}} \implies \boxed{\text{CQFD}}$

P14. On donne $\xi = 100$ V, $R = 10^5\ \Omega$ et $C = 80\ \mu$F dans le circuit de la figure 7.25.

(a) La valeur maximale de l'énergie accumulée dans le condensateur est $U_{C\,\max} = \frac{C\xi^2}{2}$.

En se servant de l'équation 7.12*b*, on obtient l'énergie accumulée dans le condensateur à tout instant :

$U_C = \frac{C\Delta V_C^2}{2} = \frac{C\left(\xi\left(1-e^{-\frac{t}{RC}}\right)\right)^2}{2} = \frac{C\xi^2\left(1-e^{-\frac{t}{RC}}\right)^2}{2}$

On cherche l'instant t tel que $U_C = 0{,}50U_{C\,\mathrm{max}}$; donc

$\frac{C\xi^2\left(1-e^{-\frac{t}{RC}}\right)^2}{2} = 0{,}50\left(\frac{C\xi^2}{2}\right) \Longrightarrow \left(1-e^{-\frac{t}{RC}}\right)^2 = 0{,}50 \Longrightarrow 1-e^{-\frac{t}{RC}} = \sqrt{0{,}50} \Longrightarrow$

$e^{-\frac{t}{RC}} = 1-\sqrt{0{,}50} \Longrightarrow t = -RC\ln\left(1-\sqrt{0{,}50}\right) = -10^5\left(80\times10^{-6}\right)\ln\left(1-\sqrt{0{,}50}\right) \Longrightarrow$

$t = \boxed{9{,}82\text{ s}}$

(b) La valeur initiale du courant est $I_0 = \frac{\xi}{R} = \frac{100}{10^5} = 1\times10^{-3}$ A. Le taux d'augmentation de la charge dans le condensateur correspond au courant qui circule à tout moment. À l'instant $t = 2$ s, au moyen de l'équation 7.13, on obtient

$\frac{dQ}{dt} = I = I_0e^{-\frac{t}{RC}} = \left(1\times10^{-3}\right)e^{-\frac{2}{10^5(80\times10^{-6})}} = \boxed{0{,}779\text{ mA}}$

(c) On utilise le résultat de la partie (b), ce qui permet de déterminer que

$P_R = RI^2 = \left(10^5\right)\left(0{,}779\times10^{-3}\right)^2 = \boxed{60{,}7\text{ mW}}$

(d) À tout moment, la puissance dissipée dans la résistance est

$P_R = RI^2 = R\left(I_0e^{-\frac{t}{RC}}\right)^2 = RI_0^2e^{-\frac{2t}{RC}}$

L'énergie dissipée dans la résistance entre deux instants correspond à l'intégrale de la puissance par rapport au temps. On intègre de $t_0 = 0$ à $t = 10$ s, ce qui permet d'obtenir

$E = \int P_R dt = \int_0^{10} RI_0^2e^{-\frac{2t}{RC}}dt = RI_0^2\int_0^{10} e^{-\frac{2t}{RC}}dt = RI_0^2\left[-\frac{RC}{2}e^{-\frac{2t}{RC}}\right|_0^{10} \Longrightarrow$

$E = \frac{R^2CI_0^2}{2}\left[-e^{-\frac{2t}{RC}}\right|_0^{10} \Longrightarrow$

$E = \frac{R^2CI_0^2}{2}\left(-e^{-\frac{20}{RC}}+1\right) = \frac{\left(10^5\right)^2\left(80\times10^{-6}\right)\left(1\times10^{-3}\right)^2}{2}\left(-e^{-\frac{20}{(10^5)(80\times10^{-6})}}+1\right) = \boxed{0{,}367\text{ J}}$

P15. On branche une résistance R aux deux piles réelles; le circuit prend alors la forme décrite à la figure 7.51, mais avec deux piles de f.é.m. et de résistances internes différentes:

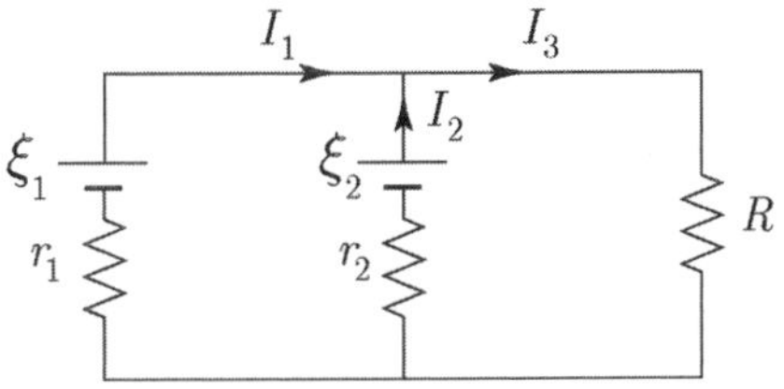

À l'exercice 23, les équations de mailles et de nœuds ont déjà été établie pour ce circuit:

$-r_1I_1 + \xi_1 - \xi_2 + r_2I_2 = 0$ (i)

$-r_2I_2 + \xi_2 - RI_3 = 0$ (ii)

$I_3 = I_1 + I_2$ (iii)

On isole I_1 et I_2, respectivement, dans les équations (i) et (ii):

$I_1 = \frac{\xi_1-\xi_2+r_2I_2}{r_1}$

$I_2 = \frac{\xi_2 - RI_3}{r_2}$

On remplace ces deux valeurs dans l'équation (iii) :

$I_3 = \frac{\xi_1 - \xi_2 + r_2 I_2}{r_1} + \frac{\xi_2 - RI_3}{r_2} = \frac{\xi_1 - \xi_2 + r_2\left(\frac{\xi_2 - RI_3}{r_2}\right)}{r_1} + \frac{\xi_2 - RI_3}{r_2} \implies$

$I_3 = \frac{\xi_1 - \xi_2 + r_2\left(\frac{\xi_2 - RI_3}{r_2}\right)}{r_1} + \frac{\xi_2 - RI_3}{r_2} = \frac{\xi_1 - RI_3}{r_1} + \frac{\xi_2 - RI_3}{r_2} = \frac{\xi_1}{r_1} + \frac{\xi_2}{r_2} - RI_3\left(\frac{1}{r_1} + \frac{1}{r_2}\right) \qquad \text{(iv)}$

Si les deux piles réelles sont remplacées par une seule pile réelle équivalente, on peut écrire comme suit cette équation de maille :

$\xi_{\text{éq}} - r_{\text{éq}} I_3 - RI_3 = 0 \implies RI_3 = \xi_{\text{éq}} - r_{\text{éq}} I_3 \qquad \text{(v)}$

On remplace I_3 par sa valeur dans l'équation (iv), mais uniquement du côté droit de l'équation (v) :

$RI_3 = \xi_{\text{éq}} - r_{\text{éq}}\left(\frac{\xi_1}{r_1} + \frac{\xi_2}{r_2} - RI_3\left(\frac{1}{r_1} + \frac{1}{r_2}\right)\right) \implies$

$RI_3 = \xi_{\text{éq}} - r_{\text{éq}}\left(\frac{\xi_1}{r_1} + \frac{\xi_2}{r_2}\right) + r_{\text{éq}}\left(\frac{1}{r_1} + \frac{1}{r_2}\right) RI_3 \qquad \text{(vi)}$

Dans cette dernière équation, comme $R \neq 0$, le terme contenant R doit être égal de part et d'autre de l'égalité si celle-ci doit toujours être vraie. On en conclut que

$r_{\text{éq}}\left(\frac{1}{r_1} + \frac{1}{r_2}\right) = 1 \implies r_{\text{éq}} = \left(\frac{1}{r_1} + \frac{1}{r_2}\right)^{-1} \qquad \text{(vii)}$

Si on remplace maintenant $r_{\text{éq}}$ par l'égalité (vii) dans l'équation (vi), on obtient

$RI_3 = \xi_{\text{éq}} - \left(\frac{1}{r_1} + \frac{1}{r_2}\right)^{-1}\left(\frac{\xi_1}{r_1} + \frac{\xi_2}{r_2}\right) + RI_3 \implies$

$\boxed{\xi_{\text{éq}} = \left(\frac{1}{r_1} + \frac{1}{r_2}\right)^{-1}\left(\frac{\xi_1}{r_1} + \frac{\xi_2}{r_2}\right)} \implies \boxed{\text{CQFD}}$

P16. On reprend les équations (i) et (ii) de l'exemple 7.14 :

$-R_1 I_1 - R_5 (I_1 - I_2) + R_3 (I - I_1) = 0 \qquad \text{(i)}$

$R_5 (I_1 - I_2) - R_2 I_2 + R_4 (I - I_2) = 0 \qquad \text{(ii)}$

Les facteurs α_1 et α_2 sont définis par $I_1 = \alpha_1 I$ et $I_2 = \alpha_2 I$, que l'on remplace dans l'équation (i) :

$-R_1 \alpha_1 I - R_5 (\alpha_1 I - \alpha_2 I) + R_3 (I - \alpha_1 I) = 0 \implies$

$-R_1 \alpha_1 - R_5 (\alpha_1 - \alpha_2) + R_3 (1 - \alpha_1) = 0 \implies R_3 - \alpha_1 (R_1 + R_3 + R_5) + \alpha_2 R_5 = 0 \qquad \text{(iii)}$

On fait de même dans l'équation (ii) :

$R_5 (\alpha_1 I - \alpha_2 I) - R_2 \alpha_2 I + R_4 (I - \alpha_2 I) = 0 \implies$

$R_5 (\alpha_1 - \alpha_2) - R_2 \alpha_2 + R_4 (1 - \alpha_2) = 0 \implies R_4 - \alpha_2 (R_2 + R_4 + R_5) + \alpha_1 R_5 = 0 \qquad \text{(iv)}$

On définit ces deux expressions dans le logiciel Maple et on les résout :

```
> restart;
> eq1:=R3-a1*(R1+R3+R5)+a2*R5;
> eq2:=R4-a2*(R2+R4+R5)+a1*R5;
```

```
> solve({eq1,eq2},{a1,a2});
> assign(%);
```

La dernière ligne de commande permet d'associer aux deux variables la solution trouvée par Maple. On insère ensuite les valeurs fournies pour les résistances et on calcule les deux coefficients :

```
> R1:=2.0;
> R2:=3.0;
> R3:=1.0;
> R4:=5.0;
> R5:=4.0;
> a1;
> a2;
```

On obtient $\boxed{\alpha_1 = 0{,}471}$ et $\boxed{\alpha_2 = 0{,}574}$

Finalement, on calcule la résistance équivalente avec $R_{\text{éq}} = \alpha_1 R_1 + \alpha_2 R_2$:

```
> Req:=a1*R1+a2*R2;
```

On obtient $\boxed{R_{\text{éq}} = 2{,}66\ \Omega}$

P17. On donne $\xi_1 = \xi_2 = \xi$ et $r_1 = r_2 = r$. Si les deux piles réelles sont branchées en série, l'équation de maille du circuit donne

$\xi_1 - r_1 I_{\text{série}} + \xi_2 - r_2 I_{\text{série}} - RI_{\text{série}} = 0 \implies 2\xi - 2rI_{\text{série}} - RI_{\text{série}} = 0 \implies$

$I_{\text{série}} = \frac{2\xi}{2r+R}$

Et la puissance dissipée dans R pour cette situation est

$P_{R\text{série}} = RI_{\text{série}}^2 = R\left(\frac{2\xi}{2r+R}\right)^2 = \frac{4R\xi^2}{(2r+R)^2}$ (i)

Si on branche les piles réelles en parallèle, la f.é.m. équivalente $\xi_{\text{éq}}$ et la résistance équivalente $r_{\text{éq}}$ sont données par le problème 15 :

$= \left(\frac{1}{r_1} + \frac{1}{r_2}\right)^{-1}\left(\frac{\xi_1}{r_1} + \frac{\xi_2}{r_2}\right) = \left(\frac{2}{r}\right)^{-1}\left(\frac{2\xi}{r}\right) = \xi$

$r_{\text{éq}} = \left(\frac{1}{r_1} + \frac{1}{r_2}\right)^{-1} = \left(\frac{2}{r}\right)^{-1} = \frac{r}{2}$

Le courant $I_{\text{paral.}}$ qui circule dans R est donné par

$\xi_{\text{éq}} - r_{\text{éq}} I_{\text{paral.}} - RI_{\text{paral.}} = 0 \implies I_{\text{paral.}} = \frac{\xi_{\text{éq}}}{r_{\text{éq}}+R} = \frac{\xi}{\frac{r}{2}+R}$

La puissance dissipée dans R pour cette situation est

$P_{R\text{paral.}} = RI_{\text{paral.}}^2 = R\left(\frac{\xi}{\frac{r}{2}+R}\right)^2 = \frac{R\xi^2}{\left(\frac{r}{2}+R\right)^2}$ (ii)

Le rapport entre les équations (i) et (ii) donne

$$\frac{P_{R\text{série}}}{P_{R\text{paral.}}} = \frac{\frac{4R\xi^2}{(2r+R)^2}}{\frac{R\xi^2}{(\frac{r}{2}+R)^2}} = \frac{4\left(\frac{r}{2}+R\right)^2}{(2r+R)^2} = \frac{(r+2R)^2}{(2r+R)^2}$$

Si on définit $R = r + d$, ce rapport devient

$$\frac{P_{R\text{série}}}{P_{R\text{paral.}}} = \frac{(r+2(r+d))^2}{(2r+r+d)^2} = \frac{(3r+2d)^2}{(3r+d)^2} = \left(\frac{3r+2d}{3r+d}\right)^2 \qquad \text{(iii)}$$

(a) Si $r < R$, on a $d > 0$, et le numérateur de l'équation (iii) est toujours supérieur au dénominateur; donc $P_{R\text{série}} > P_{R\text{paral.}}$. La puissance dissipée dans R sera plus grande si les f.é.m. sont branchées en **série**

(b) Si $r > R$, on a $d < 0$, et le numérateur de l'équation (iii) est toujours inférieur au dénominateur; donc $P_{R\text{série}} < P_{R\text{paral.}}$. La puissance dissipée dans R sera plus grande si les f.é.m. sont branchées en **parallèle**.

Chapitre 8 : Le champ magnétique

Exercices

E1. En coordonnées cartésiennes, comme à l'exemple 8.3*c*, l'énoncé de la question implique que

$\overrightarrow{\mathbf{B}} = 0{,}6 \times 10^{-4}\overrightarrow{\mathbf{j}}$ T, si 1 G $= 10^{-4}$ T.

(a) On donne $\overrightarrow{\mathbf{v}} = -10^6\overrightarrow{\mathbf{k}}$ m/s et $q = e$. Au moyen de l'équation 8.2, en se rappelant que $\overrightarrow{\mathbf{k}} \times \overrightarrow{\mathbf{j}} = -\overrightarrow{\mathbf{i}}$, on obtient

$\overrightarrow{\mathbf{F}}_B = q\overrightarrow{\mathbf{v}} \times \overrightarrow{\mathbf{B}} = e\left(-10^6\overrightarrow{\mathbf{k}}\right) \times \left(0{,}6 \times 10^{-4}\overrightarrow{\mathbf{j}}\right) \Longrightarrow$

$\overrightarrow{\mathbf{F}}_B = \left(1{,}6 \times 10^{-19}\right)\left(-10^6\right)\left(0{,}6 \times 10^{-4}\right)\left(\overrightarrow{\mathbf{k}} \times \overrightarrow{\mathbf{j}}\right) = 9{,}60 \times 10^{-18}\overrightarrow{\mathbf{i}}$ N

Donc $F_B =$ $\boxed{9{,}60 \times 10^{-18} \text{ N, vers l'est}}$

(b) On donne $\overrightarrow{\mathbf{v}} = -10^6\overrightarrow{\mathbf{i}}$ m/s et $q = -e$. Au moyen de l'équation 8.2, en se rappelant que $\overrightarrow{\mathbf{i}} \times \overrightarrow{\mathbf{j}} = \overrightarrow{\mathbf{k}}$, on obtient

$\overrightarrow{\mathbf{F}}_B = q\overrightarrow{\mathbf{v}} \times \overrightarrow{\mathbf{B}} = -e\left(-10^6\overrightarrow{\mathbf{i}}\right) \times \left(0{,}6 \times 10^{-4}\overrightarrow{\mathbf{j}}\right) \Longrightarrow$

$\overrightarrow{\mathbf{F}}_B = \left(-1{,}6 \times 10^{-19}\right)\left(-10^6\right)\left(0{,}6 \times 10^{-4}\right)\left(\overrightarrow{\mathbf{i}} \times \overrightarrow{\mathbf{j}}\right) = 9{,}60 \times 10^{-18}\overrightarrow{\mathbf{k}}$ N

Donc $F_B =$ $\boxed{9{,}60 \times 10^{-18} \text{ N, vers le haut}}$

E2. On donne $q = -e$, $\overrightarrow{\mathbf{v}} = -10^6\overrightarrow{\mathbf{j}}$ m/s, $\overrightarrow{\mathbf{F}}_B = 3{,}2 \times 10^{-15}\overrightarrow{\mathbf{i}}$ N et $\overrightarrow{\mathbf{v}} \perp \overrightarrow{\mathbf{B}}$.

Comme la force est orientée selon l'axe des x positifs et qu'elle est perpendiculaire au champ magnétique, on conclut que le champ magnétique est parallèle à l'axe des z, c'est-à-dire $\overrightarrow{\mathbf{B}} = \pm B\overrightarrow{\mathbf{k}}$. Si on insère toutes les quantités dans l'équation 8.2, on obtient

$\overrightarrow{\mathbf{F}}_B = q\overrightarrow{\mathbf{v}} \times \overrightarrow{\mathbf{B}} \Longrightarrow 3{,}2 \times 10^{-15}\overrightarrow{\mathbf{i}} = (-e)\left(-10^6\overrightarrow{\mathbf{j}}\right) \times \left(\pm B\overrightarrow{\mathbf{k}}\right) \Longrightarrow$

$3{,}2 \times 10^{-15}\overrightarrow{\mathbf{i}} = e\left(10^6\right)(\pm B)\left(\overrightarrow{\mathbf{j}} \times \overrightarrow{\mathbf{k}}\right) \quad \text{(i)}$

Comme $\overrightarrow{\mathbf{j}} \times \overrightarrow{\mathbf{k}} = \overrightarrow{\mathbf{i}}$, l'équation (i) permet d'affirmer que le champ magnétique doit être orienté selon l'axe des z *positifs* et que

$3{,}2 \times 10^{-15} = e\left(10^6\right)B \Longrightarrow B = \frac{3{,}2 \times 10^{-15}}{\left(1{,}6 \times 10^{-19}\right)\left(10^6\right)} \Longrightarrow$

$B =$ $\boxed{0{,}0200 \text{ T, selon l'axe des } z \text{ positifs}}$

E3. En coordonnées cartésiennes, comme à l'exemple 8.3*c*, l'énoncé de la question implique que

$\overrightarrow{\mathbf{B}} = -0{,}12 \times 10^{-4}\overrightarrow{\mathbf{k}}$ T, si 1 G $= 10^{-4}$ T. On donne aussi $v = 2{,}7 \times 10^6$ m/s à 45° au sud ($-y$) de l'est ($+x$) et $q = e$. Les composantes de la vitesse sont

$$\vec{\mathbf{v}} = v\cos(45°)\,\vec{\mathbf{i}} - v\sin(45°)\,\vec{\mathbf{j}} = \left(2{,}7\times10^{6}\right)\left(\tfrac{\sqrt{2}}{2}\right)\vec{\mathbf{i}} - \left(2{,}7\times10^{6}\right)\left(\tfrac{\sqrt{2}}{2}\right)\vec{\mathbf{j}} \Longrightarrow$$

$$\vec{\mathbf{v}} = \left(1{,}91\times10^{6}\,\vec{\mathbf{i}} - 1{,}91\times10^{6}\,\vec{\mathbf{j}}\right)\ \text{m/s}$$

Si on insère toutes les quantités dans l'équation 8.2, on obtient

$$\vec{\mathbf{F}}_B = q\vec{\mathbf{v}}\times\vec{\mathbf{B}} = e\left(1{,}91\times10^{6}\,\vec{\mathbf{i}} - 1{,}91\times10^{6}\,\vec{\mathbf{j}}\right)\times\left(-0{,}12\times10^{-4}\,\vec{\mathbf{k}}\right)$$

$$\vec{\mathbf{F}}_B = e\left(10^{2}\right)\left(1{,}91\,\vec{\mathbf{i}} - 1{,}91\,\vec{\mathbf{j}}\right)\times\left(-0{,}12\,\vec{\mathbf{k}}\right)\qquad\text{(i)}$$

Rappelons que, selon la section 2.5 du tome 1, le produit vectoriel de deux vecteurs correspond à

$$\vec{\mathbf{v}}\times\vec{\mathbf{B}} = \left(v_yB_z - v_zB_y\right)\vec{\mathbf{i}} + \left(v_zB_x - v_xB_z\right)\vec{\mathbf{j}} + \left(v_xB_y - v_yB_x\right)\vec{\mathbf{k}}\qquad\text{(ii)}$$

Si on utilise l'équation (ii), la force magnétique calculée à l'équation (i) est

$$\vec{\mathbf{F}}_B = e\left(10^{2}\right)\left[\left(-1{,}91\left(-0{,}12\right)\right)\vec{\mathbf{i}} + \left(-1{,}91\left(-0{,}12\right)\right)\vec{\mathbf{j}} + (0)\,\vec{\mathbf{k}}\right] \Longrightarrow$$

$$\vec{\mathbf{F}}_B = \left(1{,}6\times10^{-19}\right)\left(10^{2}\right)\left(0{,}229\,\vec{\mathbf{i}} + 0{,}229\,\vec{\mathbf{j}}\right) = \left(3{,}66\,\vec{\mathbf{i}} + 3{,}66\,\vec{\mathbf{j}}\right)\times10^{-18}\ \text{N}$$

Le module de cette force est

$$F_B = \sqrt{\left(3{,}66\times10^{-18}\right)^2 + \left(3{,}66\times10^{-18}\right)^2} = \boxed{5{,}18\times10^{-18}\ \text{N}}$$

Et, d'après ses composantes, on constate qu'elle est dirigée $\boxed{\text{au nord de l'est}}$.

E4. On donne $q = 1\ \mu\text{C}$, $v = 10^6$ m/s et $\vec{\mathbf{B}} = 5{,}00\times10^{-2}\,\vec{\mathbf{j}}$ T, si 1 G $= 10^{-4}$ T.

Au moyen de la figure 8.45, on voit que

$$\vec{\mathbf{v}}_1 = v\,\vec{\mathbf{i}} = 1\times10^{6}\,\vec{\mathbf{i}}\ \text{m/s}$$

Au moyen de l'équation 8.2, en se rappelant que $\vec{\mathbf{i}}\times\vec{\mathbf{j}} = \vec{\mathbf{k}}$, on obtient

$$\vec{\mathbf{F}}_{B1} = q\vec{\mathbf{v}}_1\times\vec{\mathbf{B}} = q\left(1\times10^{6}\,\vec{\mathbf{i}}\right)\times\left(5{,}00\times10^{-2}\,\vec{\mathbf{j}}\right) \Longrightarrow$$

$$\vec{\mathbf{F}}_{B1} = \left(1\times10^{-6}\right)\left(1\times10^{6}\right)\left(5{,}00\times10^{-2}\right)\left(\vec{\mathbf{i}}\times\vec{\mathbf{j}}\right) \Longrightarrow \boxed{\vec{\mathbf{F}}_{B1} = 0{,}0500\,\vec{\mathbf{k}}\ \text{N}}$$

Selon la figure 8.45, on trouve

$$\vec{\mathbf{v}}_2 = -v\cos(45°)\,\vec{\mathbf{i}} + v\sin(45°)\,\vec{\mathbf{j}} = -\left(1\times10^{6}\right)\left(\tfrac{\sqrt{2}}{2}\right)\vec{\mathbf{i}} + \left(1\times10^{6}\right)\left(\tfrac{\sqrt{2}}{2}\right)\vec{\mathbf{j}} \Longrightarrow$$

$$\vec{\mathbf{v}}_2 = \left(-7{,}07\times10^{5}\,\vec{\mathbf{i}} + 7{,}07\times10^{5}\,\vec{\mathbf{j}}\right)\ \text{m/s}$$

Au moyen de l'équation 8.2, en se rappelant que $\vec{\mathbf{i}}\times\vec{\mathbf{j}} = \vec{\mathbf{k}}$ et que $\vec{\mathbf{j}}\times\vec{\mathbf{j}} = 0$, on obtient

$$\vec{\mathbf{F}}_{B2} = q\vec{\mathbf{v}}_2\times\vec{\mathbf{B}} = q\left(-7{,}07\times10^{5}\,\vec{\mathbf{i}} + 7{,}07\times10^{5}\,\vec{\mathbf{j}}\right)\times\left(5{,}00\times10^{-2}\,\vec{\mathbf{j}}\right) \Longrightarrow$$

$$\vec{\mathbf{F}}_{B2} = \left(1\times10^{-6}\right)\left(-7{,}07\times10^{5}\right)\left(5{,}00\times10^{-2}\right)\left(\vec{\mathbf{i}}\times\vec{\mathbf{j}}\right) \Longrightarrow \boxed{\vec{\mathbf{F}}_{B2} = -0{,}0354\,\vec{\mathbf{k}}\ \text{N}}$$

D'après la figure 8.45, on obtient

$$\vec{\mathbf{v}}_3 = v\cos(45°)\,\vec{\mathbf{i}} - v\sin(45°)\,\vec{\mathbf{k}} = \left(1\times10^{6}\right)\left(\tfrac{\sqrt{2}}{2}\right)\vec{\mathbf{i}} - \left(1\times10^{6}\right)\left(\tfrac{\sqrt{2}}{2}\right)\vec{\mathbf{k}} \Longrightarrow$$

$$\vec{\mathbf{v}}_3 = \left(7{,}07\times10^{5}\,\vec{\mathbf{i}} - 7{,}07\times10^{5}\,\vec{\mathbf{k}}\right)\ \text{m/s}$$

Au moyen de l'équation 8.2, en faisant appel à l'équation (ii) de l'exercice 3, on trouve

$\vec{\mathbf{F}}_{B3} = q\vec{\mathbf{v}}_3 \times \vec{\mathbf{B}} = q\left(7{,}07 \times 10^5\,\vec{\mathbf{i}} - 7{,}07 \times 10^5\,\vec{\mathbf{k}}\right) \times \left(5{,}00 \times 10^{-2}\,\vec{\mathbf{j}}\right) \implies$

$\vec{\mathbf{F}}_{B3} = q\left(10^3\right)\left(7{,}07\,\vec{\mathbf{i}} - 7{,}07\,\vec{\mathbf{k}}\right) \times \left(\vec{\mathbf{j}}\right) \implies$

$\vec{\mathbf{F}}_{B3} = q\left(10^3\right)\left[(7{,}07\,(5{,}00))\,\vec{\mathbf{i}} + (7{,}07\,(5{,}00))\,\vec{\mathbf{k}}\right] \implies$

$\vec{\mathbf{F}}_{B3} = \left(1 \times 10^{-6}\right)\left(10^3\right)\left(35{,}4\,\vec{\mathbf{i}} + 35{,}4\,\vec{\mathbf{k}}\right) \implies \boxed{\vec{\mathbf{F}}_{B3} = 0{,}0354\left(\vec{\mathbf{i}} + \vec{\mathbf{k}}\right)\text{ N}}$

E5. On cherche le champ magnétique $\vec{\mathbf{B}}$, dont l'orientation conduit aux situations décrites dans ces deux figures :

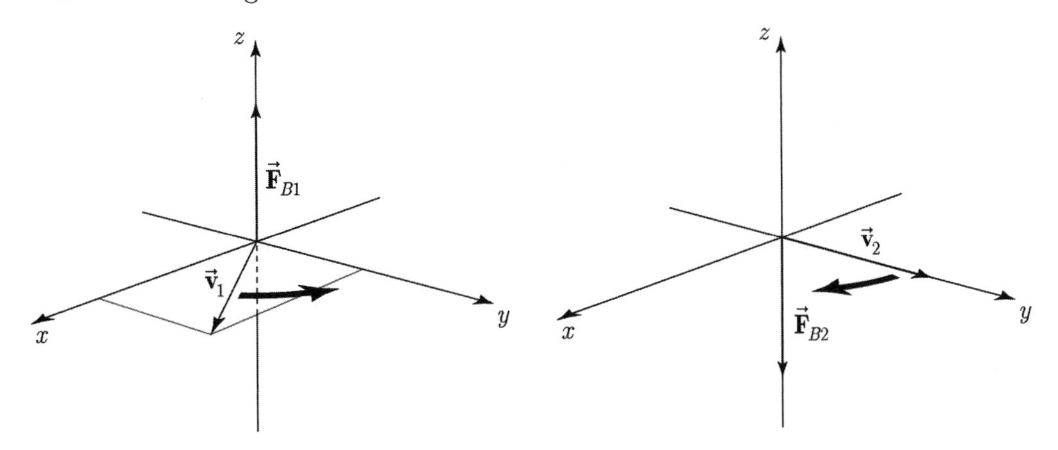

L'énoncé de la question indique que $\left\|\vec{\mathbf{F}}_{B1}\right\| = \left\|\vec{\mathbf{F}}_{B2}\right\|$ et $\left\|\vec{\mathbf{v}}_1\right\| = \left\|\vec{\mathbf{v}}_2\right\|$.

Comme la charge est positive, la direction de la force magnétique est est identique à celle de $\vec{\mathbf{v}} \times \vec{\mathbf{B}}$. Selon la règle de la main droite, il faut tourner de $\vec{\mathbf{v}}_1$ à $\vec{\mathbf{B}}$ ou de $\vec{\mathbf{v}}_2$ à $\vec{\mathbf{B}}$ dans un plan perpendiculaire à chacun des vecteurs forces. Dans les deux figures, une flèche indique le sens nécessaire pour obtenir l'orientation adéquate de $\vec{\mathbf{F}}_{B1}$ et $\vec{\mathbf{F}}_{B2}$. Dans les deux cas, la rotation s'effectue dans le plan xy.

De plus,

$\left\|\vec{\mathbf{F}}_{B1}\right\| = \left\|\vec{\mathbf{F}}_{B2}\right\| \implies |q|\left\|\vec{\mathbf{v}}_1\right\|\sin\theta_1 = |q|\left\|\vec{\mathbf{v}}_2\right\|\sin\theta_2 \implies \theta_1 = \theta_2$

Ainsi, le champ magnétique ne peut se trouver qu'à mi-chemin entre les deux vecteurs vitesse pour que l'angle θ entre $\vec{\mathbf{v}}$ et $\vec{\mathbf{B}}$ soit le même dans les deux cas. Comme $\vec{\mathbf{v}}_1$ est à 30° de l'axe des x positifs et que $\vec{\mathbf{v}}_2$ est orientée selon l'axe des y positifs, on conclut que $\vec{\mathbf{B}}$ est $\boxed{\text{dans le plan } xy\text{, à } 60{,}0° \text{ de l'axe des } x}$

E6. On donne $q = -0{,}25\ \mu\text{C}$ et $v = 2 \times 10^6$ m/s. D'après la figure 8.46, on note que les composantes de la vitesse sont

$\vec{\mathbf{v}} = v\cos(45°)\,\vec{\mathbf{i}} + v\sin(45°)\,\vec{\mathbf{k}} = \left(2 \times 10^6\right)\left(\frac{\sqrt{2}}{2}\right)\vec{\mathbf{i}} + \left(2 \times 10^6\right)\left(\frac{\sqrt{2}}{2}\right)\vec{\mathbf{k}} \implies$

$\vec{\mathbf{v}} = \left(1{,}41 \times 10^6\,\vec{\mathbf{i}} + 1{,}41 \times 10^6\,\vec{\mathbf{k}}\right)$ m/s

Le module du champ magnétique est $B = 0{,}03$ T, mais son orientation est inconnue.

(a) On donne $\vec{\mathbf{B}} = B\vec{\mathbf{k}} = 0{,}03\vec{\mathbf{k}}$ T. Au moyen de l'équation 8.2, en se rappelant que $\vec{\mathbf{i}} \times \vec{\mathbf{k}} = -\vec{\mathbf{j}}$ et que $\vec{\mathbf{k}} \times \vec{\mathbf{k}} = 0$, on obtient

$$\vec{\mathbf{F}}_B = q\vec{\mathbf{v}} \times \vec{\mathbf{B}} = q\left(1{,}41 \times 10^6\vec{\mathbf{i}} + 1{,}41 \times 10^6\vec{\mathbf{k}}\right) \times \left(0{,}03\vec{\mathbf{k}}\right) \Longrightarrow$$

$$\vec{\mathbf{F}}_{B2} = \left(-0{,}25 \times 10^{-6}\right)\left(1{,}41 \times 10^6\right)(0{,}03)\left(\vec{\mathbf{i}} \times \vec{\mathbf{k}}\right) \Longrightarrow \vec{\mathbf{F}}_B = \boxed{0{,}0106\vec{\mathbf{j}} \text{ N}}$$

(b) On donne $\vec{\mathbf{F}}_B = 4 \times 10^{-3}\vec{\mathbf{j}}$ N. Comme la force magnétique est orientée selon l'axe des y positifs, le champ magnétique doit se trouver dans le plan xz pour être perpendiculaire à la force. On cherche l'angle θ entre $\vec{\mathbf{v}}$ et $\vec{\mathbf{B}}$ au moyen de l'équation 8.1 :

$$F_B = |q|\, vB\sin\theta \Longrightarrow 4 \times 10^{-3} = \left(0{,}25 \times 10^{-6}\right)\left(2 \times 10^6\right)(0{,}03)\sin\theta \Longrightarrow$$

$$\sin\theta = \frac{4\times10^{-3}}{(0{,}25\times10^{-6})(2\times10^6)(0{,}03)} = 0{,}2667 \Longrightarrow \theta = \arcsin(0{,}2667)$$

Les deux solutions de cette équation sont $\theta = 15{,}5°$ et $164{,}5°$.

Comme $\vec{\mathbf{F}}_B$ est orientée selon l'axe des y positifs et que $q < 0$, $\vec{\mathbf{v}} \times \vec{\mathbf{B}}$ est orientée selon l'axe des y négatifs. La règle de la main droite implique une rotation de $\vec{\mathbf{v}}$ vers $\vec{\mathbf{B}}$ en direction de l'axe des z positifs de la figure 8.46. Si on choisit la première valeur de θ, en rappelant que $45° - 15{,}5° = 29{,}5°$, alors on en déduit que

$\boxed{\vec{\mathbf{B}} \text{ est orienté à } 29{,}5° \text{ de l'axe des } z \text{ positifs dans le plan } xz\text{, en direction de } \vec{\mathbf{v}}}$

E7. On donne $q = -4\ \mu$C, $\vec{\mathbf{v}} = \left(2{,}0\vec{\mathbf{i}} - 3{,}0\vec{\mathbf{j}} + 1{,}0\vec{\mathbf{k}}\right) \times 10^6$ m/s et $\vec{\mathbf{B}} = \left(2{,}0\vec{\mathbf{i}} + 5{,}0\vec{\mathbf{j}} - 3{,}0\vec{\mathbf{k}}\right) \times 10^{-2}$ T. Au moyen de l'équation 8.2, en faisant appel à l'équation (ii) de l'exercice 3, on obtient

$$\vec{\mathbf{F}}_B = q\vec{\mathbf{v}} \times \vec{\mathbf{B}} = q\left(10^4\right)\left(2{,}0\vec{\mathbf{i}} - 3{,}0\vec{\mathbf{j}} + 1{,}0\vec{\mathbf{k}}\right) \times \left(2{,}0\vec{\mathbf{i}} + 5{,}0\vec{\mathbf{j}} - 3{,}0\vec{\mathbf{k}}\right) \Longrightarrow$$

$$\vec{\mathbf{F}}_B = q\left(10^4\right)\Big[(-3{,}0(-3{,}0) - 1{,}0(5{,}0))\vec{\mathbf{i}} + (1{,}0(2{,}0) - 2{,}0(-3{,}0))\vec{\mathbf{j}} + (2{,}0(5{,}0) - (-3{,}0)(2{,}0))\vec{\mathbf{k}}\Big] \Longrightarrow$$

$$\vec{\mathbf{F}}_B = \left(-4 \times 10^{-6}\right)\left(10^4\right)\left(4{,}0\vec{\mathbf{i}} + 8{,}0\vec{\mathbf{j}} + 16{,}0\vec{\mathbf{k}}\right) \Longrightarrow$$

$$\boxed{\vec{\mathbf{F}}_B = \left(-0{,}160\vec{\mathbf{i}} - 0{,}320\vec{\mathbf{j}} - 0{,}640\vec{\mathbf{k}}\right) \text{ N}}$$

E8. On donne $q = -2\ \mu$C, $\vec{\mathbf{v}} = \left(-\vec{\mathbf{i}} + 3\vec{\mathbf{j}}\right) \times 10^6$ m/s et $\vec{\mathbf{F}}_B = \left(3{,}0\vec{\mathbf{i}} + \vec{\mathbf{j}} + 2{,}0\vec{\mathbf{k}}\right)$ N.

Le champ magnétique inconnu ne possède que deux composantes, soit

$$\vec{\mathbf{B}} = B_y\vec{\mathbf{j}} + B_z\vec{\mathbf{k}}$$

Au moyen de l'équation 8.2, en faisant appel à l'équation (ii) de l'exercice 3, on obtient

$$\vec{\mathbf{F}}_B = q\vec{\mathbf{v}} \times \vec{\mathbf{B}} \Longrightarrow$$

$$\left(3{,}0\vec{\mathbf{i}} + \vec{\mathbf{j}} + 2{,}0\vec{\mathbf{k}}\right) = q\left(-1{,}0 \times 10^6\vec{\mathbf{i}} + 3 \times 10^6\vec{\mathbf{j}}\right) \times \left(B_y\vec{\mathbf{j}} + B_z\vec{\mathbf{k}}\right) \Longrightarrow$$

$$\left(3{,}0\vec{\mathbf{i}} + \vec{\mathbf{j}} + 2{,}0\vec{\mathbf{k}}\right) = \left(-2{,}0 \times 10^{-6}\right)\left(-1{,}0 \times 10^{6}\vec{\mathbf{i}} + 3 \times 10^{6}\vec{\mathbf{j}}\right)\times\left(B_y\vec{\mathbf{j}} + B_z\vec{\mathbf{k}}\right) \Longrightarrow$$
$$\left(3{,}0\vec{\mathbf{i}} + \vec{\mathbf{j}} + 2{,}0\vec{\mathbf{k}}\right) = \left(2{,}0\vec{\mathbf{i}} - 6{,}0\vec{\mathbf{j}}\right) \times \left(B_y\vec{\mathbf{j}} + B_z\vec{\mathbf{k}}\right) \Longrightarrow$$
$$\left(3{,}0\vec{\mathbf{i}} + \vec{\mathbf{j}} + 2{,}0\vec{\mathbf{k}}\right) = \left[-6{,}0B_z\vec{\mathbf{i}} - 2{,}0B_z\vec{\mathbf{j}} + 2{,}0B_y\vec{\mathbf{k}}\right]$$

Lorsque deux vecteurs sont égaux, les composantes doivent être égales. On en conclut facilement que $B_y = 1{,}0$ T et $B_z = -0{,}5$ T, c'est-à-dire

$$\vec{\mathbf{B}} = \boxed{\left(1{,}00\vec{\mathbf{j}} - 0{,}500\vec{\mathbf{k}}\right)\text{ T}}$$

E9. On donne $q = -e$, $\vec{\mathbf{B}} = -1{,}2\vec{\mathbf{k}}$ T et $\vec{\mathbf{F}}_B = \left(-2\vec{\mathbf{i}} + 6\vec{\mathbf{j}}\right) \times 10^{-13}$ N.

La vitesse inconnue ne possède que deux composantes, soit $\vec{\mathbf{v}} = v_x\vec{\mathbf{i}} + v_y\vec{\mathbf{j}}$.

Au moyen de l'équation 8.2, en faisant appel à l'équation (ii) de l'exercice 3, on obtient

$$\vec{\mathbf{F}}_B = q\vec{\mathbf{v}} \times \vec{\mathbf{B}} \Longrightarrow$$
$$\left(-2\vec{\mathbf{i}} + 6\vec{\mathbf{j}}\right) \times 10^{-13} = q\left(v_x\vec{\mathbf{i}} + v_y\vec{\mathbf{j}}\right) \times \left(-1{,}2\vec{\mathbf{k}}\right) \Longrightarrow$$
$$\left(-2\vec{\mathbf{i}} + 6\vec{\mathbf{j}}\right) \times 10^{-13} = \left(-1{,}6 \times 10^{-19}\right)\left(v_x\vec{\mathbf{i}} + v_y\vec{\mathbf{j}}\right) \times \left(-1{,}2\vec{\mathbf{k}}\right) \Longrightarrow$$
$$\left(-2\vec{\mathbf{i}} + 6\vec{\mathbf{j}}\right) = \left(-1{,}6 \times 10^{-6}\right)\left(v_x\vec{\mathbf{i}} + v_y\vec{\mathbf{j}}\right) \times \left(-1{,}2\vec{\mathbf{k}}\right) \Longrightarrow$$
$$\left(-2\vec{\mathbf{i}} + 6\vec{\mathbf{j}}\right) = \left(-1{,}6 \times 10^{-6}\right)\left[v_y\left(-1{,}2\right)\vec{\mathbf{i}} - v_x\left(-1{,}2\right)\vec{\mathbf{j}}\right]$$

Lorsque deux vecteurs sont égaux, les composantes doivent être égales, ce qui implique que

$$v_x = \frac{-6}{(-1{,}6\times10^{-6})(-1{,}2)} = -3{,}13 \times 10^{6}\text{ m/s}$$
$$v_y = \frac{-2}{(-1{,}6\times10^{-6})(-1{,}2)} = -1{,}04 \times 10^{6}\text{ m/s}$$

Donc $\vec{\mathbf{v}} = \boxed{\left(-3{,}13\vec{\mathbf{i}} - 1{,}04\vec{\mathbf{j}}\right) \times 10^{6}\text{ m/s}}$

E10. On donne $q = -e$, $\vec{\mathbf{v}} = 10^{6}\vec{\mathbf{i}}$ m/s et $\vec{\mathbf{F}}_B = 4 \times 10^{-14}\vec{\mathbf{j}}$ N.

(a) Sans faire de calculs, on sait que $\vec{\mathbf{B}}$ doit se trouver dans le plan xz pour être perpendiculaire à $\vec{\mathbf{F}}_B$. Pour en savoir plus, on utilise l'équation 8.2, en faisant appel à l'équation (ii) de l'exercice 3 :

$$\vec{\mathbf{F}}_B = q\vec{\mathbf{v}} \times \vec{\mathbf{B}} \Longrightarrow$$
$$4 \times 10^{-14}\vec{\mathbf{j}} = q\left(10^{6}\vec{\mathbf{i}}\right) \times \left(B_x\vec{\mathbf{i}} + B_y\vec{\mathbf{j}} + B_z\vec{\mathbf{k}}\right) \Longrightarrow$$
$$4 \times 10^{-14}\vec{\mathbf{j}} = \left(-1{,}6 \times 10^{-19}\right)\left[-\left(10^{6}\right)B_z\vec{\mathbf{j}} + \left(10^{6}\right)B_y\vec{\mathbf{k}}\right]$$

Lorsque deux vecteurs sont égaux, les composantes doivent être égales, ce qui confirme que $B_y = 0$ et permet de calculer que

$$B_z = \frac{4\times10^{-14}}{(-1{,}6\times10^{-19})(-10^{6})} = 0{,}250\text{ T}$$

Il est impossible de déduire quoi que ce soit sur la composante B_x du champ magnétique, car elle n'apparaît pas dans cette équation.

En résumé, $\boxed{\vec{\mathbf{B}} \text{ est dans le plan } xz,\ B_x \text{ est inconnu et } B_z = 0{,}250 \text{ T}}$

(b) Si le module de la force est maximal, c'est que l'angle entre $\vec{\mathbf{v}}$ et $\vec{\mathbf{B}}$ est de 90°. En tenant compte de la solution de la partie (a), il s'ensuit que $B_x = 0$ et que

$\vec{\mathbf{B}} = \boxed{0{,}250\vec{\mathbf{k}} \text{ T}}$

E11. On donne $q = e$, et $\vec{\mathbf{B}}$ est inconnu.

Si $\vec{\mathbf{v}}_1 = \left(2\vec{\mathbf{i}} + 3\vec{\mathbf{j}}\right) \times 10^6$ m/s, $\vec{\mathbf{F}}_{B1} = -1{,}28 \times 10^{-13}\vec{\mathbf{k}}$ N. Si $\vec{\mathbf{v}}_2$ est orientée selon l'axe des z positifs, $\vec{\mathbf{F}}_{B2}$ est orientée selon l'axe des x positifs.

Comme $q > 0$, la force magnétique est orientée dans le même sens que le produit $\vec{\mathbf{v}} \times \vec{\mathbf{B}}$. L'information sur $\vec{\mathbf{v}}_1$ et $\vec{\mathbf{F}}_{B1}$ permet de conclure que le vecteur champ magnétique se trouve dans le plan xy et que $B_z = 0$. Toutefois, l'information sur $\vec{\mathbf{v}}_2$ et $\vec{\mathbf{F}}_{B2}$ permet de déduire que $\vec{\mathbf{B}}$ doit être perpendiculaire à l'axe des x, ce qui implique que $B_x = 0$. Des deux situations, on conclut que $\vec{\mathbf{B}} = B_y\vec{\mathbf{j}}$. Au moyen de l'équation 8.2, en se rappelant que $\vec{\mathbf{i}} \times \vec{\mathbf{j}} = \vec{\mathbf{k}}$ et que $\vec{\mathbf{j}} \times \vec{\mathbf{j}} = 0$, on obtient

$\vec{\mathbf{F}}_{B1} = q\vec{\mathbf{v}}_1 \times \vec{\mathbf{B}} \Longrightarrow$

$-1{,}28 \times 10^{-13}\vec{\mathbf{k}} = q\left(2 \times 10^6\vec{\mathbf{i}} + 3 \times 10^6\vec{\mathbf{j}}\right) \times \left(B_y\vec{\mathbf{j}}\right) \Longrightarrow$

$-1{,}28 \times 10^{-13}\vec{\mathbf{k}} = \left(1{,}6 \times 10^{-19}\right)\left(10^6\right)\left(2\vec{\mathbf{i}} + 3\vec{\mathbf{j}}\right) \times \left(B_y\vec{\mathbf{j}}\right) \Longrightarrow$

$-1{,}28 \times 10^{-13}\vec{\mathbf{k}} = \left(1{,}6 \times 10^{-19}\right)\left(10^6\right)\left(2B_y\right)\left(\vec{\mathbf{i}} \times \vec{\mathbf{j}}\right) = \left(3{,}2 \times 10^{-13}\right)B_y\vec{\mathbf{k}} \Longrightarrow$

$B_y = \frac{-1{,}28 \times 10^{-13}}{3{,}2 \times 10^{-13}} = -0{,}400 \text{ T} \Longrightarrow \vec{\mathbf{B}} = \boxed{-0{,}400\vec{\mathbf{j}} \text{ T}}$

E12. En coordonnées cartésiennes, comme à l'exemple 8.3*c*, l'énoncé de la question implique que $\vec{\ell} = 1\vec{\mathbf{i}}$ m, pour $I = 10^3$ A, et que $\vec{\mathbf{B}} = 0{,}5 \times 10^{-4}\vec{\mathbf{j}}$ T, si 1 G $= 10^{-4}$ T. Au moyen de l'équation 8.3, en se rappelant que $\vec{\mathbf{i}} \times \vec{\mathbf{j}} = \vec{\mathbf{k}}$, on obtient

$\vec{\mathbf{F}}_B = I\vec{\ell} \times \vec{\mathbf{B}} = \left(10^3\right)\left(1\vec{\mathbf{i}}\right) \times \left(\vec{\mathbf{j}}\right) \Longrightarrow$

$\vec{\mathbf{F}}_B = \left(10^3\right)\left(0{,}5 \times 10^{-4}\right)\left(\vec{\mathbf{i}} \times \vec{\mathbf{j}}\right) = \boxed{0{,}0500\vec{\mathbf{k}} \text{ N}}$

E13. On donne $\vec{\mathbf{B}}_1 = -B_1\vec{\mathbf{k}}$, et la boucle de la figure 8.47 est parcourue par un courant I.

Si $\vec{\ell}_1 = d\vec{\mathbf{i}}$, selon l'équation 8.3, en se rappelant que $\vec{\mathbf{i}} \times \vec{\mathbf{k}} = -\vec{\mathbf{j}}$, on trouve

$\vec{\mathbf{F}}_{B1} = I\vec{\ell}_1 \times \vec{\mathbf{B}}_1 = I\left(d\vec{\mathbf{i}}\right) \times \left(-B_1\vec{\mathbf{k}}\right) = -IdB_1\left(\vec{\mathbf{i}} \times \vec{\mathbf{k}}\right) \Longrightarrow \boxed{\vec{\mathbf{F}}_{B1} = IdB_1\vec{\mathbf{j}}}$

Si $\vec{\ell}_2 = d\vec{\mathbf{j}}$, en se rappelant que $\vec{\mathbf{j}} \times \vec{\mathbf{k}} = \vec{\mathbf{i}}$, on trouve

$\vec{\mathbf{F}}_{B2} = I\vec{\ell}_2 \times \vec{\mathbf{B}}_1 = I\left(d\vec{\mathbf{j}}\right) \times \left(-B_1\vec{\mathbf{k}}\right) = -IdB_1\left(\vec{\mathbf{j}} \times \vec{\mathbf{k}}\right) \Longrightarrow \boxed{\vec{\mathbf{F}}_{B1} = -IdB_1\vec{\mathbf{i}}}$

Si $\vec{\ell}_3 = -d\vec{\mathbf{i}} - d\vec{\mathbf{j}}$, on a

$$\vec{\mathbf{F}}_{B3} = I\vec{\ell}_3 \times \vec{\mathbf{B}}_1 = I\left(-d\vec{\mathbf{i}} - d\vec{\mathbf{j}}\right) \times \left(-B_1\vec{\mathbf{k}}\right) = IdB_1\left(\vec{\mathbf{i}} \times \vec{\mathbf{k}} + \vec{\mathbf{j}} \times \vec{\mathbf{k}}\right) \implies$$

$$\vec{\mathbf{F}}_{B3} = IdB_1\left(-\vec{\mathbf{j}} + \vec{\mathbf{i}}\right) \implies \boxed{\vec{\mathbf{F}}_{B3} = IdB_1\left(\vec{\mathbf{i}} - \vec{\mathbf{j}}\right)}$$

E14. On donne $\vec{\mathbf{B}}_2 = -B_2\vec{\mathbf{i}}$, et la boucle de la figure 8.47 est parcourue par un courant I.

Si $\vec{\ell}_1 = d\vec{\mathbf{i}}$, selon l'équation 8.3, en se rappelant que $\vec{\mathbf{i}} \times \vec{\mathbf{i}} = 0$, on trouve

$$\vec{\mathbf{F}}_{B1} = I\vec{\ell}_1 \times \vec{\mathbf{B}}_2 = I\left(d\vec{\mathbf{i}}\right) \times \left(-B_2\vec{\mathbf{i}}\right) = -IdB_2\left(\vec{\mathbf{i}} \times \vec{\mathbf{i}}\right) \implies \boxed{\vec{\mathbf{F}}_{B1} = 0}$$

Si $\vec{\ell}_2 = d\vec{\mathbf{j}}$, en se rappelant que $\vec{\mathbf{j}} \times \vec{\mathbf{i}} = -\vec{\mathbf{k}}$, on obtient

$$\vec{\mathbf{F}}_{B2} = I\vec{\ell}_2 \times \vec{\mathbf{B}}_2 = I\left(d\vec{\mathbf{j}}\right) \times \left(-B_2\vec{\mathbf{i}}\right) = -IdB_2\left(\vec{\mathbf{j}} \times \vec{\mathbf{i}}\right) \implies \boxed{\vec{\mathbf{F}}_{B1} = IdB_2\vec{\mathbf{k}}}$$

Si $\vec{\ell}_3 = -d\vec{\mathbf{i}} - d\vec{\mathbf{j}}$, on a

$$\vec{\mathbf{F}}_{B3} = I\vec{\ell}_3 \times \vec{\mathbf{B}}_2 = I\left(-d\vec{\mathbf{i}} - d\vec{\mathbf{j}}\right) \times \left(-B_2\vec{\mathbf{i}}\right) = IdB_2\left(\vec{\mathbf{i}} \times \vec{\mathbf{i}} + \vec{\mathbf{j}} \times \vec{\mathbf{i}}\right) \implies$$

$$\vec{\mathbf{F}}_{B3} = IdB_2\left(-\vec{\mathbf{k}}\right) \implies \boxed{\vec{\mathbf{F}}_{B3} = -IdB_2\vec{\mathbf{k}}}$$

E15. On donne $\vec{\mathbf{B}}_3 = B_3\vec{\mathbf{j}}$, et la boucle de la figure 8.47 est parcourue par un courant I.

Si $\vec{\ell}_1 = d\vec{\mathbf{i}}$, selon l'équation 8.3, en se rappelant que $\vec{\mathbf{i}} \times \vec{\mathbf{j}} = \vec{\mathbf{k}}$, on trouve

$$\vec{\mathbf{F}}_{B1} = I\vec{\ell}_1 \times \vec{\mathbf{B}}_3 = I\left(d\vec{\mathbf{i}}\right) \times \left(B_3\vec{\mathbf{j}}\right) = IdB_3\left(\vec{\mathbf{i}} \times \vec{\mathbf{j}}\right) \implies \boxed{\vec{\mathbf{F}}_{B1} = IdB_3\vec{\mathbf{k}}}$$

Si $\vec{\ell}_2 = d\vec{\mathbf{j}}$, en se rappelant que $\vec{\mathbf{j}} \times \vec{\mathbf{j}} = 0$, on a

$$\vec{\mathbf{F}}_{B2} = I\vec{\ell}_2 \times \vec{\mathbf{B}}_3 = I\left(d\vec{\mathbf{j}}\right) \times \left(B_3\vec{\mathbf{j}}\right) = IdB_3\left(\vec{\mathbf{j}} \times \vec{\mathbf{j}}\right) \implies \boxed{\vec{\mathbf{F}}_{B1} = 0}$$

Si $\vec{\ell}_3 = -d\vec{\mathbf{i}} - d\vec{\mathbf{j}}$, on obtient

$$\vec{\mathbf{F}}_{B3} = I\vec{\ell}_3 \times \vec{\mathbf{B}}_3 = I\left(-d\vec{\mathbf{i}} - d\vec{\mathbf{j}}\right) \times \left(B_3\vec{\mathbf{j}}\right) = -IdB_3\left(\vec{\mathbf{i}} \times \vec{\mathbf{j}} + \vec{\mathbf{j}} \times \vec{\mathbf{j}}\right) \implies$$

$$\vec{\mathbf{F}}_{B3} = -IdB_3\left(\vec{\mathbf{k}}\right) \implies \boxed{\vec{\mathbf{F}}_{B3} = -IdB_3\vec{\mathbf{k}}}$$

E16. On donne $\ell = 15$ cm, $m = 30$ g et $\vec{\mathbf{B}} = 0{,}25\vec{\mathbf{j}}$. La figure qui suit reprend la figure 8.48 du manuel. Elle montre les deux orientations possibles de la force magnétique subie par la tige, selon le sens du courant, ainsi que son poids, et la force normale qui vient du plan incliné :

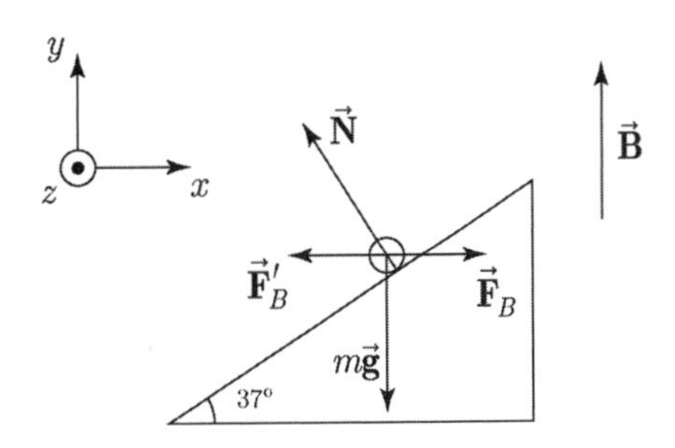

Si la tige doit être à l'équilibre $\left(\sum\vec{\mathbf{F}} = 0\right)$, la force magnétique doit être orientée vers la droite, comme $\vec{\mathbf{F}}_B$. On en conclut à partir de la règle de la main droite et de l'équation 8.3 que $\vec{\ell} = -\ell\vec{\mathbf{k}}$. Autrement dit, le courant est orienté $\boxed{\text{selon l'axe des } z \text{ négatifs}}$.

On trouve l'intensité I du courant au moyen de la figure qui suit, où l'on montre les composantes de la force magnétique et du poids qui sont parallèles à la surface du plan incliné, selon un axe s dirigé vers le haut :

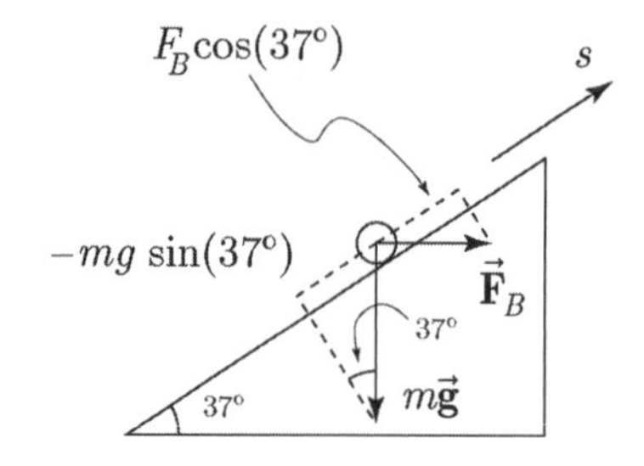

Le module de la force magnétique est $F_B = I\ell B \sin(90°) = I\ell B$, et l'équilibre des forces implique que

$\sum F_s = -mg\sin(37°) + F_B\cos(37°) = 0 \implies mg\sin(37°) = I\ell B\cos(37°) \implies$

$I = \frac{mg}{\ell B}\tan(37°) = \frac{(30\times10^{-3})(9,8)}{(15\times10^{-2})(0,25)}\tan(37°) \implies \boxed{I = 5,91 \text{ A}}$

E17. On donne $B = 0,8 \times 10^{-4}$ T, si 1 G $= 10^{-4}$ T. En coordonnées cartésiennes, comme à l'exemple 8.3*c*, l'énoncé de la question implique que $\vec{\ell} = -1\,\vec{\mathbf{i}}$ m, pour $I = 800$ A. Comme le champ magnétique est orienté à 60° vers le bas sous la direction nord, ses composantes sont

$\vec{\mathbf{B}} = B\cos(60°)\,\vec{\mathbf{j}} - B\sin(60°)\,\vec{\mathbf{k}} = (0,8\times10^{-4})\left(\frac{1}{2}\right)\vec{\mathbf{j}} - (0,8\times10^{-4})\left(\frac{\sqrt{3}}{2}\right)\vec{\mathbf{k}} \implies$

$\vec{\mathbf{B}} = \left(0,400\times10^{-4}\vec{\mathbf{j}} - 0,693\times10^{-4}\vec{\mathbf{k}}\right)$ T

D'après l'équation 8.3, en se rappelant que $\vec{\mathbf{i}}\times\vec{\mathbf{j}} = \vec{\mathbf{k}}$ et que $\vec{\mathbf{i}}\times\vec{\mathbf{k}} = -\vec{\mathbf{j}}$, on trouve

$\vec{\mathbf{F}}_B = I\vec{\ell}\times\vec{\mathbf{B}} = 800\left(-1\,\vec{\mathbf{i}}\right)\times\left(0,400\times10^{-4}\vec{\mathbf{j}} - 0,693\times10^{-4}\vec{\mathbf{k}}\right) \implies$

$\vec{\mathbf{F}}_B = 0,0800\left(-0,400\left(\vec{\mathbf{i}}\times\vec{\mathbf{j}}\right) + 0,693\left(\vec{\mathbf{i}}\times\vec{\mathbf{k}}\right)\right) = \left(-0,0320\,\vec{\mathbf{k}} - 0,0554\,\vec{\mathbf{j}}\right)$ N

Le module de cette force est $F_B = \sqrt{(-0,0320)^2 + (-0,0554)^2} = 0,0640$ N, et l'angle qu'elle forme avec l'axe des y négatifs est donné par

$\tan\theta = \frac{|B_z|}{|B_y|} = \frac{0,0320}{0,0554} = 0,577 \implies \theta = 30,0°$

En résumé, la force par unité de longueur est

$\frac{F_B}{\ell} = \frac{0,0640}{1} = \boxed{0,0640 \text{ N/m directement vers le sud, à } 30,0° \text{ sous l'horizontale}}$

E18. On donne $I = 3$ A, $\ell = 80$ cm et $B = 0,6$ T. Au moyen de la figure 8.49, on voit que

$\vec{\ell} = -\ell\,\vec{\mathbf{i}} = -0,80\,\vec{\mathbf{i}}$ m

$\vec{\mathbf{B}} = B\cos(30°)\,\vec{\mathbf{i}} - B\sin(30°)\,\vec{\mathbf{j}} = (0,6)\cos(30°)\,\vec{\mathbf{i}} - (0,6)\sin(30°)\,\vec{\mathbf{j}} \implies$

$\vec{\mathbf{B}} = \left(0,520\,\vec{\mathbf{i}} - 0,300\,\vec{\mathbf{j}}\right)$ T

D'après l'équation 8.3, en se rappelant que $\vec{\mathbf{i}}\times\vec{\mathbf{i}} = 0$ et que $\vec{\mathbf{i}}\times\vec{\mathbf{j}} = \vec{\mathbf{k}}$, on obtient

$$\vec{\mathbf{F}}_B = I\vec{\ell} \times \vec{\mathbf{B}} = 3\left(-0{,}80\,\vec{\mathbf{i}}\right) \times \left(0{,}520\,\vec{\mathbf{i}} - 0{,}300\,\vec{\mathbf{j}}\right) \implies$$

$$\vec{\mathbf{F}}_B = 3\,(0{,}24)\left(\vec{\mathbf{i}} \times \vec{\mathbf{j}}\right) = \boxed{0{,}720\,\vec{\mathbf{k}}\ \mathrm{N}}$$

E19. On donne $I = 6$ A, $\vec{\ell} = 0{,}45\,\vec{\mathbf{k}}$ m et $\vec{\mathbf{F}}_B = -0{,}05\,\vec{\mathbf{i}}$ N.

(a) Si $\vec{\mathbf{B}} \perp \vec{\ell}$ et que la force est orientée selon l'axe des x négatifs, $\vec{\mathbf{B}} = B_y\,\vec{\mathbf{j}}$; le champ magnétique ne possède donc qu'une seule composante, selon y.

Si on utilise l'équation 8.3, en se rappelant que $\vec{\mathbf{k}} \times \vec{\mathbf{j}} = -\,\vec{\mathbf{i}}$, on trouve

$$\vec{\mathbf{F}}_B = I\vec{\ell} \times \vec{\mathbf{B}} \implies$$

$$-0{,}05\,\vec{\mathbf{i}} = 6\left(0{,}45\,\vec{\mathbf{k}}\right) \times \left(B_y\,\vec{\mathbf{j}}\right) = 6\,(0{,}45)\,B_y\left(\vec{\mathbf{k}} \times \vec{\mathbf{j}}\right) = -2{,}70 B_y\,\vec{\mathbf{i}} \implies$$

$$B_y = \tfrac{-0{,}05}{-2{,}70} = 0{,}0185\ \mathrm{T} \implies \vec{\mathbf{B}} = \boxed{0{,}0185\,\vec{\mathbf{j}}\ \mathrm{T}}$$

(b) Le vecteur $\vec{\mathbf{B}}$ forme un angle de 30° avec l'axe des z positifs. Cet angle est aussi celui que forme ce vecteur avec le vecteur $\vec{\ell}$, ce qui permet de calculer le module de B avec l'équation 8.4 :

$$F_B = I\ell B\sin\theta \implies 0{,}05 = 6\,(0{,}45)\,B\sin(30°) \implies B = \tfrac{0{,}05}{6(0{,}45)\sin(30°)} = 0{,}0370\ \mathrm{T}$$

(i)

Comme la force magnétique est orientée selon l'axe des x négatifs, $\vec{\mathbf{B}} = B_y\,\vec{\mathbf{j}} + B_z\,\vec{\mathbf{k}}$. D'après l'équation 8.3, en se rappelant que $\vec{\mathbf{k}} \times \vec{\mathbf{j}} = -\,\vec{\mathbf{i}}$ et que $\vec{\mathbf{k}} \times \vec{\mathbf{k}} = 0$, on trouve

$$\vec{\mathbf{F}}_B = I\vec{\ell} \times \vec{\mathbf{B}} \implies$$

$$-0{,}05\,\vec{\mathbf{i}} = 6\left(0{,}45\,\vec{\mathbf{k}}\right) \times \left(B_y\,\vec{\mathbf{j}} + B_z\,\vec{\mathbf{k}}\right) = 6\,(0{,}45)\,B_y\left(\vec{\mathbf{k}} \times \vec{\mathbf{j}}\right) = -2{,}70 B_y\,\vec{\mathbf{i}} \implies$$

$$B_y = \tfrac{-0{,}05}{-2{,}70} = 0{,}0185\ \mathrm{T} \qquad \text{(ii)}$$

Si on combine les résultats (i) et (ii), on obtient

$$B^2 = B_y^2 + B_z^2 \implies B_z = \sqrt{B^2 - B_y^2} = \sqrt{(0{,}0370)^2 - (0{,}0185)^2} = 0{,}0320\ \mathrm{T}$$

On choisit la racine positive puisque $\vec{\mathbf{B}}$ est orientée à 30° de l'axe des z positifs.

Finalement, $\vec{\mathbf{B}} = \boxed{\left(0{,}0185\,\vec{\mathbf{j}} + 0{,}0320\,\vec{\mathbf{k}}\right)\ \mathrm{T}}$

E20. On donne $a = 2$ cm, $c = 5$ cm, $B = 0{,}3$ T et $I = 8$ A dans le sens indiqué à la figure 8.50. D'après la même figure et en tenant compte du sens de I, on trouve

$$\vec{\ell}_{\text{haut}} = -a\,\vec{\mathbf{i}} = -0{,}02\,\vec{\mathbf{i}}\ \mathrm{m}$$

$$\vec{\ell}_{\text{bas}} = a\,\vec{\mathbf{i}} = 0{,}02\,\vec{\mathbf{i}}\ \mathrm{m}$$

$$\vec{\ell}_{\text{gauche}} = -c\,\vec{\mathbf{j}} = -0{,}05\,\vec{\mathbf{j}}\ \mathrm{m}$$

$$\vec{\ell}_{\text{droit}} = c\,\vec{\mathbf{j}} = 0{,}05\,\vec{\mathbf{j}}\ \mathrm{m}$$

(a) On donne $\vec{\mathbf{B}}_1 = B\,\vec{\mathbf{i}} = 0{,}3\,\vec{\mathbf{i}}$ T. On utilise l'équation 8.3, que l'on modifie en multipliant le terme de droite par $N = 25$ pour tenir compte du nombre de spires :

$\vec{\mathbf{F}}_{\text{haut}} = NI\vec{\ell}_{\text{haut}} \times \vec{\mathbf{B}}_1 = 25\,(8)\left(-0{,}02\,\vec{\mathbf{i}}\right) \times \left(0{,}3\,\vec{\mathbf{i}}\right) \Longrightarrow \boxed{\vec{\mathbf{F}}_{\text{haut}} = 0}$

$\vec{\mathbf{F}}_{\text{bas}} = NI\vec{\ell}_{\text{bas}} \times \vec{\mathbf{B}}_1 = 25\,(8)\left(0{,}02\,\vec{\mathbf{i}}\right) \times \left(0{,}3\,\vec{\mathbf{i}}\right) \Longrightarrow \boxed{\vec{\mathbf{F}}_{\text{bas}} = 0}$

$\vec{\mathbf{F}}_{\text{gauche}} = NI\vec{\ell}_{\text{gauche}} \times \vec{\mathbf{B}}_1 = 25\,(8)\left(-0{,}05\,\vec{\mathbf{j}}\right) \times \left(0{,}3\,\vec{\mathbf{i}}\right) \Longrightarrow$

$\vec{\mathbf{F}}_{\text{gauche}} = 25\,(8)\,(-0{,}05)\,(0{,}3)\left(\vec{\mathbf{j}} \times \vec{\mathbf{i}}\right) \Longrightarrow$

$\vec{\mathbf{F}}_{\text{gauche}} = 25\,(8)\,(-0{,}05)\,(0{,}3)\left(-\vec{\mathbf{k}}\right) \Longrightarrow \boxed{\vec{\mathbf{F}}_{\text{gauche}} = 3{,}00\,\vec{\mathbf{k}}\ \text{N}}$

$\vec{\mathbf{F}}_{\text{droit}} = NI\vec{\ell}_{\text{droit}} \times \vec{\mathbf{B}}_1 = 25\,(8)\left(0{,}05\,\vec{\mathbf{j}}\right) \times \left(0{,}3\,\vec{\mathbf{i}}\right) = 25\,(8)\,(0{,}05)\,(0{,}3)\left(\vec{\mathbf{j}} \times \vec{\mathbf{i}}\right) \Longrightarrow$

$\vec{\mathbf{F}}_{\text{droit}} = 25\,(8)\,(0{,}05)\,(0{,}3)\left(-\vec{\mathbf{k}}\right) \Longrightarrow \boxed{\vec{\mathbf{F}}_{\text{droit}} = -3{,}00\,\vec{\mathbf{k}}\ \text{N}}$

Avant de calculer le moment de force, on définit le moment magnétique du cadre avec l'équation 8.7. Si on tient compte de l'orientation du cadre et de la règle de la main droite, on trouve que $\vec{\mathbf{u}}_{\text{n}} = \vec{\mathbf{k}}$ et

$\vec{\mu} = NIA\vec{\mathbf{u}}_{\text{n}} = NI\,(ac)\,\vec{\mathbf{k}} = 25\,(8)\,(0{,}02)\,(0{,}05)\,\vec{\mathbf{k}} = 0{,}200\,\vec{\mathbf{k}}\ \text{A·m}^2$

En utilisant l'équation 8.8, on obtient

$\vec{\tau} = \vec{\mu} \times \vec{\mathbf{B}}_1 = \left(0{,}200\,\vec{\mathbf{k}}\right) \times \left(0{,}3\,\vec{\mathbf{i}}\right) = 0{,}0600\left(\vec{\mathbf{k}} \times \vec{\mathbf{i}}\right) \Longrightarrow \boxed{\vec{\tau} = 0{,}0600\,\vec{\mathbf{j}}\ \text{N·m}}$

(b) On donne $\vec{\mathbf{B}}_2 = -B\vec{\mathbf{k}} = -0{,}3\,\vec{\mathbf{k}}$ T. On utilise l'équation 8.3 modifiée :

$\vec{\mathbf{F}}_{\text{haut}} = NI\vec{\ell}_{\text{haut}} \times \vec{\mathbf{B}}_2 = 25\,(8)\left(-0{,}02\,\vec{\mathbf{i}}\right) \times \left(-0{,}3\,\vec{\mathbf{k}}\right) \Longrightarrow$

$\vec{\mathbf{F}}_{\text{haut}} = 25\,(8)\,(-0{,}02)\,(-0{,}3)\left(\vec{\mathbf{i}} \times \vec{\mathbf{k}}\right) \Longrightarrow$

$\vec{\mathbf{F}}_{\text{haut}} = 25\,(8)\,(-0{,}02)\,(-0{,}3)\left(-\vec{\mathbf{j}}\right) \Longrightarrow \boxed{\vec{\mathbf{F}}_{\text{haut}} = -1{,}20\,\vec{\mathbf{j}}\ \text{N}}$

$\vec{\mathbf{F}}_{\text{bas}} = NI\vec{\ell}_{\text{bas}} \times \vec{\mathbf{B}}_2 = 25\,(8)\left(0{,}02\,\vec{\mathbf{i}}\right) \times \left(-0{,}3\,\vec{\mathbf{k}}\right) \Longrightarrow$

$\vec{\mathbf{F}}_{\text{bas}} = 25\,(8)\,(0{,}02)\,(-0{,}3)\left(\vec{\mathbf{i}} \times \vec{\mathbf{k}}\right) \Longrightarrow$

$\vec{\mathbf{F}}_{\text{bas}} = 25\,(8)\,(0{,}02)\,(-0{,}3)\left(-\vec{\mathbf{j}}\right) \Longrightarrow \boxed{\vec{\mathbf{F}}_{\text{bas}} = 1{,}20\,\vec{\mathbf{j}}\ \text{N}}$

$\vec{\mathbf{F}}_{\text{gauche}} = NI\vec{\ell}_{\text{gauche}} \times \vec{\mathbf{B}}_2 = 25\,(8)\left(-0{,}05\,\vec{\mathbf{j}}\right) \times \left(-0{,}3\,\vec{\mathbf{k}}\right) \Longrightarrow$

$\vec{\mathbf{F}}_{\text{gauche}} = 25\,(8)\,(-0{,}05)\,(-0{,}3)\left(\vec{\mathbf{j}} \times \vec{\mathbf{k}}\right) \Longrightarrow$

$\vec{\mathbf{F}}_{\text{gauche}} = 25\,(8)\,(-0{,}05)\,(-0{,}3)\left(\vec{\mathbf{i}}\right) \Longrightarrow \boxed{\vec{\mathbf{F}}_{\text{gauche}} = 3{,}00\,\vec{\mathbf{i}}\ \text{N}}$

$\vec{\mathbf{F}}_{\text{droit}} = NI\vec{\ell}_{\text{droit}} \times \vec{\mathbf{B}}_2 = 25\,(8)\left(0{,}05\,\vec{\mathbf{j}}\right) \times \left(-0{,}3\,\vec{\mathbf{k}}\right) \Longrightarrow$

$\vec{\mathbf{F}}_{\text{droit}} = 25\,(8)\,(0{,}05)\,(-0{,}3)\left(\vec{\mathbf{j}} \times \vec{\mathbf{k}}\right) \Longrightarrow$

$\vec{\mathbf{F}}_{\text{droit}} = 25\,(8)\,(0{,}05)\,(-0{,}3)\left(\vec{\mathbf{i}}\right) \Longrightarrow \boxed{\vec{\mathbf{F}}_{\text{droit}} = -3{,}00\,\vec{\mathbf{i}}\ \text{N}}$

Finalement, comme le vecteur $\vec{\mathbf{B}}_2$ est parallèle à $\vec{\mu}$, on trouve que $\boxed{\vec{\tau} = 0}$

E21. On donne $a = 20$ cm, $c = 50$ cm, $N = 16$ spires, $\vec{\mathbf{B}} = 0{,}5\,\vec{\mathbf{i}}$ T et $I = 10$ A dans le sens indiqué à la figure 8.51.

(a) Selon la même figure et en tenant compte du sens de I, on a

$\vec{\ell}_1 = -a\cos(30°)\,\vec{\mathbf{i}} - a\sin(30°)\,\vec{\mathbf{j}} = -0{,}20\cos(30°)\,\vec{\mathbf{i}} - 0{,}20\sin(30°)\,\vec{\mathbf{j}} \implies$

$\vec{\ell}_1 = \left(-0{,}173\,\vec{\mathbf{i}} - 0{,}100\,\vec{\mathbf{j}}\right)$ m

$\vec{\ell}_2 = -c\,\vec{\mathbf{k}} = -0{,}50\,\vec{\mathbf{k}}$ m

$\vec{\ell}_3 = a\cos(30°)\,\vec{\mathbf{i}} + a\sin(30°)\,\vec{\mathbf{j}} = 0{,}20\cos(30°)\,\vec{\mathbf{i}} + 0{,}20\sin(30°)\,\vec{\mathbf{j}} \implies$

$\vec{\ell}_3 = \left(0{,}173\,\vec{\mathbf{i}} + 0{,}100\,\vec{\mathbf{j}}\right)$ m

$\vec{\ell}_4 = c\,\vec{\mathbf{k}} = 0{,}50\,\vec{\mathbf{k}}$ m

Pour chaque côté, on calcule la force magnétique en utilisant l'équation 8.3, que l'on modifie pour tenir compte du nombre de spires :

$\vec{\mathbf{F}}_{B1} = NI\vec{\ell}_1 \times \vec{\mathbf{B}} = 16\,(10)\left(-0{,}173\,\vec{\mathbf{i}} - 0{,}100\,\vec{\mathbf{j}}\right) \times \left(0{,}5\,\vec{\mathbf{i}}\right) \implies$

$\vec{\mathbf{F}}_{B1} = 16\,(10)\,(-0{,}100)\,(0{,}5)\left(\vec{\mathbf{j}} \times \vec{\mathbf{i}}\right) = 16\,(10)\,(-0{,}100)\,(0{,}5)\left(-\vec{\mathbf{k}}\right) \implies$

$\boxed{\vec{\mathbf{F}}_{B1} = 8{,}00\,\vec{\mathbf{k}}\text{ N}}$

$\vec{\mathbf{F}}_{B2} = NI\vec{\ell}_2 \times \vec{\mathbf{B}} = 16\,(10)\left(-0{,}50\,\vec{\mathbf{k}}\right) \times \left(0{,}5\,\vec{\mathbf{i}}\right) = 16\,(10)\,(-0{,}50)\,(0{,}5)\left(\vec{\mathbf{k}} \times \vec{\mathbf{i}}\right) \implies$

$\vec{\mathbf{F}}_{B2} = 16\,(10)\,(-0{,}50)\,(0{,}5)\left(\vec{\mathbf{j}}\right) \implies \boxed{\vec{\mathbf{F}}_2 = -40{,}0\,\vec{\mathbf{j}}\text{ N}}$

$\vec{\mathbf{F}}_{B3} = NI\vec{\ell}_3 \times \vec{\mathbf{B}} = 16\,(10)\left(0{,}173\,\vec{\mathbf{i}} + 0{,}100\,\vec{\mathbf{j}}\right) \times \left(0{,}5\,\vec{\mathbf{i}}\right) \implies$

$\vec{\mathbf{F}}_{B3} = 16\,(10)\,(0{,}100)\,(0{,}5)\left(\vec{\mathbf{j}} \times \vec{\mathbf{i}}\right) = 16\,(10)\,(0{,}100)\,(0{,}5)\left(-\vec{\mathbf{k}}\right) \implies$

$\boxed{\vec{\mathbf{F}}_{B3} = -8{,}00\,\vec{\mathbf{k}}\text{ N}}$

$\vec{\mathbf{F}}_{B4} = NI\vec{\ell}_4 \times \vec{\mathbf{B}} = 16\,(10)\left(0{,}50\,\vec{\mathbf{k}}\right) \times \left(0{,}5\,\vec{\mathbf{i}}\right) = 16\,(10)\,(0{,}50)\,(0{,}5)\left(\vec{\mathbf{k}} \times \vec{\mathbf{i}}\right) \implies$

$\vec{\mathbf{F}}_{B4} = 16\,(10)\,(0{,}50)\,(0{,}5)\left(\vec{\mathbf{j}}\right) \implies \boxed{\vec{\mathbf{F}}_4 = 40{,}0\,\vec{\mathbf{j}}\text{ N}}$

(b) On reproduit la figure 8.51 vue d'au-dessus pour montrer le vecteur $\vec{\mathbf{u}}_n$ associé au cadre et au sens du courant :

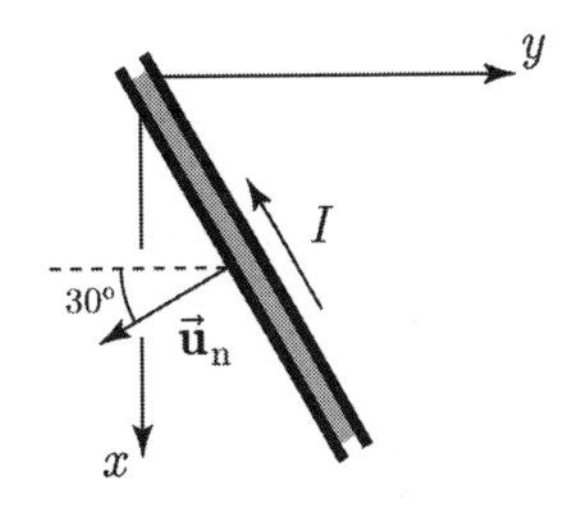

Comme $\left\|\vec{\mathbf{u}}_n\right\| = 1$, les composantes de $\vec{\mathbf{u}}_n$ sont

$\vec{\mathbf{u}}_n = \left\|\vec{\mathbf{u}}_n\right\|\sin(30°)\,\vec{\mathbf{i}} - \left\|\vec{\mathbf{u}}_n\right\|\cos(30°)\,\vec{\mathbf{j}} = 0{,}500\,\vec{\mathbf{i}} - 0{,}866\,\vec{\mathbf{j}}$

On obtient le vecteur moment magnétique avec l'équation 8.7 :

$\vec{\mu} = NIA\vec{\mathbf{u}}_n = NI\,(ac)\left(0{,}500\,\vec{\mathbf{i}} - 0{,}866\,\vec{\mathbf{j}}\right) \implies$

$\vec{\mu} = 16\,(10)\,(0{,}20)\,(0{,}50)\left(0{,}500\,\vec{\mathbf{i}} - 0{,}866\,\vec{\mathbf{j}}\right) = \boxed{\left(8{,}00\,\vec{\mathbf{i}} - 13{,}9\,\vec{\mathbf{j}}\right)\text{ A·m}^2}$

(c) En utilisant l'équation 8.8, on obtient

$\vec{\tau} = \vec{\mu} \times \vec{\mathbf{B}} = \left(8{,}00\,\vec{\mathbf{i}} - 13{,}9\,\mathbf{j}\right) \times \left(0{,}5\,\vec{\mathbf{i}}\right) = (-13{,}9)\,(0{,}5)\left(\vec{\mathbf{j}} \times \vec{\mathbf{i}}\right) \implies$

$\vec{\tau} = \boxed{6{,}95\,\vec{\mathbf{k}}\ \text{N·m}}$

E22. On donne $B = 0{,}2$ T, $I = 10$ A, $a = 0{,}10$ m et $A = a^2 = 0{,}01$ m^2. On suppose qu'il s'agit de huit bobines comportant une spire chacune, ce qui est équivalent à une bobine comportant huit spires; donc $N = 8$. Comme dans la figure 8.23*a*, le plan de chaque bobine est perpendiculaire au champ $\vec{\mathbf{B}}$, de sorte que $\theta = 90°$ dans l'équation 8.6 :

(a) $\tau = NIAB\sin\theta = (8)\,(10)\,(0{,}01)\,(0{,}2)\sin(90°) = \boxed{0{,}160\ \text{N·m}}$

(b) On exprime la vitesse angulaire en radian par seconde :

$\omega = \left(\frac{1200\ \text{tours}}{1\ \text{min}}\right) \times \left(\frac{2\pi}{1\ \text{tour}}\right) \times \left(\frac{1\ \text{min}}{60\ \text{s}}\right) = 125{,}7\ \text{rad/s}$

On calcule la puissance mécanique instantanée avec l'équation 11.27 du tome 1 :

$P = \tau\omega = (0{,}160)\,(125{,}7) = \boxed{20{,}1\ \text{W}}$

E23. On donne $I = 5$ A et $r = 2$ cm, le rayon du cadre circulaire ($N = 1$) dont l'aire est $A = \pi r^2 = \pi\,(0{,}02)^2 = 4\pi \times 10^{-4}$ m^2. On donne aussi $B = 0{,}06$ T et $\theta = 30°$, l'angle entre l'axe du cadre et le champ magnétique. Cette dernière valeur ne correspond pas nécessairement à l'angle entre le vecteur $\vec{\mu}$ et le champ magnétique $\vec{\mathbf{B}}$, qui pourrait être de 150°. Toutefois, on sait que $\sin(30°) = \sin(150°)$, de sorte qu'en utilisant l'équation 8.6, on obtient

$\tau = NIAB\sin\theta = (1)\,(5)\left(4\pi \times 10^{-4}\right)(0{,}06)\sin(30°) = \boxed{1{,}88 \times 10^{-4}\ \text{N·m}}$

E24. (a) La boucle possède une aire $A = \frac{d^2}{2}$. Si on tient compte de l'orientation de la boucle ($N = 1$) et de la règle de la main droite dans la figure 8.47, $\vec{\mathbf{u}}_\text{n} = \vec{\mathbf{k}}$. Selon l'équation 8.7, on trouve

$\vec{\mu} = NIA\vec{\mathbf{u}}_\text{n} = I\left(\frac{d^2}{2}\right)\vec{\mathbf{k}} = \boxed{\tfrac{1}{2}Id^2\vec{\mathbf{k}}}$

(b) Selon l'équation 8.8, pour $\vec{\mathbf{B}} = -B\,\vec{\mathbf{i}}$, on obtient

$\vec{\tau} = \vec{\mu} \times \vec{\mathbf{B}} = \left(\tfrac{1}{2}Id^2\vec{\mathbf{k}}\right) \times \left(-B\,\vec{\mathbf{i}}\right) = -\tfrac{1}{2}IBd^2\left(\vec{\mathbf{k}} \times \vec{\mathbf{i}}\right) = \boxed{-\tfrac{1}{2}IBd^2\,\vec{\mathbf{j}}}$

E25. On donne $r = 4$ cm, le rayon du cadre circulaire ($N = 1$) ; donc $A = \pi r^2 = 16\pi \times 10^{-4}$ m^2. On donne aussi $I = 2{,}8$ A, $\vec{\mathbf{u}}_\text{n} = \left(0{,}6\,\vec{\mathbf{i}} - 0{,}8\,\vec{\mathbf{j}}\right)$ et $\vec{\mathbf{B}} = \left(0{,}2\,\vec{\mathbf{i}} - 0{,}4\,\vec{\mathbf{k}}\right)$ T.

(a) On calcule d'abord le moment magnétique avec l'équation 8.7 :

$\vec{\mu} = NIA\vec{\mathbf{u}}_\text{n} \implies$

$\vec{\mu} = (1)\,(2{,}8)\,(16\pi \times 10^{-4})\left(0{,}6\,\vec{\mathbf{i}} - 0{,}8\,\vec{\mathbf{j}}\right) = \left(8{,}44\,\vec{\mathbf{i}} - 11{,}3\,\vec{\mathbf{j}}\right) \times 10^{-3}\ \text{A·m}^2$

Selon l'équation 8.8, en utilisant l'équation (ii) de l'exercice 3, on obtient

$\vec{\tau} = \vec{\mu} \times \vec{\mathbf{B}} = \left(8{,}44 \times 10^{-3}\,\vec{\mathbf{i}} - 11{,}3 \times 10^{-3}\,\vec{\mathbf{j}}\right) \times \left(0{,}2\,\vec{\mathbf{i}} - 0{,}4\,\vec{\mathbf{k}}\right) \implies$

$\vec{\tau} = (10^{-3})\left(8{,}44\,\vec{\mathbf{i}} - 11{,}3\,\vec{\mathbf{j}}\right) \times \left(0{,}2\,\vec{\mathbf{i}} - 0{,}4\,\vec{\mathbf{k}}\right) \implies$

$\vec{\tau} = (10^{-3})\left[(-11{,}3)\,(-0{,}4)\,\vec{\mathbf{i}} - (8{,}44)\,(-0{,}4)\,\vec{\mathbf{j}} - (-11{,}3)\,(0{,}2)\,\vec{\mathbf{k}}\right] \implies$

$\vec{\tau} = \boxed{\left(4{,}52\,\vec{\mathbf{i}} + 3{,}38\,\vec{\mathbf{j}} + 2{,}26\,\vec{\mathbf{k}}\right) \times 10^{-3}\ \text{N·m}}$

(b) Au moyen de l'équation 8.9, on trouve

$U = -\vec{\mu} \cdot \vec{\mathbf{B}} = -\left(8{,}44 \times 10^{-3}\,\vec{\mathbf{i}} - 11{,}3 \times 10^{-3}\,\vec{\mathbf{j}}\right) \cdot \left(0{,}2\,\vec{\mathbf{i}} - 0{,}4\,\vec{\mathbf{k}}\right) \implies$

$U = -\left(8{,}44 \times 10^{-3}\right)(0{,}2) = \boxed{-1{,}69\ \text{mJ}}$

E26. On donne $N = 20$ spires et $a = 2$ cm, l'arête de chaque spire; donc $A = a^2 = 4 \times 10^{-4}\ \text{m}^2$. On donne aussi $B = 0{,}04$ T, si 1 G $= 10^{-4}$ T, $I = 2$ mA et $\phi = 30°$, la déviation de l'aiguille. Si le galvanomètre est identique à celui de la figure 8.21, la relation entre ϕ et κ, la constante de torsion, est celle qui a été établie à la section 8.4 :

$\phi = \frac{NAB}{\kappa} I \implies \kappa = \frac{NAB}{\phi} I = \frac{20\left(4\times10^{-4}\right)(0{,}04)}{30°}\left(2 \times 10^{-3}\right) = \boxed{2{,}13 \times 10^{-8}\ \text{N·m/degré}}$

E27. On donne $N = 200$ spires et $a = 2{,}5$ cm, l'arête de chaque spire; donc $A = a^2 = 6{,}25 \times 10^{-4}\ \text{m}^2$. On donne aussi $B = 0{,}05$ T, si 1 G $= 10^{-4}$ T et $\kappa = 2\times10^{-8}$ N·m/degré. Si le courant vaut $I = 10\ \mu$A et que le galvanomètre est identique à celui de la figure 8.21, la déviation est donnée par la relation établie à la section 8.4 :

$\phi = \frac{NAB}{\kappa} I = \frac{200\left(6{,}25\times10^{-4}\right)(0{,}05)}{2\times10^{-8}}\left(10 \times 10^{-6}\right) = \boxed{3{,}13°}$

E28. On donne $q = e$, $v = 3 \times 10^7$ m/s et $B = 0{,}05$ T. La masse d'un proton se trouve dans les pages liminaires du manuel, soit $m = 1{,}67 \times 10^{-27}$ kg.

(a) Comme $\vec{\mathbf{v}} \perp \vec{\mathbf{B}}$, le rayon de la trajectoire est donné par l'équation établie à la section 8.5 :

$r = \frac{mv}{|q|B} = \frac{\left(1{,}67\times10^{-27}\right)\left(3\times10^{7}\right)}{\left(1{,}6\times10^{-19}\right)(0{,}05)} = \boxed{6{,}26\ \text{m}}$

(b) En utilisant l'équation 8.11, on obtient

$T = \frac{2\pi r}{v} = \frac{2\pi(6{,}26)}{3\times10^{7}} = \boxed{1{,}31\ \mu\text{s}}$

E29. On donne $q = -e$, $K = 1$ keV, l'énergie cinétique de l'électron, $B = 50 \times 10^{-4}$ T et $\vec{\mathbf{v}} \perp \vec{\mathbf{B}}$. La masse d'un électron se trouve dans les pages liminaires du manuel, soit $m = 9{,}1 \times 10^{-31}$ kg. Rappelons que 1 eV $= 1{,}6 \times 10^{-19}$ J; donc

$K = (1\ \text{keV}) \times \left(\frac{1{,}6\times10^{-19}\ \text{J}}{1\ \text{eV}}\right) = 1{,}6 \times 10^{-16}\ \text{J}$

On calcule le module de la vitesse de l'électron avec l'équation 7.11 du tome 1, qui définit l'énergie cinétique :

$K = \frac{mv^2}{2} \implies v = \sqrt{\frac{2K}{m}} = \sqrt{\frac{2(1,6\times10^{-16})}{9,1\times10^{-31}}} = 1,88 \times 10^7 \text{ m/s}$

(a) Comme $\vec{\mathbf{v}}\perp\vec{\mathbf{B}}$, le rayon de la trajectoire est donné par l'équation établie à la section 8.5 :

$r = \frac{mv}{|q|B} = \frac{(9,11\times10^{-31})(1,88\times10^7)}{(1,6\times10^{-19})(50\times10^{-4})} = \boxed{2,13 \text{ cm}}$

(b) Comme il s'agit d'une accélération centripète, on utilise l'équation 4.13 du tome 1 :

$a_\text{r} = \frac{v^2}{r} = \frac{(1,88\times10^7)^2}{2,13\times10^{-2}} = \boxed{1,66 \times 10^{16} \text{ m/s}^2}$

(c) En utilisant l'équation 8.11, on trouve

$T = \frac{2\pi m}{|q|B} = \frac{2\pi(9,11\times10^{-31})}{(1,6\times10^{-19})(50\times10^{-4})} = \boxed{7,15 \text{ ns}}$

E30. On donne $q = e$, $r = 10$ cm, $B = 1,0$ T et $\vec{\mathbf{v}}\perp\vec{\mathbf{B}}$. On sait que $m = 1,67 \times 10^{-27}$ kg.

(a) Comme $\vec{\mathbf{v}}\perp\vec{\mathbf{B}}$, le rayon de la trajectoire est donné par l'équation établie à la section 8.5, de laquelle on extrait le module de la vitesse, puis celui de la quantité de mouvement :

$r = \frac{mv}{|q|B} \implies v = \frac{r|q|B}{m} \implies$

$p = mv = r\,|q|\,B = (0,10)\,(1,6 \times 10^{-19})\,(1,0) = \boxed{1,60 \times 10^{-20} \text{ kg·m/s}}$

(b) Comme $v = \frac{p}{m}$, on trouve

$K = \frac{mv^2}{2} = \frac{m\left(\frac{p}{m}\right)^2}{2} = \frac{p^2}{2m} = \frac{(1,60\times10^{-20})^2}{2(1,67\times10^{-27})} = 7,66 \times 10^{-14} \text{ J} \implies$

$K = (7,66 \times 10^{-14} \text{ J}) \times \left(\frac{1 \text{ eV}}{1,6\times10^{-19} \text{ J}}\right) = \boxed{4,79 \times 10^5 \text{ eV}}$

E31. On donne $q = e$, $r = 20$ cm, $B = 0,8$ T et $\vec{\mathbf{v}}\perp\vec{\mathbf{B}}$. On sait que $m = 1,67 \times 10^{-27}$ kg.

(a) Comme $\vec{\mathbf{v}}\perp\vec{\mathbf{B}}$, le rayon de la trajectoire est donné par l'équation établie à la section 8.5, de laquelle on extrait le module de la vitesse :

$r = \frac{mv}{|q|B} \implies v = \frac{r|q|B}{m} = \frac{(0,20)(1,6\times10^{-19})(0,8)}{1,67\times10^{-27}} = \boxed{1,53 \times 10^7 \text{ m/s}}$

(b) En utilisant l'équation 8.11, on obtient

$T = \frac{2\pi m}{|q|B} = \frac{2\pi(1,67\times10^{-27})}{(1,6\times10^{-19})(0,8)} = \boxed{8,20 \times 10^{-8} \text{ s}}$

(c) En utilisant l'équation 7.11 du tome 1, on trouve

$K = \frac{mv^2}{2} = \frac{(1,67\times10^{-27})(1,53\times10^7)^2}{2} = \boxed{1,95 \times 10^{-13} \text{ J}}$

E32. On donne $L = 2,11 \times 10^{-34}$ kg·m²/s. On sait que $q = -e$ et $m = 9,1 \times 10^{-31}$ kg. Si on utilise le module de l'équation (ii) de l'exemple 8.10, on obtient

$\mu = \frac{e}{2m}L = \frac{(1,6\times10^{-19})}{2(9,1\times10^{-31})}\,(2,11 \times 10^{-34}) = \boxed{1,85 \times 10^{-23} \text{ A·m}^2}$

E33. On donne $m_\text{d} = 2m_\text{p}$ et $q_\text{d} = q_\text{p} = e$. Pour les deux particules, $\vec{\mathbf{v}}\perp\vec{\mathbf{B}}$, ce qui implique que le rayon de leur trajectoire respective est donné par l'équation établie à la section

8.5, soit $r = \frac{mv}{|q|B} \implies v = \frac{r|q|B}{m}$.

(a) Si le module de leur quantité de mouvement est le même, on a

$$p_{\text{d}} = p_{\text{p}} \implies m_{\text{d}}v_{\text{d}} = m_{\text{p}}v_{\text{p}} \implies m_{\text{d}}\frac{r_{\text{d}}|q_{\text{d}}|B}{m_{\text{d}}} = m_{\text{p}}\frac{r_{\text{p}}|q_{\text{p}}|B}{m_{\text{p}}} \implies r_{\text{d}}|q_{\text{d}}|B = r_{\text{p}}|q_{\text{p}}|B \implies$$

$$r_{\text{d}} = r_{\text{p}} \implies \boxed{\frac{r_{\text{p}}}{r_{\text{d}}} = 1}$$

(b) Si le module de leur vitesse est le même, on obtient plutôt

$$v_{\text{d}} = v_{\text{p}} \implies \frac{r_{\text{d}}|q_{\text{d}}|B}{m_{\text{d}}} = \frac{r_{\text{p}}|q_{\text{p}}|B}{m_{\text{p}}} \implies \frac{r_{\text{d}}}{m_{\text{d}}} = \frac{r_{\text{p}}}{m_{\text{p}}} \implies \frac{r_{\text{d}}}{2m_{\text{p}}} = \frac{r_{\text{p}}}{m_{\text{p}}} \implies \boxed{\frac{r_{\text{p}}}{r_{\text{d}}} = 0{,}500}$$

(c) Si elles ont la même énergie cinétique, on obtient

$$K_{\text{d}} = K_{\text{p}} \implies \frac{m_{\text{d}}v_{\text{d}}^2}{2} = \frac{m_{\text{p}}v_{\text{p}}^2}{2} \implies \frac{1}{2}m_{\text{d}}\left(\frac{r_{\text{d}}|q_{\text{d}}|B}{m_{\text{d}}}\right)^2 = \frac{1}{2}m_{\text{p}}\left(\frac{r_{\text{p}}|q_{\text{p}}|B}{m_{\text{p}}}\right)^2 \implies$$

$$m_{\text{d}}\left(\frac{r_{\text{d}}}{m_{\text{d}}}\right)^2 = m_{\text{p}}\left(\frac{r_{\text{p}}}{m_{\text{p}}}\right)^2 \implies \frac{r_{\text{d}}^2}{m_{\text{d}}} = \frac{r_{\text{p}}^2}{m_{\text{p}}} \implies \frac{r_{\text{d}}^2}{2m_{\text{p}}} = \frac{r_{\text{p}}^2}{m_{\text{p}}} \implies \frac{r_{\text{p}}^2}{r_{\text{d}}^2} = 0{,}500 \implies$$

$$\boxed{\frac{r_{\text{p}}}{r_{\text{d}}} = 0{,}707}$$

E34. On sait que $q_{\text{p}} = |q_{\text{é}}| = e$. Si $m_{\text{p}} = 1{,}67 \times 10^{-27}$ kg et que $m_{\text{é}} = 9{,}1 \times 10^{-31}$ kg, $m_{\text{p}} = 1{,}84 \times 10^3 m_{\text{é}}$. Pour les deux particules, $\vec{\mathbf{v}} \perp \vec{\mathbf{B}}$, ce qui implique que le rayon de leur trajectoire respective est donné par l'équation établie à la section 8.5, soit

$$r = \frac{mv}{|q|B} \implies v = \frac{r|q|B}{m}$$

(a) Si le module de leur vitesse est le même, on a

$$v_{\text{é}} = v_{\text{p}} \implies \frac{r_{\text{é}}|q_{\text{é}}|B}{m_{\text{é}}} = \frac{r_{\text{p}}|q_{\text{p}}|B}{m_{\text{p}}} \implies \frac{r_{\text{é}}}{m_{\text{é}}} = \frac{r_{\text{p}}}{m_{\text{p}}} \implies$$

$$\frac{r_{\text{é}}}{m_{\text{é}}} = \frac{r_{\text{p}}}{1{,}84 \times 10^3 m_{\text{é}}} \implies \boxed{\frac{r_{\text{p}}}{r_{\text{é}}} = 1{,}84 \times 10^3}$$

(b) Si elles ont la même énergie cinétique, on obtient

$$K_{\text{é}} = K_{\text{p}} \implies \frac{m_{\text{é}}v_{\text{é}}^2}{2} = \frac{m_{\text{p}}v_{\text{p}}^2}{2} \implies \frac{1}{2}m_{\text{é}}\left(\frac{r_{\text{é}}|q_{\text{é}}|B}{m_{\text{é}}}\right)^2 = \frac{1}{2}m_{\text{p}}\left(\frac{r_{\text{p}}|q_{\text{p}}|B}{m_{\text{p}}}\right)^2 \implies$$

$$m_{\text{é}}\left(\frac{r_{\text{é}}}{m_{\text{é}}}\right)^2 = m_{\text{p}}\left(\frac{r_{\text{p}}}{m_{\text{p}}}\right)^2 \implies \frac{r_{\text{é}}^2}{m_{\text{é}}} = \frac{r_{\text{p}}^2}{m_{\text{p}}} \implies \frac{r_{\text{é}}^2}{m_{\text{é}}} = \frac{r_{\text{p}}^2}{1{,}84 \times 10^3 m_{\text{é}}} \implies \frac{r_{\text{p}}^2}{r_{\text{é}}^2} = 1{,}84 \times 10^3 \implies$$

$$\boxed{\frac{r_{\text{p}}}{r_{\text{é}}} = 42{,}9}$$

E35. On donne $m_\alpha = 4m_{\text{p}}$, $q_\alpha = 2q_{\text{p}}$ et $r_\alpha = r_{\text{p}}$. Pour les deux particules, $\vec{\mathbf{v}} \perp \vec{\mathbf{B}}$, ce qui implique que le rayon de leur trajectoire est donné par l'équation établie à la section 8.5, soit $r = \frac{mv}{|q|B} \implies v = \frac{r|q|B}{m}$. Le champ magnétique subi par chaque particule n'a pas le même module.

(a) Si le module de leur vitesse est le même, on obtient

$$v_\alpha = v_{\text{p}} \implies \frac{r_\alpha|q_\alpha|B_\alpha}{m_\alpha} = \frac{r_{\text{p}}|q_{\text{p}}|B_{\text{p}}}{m_{\text{p}}} \implies \frac{2|q_{\text{p}}|B_\alpha}{4m_{\text{p}}} = \frac{|q_{\text{p}}|B_{\text{p}}}{m_{\text{p}}} \implies \frac{1}{2}B_\alpha = B_{\text{p}} \implies \boxed{\frac{B_\alpha}{B_{\text{p}}} = 2{,}00}$$

(b) Si le module de leur quantité de mouvement est le même, on obtient

$$p_\alpha = p_{\text{p}} \implies m_\alpha v_\alpha = m_{\text{p}}v_{\text{p}} \implies m_\alpha\frac{r_\alpha|q_\alpha|B_\alpha}{m_\alpha} = m_{\text{p}}\frac{r_{\text{p}}|q_{\text{p}}|B_{\text{p}}}{m_{\text{p}}} \implies$$

$$|q_\alpha|B_\alpha = |q_{\text{p}}|B_{\text{p}} \implies 2|q_{\text{p}}|B_\alpha = |q_{\text{p}}|B_{\text{p}} \implies \boxed{\frac{B_\alpha}{B_{\text{p}}} = 0{,}500}$$

(c) Si elles ont la même énergie cinétique, on trouve

$$K_\alpha = K_\mathrm{p} \implies \frac{m_\alpha v_\alpha^2}{2} = \frac{m_\mathrm{p} v_\mathrm{p}^2}{2} \implies \frac{1}{2} m_\alpha \left(\frac{r_\alpha |q_\alpha| B_\alpha}{m_\alpha}\right)^2 = \frac{1}{2} m_\mathrm{p} \left(\frac{r_\mathrm{p} |q_\mathrm{p}| B_\mathrm{p}}{m_\mathrm{p}}\right)^2 \implies$$

$$m_\alpha \left(\frac{|q_\alpha| B_\alpha}{m_\alpha}\right)^2 = m_\mathrm{p} \left(\frac{|q_\mathrm{p}| B_\mathrm{p}}{m_\mathrm{p}}\right)^2 \implies \frac{|q_\alpha|^2 B_\alpha^2}{m_\alpha} = \frac{|q_\mathrm{p}|^2 B_\mathrm{p}^2}{m_\mathrm{p}} \implies \frac{(2|q_\mathrm{p}|)^2 B_\alpha^2}{4m_\mathrm{p}} = \frac{|q_\mathrm{p}|^2 B_\mathrm{p}^2}{m_\mathrm{p}} \implies$$

$$B_\alpha^2 = B_\mathrm{p}^2 \implies \boxed{\frac{B_\alpha}{B_\mathrm{p}} = 1{,}00}$$

E36. On donne $q = -e$, $v = 4 \times 10^6$ m/s et $B = 0{,}04$ T. On sait que $m = 9{,}1 \times 10^{-31}$ kg. L'angle entre $\vec{\mathbf{v}}$ et $\vec{\mathbf{B}}$ est de 30°. Cette situation est similaire à celle décrite à la figure 8.26 du manuel. La composante de vitesse parallèle au champ magnétique est

$$v_{\parallel} = v\cos(30°) = \left(4 \times 10^6\right)\cos(30°) = 3{,}46 \times 10^6 \text{ m/s}$$

Et le pas de la trajectoire est donné par l'équation 8.13 :

$$d = v_{\parallel} \frac{2\pi m}{|q|B} = \left(3{,}46 \times 10^6\right) \frac{2\pi\left(9{,}1\times10^{-31}\right)}{\left(1{,}6\times10^{-19}\right)(0{,}04)} = \boxed{3{,}09 \text{ mm}}$$

E37. On donne $q = e$, $v = 0{,}1c = 3{,}0 \times 10^7$ m/s et $B = 0{,}2 \times 10^{-4}$ T, si 1 G $= 10^{-4}$ T. On sait que $m = 1{,}67 \times 10^{-27}$ kg. La figure qui suit montre la Terre, son champ magnétique à l'équateur, la vitesse de la particule et la force magnétique ressentie :

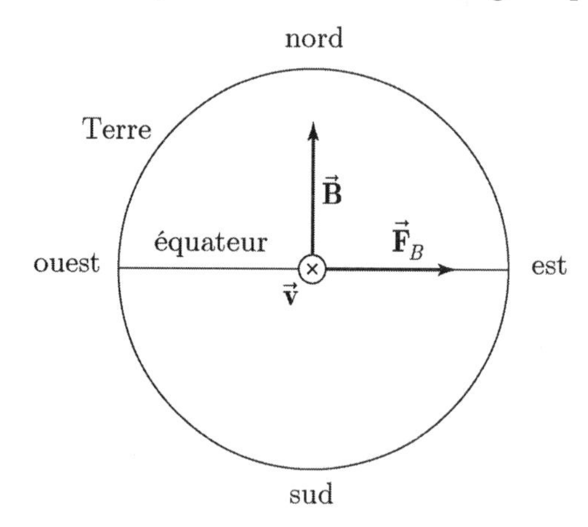

(a) Comme $\vec{\mathbf{v}} \perp \vec{\mathbf{B}}$, le rayon de la trajectoire est donné par l'équation établie à la section 8.5 :

$$r = \frac{mv}{|q|B} = \frac{\left(1{,}67\times10^{-27}\right)\left(3{,}0\times10^7\right)}{\left(1{,}6\times10^{-19}\right)\left(0{,}2\times10^{-4}\right)} = \boxed{1{,}57 \times 10^4 \text{ m}}$$

(b) Dans la figure, l'orientation du vecteur $\vec{\mathbf{F}}_B$ a été obtenue au moyen de l'équation 8.2. On en conclut, en observant la figure, que la déviation se fera $\boxed{\text{vers l'est}}$.

E38. On donne $q = e$, $r = 3{,}2$ cm, $B = 0{,}75$ T et $\vec{\mathbf{v}} \perp \vec{\mathbf{B}}$. On sait que $m = 1{,}67 \times 10^{-27}$ kg.

(a) En utilisant l'équation 8.12, on obtient

$$f_\mathrm{c} = \frac{|q|B}{2\pi m} = \frac{\left(1{,}6\times10^{-19}\right)(0{,}75)}{2\pi\left(1{,}67\times10^{-27}\right)} = \boxed{11{,}4 \text{ MHz}}$$

(b) Comme $\vec{\mathbf{v}} \perp \vec{\mathbf{B}}$, le rayon de la trajectoire est donné par l'équation établie à la section 8.5, de laquelle on extrait le module de la vitesse :

$$r = \frac{mv}{|q|B} \implies v = \frac{r|q|B}{m} = \frac{(0{,}032)\left(1{,}6\times10^{-19}\right)(0{,}75)}{1{,}67\times10^{-27}} = 2{,}30 \times 10^6 \text{ m/s}$$

Et l'énergie cinétique est donnée par l'équation 7.11 du tome 1 :

$K = \frac{mv^2}{2} = \frac{(1{,}67\times10^{-27})(2{,}30\times10^{6})^2}{2} = \boxed{4{,}42 \times 10^{-15}\ \text{J}}$

(c) $p = mv = (1{,}67 \times 10^{-27})(2{,}30 \times 10^{6}) = \boxed{3{,}84 \times 10^{-21}\ \text{kg·m/s}}$

E39. On donne $m_\alpha = 6{,}7 \times 10^{-27}$ kg, $q_\alpha = 2e$, $B = 0{,}6$ T et $\vec{\mathbf{v}} \perp \vec{\mathbf{B}}$. Lorsqu'une particule chargée est soumise à une différence de potentiel, la variation de l'énergie cinétique est donnée par l'équation 4.7, soit $\Delta K = -q\Delta V$. Selon le signe de la charge, l'énergie cinétique augmente si le signe de la différence de potentiel est adéquat. Pour une particule de charge positive, $\Delta K > 0$ si $\Delta V < 0$. Pour une particule de charge négative, $\Delta K > 0$ si $\Delta V > 0$. Dans tous les cas, on peut poser que $\Delta K = |q|\,|\Delta V|$.

Si la vitesse initiale $\vec{\mathbf{v}}_0$ de la particule est nulle, on obtient

$\Delta K = \frac{mv^2}{2} - \frac{mv_0^2}{2} = \frac{mv^2}{2} \implies \frac{mv^2}{2} = |q|\,|\Delta V| \implies v = \sqrt{\frac{2|q||\Delta V|}{m}}$ (i)

Dans cet exercice, $|\Delta V| = 14$ kV et

$v = \sqrt{\frac{2|q_\alpha||\Delta V|}{m_\alpha}} = \sqrt{\frac{2((2)(1{,}6\times10^{-19}))(14\times10^{3})}{6{,}7\times10^{-27}}} = 1{,}16 \times 10^{6}$ m/s

Comme $\vec{\mathbf{v}} \perp \vec{\mathbf{B}}$, le rayon de la trajectoire est donné par l'équation établie à la section 8.5 :

$r = \frac{mv}{|q|B} = \frac{(6{,}7\times10^{-27})(1{,}16\times10^{6})}{(2)(1{,}6\times10^{-19})(0{,}6)} = \boxed{4{,}04\ \text{cm}}$

E40. On donne $q_{20\text{u}} = q_{22\text{u}} = e$, $|\Delta V| = 1$ kV, $B = 0{,}4$ T et $\vec{\mathbf{v}} \perp \vec{\mathbf{B}}$. La masse de chacun des deux isotopes est, si $\text{u} = 1{,}661 \times 10^{-27}$ kg,

$m_{20\text{u}} = 20\,(1{,}661 \times 10^{-27}) = 3{,}322 \times 10^{-26}$ kg

$m_{22\text{u}} = 22\,(1{,}661 \times 10^{-27}) = 3{,}654 \times 10^{-26}$ kg

On calcule le module de la vitesse de chaque isotope avec l'équation (i) de l'exercice 39 :

$v_{20\text{u}} = \sqrt{\frac{2|q_{20\text{u}}||\Delta V|}{m_{20\text{u}}}} = \sqrt{\frac{2(1{,}6\times10^{-19})(1000)}{3{,}322\times10^{-26}}} = 9{,}815 \times 10^{4}$ m/s

$v_{22\text{u}} = \sqrt{\frac{2|q_{22\text{u}}||\Delta V|}{m_{22\text{u}}}} = \sqrt{\frac{2(1{,}6\times10^{-19})(1000)}{3{,}654\times10^{-26}}} = 9{,}358 \times 10^{4}$ m/s

On calcule le rayon de la trajectoire de chaque isotope avec

$r_{20\text{u}} = \frac{m_{20\text{u}}v_{20\text{u}}}{|q_{20\text{u}}|B} = \frac{(3{,}322\times10^{-26})(9{,}815\times10^{4})}{(1{,}6\times10^{-19})(0{,}4)} = 5{,}095$ cm

$r_{22\text{u}} = \frac{m_{22\text{u}}v_{22\text{u}}}{|q_{22\text{u}}|B} = \frac{(3{,}654\times10^{-26})(9{,}358\times10^{4})}{(1{,}6\times10^{-19})(0{,}4)} = 5{,}343$ cm

Après une demi-révolution, la distance qui sépare la trajectoire des deux isotopes correspond à la différence entre le diamètre des deux cercles :

$d = 2\,(r_{22\text{u}} - r_{20\text{u}}) = 2\left((5{,}343 \times 10^{-2}) - (5{,}095 \times 10^{-2})\right) = \boxed{4{,}96\ \text{mm}}$

E41. On donne $B_1 = B_2 = 0{,}4$ T et $E = 3 \times 10^{5}$ V/m dans un spectromètre de masse de Bainbridge. On donne aussi $q_{12\text{u}} = q_{14\text{u}} = e$. La masse de chacun des deux isotopes est, si $u = 1{,}661 \times 10^{-27}$ kg,

$m_{12\text{u}} = 12\left(1{,}661 \times 10^{-27}\right) = 1{,}993 \times 10^{-26}$ kg

$m_{14\text{u}} = 14\left(1{,}661 \times 10^{-27}\right) = 2{,}325 \times 10^{-26}$ kg

Pour les deux isotopes, le module de la vitesse est donnée par l'équation 8.15 :

$v = \frac{E}{B_1} = \frac{3\times 10^5}{0{,}4} = 7{,}5 \times 10^5$ m/s

On calcule le rayon de la trajectoire de chaque isotope avec

$$r_{12\text{u}} = \frac{m_{12\text{u}}v}{|q_{12\text{u}}|B_2} = \frac{\left(1{,}993\times 10^{-26}\right)\left(7{,}5\times 10^5\right)}{(1{,}6\times 10^{-19})(0{,}4)} = 23{,}36 \text{ cm}$$

$$r_{14\text{u}} = \frac{m_{14\text{u}}v}{|q_{14\text{u}}|B_2} = \frac{\left(2{,}325\times 10^{-26}\right)\left(7{,}5\times 10^5\right)}{(1{,}6\times 10^{-19})(0{,}4)} = 27{,}25 \text{ cm}$$

Au moment où ils atteignent la plaque photographique, selon la figure 8.30, la distance qui sépare la trajectoire des deux isotopes correspond à la différence entre le diamètre des deux cercles :

$$d = 2\left(r_{14\text{u}} - r_{12\text{u}}\right) = 2\left(\left(27{,}25 \times 10^{-2}\right) - \left(23{,}36 \times 10^{-2}\right)\right) = \boxed{7{,}78 \text{ cm}}$$

E42. On donne $q = -e$ et $m = 9{,}1 \times 10^{-31}$ kg.

(a) Comme $\vec{\mathbf{v}} = 2 \times 10^6 \vec{\mathbf{i}}$ m/s et que $\vec{\mathbf{E}} = -200\,\vec{\mathbf{j}}$ V/m, la situation est identique à celle de la figure 8.29. Si on suit le même raisonnement qu'au paragraphe portant sur le sélecteur de vitesse de la section 8.6, le champ magnétique doit être orienté selon l'axe des z *négatifs*, et son module est donné par l'équation 8.15 :

$$v = \frac{E}{B} \implies B = \frac{E}{v} = \frac{200}{2\times 10^6} = 1{,}00 \times 10^{-4} \text{ T}$$

Finalement, comme $B_z = -B$, on trouve que

$$\vec{\mathbf{B}} = \boxed{-1{,}00 \times 10^{-4}\vec{\mathbf{k}} \text{ T}}$$

(b) Si on supprime le champ électrique, le rayon de la trajectoire de l'électron est donné par

$$r = \frac{mv}{|q|B} = \frac{\left(9{,}1\times 10^{-31}\right)\left(2\times 10^6\right)}{(1{,}6\times 10^{-19})(1{,}00\times 10^{-4})} = \boxed{11{,}4 \text{ cm}}$$

E43. On donne $q = e$, $m = 1{,}67 \times 10^{-27}$ kg et $|\Delta V| = 10$ kV. On calcule le module de la vitesse du proton avec l'équation (i) de l'exercice 39 :

$$v = \sqrt{\frac{2|q||\Delta V|}{m}} = \sqrt{\frac{2(1{,}6\times 10^{-19})(10\times 10^3)}{1{,}67\times 10^{-27}}} = 1{,}38 \times 10^6 \text{ m/s}$$

Conséquemment, selon l'énoncé de la question, $\vec{\mathbf{v}} = -1{,}38 \times 10^6 \vec{\mathbf{i}}$ m/s.

Comme $\vec{\mathbf{E}} = -10^3 \vec{\mathbf{j}}$ V/m, la force électrique ressentie par le proton est

$$\vec{\mathbf{F}}_E = q\vec{\mathbf{E}} = \left(1{,}6 \times 10^{-19}\right)\left(-10^3\right)\vec{\mathbf{j}} = -1{,}6 \times 10^{-16}\vec{\mathbf{j}} \text{ N}$$

S'il ne doit pas y avoir de déviation, on conclut que

$$\vec{\mathbf{F}}_B = -\vec{\mathbf{F}}_E = 1{,}6 \times 10^{-16}\vec{\mathbf{j}} \text{ N}$$

Comme la charge est positive, le vecteur $\vec{\mathbf{F}}_B$ et le vecteur $\vec{\mathbf{v}} \times \vec{\mathbf{B}}$ sont orientés dans le même sens. Selon la règle de la main droite et en tenant compte du fait que $\vec{\mathbf{v}} \perp \vec{\mathbf{B}}$, on conclut que le champ magnétique doit être orienté selon l'axe des z *positifs*, $\vec{\mathbf{B}} = B\vec{\mathbf{k}}$.

On calcule le module du champ magnétique avec l'équation 8.1 :

$F_B = |q|\, vB\sin\theta \implies B = \frac{F_B}{|q|v\sin\theta} = \frac{1{,}6\times10^{-16}}{(1{,}6\times10^{-19})(1{,}38\times10^{6})\sin(90°)} = 7{,}25 \times 10^{-4}$ T

Finalement,

$\vec{\mathbf{B}} = \boxed{7{,}25 \times 10^{-4}\vec{\mathbf{k}} \text{ T}}$

E44. Soit $N = 100$, le nombre de révolutions du proton dans le cyclotron, $q = e$ et $m = 1{,}67\times10^{-27}$ kg. On donne aussi $K_{\text{max}} = 10$ MeV $= 1{,}6\times10^{-12}$ J, la valeur maximale de l'énergie cinétique, et $r_{\text{max}} = 50$ cm, la valeur finale du rayon de la trajectoire du proton.

(a) L'énergie cinétique maximale et le module de la vitesse maximale sont liés par

$K_{\text{max}} = \frac{mv_{\text{max}}^2}{2} \implies v_{\text{max}} = \sqrt{\frac{2K_{\text{max}}}{m}}$ (i)

Le rayon de la trajectoire et le module de la vitesse sont liés par

$r_{\text{max}} = \frac{mv_{\text{max}}}{|q|B} \implies v_{\text{max}} = \frac{r_{\text{max}}|q|B}{m}$ (ii)

Si on combine les équations (i) et (ii), on obtient

$\sqrt{\frac{2K_{\text{max}}}{m}} = \frac{r_{\text{max}}|q|B}{m} \implies B = \frac{\sqrt{2mK_{\text{max}}}}{r_{\text{max}}|q|}$ (iii)

$B = \frac{\sqrt{2(1{,}67\times10^{-27})(1{,}6\times10^{-12})}}{0{,}50(1{,}6\times10^{-19})} = \boxed{0{,}914 \text{ T}}$

(b) Il y a 200 demi-tours. À chaque demi-tour, selon le raisonnement suivi à l'exercice 39, le proton gagne une énergie cinétique correspondant à $\Delta K = |q|\,|\Delta V|$. Comme on connaît K_{max}, on en déduit que

$K_{\text{max}} = 200\Delta K = 200\,|q|\,|\Delta V| \implies |\Delta V| = \frac{K_{\text{max}}}{200e} = \frac{1{,}6\times10^{-12}}{200(1{,}6\times10^{-19})} = \boxed{50{,}0 \text{ kV}}$

(c) On utilise l'équation 8.12, ce qui permet d'obtenir que

$f_{\text{c}} = \frac{|q|B}{2\pi m} = \frac{(1{,}6\times10^{-19})(0{,}914)}{2\pi(1{,}67\times10^{-27})} = \boxed{13{,}9 \text{ MHz}}$

E45. On donne $q = e$, $m = 1{,}67 \times 10^{-27}$, $B = 0{,}9$ T et $r_{\text{max}} = 75$ cm, la valeur finale du rayon de la trajectoire du proton.

(a) Selon l'équation 15.1 du tome 1 et l'équation 8.12, la fréquence angulaire du cyclotron est

$\omega_{\text{c}} = 2\pi f_{\text{c}} = 2\pi\left(\frac{|q|B}{2\pi m}\right) = \frac{|q|B}{m} = \frac{(1{,}6\times10^{-19})(0{,}9)}{1{,}67\times10^{-27}} = \boxed{8{,}62 \times 10^{7} \text{ rad/s}}$

(b) Selon la partie (a) de l'exercice 44, on obtient

$$B = \frac{\sqrt{2mK_{\max}}}{r_{\max}|q|} \Longrightarrow K_{\max} = \frac{(Br_{\max}|q|)^2}{2m} = \frac{(0{,}9)^2(0{,}75)^2\left(1{,}6\times10^{-19}\right)^2}{2(1{,}67\times10^{-27})} = 3{,}49\times10^{-12}\text{ J}$$

E46. On donne $q = e$, $m = 1{,}67\times10^{-27}$ kg, $B = 1{,}6$ T et $|\Delta V| = 6\times10^4$ V, l'amplitude de la différence de potentiel entre les deux demi-cylindres.

On donne aussi $K_{\max} = 12$ MeV $= 1{,}92\times10^{-12}$ J, l'énergie cinétique maximale des protons à la sortie du cyclotron.

(a) Selon la partie (a) de l'exercice 44, on trouve

$$B = \frac{\sqrt{2mK_{\max}}}{r_{\max}|q|} \Longrightarrow r_{\max} = \frac{\sqrt{2mK_{\max}}}{|q|B} = \frac{\sqrt{2(1{,}67\times10^{-27})(1{,}92\times10^{-12})}}{(1{,}6\times10^{-19})(1{,}6)} = \boxed{31{,}3\text{ cm}}$$

(b) On sait que le temps requis pour effectuer une révolution complète dans le cyclotron, soit une période, est constant. Selon l'équation 8.11, on obtient

$$T = \frac{2\pi m}{|q|B} = \frac{2\pi\left(1{,}67\times10^{-27}\right)}{(1{,}6\times10^{-19})(1{,}6)} = 4{,}10\times10^{-8}\text{ s}$$

Or, on peut trouver le nombre $N_{1/2}$ de demi-tours effectués dans le cyclotron, car on sait qu'à chaque demi-tour, le gain d'énergie cinétique est $\Delta K = |q|\,|\Delta V|$. En reliant cette quantité avec $K_{\max}$, on trouve

$$K_{\max} = N_{1/2}\Delta K = N_{1/2}\,|q|\,|\Delta V| \Longrightarrow N_{1/2} = \frac{K_{\max}}{|q||\Delta V|} = \frac{\left(1{,}92\times10^{-12}\right)}{(1{,}6\times10^{-19})(6\times10^4)} = 200$$

Le nombre N de tours complets est $N = \frac{N_{1/2}}{2}$, et le temps total passé dans le cyclotron est

$$t = NT = 100\left(4{,}10\times10^{-8}\right) = \boxed{4{,}10\ \mu\text{s}}$$

E47. On donne $v_0 = 0$ et $|\Delta V| = 225$ V dans la direction x. Le signe de la charge étant inconnu, on suppose que la différence de potentiel possède le signe adéquat pour accélérer la particule. Le gain d'énergie cinétique de la particule est donné par $\Delta K = |q|\,|\Delta V|$, comme à l'exercice 39, et, comme la vitesse initiale est nulle, sa vitesse finale est donnée par l'équation (i) du même exercice :

$$v = \sqrt{\frac{2|q||\Delta V|}{m}} \quad \text{(i)}$$

On donne $\vec{\mathbf{B}} = 10\vec{\mathbf{k}}$ G $= 1\times10^{-3}\vec{\mathbf{k}}$ T. La particule va donc subir une déviation dans le plan xy de rayon

$$r = \frac{mv}{|q|B} \quad \text{(ii)}$$

Si on remplace v dans l'équation (ii) par sa valeur dans l'équation (i), en sachant que $r = 0{,}05$ m, on obtient

$$r = \frac{m\sqrt{\frac{2|q||\Delta V|}{m}}}{|q|B} \Longrightarrow \left(\frac{r|q|B}{m}\right)^2 = \frac{2|q||\Delta V|}{m} \Longrightarrow \frac{r^2|q|B^2}{m} = 2\,|\Delta V| \Longrightarrow \frac{|q|}{m} = \frac{2|\Delta V|}{r^2B^2} \Longrightarrow$$

$$\frac{|q|}{m} = \frac{2(225)}{(0{,}05)^2(1\times10^{-3})^2} = \boxed{1{,}80\times10^{11}\text{ C/kg}}$$

E48. On donne $m = 1{,}2 \times 10^{-25}$ kg, $q = 2e$, $|\Delta V| = 200$ V et $B = 0{,}2$ T. Avec l'équation (i) de l'exercice 39, on trouve

$$v = \sqrt{\frac{2|q||\Delta V|}{m}} = \sqrt{\frac{4(1{,}6\times10^{-19})(200)}{1{,}2\times10^{-25}}} = 3{,}27 \times 10^4 \text{ m/s}$$

Comme $\vec{\mathbf{B}}$ est perpendiculaire à la trajectoire de la particule, son rayon est donné par l'équation développée à la section 8.5 :

$$r = \frac{mv}{|q|B} = \frac{(1{,}2\times10^{-25})(3{,}27\times10^4)}{2(1{,}6\times10^{-19})(0{,}2)} = \boxed{6{,}12 \text{ cm}}$$

E49. Dans une situation similaire à celle qui est décrite à la figure 8.39, on donne $\ell = 0{,}1$ cm, l'épaisseur de la plaquette, $L = 1{,}6$ cm, sa largeur, $I = 15$ A, $B = 0{,}2$ T et $\Delta V_{\text{H}} = 6$ μV, la tension de Hall mesurée.

(a) Au moyen de l'équation 8.17 du manuel, on obtient

$$\Delta V_{\text{H}} = v_{\text{d}} BL \implies v_{\text{d}} = \frac{\Delta V_{\text{H}}}{BL} = \frac{(6\times10^{-6})}{0{,}2(1{,}6\times10^{-2})} = \boxed{1{,}88 \text{ mm/s}}$$

(b) Au moyen de l'équation 8.18 du manuel, on trouve

$$\Delta V_{\text{H}} = \frac{IB}{n|q|\ell} \implies n = \frac{IB}{|q|\ell\Delta V_{\text{H}}}$$

Comme on le dit à la section 8.8, n constitue le nombre de porteurs de charge par unité de volume. À priori, la charge en mouvement peut n'être constituée que d'électrons ou, comme on le laisse entendre à la fin de la section 8.8, d'un mélange d'électrons négatifs et de trous positifs. Dans ce problème, on considère qu'il ne s'agit que d'électrons, c'est pourquoi on pose $|q| = e$, et on obtient

$$n = \frac{IB}{|q|\ell\Delta V_{\text{H}}} = \frac{15(0{,}2)}{(1{,}6\times10^{-19})(0{,}1\times10^{-2})(1{,}6\times10^{-2})} = \boxed{3{,}13 \times 10^{27} \text{ m}^{-3}}$$

E50. Dans une situation similaire à celle qui est décrite à la figure 8.39, on donne $\ell = 0{,}25$ cm, l'épaisseur de la plaquette, $I = 10$ A, $\Delta V_{\text{H}} = 1{,}2$ μV, la tension de Hall mesurée, et $n = 8{,}5 \times 10^{28}$ m^{-3}, le nombre le porteur de charge par unité de volume. On suppose que les porteurs de charges sont des électrons; donc $|q| = e$. Au moyen de l'équation 8.18, on obtient

$$\Delta V_{\text{H}} = \frac{IB}{n|q|\ell} \implies B = \frac{n|q|\ell\Delta V_{\text{H}}}{I} = \frac{(8{,}5\times10^{28})(1{,}6\times10^{-19})(0{,}25\times10^{-2})(1{,}2\times10^{-6})}{10} = \boxed{4{,}08 \text{ T}}$$

E51. Dans une situation similaire à celle qui est décrite à la figure 8.39, on donne $\ell = 0{,}1$ mm, l'épaisseur de la plaquette, $L = 0{,}8$ cm, sa largeur, $I = 2$ A, $B = 0{,}8$ T et $\Delta V_{\text{H}} = 1{,}4$ μV, la tension de Hall mesurée. Les porteurs de charge sont des électrons; donc $|q| = e$. En utilisant l'équation 8.18, on obtient

$$\Delta V_{\text{H}} = \frac{IB}{n|q|\ell} \implies n = \frac{IB}{|q|\ell\Delta V_{\text{H}}} = \frac{2(0{,}8)}{(1{,}6\times10^{-19})(0{,}1\times10^{-3})(1{,}4\times10^{-6})} = \boxed{7{,}14 \times 10^{28} \text{ m}^{-3}}$$

E52. On donne $q = e$, et le champ magnétique $\vec{\mathbf{B}}$ est inconnu. Si $\vec{\mathbf{v}}_1$ est orientée selon l'axe des x positifs, la force magnétique $\vec{\mathbf{F}}_{B1} = q\vec{\mathbf{v}}_1 \times \vec{\mathbf{B}}$ est orientée selon l'axe des y négatifs. Comme la charge est positive, $\vec{\mathbf{F}}_{B1}$ et $\vec{\mathbf{v}}_1 \times \vec{\mathbf{B}}$ sont orientés dans le même sens. Puisque $\vec{\mathbf{F}}_{B1} \perp \vec{\mathbf{B}}$, on peut conclure que $B_y = 0$ et que $\vec{\mathbf{B}}$ se trouve quelque part dans le plan xz. Toutefois, à cause de la règle de la main droite, le champ magnétique doit se trouver du côté positif de l'axe des z; ainsi $B_z > 0$.

Si $\vec{\mathbf{F}}_{B2} = q\vec{\mathbf{v}}_2 \times \vec{\mathbf{B}} = -4{,}8 \times 10^{-14}\vec{\mathbf{i}}$ N et que $\vec{\mathbf{F}}_{B2} \perp \vec{\mathbf{B}}$, on peut conclure que $B_x = 0$. Le champ magnétique ne possède donc qu'une seule composante selon l'axe des z positifs. Si $v_2 = 2 \times 10^6$ m/s et $\theta = 30°$, l'angle entre $\vec{\mathbf{v}}_2$ et $\vec{\mathbf{B}}$ dans l'équation 8.1, on obtient

$F_{B2} = |q|\, v_2 B \sin\theta \implies B = \frac{F_{B2}}{|q| v_2 \sin\theta} = \frac{4{,}8 \times 10^{-14}}{(1{,}6 \times 10^{-19})(2 \times 10^6)\sin(30°)} = 0{,}300 \text{ T}$

Et, finalement, on trouve que

$\vec{\mathbf{B}} = \boxed{0{,}300\vec{\mathbf{k}} \text{ T}}$

E53. On donne $q = e$, $\vec{\mathbf{v}} = 1{,}8 \times 10^6\vec{\mathbf{i}}$ m/s, $B = 0{,}65$ T, le module du champ magnétique, et $F_B = 7{,}91 \times 10^{-14}$ N, le module de la force magnétique subie par le proton. L'orientation de la force magnétique est inconnue.

(a) En utilisant l'équation 8.1, on obtient

$F_B = |q|\, vB \sin\theta \implies \sin\theta = \frac{F_B}{|q| vB} = \frac{7{,}91 \times 10^{-14}}{(1{,}6 \times 10^{-19})(1{,}8 \times 10^6)(0{,}65)} = 0{,}423 \implies$

$\theta = \arcsin(0{,}423) = \boxed{25{,}0° \text{ ou } 155°}$

Ces deux valeurs d'angle sont mesurées par rapport au vecteur vitesse, dans le plan qui est perpendiculaire à la direction de la force magnétique. Comme l'orientation de la force magnétique est inconnue, quatre orientations sont possibles pour $\vec{\mathbf{B}}$.

(b) Si la vitesse du proton est plutôt $\vec{\mathbf{v}} = 1{,}8 \times 10^6\vec{\mathbf{j}}$ m/s, la force magnétique ressentie correspond à $\vec{\mathbf{F}}_B = 7{,}91 \times 10^{-14}\vec{\mathbf{k}}$ N. Puisque $\vec{\mathbf{F}}_B \perp \vec{\mathbf{B}}$, $\vec{\mathbf{B}}$ se trouve quelque part dans le plan xy. Toutefois, à cause de la règle de la main droite, le champ magnétique doit se trouver du côté négatif de l'axe des x, comme dans cette figure :

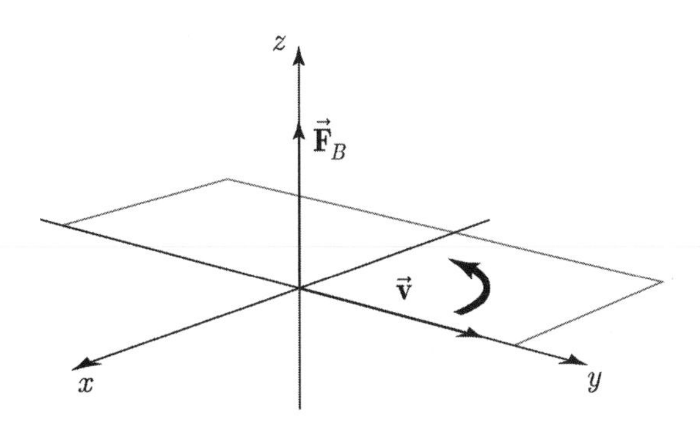

Selon la réponse (a), l'angle entre $\vec{\mathbf{v}}$ et $\vec{\mathbf{B}}$ peut être de 25,0° ou 155°. Si on mesure cet angle en tournant vers le côté négatif de l'axe des x, alors l'angle que forme $\vec{\mathbf{B}}$ avec l'axe des x positifs est $\theta_1 = 25{,}0° + 90° = 115°$ ou $\theta_2 = 155° + 90° = 245°$. Les deux valeurs possibles de $\vec{\mathbf{B}}$ sont

$\vec{\mathbf{B}}_1 = B\cos\theta_1\,\vec{\mathbf{i}} \pm B\sin\theta_1\,\vec{\mathbf{j}} = (0{,}65)\cos(115°)\,\vec{\mathbf{i}} + (0{,}65)\sin(115°)\,\vec{\mathbf{j}} \Longrightarrow$

$\vec{\mathbf{B}}_1 = \left(-0{,}275\,\vec{\mathbf{i}} + 0{,}589\,\vec{\mathbf{j}}\right)\ \mathrm{T}$

ou

$\vec{\mathbf{B}}_2 = B\cos\theta_2\,\vec{\mathbf{i}} \pm B\sin\theta_2\,\vec{\mathbf{j}} = (0{,}65)\cos(245°)\,\vec{\mathbf{i}} + (0{,}65)\sin(245°)\,\vec{\mathbf{j}} \Longrightarrow$

$\vec{\mathbf{B}}_2 = \left(-0{,}275\,\vec{\mathbf{i}} - 0{,}589\,\vec{\mathbf{j}}\right)\ \mathrm{T}$

ou encore

$\vec{\mathbf{B}} = \boxed{\left(-0{,}275\,\vec{\mathbf{i}} \pm 0{,}589\,\vec{\mathbf{j}}\right)\ \mathrm{T}}$

E54. Soit $d = 20$ cm, l'arête du cube de la figure 8.52. Le fil est parcouru par un courant $I = 12$ A et est plongé dans un champ magnétique $\vec{\mathbf{B}} = 0{,}5\,\vec{\mathbf{i}}$ T. La force sur chaque portion est obtenue avec l'équation 8.3.

Pour la portion 1, $\vec{\ell}_1 = d\,\vec{\mathbf{j}}$. Si $\vec{\mathbf{j}} \times \vec{\mathbf{i}} = -\vec{\mathbf{k}}$, on obtient

$\vec{\mathbf{F}}_{B1} = I\,\vec{\ell}_1 \times \vec{\mathbf{B}} = I\left(d\,\vec{\mathbf{j}}\right) \times \left(0{,}5\,\vec{\mathbf{i}}\right) \Longrightarrow$

$\vec{\mathbf{F}}_{B1} = 12\,(0{,}20)\,(0{,}5)\left(\vec{\mathbf{j}} \times \vec{\mathbf{i}}\right) \Longrightarrow \boxed{\vec{\mathbf{F}}_{B1} = -1{,}20\,\vec{\mathbf{k}}\ \mathrm{N}}$

Pour la portion 2, $\vec{\ell}_2 = -d\,\vec{\mathbf{i}} + d\,\vec{\mathbf{k}}$. Si $\vec{\mathbf{i}} \times \vec{\mathbf{i}} = 0$ et $\vec{\mathbf{k}} \times \vec{\mathbf{i}} = \vec{\mathbf{j}}$, on obtient

$\vec{\mathbf{F}}_{B2} = I\,\vec{\ell}_2 \times \vec{\mathbf{B}} = I\left(-d\,\vec{\mathbf{i}} + d\,\vec{\mathbf{k}}\right) \times \left(0{,}5\,\vec{\mathbf{i}}\right) \Longrightarrow$

$\vec{\mathbf{F}}_{B2} = 12\,(0{,}20)\,(0{,}5)\left(\vec{\mathbf{k}} \times \vec{\mathbf{i}}\right) \Longrightarrow \boxed{\vec{\mathbf{F}}_{B2} = 1{,}20\,\vec{\mathbf{j}}\ \mathrm{N}}$

Pour la portion 3, $\vec{\ell}_3 = d\,\vec{\mathbf{i}} - d\,\vec{\mathbf{j}}$. Si $\vec{\mathbf{i}} \times \vec{\mathbf{i}} = 0$ et $\vec{\mathbf{j}} \times \vec{\mathbf{i}} = -\vec{\mathbf{k}}$, on obtient

$\vec{\mathbf{F}}_{B3} = I\,\vec{\ell}_3 \times \vec{\mathbf{B}} = I\left(d\,\vec{\mathbf{i}} - d\,\vec{\mathbf{j}}\right) \times \left(0{,}5\,\vec{\mathbf{i}}\right) \Longrightarrow$

$\vec{\mathbf{F}}_{B3} = 12\,(-0{,}20)\,(0{,}5)\left(\vec{\mathbf{j}} \times \vec{\mathbf{i}}\right) \Longrightarrow \boxed{\vec{\mathbf{F}}_{B3} = 1{,}20\,\vec{\mathbf{k}}\ \mathrm{N}}$

Pour la portion 4, $\vec{\ell}_4 = -d\,\vec{\mathbf{i}}$. Si $\vec{\mathbf{i}} \times \vec{\mathbf{i}} = 0$, on obtient

$$\vec{\mathbf{F}}_{B4} = I\vec{\ell}_4 \times \vec{\mathbf{B}} = I\left(-d\,\vec{\mathbf{i}}\right) \times \left(0{,}5\,\vec{\mathbf{i}}\right) = 12\,(-0{,}20)\,(0{,}5)\left(\vec{\mathbf{i}} \times \vec{\mathbf{i}}\right) \implies \boxed{\vec{\mathbf{F}}_{B4} = 0}$$

E55. Soit $d = 20$ cm, l'arête du cube de la figure 8.52. Le fil est parcouru par un courant $I = 12$ A et est plongé dans un champ magnétique $\vec{\mathbf{B}} = 0{,}5\,\vec{\mathbf{k}}$ T. La force sur chaque portion est obtenue avec l'équation 8.3 :

Pour la portion 1, $\vec{\ell}_1 = d\,\vec{\mathbf{j}}$. Si $\vec{\mathbf{j}} \times \vec{\mathbf{k}} = \vec{\mathbf{i}}$, on obtient

$$\vec{\mathbf{F}}_{B1} = I\vec{\ell}_1 \times \vec{\mathbf{B}} = I\left(d\,\vec{\mathbf{j}}\right) \times \left(0{,}5\,\vec{\mathbf{k}}\right) \implies$$

$$\vec{\mathbf{F}}_{B1} = 12\,(0{,}20)\,(0{,}5)\left(\vec{\mathbf{j}} \times \vec{\mathbf{k}}\right) \implies \boxed{\vec{\mathbf{F}}_{B1} = 1{,}20\,\vec{\mathbf{i}}\ \text{N}}$$

Pour la portion 2, $\vec{\ell}_2 = -d\,\vec{\mathbf{i}} + d\,\vec{\mathbf{k}}$. Si $\vec{\mathbf{i}} \times \vec{\mathbf{k}} = -\vec{\mathbf{j}}$ et $\vec{\mathbf{k}} \times \vec{\mathbf{k}} = 0$, on obtient

$$\vec{\mathbf{F}}_{B2} = I\vec{\ell}_2 \times \vec{\mathbf{B}} = I\left(-d\,\vec{\mathbf{i}} + d\,\vec{\mathbf{k}}\right) \times \left(0{,}5\,\vec{\mathbf{k}}\right) \implies$$

$$\vec{\mathbf{F}}_{B2} = 12\,(-0{,}20)\,(0{,}5)\left(\vec{\mathbf{i}} \times \vec{\mathbf{k}}\right) \implies \boxed{\vec{\mathbf{F}}_{B2} = 1{,}20\,\vec{\mathbf{j}}\ \text{N}}$$

Pour la portion 3, $\vec{\ell}_3 = d\,\vec{\mathbf{i}} - d\,\vec{\mathbf{j}}$. Si $\vec{\mathbf{i}} \times \vec{\mathbf{k}} = -\vec{\mathbf{j}}$ et $\vec{\mathbf{j}} \times \vec{\mathbf{k}} = \vec{\mathbf{i}}$, on obtient

$$\vec{\mathbf{F}}_{B3} = I\vec{\ell}_3 \times \vec{\mathbf{B}} = I\left(d\,\vec{\mathbf{i}} - d\,\vec{\mathbf{j}}\right) \times \left(0{,}5\,\vec{\mathbf{k}}\right) \implies$$

$$\vec{\mathbf{F}}_{B3} = 12\,(0{,}20)\,(0{,}5)\left(\vec{\mathbf{i}} \times \vec{\mathbf{k}}\right) + 12\,(-0{,}20)\,(0{,}5)\left(\vec{\mathbf{j}} \times \vec{\mathbf{k}}\right) \implies$$

$$\vec{\mathbf{F}}_{B3} = -1{,}20\,\vec{\mathbf{j}} - 1{,}20\,\vec{\mathbf{i}} \implies \boxed{\vec{\mathbf{F}}_{B3} = \left(-1{,}20\,\vec{\mathbf{i}} - 1{,}20\,\vec{\mathbf{j}}\right)\ \text{N}}$$

Pour la portion 4, $\vec{\ell}_4 = -d\,\vec{\mathbf{i}}$. Si $\vec{\mathbf{i}} \times \vec{\mathbf{k}} = -\vec{\mathbf{j}}$, on obtient

$$\vec{\mathbf{F}}_{B4} = I\vec{\ell}_4 \times \vec{\mathbf{B}} = I\left(-d\,\vec{\mathbf{i}}\right) \times \left(0{,}5\,\vec{\mathbf{i}}\right) = 12\,(-0{,}20)\,(0{,}5)\left(\vec{\mathbf{i}} \times \vec{\mathbf{k}}\right) \implies$$

$$\boxed{\vec{\mathbf{F}}_{B4} = 1{,}20\,\vec{\mathbf{j}}\ \text{N}}$$

E56. On donne $I = 25$ A, $\vec{\ell} = -2\,\vec{\mathbf{k}}$ m et $\vec{\mathbf{F}}_B = \left(4{,}01\,\vec{\mathbf{i}} - 6{,}0\,\vec{\mathbf{j}}\right) \times 10^{-5}$ N. On spécifie que $\vec{\ell} \perp \vec{\mathbf{B}}$; on peut donc conclure que le champ magnétique ne possède pas de composantes selon z. En posant $\vec{\mathbf{B}} = B_x\,\vec{\mathbf{i}} + B_y\,\vec{\mathbf{j}}$ dans l'équation 8.3 et en se rappelant que $\vec{\mathbf{k}} \times \vec{\mathbf{i}} = \vec{\mathbf{j}}$ et que $\vec{\mathbf{k}} \times \vec{\mathbf{j}} = -\vec{\mathbf{i}}$, on obtient

$$\vec{\mathbf{F}}_B = I\,\vec{\ell} \times \vec{\mathbf{B}} \implies$$

$$\left(4{,}01\,\vec{\mathbf{i}} - 6{,}0\,\vec{\mathbf{j}}\right) \times 10^{-5} = I\left(-2\,\vec{\mathbf{k}}\right) \times \left(B_x\,\vec{\mathbf{i}} + B_y\,\vec{\mathbf{j}}\right) \implies$$

$$\left(4{,}01\,\vec{\mathbf{i}} - 6{,}0\,\vec{\mathbf{j}}\right) \times 10^{-5} = (25)\left(-2B_x\left(\vec{\mathbf{k}} \times \vec{\mathbf{i}}\right) - 2B_y\left(\vec{\mathbf{k}} \times \vec{\mathbf{j}}\right)\right) \implies$$

$$\left(4{,}01\,\vec{\mathbf{i}} - 6{,}0\,\vec{\mathbf{j}}\right) \times 10^{-5} = -50B_x\,\vec{\mathbf{j}} + 50B_y\,\vec{\mathbf{i}}$$

$$\vec{\mathbf{B}} = \boxed{\left(1{,}20\,\vec{\mathbf{i}} + 0{,}802\,\vec{\mathbf{j}}\right)\ \mu\text{T}}$$

E57. On donne $B = 0{,}8 \times 10^{-4}$ T, si 1 G $= 10^{-4}$ T, $\ell = 1{,}8$ m et $I = 20$ A. Le champ magnétique est orienté à 70° vers le bas sous la direction nord. En coordonnées cartésiennes, comme à l'exemple 8.3*c*, ses composantes sont

$$\vec{\mathbf{B}} = B\cos(70°)\,\vec{\mathbf{j}} - B\sin(70°)\,\vec{\mathbf{k}} \implies$$

$\vec{\mathbf{B}} = \left(0{,}8 \times 10^{-4}\right)\cos(70°)\,\vec{\mathbf{j}} - \left(0{,}8 \times 10^{-4}\right)\sin(70°)\,\vec{\mathbf{k}} \Longrightarrow$

$\vec{\mathbf{B}} = \left(0{,}274 \times 10^{-4}\vec{\mathbf{j}} - 0{,}752 \times 10^{-4}\vec{\mathbf{k}}\right)$ T

(a) Si le courant circule vers le nord, $\vec{\ell} = 1{,}8\,\vec{\mathbf{j}}$ m. Au moyen de l'équation 8.3, en se rappelant que $\vec{\mathbf{j}} \times \vec{\mathbf{j}} = 0$ et que $\vec{\mathbf{j}} \times \vec{\mathbf{k}} = \vec{\mathbf{i}}$, on trouve

$\vec{\mathbf{F}}_B = I\,\vec{\ell} \times \vec{\mathbf{B}} = 20\left(1{,}8\vec{\mathbf{j}}\right) \times \left(0{,}274 \times 10^{-4}\vec{\mathbf{j}} - 0{,}752 \times 10^{-4}\vec{\mathbf{k}}\right) \Longrightarrow$

$\vec{\mathbf{F}}_B = 20\,(1{,}8)\left(-0{,}752 \times 10^{-4}\right)\left(\vec{\mathbf{j}} \times \vec{\mathbf{k}}\right) = -2{,}71 \times 10^{-3}\,\vec{\mathbf{i}}$ N

On conclut que la force magnétique possède un module $F_B = \boxed{2{,}71\text{ mN}}$ et est orientée $\boxed{\text{vers l'ouest}}$.

(b) Si le courant circule vers l'est, $\vec{\ell} = 1{,}8\,\vec{\mathbf{i}}$ m. Au moyen de l'équation 8.3, en se rappelant que $\vec{\mathbf{i}} \times \vec{\mathbf{j}} = \vec{\mathbf{k}}$ et que $\vec{\mathbf{i}} \times \vec{\mathbf{k}} = -\vec{\mathbf{j}}$, on trouve

$\vec{\mathbf{F}}_B = I\,\vec{\ell} \times \vec{\mathbf{B}} = 20\left(1{,}8\vec{\mathbf{i}}\right) \times \left(0{,}274 \times 10^{-4}\vec{\mathbf{j}} - 0{,}752 \times 10^{-4}\vec{\mathbf{k}}\right) \Longrightarrow$

$\vec{\mathbf{F}}_B = 20\,(1{,}8)\left(0{,}274 \times 10^{-4}\right)\left(\vec{\mathbf{i}} \times \vec{\mathbf{j}}\right) + 20\,(1{,}8)\left(-0{,}752 \times 10^{-4}\right)\left(\vec{\mathbf{i}} \times \vec{\mathbf{k}}\right) \Longrightarrow$

$\vec{\mathbf{F}}_B = \left(0{,}986 \times 10^{-3}\vec{\mathbf{k}} + 2{,}71 \times 10^{-3}\vec{\mathbf{j}}\right) = \left(2{,}71 \times 10^{-3}\vec{\mathbf{j}} + 0{,}986 \times 10^{-3}\vec{\mathbf{k}}\right)$ N

Le module de la force magnétique est

$F_B = \sqrt{(2{,}71 \times 10^{-3})^2 + (0{,}986 \times 10^{-3})^2} = 2{,}88 \times 10^{-3}$ N

L'angle θ que forme ce vecteur avec l'axe des y positifs dans la direction $+z$ est

$\tan\theta = \frac{F_{Bz}}{F_{By}} = \frac{0{,}986\times10^{-3}}{2{,}71\times10^{-3}} = 0{,}364 \Longrightarrow \theta = \arctan(0{,}364) = 20{,}0°$

En résumé, la force magnétique possède un module $F_B = \boxed{2{,}88\text{ mN}}$ et est orientée $\boxed{\text{à 20° au-dessus de l'horizontale, directement vers le nord}}$.

E58. On donne $B = 0{,}62 \times 10^{-4}$ T, si 1 G $= 10^{-4}$ T. En coordonnées cartésiennes, comme à l'exemple 8.3*c*, l'énoncé de la question implique que $\vec{\ell} = -10\,\vec{\mathbf{j}}$ m, parcouru d'un courant $I = 2000$ A. Comme le champ magnétique est orienté à 60° vers le bas sous la direction nord, ses composantes sont

$\vec{\mathbf{B}} = B\cos(60°)\,\vec{\mathbf{j}} - B\sin(60°)\,\vec{\mathbf{k}} = \left(0{,}62 \times 10^{-4}\right)\left(\frac{1}{2}\right)\vec{\mathbf{j}} - \left(0{,}62 \times 10^{-4}\right)\left(\frac{\sqrt{3}}{2}\right)\vec{\mathbf{k}} \Longrightarrow$

$\vec{\mathbf{B}} = \left(0{,}310 \times 10^{-4}\vec{\mathbf{j}} - 0{,}537 \times 10^{-4}\vec{\mathbf{k}}\right)$ T

Au moyen de l'équation 8.3, en se rappelant que $\vec{\mathbf{j}} \times \vec{\mathbf{j}} = 0$ et que $\vec{\mathbf{j}} \times \vec{\mathbf{k}} = \vec{\mathbf{i}}$, on trouve

$\vec{\mathbf{F}}_B = I\,\vec{\ell} \times \vec{\mathbf{B}} = (2000)\left(-10\vec{\mathbf{j}}\right) \times \left(0{,}310 \times 10^{-4}\vec{\mathbf{j}} - 0{,}537 \times 10^{-4}\vec{\mathbf{k}}\right) \Longrightarrow$

$\vec{\mathbf{F}}_B = (2000)\,(-10)\left(-0{,}537 \times 10^{-4}\right)\left(\vec{\mathbf{j}} \times \vec{\mathbf{k}}\right) = 1{,}07\,\vec{\mathbf{i}}$ N

On conclut que la force magnétique possède un module $F_B = \boxed{1{,}07\text{ N}}$ et est orientée

$\boxed{\text{vers l'est}}$.

E59. On donne $N = 15$, le nombre de tours de la bobine parcourue par un courant de 2 A. Si son rayon est $r = 25$ cm, $A = \pi r^2 = \pi \left(25 \times 10^{-2}\right)^2 = 0{,}196$ m^2. Au moyen de la figure 8.53, on définit le vecteur unitaire $\vec{\mathbf{u}}_{\rm n} = -\vec{\mathbf{k}}$. Le vecteur moment magnétique de la boucle est, d'après l'équation 8.7,

$\vec{\mu} = NIA\vec{\mathbf{u}}_{\rm n} = 15\,(2)\,(0{,}196)\left(-\vec{\mathbf{k}}\right) = -5{,}88\vec{\mathbf{k}}$ A·m^2

Pour $\vec{\mathbf{B}} = 0{,}2\,\vec{\mathbf{i}}$ T, on obtient le moment de force avec l'équation 8.8 :

$\vec{\tau} = \vec{\mu} \times \vec{\mathbf{B}} = \left(-5{,}88\vec{\mathbf{k}}\right) \times \left(0{,}2\,\vec{\mathbf{i}}\right) = -1{,}18\left(\vec{\mathbf{k}} \times \vec{\mathbf{i}}\right) = \boxed{-1{,}18\,\vec{\mathbf{j}}\ \text{N·m}}$

E60. On donne $d = 20$ cm, l'arête du cube, $\vec{\mathbf{B}} = 0{,}5\,\vec{\mathbf{i}}$ T et $I = 8{,}0$ A dans le sens indiqué à la figure 8.54.

(a) Selon cette figure et en tenant compte du sens de I, on trouve

$\vec{\ell}_1 = d\vec{\mathbf{k}} = 0{,}20\,\vec{\mathbf{k}}$ m

$\vec{\ell}_2 = d\,\vec{\mathbf{i}} - d\,\vec{\mathbf{j}} = \left(0{,}20\,\vec{\mathbf{i}} - 0{,}20\,\vec{\mathbf{j}}\right)$ m

De même, on a $\vec{\ell}_3 = -\vec{\ell}_1$ et $\vec{\ell}_4 = -\vec{\ell}_2$.

Pour chaque côté, on calcule la force magnétique en utilisant l'équation 8.3 :

$\vec{\mathbf{F}}_{B1} = I\,\vec{\ell}_1 \times \vec{\mathbf{B}} = 8\left(0{,}20\vec{\mathbf{k}}\right) \times \left(0{,}4\,\vec{\mathbf{i}}\right) \Longrightarrow$

$\vec{\mathbf{F}}_{B1} = 8\,(0{,}20)\,(0{,}4)\left(\vec{\mathbf{k}} \times \vec{\mathbf{i}}\right) \Longrightarrow \boxed{\vec{\mathbf{F}}_{B1} = 0{,}640\,\vec{\mathbf{j}}\ \text{N}}$

$\vec{\mathbf{F}}_{B2} = I\,\vec{\ell}_2 \times \vec{\mathbf{B}} = 8\left(0{,}20\,\vec{\mathbf{i}} - 0{,}20\,\vec{\mathbf{j}}\right) \times \left(0{,}4\,\vec{\mathbf{i}}\right) \Longrightarrow$

$\vec{\mathbf{F}}_{B2} = 8\,(-0{,}2)\,(0{,}4)\left(\vec{\mathbf{j}} \times \vec{\mathbf{i}}\right) \Longrightarrow \boxed{\vec{\mathbf{F}}_{B2} = 0{,}640\,\vec{\mathbf{k}}\ \text{N}}$

$\vec{\mathbf{F}}_{B3} = I\,\vec{\ell}_3 \times \vec{\mathbf{B}} = -\left(I\,\vec{\ell}_1 \times \vec{\mathbf{B}}\right) \Longrightarrow \boxed{\vec{\mathbf{F}}_{B3} = -0{,}640\,\vec{\mathbf{j}}\ \text{N}}$

$\vec{\mathbf{F}}_{B4} = I\,\vec{\ell}_4 \times \vec{\mathbf{B}} = -\left(I\,\vec{\ell}_2 \times \vec{\mathbf{B}}\right) \Longrightarrow \boxed{\vec{\mathbf{F}}_{B4} = -0{,}640\,\vec{\mathbf{k}}\ \text{N}}$

(b) Le vecteur $\vec{\mathbf{u}}_{\rm n}$ est perpendiculaire au plan du cadre. On sait que $\left\|\vec{\mathbf{u}}_{\rm n}\right\| = 1$ et que ses composantes sont

$\vec{\mathbf{u}}_{\rm n} = \left\|\vec{\mathbf{u}}_{\rm n}\right\| \cos(45°)\,\vec{\mathbf{i}} + \left\|\vec{\mathbf{u}}_{\rm n}\right\| \sin(45°)\,\vec{\mathbf{j}} = 0{,}707\,\vec{\mathbf{i}} + 0{,}707\,\vec{\mathbf{j}}$

Le vecteur moment magnétique s'obtient avec l'équation 8.7, pour $N = 1$ et $A = \ell_1\ell_2 = d\left(\sqrt{2}d\right) = \sqrt{2}\,(0{,}2) = 5{,}66 \times 10^{-2}$ m^2 :

$\vec{\mu} = NIA\vec{\mathbf{u}}_{\rm n} = (8)\left(5{,}66 \times 10^{-2}\right)\left(0{,}707\,\vec{\mathbf{i}} + 0{,}707\,\vec{\mathbf{j}}\right) = \left(0{,}320\,\vec{\mathbf{i}} + 0{,}320\,\vec{\mathbf{j}}\right)$ A·m^2

En utilisant l'équation 8.8, on trouve

$\vec{\tau} = \vec{\mu} \times \vec{\mathbf{B}} = \left(0{,}320\,\vec{\mathbf{i}} + 0{,}320\,\vec{\mathbf{j}}\right) \times \left(0{,}4\,\vec{\mathbf{i}}\right) = (0{,}320)\,(0{,}4)\left(\vec{\mathbf{j}} \times \vec{\mathbf{i}}\right) \Longrightarrow$

$\vec{\tau} = \boxed{-0{,}128\,\vec{\mathbf{k}}\ \text{N·m}}$

E61. On donne $\mu = 8 \times 10^{22}$ A·m^2, $N = 1$ et $r = 5000$ km, le rayon de l'anneau, de sorte que $A = \pi r^2 = \pi\left(5000 \times 10^3\right)^2 = 7{,}85 \times 10^{13}$ m^2. Avec le module de l'équation 8.7, on obtient

$$\mu = NIA \implies 8 \times 10^{22} = (1)\, I\left(7{,}85 \times 10^{13}\right) \implies I = \frac{8\times10^{22}}{7{,}85\times10^{13}} = \boxed{1{,}02 \times 10^{9}\ \text{A}}$$

E62. On donne $N = 120$, $A = 5{,}0 \times 10^{-4}$ m^2, $B = 0{,}06$ T, $\kappa = 2{,}2 \times 10^{-7}$ N·m/rad et on veut une déviation de $\phi = 45°$ ou $\frac{\pi}{4}$ rad. En utilisant l'équation développée à la section 8.4, on trouve

$$\phi = \frac{NAB}{\kappa} I \implies I = \frac{\kappa\phi}{NAB} = \frac{(2{,}2\times10^{-7})\left(\frac{\pi}{4}\right)}{120(5{,}0\times10^{-4})(0{,}06)} = \boxed{48{,}0\ \mu\text{A}}$$

E63. On donne $q = -e$, $m = 9{,}1 \times 10^{-31}$ kg, $|\Delta V| = 260$ V et $r = 0{,}06$ m, le rayon de la trajectoire de l'électron. On combine l'équation (i) de l'exercice 39 avec l'équation du rayon de la trajectoire en supposant que $\vec{\mathbf{v}} \perp \vec{\mathbf{B}}$, ce qui donne

$$r = \frac{mv}{|q|B} = \frac{m\sqrt{\frac{2|q||\Delta V|}{m}}}{|q|B} = \frac{1}{B}\sqrt{\frac{2|\Delta V| m}{|q|}} \qquad \text{(i)}$$

Si on isole B dans cette équation, on obtient

$$B = \frac{1}{r}\sqrt{\frac{2|\Delta V| m}{|q|}} = \frac{1}{0{,}06}\sqrt{\frac{2(260)(9{,}1\times10^{-31})}{1{,}6\times10^{-19}}} = \boxed{9{,}06 \times 10^{-4}\ \text{T}}$$

E64. (a) On reprend l'équation (i) de l'exercice 63 avec $|q| = e$ et en négligeant la valeur absolue sur la différence de potentiel, ce qui donne

$$r = \frac{1}{B}\sqrt{\frac{2|\Delta V| m}{|q|}} = \boxed{\sqrt{\frac{2m\Delta V}{eB^2}}}$$

(b) Avec $\Delta V' = 1{,}21\Delta V$, le nouveau rayon de la trajectoire est

$$r' = \sqrt{\frac{2m\Delta V'}{eB^2}} = \sqrt{\frac{2m(1{,}21)\Delta V}{eB^2}} = \sqrt{1{,}21}\sqrt{\frac{2m\Delta V}{eB^2}} = 1{,}10r$$

Donc, le rayon augmente de $\boxed{10\ \%}$

E65. On donne $B = 1{,}2$ T, $q = 2e$, $m = 4u = 4\left(1{,}661 \times 10^{-27}\ \text{kg}\right) = 6{,}64 \times 10^{-27}$ kg, et l'énergie cinétique maximale des particules est $K_{\max} = 10$ MeV $= 1{,}6 \times 10^{-12}$ J.

En utilisant l'équation (iii) de l'exercice 44, on obtient

$$B = \frac{\sqrt{2mK_{\max}}}{r_{\max}|q|} \implies r_{\max} = \frac{\sqrt{2mK_{\max}}}{B|q|} = \frac{\sqrt{2(6{,}64\times10^{-27})(1{,}6\times10^{-12})}}{1{,}2(2(1{,}6\times10^{-19}))} = \boxed{0{,}380\ \text{m}}$$

E66. On donne $q = -e$, $m = 9{,}1 \times 10^{-31}$ kg, $B = 0{,}40 \times 10^{-4}$ T, si 1 G $= 10^{-4}$ T, et $K = 2{,}0$ keV $= 3{,}20 \times 10^{-16}$ J.

En utilisant l'équation (iii) de l'exercice 44, on obtient

$$B = \frac{\sqrt{2mK}}{r|q|} \implies r = \frac{\sqrt{2mK}}{B|q|} = \frac{\sqrt{2(9{,}1\times10^{-31})(3{,}20\times10^{-16})}}{(0{,}40\times10^{-4})(1{,}6\times10^{-19})} = \boxed{3{,}77\ \text{m}}$$

E67. On donne $q = e$, $m = 1{,}67 \times 10^{-27}$ kg, $v = 2{,}4 \times 10^{6}$ m/s, $B = 0{,}2$ T, et $\vec{\mathbf{v}}$ forme un angle de 80° avec $\vec{\mathbf{B}}$.

(a) La portion de la vitesse du proton qui est perpendiculaire à $\overrightarrow{\mathbf{B}}$ est

$$v_{\perp} = v \sin(80°) = (2{,}4 \times 10^6) \sin(80°) = 2{,}36 \times 10^6 \text{ m/s}$$

On calcule ensuite le rayon avec cette valeur de vitesse :

$$r = \frac{mv_{\perp}}{|q|B} = \frac{(1{,}67\times10^{-27})(2{,}36\times10^6)}{(1{,}6\times10^{-19})(0{,}2)} = \boxed{0{,}123 \text{ m}}$$

(b) La portion de la vitesse du proton qui est parallèle à $\overrightarrow{\mathbf{B}}$ est

$$v_{\parallel} = v \cos(80°) = (2{,}4 \times 10^6) \cos(80°) = 0{,}417 \times 10^6 \text{ m/s}$$

On calcule ensuite le pas de la trajectoire avec l'équation 8.13 :

$$d = v_{\parallel} \frac{2\pi m}{|q|B} = (0{,}417 \times 10^6) \frac{2\pi(1{,}67\times10^{-27})}{(1{,}6\times10^{-19})(0{,}2)} = \boxed{0{,}137 \text{ m}}$$

E68. On donne $m_{\mathrm{d}} = 2m_{\mathrm{p}}$, $q_{\mathrm{d}} = q_{\mathrm{p}} = e$ et $r_{\mathrm{d}} = r_{\mathrm{p}}$. Pour les deux particules, $\overrightarrow{\mathbf{v}} \perp \overrightarrow{\mathbf{B}}$, ce qui implique que le rayon de leur trajectoire respective est donné par l'équation établie à la section 8.5, soit $r = \frac{mv}{|q|B} \implies v = \frac{r|q|B}{m}$.

(a) Voici le rapport du module de leur quantité de mouvement :

$$\frac{p_{\mathrm{p}}}{p_{\mathrm{d}}} = \frac{m_{\mathrm{p}} v_{\mathrm{p}}}{m_{\mathrm{d}} v_{\mathrm{d}}} = \frac{m_{\mathrm{p}}\left(\frac{r_{\mathrm{p}}|q_{\mathrm{p}}|B}{m_{\mathrm{p}}}\right)}{m_{\mathrm{d}}\left(\frac{r_{\mathrm{d}}|q_{\mathrm{d}}|B}{m_{\mathrm{d}}}\right)} = \frac{|q_{\mathrm{p}}|}{|q_{\mathrm{d}}|} = \boxed{1}$$

(b) Voici le rapport de leur énergie cinétique :

$$\frac{K_{\mathrm{p}}}{K_{\mathrm{d}}} = \frac{m_{\mathrm{p}} v_{\mathrm{p}}^2}{m_{\mathrm{d}} v_{\mathrm{d}}^2} = \frac{m_{\mathrm{p}}\left(\frac{r_{\mathrm{p}}|q_{\mathrm{p}}|B}{m_{\mathrm{p}}}\right)^2}{m_{\mathrm{d}}\left(\frac{r_{\mathrm{d}}|q_{\mathrm{d}}|B}{m_{\mathrm{d}}}\right)^2} = \frac{m_{\mathrm{d}}}{m_{\mathrm{p}}}\left(\frac{|q_{\mathrm{p}}|}{|q_{\mathrm{d}}|}\right)^2 = \frac{2m_{\mathrm{p}}}{m_{\mathrm{p}}} = \boxed{2}$$

E69. On donne $q = -e$, $m = 9{,}1 \times 10^{-31}$ kg et $|\Delta V| = 400$ V. Le rayon initial de la trajectoire de l'électron est $r_{\mathrm{i}} = 5{,}0$ cm, et, après 10 tours, le rayon a diminué à $r_{\mathrm{f}} = 3{,}0$ cm.

Le rayon moyen de la trajectoire est $r_{\mathrm{moy}} = 4{,}0$ cm, et on peut estimer la distance s franchie par l'électron avec cette valeur :

$$s = 10\,(2\pi r_{\mathrm{moy}}) = 20\pi\,(4{,}0 \times 10^{-2}) = 2{,}51 \text{ m}$$

Le module de la vitesse initiale de l'électron est donnée par l'équation (i) de l'exercice 39 :

$$v_{\mathrm{i}} = \sqrt{\frac{2|q||\Delta V|}{m}} = \sqrt{\frac{2(1{,}6\times10^{-19})(400)}{9{,}1\times10^{-31}}} = 1{,}19 \times 10^7 \text{ m/s}$$

Comme il s'agit d'une estimation, on néglige les effets relativistes. À cause de l'équation 8.10, on sait que le rayon de la trajectoire et le module de la vitesse sont proportionnels. Ainsi,

$$v_{\mathrm{f}} = \frac{r_{\mathrm{f}}}{r_{\mathrm{i}}} v_{\mathrm{i}} = \left(\frac{0{,}03}{0{,}05}\right)(1{,}19 \times 10^8) = 7{,}14 \times 10^6 \text{ m/s}$$

On suppose que le mouvement de l'électron est rectiligne et soumis à une décélération de module constant a. Au moyen de l'équation 3.12 du tome 1, on trouve

$v_f^2 = v_i^2 - 2as \implies a = \frac{v_i^2 - v_f^2}{2s} = \frac{(1{,}19\times10^7)^2-(7{,}14\times10^6)^2}{2(2{,}51)} = 1{,}81 \times 10^{13}\ \text{m/s}^2$

La valeur approximative du module de la force de friction est donnée directement par la deuxième loi de Newton :

$F_{\text{friction}} = ma = (9{,}1 \times 10^{-31})\,(1{,}81 \times 10^{13})\ \boxed{\approx 1{,}7 \times 10^{-17}\ \text{N}}$

Problèmes

P1. On donne $\vec{\mu}$, le moment magnétique du dipôle, I, son moment d'inertie, et on suppose qu'initialement, $\vec{\mu}$ et $\vec{\mathbf{B}}$ sont orientés dans le même sens.

(a) Si on déplace légèrement le dipôle, le moment de force qu'il subit est donné par l'équation 8.8, soit $\vec{\tau} = \vec{\mu} \times \vec{\mathbf{B}}$. Comme pour un cadre, ce moment de force cherche à ramener le dipôle à son orientation initiale. Si on suppose que le déplacement angulaire est orienté selon l'axe z, la composante du moment de force dans cette direction est

$\tau_z = -\tau = -\mu B \sin\theta$

Si le déplacement angulaire est petit, on a $\sin\theta \approx \theta$ et $\tau_z = -\mu B\theta$. La deuxième loi de Newton pour la rotation s'écrit $\Sigma\tau = I\alpha = I\frac{d^2\theta}{dt^2}$. Ici, le seul moment de force est celui qui vient du champ magnétique et

$-\mu B\theta = I\frac{d^2\theta}{dt^2} \implies \frac{d^2\theta}{dt^2} + \frac{\mu B}{I}\theta = 0$

Cette équation a la même forme que l'équation 15.5a du tome 1, décrivant un

$\boxed{\text{mouvement harmonique simple}}$. $\implies$ $\boxed{\text{CQFD}}$

(b) En comparant avec l'équation 15.5a du tome 1, on note que

$\omega^2 = \frac{\mu B}{I} \implies \omega = \sqrt{\frac{\mu B}{I}}$

En utilisant l'équation 15.1 du tome 1, on obtient

$T = \frac{2\pi}{\omega} = \boxed{2\pi\sqrt{\frac{I}{\mu B}}}$

P2. Soit L, la longueur du fil rectiligne entre les points a et b, et $\vec{\mathbf{L}}$ le vecteur de même module qui relie ces deux points. La force magnétique sur un élément de longueur $d\vec{\ell}$ du fil incurvé est donné par l'équation 8.5, $d\vec{\mathbf{F}}_B = Id\vec{\ell} \times \vec{\mathbf{B}}$. Pour tous les éléments, la force résultante sur le fil incurvé est

$\vec{\mathbf{F}}_{B\text{incurvé}} = \int_a^b Id\vec{\ell} \times \vec{\mathbf{B}} = I\left(\int_a^b d\vec{\ell}\right) \times \vec{\mathbf{B}} = I\vec{\mathbf{L}} \times \vec{\mathbf{B}}$

Ce résultat a exactement la même forme que la force magnétique sur le fil rectiligne, soit

$\boxed{\vec{\mathbf{F}}_{B\text{incurvé}} = \vec{\mathbf{F}}_{B\text{rectiligne}}} \implies \boxed{\text{CQFD}}$

P3. Avec une longueur ℓ de fil, on a le choix entre avoir beaucoup de tours de fil qui engendrent une bobine dont l'aire est faible ou peu de tours et une bobine d'aire élevée. Le module du moment magnétique est, selon l'équation 8.7, $\mu = NIA$. En fonction de ℓ et du nombre de tours N, le rayon r de chaque spire est $r = \frac{1}{N}\frac{\ell}{2\pi}$ et l'aire de la bobine est

$A = \pi r^2 = \pi \left(\frac{1}{N}\frac{\ell}{2\pi}\right)^2 = \frac{\ell^2}{4\pi N^2}$

Le module du moment magnétique est

$\mu = NIA = NI\left(\frac{\ell^2}{4\pi N^2}\right) = \frac{I\ell^2}{4\pi N}$

Le module du moment magnétique sera maximal pour $N = \boxed{1 \text{ spire}}$

P4. Soit R, le rayon du disque, $\sigma > 0$, sa densité surfacique de charge, et $\vec{\omega}$, la vitesse angulaire du disque. La figure qui suit montre le disque, le champ magnétique $\vec{\mathbf{B}}$ et un élément du disque de rayon r et d'épaisseur dr :

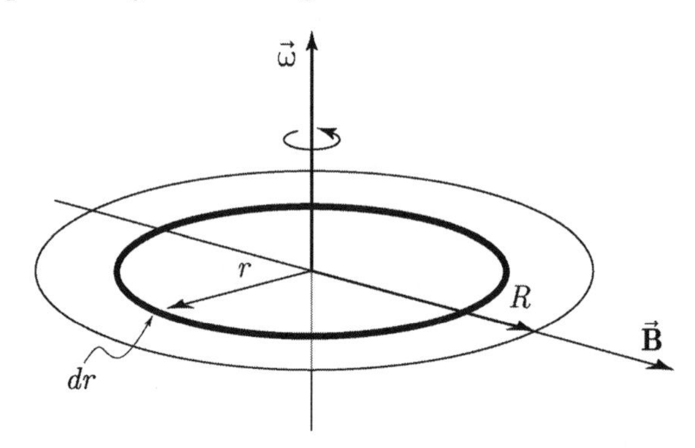

(a) La période de rotation du disque est $T = \frac{2\pi}{\omega}$. Sur chaque élément dr, une parcelle de charge $dq = \sigma dA = \sigma(2\pi r)\,dr$ effectue une rotation complète durant cette période T. Le courant associé à ce mouvement de charge est

$dI = \frac{dq}{T} = \frac{2\pi\sigma r}{T}dr = \frac{2\pi\sigma r}{\frac{2\pi}{\omega}}dr = \omega\sigma r dr$

Le module du moment magnétique associé à cet élément de courant est

$d\mu = NAdI = (1)\left(\pi r^2\right)(\omega\sigma r)\,dr = \pi\omega\sigma r^3 dr$

On trouve le module du moment magnétique total en intégrant :

$\mu = \int d\mu = \int\limits_0^R \pi\omega\sigma r^3 dr = \pi\omega\sigma\left[\frac{r^4}{4}\right|_0^R = \frac{1}{4}\pi\omega\sigma R^4$

Si $\vec{\mathbf{u}}_{\mathrm{n}}$ est un vecteur unitaire normal au plan du disque, donc de même sens que $\vec{\omega}$, alors $\vec{\mathbf{u}}_{\mathrm{n}} = \frac{\vec{\omega}}{\omega}$, et le vecteur moment magnétique est

$\vec{\mu} = \frac{1}{4}\pi\omega\sigma R^4\vec{\mathbf{u}}_{\mathrm{n}} = \frac{1}{4}\pi\omega\sigma R^4\left(\frac{\vec{\omega}}{\omega}\right) = \boxed{\frac{1}{4}\pi\sigma R^4\vec{\omega}}$

(b) On trouve le module du moment de force entre le disque et le champ magnétique avec l'équation 8.8, en rappelant que $\vec{\omega}\perp\vec{\mathbf{B}}$:

$$\tau = \left\| \overrightarrow{\mu} \times \overrightarrow{\mathbf{B}} \right\| = \mu B \sin(90°) = \tfrac{1}{4}\pi\omega\sigma R^4 B \implies \boxed{\mu = \tfrac{1}{2}\pi\sigma\omega R^4} \implies \boxed{\text{CQFD}}$$

P5. En l'absence de champ magnétique, l'électron est maintenu en orbite par la force électrique qui agit comme force centripète. On nomme v_0, le module de la vitesse tangentielle de l'électron dans cette situation.

Si on fait appel à l'équation 6.3 du tome 1 et à $\omega_0 r = v_0$, la relation entre la vitesse angulaire et la vitesse tangentielle est

$$F_E = \tfrac{mv_0^2}{r} \implies F_E = m\omega_0^2 r \qquad \text{(i)}$$

Si on applique un champ magnétique de module B dans une direction normale au plan de rotation de l'électron, une composante supplémentaire de force centripète agit sur celui-ci. On suppose que le module de la vitesse tangentielle est modifié et prend une nouvelle valeur, $v = \omega r$, si le rayon reste constant. La composante de force associée au champ magnétique est $F_B = \pm evB$, selon le sens de $\overrightarrow{\mathbf{B}}$, et la somme des forces donne

$$F_E + F_B = \tfrac{mv^2}{r} \implies F_E \pm e\omega r B = m\omega^2 r \qquad \text{(ii)}$$

Si on combine les équations (i) et (ii),

$$m\omega_0^2 r \pm e\omega r B = m\omega^2 r \implies m\omega^2 r - m\omega_0^2 r = \pm e\omega r B \implies \omega^2 - \omega_0^2 = \pm\tfrac{e\omega B}{m} \qquad \text{(iii)}$$

Si on suppose que la modification de la vitesse angulaire est faible, $\omega_0 = \omega + \Delta\omega$. On peut ensuite faire appel à l'approximation du binôme, si $\omega \gg |\Delta\omega|$:

$$\omega_0^2 = (\omega + \Delta\omega)^2 \approx \omega^2 + 2\omega\Delta\omega$$

Et l'équation (iii) devient

$$\omega^2 - \left(\omega^2 + 2\omega\Delta\omega\right) = \pm\tfrac{e\omega B}{m} \implies -2\omega\Delta\omega = \pm\tfrac{e\omega B}{m} \implies \boxed{\Delta\omega = \pm\tfrac{eB}{2m}} \implies \boxed{\text{CQFD}}$$

P6. Soit $m = 10$ g, la masse de la tige, $\ell = 8$ cm, sa longueur, et $d_0 = 4$ cm, l'allongement initial de chacun des deux ressorts de la figure 8.56. Le module de la force qui vient des *deux* ressorts est, selon l'équation 7.6 du tome 1, $F_{\text{res}0} = 2kd_0$. Comme la tige est à l'équilibre, la force du ressort s'oppose au poids de la tige et

$$F_{\text{res}0} = mg \implies 2kd_0 = mg \implies k = \tfrac{mg}{2d_0} = \tfrac{\left(10\times10^{-3}\right)(9{,}8)}{2(0{,}04)} = 1{,}225 \text{ N/m}$$

Lorsque le courant $I = 20$ A circule dans la tige, celle-ci remonte et l'allongement des ressorts diminue de 1 cm ($d = 3$ cm). Le champ magnétique $\overrightarrow{\mathbf{B}}$ est perpendiculaire au fil et le module de la force magnétique $\overrightarrow{\mathbf{F}}_B$ est donné par l'équation 8.4 :

$$F_B = I\ell B \sin(90°) \implies F_B = I\ell B$$

Vectoriellement, $\overrightarrow{\mathbf{F}}_{\text{res}} + \overrightarrow{\mathbf{F}}_B + m\overrightarrow{\mathbf{g}} = 0$. Les deux premières forces sont vers le haut, le poids est vers le bas, de sorte que, si $mg = F_{\text{res}0}$,

$F_{\text{res}} + F_B = mg \implies 2kd + I\ell B = 2kd_0 \implies B = \frac{2kd_0 - 2kd}{I\ell} = \frac{2k}{I\ell}(d_0 - d) \implies$

$B = \frac{2(1{,}225)}{20(0{,}08)}(0{,}01) = \boxed{15{,}3 \text{ mT}}$

P7. On donne $q = -e$, $m = 9{,}1 \times 10^{-31}$ kg et $\vec{\mathbf{v}} = 3 \times 10^7 \, \vec{\mathbf{i}}$ m/s, la vitesse initiale d'un électron à l'origine d'un système d'axes soumis à un champ magnétique $\vec{\mathbf{B}}$ qui pointe selon l'axe des z positifs.

(a) Si $r = 2$ cm, le module du champ magnétique peut être calculé avec

$r = \frac{mv}{|q|B} \implies B = \frac{mv}{|q|r} = \frac{(9{,}1\times10^{-31})(3\times10^7)}{(1{,}6\times10^{-19})(0{,}02)} = \boxed{8{,}53 \times 10^{-3} \text{ T}}$

(b) La période de rotation de l'électron est donnée par l'équation 8.11 :

$T = \frac{2\pi r}{v} = \frac{2\pi(0{,}02)}{3\times10^7} = 4{,}19 \times 10^{-9}$ s

Si la vitesse est déviée de 30°, c'est que l'électron a parcouru $\frac{30°}{360°} = \frac{1}{12}$ de tour et qu'il s'est écoulé

$t = \frac{1}{12}T = \frac{1}{12}\left(4{,}19 \times 10^{-9}\right) = \boxed{0{,}349 \text{ ns}}$

(c) À l'instant initial, la force magnétique $\vec{\mathbf{F}}_B = q\vec{\mathbf{v}} \times \vec{\mathbf{B}}$ est selon l'axe des y positifs et le début de la trajectoire circulaire de l'électron est décrite par cette figure :

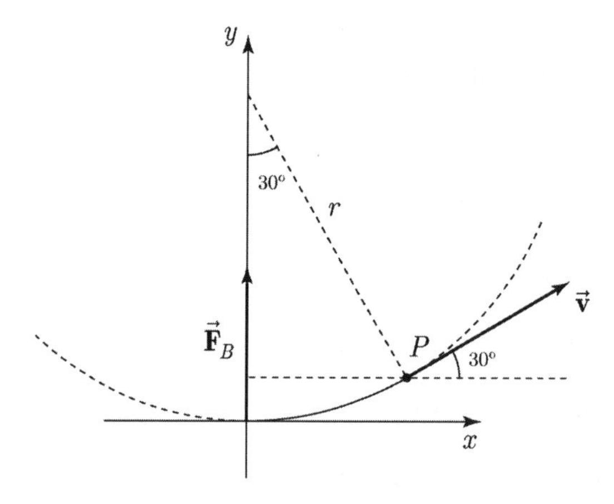

La figure indique la position P de l'électron après que la vitesse ait été déviée de 30°. Les composantes du vecteur position $\vec{\mathbf{r}}$ de l'électron sont, à cet instant,

$\vec{\mathbf{r}} = r\sin(30°)\,\vec{\mathbf{i}} + (r - r\cos(30°))\,\vec{\mathbf{j}} = (0{,}02)\sin(30°)\,\vec{\mathbf{i}} + (0{,}02 - 0{,}02\cos(30°))\,\vec{\mathbf{j}} \implies$

$\vec{\mathbf{r}} = \boxed{\left(1{,}00\,\vec{\mathbf{i}} + 0{,}268\,\vec{\mathbf{j}}\right) \text{ cm}}$

Chapitre 9 : Les sources de champ magnétique

Exercices

E1. (a) Le champ magnétique $\overrightarrow{\mathbf{B}}_1$ produit par le fil rectiligne où coule I_1 est orienté, du côté droit, vers l'intérieur de la page. Son module est donné par l'équation 9.1 :

$B_1 = \frac{\mu_0 I_1}{2\pi r}$

Sur les portions du haut et du bas du cadre parcouru par le courant I_2, on doit calculer la force magnétique en séparant ces portions en élément de longueur infinitésimale $d\overrightarrow{\ell}$, comme on l'a vu à l'exemple 8.7 du manuel. Un tel calcul montrerait que la force magnétique sur ces deux portions est de sens opposé et s'annule.

On trouve la force résultante sur le cadre $\left(\overrightarrow{\mathbf{F}}_{\text{cadre}}\right)$ en additionnant la force magnétique sur les portions gauche (g) et droite (d) du cadre. Si on suppose qu'un axe des x positifs pointe vers la droite à la figure 9.39, on obtient selon l'équation 8.3,

$\overrightarrow{\mathbf{F}}_{\text{cadre}} = \overrightarrow{\mathbf{F}}_{Bg} + \overrightarrow{\mathbf{F}}_{Bd} = I_2 \overrightarrow{\ell}_{\text{g}} \times \overrightarrow{\mathbf{B}}_{1\text{g}} + I_2 \overrightarrow{\ell}_{\text{d}} \times \overrightarrow{\mathbf{B}}_{1\text{d}}$ (i)

On a $\left\|\overrightarrow{\ell}_{\text{g}}\right\| = \left\|\overrightarrow{\ell}_{\text{d}}\right\| = c$, $\left\|\overrightarrow{\mathbf{B}}_{1\text{g}}\right\| = \frac{\mu_0 I_1}{2\pi a}$ et $\left\|\overrightarrow{\mathbf{B}}_{1\text{d}}\right\| = \frac{\mu_0 I_1}{2\pi(a+b)}$. Si on tient compte du sens de I_2 et de la règle de la main droite, l'équation (i) devient

$\overrightarrow{\mathbf{F}}_{\text{cadre}} = I_2 c \left(\frac{\mu_0 I_1}{2\pi a}\right) \overrightarrow{\mathbf{i}} - I_2 c \left(\frac{\mu_0 I_1}{2\pi(a+b)}\right) \overrightarrow{\mathbf{i}} = \frac{\mu_0 I_1 I_2 c}{2\pi} \left(\frac{1}{a} - \frac{1}{a+b}\right) \overrightarrow{\mathbf{i}}$

Ainsi, la force résultante sur le cadre possède un module $F = \boxed{\frac{\mu_0 I_1 I_2 c}{2\pi} \left(\frac{1}{a} - \frac{1}{(a+b)}\right)}$ et est dirigée $\boxed{\text{vers la droite}}$.

(b) On donne $m = 0{,}100$ kg, pour la masse du cadre, $I_1 = I_2 = 1$ A, $b = 0{,}10$ m et $c = 0{,}25$ m.

On suppose que le cadre est immobile lorsque $a_0 = 0{,}05$ m et on cherche le module de la vitesse du cadre lorsque $a = 0{,}25$ m. On commence par définir, dans le logiciel Maple, toutes les variables ainsi que l'expression du module de la force :

```
> restart;
> mu0:=Pi*4e-7;
> I1:=1; I2:=1; b:=0.1; c:=.25; m:=0.1;
> Fx:='(mu0*I1*I2*c/(2*Pi))*(1/x-1/(x+b))';
```

On calcule le travail que fait la force magnétique en faisant appel à l'équation 7.8 du tome 1 :

```
> W:=int(Fx,x=0.05..0.25);
```

Comme l'énergie cinétique initiale du cadre est nulle, le théorème de l'énergie cinétique (équation 7.12 du tome 1) permet de trouver le module de la vitesse finale du cadre :

```
> eq:=m*vx^2/2=W;
> solve(eq,vx);
```

On constate que $v = \boxed{8{,}73 \times 10^{-4}\ \text{m/s}}$

E2. (a) Selon la figure 9.40, les courants sont $I_1 = 4$ A et $I_2 = 12$ A. La distance entre chaque fil et le point P, où l'on cherche le champ magnétique résultant, est $r_1 = 8$ cm et $r_2 = 6$ cm.

La distance $d = 12$ cm entre les deux fils est telle que le triangle formé par P et les deux fils n'est pas un triangle rectangle. On reprend la figure 9.40 en montrant l'orientation du champ magnétique produit en P par chacun des fils :

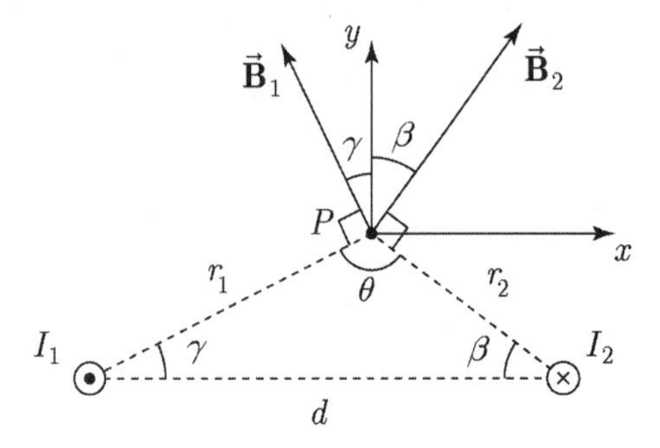

On applique d'abord la loi des cosinus :

$$d^2 = r_1^2 + r_2^2 - 2r_1r_2\cos\theta \implies$$

$$\theta = \arccos\left(\frac{r_1^2+r_2^2-d^2}{2r_1r_2}\right) = \arccos\left(\frac{(0{,}08)^2+(0{,}06)^2-(0{,}12)^2}{2(0{,}08)(0{,}06)}\right) = 117{,}3°$$

On applique ensuite la loi des sinus :

$$\frac{\sin\gamma}{r_2} = \frac{\sin\theta}{d} \implies \gamma = \arcsin\left(\frac{c\sin\theta}{a}\right) = \arcsin\left(\frac{0{,}06\sin(117{,}3°)}{0{,}12}\right) = 26{,}4°$$

D'après la figure, on note que

$$180° = \theta + \gamma + \beta \implies \beta = 180° - \theta - \gamma = 36{,}3°$$

On utilise ensuite l'équation 9.1 pour exprimer le champ magnétique de chaque fil en P :

$$\overrightarrow{\mathbf{B}}_1 = -B_1\sin\gamma\,\overrightarrow{\mathbf{i}} + B_1\cos\gamma\,\overrightarrow{\mathbf{j}} = -\left(\frac{\mu_0 I_1}{2\pi r_1}\right)\sin\gamma\,\overrightarrow{\mathbf{i}} + \left(\frac{\mu_0 I_1}{2\pi r_1}\right)\cos\gamma\,\overrightarrow{\mathbf{j}} \implies$$

$$\overrightarrow{\mathbf{B}}_1 = -\left(\frac{(4\pi\times10^{-7})(4)}{2\pi(0{,}08)}\right)\sin(26{,}4°)\,\overrightarrow{\mathbf{i}} + \left(\frac{(4\pi\times10^{-7})(4)}{2\pi(0{,}08)}\right)\cos(26{,}4°)\,\overrightarrow{\mathbf{j}} \implies$$

$$\overrightarrow{\mathbf{B}}_1 = \left(-4{,}45\,\overrightarrow{\mathbf{i}} + 8{,}96\,\overrightarrow{\mathbf{j}}\right)\ \mu\text{T}$$

$$\overrightarrow{\mathbf{B}}_2 = B_2\sin\beta\,\overrightarrow{\mathbf{i}} + B_2\cos\beta\,\overrightarrow{\mathbf{j}} = \left(\frac{\mu_0 I_2}{2\pi r_2}\right)\sin\beta\,\overrightarrow{\mathbf{i}} + \left(\frac{\mu_0 I_2}{2\pi r_2}\right)\cos\beta\,\overrightarrow{\mathbf{j}} \implies$$

$$\overrightarrow{\mathbf{B}}_2 = \left(\frac{(4\pi\times10^{-7})(12)}{2\pi(0{,}06)}\right)\sin(36{,}3°)\,\overrightarrow{\mathbf{i}} + \left(\frac{(4\pi\times10^{-7})(12)}{2\pi(0{,}06)}\right)\cos(36{,}3°)\,\overrightarrow{\mathbf{j}} \implies$$

$$\overrightarrow{\mathbf{B}}_2 = \left(23{,}68\,\overrightarrow{\mathbf{i}} + 32{,}24\,\overrightarrow{\mathbf{j}}\right)\ \mu\text{T}$$

On en déduit que le champ magnétique résultant est

$\vec{\mathbf{B}} = \vec{\mathbf{B}}_1 + \vec{\mathbf{B}}_2 = \boxed{\left(19{,}2\,\vec{\mathbf{i}} + 41{,}2\,\vec{\mathbf{j}}\right)\ \mu\mathrm{T}}$

(b) Le champ magnétique résultant ne peut être nul que sur la droite joignant les deux fils : partout ailleurs $\vec{\mathbf{B}}_1$ et $\vec{\mathbf{B}}_2$ ne sont pas parallèles comme dans la situation décrite à la partie (a). Sur la droite joignant les deux fils, qu'on suppose parallèle à l'axe des x, la règle de la main droite détermine si $\vec{\mathbf{B}}_1$ ou $\vec{\mathbf{B}}_2$ sont orientés vers le haut ou vers le bas. Pour que $\vec{\mathbf{B}}_1 + \vec{\mathbf{B}}_2 = 0$, on doit être à gauche du fil 1 ou à droite du fil 2.

Toutefois, comme $I_2 > I_1$, il faut que $r_1 > r_2$ pour que $\left\|\vec{\mathbf{B}}_1\right\| = \left\|\vec{\mathbf{B}}_2\right\|$. Le point cherché se trouve donc à gauche du fil 1, comme le montre cette figure :

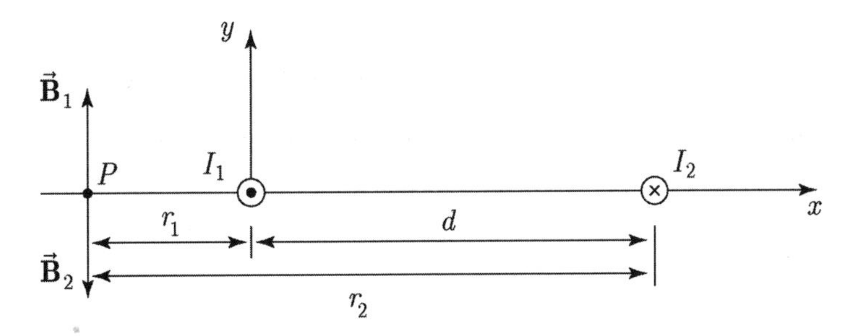

En P, si $\vec{\mathbf{B}} = \vec{\mathbf{B}}_1 + \vec{\mathbf{B}}_2 = 0$, au moyen de l'équation 9.1 et en sachant que $r_2 = r_1 + d$, on obtient

$\left\|\vec{\mathbf{B}}_1\right\| = \left\|\vec{\mathbf{B}}_2\right\| \implies \frac{\mu_0 I_1}{2\pi r_1} = \frac{\mu_0 I_2}{2\pi r_2} \implies \frac{I_1}{r_1} = \frac{I_2}{r_2} \implies \frac{I_1}{r_1} = \frac{I_2}{r_1+d} \implies$

$I_1\left(r_1 + d\right) = I_2 r_1 \implies r_1 = \frac{I_1 d}{I_2 - I_1} = \frac{4(0{,}12)}{12-4} = 0{,}06\ \mathrm{m}$

Le champ magnétique résultant est donc nul $\boxed{\text{à 6,00 cm à gauche du fil 1}}$ $\boxed{\text{sur une droite parallèle à l'axe } x}$, laquelle passe au centre des deux fils.

(c) En utilisant l'équation 9.2, on obtient

$\frac{F_B}{\ell} = \frac{\mu_0 I_1 I_2}{2\pi d} = \frac{\left(4\pi\times10^{-7}\right)(4)(12)}{2\pi(0{,}12)} = \boxed{80{,}0\ \mu\mathrm{N/m}}$

Il s'agit d'une force de répulsion puisque les courants sont de sens opposés.

E3. Selon la figure 9.41, $I_1 = 5$ A, $I_2 = 10$ A et la distance entre chaque fil et le point P équivaut à $r_1 = r_2 = \sqrt{(0{,}02)^2 + (0{,}03)^2} = 0{,}0361$ m. On reprend la figure 9.41 en montrant l'orientation du champ magnétique produit en P par chacun des fils. À cause de la symétrie, les vecteurs $\vec{\mathbf{B}}_1$ et $\vec{\mathbf{B}}_2$ forment le même angle $\theta = \arctan\left(\frac{0{,}02}{0{,}03}\right) = 33{,}7°$ avec l'axe des x positifs :

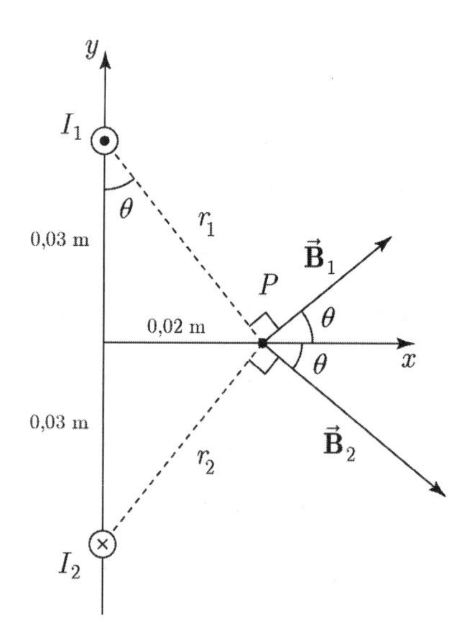

(a) On utilise ensuite l'équation 9.1 pour exprimer le champ magnétique de chaque fil en P :

$$\vec{\mathbf{B}}_1 = B_1 \cos\theta\, \vec{\mathbf{i}} + B_1 \sin\theta\, \vec{\mathbf{j}} = \left(\tfrac{\mu_0 I_1}{2\pi r_1}\right)\cos\theta\, \vec{\mathbf{i}} + \left(\tfrac{\mu_0 I_1}{2\pi r_1}\right)\sin\theta\, \vec{\mathbf{j}} \implies$$

$$\vec{\mathbf{B}}_1 = \left(\tfrac{(4\pi\times10^{-7})(5)}{2\pi(0{,}0361)}\right)\cos(33{,}7^\circ)\, \vec{\mathbf{i}} + \left(\tfrac{(4\pi\times10^{-7})(5)}{2\pi(0{,}0361)}\right)\sin(33{,}7^\circ)\, \vec{\mathbf{j}} \implies$$

$$\vec{\mathbf{B}}_1 = \left(2{,}30\, \vec{\mathbf{i}} + 1{,}54\, \vec{\mathbf{j}}\right) \times 10^{-5}\ \mathrm{T}$$

$$\vec{\mathbf{B}}_2 = B_2 \cos\theta\, \vec{\mathbf{i}} - B_2 \sin\theta\, \vec{\mathbf{j}} = \left(\tfrac{\mu_0 I_2}{2\pi r_2}\right)\cos\theta\, \vec{\mathbf{i}} - \left(\tfrac{\mu_0 I_2}{2\pi r_2}\right)\sin\theta\, \vec{\mathbf{j}} \implies$$

$$\vec{\mathbf{B}}_2 = \left(\tfrac{(4\pi\times10^{-7})(10)}{2\pi(0{,}0361)}\right)\cos(33{,}7^\circ)\, \vec{\mathbf{i}} - \left(\tfrac{(4\pi\times10^{-7})(10)}{2\pi(0{,}0361)}\right)\sin(33{,}7^\circ)\, \vec{\mathbf{j}} \implies$$

$$\vec{\mathbf{B}}_2 = \left(4{,}61\, \vec{\mathbf{i}} - 3{,}07\, \vec{\mathbf{j}}\right) \times 10^{-5}\ \mathrm{T}$$

On en déduit que le champ magnétique résultant est

$$\vec{\mathbf{B}} = \vec{\mathbf{B}}_1 + \vec{\mathbf{B}}_2 = \boxed{\left(6{,}91\, \vec{\mathbf{i}} - 1{,}53\, \vec{\mathbf{j}}\right) \times 10^{-5}\ \mathrm{T}}$$

(b) Pour $I_3 = 3$ A et $\vec{\ell} = 1{,}00\, \vec{\mathbf{k}}$, en utilisant l'équation 8.3, on obtient (rappel : $\vec{\mathbf{k}} \times \vec{\mathbf{i}} = \vec{\mathbf{j}}$ et $\vec{\mathbf{k}} \times \vec{\mathbf{j}} = -\vec{\mathbf{i}}$)

$$\vec{\mathbf{F}}_{B3} = I_3 \vec{\ell} \times \vec{\mathbf{B}} = 3\left(1{,}00\, \vec{\mathbf{k}}\right) \times \left(6{,}91 \times 10^{-5}\, \vec{\mathbf{i}} - 1{,}53 \times 10^{-5}\, \vec{\mathbf{j}}\right) \implies$$

$$\vec{\mathbf{F}}_{B3} = 3\left(6{,}91 \times 10^{-5}\left(\vec{\mathbf{k}} \times \vec{\mathbf{i}}\right) - 1{,}53 \times 10^{-5}\left(\vec{\mathbf{k}} \times \vec{\mathbf{j}}\right)\right) \implies$$

$$\vec{\mathbf{F}}_{B3} = \boxed{\left(4{,}59\, \vec{\mathbf{i}} + 20{,}7\, \vec{\mathbf{j}}\right) \times 10^{-5}\ \mathrm{N}}$$

E4. On donne $I = 20$ A et, en coordonnées cartésiennes, comme à l'exemple 8.3*c*, $\vec{\mathbf{B}}_\mathrm{T} = 0{,}5 \times 10^{-4}\, \vec{\mathbf{j}}$ T, si 1 G $= 10^{-4}$ T. La figure montre le champ magnétique $\vec{\mathbf{B}}_\mathrm{f}$ produit par le fil au point *P*, où $\vec{\mathbf{B}}_\mathrm{f}$ peut annuler $\vec{\mathbf{B}}_\mathrm{T}$:

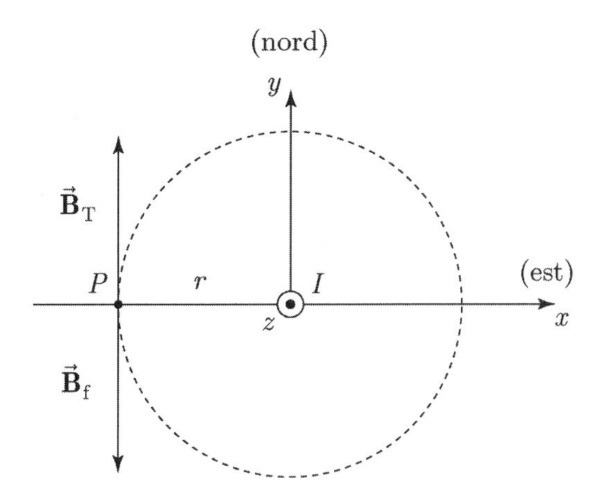

On constate que le point P se trouve $\boxed{\text{à l'ouest du fil}}$, à une distance r donnée par l'équation 9.1 si

$$\left\|\vec{\mathbf{B}}_T\right\| = \left\|\vec{\mathbf{B}}_f\right\| \implies B_T = \frac{\mu_0 I}{2\pi r} \implies r = \frac{\mu_0 I}{2\pi B_T} = \frac{(4\pi\times10^{-7})(20)}{2\pi(0{,}5\times10^{-4})} = \boxed{8{,}00 \text{ cm}}$$

E5. On donne $I = 5 \times 10^3$ A, $r = 2$ m, et la durée du courant n'a aucune importance. En utilisant l'équation 9.1, on obtient

$$B = \frac{\mu_0 I}{2\pi r} = \frac{(4\pi\times10^{-7})(5\times10^3)}{2\pi(2)} = \boxed{5{,}00 \times 10^{-4} \text{ T}}$$

E6. On donne $L = 6$ cm, qui correspond à la distance entre chacun des fils. On numérote les courants $I_1 = 3$ A, $I_2 = 8$ A et $I_3 = 6$ A pour faciliter les écritures. La figure qui suit montre la force magnétique produite par les fils 2 et 3 sur le fil 1, en respectant la règle énoncée à la section 9.2. Ces deux vecteurs forment le même angle $\theta = 60°$ par rapport à l'axe des x positifs :

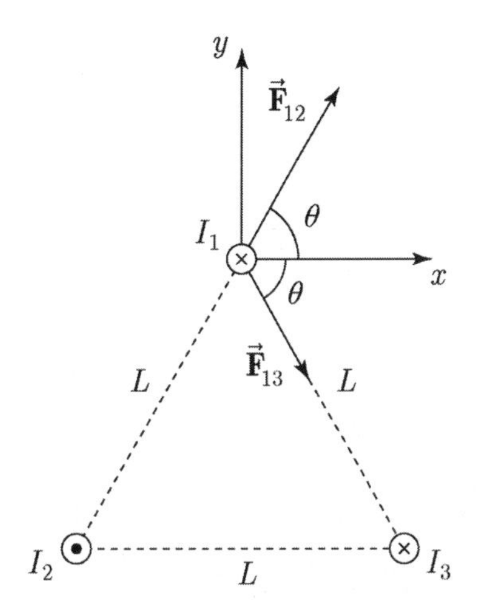

Le module de chaque force par unité de longueur est donné par l'équation 9.2. Les composantes de ces forces par unité de longueur sont, d'après la figure

$$\frac{\vec{\mathbf{F}}_{12}}{\ell} = \frac{F_{12}}{\ell}\cos\theta\,\vec{\mathbf{i}} + \frac{F_{12}}{\ell}\sin\theta\,\vec{\mathbf{j}} = \left(\frac{\mu_0 I_1 I_2}{2\pi L}\right)\cos\theta\,\vec{\mathbf{i}} + \left(\frac{\mu_0 I_1 I_2}{2\pi L}\right)\sin\theta\,\vec{\mathbf{j}} \implies$$

$\frac{\vec{\mathbf{F}}_{12}}{\ell} = \left(\frac{(4\pi\times10^{-7})(3)(8)}{2\pi(0{,}06)}\right)\cos(60°)\,\vec{\mathbf{i}} + \left(\frac{(4\pi\times10^{-7})(3)(8)}{2\pi(0{,}06)}\right)\sin(60°)\,\vec{\mathbf{j}} \Longrightarrow$

$\frac{\vec{\mathbf{F}}_{12}}{\ell} = \left(40{,}0\,\vec{\mathbf{i}} + 69{,}3\,\vec{\mathbf{j}}\right)\ \mu\text{N/m}$

$\frac{\vec{\mathbf{F}}_{13}}{\ell} = \frac{F_{13}}{\ell}\cos\theta\,\vec{\mathbf{i}} - \frac{F_{13}}{\ell}\sin\theta\,\vec{\mathbf{j}} = \left(\frac{\mu_0 I_1 I_3}{2\pi L}\right)\cos\theta\,\vec{\mathbf{i}} - \left(\frac{\mu_0 I_1 I_3}{2\pi L}\right)\sin\theta\,\vec{\mathbf{j}} \Longrightarrow$

$\frac{\vec{\mathbf{F}}_{13}}{\ell} = \left(\frac{(4\pi\times10^{-7})(3)(6)}{2\pi(0{,}06)}\right)\cos(60°)\,\vec{\mathbf{i}} - \left(\frac{(4\pi\times10^{-7})(3)(6)}{2\pi(0{,}06)}\right)\sin(60°)\,\vec{\mathbf{j}} \Longrightarrow$

$\frac{\vec{\mathbf{F}}_{13}}{\ell} = \left(30{,}0\,\vec{\mathbf{i}} - 52{,}0\,\vec{\mathbf{j}}\right)\ \mu\text{N/m}$

La force magnétique résultante par unité de longueur est

$\frac{\vec{\mathbf{F}}_B}{\ell} = \frac{\vec{\mathbf{F}}_{12}}{\ell} + \frac{\vec{\mathbf{F}}_{13}}{\ell} = \boxed{\left(70{,}0\,\vec{\mathbf{i}} + 17{,}3\,\vec{\mathbf{j}}\right)\ \mu\text{N/m}}$

E7. On traduit en coordonnées cartésiennes les directions fournies, comme à l'exemple 8.3*c* du manuel. On donne $\vec{\mathbf{B}}_\text{T} = 0{,}5\times10^{-4}\,\vec{\mathbf{j}}$ T, si 1 G $= 10^{-4}$ T. La figure qui suit montre le fil, le champ du fil $\vec{\mathbf{B}}_\text{f}$ et le champ magnétique terrestre $\vec{\mathbf{B}}_\text{T}$ dans le plan yz :

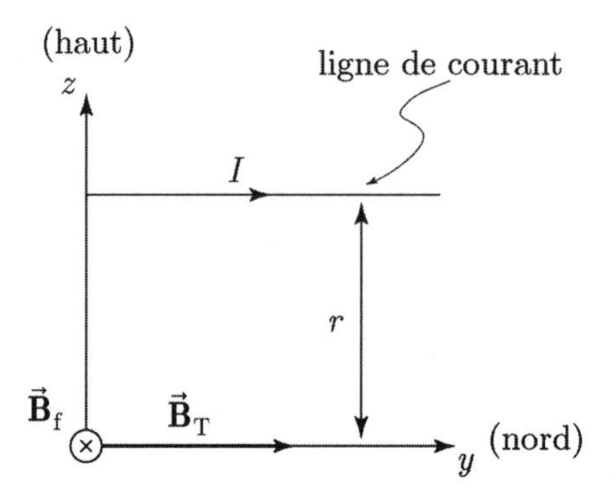

Dans un plan horizontal (xy), on voit mieux la relation entre les deux vecteurs champs magnétiques :

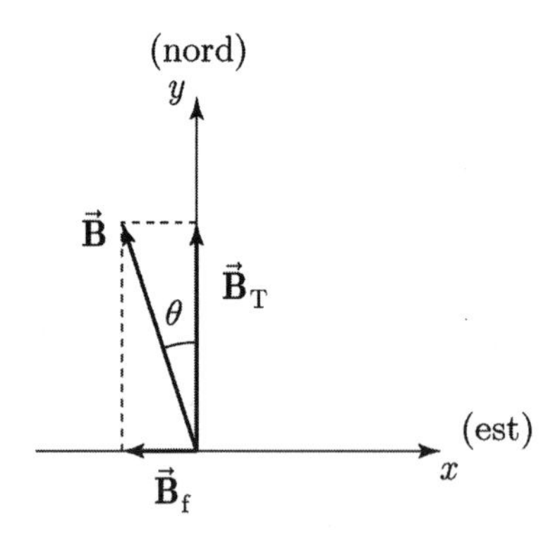

Le champ du fil est donné par l'équation 9.1, pour $I = 600$ A et $r = 20$ m :

$\vec{\mathbf{B}}_\text{f} = -\left(\frac{\mu_0 I}{2\pi r}\right)\vec{\mathbf{i}} = -\left(\frac{(4\pi\times10^{-7})(600)}{2\pi(20)}\right)\vec{\mathbf{i}} = -6{,}00\times10^{-6}\,\vec{\mathbf{i}}\ \text{T}$

Le champ magnétique résultant est

$\vec{\mathbf{B}} = \vec{\mathbf{B}}_\text{f} + \vec{\mathbf{B}}_\text{T} = \left(-6{,}00\times10^{-6}\,\vec{\mathbf{i}} + 0{,}5\times10^{-4}\,\vec{\mathbf{j}}\right)\ \text{T}$

Ce champ résultant forme un angle de

$\theta = \arctan\left(\frac{6{,}00\times10^{-6}}{0{,}5\times10^{-4}}\right) = \boxed{6{,}84^\circ \text{ vers l'ouest par rapport au nord}}$

E8. On donne $I = 15$ A, qui circule sur un fil orienté selon l'axe des y positifs. Un électron de charge $q = -e$ se trouve en $x = 6$ cm avec $v = 10^6$ m/s. La figure qui suit montre le fil et l'orientation du champ magnétique du fil à l'endroit où se trouve l'électron :

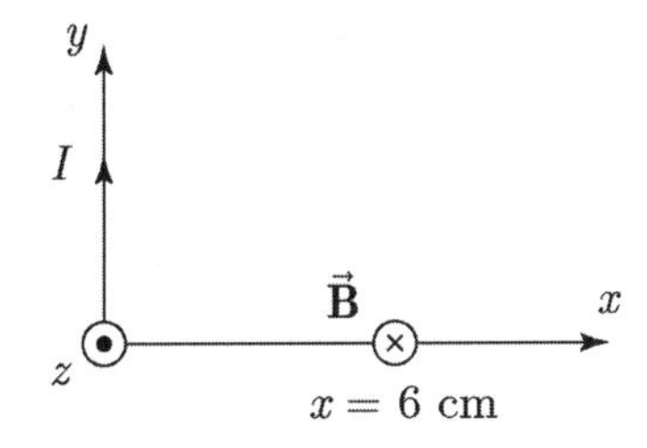

Avec l'équation 9.1, on trouve

$\vec{\mathbf{B}} = -\left(\frac{\mu_0 I}{2\pi r}\right)\vec{\mathbf{k}} = -\left(\frac{(4\pi\times10^{-7})(15)}{2\pi(0{,}06)}\right)\vec{\mathbf{k}} = -5{,}00\times10^{-5}\vec{\mathbf{k}}$ T

(a) Si $\vec{\mathbf{v}} = 10^6\vec{\mathbf{i}}$ m/s, avec l'équation 8.2 et en se rappelant que $\vec{\mathbf{i}}\times\vec{\mathbf{k}} = -\vec{\mathbf{j}}$, on obtient

$\vec{\mathbf{F}}_B = q\vec{\mathbf{v}}\times\vec{\mathbf{B}} = \left(-1{,}6\times10^{-19}\right)\left(10^6\vec{\mathbf{i}}\right)\times\left(-5{,}00\times10^{-5}\vec{\mathbf{k}}\right) \Longrightarrow$

$\vec{\mathbf{F}}_B = \left(-1{,}6\times10^{-19}\right)\left(10^6\right)\left(-5{,}00\times10^{-5}\right)\left(\vec{\mathbf{i}}\times\vec{\mathbf{k}}\right) = \boxed{-8{,}00\times10^{-18}\vec{\mathbf{j}}\text{ N}}$

(b) Si $\vec{\mathbf{v}} = 10^6\vec{\mathbf{j}}$ m/s, avec l'équation 8.2 et en se rappelant que $\vec{\mathbf{j}}\times\vec{\mathbf{k}} = \vec{\mathbf{i}}$, on trouve

$\vec{\mathbf{F}}_B = q\vec{\mathbf{v}}\times\vec{\mathbf{B}} = \left(-1{,}6\times10^{-19}\right)\left(10^6\vec{\mathbf{j}}\right)\times\left(-5{,}00\times10^{-5}\vec{\mathbf{k}}\right) = \boxed{8{,}00\times10^{-18}\vec{\mathbf{i}}\text{ N}}$

(c) Si $\vec{\mathbf{v}} = 10^6\vec{\mathbf{k}}$ m/s, comme $\vec{\mathbf{k}}\times\vec{\mathbf{k}} = 0$, $\vec{\mathbf{F}}_B = \boxed{0}$

E9. On donne $L = 0{,}15$ m. Pour faciliter l'écriture des équations, on numérote les courants $I_1 = 1$ A, $I_2 = 2$ A, $I_3 = 3$ A et $I_4 = 4$ A. La figure qui suit montre le champ magnétique de chaque fil au centre du carré :

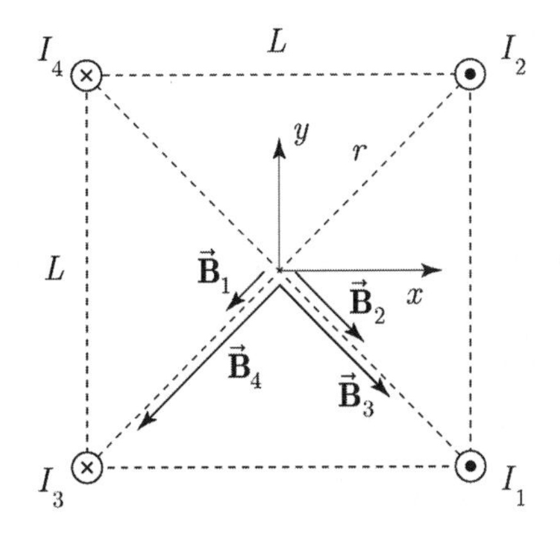

(a) La distance entre chacun des quatre fils et le centre du carré est

$r = \frac{L}{\sqrt{2}} = \frac{0{,}15}{\sqrt{2}} = 0{,}106$ m

En se servant de l'équation 9.1, on trouve que $B_1 = \frac{\mu_0 I_1}{2\pi r} = \frac{(4\pi\times10^{-7})(1)}{2\pi(0{,}106)} = 1{,}887\ \mu$T.

Compte tenu de la valeur des courants, $B_4 = 4B_1$, $B_3 = 3B_1$ et $B_2 = 2B_1$. Si on utilise la règle de la main droite, on obtient

$$\overrightarrow{\mathbf{B}} = \overrightarrow{\mathbf{B}}_1 + \overrightarrow{\mathbf{B}}_2 + \overrightarrow{\mathbf{B}}_3 + \overrightarrow{\mathbf{B}}_4 \Longrightarrow$$

$$\overrightarrow{\mathbf{B}} = -B_1 \cos(45°)\,\overrightarrow{\mathbf{i}} - B_1 \sin(45°)\,\overrightarrow{\mathbf{j}} + B_2 \cos(45°)\,\overrightarrow{\mathbf{i}} - B_2 \sin(45°)\,\overrightarrow{\mathbf{j}}$$
$$+B_3 \cos(45°)\,\overrightarrow{\mathbf{i}} - B_3 \sin(45°)\,\overrightarrow{\mathbf{j}} - B_4 \cos(45°)\,\overrightarrow{\mathbf{i}} - B_4 \sin(45°)\,\overrightarrow{\mathbf{j}}$$

$$\overrightarrow{\mathbf{B}} = (-B_1 + B_2 + B_3 - B_4)\cos(45°)\,\overrightarrow{\mathbf{i}} + (-B_1 - B_2 - B_3 - B_4)\sin(45°)\,\overrightarrow{\mathbf{j}} \Longrightarrow$$

$$\overrightarrow{\mathbf{B}} = (-B_1 + 2B_1 + 3B_1 - 4B_1)\cos(45°)\,\overrightarrow{\mathbf{i}} + (-B_1 - 2B_1 - 3B_1 - 4B_1)\sin(45°)\,\overrightarrow{\mathbf{j}} \Longrightarrow$$

$$\overrightarrow{\mathbf{B}} = -10B_1 \sin(45°)\,\overrightarrow{\mathbf{j}} = -10\left(1{,}887 \times 10^{-6}\right)\sin(45°)\,\overrightarrow{\mathbf{j}} = \boxed{-1{,}33 \times 10^{-5}\,\overrightarrow{\mathbf{j}}\ \mathrm{T}}$$

(b) On donne $q = -e$ et $\overrightarrow{\mathbf{v}} = 4 \times 10^6\,\overrightarrow{\mathbf{i}}$ m/s. Avec l'équation 8.2, en se rappelant que $\overrightarrow{\mathbf{i}} \times \overrightarrow{\mathbf{j}} = \overrightarrow{\mathbf{k}}$, on obtient

$$\overrightarrow{\mathbf{F}}_B = q\overrightarrow{\mathbf{v}} \times \overrightarrow{\mathbf{B}} = \left(-1{,}6 \times 10^{-19}\right)\left(4 \times 10^6\,\overrightarrow{\mathbf{i}}\right) \times \left(\overrightarrow{\mathbf{j}}\right) \Longrightarrow$$

$$\overrightarrow{\mathbf{F}}_B = \left(-1{,}6 \times 10^{-19}\right)\left(4 \times 10^6\right)\left(-1{,}33 \times 10^{-5}\right)\left(\overrightarrow{\mathbf{i}} \times \overrightarrow{\mathbf{j}}\right) = \boxed{8{,}51 \times 10^{-18}\,\overrightarrow{\mathbf{k}}\ \mathrm{N}}$$

E10. On reprend la figure 9.44 du manuel en numérotant les courants et en précisant l'orientation du champ magnétique de chaque fil au point P :

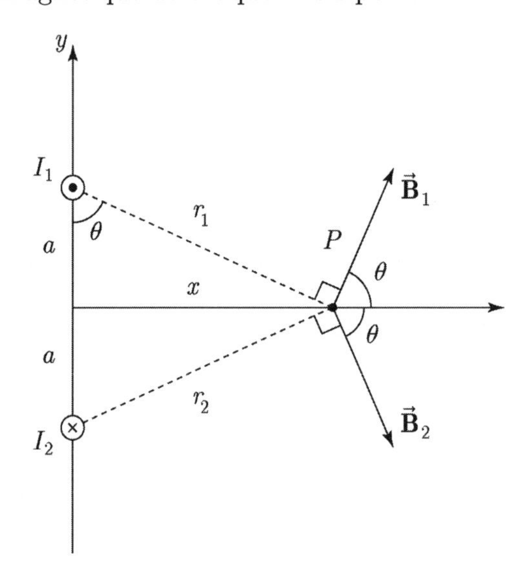

(a) On donne $I_1 = I_2 = I$. À cause de la symétrie, $r_1 = r_2 = \sqrt{a^2 + x^2}$ et

$B_1 = B_2 = \frac{\mu_0 I_1}{2\pi r_1} = \frac{\mu_0 I}{2\pi\sqrt{a^2+x^2}}$

À cause de la règle de la main droite, les vecteurs $\overrightarrow{\mathbf{B}}_1$ et $\overrightarrow{\mathbf{B}}_2$ forment le même angle θ par rapport à l'axe des x positifs. Comme ils ont le même module, les composantes selon y s'annulent et, si $\cos\theta = \frac{a}{r_1} = \frac{a}{\sqrt{a^2+x^2}}$, on a

$$\overrightarrow{\mathbf{B}} = \overrightarrow{\mathbf{B}}_1 + \overrightarrow{\mathbf{B}}_2 = B_{1x}\,\overrightarrow{\mathbf{i}} + B_{2x}\,\overrightarrow{\mathbf{i}} = 2B_{1x}\,\overrightarrow{\mathbf{i}} = 2B_1 \cos\theta\,\overrightarrow{\mathbf{i}} = 2\left(\frac{\mu_0 I}{2\pi\sqrt{a^2+x^2}}\right)\left(\frac{a}{\sqrt{a^2+x^2}}\right)\overrightarrow{\mathbf{i}} \Longrightarrow$$

$$\overrightarrow{\mathbf{B}} = \frac{\mu_0 I a}{\pi(a^2+x^2)}\,\overrightarrow{\mathbf{i}}$$

Le module du champ magnétique résultant est $B = \boxed{\frac{\mu_0 I a}{\pi(a^2+x^2)}}$

(b) Soit $B_0 = \frac{\mu_0 I a}{\pi(a^2+(0)^2)} = \frac{\mu_0 I}{\pi a}$, le module du champ magnétique résultant en $x = 0$. On veut que

$B = 0{,}20B_0 \implies \frac{\mu_0 I a}{\pi(a^2+x^2)} = 0{,}2\left(\frac{\mu_0 I}{\pi a}\right) \implies \frac{a}{a^2+x^2} = \frac{0{,}2}{a} \implies a^2 = 0{,}2\left(a^2+x^2\right) \implies$

$0{,}8a^2 = 0{,}2x^2 \implies x = \boxed{\pm 2a}$

(c) On donne une valeur à I et à a dans le logiciel Maple. On définit l'expression du module du champ magnétique résultant B et on trace le graphe demandé :

```
> restart;
> i:=10; a:=0.1;
> mu:=Pi*1e-7;
> B:='mu*i*a/(a^2+x^2)';
> plot(B,x=0..3*a,0..3.2e-5);
```

Le graphe confirme la réponse de la partie (b).

E11. On reprend la figure de la solution de l'exercice précédent en inversant le sens de I_2 :

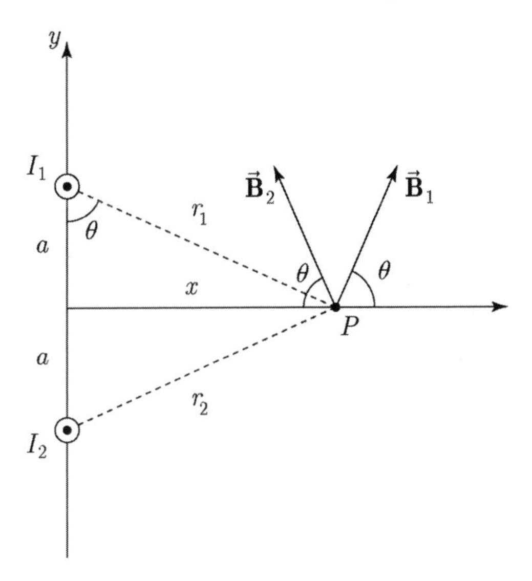

(a) On donne $I_1 = I_2 = I$. À cause de la symétrie, $r_1 = r_2 = \sqrt{a^2+x^2}$ et

$B_1 = B_2 = \frac{\mu_0 I_1}{2\pi r_1} = \frac{\mu_0 I}{2\pi\sqrt{a^2+x^2}}$

À cause de la règle de la main droite, les vecteurs $\vec{\mathbf{B}}_1$ et $\vec{\mathbf{B}}_2$ forment le même angle θ par rapport à l'axe des y positifs. Comme ils ont le même module, les composantes selon x s'annulent et, si $\sin\theta = \frac{x}{r_1} = \frac{x}{\sqrt{a^2+x^2}}$, on a

$\vec{\mathbf{B}} = \vec{\mathbf{B}}_1 + \vec{\mathbf{B}}_2 = B_{1y}\vec{\mathbf{j}} + B_{2y}\vec{\mathbf{j}} = 2B_{1y}\vec{\mathbf{j}} = 2B_1\sin\theta\,\vec{\mathbf{j}} = 2\left(\frac{\mu_0 I}{2\pi\sqrt{a^2+x^2}}\right)\left(\frac{x}{\sqrt{a^2+x^2}}\right)\vec{\mathbf{j}} \implies$

$\vec{\mathbf{B}} = \frac{\mu_0 I x}{\pi(a^2+x^2)}\vec{\mathbf{j}}$

Le module du champ magnétique résultant est $B = \boxed{\frac{\mu_0 I x}{\pi(a^2+x^2)}}$

(b) Le module du champ magnétique est maximal lorsque

$\frac{dB}{dx}=0 \Longrightarrow \frac{d}{dx}\left(\frac{\mu_0 Ix}{\pi(a^2+x^2)}\right)=0 \Longrightarrow \frac{\mu_0}{\pi}\left(\frac{(a^2+x^2)-x(2x)}{(a^2+x^2)^2}\right)=0 \Longrightarrow \frac{a^2-x^2}{(a^2+x^2)^2}=0$

Si on exclut $x \longrightarrow \infty$, cette expression s'annule si

$a^2-x^2=0 \Longrightarrow x=\boxed{\pm a}$

(c) On donne une valeur à I et à a dans le logiciel Maple. On définit l'expression du module du champ magnétique résultant B et on trace le graphe demandé :

```
> restart;
> i:=10; a:=0.1;
> mu:=Pi*1e-7;
> B:='mu*i*x/(a^2+x^2)';
> plot(B,x=0..3*a);
```

Le graphe confirme la réponse de la partie (b).

E12. Soit $\vec{\mathbf{B}}_1$, le champ magnétique associé au fil parallèle à l'axe des z dans la figure 9.45 et qui transporte un courant $I_1=20$ A, et $\vec{\mathbf{B}}_2$, le champ magnétique associé au fil parallèle à l'axe des x et qui transporte un courant $I_2=40$ A. Pour chaque fil, la distance au point P est $r=0{,}05$ m, de sorte que, en combinant l'équation 9.1 et la règle de la main droite, on obtient

$\vec{\mathbf{B}}_1=-B_1\vec{\mathbf{i}}=-\frac{\mu_0 I_1}{2\pi r}\vec{\mathbf{i}}=-\frac{(4\pi\times10^{-7})(20)}{2\pi(0{,}05)}\vec{\mathbf{i}}=-8{,}00\times10^{-5}\vec{\mathbf{i}}$ T

$\vec{\mathbf{B}}_2=-B_2\vec{\mathbf{k}}=-\frac{\mu_0 I_2}{2\pi r}\vec{\mathbf{k}}=-\frac{(4\pi\times10^{-7})(40)}{2\pi(0{,}05)}\vec{\mathbf{k}}=-16{,}00\times10^{-5}\vec{\mathbf{k}}$ T

Finalement :

$\vec{\mathbf{B}}=\vec{\mathbf{B}}_1+\vec{\mathbf{B}}_2=\boxed{-8{,}00\times10^{-5}\left(\vec{\mathbf{i}}+2\vec{\mathbf{k}}\right)\text{ T}}$

E13. On reprend la figure 9.46 en séparant le fil en trois segments distincts. La figure qui suit montre aussi le système d'axes utilisé pour décrire les champs magnétiques de chaque segment :

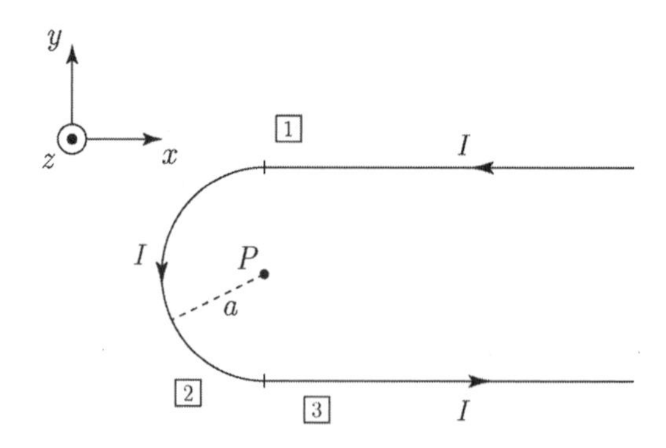

Pour les trois segments, selon la règle de la main droite, le champ magnétique au point P est orienté selon l'axe des z positifs. Le module de $\vec{\mathbf{B}}_1$ est donné par l'équation 9.8 pour

$\theta_1 = 90°$ et $\theta_2 = 180°$:

$B_1 = \frac{\mu_0 I}{4\pi a}(\cos\theta_1 - \cos\theta_2) = \frac{\mu_0 I}{4\pi a}(\cos(90°) - \cos(180°)) = \frac{\mu_0 I}{4\pi a}(0-(-1)) = \frac{\mu_0 I}{4\pi a}$

Le module de $\vec{\mathbf{B}}_3$, par symétrie, est identique à celui de $\vec{\mathbf{B}}_1$.

Le module de $\vec{\mathbf{B}}_2$ est celui d'une demi-boucle, et on peut le calculer en suivant un raisonnement similaire à celui de l'exemple 9.4 du manuel, avec l'équation 9.9, dans laquelle $\alpha = 90°$, puisqu'on veut le champ au centre de la boucle ($N = 1$) :

$B_2 = \frac{1}{2}\left(\frac{\mu_0 N I \sin^3\alpha}{2a}\right) = \frac{\mu_0 (1) I \sin^3(90°)}{4a} = \frac{\mu_0 I}{4a}$

Le champ magnétique résultant en P est

$\vec{\mathbf{B}} = \vec{\mathbf{B}}_1 + \vec{\mathbf{B}}_2 + \vec{\mathbf{B}}_3 = \frac{\mu_0 I}{4\pi a}\vec{\mathbf{k}} + \frac{\mu_0 I}{4a}\vec{\mathbf{k}} + \frac{\mu_0 I}{4\pi a}\vec{\mathbf{k}} = \left(\frac{\mu_0 I}{2\pi a} + \frac{\mu_0 I}{4a}\right)\vec{\mathbf{k}} = 5{,}14 \times 10^{-7}\frac{I}{a}\vec{\mathbf{k}}$

Le module du champ magnétique résultant est $B = \boxed{5{,}14 \times 10^{-7}\frac{I}{a}}$

E14. On sépare le fil de la figure 9.47 en deux segments : un fil rectiligne de longueur infinie et une boucle circulaire. Au centre de la boucle de rayon a, le champ $\vec{\mathbf{B}}_1$ du fil rectiligne est, selon la règle de la main droite et l'équation 9.1,

$\vec{\mathbf{B}}_1 = \frac{\mu_0 I}{2\pi a}\vec{\mathbf{k}}$

Le champ $\vec{\mathbf{B}}_2$ de la boucle ($N = 1$) est donné par l'équation 9.9, dans laquelle $\alpha = 90°$, puisqu'on veut le champ au centre de la boucle :

$\vec{\mathbf{B}}_2 = \frac{\mu_0 N I \sin^3\alpha}{2a}\vec{\mathbf{k}} = \frac{\mu_0 (1) I \sin^3(90°)}{2a}\vec{\mathbf{k}} = \frac{\mu_0 I}{2a}\vec{\mathbf{k}}$

Le champ magnétique résultant au centre de la boucle est

$\vec{\mathbf{B}} = \vec{\mathbf{B}}_1 + \vec{\mathbf{B}}_2 = \frac{\mu_0 I}{2\pi a}\vec{\mathbf{k}} + \frac{\mu_0 I}{2a}\vec{\mathbf{k}} = \boxed{\frac{\mu_0 I}{2a}\left(\frac{1}{\pi} + 1\right)\vec{\mathbf{k}}}$

E15. On reprend la figure 9.48 en séparant le fil en quatre segments distincts :

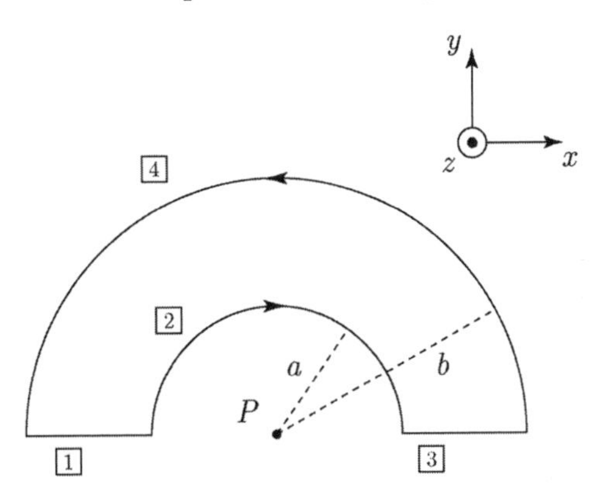

Le prolongement des segments 1 et 3 passe par le point P. Le champ magnétique associé à ces deux segments est donc nul.

Le champ $\vec{\mathbf{B}}_2$ associé au segment 2 est celui d'une demi-boucle de rayon a. Comme à l'exercice 13, le module de ce champ est donné par l'équation 9.9, dans laquelle $\alpha = 90°$, puisqu'on veut le champ au centre de la boucle :

$\overrightarrow{\mathbf{B}}_2 = -\frac{1}{2}\left(\frac{\mu_0 NI\sin^3\alpha}{2a}\right)\overrightarrow{\mathbf{k}} = -\frac{\mu_0(1)I\sin^3(90°)}{4a}\overrightarrow{\mathbf{k}} = -\frac{\mu_0 I}{4a}\overrightarrow{\mathbf{k}}$

Le champ $\overrightarrow{\mathbf{B}}_4$ associé au segment 4 est celui d'une demi-boucle de rayon b :

$\overrightarrow{\mathbf{B}}_4 = \frac{\mu_0 I}{4b}\overrightarrow{\mathbf{k}}$

Le champ magnétique résultant au point P est

$\overrightarrow{\mathbf{B}} = \overrightarrow{\mathbf{B}}_2 + \overrightarrow{\mathbf{B}}_4 = -\frac{\mu_0 I}{4a}\overrightarrow{\mathbf{k}} + \frac{\mu_0 I}{4b}\overrightarrow{\mathbf{k}} = \boxed{\frac{\mu_0 I}{4}\left(\frac{1}{b}-\frac{1}{a}\right)\overrightarrow{\mathbf{k}}}$

E16. Si on compare la figure 9.49 avec la figure 9.6 du manuel, on constate que le cosinus des angles θ_1 et θ_2 de la figure 6 est, si $r = \sqrt{\left(\frac{\ell}{2}\right)^2 + d^2} = \frac{1}{2}\sqrt{\ell^2 + 4d^2}$,

$\cos\theta_1 = \frac{\frac{\ell}{2}}{r} = \frac{\ell}{2r} = \frac{\ell}{\sqrt{\ell^2+4d^2}}$

$\cos\theta_2 = -\frac{\frac{\ell}{2}}{r} = -\frac{\ell}{2r} = -\frac{\ell}{\sqrt{\ell^2+4d^2}}$

Au point choisi, le module du champ magnétique du fil de longueur ℓ peut alors être calculé avec l'équation 9.8 :

$B = \frac{\mu_0 I}{4\pi d}(\cos\theta_1 - \cos\theta_2) = \frac{\mu_0 I}{4\pi d}\left(\frac{\ell}{\sqrt{\ell^2+4d^2}} - \left(-\frac{\ell}{\sqrt{\ell^2+4d^2}}\right)\right) = \frac{\mu_0 I}{4\pi d}\left(\frac{2\ell}{\sqrt{\ell^2+4d^2}}\right) \Longrightarrow$

$\boxed{B = \frac{\mu_0 I\ell}{2\pi d\sqrt{\ell^2+4d^2}}} \Longrightarrow \boxed{\text{CQFD}}$

E17. La figure qui suit montre le carré parcouru par un courant, la direction du champ magnétique résultant au centre du carré et les angles θ_1 et θ_2 de l'équation 9.8 pour un des quatre segments :

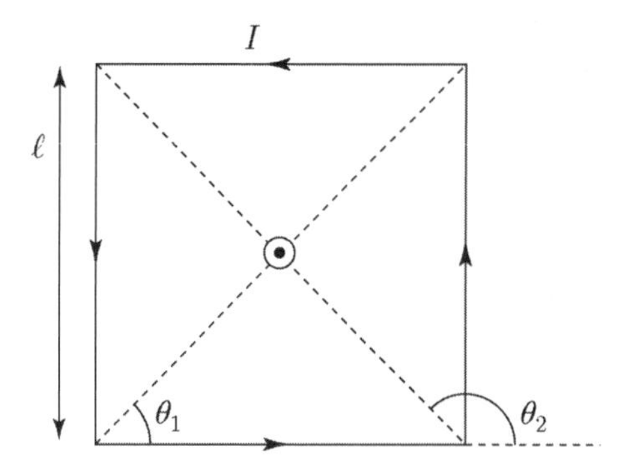

Chaque segment rectiligne de fil se trouve à une distance $\frac{\ell}{2}$ du centre du carré et produit un champ magnétique de module égal en ce point. Comme $\theta_1 = 45°$ et $\theta_2 = 135°$, $\cos\theta_1 = \frac{\sqrt{2}}{2}$ et $\cos\theta_2 = -\frac{\sqrt{2}}{2}$. Le module du champ magnétique résultant est donné par l'équation 9.8, que l'on multiplie par quatre pour tenir compte des quatre segments :

$B = 4\left(\frac{\mu_0 I}{4\pi\left(\frac{\ell}{2}\right)}(\cos\theta_1 - \cos\theta_2)\right) = \frac{\mu_0 I}{\pi\left(\frac{\ell}{2}\right)}\left(\frac{\sqrt{2}}{2} - \left(-\frac{\sqrt{2}}{2}\right)\right) = \frac{\mu_0 I}{\pi\left(\frac{\ell}{2}\right)}\sqrt{2} \Longrightarrow$

$\boxed{B = \frac{2\sqrt{2}\mu_0 I}{\pi\ell}} \Longrightarrow \boxed{\text{CQFD}}$

E18. On donne $d\overrightarrow{\ell} = d\ell\overrightarrow{\mathbf{k}}$ pour $d\ell = 0{,}001$ m et $I = 10$ A. Le cube de la figure 9.50 possède une arête $L = 0{,}02$ m. Le champ magnétique $d\overrightarrow{\mathbf{B}}$ produit par cet élément de courant en chacun des points est donné par l'équation 9.7 :

$d\overrightarrow{\mathbf{B}} = \frac{\mu_0}{4\pi}\frac{I d\overrightarrow{\ell} \times \overrightarrow{\mathbf{u}}_r}{r^2}$

Pour chaque point, on doit fixer $\overrightarrow{\mathbf{u}}_r$ et r en fonction de la figure 9.50.

Pour le point a, si $d\overrightarrow{\ell}$ est à l'origine, on a

$r_a = \sqrt{L^2 + L^2} = \sqrt{2}L$

$\overrightarrow{\mathbf{u}}_a = \frac{\overrightarrow{\mathbf{r}}_a}{r_a} = \frac{1}{\sqrt{2}L}\left(L\overrightarrow{\mathbf{i}} + L\overrightarrow{\mathbf{k}}\right) = \frac{1}{\sqrt{2}}\left(\overrightarrow{\mathbf{i}} + \overrightarrow{\mathbf{k}}\right)$

De sorte que, si $\overrightarrow{\mathbf{k}} \times \overrightarrow{\mathbf{i}} = \overrightarrow{\mathbf{j}}$ et $\overrightarrow{\mathbf{k}} \times \overrightarrow{\mathbf{k}} = 0$, on obtient

$d\overrightarrow{\mathbf{B}}_a = \frac{\mu_0}{4\pi}\frac{I d\overrightarrow{\ell} \times \overrightarrow{\mathbf{u}}_a}{r_a^2} = \frac{\mu_0 I}{4\pi(2L^2)}\left(d\ell\overrightarrow{\mathbf{k}}\right) \times \left(\frac{1}{\sqrt{2}}\left(\overrightarrow{\mathbf{i}} + \overrightarrow{\mathbf{k}}\right)\right) \Longrightarrow$

$d\overrightarrow{\mathbf{B}}_a = \frac{\mu_0 I d\ell}{8\sqrt{2}\pi L^2}\left(\overrightarrow{\mathbf{k}} \times \overrightarrow{\mathbf{i}}\right) = \frac{(4\pi\times10^{-7})(10)(0{,}001)}{8\sqrt{2}\pi(0{,}02)^2}\overrightarrow{\mathbf{j}} \Longrightarrow \boxed{d\overrightarrow{\mathbf{B}}_a = 8{,}84 \times 10^{-7}\overrightarrow{\mathbf{j}}\ \mathrm{T}}$

Pour le point b, on a

$r_b = \sqrt{L^2 + L^2 + L^3} = \sqrt{3}L$

$\overrightarrow{\mathbf{u}}_b = \frac{\overrightarrow{\mathbf{r}}_b}{r_b} = \frac{1}{\sqrt{3}L}\left(L\overrightarrow{\mathbf{i}} + L\overrightarrow{\mathbf{j}} + L\overrightarrow{\mathbf{k}}\right) = \frac{1}{\sqrt{3}}\left(\overrightarrow{\mathbf{i}} + \overrightarrow{\mathbf{j}} + \overrightarrow{\mathbf{k}}\right)$

De sorte que, si $\overrightarrow{\mathbf{k}} \times \overrightarrow{\mathbf{i}} = \overrightarrow{\mathbf{j}}$, $\overrightarrow{\mathbf{k}} \times \overrightarrow{\mathbf{j}} = -\overrightarrow{\mathbf{i}}$ et $\overrightarrow{\mathbf{k}} \times \overrightarrow{\mathbf{k}} = 0$, on obtient

$d\overrightarrow{\mathbf{B}}_b = \frac{\mu_0}{4\pi}\frac{I d\overrightarrow{\ell} \times \overrightarrow{\mathbf{u}}_b}{r_b^2} = \frac{\mu_0 I}{4\pi(3L^2)}\left(d\ell\overrightarrow{\mathbf{k}}\right) \times \left(\frac{1}{\sqrt{3}}\left(\overrightarrow{\mathbf{i}} + \overrightarrow{\mathbf{j}} + \overrightarrow{\mathbf{k}}\right)\right) \Longrightarrow$

$d\overrightarrow{\mathbf{B}}_a = \frac{\mu_0 I d\ell}{12\sqrt{3}\pi L^2}\left(\left(\overrightarrow{\mathbf{k}} \times \overrightarrow{\mathbf{i}}\right) + \left(\overrightarrow{\mathbf{k}} \times \overrightarrow{\mathbf{j}}\right)\right) = \frac{(4\pi\times10^{-7})(10)(0{,}001)}{12\sqrt{3}\pi(0{,}02)^2}\left(\overrightarrow{\mathbf{j}} - \overrightarrow{\mathbf{i}}\right) \Longrightarrow$

$\boxed{d\overrightarrow{\mathbf{B}}_b = 4{,}81 \times 10^{-7}\left(-\overrightarrow{\mathbf{i}} + \overrightarrow{\mathbf{j}}\right)\ \mathrm{T}}$

Pour le point c, on a

$r_c = \sqrt{L^2 + L^2} = \sqrt{2}L$

$\overrightarrow{\mathbf{u}}_c = \frac{\overrightarrow{\mathbf{r}}_c}{r_c} = \frac{1}{\sqrt{2}L}\left(L\overrightarrow{\mathbf{j}} + L\overrightarrow{\mathbf{k}}\right) = \frac{1}{\sqrt{2}}\left(\overrightarrow{\mathbf{j}} + \overrightarrow{\mathbf{k}}\right)$

De sorte que, si $\overrightarrow{\mathbf{k}} \times \overrightarrow{\mathbf{j}} = -\overrightarrow{\mathbf{i}}$ et $\overrightarrow{\mathbf{k}} \times \overrightarrow{\mathbf{k}} = 0$, on obtient

$d\overrightarrow{\mathbf{B}}_c = \frac{\mu_0}{4\pi}\frac{I d\overrightarrow{\ell} \times \overrightarrow{\mathbf{u}}_c}{r_c^2} = \frac{\mu_0 I}{4\pi(2L^2)}\left(d\ell\overrightarrow{\mathbf{k}}\right) \times \left(\frac{1}{\sqrt{2}}\left(\overrightarrow{\mathbf{j}} + \overrightarrow{\mathbf{k}}\right)\right) \Longrightarrow$

$d\overrightarrow{\mathbf{B}}_a = \frac{\mu_0 I d\ell}{8\sqrt{2}\pi L^2}\left(\overrightarrow{\mathbf{k}} \times \overrightarrow{\mathbf{j}}\right) = \frac{(4\pi\times10^{-7})(10)(0{,}001)}{8\sqrt{2}\pi(0{,}02)^2}\left(-\overrightarrow{\mathbf{i}}\right) \Longrightarrow \boxed{d\overrightarrow{\mathbf{B}}_c = -8{,}84 \times 10^{-7}\overrightarrow{\mathbf{i}}\ \mathrm{T}}$

Pour le point d, on a

$r_d = \sqrt{L^2 + L^2} = \sqrt{2}L$

$\overrightarrow{\mathbf{u}}_d = \frac{\overrightarrow{\mathbf{r}}_d}{r_d} = \frac{1}{\sqrt{2}L}\left(L\overrightarrow{\mathbf{i}} + L\overrightarrow{\mathbf{j}}\right) = \frac{1}{\sqrt{2}}\left(\overrightarrow{\mathbf{i}} + \overrightarrow{\mathbf{j}}\right)$

De sorte que, si $\overrightarrow{\mathbf{k}} \times \overrightarrow{\mathbf{i}} = \overrightarrow{\mathbf{j}}$ et $\overrightarrow{\mathbf{k}} \times \overrightarrow{\mathbf{j}} = -\overrightarrow{\mathbf{i}}$, on obtient

$d\overrightarrow{\mathbf{B}}_d = \frac{\mu_0}{4\pi}\frac{I d\overrightarrow{\ell} \times \overrightarrow{\mathbf{u}}_d}{r_d^2} = \frac{\mu_0 I}{4\pi(2L^2)}\left(d\ell\overrightarrow{\mathbf{k}}\right) \times \left(\frac{1}{\sqrt{2}}\left(\overrightarrow{\mathbf{i}} + \overrightarrow{\mathbf{j}}\right)\right) \Longrightarrow$

$d\overrightarrow{\mathbf{B}}_d = \frac{\mu_0 I d\ell}{8\sqrt{2}\pi L^2}\left(\left(\overrightarrow{\mathbf{k}} \times \overrightarrow{\mathbf{i}}\right) + \left(\overrightarrow{\mathbf{k}} \times \overrightarrow{\mathbf{j}}\right)\right) \Longrightarrow$

$d\overrightarrow{\mathbf{B}}_d = \frac{(4\pi\times10^{-7})(10)(0{,}001)}{8\sqrt{2}\pi(0{,}02)^2}\left(\left(\overrightarrow{\mathbf{k}} \times \overrightarrow{\mathbf{i}}\right) + \left(\overrightarrow{\mathbf{k}} \times \overrightarrow{\mathbf{j}}\right)\right) \Longrightarrow$

$d\overrightarrow{\mathbf{B}}_d = 8{,}84 \times 10^{-7}\left(\overrightarrow{\mathbf{j}} - \overrightarrow{\mathbf{i}}\right) \implies \boxed{d\overrightarrow{\mathbf{B}}_d = 8{,}84 \times 10^{-7}\left(-\overrightarrow{\mathbf{i}} + \overrightarrow{\mathbf{j}}\right) \text{ T}}$

Pour le point e, $r_e = L$ et $\overrightarrow{\mathbf{u}}_e = \overrightarrow{\mathbf{j}}$, de sorte que, si $\overrightarrow{\mathbf{k}} \times \overrightarrow{\mathbf{j}} = -\overrightarrow{\mathbf{i}}$, on obtient

$d\overrightarrow{\mathbf{B}}_e = \frac{\mu_0}{4\pi}\frac{Id\overrightarrow{\ell}\times\overrightarrow{\mathbf{u}}_e}{r_e^2} = \frac{\mu_0 I}{4\pi L^2}\left(d\ell\overrightarrow{\mathbf{k}}\right) \times \overrightarrow{\mathbf{j}} = \frac{(4\pi\times10^{-7})(10)(0{,}001)}{4\pi(0{,}02)^2}\left(\overrightarrow{\mathbf{k}} \times \overrightarrow{\mathbf{j}}\right) \implies$

$\boxed{d\overrightarrow{\mathbf{B}}_e = -2{,}50 \times 10^{-6}\overrightarrow{\mathbf{i}} \text{ T}}$

E19. (a) Selon l'équation 9.9, si $N = 1$ et que $\frac{\mu_0 I}{2a} = 1$ G, on a

$B = \frac{\mu_0 NI\sin^3\alpha}{2a} = \sin^3\alpha$ G

À la figure 9.11, $\sin\alpha = \frac{a}{r}$. Si on représente par la variable z la distance au centre de la boucle le long de son axe, $r = \sqrt{a^2+z^2}$ et $\sin\alpha = \frac{a}{\sqrt{a^2+z^2}}$, de sorte que

$B = \frac{a^3}{(a^2+z^2)^{3/2}}$ G

On donne une valeur arbitraire à a et on définit, dans le logiciel Maple, l'expression du module du champ. On crée ensuite le graphe demandé sur un intervalle de z allant de $-3a$ à $3a$:

```
> restart;
> a:=0.001;
> B:=a^3/(a^2+z^2)^(3/2);
> plot(B,z=-3*a..3*a);
```

(b) Au centre de la boucle, le module du champ a pour valeur $B_0 = \frac{a^3}{(a^2+(0)^2)^{3/2}} = 1$ G. On veut que

$B = 0{,}50B_0 \implies \frac{a^3}{(a^2+z^2)^{3/2}}\text{ G} = 0{,}50\,(1\text{ G}) \implies \frac{a^3}{(a^2+z^2)^{3/2}} = 0{,}5 \implies$

$a^3 = 0{,}5\left(a^2+z^2\right)^{3/2} \implies (2{,}0)^{1/3}a = \sqrt{a^2+z^2} \implies (2{,}0)^{2/3}a^2 = a^2+z^2 \implies$

$z^2 = \left((2{,}0)^{2/3}-1\right)a^2 \implies z = \sqrt{(2{,}0)^{2/3}-1}a = \pm 0{,}766a$

La distance au centre de la boucle, dans l'une ou l'autre des directions, pour laquelle la contrainte est respectée est $\boxed{0{,}766a}$

E20. En coordonnées cartésiennes, $\overrightarrow{\mathbf{B}}_\text{t} = B_\text{t}\overrightarrow{\mathbf{j}}$. Au centre de la bobine, selon l'équation 9.9 pour $\alpha = 90°$, le module du champ magnétique du galvanomètre de rayon R est

$B_\text{g} = \frac{\mu_0 NI\sin^3\alpha}{2R} = \frac{\mu_0 NI\sin^3(90°)}{2R} = \frac{\mu_0 NI}{2R}$

Ce champ est perpendiculaire au plan du galvanomètre et parallèle à l'axe des x, qui coïncide avec l'axe de la bobine. Comme l'aiguille de la boussole s'aligne dans la figure 9.51 avec le champ magnétique résultant $\overrightarrow{\mathbf{B}}$, le sens du courant dans le galvanomètre est tel que $\overrightarrow{\mathbf{B}}_\text{g}$ pointe vers l'est :

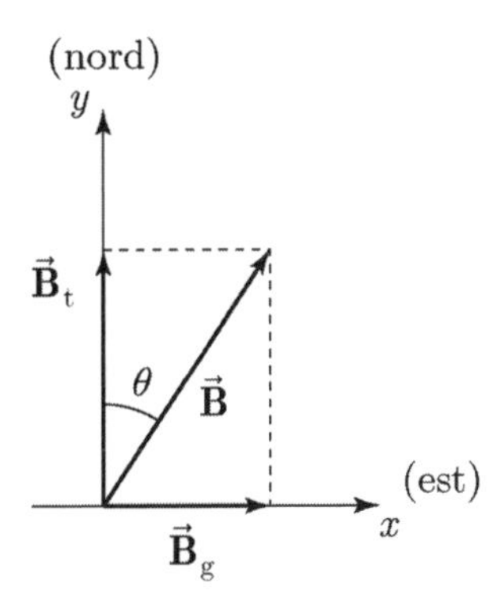

Selon la figure, l'angle que forme le champ magnétique résultant avec le nord est donné par

$\tan\theta = \frac{B_g}{B_t} \Longrightarrow B_g = B_t \tan\theta \Longrightarrow \frac{\mu_0 NI}{2R} = B_t \tan\theta \Longrightarrow I = \boxed{\frac{2RB_t \tan\theta}{\mu_0 N}}$

E21. Au centre de la boucle, selon l'équation 9.9 pour $\alpha = 90°$, le module du champ magnétique est

$B = \frac{\mu_0 NI \sin^3\alpha}{2a} = \frac{\mu_0 NI}{2a} \Longrightarrow I = \frac{2aB}{\mu_0 N}$

On a $a = 4$ cm, $N = 1$ et on veut que $B = 0{,}8 \times 10^{-4}$ T, si 1 G $= 10^{-4}$ T. Ainsi,

$I = \frac{2(0{,}04)\left(0{,}8\times10^{-4}\right)}{(4\pi\times10^{-7})(1)} = \boxed{5{,}09\text{ A}}$

E22. Au point choisi, la demi-boucle et le demi-carré créent un champ magnétique perpendiculaire au plan de la figure 9.52 et dirigé dans le même sens. Le module du champ résultant est la somme du module des champs individuels.

Le module du champ $\vec{\mathbf{B}}_{\text{db}}$ de la demi-boucle est donné à l'exercice 13 :

$B_{\text{db}} = \frac{\mu_0 I}{4a}$

Le module du champ $\vec{\mathbf{B}}_{\text{dc}}$ du demi-carré correspond à la moitié de l'expression obtenue à l'exercice 17, dans laquelle $\ell = \sqrt{2}a$:

$B_{\text{dc}} = \frac{1}{2}\left(\frac{2\sqrt{2}\mu_0 I}{\pi\ell}\right) = \frac{1}{2}\left(\frac{2\sqrt{2}\mu_0 I}{\pi\sqrt{2}a}\right) = \frac{\mu_0 I}{\pi a}$

Finalement, le module du champ magnétique résultant est

$B = B_{\text{db}} + B_{\text{dc}} = \boxed{\frac{\mu_0 I}{a}\left(\frac{1}{4} + \frac{1}{\pi}\right)}$

E23. On reprend la figure 9.53 en séparant le fil en quatre segments distincts. On montre aussi les angles qui seront utilisés dans l'équation 9.8 :

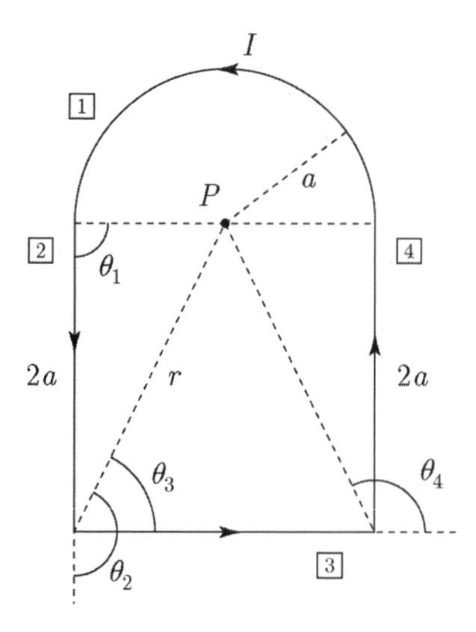

Au point P, le champ magnétique de chacun des segments est perpendiculaire au plan de la figure et dirigé dans le même sens. Le module du champ résultant est la somme du module des champs individuels.

Le module du champ de la demi-boucle 1 est donné à l'exercice 13 :

$B_1 = \frac{\mu_0 I}{4a}$

Le module du champ des portions rectilignes 2 et 4 est donné par l'équation 9.8, dans laquelle $R = a$, $\cos\theta_1 = 0$ et $\cos\theta_2 = -\frac{2a}{r} = -\frac{2a}{\sqrt{a^2+(2a)^2}} = -\frac{2a}{\sqrt{5a^2}} = -\frac{2}{\sqrt{5}}$:

$B_2 = B_4 = \frac{\mu_0 I}{4\pi a}(\cos\theta_1 - \cos\theta_2) = \frac{\mu_0 I}{4\pi a}\left(0 - \left(-\frac{2}{\sqrt{5}}\right)\right) = \frac{\mu_0 I}{2\pi\sqrt{5}a}$

Le module du champ de la portion rectiligne 3 est donné par l'équation 9.8, dans laquelle $R = 2a$, $\cos\theta_3 = \frac{a}{r} = \frac{a}{\sqrt{a^2+(2a)^2}} = \frac{a}{\sqrt{5a^2}} = \frac{1}{\sqrt{5}}$ et $\cos\theta_4 = -\cos\theta_3$:

$B_3 = \frac{\mu_0 I}{4\pi(2a)}(\cos\theta_3 - \cos\theta_4) = \frac{\mu_0 I}{4\pi a}\cos\theta_3 = \frac{\mu_0 I}{4\pi a}\left(\frac{1}{\sqrt{5}}\right) = \frac{\mu_0 I}{4\pi\sqrt{5}a}$

Finalement, le module du champ magnétique résultant est

$B = B_1 + B_2 + B_3 + B_4 = B_1 + 2B_2 + B_3 = \frac{\mu_0 I}{4a} + 2\left(\frac{\mu_0 I}{2\pi\sqrt{5}a}\right) + \frac{\mu_0 I}{4\pi\sqrt{5}a} \Longrightarrow$

$B = \boxed{\frac{\mu_0 I}{a}\left(\frac{1}{4} + \frac{1}{\sqrt{5}\pi} + \frac{1}{4\sqrt{5}\pi}\right)}$

E24. Au point choisi, le champ magnétique des deux demi-boucles est perpendiculaire au plan de la figure 9.54 et est dirigé dans le même sens. Comme le prolongement des deux portions rectilignes passe par le point choisi, la contribution de ces deux portions rectilignes est nulle.

(a) Le module du champ magnétique résultant correspond à la somme du module des champs de chaque demi-boucle. Pour la demi-boucle de rayon a, selon l'exercice 13, $B_a = \frac{\mu_0 I}{4a}$. Pour la demi-boucle de rayon b, $B_b = \frac{\mu_0 I}{4b}$. Le module du champ magnétique résultant au point choisi est

$B = B_a + B_b = \frac{\mu_0 I}{4a} + \frac{\mu_0 I}{4b} = \frac{\mu_0 I}{4}\left(\frac{1}{a} + \frac{1}{b}\right)$

Comme $I = 4{,}5$ A, $a = 6$ cm et $b = 18$ cm, on obtient

$B = \frac{(4\pi\times10^{-7})(4{,}5)}{4}\left(\frac{1}{0{,}06} + \frac{1}{0{,}18}\right) = \boxed{3{,}14\times10^{-5}\ \mathrm{T}}$

(b) Selon le module de l'équation 8.7 du manuel, le module du moment magnétique est donné par $\mu = NIA$, où A est l'aire totale de la boucle, soit

$A = \frac{\pi a^2}{2} + \frac{\pi b^2}{2}$

Comme $N = 1$, on obtient

$\mu = (1)(4{,}5)\left(\frac{\pi(0{,}06)^2}{2} + \frac{\pi(0{,}18)^2}{2}\right) = \boxed{0{,}254\ \mathrm{A{\cdot}m^2}}$

E25. On donne $\ell = 25$ cm, la longueur du solénoïde, $I = 15$ A, $r = 0{,}02$ m, le rayon du solénoïde, et $B = 0{,}02$ T, le module du champ qu'on veut obtenir.

Si on néglige les effets de bord, on peut utiliser l'équation 9.13, qui donne le module du champ magnétique d'un long solénoïde, $B = \mu_0 nI$, dans laquelle $n = \frac{N}{\ell}$. Ainsi,

$B = \mu_0\left(\frac{N}{\ell}\right)I \implies N = \frac{B\ell}{\mu_0 I} = \frac{(0{,}02)(0{,}25)}{(4\pi\times10^{-7})(15)} = \boxed{265\ \text{spires}}$

Le rayon r du solénoïde n'a aucune importance.

E26. On donne $r_{\text{fil}} = 1$ mm, le rayon de chaque fil, $r = 0{,}10$ m, le rayon du solénoïde, $N = 60$, $\rho_{\text{Cu}} = 1{,}7\times10^{-8}\ \Omega{\cdot}$m, la résistivié du cuivre, et $\Delta V = 1{,}5$ V, la différence de potentiel appliquée au solénoïde.

Pour calculer le courant qui parcourt le solénoïde, on a besoin de sa résistance R. Selon l'équation 6.6, soit $R = \frac{\rho L}{A}$, dans laquelle L est la longueur totale de fil, on trouve que

$L = N(2\pi r) = 60(2\pi(0{,}10)) = 37{,}7$ m

et que A est l'aire du fil traversé par le courant :

$A = \pi r_{\text{fil}}^2 = \pi\left(1\times10^{-3}\right)^2 = 3{,}14\times10^{-6}\ \mathrm{m}^2$

La résistance du fil est donc

$R = \frac{\rho L}{A} = \frac{(1{,}7\times10^{-8})(37{,}7)}{3{,}14\times10^{-6}} = 0{,}204\ \Omega$

Le courant qui parcourt le solénoïde est donné par l'équation 6.10 :

$\Delta V = RI \implies I = \frac{\Delta V}{R} = \frac{1{,}5}{0{,}204} = 7{,}35$ A

La longueur ℓ du solénoïde correspond au diamètre de chaque fil multiplié par le nombre de tours :

$\ell = N(2r_{\text{fil}}) = 60(2(0{,}001)) = 0{,}12$ m

Comme le diamètre du solénoïde est supérieur à sa longueur $(2r > \ell)$, on utilise l'équation 9.12 pour obtenir le module du champ magnétique au centre du solénoïde. D'après la figure 9.19*b*, on note qu'au centre, $\cos\alpha_2 = \frac{\frac{\ell}{2}}{\sqrt{\left(\frac{\ell}{2}\right)^2+r^2}} = \frac{\ell}{\sqrt{\ell^2+4r^2}}$ et $\cos\alpha_1 = -\cos\alpha_2$. Si $n = \frac{N}{\ell}$, on obtient

$B = \frac{1}{2}\mu_0 nI\left(\cos\alpha_2 - \cos\alpha_1\right) = \mu_0 nI\cos\alpha_2 = \mu_0\left(\frac{N}{\ell}\right)I\left(\frac{\ell}{\sqrt{\ell^2+4r^2}}\right) \Longrightarrow$

$B = \frac{\mu_0 NI}{\sqrt{\ell^2+4r^2}} = \frac{\left(4\pi\times10^{-7}\right)(60)(7{,}35)}{\sqrt{(0{,}12)^2+4(0{,}10)^2}} = \boxed{2{,}38\ \text{mT}}$

E27. Le courant I qui traverse le parcours en pointillé de la figure 9.55 est nul. Dans ce cas, le théorème d'Ampère donne

$\oint\overrightarrow{\mathbf{B}}\cdot d\overrightarrow{\ell} = \mu_0 I = 0$

On peut séparer le parcours en quatre segments rectilignes. Sur les portions du haut et du bas, $\overrightarrow{\mathbf{B}}\cdot d\overrightarrow{\ell} = 0$, car $\overrightarrow{\mathbf{B}}\perp d\overrightarrow{\ell}$. Il ne reste que les portions verticales de gauche (G) et de droite (D) dans l'intégrale :

$\oint\overrightarrow{\mathbf{B}}\cdot d\overrightarrow{\ell} = \int_{\text{gauche}}\overrightarrow{\mathbf{B}}\cdot d\overrightarrow{\ell} + \int_{\text{droite}}\overrightarrow{\mathbf{B}}\cdot d\overrightarrow{\ell} = 0$

Sur la portion de droite, $\overrightarrow{\mathbf{B}}\cdot d\overrightarrow{\ell} = Bd\ell \neq 0$, ce qui implique que $\int_{\text{droite}}\overrightarrow{\mathbf{B}}\cdot d\overrightarrow{\ell} \neq 0$.

Pour que le total des deux intégrales soit nul $\left(\oint\overrightarrow{\mathbf{B}}\cdot d\overrightarrow{\ell} = 0\right)$, on conclut que $\boxed{\text{le champ magnétique ne peut être nul à l'extérieur de l'aimant}}$ afin que l'intégrale sur la partie de gauche annule celle de droite. $\Longrightarrow$ $\boxed{\text{CQFD}}$

E28. La figure qui suit montre le tube métallique et les trois parcours de rayon $r > b$, $a < r < b$ et $r < a$ qui sont utilisés pour appliquer le théorème d'Ampère :

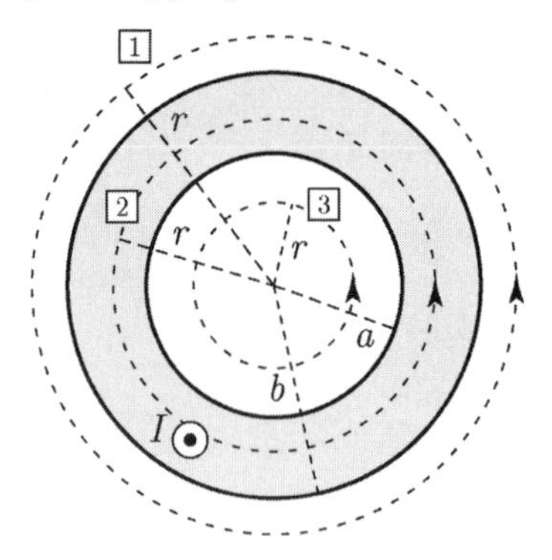

À l'extérieur du tube métallique, la situation est similaire à celle qui est décrite à l'exemple 9.6*a*. On utilise le parcours 1 $(r > b)$, et tout le courant I se trouve à l'intérieur du parcours :

$\oint\overrightarrow{\mathbf{B}}\cdot d\overrightarrow{\ell} = \mu_0 I \Longrightarrow \oint Bd\ell = \mu_0 I \Longrightarrow B\oint d\ell = \mu_0 I \Longrightarrow B(2\pi r) = \mu_0 I \Longrightarrow B = \frac{\mu_0 I}{2\pi r}$

À l'intérieur de la cavité cylindrique, on utilise le parcours 3 $(r < a)$, et aucun courant ne circule à l'intérieur du parcours :

$\oint \overrightarrow{\mathbf{B}} \cdot d\overrightarrow{\ell} = 0 \implies \oint Bd\ell = 0 \implies B\oint d\ell = 0 \implies B = 0$

Avec la parcours 2 $(a < r < b)$, on ne doit considérer que la fraction I' du courant qui traverse le tube métallique, entre les rayons a à r. Si le courant est uniformément distribué, la fraction I' de courant est obtenue par le rapport des aires :

$I' = \frac{A'}{A}I = \left(\frac{\pi r^2 - \pi a^2}{\pi b^2 - \pi a^2}\right) I = \left(\frac{r^2 - a^2}{b^2 - a^2}\right) I$

de sorte que

$\oint \overrightarrow{\mathbf{B}} \cdot d\overrightarrow{\ell} = \mu_0 I' \implies \oint Bd\ell = \mu_0 \left(\frac{r^2-a^2}{b^2-a^2}\right) I \implies B\oint d\ell = \mu_0 \left(\frac{r^2-a^2}{b^2-a^2}\right) I \implies$

$B(2\pi r) = \mu_0 \left(\frac{r^2-a^2}{b^2-a^2}\right) I \implies B = \frac{\mu_0 I}{2\pi r}\frac{(r^2-a^2)}{(b^2-a^2)}$

En résumé,

$\boxed{\text{pour } r < a,\ B = 0;\ \text{pour } a < r < b,\ B = \frac{\mu_0 I}{2\pi r}\frac{(r^2-a^2)}{(b^2-a^2)};\ \text{pour } r > b,\ B = \frac{\mu_0 I}{2\pi r}}$

E29. (a) Chaque élément $d\ell$ de la plaque peut être condidéré comme un fil parcouru par un courant $I = JdA = Jtd\ell$. Si on applique la règle de la main droite à ce fil, le champ magnétique $d\overrightarrow{\mathbf{B}}$ qu'il produit au-dessus de la plaque sera orienté vers la droite dans la figure 9.56 et vers la gauche en-dessous de la plaque.

Si on considère une paire de fils situé à une certaine distance à gauche et à droite du premier fil, ils produiront au même point un champ magnétique dont il ne restera que la composante horizontale, vers la droite au-dessus et vers la gauche en-dessous.

Pour l'ensemble de la plaque, on a donc un champ magnétique parallèle à la surface, vers la droite au-dessus et vers la gauche en-dessous.

(b) On choisit le parcours suivant, traversé par le courant I', pour appliquer le théorème d'Ampère :

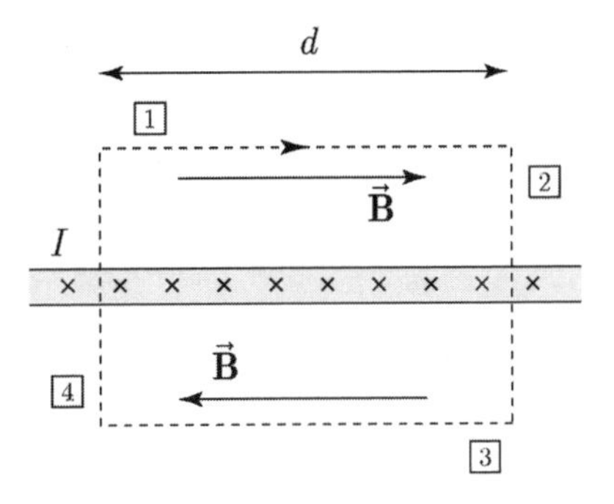

Sur les segments 2 et 4 du parcours, $\overrightarrow{\mathbf{B}} \perp d\overrightarrow{\ell}$, et la contribution à l'intégrale du théorème d'Ampère pour ces deux segments est nulle. On suppose que le module du champ magnétique possède la même valeur B au-dessus et en-dessous de la plaque pour les segments

1 et 3:

$$\oint \vec{\mathbf{B}} \cdot d\vec{\ell} = \mu_0 I' \Longrightarrow \int_1 \vec{\mathbf{B}} \cdot d\vec{\ell} + \int_3 \vec{\mathbf{B}} \cdot d\vec{\ell} = \mu_0 I' \Longrightarrow \int_1 B d\ell + \int_3 B d\ell = \mu_0 I' \Longrightarrow$$

$$\int_1 B d\ell + \int_3 B d\ell = \mu_0 I' \Longrightarrow B\int_1 d\ell + B\int_3 d\ell = \mu_0 I' \Longrightarrow B(2d) = \mu_0 I' \qquad \text{(i)}$$

Le courant $I' = JA' = Jtd$, et l'équation (i) permet de calculer le module du champ magnétique au-dessus et en-dessous de la plaque:

$$B = \frac{\mu_0 I'}{2d} = \frac{\mu_0 Jtd}{2d} = \boxed{\mu_0 \frac{Jt}{2}}$$

E30. Le tore possède $N = 240$ spires, un rayon interne $r_\text{i} = 3{,}6$ cm et est parcouru par un courant $I = 6$ A. L'aire intérieure du tore mesure 2 cm de large. Le module du champ magnétique à l'intérieur du tore est donné par l'équation 9.15 de l'exemple 9.8:

$$B = \frac{\mu_0 NI}{2\pi r}$$

(a) Pour $r = r_\text{i}$, on obtient

$$B = \frac{\mu_0 NI}{2\pi r_\text{i}} = \frac{(4\pi\times 10^{-7})(240)(6)}{2\pi(0{,}036)} = \boxed{8{,}00 \text{ mT}}$$

(b) Pour $r_\text{e} = r_\text{i} + (2 \text{ cm}) = 5{,}6$ cm, on obtient

$$B = \frac{\mu_0 NI}{2\pi r_\text{e}} = \frac{(4\pi\times 10^{-7})(240)(6)}{2\pi(0{,}056)} = \boxed{5{,}14 \text{ mT}}$$

E31. On donne $R = 2$ mm, le rayon du fil qui transporte un courant $I = 12$ A.

Pour la suite de l'exercice, on utilise le résultat de l'exemple 9.6. À la surface du fil, le module du champ magnétique B_0 est donné par l'une ou l'autre des équations (ii) ou (iii) de cet exemple, dans lesquelles on remplace r par R, le rayon du fil: $B_0 = \frac{\mu_0 I}{2\pi R}$.

À l'extérieur du fil, le module du champ est donné par l'équation (ii), $B_\text{e} = \frac{\mu_0 I}{2\pi r_\text{e}}$, et on veut que

$$B_\text{e} = 0{,}25 B_0 \Longrightarrow \frac{\mu_0 I}{2\pi r_\text{e}} = 0{,}25\left(\frac{\mu_0 I}{2\pi R}\right) \Longrightarrow r_\text{e} = \frac{R}{0{,}25} \Longrightarrow r_\text{e} = 4R \Longrightarrow \boxed{r_\text{e} = 8{,}00 \text{ mm}}$$

À l'intérieur du fil, le module du champ est donné par l'équation (ii), $B_\text{i} = \frac{\mu_0 I r_\text{i}}{2\pi R^2}$, et on veut que

$$B_\text{i} = 0{,}25 B_0 \Longrightarrow \frac{\mu_0 I r_\text{i}}{2\pi R^2} = 0{,}25\left(\frac{\mu_0 I}{2\pi R}\right) \Longrightarrow r_\text{i} = 0{,}25R \Longrightarrow \boxed{r_\text{i} = 0{,}500 \text{ mm}}$$

E32. On reprend la figure 9.57 en séparant le parcours en quatre segments:

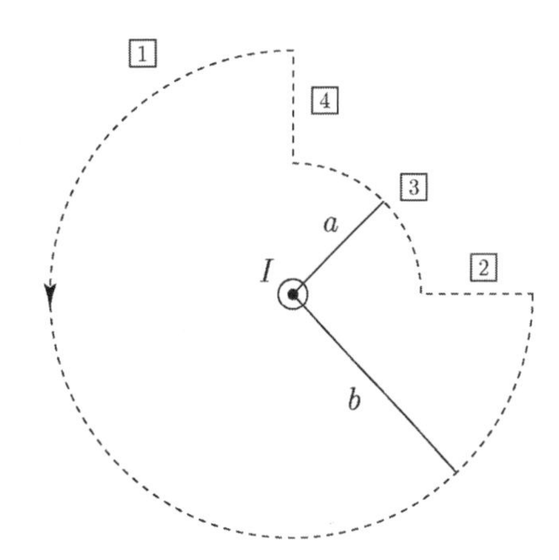

À cause de la règle de main droite, $\overrightarrow{\mathbf{B}} \perp d\overrightarrow{\ell}$ sur les segments 2 et 4, et la contribution de ces deux segments à l'intégrale du théorème d'Ampère est nulle. Avec les segments 1 et 4, on obtient

$$\oint \overrightarrow{\mathbf{B}} \cdot d\overrightarrow{\ell} = \int_1 \overrightarrow{\mathbf{B}} \cdot d\overrightarrow{\ell} + \int_3 \overrightarrow{\mathbf{B}} \cdot d\overrightarrow{\ell} = \int_1 B_1 d\ell + \int_3 B_3 d\ell = B_1 \int_1 d\ell + B_3 \int_3 d\ell \qquad \text{(i)}$$

Le segment 1 correspond au $\frac{3}{4}$ d'un cercle de rayon b, et le segment 3 correspond au $\frac{1}{4}$ d'un cercle de rayon a. Avec ces valeurs, le côté droit de l'équation (i) devient

$$\oint \overrightarrow{\mathbf{B}} \cdot d\overrightarrow{\ell} = B_1 \left(\tfrac{3}{4}(2\pi b)\right) + B_3 \left(\tfrac{1}{4}(2\pi a)\right) = \tfrac{3}{2} B_1 \pi b + \tfrac{1}{2} B_3 \pi a \qquad \text{(ii)}$$

Selon l'équation 9.1, $B_1 = \frac{\mu_0 I}{2\pi b}$ et $B_3 = \frac{\mu_0 I}{2\pi a}$, et le côté droit de l'équation (ii) devient

$$\oint \overrightarrow{\mathbf{B}} \cdot d\overrightarrow{\ell} = \tfrac{3}{2}\left(\tfrac{\mu_0 I}{2\pi b}\right)\pi b + \tfrac{1}{2}\left(\tfrac{\mu_0 I}{2\pi a}\right)\pi a = \tfrac{3}{4}\mu_0 I + \tfrac{1}{4}\mu_0 I \implies \boxed{\oint \overrightarrow{\mathbf{B}} \cdot d\overrightarrow{\ell} = \mu_0 I}$$

soit l'énoncé du théorème d'Ampère. $\implies$ $\boxed{\text{CQFD}}$

E33. On donne $I_1 = 6$ A sur un fil placé en $x = 0$ et I_2 sur un fil placé en $x = 8$ cm. Le courant I_1 coule dans la direction des y positifs. Le sens et la valeur de I_2 sont inconnus.

(a) Si $\overrightarrow{\mathbf{B}}$, le champ magnétique résultant est nul en $x = 6$ cm, le courant I_2 doit lui aussi parcourir le fil $\boxed{\text{dans la direction des } y \text{ positifs}}$ à cause de la règle de la main droite.

Pour $r_1 = 0{,}06$ m et $r_2 = 0{,}02$ m, on obtient en utilisant l'équation 9.1

$$\overrightarrow{\mathbf{B}} = \overrightarrow{\mathbf{B}}_1 + \overrightarrow{\mathbf{B}}_2 = 0 \implies -B_1\overrightarrow{\mathbf{k}} + B_2\overrightarrow{\mathbf{k}} = 0 \implies B_1 = B_2 \implies \tfrac{\mu_0 I_1}{2\pi r_1} = \tfrac{\mu_0 I_2}{2\pi r_2} \implies$$

$$I_2 = \tfrac{r_2}{r_1} I_1 = \left(\tfrac{0{,}02}{0{,}06}\right) 6 \implies I_2 = \boxed{2{,}00 \text{ A}}$$

(b) Si $\overrightarrow{\mathbf{B}}$, le champ magnétique résultant est nul en $x = 10$ cm, le courant I_2 doit parcourir le fil $\boxed{\text{dans la direction des } y \text{ négatifs}}$ à cause de la règle de la main droite.

Pour $r_1 = 0{,}10$ m et $r_2 = 0{,}02$ m, on obtient en utilisant l'équation 9.1

$$\overrightarrow{\mathbf{B}} = \overrightarrow{\mathbf{B}}_1 + \overrightarrow{\mathbf{B}}_2 = 0 \implies -B_1\overrightarrow{\mathbf{k}} + B_2\overrightarrow{\mathbf{k}} = 0 \implies B_1 = B_2 \implies \tfrac{\mu_0 I_1}{2\pi r_1} = \tfrac{\mu_0 I_2}{2\pi r_2} \implies$$

$$I_2 = \tfrac{r_2}{r_1} I_1 = \left(\tfrac{0{,}02}{0{,}10}\right) 6 \implies I_2 = \boxed{1{,}20 \text{ A}}$$

E34. Comme la situation présentée à la figure 9.58 est symétrique, on en déduit que les courants

I_1 et I_2 doivent avoir la même valeur et circuler dans le sens opposé au courant dans les trois autres fils. Pour faciliter l'écriture des équations, on numérote les courants et on suppose que les fils s'alignent selon un axe des x qui est positif vers la droite :

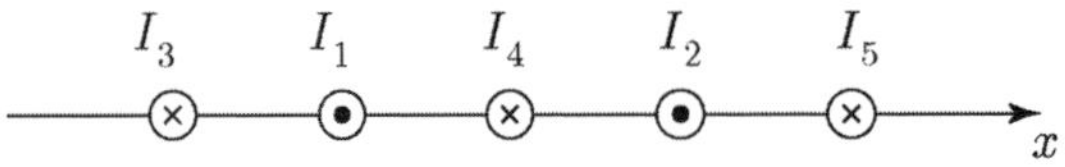

I_3 ⊗ I_1 ⊙ I_4 ⊗ I_2 ⊙ I_5 ⊗ → x

D'après cette figure, $I_3 = I_5 = 2$ A et $I_4 = 1$ A. On applique l'équation 9.2 au fil 3 parcouru par I_3, en supposant que les cinq fils possèdent la même longueur ℓ. La force magnétique résultante $\vec{\mathbf{F}}_{B3}$ sur le fil 3 doit être nulle, d représente la distance entre chacun des fils et, rappelons que $I_1 = I_2$. Ainsi,

$$\vec{\mathbf{F}}_{B3} = \vec{\mathbf{F}}_{31} + \vec{\mathbf{F}}_{32} + \vec{\mathbf{F}}_{34} + \vec{\mathbf{F}}_{35} = 0 \implies$$

$$\vec{\mathbf{F}}_{B3} = -\frac{\mu_0 I_1 I_3}{2\pi d}\vec{\mathbf{i}} - \frac{\mu_0 I_2 I_3}{2\pi(3d)}\vec{\mathbf{i}} + \frac{\mu_0 I_3 I_4}{2\pi(2d)}\vec{\mathbf{i}} + \frac{\mu_0 I_3 I_5}{2\pi(4d)}\vec{\mathbf{i}} = 0 \implies$$

$$-\frac{I_1 I_3}{d} - \frac{I_2 I_3}{3d} + \frac{I_3 I_4}{2d} + \frac{I_3 I_5}{4d} = 0 \implies$$

$$-I_1 I_3 - \frac{1}{3} I_2 I_3 + \frac{1}{2} I_3 I_4 + \frac{1}{4} I_3 I_5 = 0 \implies$$

$$-I_1(2) - \frac{1}{3} I_1(2) + \frac{1}{2}(2)(1) + \frac{1}{4}(2)(2) = 0 \implies$$

$$\frac{8}{3} I_1 = 2 \implies \boxed{I_1 = I_2 = 0{,}750 \text{ A}}$$

E35. Comme la force magnétique résultante $\vec{\mathbf{F}}_{B1}$ sur le fil 1 doit être nulle, le sens de I_1 n'a pas d'importance : si on change le sens du courant, on change le sens des quatre flèches représentant les forces individuelles sur ce fil.

Toutefois, le sens de I_2 a de l'importance, puisqu'il définit la direction de la force qui vient de ce courant par rapport à celle qui vient des autres courants. On pose arbitrairement que I_1 sort du plan de la page et que I_2 entre dans la page. On numérote les autres courants pour faciliter l'écriture :

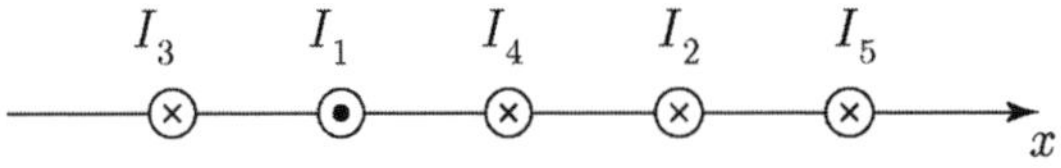

I_3 ⊗ I_1 ⊙ I_4 ⊗ I_2 ⊗ I_5 ⊗ → x

D'après cette figure, $I_3 = I_5 = 2$ A et $I_4 = 1$ A. On applique l'équation 9.2 au fil 1 en supposant que les cinq fils possèdent la même longueur ℓ. La force magnétique résultante $\vec{\mathbf{F}}_{B1}$ doit être nulle, d représente la distance entre chacun des fils, de sorte que

$$\vec{\mathbf{F}}_{B1} = \vec{\mathbf{F}}_{12} + \vec{\mathbf{F}}_{13} + \vec{\mathbf{F}}_{14} + \vec{\mathbf{F}}_{15} = 0 \implies$$

$$\vec{\mathbf{F}}_{B1} = -\frac{\mu_0 I_1 I_2}{2\pi(2d)}\vec{\mathbf{i}} + \frac{\mu_0 I_1 I_3}{2\pi d}\vec{\mathbf{i}} - \frac{\mu_0 I_1 I_4}{2\pi d}\vec{\mathbf{i}} - \frac{\mu_0 I_1 I_5}{2\pi(3d)}\vec{\mathbf{i}} = 0 \implies -\frac{I_2}{2} + I_3 - I_4 - \frac{I_5}{3} = 0 \implies$$

$$-\frac{I_2}{2} + 2 - 1 - \frac{2}{3} = 0 \implies \frac{I_2}{2} = \frac{1}{3} \implies I_2 = \boxed{0{,}667 \text{ A entrant dans la page}}$$

On constate que, si le sens de I_2 est inversé au départ, on obtient une valeur négative pour I_2.

E36. Soit $I_1 = I$, le courant qui parcourt le fil superposé à l'axe des x positifs, et $I_2 = I$, le courant qui parcourt le fil superposé à l'axe des y positifs. Si on fait appel à l'équation 9.1 et à la règle de la main droite, on découvre que le champ magnétique de chacun de ces fils au point choisi, c'est-à-dire en $P\,(0\ ;\ 0\ ;\ d)$, est $\vec{\mathbf{B}}_1 = -\left(\frac{\mu_0 I}{2\pi d}\right)\vec{\mathbf{j}}$ et $\vec{\mathbf{B}}_2 = \left(\frac{\mu_0 I}{2\pi d}\right)\vec{\mathbf{i}}$.

Le champ magnétique résultant en ce point est

$$\vec{\mathbf{B}} = \vec{\mathbf{B}}_1 + \vec{\mathbf{B}}_2 = \boxed{\frac{\mu_0 I}{2\pi d}\left(\vec{\mathbf{i}} - \vec{\mathbf{j}}\right)}$$

E37. Pour faciliter l'écriture des équations, on reprend la figure 9.59 en numérotant les courants :

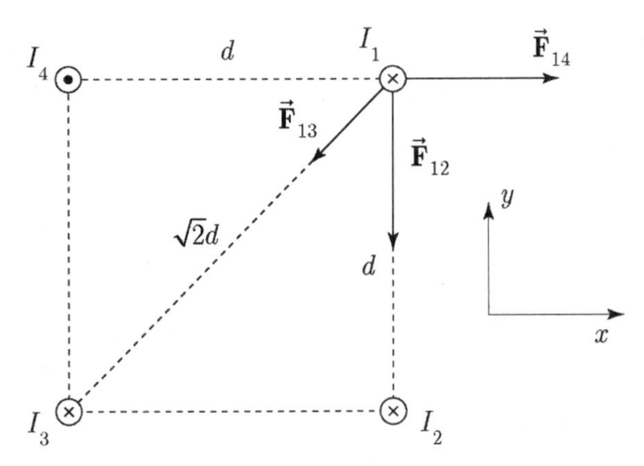

Avec $I_1 = I_2 = I_3 = I_4 = I = 8$ A et $d = 5$ cm, on calcule la force magnétique résultante $\vec{\mathbf{F}}_{B1}$ sur le fil parcouru par le courant I_1. On utilise l'équation 9.2 en supposant que les quatre fils possèdent la même longueur ℓ :

$$\vec{\mathbf{F}}_{B1} = \vec{\mathbf{F}}_{12} + \vec{\mathbf{F}}_{13} + \vec{\mathbf{F}}_{14} \Longrightarrow$$

$$\frac{\vec{\mathbf{F}}_{B1}}{\ell} = -\frac{\mu_0 I_1 I_2}{2\pi d}\vec{\mathbf{j}} + \frac{\mu_0 I_1 I_3}{2\pi\left(\sqrt{2}d\right)}\left(-\cos(45°)\,\vec{\mathbf{i}} - \sin(45°)\,\vec{\mathbf{j}}\right) + \frac{\mu_0 I_1 I_4}{2\pi d}\vec{\mathbf{i}} \Longrightarrow$$

$$\frac{\vec{\mathbf{F}}_{B1}}{\ell} = -\frac{\mu_0 I^2}{2\pi d}\vec{\mathbf{j}} + \frac{\mu_0 I^2}{2\pi\left(\sqrt{2}d\right)}\left(-\frac{\sqrt{2}}{2}\vec{\mathbf{i}} - \frac{\sqrt{2}}{2}\vec{\mathbf{j}}\right) + \frac{\mu_0 I^2}{2\pi d}\vec{\mathbf{i}} = \frac{\mu_0 I^2}{4\pi d}\left(\vec{\mathbf{i}} - 3\,\vec{\mathbf{j}}\right) \Longrightarrow$$

$$\frac{\vec{\mathbf{F}}_{B1}}{\ell} = \frac{\left(4\pi\times10^{-7}\right)(8)^2}{4\pi(0{,}05)}\left(\vec{\mathbf{i}} - 3\,\vec{\mathbf{j}}\right) = \boxed{\left(1{,}28\,\vec{\mathbf{i}} - 3{,}84\,\vec{\mathbf{j}}\right)\times10^{-4}\ \text{N/m}}$$

E38. On donne $I_1 = I_3 = 5{,}0$ A, $I_2 = 8{,}0$ A et $L = 20$ cm, la distance entre chacun des trois fils.

(a) On reprend la figure 9.60 pour montrer le champ magnétique produit par les fils 1 et 2 à l'endroit où se trouve le fil 3. Par symétrie, $\vec{\mathbf{B}}_1$ et $\vec{\mathbf{B}}_2$ forment le même angle $\theta = 60°$ par rapport à l'axe des x positifs :

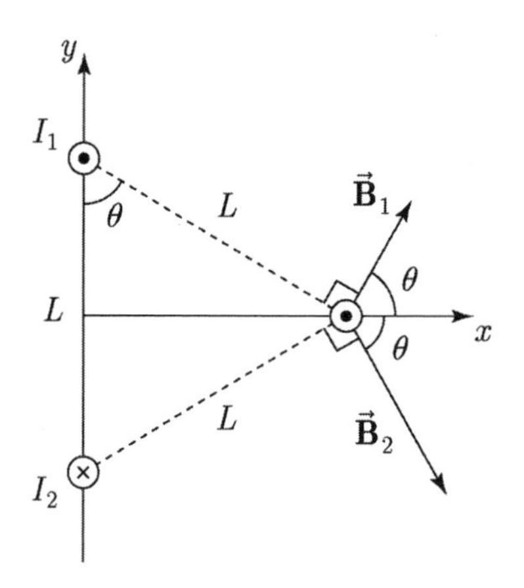

Au moyen de l'équation 9.1 et de cette figure, on exprime les composantes de $\vec{\mathbf{B}}_1$ et $\vec{\mathbf{B}}_2$:

$$\vec{\mathbf{B}}_1 = B_1 \cos\theta\, \vec{\mathbf{i}} + B_1 \sin\theta\, \vec{\mathbf{j}} = \tfrac{\mu_0 I_1}{2\pi L}\left(\tfrac{1}{2}\right)\vec{\mathbf{i}} + \tfrac{\mu_0 I_1}{2\pi L}\left(\tfrac{\sqrt{3}}{2}\right)\vec{\mathbf{j}} = \tfrac{\mu_0 I_1}{4\pi L}\left(\vec{\mathbf{i}} + \sqrt{3}\,\vec{\mathbf{j}}\right)$$

$$\vec{\mathbf{B}}_2 = B_2 \cos\theta\, \vec{\mathbf{i}} - B_2 \sin\theta\, \vec{\mathbf{j}} = \tfrac{\mu_0 I_2}{2\pi L}\left(\tfrac{1}{2}\right)\vec{\mathbf{i}} - \tfrac{\mu_0 I_2}{2\pi L}\left(\tfrac{\sqrt{3}}{2}\right)\vec{\mathbf{j}} = \tfrac{\mu_0 I_2}{4\pi L}\left(\vec{\mathbf{i}} - \sqrt{3}\,\vec{\mathbf{j}}\right)$$

Et on calcule le champ magnétique résultant :

$$\vec{\mathbf{B}} = \vec{\mathbf{B}}_1 + \vec{\mathbf{B}}_2 = \tfrac{\mu_0 I_1}{4\pi L}\left(\vec{\mathbf{i}} + \sqrt{3}\,\vec{\mathbf{j}}\right) + \tfrac{\mu_0 I_2}{4\pi L}\left(\vec{\mathbf{i}} - \sqrt{3}\,\vec{\mathbf{j}}\right) \implies$$

$$\vec{\mathbf{B}} = \tfrac{\mu_0}{4\pi L}\left((I_1 + I_2)\,\vec{\mathbf{i}} + \sqrt{3}\,(I_1 - I_2)\,\vec{\mathbf{j}}\right) \implies$$

$$\vec{\mathbf{B}} = \left(\tfrac{4\pi\times10^{-7}}{4\pi(0{,}20)}\right)\left(13{,}0\,\vec{\mathbf{i}} + \sqrt{3}\,(-3{,}0)\,\vec{\mathbf{j}}\right) = \boxed{\left(6{,}50\,\vec{\mathbf{i}} - 2{,}60\,\vec{\mathbf{j}}\right)\,\mu\mathrm{T}}$$

(b) Pour $\vec{\ell}_3 = 1\vec{\mathbf{k}}$ m et au moyen de l'équation 8.3, en se rappelant que $\vec{\mathbf{k}} \times \vec{\mathbf{i}} = \vec{\mathbf{j}}$ et que $\vec{\mathbf{k}} \times \vec{\mathbf{j}} = -\vec{\mathbf{i}}$, on obtient

$$\vec{\mathbf{F}}_{B3} = I_3\,\vec{\ell}_3 \times \vec{\mathbf{B}} = (5{,}0)\left(1\vec{\mathbf{k}}\right) \times \left(6{,}50\times10^{-6}\,\vec{\mathbf{i}} - 2{,}60\times10^{-6}\,\vec{\mathbf{j}}\right) \implies$$

$$\vec{\mathbf{F}}_{B3} = 5{,}0\left(6{,}50\times10^{-6}\left(\vec{\mathbf{k}}\times\vec{\mathbf{i}}\right) - 2{,}60\times10^{-6}\left(\vec{\mathbf{k}}\times\vec{\mathbf{j}}\right)\right) = \boxed{\left(13{,}0\,\vec{\mathbf{i}} + 32{,}5\,\vec{\mathbf{j}}\right)\,\mu\mathrm{N}}$$

E39. Si on néglige les effets de bord, on peut utiliser l'équation 9.13 pour un long solénoïde. Pour $n = \frac{40 \text{ tours}}{16 \text{ cm}} = 250$ tours/m et $I = 800$ A, on trouve

$$B = \mu_0 n I = \left(4\pi\times10^{-7}\right)(250)(800) = \boxed{0{,}251\ \mathrm{T}}$$

E40. On donne $I = 20$ A et $\ell = 0{,}15$ m. Si on compare la figure 9.61 avec la figure 9.6 du manuel, on constate que le cosinus des angles θ_1 et θ_2 de la figure 6 est

$$\cos\theta_1 = \frac{\frac{\ell}{4}}{\sqrt{\left(\frac{\ell}{4}\right)^2+\left(\frac{\ell}{2}\right)^2}} = \frac{\frac{\ell}{4}}{\sqrt{\frac{\ell^2}{16}+\frac{\ell^2}{4}}} = \frac{\frac{\ell}{4}}{\left(\frac{1}{4}\right)\sqrt{\ell^2+4\ell^2}} = \frac{1}{\sqrt{5}}$$

$$\cos\theta_2 = -\frac{\frac{3\ell}{4}}{\sqrt{\left(\frac{3\ell}{4}\right)^2+\left(\frac{\ell}{2}\right)^2}} = -\frac{\frac{3\ell}{4}}{\sqrt{\frac{9\ell^2}{16}+\frac{\ell^2}{4}}} = -\frac{\frac{3\ell}{4}}{\left(\frac{1}{4}\right)\sqrt{9\ell^2+4\ell^2}} = -\frac{3}{\sqrt{13}}$$

Au point choisi, le module du champ magnétique du fil de longueur ℓ peut alors être calculé avec l'équation 9.8 et $d = \frac{\ell}{2}$:

$$B = \tfrac{\mu_0 I}{4\pi d}\left(\cos\theta_1 - \cos\theta_2\right) = \frac{\mu_0 I}{4\pi\left(\frac{\ell}{2}\right)}\left(\frac{1}{\sqrt{5}} - \left(-\frac{3}{\sqrt{13}}\right)\right) \implies$$

$$B = \frac{\left(4\pi\times10^{-7}\right)(20)}{4\pi\left(\frac{0{,}15}{2}\right)}\left(\frac{1}{\sqrt{5}} + \frac{3}{\sqrt{13}}\right) = \boxed{34{,}1\ \mu\mathrm{T}}$$

E41. Selon l'exemple 9.8, le module du champ magnétique à l'intérieur d'un tore correspond à $B = \frac{\mu_0 NI}{2\pi r}$, dans laquelle r est la position par rapport au centre du tore où l'on veut connaître le champ. Le module du champ varie parce que $r_i < r < r_e$, où r_i et r_e sont respectivement les valeurs des rayons intérieur et extérieur du tore. Si le rayon du tore est beaucoup plus grand que son aire de section, $r_e - r_i = \Delta r \ll r$, de sorte que le module du champ prend sensiblement la même valeur partout et le rapport $\frac{N}{2\pi r}$ correspond au nombre de tours par mètre n de l'équation 9.13. En fonction de ce remplacement, le module du champ à l'intérieur du tore vaut $\boxed{B \approx \mu_0 nI} \Longrightarrow \boxed{\text{CQFD}}$

Problèmes

P1. Le mouvement de la charge sur un cercle de rayon R est équivalent à celui d'un courant parcourant une boucle circulaire. Selon l'équation 9.9, dans laquelle $\alpha = 90°$, le module du champ magnétique au centre d'une boucle circulaire ($N = 1$) est

$$B_{\text{charge}} = \frac{\mu_0 NI \sin^3 \alpha}{2R} = \frac{\mu_0 (1) I \sin^3 (90°)}{2R} = \frac{\mu_0 I}{2R} \qquad \text{(i)}$$

Si le module de la vitesse de la charge est v, celle-ci parcourt le cercle en un temps $T = \frac{2\pi R}{v}$, et le courant I équivalant à ce mouvement de charge est

$$I = \frac{|q|}{T} = \frac{|q| v}{2\pi R} \qquad \text{(ii)}$$

Le rayon R de la trajectoire circulaire de la charge dépend du module du champ extérieur B, ce qu'illustre l'équation 8.10 :

$$|q| vB = \frac{mv^2}{R} \Longrightarrow R = \frac{mv}{|q|B} \qquad \text{(iii)}$$

Si on remplace la valeur de R donnée par l'équation (iii) dans l'équation (ii), on obtient

$$I = \frac{|q| v}{2\pi \left(\frac{mv}{|q|B} \right)} = \frac{q^2 B}{2\pi m} \qquad \text{(iv)}$$

En insérant l'équation (iv) dans l'équation (i), on obtient

$$B_{\text{charge}} = \frac{\mu_0}{2R} \left(\frac{q^2 B}{2\pi m} \right) \Longrightarrow \boxed{B_{\text{charge}} = \frac{\mu_0 q^2 B}{4\pi m R}} \Longrightarrow \boxed{\text{CQFD}}$$

P2. (a) Le module du champ magnétique de chaque bobine le long de son axe est donné par l'équation 9.9, dans laquelle $a = R$:

$$B = \frac{\mu_0 NI \sin^3 \alpha}{2R}$$

À partir du sens indiqué pour les courants à la figure 9.62 du manuel on déduit que $\vec{\mathbf{B}}_1$ et $\vec{\mathbf{B}}_2$, les champs magnétiques de chacune des bobines mesurés le long de l'axe, sont orientés selon l'axe des x positifs. Pour la bobine 1, dont le centre est à l'origine du système d'axes, le facteur $\sin \alpha$ correspond à $\frac{R}{\sqrt{R^2+x^2}}$ et

$B_1 = \frac{\mu_0 NI}{2R}\left(\frac{R}{\sqrt{R^2+x^2}}\right)^3 = \frac{\mu_0 NIR^2}{2(R^2+x^2)^{3/2}}$

Pour la bobine 2, dont le centre est en $x = R$, le facteur $\sin\alpha$ correspond à $\frac{R}{\sqrt{R^2+(R-x)^2}}$ et

$B_2 = \frac{\mu_0 NI}{2R}\left(\frac{R}{\sqrt{R^2+(R-x)^2}}\right)^3 = \frac{\mu_0 NIR^2}{2\left(R^2+(R-x)^2\right)^{3/2}}$

Comme $\vec{\mathbf{B}}_1$ et $\vec{\mathbf{B}}_2$ sont orientés dans le même sens, le module du champ résultant est

$B = B_1 + B_2 = \boxed{\frac{1}{2}\mu_0 NIR^2\left(\frac{1}{(R^2+x^2)^{3/2}} + \frac{1}{\left(R^2+(R-x)^2\right)^{3/2}}\right)}$

(b) Si on remplace x par $\frac{R}{2}$ dans le résultat de la partie (a), on obtient

$B = \frac{1}{2}\mu_0 NIR^2\left(\frac{1}{\left(R^2+\left(\frac{R}{2}\right)^2\right)^{3/2}} + \frac{1}{\left(R^2+\left(\frac{R}{2}\right)^2\right)^{3/2}}\right) = \frac{\mu_0 NIR^2}{\left(R^2+\left(\frac{R}{2}\right)^2\right)^{3/2}} = \frac{\mu_0 NIR^2}{\left(\frac{5R^2}{4}\right)^{3/2}} \Longrightarrow$

$\boxed{B = \left(\frac{4}{5}\right)^{3/2}\frac{\mu_0 NI}{R}} \Longrightarrow \boxed{\text{CQFD}}$

(c) On calcule d'abord la dérivée de l'expression trouvée en (a) par rapport à x :

$\frac{dB}{dx} = \frac{d}{dx}\left(\frac{1}{2}\mu_0 NIR^2\left(\frac{1}{(R^2+x^2)^{3/2}} + \frac{1}{\left(R^2+(R-x)^2\right)^{3/2}}\right)\right) \Longrightarrow$

$\frac{dB}{dx} = \frac{1}{2}\mu_0 NIR^2\frac{d}{dx}\left(\frac{1}{(R^2+x^2)^{3/2}} + \frac{1}{\left(R^2+(R-x)^2\right)^{3/2}}\right) \Longrightarrow$

$\frac{dB}{dx} = \frac{1}{2}\mu_0 NIR^2\left(-\frac{3}{2}\frac{2x}{(R^2+x^2)^{5/2}} - \frac{3}{2}\frac{2(R-x)(-1)}{\left(R^2+(R-x)^2\right)^{5/2}}\right) \Longrightarrow$

$\frac{dB}{dx} = \frac{3}{4}\mu_0 NIR^2\left(\frac{2(R-x)}{\left(R^2+(R-x)^2\right)^{5/2}} - \frac{2x}{(R^2+x^2)^{5/2}}\right) \qquad \text{(i)}$

On évalue ensuite l'équation (i) en $x = \frac{R}{2}$:

$\frac{dB}{dx} = \frac{3}{4}\mu_0 NIR^2\left(\frac{2\left(\frac{R}{2}\right)}{\left(R^2+\left(\frac{R}{2}\right)^2\right)^{5/2}} - \frac{2\left(\frac{R}{2}\right)}{\left(R^2+\left(\frac{R}{2}\right)^2\right)^{5/2}}\right) = 0$

Comme la dérivée est nulle, on conclut que ce point correspond à un extremum, c'est-à-dire à un maximum ou à un mimimum.

On calcule maintenant la dérivée seconde à partir de l'équation (i):

$\frac{d^2B}{dx^2} = \frac{d}{dx}\left(\frac{3}{4}\mu_0 NIR^2\left(\frac{2(R-x)}{\left(R^2+(R-x)^2\right)^{5/2}} - \frac{2x}{(R^2+x^2)^{5/2}}\right)\right) \Longrightarrow$

$\frac{d^2B}{dx^2} = \frac{3}{4}\mu_0 NIR^2\frac{d}{dx}\left(\frac{2(R-x)}{\left(R^2+(R-x)^2\right)^{5/2}} - \frac{2x}{(R^2+x^2)^{5/2}}\right)$

On laisse le soin à l'élève de montrer que le résultat final de cette dérivée est

$\frac{d^2B}{dx^2} = \frac{6}{4}\mu_0 NIR^2\,(R-2x)\left(\frac{(3R-2x)}{\left(R^2+(R-x)^2\right)^{7/2}} - \frac{(R+2x)}{(R^2+x^2)^{7/2}}\right) \qquad \text{(ii)}$

Si on remplace x par $\frac{R}{2}$ dans ce résultat, on constate que $\frac{d^2B}{dx^2} = 0$. Ce résultat nul ne permet pas de savoir si la fonction atteint un maximum ou un minimum à $x = \frac{R}{2}$, mais il laisse entendre que **la fonction change lentement dans cet intervalle**. Pour toute autre valeur de x dans l'intervalle qui va de 0 à R, on peut facilement montrer, au moyen de l'équation (ii), que la dérivée seconde est négative. La fonction est donc concave vers le bas partout dans cet intervalle (sauf en $x = \frac{R}{2}$, où la concavité est absente), et le point $x = \frac{R}{2}$ est un maximum. $\Longrightarrow$ $\boxed{\text{CQFD}}$

(d) Dans le logiciel Maple, on donne une valeur plausible aux différentes variables, on définit ensuite l'expression du module du champ magnétique, et on trace le graphe demandé :

```
> restart;
> mu0:=Pi*4e-7; N:=100; i:=100; R:=0.1;
> '(mu0*N*i*R^2/2)*(1/(R^2+x^2)^(3/2)+1/(R^2+(R-x)^2)^(3/2))';
> plot(B,x=0..R);
```

Le graphe montre clairement que le module du champ ne varie que très peu entre les deux bobines.

(e) On crée, dans le logiciel Maple, l'expression de la valeur maximale du module du champ. On crée l'équation qui traduit la contrainte et on la résout :

```
> Bmax:=(4/5)^(3/2)*mu0*N*i/R;
> solve(0.95*Bmax=B,x);
```

Outre les solutions complexes qui sont à rejeter, le dernier résultat montre qu'$\boxed{\text{entre } 0{,}0115R \text{ et } 0{,}988R}$, le module du champ possède une valeur qui est supérieure ou égale à $0{,}95B_0$.

P3. On raisonne à partir de la figure qui suit :

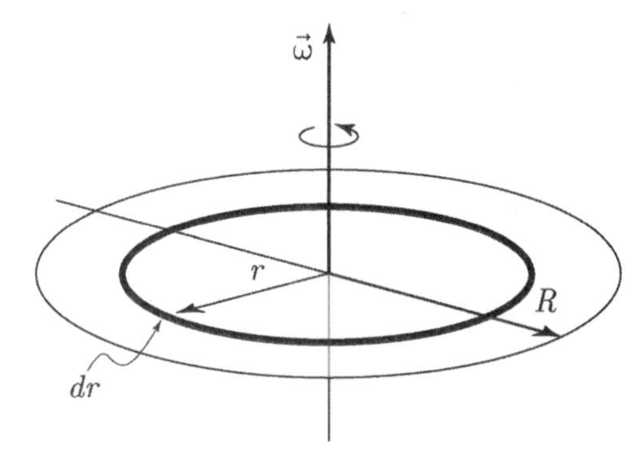

(a) La solution à cette question a déjà été trouvée à la partie (a) du problème 4 du chapitre 8, soit $dI = \boxed{\sigma\omega r dr}$

(b) On adapte l'équation 9.9 pour $a = r$, $N = 1$ et $\alpha = 90°$, ce qui permet d'obtenir

$dB = \frac{\mu_0 N dI \sin^3\alpha}{2a} = \frac{\mu_0 dI}{2r} = \frac{\mu_0 \sigma\omega r dr}{2r} = \boxed{\frac{\mu_0 \sigma\omega dr}{2}}$

(c) Le champ magnétique total est donné par l'ensemble des contributions de chaque élément dr, soit

$B = \int dB = \int_0^R \frac{\mu_0\sigma\omega dr}{2} = \frac{\mu_0\sigma\omega}{2}\int_0^R dr \Longrightarrow \boxed{B = \frac{\mu_0\sigma\omega R}{2}} \Longrightarrow \boxed{\text{CQFD}}$

P4. (a) On reprend la figure 9.63 en numérotant les quatre segments rectilignes de fil. On montre aussi le champ magnétique $\vec{\mathbf{B}}_1$ produit par le segment 1 au point P, obtenu grâce à la règle de la main droite, et les composantes de ce champ par rapport au système d'axes choisi :

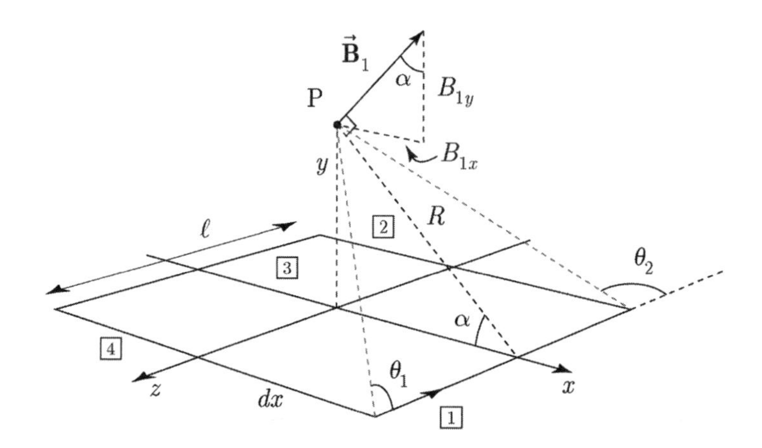

À cause de la symétrie, les composantes de champ qui sont orientées selon x et z s'annulent pour les quatre segments de fil. Le module B du champ magnétique résultant correspond à la composante verticale de $\vec{\mathbf{B}}_1$ qu'on multiplie par quatre pour tenir compte des quatre segments, soit $B = 4B_{1y}$.

Le carré de la distance R entre le segment 1 et le point P est $R^2 = \left(\frac{\ell}{2}\right)^2 + y^2$. Le cosinus des angles θ_1 et θ_2 qui sont utilisés dans l'équation 9.8 est, d'après la figure qui précède,

$\cos\theta_1 = \frac{\frac{\ell}{2}}{\sqrt{\left(\frac{\ell}{2}\right)^2+R^2}} = \frac{\frac{\ell}{2}}{\sqrt{\left(\frac{\ell}{2}\right)^2+\left(\frac{\ell}{2}\right)^2+y^2}} = \frac{\frac{\ell}{2}}{\sqrt{\frac{\ell^2}{2}+y^2}}$

$\cos\theta_2 = -\cos\theta_2$

Avec ces valeurs et l'équation 9.8, on calcule

$B_1 = \frac{\mu_0 I}{4\pi R}\left(\cos\theta_1 - \cos\theta_2\right) = \frac{\mu_0 I}{4\pi}\left(\frac{1}{\sqrt{\left(\frac{\ell}{2}\right)^2+y^2}}\right)\left(\frac{\frac{\ell}{2}}{\sqrt{\frac{\ell^2}{2}+y^2}} - \left(-\frac{\frac{\ell}{2}}{\sqrt{\frac{\ell^2}{2}+y^2}}\right)\right) \Longrightarrow$

$B_1 = \frac{\mu_0 I\ell}{4\pi\sqrt{\left(\frac{\ell}{2}\right)^2+y^2}\sqrt{\frac{\ell^2}{2}+y^2}} = \frac{\mu_0 I\ell}{4\pi\sqrt{\frac{\ell^2}{4}+y^2}\sqrt{\frac{\ell^2}{2}+y^2}}$

Finalement, si $\cos\alpha = \frac{\frac{\ell}{2}}{R} = \frac{\frac{\ell}{2}}{\sqrt{\frac{\ell^2}{4}+y^2}}$, le module du champ magnétique total est

$B = 4B_{1y} = 4B_1\cos\alpha = 4\left(\frac{\mu_0 I\ell}{4\pi\sqrt{\frac{\ell^2}{4}+y^2}\sqrt{\frac{\ell^2}{2}+y^2}}\right)\frac{\frac{\ell}{2}}{\sqrt{\frac{\ell^2}{4}+y^2}} \Longrightarrow$

$\boxed{B = \frac{\mu_0 I\ell^2}{2\pi\left(\frac{\ell^2}{4}+y^2\right)\sqrt{\frac{\ell^2}{2}+y^2}}} \Longrightarrow \boxed{\text{CQFD}}$

(b) Si $y \gg \ell$, on a $\frac{\ell^2}{4} + y^2 \approx y^2$ et $\frac{\ell^2}{2} + y^2 \approx y^2$, de sorte que le résultat de la partie (a) devient

$B = \frac{\mu_0 I\ell^2}{2\pi\left(\frac{\ell^2}{4}+y^2\right)\sqrt{\frac{\ell^2}{2}+y^2}} \approx \frac{\mu_0 I\ell^2}{2\pi y^2 y} = \frac{\mu_0 I\ell^2}{2\pi y^3}$

On constate que $\boxed{B \propto \frac{1}{y^3}}$ comme dans l'équation 9.10, qui décrit le champ magnétique d'un dipôle. $\Longrightarrow$ $\boxed{\text{CQFD}}$

P5. On reprend la figure 9.64 afin de décrire le système d'axes utilisé, un élément de largeur dx de la plaquette parcouru par un courant dI et placé en x, ainsi que le champ $d\vec{\mathbf{B}}$, que crée cet élément au point P:

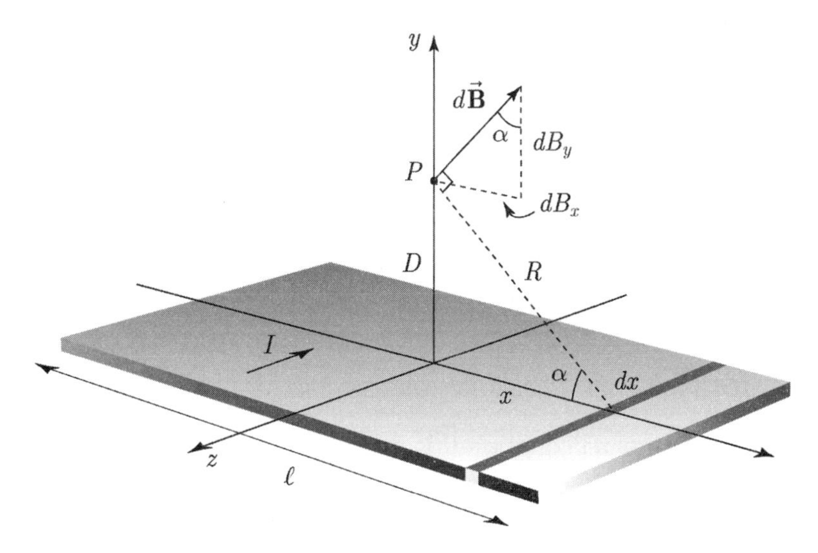

Pour chaque élément de la plaquette situé en $x > 0$, un élément symétrique annule la composante selon y du champ magnétique des deux éléments. Le champ magnétique total de la plaquette ne possède qu'une composante selon x, et le module de ce champ correspond à $B = \int dB_x$.

Si le courant I est distribué uniformément sur la plaquette de largeur ℓ, le courant qui parcourt l'élément de largeur dx est $dI = \frac{I}{\ell}dx$. Le module dB du champ de l'élément, qui a une longueur infinie, est donné par l'équation 9.1, dans laquelle $R = \sqrt{x^2 + D^2}$:

$dB = \frac{\mu_0 dI}{2\pi R} = \frac{\mu_0 I dx}{2\pi\ell\sqrt{x^2+D^2}}$

La composante selon x du champ de cet élément est, si $\sin\alpha = \frac{D}{R} = \frac{D}{\sqrt{x^2+D^2}}$,

$dB_x = dB\sin\alpha = \frac{\mu_0 I dx}{2\pi\ell\sqrt{x^2+D^2}}\left(\frac{D}{\sqrt{x^2+D^2}}\right) = \frac{\mu_0 I D dx}{2\pi\ell(x^2+D^2)}$

Le module du champ résultant est

$B = \int dB_x = \int\limits_{-\frac{\ell}{2}}^{\frac{\ell}{2}} \frac{\mu_0 I D dx}{2\pi\ell(x^2+D^2)} = \frac{\mu_0 I D}{2\pi\ell}\int\limits_{-\frac{\ell}{2}}^{\frac{\ell}{2}} \frac{dx}{x^2+D^2} = \frac{\mu_0 I D}{2\pi\ell}\left[\frac{1}{D}\arctan\left(\frac{x}{D}\right)\right|_{-\frac{\ell}{2}}^{\frac{\ell}{2}}$

On rappelle que $\arctan(u) = -\arctan(-u)$, de sorte que

$B = \frac{\mu_0 I}{2\pi\ell}\left(\arctan\left(\frac{\ell}{2D}\right) - \arctan\left(-\frac{\ell}{2D}\right)\right) \Longrightarrow \boxed{B = \frac{\mu_0 I}{\pi\ell}\arctan\left(\frac{\ell}{2D}\right)} \Longrightarrow \boxed{\text{CQFD}}$

P6. On reprend la figure 9.64 afin de décrire le système d'axes utilisé, un élément de largeur dx de la plaquette parcouru par un courant dI et placé en x, ainsi que le champ $d\vec{\mathbf{B}}$, que crée cet élément au point Q :

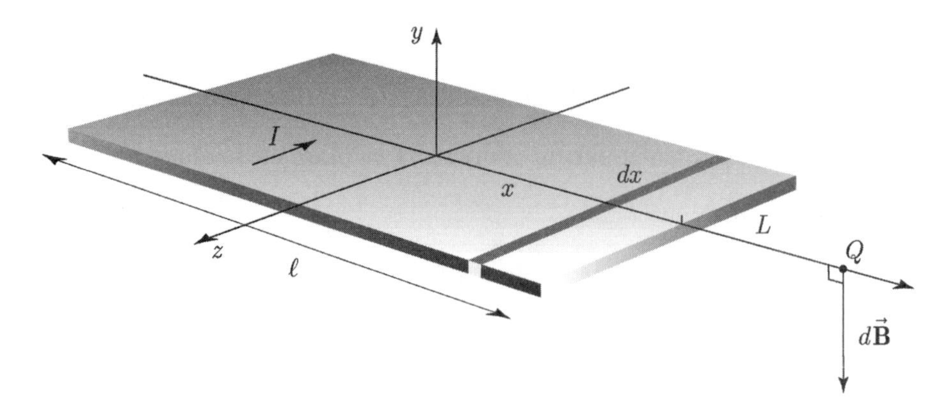

On a choisi de maintenir l'origine du système d'axes au centre de la plaquette. Une autre approche consisterait à déplacer l'origine du système d'axes du côté droit de la plaquette et à inverser le sens de l'axe des x.

Le module dB du champ de chaque élément parcouru par un courant $dI = \frac{I}{\ell}dx$ et de largeur dx est donné par l'équation 9.1, dans laquelle $R = \left(\frac{\ell}{2} - x\right) + L$:

$dB = \frac{\mu_0 dI}{2\pi R} = \frac{\mu_0 I dx}{2\pi \ell\left(\frac{\ell}{2}+L-x\right)}$

Selon la figure qui précède, le champ $d\overrightarrow{\mathbf{B}}$ de chacun des éléments est orienté selon l'axe des y négatifs. Le module du champ magnétique résultant de la plaquette peut donc directement être calculé avec

$B = \int dB = \int\limits_{-\frac{\ell}{2}}^{\frac{\ell}{2}} \frac{\mu_0 I dx}{2\pi \ell\left(\frac{\ell}{2}+L-x\right)} = \frac{\mu_0 I}{2\pi \ell} \int\limits_{-\frac{\ell}{2}}^{\frac{\ell}{2}} \frac{dx}{\frac{\ell}{2}+L-x} = \frac{\mu_0 I}{2\pi \ell}\left[-\ln\left(\frac{\ell}{2}+L-x\right)\right|_{-\frac{\ell}{2}}^{\frac{\ell}{2}} \Longrightarrow$

$B = \frac{\mu_0 I}{2\pi \ell}\left(-\ln(L) - \left(-\ln(L+\ell)\right)\right) \Longrightarrow B = \boxed{\frac{\mu_0 I}{2\pi \ell}\ln\left(\frac{L+\ell}{L}\right)}$

P7. On donne $a = 2$ cm, le rayon d'un solénoïde dont l'axe coïncide avec l'axe des x et qui s'étend de $x = 0$ à $x = 20$ cm.

(a) Le module du champ magnétique du solénoïde mesuré sur son axe est donné par l'équation 9.12 :

$B = \frac{1}{2}\mu_0 n I\left(\cos\alpha_2 - \cos\alpha_1\right)$

Pour $x < 0$, et d'après la figure 9.19a, on obtient

$\cos\alpha_1 = \frac{-x}{\sqrt{x^2+a^2}}$

$\cos\alpha_2 = \frac{0{,}20-x}{\sqrt{(0{,}20-x)^2+a^2}}$

Pour $x > 0$, comme on le voit à la figure 9.19b, la valeur du cosinus des deux angles est la même :

$\cos\alpha_1 = \frac{-x}{\sqrt{x^2+a^2}}$

$\cos\alpha_2 = \frac{0{,}20-x}{\sqrt{(0{,}20-x)^2+a^2}}$

de sorte que

$$B = \boxed{\tfrac{1}{2}\mu_0 nI\left(\frac{0{,}20-x}{\sqrt{(0{,}20-x)^2+a^2}} + \frac{x}{\sqrt{x^2+a^2}}\right)}$$

(b) Dans le logiciel Maple, on donne une valeur à n et à I, on définit l'expression du module du champ, et on trace le graphe demandé :

```
> restart;
> mu0:=Pi*4e-7; i:=10; n:=100; L:=0.20; a:=0.02;
> B:='(1/2)*mu0*n*i*((L-x)/sqrt((L-x)^2+a^2)+x/sqrt(x^2+a^2))';
> plot(B,x=-0.05..0.05+L);
```

Le graphe obtenu et la figure 9.20 sont identiques.

(c) On calcule le module du champ avec l'équation 9.13 et on résout l'équation qui définit la contrainte :

```
> evalf(mu0*n*i);
> solve(B=0.9*mu0*n*i,x);
```

Les deux valeurs de x obtenues se situent à l'intérieur du solénoïde, soit

$\boxed{x = 2{,}73 \text{ cm},\ x = 17{,}3 \text{ cm}}$

(d) On redéfinit la valeur de a et on reprend le calcul de la partie (d) :

```
> a:=0.005;
> solve(B=0.9*mu0*n*i,x);
```

Les valeurs obtenues se trouvent plus près des extrémités du solénoïde, soit

$\boxed{x = 6{,}67 \text{ mm},\ x = 19{,}3 \text{ cm}}$

P8. On reprend la figure 9.65 pour montrer les deux éléments de courant dI_1 et dI_2, obtenus par l'intersection de deux droites formant un angle θ avec le cylindre :

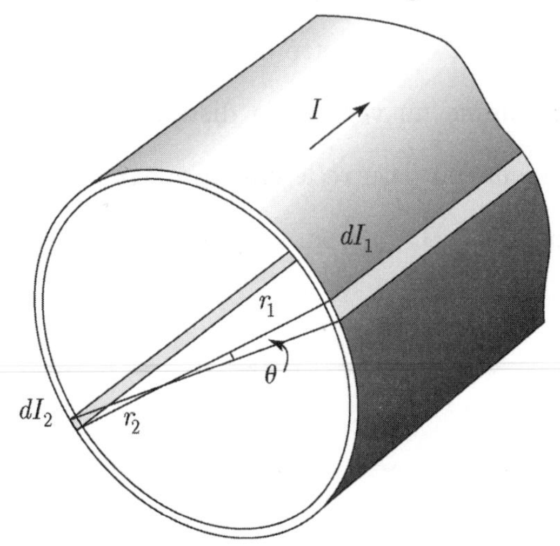

(a) Le raisonnement qui s'applique aux deux éléments de courant de cette figure s'applique à toute paire d'éléments de courant créés par des droites quelconques et définissant tous les points de l'espace intérieur du cylindre. L'angle θ entre les deux droites doit être petit. Si l'angle est petit, les champs magnétiques $d\vec{\mathbf{B}}_1$ et $d\vec{\mathbf{B}}_2$ associés à chaque élément de courant seront perpendiculaires à l'une ou l'autre des droites, et de sens opposé. Si le courant I qui circule dans le tube est distribué uniformément et que r est le rayon du tube, on peut obtenir la valeur de chaque élément de courant en évaluant la fraction de la circonférence sur laquelle ce courant circule, c'est-à-dire $dI_1 = \frac{r_1\theta}{2\pi r}I$ et $dI_2 = \frac{r_2\theta}{2\pi r}I$.

Le module du champ magnétique produit par chaque élément de courant au point d'intersection des deux droites est, selon l'équation 9.1,

$$dB_1 = \frac{\mu_0 dI_1}{2\pi r_1} = \frac{\mu_0}{2\pi r_1}\left(\frac{r_1\theta I}{2\pi r}\right) = \frac{\mu_0\theta I}{4\pi^2 r}$$

$$dB_2 = \frac{\mu_0 dI_2}{2\pi r_2} = \frac{\mu_0}{2\pi r_2}\left(\frac{r_2\theta I}{2\pi r}\right) = \frac{\mu_0\theta I}{4\pi^2 r}$$

On constate que $dB_1 = dB_2$. Ainsi, puisque $d\vec{\mathbf{B}}_1$ et $d\vec{\mathbf{B}}_2$ sont de sens opposé, ils s'annulent. Comme le même raisonnement s'applique partout et pour toute paire d'éléments de courant, on en conclut que $\boxed{\vec{\mathbf{B}} = 0 \text{ dans tout le volume intérieur}} \Longrightarrow \boxed{\text{CQFD}}$

(b) Si on choisit un parcours circulaire concentrique au tube et de rayon inférieur à celui du tube, dans $\oint \vec{\mathbf{B}} \cdot d\vec{\ell} = \mu_0 I'$, le courant I' circulant à l'intérieur du parcours est nul et $\oint \vec{\mathbf{B}} \cdot d\vec{\ell} = 0$, de sorte que $\boxed{\vec{\mathbf{B}} = 0} \Longrightarrow \boxed{\text{CQFD}}$

P9. (a) Le principe de superposition permet d'affirmer que cette situation est équivalente à celle d'un fil plein de rayon R, parcouru par un courant I sortant de la page à la figure 9.66, et à celle d'un fil de rayon r remplissant la cavité et parcouru par un courant I' dans le sens opposé. On reprend la figure 9.66 afin de décrire les vecteurs $\vec{\mathbf{s}}$ et $\vec{\mathbf{s}}'$, qui relient le centre du fil de rayon R et le centre de la cavité à un point quelconque de la cavité. On considère aussi comme un vecteur la distance a entre le centre du fil et le centre de la cavité. Finalement, on montre le champ magnétique produit par le fil de rayon R $\left(\vec{\mathbf{B}}_{\text{fil}}\right)$et le fil de rayon r $\left(\vec{\mathbf{B}}_{\text{cavité}}\right)$ en un point quelconque de la cavité :

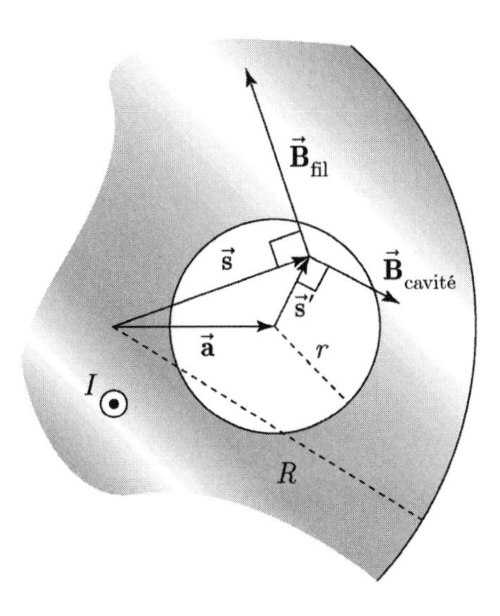

Dans la cavité, le champ magnétique résultant correspond à la somme vectorielle du champ produit par les courants de sens opposé. Le module du champ produit par chacun de ces courants est donné par le résultat de l'exemple 9.6*b* et l'équation (iii) de celui-ci. Pour le fil de rayon R, à une distance s de son centre, on trouve

$B_{\text{fil}} = \frac{\mu_0 I s}{2\pi R^2}$

Pour le fil de rayon r qui remplit la cavité à une distance s' de son centre, si

$I' = \frac{\pi r^2}{\pi R^2} I = \frac{r^2}{R^2} I$

on obtient

$B_{\text{cavité}} = \frac{\mu_0 I' s'}{2\pi R^2} = \frac{\mu_0 s'}{2\pi r^2}\left(\frac{r^2}{R^2} I\right) = \frac{\mu_0 I s'}{2\pi R^2}$

Le module des deux champs correspond au même facteur $\left(\frac{\mu_0 I}{2\pi R^2}\right)$, multiplié par la distance respective au centre de l'un ou l'autre des fils. Vectoriellement, les deux vecteurs ont une orientation qui est perpendiculaire à $\vec{\mathbf{s}}$ ou $\vec{\mathbf{s}}'$. On nomme $\vec{\mathbf{u}}_s$ et $\vec{\mathbf{u}}_{s'}$ les deux vecteurs unitaires obtenus par une rotation anti-horaire de 90° avec $\vec{\mathbf{s}}$ ou $\vec{\mathbf{s}}'$. Pour ces vecteurs et en tenant compte du sens des courants, le champ résultant s'exprime comme suit :

$\vec{\mathbf{B}} = \vec{\mathbf{B}}_{\text{fil}} + \vec{\mathbf{B}}_{\text{cavité}} = \frac{\mu_0 I s}{2\pi R^2} \vec{\mathbf{u}}_s - \frac{\mu_0 I s'}{2\pi R^2} \vec{\mathbf{u}}_{s'} = \frac{\mu_0 I}{2\pi R^2}\left(s \vec{\mathbf{u}}_s - s' \vec{\mathbf{u}}_{s'}\right)$

Il est facile de voir, d'après la figure qui précède, que $\vec{\mathbf{s}} - \vec{\mathbf{s}}' = \vec{\mathbf{a}}$, ce qui reste vrai pour les deux vecteurs qui leur sont perpendiculaires et qui sont de même module. Ainsi,

$s \vec{\mathbf{u}}_s - s' \vec{\mathbf{u}}_{s'} = \vec{\mathbf{a}}$

et

$\vec{\mathbf{B}} = \frac{\mu_0 I}{2\pi R^2} \vec{\mathbf{a}}$

Comme le vecteur champ magnétique résultant ne dépend pas du point choisi dans la cavité, alors $\boxed{\overrightarrow{\mathbf{B}} \text{ est constant}} \Longrightarrow \boxed{\text{CQFD}}$

(b) Directement, en utilisant le résultat de la partie (a), on obtient $B = \boxed{\frac{\mu_0 I a}{2\pi R^2}}$

P10. La figure qui suit montre le système d'axes utilisé, un élément de courant dI de la moitié du cylindre et le champ $d\overrightarrow{\mathbf{B}}$ que produit cet élément sur l'axe du cylindre :

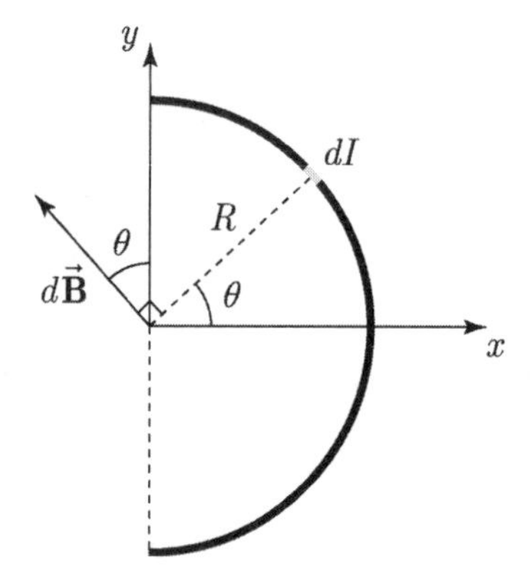

Pour chaque élément de courant situé en θ, un autre élément de courant situé en $-\theta$ annule la composante selon x du champ magnétique des deux éléments. Le champ magnétique résultant du demi-cylindre ne possède donc qu'une composante selon y, et on calcule son module avec $B = \int dB_y$.

Si le courant I qui parcourt le demi-cylindre est réparti uniformément, on peut exprimer la fraction qui parcourt l'élément par un rapport de longueur d'arc de cercle, soit

$dI = \frac{Rd\theta}{\pi R} I = \frac{d\theta}{\pi} I.$

Selon l'équation 9.1, le module du champ magnétique de l'élément de courant dI est

$dB = \frac{\mu_0 dI}{2\pi R} = \frac{\mu_0}{2\pi R}\left(\frac{d\theta}{\pi} I\right) = \frac{\mu_0 I}{2\pi^2 R} d\theta$

La composante verticale de $d\overrightarrow{\mathbf{B}}$ est

$dB_y = dB\cos\theta = \frac{\mu_0 I}{2\pi^2 R}\cos\theta d\theta$

Et le module du champ magnétique résultant est

$B = \int dB_y = \int_{-\frac{\pi}{2}}^{\frac{\pi}{2}} \frac{\mu_0 I}{2\pi^2 R}\cos\theta d\theta = \frac{\mu_0 I}{2\pi^2 R}\int_{-\frac{\pi}{2}}^{\frac{\pi}{2}} \cos\theta d\theta = \frac{\mu_0 I}{2\pi^2 R}\left[\sin\theta\right|_{-\frac{\pi}{2}}^{\frac{\pi}{2}} \Longrightarrow$

$B = \frac{\mu_0 I}{2\pi^2 R}\left(\sin\left(\frac{\pi}{2}\right) - \sin\left(-\frac{\pi}{2}\right)\right) = \boxed{\frac{\mu_0 I}{\pi^2 R}}$

P11. Selon l'équation 9.9, le module du champ magnétique sur l'axe d'une boucle de courant ($N = 1$) est

$B = \frac{\mu_0 N I \sin^3\alpha}{2a} = \frac{\mu_0 I \sin^3\alpha}{2a}$

D'après la figure 9.11, si z est mesuré sur l'axe de la boucle, on voit que $\sin\alpha = \frac{a}{r}$ pour

$r = \sqrt{a^2 + z^2}$. Ainsi,

$B = \frac{\mu_0 I}{2a} \left(\frac{a}{\sqrt{a^2+z^2}} \right)^3 = \frac{\mu_0 I a^2}{2(a^2+z^2)^{3/2}}$

Si $z \gg a$, on a $a^2 + z^2 \approx z^2$. Pour $k' = \frac{\mu_0}{4\pi}$ et $\mu = I\left(\pi a^2\right)$, on obtient

$B \approx \frac{\mu_0 I a^2}{2(z^2)^{3/2}} = \frac{4\mu_0 I \pi a^2}{2(4)\pi(z^2)^{3/2}} = \frac{4k'\mu}{2z^3} \Longrightarrow \boxed{B = \frac{2k'\mu}{z^3}} \Longrightarrow \boxed{\text{CQFD}}$

P12. (a) Chacun des n segments qui composent le polygone régulier de la figure 9.68 contribue de la même façon au champ magnétique résultant au point P. On reprend la figure pour montrer les angles α, θ_1, θ_2 et la distance d qui serviront à exprimer le module du champ de l'un des six segments au moyen de l'équation 9.8 :

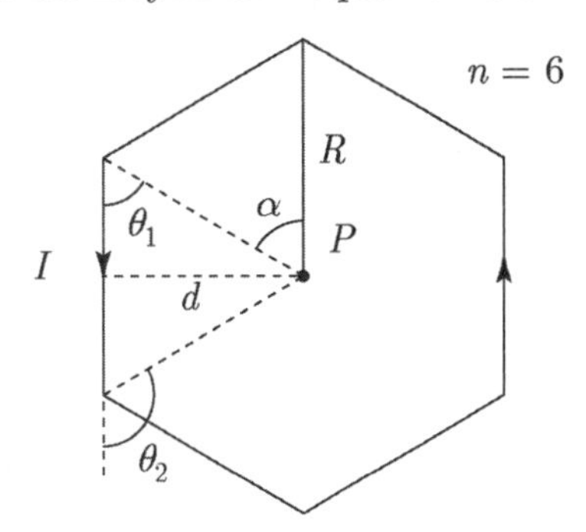

Ici, le polygone régulier est un hexagone $(n = 6)$. Afin de préparer la réponse de la partie (b), les variables seront exprimées en fonction du nombre de côtés n du polygone régulier et de la distance R entre l'un de ses sommets et son centre. Ainsi,

$\alpha = \frac{2\pi}{n}$

$d = R\cos\left(\frac{\alpha}{2}\right) = R\cos\left(\frac{\pi}{n}\right)$

$\cos\theta_1 = \sin\left(\frac{\alpha}{2}\right) = \sin\left(\frac{\pi}{n}\right)$

$\cos\theta_2 = -\cos\theta_1 = -\sin\left(\frac{\pi}{n}\right)$

Si on insère ces valeurs dans l'équation 9.8, en se rappelant qu'il faut multiplier le résultat par n pour obtenir le module du champ magnétique de tout le polygone, on obtient

$B = n\left(\frac{\mu_0 I}{4\pi d}\right)(\cos\theta_1 - \cos\theta_2) = n\left(\frac{\mu_0 I}{4\pi}\right)\left(\frac{1}{R\cos\left(\frac{\pi}{n}\right)}\right)\left(\sin\left(\frac{\pi}{n}\right) - \left(-\sin\left(\frac{\pi}{n}\right)\right)\right) \Longrightarrow$

$B = n\left(\frac{\mu_0 I}{4\pi R}\right)\left(\frac{1}{\cos\left(\frac{\pi}{n}\right)}\right)\left(2\sin\left(\frac{\pi}{n}\right)\right) \Longrightarrow$

$\boxed{B = \frac{\mu_0 I}{2\pi R} n\tan\left(\frac{\pi}{n}\right),\ \text{où } n = 6 \text{ pour le cas représenté}}$.

(b) Si $n \longrightarrow \infty$, on a

$\lim_{n\longrightarrow\infty} n\tan\left(\frac{\pi}{n}\right) = \infty \cdot 0$

Pour lever l'indétermination, on applique la règle de l'Hospital :

$\lim_{n\longrightarrow\infty} n\tan\left(\frac{\pi}{n}\right) = \lim_{n\longrightarrow\infty} \frac{\tan\left(\frac{\pi}{n}\right)}{\frac{1}{n}} = \lim_{n\longrightarrow\infty} \frac{\frac{d}{dn}\left(\tan\left(\frac{\pi}{n}\right)\right)}{\frac{d}{dn}\left(\frac{1}{n}\right)} = \lim_{n\longrightarrow\infty} \frac{\sec^2\left(\frac{\pi}{n}\right)\left(-\frac{\pi}{n^2}\right)}{-\frac{1}{n^2}} \Longrightarrow$

$$\lim_{n \longrightarrow \infty} n \tan\left(\frac{\pi}{n}\right) = \lim_{n \longrightarrow \infty} \pi \sec^2\left(\frac{\pi}{n}\right) = \pi$$

Avec ce résultat, le module du champ au centre du polygone possédant un nombre infini de côté devient

$$\lim_{n \longrightarrow \infty} B = \frac{\mu_0 I}{2\pi R}(\pi) \implies \boxed{\lim_{n \longrightarrow \infty} B = \frac{\mu_0 I}{2R}}$$

ce qui correspond précisément au module du champ au centre ($\alpha = 90°$) d'une boucle ($N = 1$) selon l'équation 9.9. $\implies$ $\boxed{\text{CQFD}}$

Chapitre 10 : L'induction électromagnétique

Exercices

E1. On donne $A = (12 \text{ cm})(7 \text{ cm}) = 84 \times 10^{-4} \text{ m}^2$, $\theta_1 = 0°$, $\theta_2 = 120°$ et $B = 0{,}2$ T. Selon l'équation 10.1, on trouve

$$\Phi_{B1} = BA\cos\theta_1 = (0{,}2)\left(84 \times 10^{-4}\right)\cos(0°) = 1{,}68 \times 10^{-3} \text{ Wb}$$

$$\Phi_{B2} = BA\cos\theta_2 = (0{,}2)\left(84 \times 10^{-4}\right)\cos(120°) = -8{,}40 \times 10^{-4} \text{ Wb}$$

Finalement, on obtient

$$\Delta\Phi_B = \left(-8{,}40 \times 10^{-4}\right) - \left(1{,}68 \times 10^{-3}\right) = \boxed{-2{,}52 \times 10^{-3} \text{ Wb}}$$

E2. On donne $r = 6$ cm, de sorte que $A = \pi r^2 = 36\pi \times 10^{-4} \text{ m}^2$, $\theta_1 = 60°$ et $B = 0{,}25$ T.

(a) En utilisant l'équation 10.1, on trouve

$$\Phi_{B1} = BA\cos\theta_1 = (0{,}25)\left(36\pi \times 10^{-4}\right)\cos(60°) = \boxed{1{,}41 \times 10^{-3} \text{ Wb}}$$

(b) Si on inverse le sens de $\vec{\mathbf{B}}$, $\theta_2 = 120°$ et

$$\Phi_{B2} = BA\cos\theta_2 = (0{,}25)\left(36\pi \times 10^{-4}\right)\cos(120°) = -1{,}41 \times 10^{-3} \text{ Wb}$$

de sorte que

$$\Delta\Phi_B = \Phi_{B2} - \Phi_{B1} = \boxed{-2{,}82 \times 10^{-3} \text{ Wb}}$$

E3. Pour le solénoïde qui crée le champ magnétique $\vec{\mathbf{B}}$, on donne $n = 1000$ spires/m et $I_1 = 4{,}0$ A. La bobine traversée par ce champ possède 5 spires ($N = 5$) et son aire est $A = 8 \times 10^{-4} \text{ m}^2$. L'angle entre l'axe de la bobine $\left(\vec{\mathbf{A}}\right)$ et celui du solénoïde $\left(\vec{\mathbf{B}}\right)$ est $\theta = 37°$, comme on peut le constater dans cette figure :

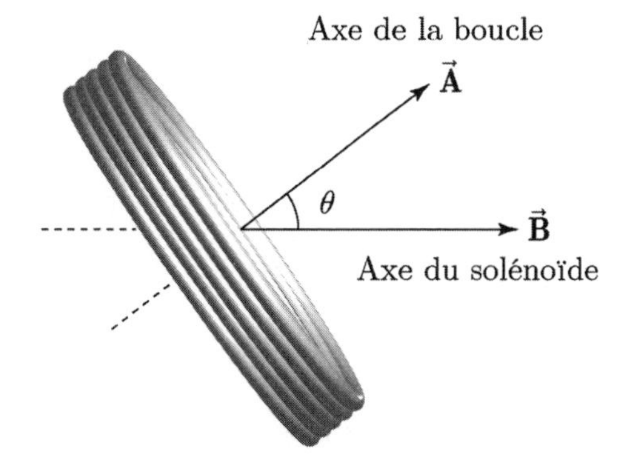

Au moyen de l'équation 10.5 et de l'équation 10.3*b*, adaptées à un intervalle qui n'est pas infinitésimal, et en considérant que seul le module du champ B change, on trouve

$$\xi = -N\frac{\Delta\Phi_B}{\Delta t} = -N\frac{\Delta B}{\Delta t}A\cos\theta \quad \text{(i)}$$

Si on utilise l'équation 9.13, valable pour un long solénoïde, on obtient

$\Delta B = B_2 - B_1 = \mu_0 n I_2 - \mu_0 n I_1 = \mu_0 n (I_2 - I_1)$ (ii)

Le courant augmente de 25 % en $\Delta t = 0{,}1$ s, donc $I_2 = 1{,}25 I_1 = 5{,}0$ A. Si on insère cette valeur dans l'équation (ii) et qu'on combine celle-ci avec l'équation (i), on obtient

$\xi = -N\frac{\mu_0 n (I_2 - I_1)}{\Delta t} A\cos\theta = -(5)\,\frac{(4\pi\times10^{-7})(1000)(5{,}0-4{,}0)}{0{,}1}\,(8\times10^{-4})\cos(37°) = -40{,}1\ \mu\text{V}$

de sorte que $\boxed{|\xi| = 40{,}1\ \mu\text{V}}$

E4. On donne $\ell = 5$ cm, $R = 0{,}2\ \Omega$, $B = 0{,}25$ T et $I = 2$ A, le courant induit. Cette situation est similaire à celle de l'exemple 10.7.

(a) On reprend l'équation (i) de l'exemple 10.7, ce qui permet d'obtenir

$I = \frac{B\ell v}{R} \Longrightarrow v = \frac{RI}{B\ell} = \frac{0{,}2(2)}{0{,}25(0{,}05)} = \boxed{32{,}0\ \text{m/s}}$

(b) Selon la figure 10.46, $\vec{\mathbf{B}} = B\vec{\mathbf{k}}$ et $\vec{\ell} = -\ell\vec{\mathbf{j}}$ à cause du sens du courant induit. Si on utilise l'équation 8.3, en se rappelant que $\vec{\mathbf{j}}\times\vec{\mathbf{k}} = \vec{\mathbf{i}}$, on obtient

$\vec{\mathbf{F}}_B = I\vec{\ell}\times\vec{\mathbf{B}} = I\left(-\ell\vec{\mathbf{j}}\right)\times\left(B\vec{\mathbf{k}}\right) = -I\ell B\left(\vec{\mathbf{j}}\times\vec{\mathbf{k}}\right) = -I\ell B\vec{\mathbf{i}}$

Pour maintenir constante la vitesse de la tige, on a besoin d'une force extérieure qui s'oppose à la force magnétique, soit

$\vec{\mathbf{F}}_{\text{ext}} = -\vec{\mathbf{F}}_B = I\ell B\vec{\mathbf{i}} = 2(0{,}05)(0{,}25)\vec{\mathbf{i}} = \boxed{0{,}0250\vec{\mathbf{i}}\ \text{N}}$

E5. On donne $R = 3\ \Omega$, $N = 25$ spires, $A = 8\times10^{-4}$ m^2 et $B(t) = 0{,}4t - 0{,}3t^2$. Comme l'axe de la bobine coïncide avec $\vec{\mathbf{B}}$, $\theta = 0°$.

(a) En utilisant l'équation 10.1, on obtient

$\Phi_B = BA\cos\theta = \left(0{,}4t - 0{,}3t^2\right)\left(8\times10^{-4}\right)\cos(0°) = \boxed{\left(3{,}20t - 2{,}40t^2\right)\times10^{-4}\ \text{Wb}}$

(b) D'après les équations 10.5 et 10.3*b*, on obtient

$\xi = -N\frac{d\Phi_B}{dt} = -NA\cos\theta\frac{dB}{dt} = -NA\cos\theta\frac{d}{dt}\left(0{,}4t - 0{,}3t^2\right) \Longrightarrow$

$\xi = -25\left(8\times10^{-4}\right)\cos(0°)(0{,}4 - 0{,}6t) = (120t - 80{,}0)\times10^{-4}$ V

À $t = 1$ s et pour $\xi = 40{,}0\times10^{-4}$ V, en utilisant l'équation 6.10, on trouve

$\xi = RI \Longrightarrow I = \frac{\xi}{R} = \frac{40{,}0\times10^{-4}}{3} = \boxed{1{,}33\ \text{mA}}$

(c) On pose $B(t) = 0$, de sorte que

$B(t) = 0{,}4t - 0{,}3t^2 = 0 \Longrightarrow t(0{,}4 - 0{,}3t) = 0$

On constate que $B = 0$ à l'instant initial puis à $t = \boxed{1{,}33\ \text{s}}$. Après cet instant, l'équation 10.3*b* n'est plus valable parce que B, le module du champ magnétique, devient négatif.

E6. On donne $N = 15$ spires, $r = 2$ cm, le rayon de la bobine, donc

$A = \pi r^2 = 4\pi\times10^{-4}$ m^2, $\theta = 50°$, $B_1 = 0{,}2$ T, $B_2 = 0{,}5$ T et $\Delta t = 0{,}2$ s.

Au moyen des équations 10.5 et 10.3*b*, adaptées à un intervalle qui n'est pas infinitésimal, et en considérant que seul le module du champ B change, on trouve

$\xi = -N\frac{\Delta\Phi_B}{\Delta t} = -N\frac{\Delta B}{\Delta t}A\cos\theta = -N\frac{B_2-B_1}{\Delta t}A\cos\theta \implies$

$\xi = -15\frac{(0{,}5-0{,}2)}{0{,}2}\left(4\pi \times 10^{-4}\right)\cos(50°) = -18{,}2 \text{ mV}$

de sorte que $\boxed{|\xi| = 18{,}2 \text{ mV}}$

E7. Cette situation est similaire à celle décrite à la figure 10.15 de l'exemple 10.6. Pour le solénoïde (s), on donne $\ell_s = 30$ cm, $N_s = 240$ spires, $r_s = 2$ cm, donc $A_s = 4\pi \times 10^{-4}$ m^2 et $I_s(t) = 4{,}8\sin(60\pi t)$ A.

Pour la bobine, on a $N_b = 12$ spires et $r_b = 3$ cm, le rayon de chaque spire.

Comme l'axe de la bobine et l'axe du solénoïde sont confondus, $\overrightarrow{\mathbf{A}}$ est parallèle à $\overrightarrow{\mathbf{B}}$, et $\theta = 0°$ dans l'équation 10.1.

Comme $r_b > r_s$, seule la portion de l'aire de la bobine qui se trouve dans le solénoïde est traversée par $\overrightarrow{\mathbf{B}}$, on utilise donc A_s dans les calculs.

D'après l'équation 10.5 et l'équation 10.3*b*, on a

$\xi = -N_b\frac{d\Phi_B}{dt} = -N_bA_s\cos\theta\frac{dB}{dt}$

Si le module du champ magnétique produit par le solénoïde est donné par l'équation 9.13, dans laquelle $n = \frac{N_s}{\ell_s} = \frac{240}{0{,}30} = 800$ spires/m, on a

$\frac{dB}{dt} = \frac{d}{dt}(\mu_0 nI_s) = \mu_0 n\frac{dI_s}{dt} = \mu_0 n\frac{d}{dt}(4{,}8\sin(60\pi t)) \implies$

$\frac{dB}{dt} = 4\pi \times 10^{-7}(800)(4{,}8(60\pi)\cos(60\pi t)) = 9{,}10 \times 10^{-1}\cos(60\pi t)$ T/s

de sorte que

$\xi = -N_bA_s\cos\theta\frac{dB}{dt} = -12\left(4\pi \times 10^{-4}\right)\cos(0°)\left(9{,}10 \times 10^{-1}\right)\cos(60\pi t) \implies$

$\xi = \boxed{-13{,}7\cos(60\pi t) \text{ mV}}$

E8. On donne $f = 800$ kHz, $N = 120$ spires, $r = 0{,}6$ cm, le rayon de la bobine, de sorte que $A = 36\pi \times 10^{-6}$ m^2. On suppose que le champ magnétique qui traverse la bobine est donné par $\overrightarrow{\mathbf{B}} = 1{,}0 \times 10^{-5}\sin(2\pi ft)\,\overrightarrow{\mathbf{k}}$.

Si l'axe de la bobine est parallèle à $\overrightarrow{\mathbf{B}}$, $\overrightarrow{\mathbf{A}} = A\overrightarrow{\mathbf{k}} = 36\pi \times 10^{-6}\overrightarrow{\mathbf{k}}$ m^2, et le flux à travers la bobine est, selon l'équation 10.1,

$\Phi_B = \overrightarrow{\mathbf{B}}\cdot\overrightarrow{\mathbf{A}} = B_xA_x+B_yA_y+B_zA_z = B_zA_z = \left(1{,}0 \times 10^{-5}\sin(2\pi ft)\right)\left(36\pi \times 10^{-6}\right) \implies$

$\Phi_B = \left(36\pi \times 10^{-11}\right)\sin\left(2\pi\left(800 \times 10^3\right)t\right) = \left(36\pi \times 10^{-11}\right)\sin\left(1600\pi \times 10^3 t\right)$

En utilisant l'équation 10.5, on obtient donc

$\xi = -N\frac{d\Phi_B}{dt} = -120\frac{d}{dt}\left(\left(36\pi \times 10^{-11}\right)\sin\left(1600\pi \times 10^3 t\right)\right) \implies$

$\xi = -120\left(36\pi \times 10^{-11}\right)\left(1600\pi \times 10^3\right)\cos\left(1600\pi \times 10^3 t\right) \implies$

$\xi = \boxed{-0{,}682\cos(5{,}03 \times 10^6 t)\ \text{V}}$

E9. On donne $r = 5$ cm, donc $A = 25\pi \times 10^{-4}$ m^2, $N = 1$ et $B = 0{,}2 - 12{,}5t$. L'angle entre $\vec{\mathbf{B}}$ et $\vec{\mathbf{A}}$ est nul ($\theta = 0°$) dans l'équation 10.1. À $t_1 = 0$, $B_1 = 0{,}2$ T. À $t_2 = 10$ ms, $B_2 = 0{,}2 - 12{,}5\left(10 \times 10^{-3}\right) = 0{,}075$ T.

(a) En utilisant l'équation 10.1, on obtient

$\Phi_{B1} = B_1 A\cos\theta = (0{,}2)\left(25\pi \times 10^{-4}\right)\cos(0°) = 1{,}571 \times 10^{-3}$ Wb

$\Phi_{B2} = B_2 A\cos\theta = (0{,}075)\left(25\pi \times 10^{-4}\right)\cos(0°) = 5{,}89 \times 10^{-4}$ Wb

Finalement, on trouve

$\Delta\Phi_B = \left(5{,}89 \times 10^{-4}\right) - \left(1{,}571 \times 10^{-3}\right) = \boxed{-9{,}82 \times 10^{-4}\ \text{Wb}}$

(b) Au moyen de l'équation 10.4, adaptée à un intervalle qui n'est pas infinitésimal, et $\Delta t = 10$ ms, on obtient

$\xi = -\frac{\Delta\Phi_B}{\Delta t} = -\frac{-9{,}82\times10^{-4}}{10\times10^{-3}} = \boxed{98{,}2\ \text{mV}}$

(c) Le flux magnétique à travers la bobine diminue. Si on applique la loi de Lenz, on trouve que le champ magnétique induit est dans le même sens que le champ magnétique appliqué, ce qui implique que le courant parcourt la bobine dans le sens $\boxed{\text{anti-horaire}}$ vu d'au-dessus.

E10. On donne $A = (25\text{ cm})(40\text{ cm}) = 0{,}100$ m^2, $v = 20$ m/s, $\theta = 0°$, $B = 0{,}18$ T et $R = 1{,}2\ \Omega$.

(a) Il s'agit d'une situation similaire à celle de l'exemple 10.9, dont on récupère le résultat avec $\ell = 0{,}25$ m, comme on le voit à la figure 10.47 :

$\xi = -B\ell v = -(0{,}18)(0{,}25)(20) = -0{,}900$ V

de sorte que $\boxed{|\xi| = 0{,}900\ \text{V}}$

(b) Selon l'équation 6.10, le courant induit a pour valeur

$|\xi| = RI \implies I = \frac{|\xi|}{R} = \frac{0{,}900}{1{,}2} = 0{,}750$ A

Le flux magnétique à travers le cadre augmente dans la direction z négative. Si on applique la loi de Lenz, on trouve que le champ magnétique induit $\vec{\mathbf{B}}_{\text{ind}}$ est orienté dans la direction z positive. Le courant induit circule donc dans le sens anti-horaire, et la portion verticale du cadre qui subit la force magnétique peut être représentée par $\vec{\ell} = \ell\vec{\mathbf{j}}$.

Avec $\vec{\mathbf{B}} = -B\vec{\mathbf{k}}$ dans l'équation 8.3 et en se rappelant que $\vec{\mathbf{j}} \times \vec{\mathbf{k}} = \vec{\mathbf{i}}$, on obtient

$\vec{\mathbf{F}}_B = I\vec{\ell} \times \vec{\mathbf{B}} = (0{,}750)\left(0{,}25\vec{\mathbf{j}}\right) \times \left(-0{,}18\vec{\mathbf{k}}\right) = 0{,}750\,(0{,}25)\,(-0{,}18)\left(\vec{\mathbf{j}} \times \vec{\mathbf{k}}\right) \Longrightarrow$

$\vec{\mathbf{F}}_B = \boxed{-33{,}8\,\vec{\mathbf{i}}\ \text{mN}}$

(c) Avec l'équation (ii) de l'exemple 10.7, on trouve

$P_{\text{élec}} = RI^2 = 1{,}2\,(0{,}750)^2 = \boxed{0{,}675\ \text{W}}$

(d) Avec l'équation (iii) de l'exemple 10.7, on obtient

$P_{\text{méca}} = \frac{(B\ell v)^2}{R} = \frac{(0{,}18)^2(0{,}25)^2(20)^2}{1{,}2} = \boxed{0{,}675\ \text{W}}$

E11. On donne $\vec{\mathbf{v}} = -30\,\vec{\mathbf{i}}$ m/s, $\ell = 24$ cm, $R = 2{,}7\ \Omega$ et $\vec{\mathbf{B}} = 0{,}45\,\vec{\mathbf{k}}$ T.

(a) Avec l'équation (i) de l'exemple 10.7, on obtient

$I = \frac{B\ell v}{R} = \frac{(0{,}45)(0{,}24)(30)}{2{,}7} = \boxed{1{,}20\ \text{A}}$

(b) Le flux magnétique à travers le cadre diminue dans la direction z positive. Si on applique la loi de Lenz, on trouve que le champ magnétique induit $\vec{\mathbf{B}}_{\text{ind}}$ est orienté dans la direction z positive. Le courant induit circule donc dans le sens anti-horaire, et la portion verticale du cadre qui subit la force magnétique peut être représentée par $\vec{\ell} = \ell\,\vec{\mathbf{j}}$. En utilisant l'équation 8.3 et en se rappelant que $\vec{\mathbf{j}} \times \vec{\mathbf{k}} = \vec{\mathbf{i}}$, on obtient

$\vec{\mathbf{F}}_B = I\vec{\ell} \times \vec{\mathbf{B}} = (1{,}20)\left(0{,}24\,\vec{\mathbf{j}}\right) \times \left(0{,}45\,\vec{\mathbf{k}}\right) = 1{,}20\,(0{,}24)\,(0{,}45)\left(\vec{\mathbf{j}} \times \vec{\mathbf{k}}\right) \Longrightarrow$

$\vec{\mathbf{F}}_B = 0{,}130\,\vec{\mathbf{i}}$ N

de sorte que $F_B = \boxed{0{,}130\ \text{N}}$

(c) Avec l'équation (iii) de l'exemple 10.7, on trouve

$P_{\text{méca}} = \frac{(B\ell v)^2}{R} = \frac{(0{,}45)^2(0{,}24)^2(30)^2}{2{,}7} = \boxed{3{,}89\ \text{W}}$

(d) Avec l'équation (ii) de l'exemple 10.7, on trouve

$P_{\text{élec}} = RI^2 = 2{,}7\,(1{,}20)^2 = \boxed{3{,}89\ \text{W}}$

E12. On donne $N = 80$ spires, $r = 0{,}10$ m, le rayon de la bobine, donc $A = 0{,}01\pi$ m^2, $R = 40\ \Omega$ et $P_{\text{élec}} = 2$ W, la puissance électrique dissipée dans la bobine. Comme le plan de la bobine est perpendiculaire à $\vec{\mathbf{B}}$, $\theta = 0°$. Au moyen de l'équation (ii) de l'exemple 10.7, on trouve

$P_{\text{élec}} = RI^2 \Longrightarrow I = \sqrt{\frac{P_{\text{élec}}}{R}} = \sqrt{\frac{2}{40}} = 0{,}224$ A

On calcule la f.é.m. induite avec l'équation 6.10. Comme on ne sait pas, à priori, si B augmente ou diminue, le signe de la f.é.m. est inconnu :

$\xi = \pm RI = \pm 40\,(0{,}224) = \pm 8{,}94$ V

Finalement, en combinant les équations 10.5 et 10.3*b*, on obtient

$\xi = -N\frac{d\Phi_B}{dt} = -NA\cos\theta\frac{dB}{dt} \implies \pm\,8{,}94 = -80\,(0{,}01\pi)\cos(0°)\,\frac{dB}{dt} \implies$

$\frac{dB}{dt} = \boxed{\pm 3{,}56\ \text{T/s}}$

E13. On donne $N = 20$ spires et $r = 5$ cm, le rayon de la bobine, donc $A = 25\pi \times 10^{-4}$ m^2. La bobine est traversée par un champ magnétique qui varie au taux $\frac{dB}{dt} = 0{,}2$ T/s. Elle est constituée de fil de cuivre de rayon $r_{\text{fil}} = 0{,}5$ mm et de résistivité $\rho = 1{,}7 \times 10^{-8}$ Ω·m. Comme le plan de la bobine est perpendiculaire à $\vec{\mathbf{B}}$, $\theta = 0°$.

La résitance de la bobine est obtenue avec l'équation 6.6, dans laquelle

$\ell = N(2\pi r) = 20\,(2\pi\,(0{,}05)) = 6{,}28$ m et $A_{\text{fil}} = \pi r_{\text{fil}}^2 = \pi\left(0{,}5 \times 10^{-3}\right)^2 = 7{,}85 \times 10^{-7}$ m^2 :

$R = \frac{\rho\ell}{A_{\text{fil}}} = \frac{\left(1{,}7\times10^{-8}\right)(6{,}28)}{7{,}85\times10^{-7}} = 0{,}136\ \Omega$

On calcule la f.é.m. induite avec les équations 10.5 et 10.3*b* :

$|\xi| = N\frac{d\Phi_B}{dt} = NA\cos\theta\frac{dB}{dt} = 20\left(25\pi \times 10^{-4}\right)\cos(0°)\,(0{,}2) = 31{,}4$ mV

Le courant induit est donné par l'équation 6.10 :

$|\xi| = RI \implies I = \frac{|\xi|}{R} = \frac{31{,}4\times10^{-3}}{0{,}136} = 0{,}231$ A

Finalement, avec l'équation (ii) de l'exemple 10.7, on obtient

$P_{\text{élec}} = RI^2 = 0{,}136\,(0{,}231)^2 = \boxed{7{,}26\ \text{mW}}$

E14. On donne $k = 2$ N/m pour la constante de chacun des deux ressorts de la figure 10.49 et $\ell = 30$ cm et $m = 20$ g, la longueur et la masse de la tige qui y est suspendue. On donne aussi $\vec{\mathbf{B}} = -0{,}4\,\vec{\mathbf{k}}$ T.

(a) Comme on l'explique à l'exemple 15.5 du tome 1, la force gravitationnelle ne change rien au mouvement harmonique qui s'amorce lorsqu'on étire les ressorts vers le bas et qu'on relache le système. Pour une amplitude $A = 0{,}10$ m, la position de la tige à tout moment peut être décrite par l'expression $y = -A\cos(\omega t)$, dans laquelle, selon l'équation 15.9 du tome 1, $\omega = \sqrt{\frac{2k}{m}} = \sqrt{\frac{2(2)}{0{,}020}} = 14{,}1$ rad/s puisque les deux ressorts sont attachés à la tige. Le taux de changement de l'aire que forme la tige avec le reste du circuit est

$\frac{dA}{dt} = \ell\frac{dy}{dt} = \ell A\omega\sin(\omega t) = 0{,}30\,(0{,}10)\,(14{,}1)\sin(14{,}1t) = 0{,}423\sin(14{,}1t)$ m^2

En combinant les équations 10.4 et 10.3*b*, on trouve, pour $\theta = 0°$

$\xi = -\frac{d\Phi_B}{dt} = -B\frac{dA}{dt}\cos(0°) = -(0{,}4)0{,}423\sin(14{,}1t) = \boxed{-0{,}169\sin(14{,}1t)\ \text{V}}$

Le signe moins devant la f.é.m. confirme qu'à l'instant initial, dans la figure 10.49, le courant induit circulera dans le sens horaire ou sera négatif.

(b) La valeur maximale de la f.é.m. est $\boxed{\xi_{\text{max}} = 0{,}169\ \text{V}}$ et elle est atteinte lorsque

$\sin(14{,}1t) = 1$, donc lorsque $14{,}1t = \frac{\pi}{2}$, soit quand $\boxed{t = 0{,}111 \text{ s}}$

(c) Dans le logiciel Maple, on définit les variables, la position verticale de la tige et la f.é.m. induite. On crée ensuite le graphe demandé :

```
> restart;
> A:=0.10; omega:=14.1; T:=2*Pi/omega; fem_max:=0.169;
> y:=-A*cos(omega*t);
> fem:=-fem_max*sin(14.1*t);
> plot([y,fem],t=0..T,color=[blue,red]);
```

(d) Le graphe de la partie (c) confirme que la f.é.m. atteint la valeur $\pm\xi_{\max}$ $\boxed{\text{à la position d'équilibre des ressorts}}$.

E15. (a) Tant que la partie supérieure n'a pas pénétré dans le champ magnétique, le flux magnétique qui traverse le cadre augmente dans une direction qui entre dans la page, et un courant induit apparaît. À cause de la loi de Lenz, le champ induit $\vec{\mathbf{B}}_{\text{ind}}$ est dans le sens opposé à $\vec{\mathbf{B}}$ et sort de la page. Le courant induit circule donc dans le sens anti-horaire, et sa valeur est donnée par l'équation (i) de l'exemple 10.7, soit $I = \frac{B\ell v}{R}$.

Dans le bas du circuit, ce courant circule vers la droite de même que le vecteur $\vec{\ell}$ qui décrit cette portion du cadre. Si on calcule le produit vectoriel de l'équation 8.3, il s'ensuit qu'une force magnétique $\vec{\mathbf{F}}_B$ agit vers le haut sur le cadre. Le module de cette force est $F_B = I\ell B$ puisque l'angle entre $\vec{\ell}$ et $\vec{\mathbf{B}}$ est de 90°.

Si on combine cette force avec le poids du cadre en supposant qu'un axe des y est positif vers le bas, on obtient

$$\sum F_y = -I\ell B + mg = ma_y \implies -\left(\frac{B\ell v}{R}\right)\ell B + mg = ma_y \implies -\frac{B^2\ell^2 v}{R} + mg = ma_y$$

Dans cette équation, v est le module de la vitesse du cadre et augmente au fur et à mesure que le cadre tombe. Le module de la vitesse atteint une valeur limite v_{L}, qui fait en sorte que l'accélération devient nulle :

$$-\frac{B^2\ell^2 v_{\text{L}}}{R} + mg = 0 \implies \frac{B^2\ell^2 v}{R} = mg \implies \boxed{v_{\text{L}} = \frac{mgR}{B^2\ell^2}} \implies \boxed{\text{CQFD}}$$

(b) Lorsque $v = v_{\text{L}}$, mais avant que tout le cadre n'ait pénétré dans le champ magnétique, le courant prend la valeur

$$I = \frac{B\ell v_{\text{L}}}{R} = \frac{B\ell}{R}\left(\frac{mgR}{B^2\ell^2}\right) = \frac{mg}{B\ell}$$

Avec l'équation (ii) de l'exemple 10.7, on calcule

$$P_{\text{élec}} = RI^2 = R\left(\frac{mg}{B\ell}\right)^2 = \frac{m^2g^2R}{B^2\ell^2}$$

Avec y qui est positif vers le bas, l'énergie potentielle gravitationnelle est donnée par $U_g = -mgy$, et le taux de changement de cette énergie est

$\frac{dU_g}{dt} = \frac{d}{dt}(-mgy) = -mg\frac{dy}{dt}$

Lorsque le module de la vitesse atteint sa valeur limite, ce taux de changement devient

$\frac{dU_g}{dt} = -mgv_{\mathrm{L}} = -mg\left(\frac{mgR}{B^2\ell^2}\right) = -\frac{m^2g^2R}{B^2\ell^2}$

ce qui confirme que l'énergie thermique dissipée par le courant correspond bien à celle qui est perdue en énergie gravitationnelle. $\Longrightarrow$ $\boxed{\text{CQFD}}$

E16. Si la bobine pivote de 180°, l'angle dans l'équation qui permet de calculer le flux magnétique à travers la bobine change de $\theta_1 = 0°$ à $\theta_2 = 180°$. Au moyen de l'équation 10.1, on calcule

$\Phi_{B1} = BA\cos\theta_1 = BA\cos(0°) = BA$

$\Phi_{B2} = BA\cos\theta_2 = BA\cos(180°) = -BA$

Finalement, on trouve

$\Delta\Phi_B = -BA - BA = -2BA$

Au moyen de l'équation 10.5, adaptée à un intervalle qui n'est pas infinitésimal, on obtient

$\xi = -N\frac{\Delta\Phi_B}{\Delta t} = -N\frac{(-2BA)}{\Delta t} = \frac{2NAB}{\Delta t}$

On trouve le courant induit avec l'équation 6.10 :

$|\xi| = RI \Longrightarrow I = \frac{|\xi|}{R} = \frac{2NAB}{R\Delta t}$ (i)

Durant un intervalle de temps Δt, la charge qui parcourt le circuit est $\Delta Q = I\Delta t$. En utilisant l'équation (i), on trouve

$I = \frac{2NAB}{R\Delta t} \Longrightarrow I\Delta t = \frac{2NAB}{R} \Longrightarrow \boxed{\Delta Q = \frac{2NAB}{R}} \Longrightarrow \boxed{\text{CQFD}}$

E17. On donne $\vec{\mathbf{B}} = (0{,}2t - 0{,}5t^2)\,\vec{\mathbf{k}}$, $R = 1{,}5\ \Omega$, $N = 25$ spires et $r = 1{,}8$ cm, le rayon de la bobine, de sorte que $A = \pi r^2 = 3{,}24\pi \times 10^{-4}$ m^2. Comme $\vec{\mathbf{B}}$ est perpendiculaire au cadre de la bobine, on peut poser que $\vec{\mathbf{A}} = A\vec{\mathbf{k}} = 3{,}24\pi \times 10^{-4}\vec{\mathbf{k}}$ m^2.

(a) On calcule le flux magnétique avec l'équation 10.1 :

$\Phi_B = \vec{\mathbf{B}} \cdot \vec{\mathbf{A}} = B_zA_z = (0{,}2t - 0{,}5t^2)\left(3{,}24\pi \times 10^{-4}\right)$

La f.é.m. induite est obtenue avec l'équation 10.5 :

$-N\frac{d\Phi_B}{dt} = -(25)\frac{d}{dt}\left((0{,}2t - 0{,}5t^2)\left(3{,}24\pi \times 10^{-4}\right)\right) \Longrightarrow$

$\xi = \left(81{,}0\pi \times 10^{-4}\right)(0{,}2 - 1{,}0t) = (25{,}4t - 5{,}09)$ mV

En utilisant l'équation 6.10, si on fait abstraction de la possibilité que le courant devienne négatif, on obtient

$\xi = RI \implies I = \frac{\xi}{R} = \frac{(25{,}4t - 5{,}09) \times 10^{-3}}{1{,}5} = (16{,}9t - 3{,}39)$ mA

Finalement, la puissance dissipée correspond à

$P_R = RI^2 = 1{,}5\left((16{,}9t - 3{,}39) \times 10^{-3}\right)^2$

À $t = 3$ s, on trouve $P_R = \boxed{3{,}36 \text{ mW}}$

(b) Dans le logiciel Maple, on définit l'expression du module du champ et celle de la puissance dissipée. On trouve ensuite le moment où ces deux expressions s'annulent :

```
> restart;
> B:=0.2*t-0.5*t^2;
> solve(B=0,t);
> i:=(-25*Pi*3.24e-4*diff(B,t))/1.5;
> P:=1.5*i^2;
> solve(P=0,t);
```

On obtient $\boxed{B = 0 \text{ à } t = 0{,}400 \text{ s et } P_R = 0 \text{ à } t = 0{,}200 \text{ s}}$

Si on trace le graphe de B et P_R,

```
plot([B/1000,P],t=0..0.5,color=[blue,red]);
```

on constate que la puissance devient nulle au moment où le module du champ atteint sa valeur maximale.

E18. On donne $r = 6$ cm, le rayon de la boucle à un moment où il change au taux de

$\frac{dr}{dt} = 20$ cm/s

Le taux de changement de l'aire associé à $\frac{dr}{dt}$ est

$\frac{dA}{dt} = \frac{d}{dt}\left(\pi r^2\right) = \pi\,(2r)\,\frac{dr}{dt} = 2\pi\,(0{,}06)\left(20 \times 10^{-2}\right) = 7{,}54 \times 10^{-2}\ \text{m}^2/\text{s}$

On donne $B = 0{,}32$ T et, comme le plan de la boucle est perpendiculaire à $\vec{\mathbf{B}}$, $\theta = 0°$.

On calcule la f.é.m. induite en combinant les équations 10.4 et 10.3*b*, soit

$\xi = -\frac{d\Phi_B}{dt} = -B\cos\theta\frac{dA}{dt} = -\,(0{,}32)\cos(0°)\left(7{,}54 \times 10^{-2}\right) = \boxed{-24{,}1 \text{ mV}}$

E19. On donne $A = (8 \text{ cm})\,(8 \text{ cm}) = 64 \times 10^{-4}\ \text{m}^2$, $N = 180$ spires et $B = 0{,}08$ T. La valeur maximale de la f.é.m. induite est $\xi_0 = 12$ V. Au moyen de l'équation 10.7, on obtient

$\xi_0 = NAB\omega \implies \omega = \frac{\xi_0}{NAB} = \frac{12}{180(64 \times 10^{-4})(0{,}08)} = \boxed{130 \text{ rad/s}}$

E20. On donne $A = (2 \text{ m})\,(3 \text{ m}) = 6\ \text{m}^2$, $N = 100$ spires et $B = 0{,}6 \times 10^{-4}$ T, si $1 \text{ G } = 10^{-4}$ T. Si $f = 0{,}25$ tr/s, on a $\omega = 2\pi f = 0{,}50\pi$ rad/s.

Avec l'équation 10.7, on trouve

$\xi_0 = NAB\omega = 100\,(6)\left(0{,}6 \times 10^{-4}\right)(0{,}50\pi) = \boxed{56{,}5 \text{ mV}}$

E21. (a) On donne $A = 40 \times 10^{-4}$ m^2, $R = 4{,}5$ Ω, $N = 100$ spires et $B = 0{,}04$ T.

Si $f = 120$ tr/min $= 2$ tr/s, on a $\omega = 2\pi f = 4\pi$ rad/s.

Avec l'équation 10.7, on trouve

$\xi_0 = NAB\omega = 100\left(40 \times 10^{-4}\right)(0{,}04)(4\pi) = \boxed{0{,}201 \text{ V}}$

(b) La valeur maximale du courant induit est, selon l'équation 6.10,

$I_{\text{max}} = \frac{\xi_0}{R} = \frac{0{,}201}{4{,}5} = 44{,}7$ mA

Dans l'équation 8.6, la valeur maximale du moment de force que subit la bobine est obtenue pour $\sin\theta = 1$, soit

$\tau_{\text{max}} = NIAB = 100\left(44{,}7 \times 10^{-3}\right)\left(40 \times 10^{-4}\right)(0{,}04) = \boxed{7{,}15 \times 10^{-4} \text{ N·m}}$

E22. On donne $A = (5 \text{ cm})(5 \text{ cm}) = 25 \times 10^{-4}$ m^2, $R = 2{,}5$ Ω, $N = 25$ spires et $B = 0{,}04$ T.

Si $f = 120$ tr/min $= 2$ tr/s, on a $\omega = 2\pi f = 4\pi$ rad/s.

Si, à l'instant initial, le plan de la bobine est perpendiculaire à $\vec{\mathbf{B}}$, l'expression de la f.é.m. induite est donnée par l'équation 10.6 :

$\xi = \xi_0 \sin(\omega t) = NAB\omega \sin(\omega t) \qquad \text{(i)}$

(a) À $t = 0{,}1$ s, en se rappelant que l'argument du sinus est en radians, on peut calculer, avec l'équation (i), que

$\xi = 25\left(25 \times 10^{-4}\right)(0{,}04)(4\pi)\sin(4\pi(0{,}1)) = 2{,}988 \times 10^{-3} \text{ V} = \boxed{29{,}9 \text{ mV}}$

(b) À $t = 0{,}1$ s, le courant induit est

$I = \frac{\xi}{R} = \frac{29{,}88 \times 10^{-3}}{2{,}5} = 11{,}95$ mA

L'équation 8.6 donne le moment de force que subit la bobine parce qu'elle est plongée dans le champ magnétique externe, soit $\tau_B = NIAB\sin\theta$. Dans cette équation, l'angle θ correspond à la position du cadre et peut être remplacé par le terme ωt de la f.é.m. Pour que le cadre se maintienne en rotation, un moment de force τ_{ext} doit s'opposer à τ_B et posséder le même module. À l'instant choisi, on a donc

$\tau_{\text{ext}} = \tau_B = NIAB\sin\omega t = 25\left(11{,}95 \times 10^{-3}\right)\left(25 \times 10^{-4}\right)(0{,}04)\sin(4\pi(0{,}1)) \implies$

$\tau_{\text{ext}} = \boxed{2{,}84 \times 10^{-5} \text{ N·m}}$

(c) À $t = 0{,}1$ s, en utilisant l'équation 11.27 du tome 1, on obtient

$P_{\text{méc}} = \tau_{\text{ext}}\omega = \left(2{,}84 \times 10^{-5}\right)(4\pi) = \boxed{3{,}57 \times 10^{-4} \text{ W}}$

(d) À $t = 0{,}1$ s, en utilisant l'équation 6.12, on trouve

$P_{\text{élec}} = RI^2 = 2{,}5\left(11{,}95 \times 10^{-3}\right)^2 = \boxed{3{,}57 \times 10^{-4} \text{ W}}$

E23. Cette situation est similaire à celle qui est décrite à l'exemple 10.11*a*. Dans l'équation 10.11, le parcours choisi est un cercle de rayon d, sur lequel on circule dans le sens horaire à la figure 10.51 ou 10.24.

L'équation (i) de l'exemple 10.11 donne le module de $\vec{\mathbf{E}}$, et la figure 10.24 indique le sens de $\vec{\mathbf{E}}$, dans le cas où $\frac{dB}{dt} < 0$. Compte tenu du système d'axes utilisé à la figure 10.51 et de la position de l'électron, on aura ici

$\vec{\mathbf{E}} = \frac{d}{2}\frac{dB}{dt}\vec{\mathbf{j}}$

Si $\frac{dB}{dt} < 0$, le champ est orienté vers le bas; si $\frac{dB}{dt} > 0$, il sera orienté vers le haut. De plus, comme $B = Ct$, on a $\frac{dB}{dt} = C$.

Pour l'électron, $q = -e$, et la force qu'il subit est

$\vec{\mathbf{F}}_E = q\vec{\mathbf{E}} = (-e)\left(\frac{d}{2}C\vec{\mathbf{j}}\right) = \boxed{-\frac{eCd}{2}\vec{\mathbf{j}}}$

E24. Sur le parcours en pointillé de la figure 10.52, l'équation 10.11 permet d'affirmer que

$\oint \vec{\mathbf{E}} \cdot d\vec{\ell} = -A\frac{dB}{dt}$ (i)

On suppose que $\vec{\mathbf{E}}$ est nul à l'extérieur des deux plaques et qu'il est parallèle à $d\vec{\ell}$ sur la portion verticale de droite. Dans ce cas, l'intégrale donne un résultat nul pour la portion du parcours qui est à gauche. Pour les deux portions qui sont horizontales, on a $\vec{\mathbf{E}} \perp d\vec{\ell}$, et la contribution à l'intégrale est aussi nulle. Toutefois, la portion de droite contribue à l'intégrale avec Ed, si d est la longueur de la portion verticale, et l'équation (i) devient

$\oint \vec{\mathbf{E}} \cdot d\vec{\ell} = Ed = -A\frac{dB}{dt}$ (ii)

Mais ici, il y a absence de $\vec{\mathbf{B}}$, et $\frac{dB}{dt} = 0$. L'égalité (ii) est donc impossible à respecter et

$\boxed{\vec{\mathbf{E}} \text{ ne peut être nul à l'extérieur des plaques}} \implies \boxed{\text{CQFD}}$

E25. On donne, pour le solénoïde, $n = 800$ spires/m et $I = 4 + 6t^2$.

Son rayon est $R = 2$ cm. Comme il s'agit d'un long solénoïde, son champ magnétique est décrit par l'équation 9.13 :

$B = \mu_0 nI = 4\pi \times 10^{-7}(800)\left(4 + 6t^2\right) = 6400\pi\left(2 + 3t^2\right) \times 10^{-7}$

Le taux de changement du champ magnétique est

$\frac{dB}{dt} = \frac{d}{dt}\left(6400\pi\left(2 + 3t^2\right) \times 10^{-7}\right) = 1{,}21t \times 10^{-2}$

À $t = 2$ s, ce taux de changement a pour valeur $\frac{dB}{dt} = 2{,}42 \times 10^{-2}$ T/s

(a) Pour $r = 0{,}5$ cm, on reprend l'équation (i) de l'exemple 10.11 en ajustant le signe afin d'obtenir une valeur positive pour le module, ce qui donne

$E = \frac{r}{2}\frac{dB}{dt} = \left(\frac{0{,}5\times10^{-2}}{2}\right)\left(2{,}42\times10^{-2}\right) = \boxed{6{,}03\times10^{-5}\ \text{V/m}}$

(b) Pour $r = 4$ cm, on reprend l'équation (ii) de l'exemple 10.11 en ajustant le signe afin d'obtenir une valeur positive pour le module, ce qui donne

$E = \frac{R^2}{2r}\frac{dB}{dt} = \frac{\left(2\times10^{-2}\right)^2}{2(4\times10^{-2})}\left(2{,}42\times10^{-2}\right) = \boxed{1{,}21\times10^{-4}\ \text{V/m}}$

E26. On donne, pour le solénoïde, $n = 2000$ spires/m et $R = 2{,}4$ cm, son rayon. On fournit le module du champ électrique induit à $r = 2$ cm, soit $E = 5\times10^{-3}$ V/m. Comme il s'agit d'un point qui se trouve à l'intérieur du solénoïde, on peut utiliser l'équation (i) de l'exemple 10.11. Le signe du taux de changement de B est inconnu de sorte que

$E = \frac{r}{2}\left|\frac{dB}{dt}\right| \Longrightarrow \left|\frac{dB}{dt}\right| = \frac{2E}{r} = \frac{2\left(5\times10^{-3}\right)}{2\times10^{-2}} = 0{,}500\ \text{T/s}$

Le taux de changement du module du champ magnétique et le taux de changement du courant dans le solénoïde sont liés par l'équation 9.13, ce qui donne

$B = \mu_0 nI \Longrightarrow \left|\frac{dB}{dt}\right| = \mu_0 n\left|\frac{dI}{dt}\right| \Longrightarrow \left|\frac{dI}{dt}\right| = \frac{1}{\mu_0 n}\left|\frac{dB}{dt}\right| \Longrightarrow$

$\left|\frac{dI}{dt}\right| = \frac{1}{(4\pi\times10^{-7})(2000)}(0{,}500) = \boxed{1{,}99\times10^{2}\ \text{A/s}}$

E27. On donne $\ell = 45$ m, $v = 300$ m/s et $B = 0{,}6\times10^{-4}$ T, si 1 G $= 10^{-4}$ T.

(a) D'après l'équation 10.12, on obtient

$\xi = B\ell v = \left(0{,}6\times10^{-4}\right)(45)(300) = \boxed{0{,}810\ \text{V}}$

(b) Si on branche un voltmètre aux deux extrémités de l'aile, on crée un circuit dont l'aire reste constante et pour lequel il n'y aura plus de variation de flux magnétique. D'un autre point de vue, le voltmètre devient le siège d'une autre f.é.m. induite, qui s'oppose à celle de l'aile, de sorte que la mesure de la différence de potentiel entre les deux extrémités de l'aile est $\boxed{\text{nulle}}$.

E28. On donne $R = 0{,}75$ m pour le rayon d'une hélice et $B = 0{,}6\times10^{-4}$ T, si 1 G $= 10^{-4}$ T. Si $f = 1800$ tr/min $= 30$ tr/s, on a $\omega = 2\pi f = 60\pi$ rad/s. Cette situation est similaire à celle de l'exemple 10.12. Au moyen de l'équation (ii) de cet exemple, on obtient

$\xi = \frac{\omega BR^2}{2} = \frac{60\pi\left(0{,}6\times10^{-4}\right)(0{,}75)^2}{2} = \boxed{3{,}18\ \text{mV}}$

E29. On donne $R = 0{,}20$ m, $\xi = 1{,}2$ V et $B = 0{,}08$ T. En utilisant l'équation (i) de l'exemple 10.12, si $\omega = 2\pi f$, on trouve

$\xi = \frac{\omega BR^2}{2} \Longrightarrow \omega = \frac{2\xi}{BR^2} \Longrightarrow f = \frac{1}{2\pi}\frac{2\xi}{BR^2} = \frac{\xi}{\pi BR^2} \Longrightarrow$

$f = \left(\frac{1{,}2}{\pi(0{,}08)(0{,}20)^2}\text{tr/s}\right)\times\left(\frac{60\ \text{s}}{1\ \text{min}}\right) = \boxed{7{,}17\times10^{3}\ \text{tr/min}}$

E30. Il s'agit d'une situation similaire à celle de la figure 10.15 de l'exemple 10.6. Comme la bobine possède un rayon supérieur à celui du solénoïde, on calcule la f.é.m. induite avec A, l'aire du solénoïde. On donne $B = B_0 e^{-\frac{t}{\tau}}$ pour le module du champ magnétique dans le solénoïde et, comme les plans de la bobine et du solénoïde sont parallèles, $\theta = 0°$.

En utilisant les équations 10.5 et 10.3b, on obtient

$$\xi = -N\frac{d\Phi_B}{dt} = -NA\cos\theta\frac{dB}{dt} = -NA\cos(0°)\,\frac{d}{dt}\left(B_0 e^{-\frac{t}{\tau}}\right) = \boxed{\frac{NAB_0}{\tau}e^{-\frac{t}{\tau}}}$$

E31. À l'instant initial, $\xi_0 = 65$ mV. On donne $N = 40$ spires, $r = 3{,}6$ cm, le rayon de la bobine, de sorte que $A = \pi r^2 = 4{,}07 \times 10^{-3}$ m^2 et $\theta = 0°$. Ces valeurs permettent de trouver le taux de changement du champ magnétique à l'instant initial au moyen des équations 10.5 et 10.3b :

$$\xi_0 = -N\frac{d\Phi_B}{dt} = -NA\cos\theta\frac{dB}{dt} \implies \frac{dB}{dt} = -\frac{\xi_0}{NA} = -\frac{65\times10^{-3}}{40(4{,}07\times10^{-3})} = -0{,}399 \text{ T/s}$$

On donne $B_0 = 0{,}32$ T. Pour tout instant ultérieur, le champ magnétique peut être décrit avec

$$B = B_0 + \left(\frac{dB}{dt}\right)t \implies B = 0{,}32 - 0{,}399t$$

Le module du champ devient donc nul lorsque $t = \frac{0{,}32}{0{,}399} = \boxed{0{,}802 \text{ s}}$

E32. Pour le solénoïde, on donne $n = 400$ spires/m et $I = 3t^2$. Pour la bobine carrée qui se trouve à l'intérieur du solénoïde, on donne $A = (1{,}3 \text{ cm})\,(1{,}3 \text{ cm}) = 1{,}69 \times 10^{-4}$ m^2. L'axe de la bobine et du solénoïde coïncident, de sorte que $\theta = 0°$.

Le taux de changement du courant est $\frac{dI}{dt} = 6t$. À $t = 0{,}75$ s, ce taux de changement a pour valeur $\frac{dI}{dt} = 6\,(0{,}75) = 4{,}50$ A/s et la f.é.m. induite dans la bobine carrée est $\xi = \pm22 \times 10^{-6}$ V.

Si on combine les équations 10.5, 10.3b et 9.13, on peut écrire

$$\xi = -N\frac{d\Phi_B}{dt} = -NA\cos\theta\frac{dB}{dt} = -NA\mu_0 n\frac{dI}{dt}$$

Cette équation indique que la f.é.m. induite doit être négative si on veut ajuster les signes. On peut ensuite déduire comme suit le nombre de spires de la bobine carrée :

$$N = -\frac{\xi}{A\mu_0 n\frac{dI}{dt}} = -\frac{-22\times10^{-6}}{(1{,}69\times10^{-4})(4\pi\times10^{-7})(400)(4{,}50)} = 57{,}6 \text{ spires}$$

Si on arrondit, pour obtenir une valeur entière, on obtient $N = \boxed{58 \text{ spires}}$

E33. On donne $N = 60$ spires, $r = 0{,}3\ \Omega$, la résistance de la bobine, $R = 2{,}7\ \Omega$, la résistance externe à laquelle est branchée la bobine, et $A = 140 \times 10^{-4}$ m^2. La bobine est plongée dans un champ magnétique de module $B = 0{,}05$ T. La valeur maximale de la f.é.m. induite est donnée par l'équation 10.7, $\xi_0 = NAB\omega$, et la valeur maximale du courant induit dépend de la résistance équivalente du circuit, soit

$$\xi_0 = (r+R)\,I_{\max} \Longrightarrow I_{\max} = \frac{\xi_0}{r+R} = \frac{NAB}{r+R}\omega = \frac{60\left(140\times10^{-4}\right)(0{,}05)}{0{,}3+2{,}7}\omega = 0{,}0140\omega$$

(a) Le courant maximal et la puissance thermique dissipée dans R sont liés par

$$P_{\max} = RI_{\max}^2 = (2{,}7)\,(0{,}0140\omega)^2 = 5{,}29\times10^{-4}\omega^2$$

Si $P_{\max} = 12$ W, on peut calculer comme suit la fréquence angulaire :

$$\omega = \sqrt{\frac{P_{\max}}{5{,}29\times10^{-4}}} = \sqrt{\frac{12}{5{,}29\times10^{-4}}} = \boxed{151 \text{ rad/s}}$$

(b) L'équation 8.6 donne la valeur maximale du moment de force que subit la bobine parce qu'elle est plongée dans le champ magnétique, $\tau_{B\max} = NIAB$. Pour que le cadre se maintienne en rotation, un moment de force τ_{ext} doit s'opposer à τ_B et posséder la même valeur maximale, soit

$$\tau_{\text{ext}\max} = \tau_{B\max} = NIAB = 60\,(0{,}0140\omega)\left(140\times10^{-4}\right)(0{,}05) = 5{,}88\times10^{-4}\omega \Longrightarrow$$

$$\tau_{\text{ext}\max} = 5{,}88\times10^{-4}\,(151) = \boxed{8{,}88\times10^{-2}\text{ N}\cdot\text{m}}$$

E34. On donne $B = 0{,}50\times10^{-4}$ T, si 1 G $= 10^{-4}$ T, et $R = 0{,}10$ m.

Si $f = 5400$ tr/min $= 90$ tr/s, on a $\omega = 2\pi f = 180\pi$ rad/s. La différence de potentiel, qui est le résultat de l'induction, peut être calculée avec l'équation (ii) de l'exemple 10.12 :

$$\Delta V = \frac{\omega BR^2}{2} = \frac{180\pi\left(0{,}50\times10^{-4}\right)(0{,}10)^2}{2} = \boxed{0{,}141\text{ mV}}$$

Problèmes

P1. On suppose qu'un axe des x positifs a pour origine le fil de la figure 10.53 et s'étend vers la droite. Pour chaque élément de longueur dx de la tige, la f.é.m. induite est donnée par l'équation 10.12, soit $d\xi = Bvdx$. Selon l'équation 9.1, le module du champ magnétique dépend de la distance, $B = \frac{\mu_0 I}{2\pi x}$.

La f.é.m. induite sur toute la longueur de la tige est le résultat d'une intégrale, ce qui donne

$$\xi = \int d\xi = \int Bvdx = \int_d^{d+\ell}\left(\frac{\mu_0 I}{2\pi x}\right)vdx = \frac{\mu_0 Iv}{2\pi}\int_d^{d+\ell}\frac{dx}{x} = \frac{\mu_0 Iv}{2\pi}\left[\ln(x)\right]_d^{d+\ell} \Longrightarrow$$

$$\xi = \boxed{\frac{\mu_0 Iv}{2\pi}\ln\left(\frac{d+\ell}{d}\right)}$$

P2. On donne $I = 15$ A pour le courant circulant dans le fil responsable du champ magnétique qui traverse le circuit de hauteur $\ell = 40$ cm, situé à $a = 1$ cm du fil et représenté à la figure 10.54.

À l'instant considéré, le circuit possède une largeur $d = 5$ cm, et le segment de droite, de résistance $R = 0{,}05\ \Omega$, avance à $v = 25$ cm/s.

La valeur du module du champ magnétique change en fonction de la distance au fil, mais ne se modifie pas dans le temps. Ainsi, si on combine les équations 10.4 et 10.3*b*, en se rappelant que $\theta = 0°$, on obtient

$$\xi = -\frac{d\Phi_B}{dt} = -B\frac{dA}{dt}\cos\theta = -B\frac{dA}{dt} \qquad \text{(i)}$$

Comme à l'exemple 10.7, $\frac{dA}{dt} = \ell v$. Toutefois, dans l'équation (i), B est le module du champ magnétique là où se trouve le segment de droite en mouvement. D'après l'équation 9.1, $B = \frac{\mu_0 I}{2\pi(a+d)}$, et l'équation (i) devient $\xi = -\frac{\mu_0 I\ell v}{2\pi(a+d)}$. Le courant induit I_{ind} est donné par l'équation 6.10, ce qui permet d'obtenir

$$|\xi| = RI_{\text{ind}} \Longrightarrow I_{\text{ind}} = \frac{|\xi|}{R} = \frac{\mu_0 I\ell v}{2\pi(a+d)R} = \frac{\left(4\pi\times10^{-7}\right)(15)(0{,}40)(0{,}25)}{2\pi(0{,}01+0{,}05)(0{,}05)} = \boxed{1{,}00\times10^{-4}\ \text{A}}$$

P3. (a) Le module de la force magnétique qui s'exerce sur la tige en mouvement par suite de l'induction est $F_B = I\ell B$. Selon l'équation (i) de l'exemple 10.7, $I = \frac{B\ell v}{R}$, de sorte que

$$F_B = I\ell B = \left(\frac{B\ell v}{R}\right)\ell B = \frac{B^2\ell^2 v}{R}$$

Cette force s'oppose au mouvement de la tige. Si on suppose qu'un axe des x positifs est dirigé vers la droite à la figure 10.55, la deuxième loi de Newton appliquée à la tige en mouvement de masse m donne

$$\sum F_x = -\frac{B^2\ell^2 v}{R} = ma \qquad \text{(i)}$$

À cause du sens de l'axe des x, $a_x = \frac{dv}{dt}$, et l'équation (i) est une équation différentielle à variables séparables :

$$-\frac{B^2\ell^2 v}{R} = ma_x = m\frac{dv}{dt} \Longrightarrow -\frac{B^2\ell^2 dt}{R} = m\frac{dv}{v} \Longrightarrow -\frac{B^2\ell^2}{R}\int_0^t dt = m\int_{v_0}^{v}\frac{dv}{v} \Longrightarrow$$

$$-\frac{B^2\ell^2}{R}t = m\left[\ln(v)\right]_{v_0}^{v} \Longrightarrow -\frac{B^2\ell^2}{R}t = m\ln\left(\frac{v}{v_0}\right) \Longrightarrow e^{-\frac{B^2\ell^2}{mR}t} = \frac{v}{v_0} \Longrightarrow$$

$$v = v_0 e^{-\frac{B^2\ell^2}{mR}t} \Longrightarrow \boxed{v = v_0 e^{-\frac{t}{\tau}}}$$

dans laquelle $\tau = \frac{mR}{B^2\ell^2}$. $\Longrightarrow$ $\boxed{\text{CQFD}}$

(b) Comme le mouvement est orienté vers la droite, le module de la vitesse correspond à la composante selon x. Pour $x_{\text{i}} = 0$, $t_{\text{i}} = 0$ et $t_{\text{f}} \longrightarrow \infty$, on utilise l'équation (ii) de la section 3.9 du tome 1, ce qui donne

$$x_{\text{f}} - x_{\text{i}} = x_{\text{f}} = \int_0^\infty v dt = \int_0^\infty v_0 e^{-\frac{t}{\tau}} dt = v_0\int_0^\infty v_0 e^{-\frac{t}{\tau}} dt = v_0\left[-\tau e^{-\frac{t}{\tau}}\right]_0^\infty \Longrightarrow$$

$$x_{\text{f}} = -v_0\tau\left(e^{-\infty} - e^0\right) \Longrightarrow \boxed{x_{\text{f}} = v_0\tau} \Longrightarrow \boxed{\text{CQFD}}$$

(c) L'énergie U dissipée au total dans la résistance est donnée par $U = \int P_{\text{élec}} dt$, dans laquelle

$P_{\text{élec}} = \frac{(B\ell v)^2}{R}$, selon l'équation (ii) de l'exemple 10.7. Ainsi,

$U = \int \frac{(B\ell v)^2}{R} dt = \frac{B^2\ell^2}{R} \int_0^\infty v^2 dt = \frac{B^2\ell^2}{R} \int_0^\infty \left(v_0 e^{-\frac{t}{\tau}}\right)^2 dt = \frac{B^2\ell^2 v_0^2}{R} \int_0^\infty e^{-\frac{2t}{\tau}} dt \implies$

$U = \frac{B^2\ell^2 v_0^2}{R} \left[-\frac{\tau}{2} e^{-\frac{2t}{\tau}}\right|_0^\infty = \frac{B^2\ell^2 v_0^2}{R} \left(-\frac{\tau}{2}\right)\left(e^{-\infty} - e^0\right) = \frac{B^2\ell^2 v_0^2 \tau}{2R}$

Si on remplace τ par $\frac{mR}{B^2\ell^2}$ dans ce résultat, on obtient

$U = \frac{B^2\ell^2 v_0^2}{2R} \left(\frac{mR}{B^2\ell^2}\right) \implies \boxed{U = \frac{1}{2} m v_0^2} \implies \boxed{\text{CQFD}}$

(d) Dans le logiciel Maple, on donne une valeur à v_0 et à τ, on définit l'expression de la vitesse et on trace le graphe demandé :

```
> restart;
> v0:=10; tau:=10;
> v:=v0*exp(-t/tau);
> plot(v,t=0..10*tau);
```

Au bout d'un temps assez long, la courbe rejoint l'axe horizontal, et l'aire se trouvant sous la courbe, qui correspond au déplacement de la tige, prend une valeur finie.

P4. Par un raisonnement similaire à celui du problème 2, on peut affirmer que la f.é.m. induite est donnée par l'équation (i) de ce problème, soit

$\xi = -B \frac{dA}{dt}$

La variable x correspond à la fraction de longueur du triangle qui a pénétré dans le champ magnétique, et l'aire associée à cette longueur est $A = \frac{xy}{2}$, où y est la hauteur du triangle. Comme $y = 2x \tan\theta$ d'après la figure 10.56, $A = x^2 \tan\theta$. Si on suppose que $x = vt$, le taux de changement de l'aire du triangle traversée par $\overrightarrow{\mathbf{B}}$ est

$\frac{dA}{dt} = \frac{d}{dt}\left((vt)^2 \tan\theta\right) = v^2 \tan\theta \frac{d}{dt}\left(t^2\right) = 2v^2 t \tan\theta$

Et la grandeur de la f.é.m. induite est

$|\xi| = B \frac{dA}{dt} = \boxed{2Bv^2 t \tan\theta}$

P5. La bande conductrice est traversée par un champ magnétique de module $B = 0{,}4$ T, et son plan est perpendiculaire à $\overrightarrow{\mathbf{B}}$, de sorte que $\theta = 0°$ pour le calcul du flux magnétique. Comme le volume du ballon sur lequel la bande est entourée diminue, l'induction découle d'une modification de A, l'aire de la bande. Si on combine les équations 10.4 et 10.3*b*, on a

$\xi = -\frac{d\Phi_B}{dt} = -B \cos\theta \frac{dA}{dt} = -B \frac{dA}{dt}$ (i)

On donne $\frac{dV}{dt} = -\left(\frac{100\ \text{cm}^3}{\text{s}}\right) \times \left(\frac{1\ \text{m}}{100\ \text{cm}}\right)^3 = -1{,}00 \times 10^{-4}\ \text{m}^3/\text{s}$

Comme $V = \frac{4}{3}\pi r^3$, on a $\frac{dV}{dt} = 4\pi r^2 \frac{dr}{dt}$. De même, si $A = \pi r^2$, on a $\frac{dA}{dt} = 2\pi r \frac{dr}{dt}$. Si on combine ces deux résultats, on trouve

$\frac{dr}{dt} = \frac{1}{4\pi r^2}\frac{dV}{dt} = \frac{1}{2\pi r}\frac{dA}{dt} \implies \frac{dA}{dt} = \frac{1}{2r}\frac{dV}{dt}$

À l'instant où $r = 6$ cm, on obtient

$\frac{dA}{dt} = \frac{1}{2(0{,}06)}\left(-1{,}00 \times 10^{-4}\right) = -8{,}33 \times 10^{-4}\ \mathrm{m^2/s}$

Et l'équation (i) permet d'obtenir la grandeur de la f.é.m. induite, soit

$|\xi| = B\left|\frac{dA}{dt}\right| = 0{,}4\left(8{,}33 \times 10^{-4}\right) = \boxed{3{,}33 \times 10^{-4}\ \mathrm{V}}$

P6. (a) Comme on peut le voir à partir de la figure de la partie (b), le vecteur $\vec{\mathbf{A}}$ associé au cadre que forment la tige et les rails se trouve au même angle θ par rapport au vecteur $\vec{\mathbf{B}}$ que le plan incliné par rapport à l'horizontale. Comme à l'exemple 10.7, le taux de changement de l'aire du circuit correspond à $\frac{dA}{dt} = -\ell v$, où v est le module de la vitesse de la tige.

Si on combine les équations 10.4 et 10.3*b*, on obtient la f.é.m. induite :

$\xi = -\frac{d\Phi_B}{dt} = -B\cos\theta\frac{dA}{dt} = B\ell v\cos\theta \qquad \text{(i)}$

Et le courant induit est donné par l'équation 6.10 :

$|\xi| = RI \implies I = \frac{|\xi|}{R} = \boxed{\frac{B\ell v}{R}\cos\theta}$

(b) À la figure 10.57, le sens du courant dans la tige découle de la loi de Lenz. En effet, puisque le flux magnétique traversant le cadre diminue, le champ magnétique induit est orienté vers le haut, et le courant induit circule vers la gauche dans la tige. Le vecteur $\vec{\ell}$ de la tige est aussi orienté vers la gauche, ce qui permet de trouver l'orientation de la force magnétique $\vec{\mathbf{F}}_B$ ressentie par la tige au moyen de l'équation 8.3.

On reprend la figure 10.57 pour montrer le poids $m\vec{\mathbf{g}}$ de la tige et la force magnétique $\vec{\mathbf{F}}_B$ obtenue :

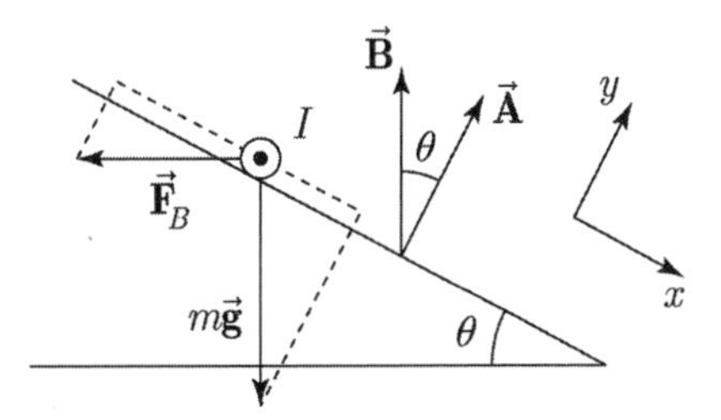

Selon l'équation 8.3, si l'angle entre $\vec{\ell}$ et $\vec{\mathbf{B}}$ est de 90°, le module de la force magnétique est

$F_B = I\ell B = \left(\frac{B\ell v}{R}\cos\theta\right)\ell B = \frac{B^2\ell^2 v}{R}\cos\theta$

La vitesse de la tige augmente de même que le module de la force magnétique. Lorsque

v_L, le module de la vitesse limite, est atteint, les composantes de force dans la direction x s'annulent, et la tige continue de descendre sans accélérer :

$\sum F_x = -F_B \cos\theta + mg\sin\theta = 0 \implies F_B = mg\frac{\sin\theta}{\cos\theta} \implies$

$\frac{B^2\ell^2 v_L}{R}\cos\theta = mg\frac{\sin\theta}{\cos\theta} \implies \boxed{v_L = \frac{mgR\sin\theta}{(B\ell\cos\theta)^2}} \implies \boxed{\text{CQFD}}$

P7. On donne $I = I_0 \sin(\omega t)$ pour le courant dans le fil responsable du champ magnétique qui traverse le circuit de hauteur c, situé à une distance a du fil et représenté à la figure 10.58.

La valeur du module du champ magnétique change en fonction de la distance au fil et elle se modifie en fonction du temps. Pour évaluer la f.é.m. induite, on évalue d'abord le flux magnétique total à travers le cadre comme une fonction du temps. La figure qui suit montre le fil, le cadre et un élément de surface du cadre de largeur dx et de hauteur c :

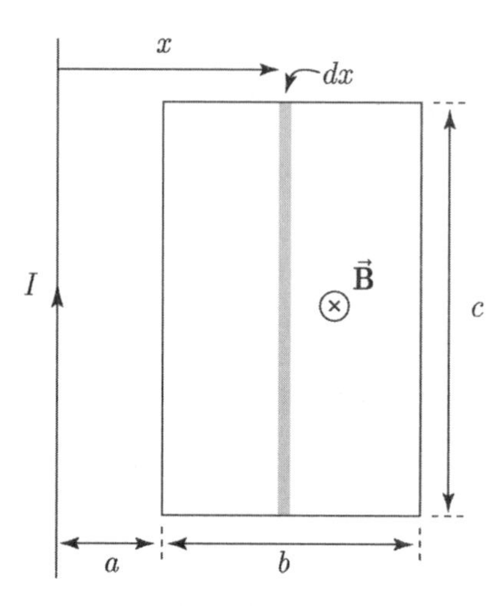

Le flux à travers l'élement de surface $dA = cdx$ est donné par l'équation 10.1, dans laquelle $\theta = 0°$ et $B = \frac{\mu_0 I}{2\pi x}$, ce qui donne

$d\Phi_B = BdA\cos\theta = Bcdx = \frac{\mu_0 I c dx}{2\pi x}$

Le flux magnétique total à travers le cadre vaut

$\Phi_B = \int d\Phi_B = \int_a^{a+b} \frac{\mu_0 I c dx}{2\pi x} = \frac{\mu_0 I c}{2\pi}\int_a^{a+b}\frac{dx}{x} = \frac{\mu_0 I c}{2\pi}\left[\ln(x)\right|_a^{a+b} = \frac{\mu_0 I c}{2\pi}\ln\left(\frac{a+b}{a}\right)$

La f.é.m. induite est donnée par l'équation 10.4, soit

$\xi = -\frac{d\Phi_B}{dt} = -\frac{d}{dt}\left(\frac{\mu_0 I c}{2\pi}\ln\left(\frac{a+b}{a}\right)\right) = -\frac{\mu_0 c}{2\pi}\ln\left(\frac{a+b}{a}\right)\frac{dI}{dt} \implies$

$\xi = -\frac{\mu_0 c}{2\pi}\ln\left(\frac{a+b}{a}\right)\frac{d}{dt}\left(I_0\sin(\omega t)\right) = \boxed{-\frac{\mu_0 I_0 c\omega}{2\pi}\ln\left(\frac{a+b}{a}\right)\cos(\omega t)}$

Notons que, lorsque $I < 0$, $\vec{\mathbf{B}}$ change de sens, mais la solution reste valable.

P8. (a) La f.é.m. ξ_0 engendre un courant $I = \frac{\xi_0}{R}$, qui circule vers le bas dans la tige. Une force magnétique $\vec{\mathbf{F}}_B = I\vec{\ell} \times \vec{\mathbf{B}}$ apparaît sur la tige et la met en mouvement vers la droite.

Le mouvement de la tige provoque une variation du flux magnétique à travers le cadre.

Comme le flux augmente, la loi de Lenz implique qu'une f.é.m. induite ξ_{ind} s'oppose à ξ_0.

Lorsque $\xi_{\text{ind}} = \xi_0$, le courant et la force magnétique disparaissent, de sorte que

$\boxed{\text{la tige garde une vitesse constante}}$. $\Longrightarrow$ $\boxed{\text{CQFD}}$

(b) Selon l'exemple 10.7, lorsque la vitesse limite v_{L} est atteinte, on a

$$\xi_{\text{ind}} = B\ell v_{\text{L}} \Longrightarrow \xi_0 = B\ell v_{\text{L}} \Longrightarrow v_{\text{L}} = \boxed{\frac{\xi_0}{B\ell}}$$

P9. (a) Selon l'équation 10.11 appliquée au cadre carré de côté L, on obtient

$$\oint \overrightarrow{\mathbf{E}} \cdot d\overrightarrow{\ell} = -A\frac{dB}{dt} \qquad \text{(i)}$$

Comme la situation est symétrique, la contribution de chacun des quatre côtés du cadre est la même et

$$4 \int_{1\text{ côté}} \overrightarrow{\mathbf{E}} \cdot d\overrightarrow{\ell} = -A\frac{dB}{dt} \qquad \text{(ii)}$$

Le champ magnétique $\overrightarrow{\mathbf{B}}$ est uniforme à l'intérieur du solénoïde. On peut donc supposer que $\overrightarrow{\mathbf{E}}$ est constant sur toute la longueur d'un côté L tout en étant parallèle à $d\overrightarrow{\ell}$, et modifier comme suit l'argument de l'intégrale dans l'équation (ii) :

$$\int_{1\text{ côté}} \overrightarrow{\mathbf{E}} \cdot d\overrightarrow{\ell} = \int_{1\text{ côté}} E d\ell \cos\theta = \int_{1\text{ côté}} E d\ell = E \int_{1\text{ côté}} d\ell = EL$$

Avec ce résultat et pour $A = L^2$, l'équation (ii) devient

$$4\,(EL) = -L^2\frac{dB}{dt} \Longrightarrow \boxed{E = -\frac{L}{4}\frac{dB}{dt}} \Longrightarrow \boxed{\text{CQFD}}$$

(b) On reprend l'équation (i) pour $A = L^2$, ce qui donne

$$\oint \overrightarrow{\mathbf{E}} \cdot d\overrightarrow{\ell} = -A\frac{dB}{dt} = \boxed{-L^2\frac{dB}{dt}}$$

P10. On donne $A = (4 \text{ cm})\,(4 \text{ cm}) = 16 \times 10^{-4} \text{ m}^2$, $R = 2{,}5\ \Omega$ et $N = 40$ spires. Le module du champ magnétique est $B = B_0 e^{-\frac{t}{\tau}}$ avec $B_0 = 0{,}2$ T et $\tau = 50$ ms. Comme $\overrightarrow{\mathbf{B}}$ est perpendiculaire au plan du cadre, $\theta = 0°$ dans le calcul du flux magnétique.

(a) On combine les équations 10.5 et 10.3*b* pour calculer la f.é.m. induite, ce qui donne

$$\xi = -N\frac{d\Phi_B}{dt} = -N\frac{dB}{dt}A\cos\theta = -NA\frac{dB}{dt} = -NA\frac{d}{dt}\left(B_0 e^{-\frac{t}{\tau}}\right) = \frac{NAB_0}{\tau}e^{-\frac{t}{\tau}}$$

On obtient le courant induit avec l'équation 6.10 :

$$|\xi| = RI \Longrightarrow I = \frac{|\xi|}{R} = \frac{NAB_0}{R\tau}e^{-\frac{t}{\tau}} = \frac{40\left(16\times10^{-4}\right)(0{,}2)}{2{,}5(50\times10^{-3})}e^{-\frac{t}{50\times10^{-3}}} \Longrightarrow$$

$$I = \boxed{0{,}102 e^{-\frac{t}{5{,}00\times10^{-2}\text{ s}}}\text{ A}}$$

(b) Entre $t_0 = 0$ et $t \longrightarrow \infty$, la charge totale qui circulera dans le circuit est donné par

$$\Delta Q = \int I dt = \int_0^\infty \frac{NAB_0}{R\tau}e^{-\frac{t}{\tau}}dt = \frac{NAB_0}{R\tau}\int_0^\infty e^{-\frac{t}{\tau}}dt = \frac{NAB_0}{R\tau}\left[-\tau e^{-\frac{t}{\tau}}\right|_0^\infty \Longrightarrow$$

$$\Delta Q = -\frac{NAB_0}{R}\left(e^{-\infty} - e^0\right) \Longrightarrow \boxed{\Delta Q = \frac{NAB_0}{R}} \Longrightarrow \boxed{\text{CQFD}}$$

(c) Entre $t_0 = 0$ et t, la charge totale qui circulera dans le circuit est donné par

$\Delta Q = \int_0^t \frac{NAB_0}{R\tau} e^{-\frac{t}{\tau}} dt = \frac{NAB_0}{R\tau} \int_0^t e^{-\frac{t}{\tau}} dt = \frac{NAB_0}{R\tau} \left[-\tau e^{-\frac{t}{\tau}} \right|_0^t = -\frac{NAB_0}{R} \left(e^{-\frac{t}{\tau}} - 1 \right) \Longrightarrow$

$\Delta Q = \frac{NAB_0}{R} \left(1 - e^{-\frac{t}{\tau}} \right) = \frac{40(16 \times 10^{-4})(0{,}2)}{2{,}5} \left(1 - e^{-\frac{t}{5{,}00 \times 10^{-2}\ \text{s}}} \right) \Longrightarrow$

$\Delta Q = \left(5{,}12 \times 10^{-3} \right) \left(1 - e^{-\frac{t}{5{,}00 \times 10^{-2}\ \text{s}}} \right)$

Dans le logiciel Maple, on définit cette expression et on trace le graphe demandé :

```
> restart;
> Q:=5.12e-3*(1-exp(-t/5e-2));
> plot(Q,t=0..5e-1);
```

L'asymptote horizontale confirme que la charge qui circule atteint une valeur maximale.

P11. (a) On note, à la figure 10.61, que $\vec{\mathbf{B}}$ est perpendiculaire à $\vec{\mathbf{v}}$, le vecteur vitesse de l'électron sur sa trajectoire circulaire de rayon r. Si B_{orb} est le module du champ magnétique en ce point, l'équation 8.1 permet d'affirmer que le module de la force magnétique sur l'électron est

$F_B = |q|\, vB_{\text{orb}} \sin(90°) = evB_{\text{orb}}$

Comme la trajectoire est circulaire et que la force magnétique est la seule force pouvant agir comme force centripète, l'équation 6.3 du tome 1 permet d'affirmer que

$F_B = \frac{mv^2}{r} \Longrightarrow evB_{\text{orb}} = \frac{mv^2}{r} \Longrightarrow \boxed{mv = eB_{\text{orb}} r} \Longrightarrow \boxed{\text{CQFD}}$

(b) On applique l'équation 10.11 à la trajectoire circulaire de l'électron. On suppose que $\vec{\mathbf{E}}$ est parallèle à $d\vec{\ell}$ partout sur la trajectoire et que son module est constant. Avec B_{moy} qui représente la valeur moyenne du module du champ magnétique sur l'aire A que définit la trajectoire de l'électron, on obtient

$\oint \vec{\mathbf{E}} \cdot d\vec{\ell} = -A\frac{dB}{dt} \Longrightarrow \oint E d\ell = A \left| \frac{dB_{\text{moy}}}{dt} \right| \Longrightarrow E \oint d\ell = A \left| \frac{dB_{\text{moy}}}{dt} \right| \Longrightarrow$

$E(2\pi r) = \left(\pi r^2 \right) \left| \frac{dB_{\text{moy}}}{dt} \right| \Longrightarrow \boxed{E = \frac{r}{2} \left| \frac{dB_{\text{moy}}}{dt} \right|} \Longrightarrow \boxed{\text{CQFD}}$

(c) Soit v, le module de la vitesse de l'électron sur sa trajectoire; si on combine l'application de la deuxième loi de Newton dans la direction tangentielle (voir la section 4.8 du tome 1 pour la notation) avec le résultat de la partie (a), on obtient

$\sum F_\theta = \frac{d}{dt}(mv_\theta) = \frac{d}{dt}(mv) = \frac{d}{dt}(eB_{\text{orb}} r) = er\frac{dB_{\text{orb}}}{dt}$ (i)

Mais la force que ressent l'électron dans la direction tangentielle peut aussi être exprimée au moyen du champ électrique induit $\vec{\mathbf{E}}$. Cette force peut agir dans le même sens ou contre le mouvement. Ainsi, si on fait appel au résultat de la partie (b), on trouve

$\sum F_\theta = \pm |q|\, E = \pm eE = \frac{er}{2} \frac{dB_{\text{moy}}}{dt}$ (ii)

Si on compare les équations (i) et (ii), on obtient

$$er\frac{dB_{\text{orb}}}{dt} = \frac{er}{2}\frac{dB_{\text{moy}}}{dt} \implies \frac{dB_{\text{orb}}}{dt} = \frac{1}{2}\frac{dB_{\text{moy}}}{dt}$$

Si la dérivée de deux quantités est égale à un facteur près, les deux quantités peuvent être égales au même facteur près, soit

$$\boxed{B_{\text{orb}} = \frac{1}{2}B_{\text{moy}}} \implies \boxed{\text{CQFD}}$$

P12. On donne $m = 0{,}5$ kg, $R = 3\ \Omega$, $\ell = 30$ cm, $B = 2$ T et $\xi_0 = 1{,}2$ V dans une situation similaire au problème 8, où une force de frottement de module $f = 0{,}1$ N s'oppose au mouvement de la tige.

(a) À l'instant initial, le courant I_0 dans la tige ne dépend que de la source de f.é.m. branchée au circuit, et $I_0 = \frac{\xi_0}{R} = \frac{1{,}2}{3} = 0{,}400$ A.

De plus, comme sa vitesse est nulle, seule la force magnétique et la force de frottement agissent sur la tige dans la figure 10.59. Si on utilise un axe des x positifs dirigé vers la droite, la deuxième loi de Newton permet d'écrire

$$\sum F_x = F_B - f = I_0\ell B - f = ma_x \implies a_x = \frac{I_0\ell B - f}{m} = \frac{0{,}400(0{,}30)(2) - 0{,}1}{0{,}5} = 0{,}280\ \text{m/s}^2$$

À l'instant initial, le module de l'accélération est $a = \boxed{0{,}280\ \text{m/s}^2}$

(b) Avec le mouvement de la tige, une f.é.m. induite $\xi_{\text{ind}} = B\ell v$ apparaît sur la tige et s'oppose à ξ_0. À tout moment, le courant est $I = \frac{\xi_0 - \xi_{\text{ind}}}{R} = \frac{\xi_0 - B\ell v}{R}$.

À une certaine valeur limite v_{L} du module de la vitesse de la tige, la somme des forces s'annule, et il n'y a plus d'accélération, ce qui donne

$$\sum F_x = F_B - f = I\ell B - f = 0 \implies \left(\frac{\xi_0 - B\ell v_{\text{L}}}{R}\right)\ell B - f = 0 \implies \left(\frac{\xi_0 - B\ell v_{\text{L}}}{R}\right)\ell B = f \implies$$

$$\xi_0 - B\ell v_{\text{L}} = \frac{Rf}{\ell B} \implies B\ell v_{\text{L}} = \xi_0 - \frac{Rf}{\ell B} \implies v_{\text{L}} = \frac{\xi_0}{B\ell} - \frac{Rf}{B^2\ell^2} \implies$$

$$v_{\text{L}} = \frac{1{,}2}{2(0{,}30)} - \frac{3(0{,}1)}{(2)^2(0{,}30)^2} = \boxed{1{,}17\ \text{m/s}}$$

(c) Si on applique une force de module $F_{\text{ext}} = 0{,}5$ N dans le sens du mouvement, la somme des forces de la partie (b) devient

$$\sum F_x = \left(\frac{\xi_0 - B\ell v_{\text{L}}}{R}\right)\ell B + F_{\text{ext}} - f = 0 \implies \left(\frac{\xi_0 - B\ell v_{\text{L}}}{R}\right)\ell B = f - F_{\text{ext}} \implies$$

$$\xi_0 - B\ell v_{\text{L}} = \frac{R(f - F_{\text{ext}})}{\ell B} \implies$$

$$v_{\text{L}} = \frac{\xi_0}{B\ell} - \frac{R(f - F_{\text{ext}})}{B^2\ell^2} = \frac{1{,}2}{2(0{,}30)} - \frac{3(0{,}1 - 0{,}5)}{(2)^2(0{,}30)^2} = \boxed{5{,}33\ \text{m/s}}$$

Chapitre 11 : L'inductance

Exercices

E1. On donne $A = \pi r^2 = 4\pi \times 10^{-4}$ m et $n = \frac{N}{\ell} = 800$ spires/m.

(a) Selon l'exemple 11.1,

$$L = \mu_0 n^2 A\ell = \left(4\pi \times 10^{-7}\right)(800)^2\left(4\pi \times 10^{-4}\right)(0{,}15) = \boxed{152\ \mu\text{H}}$$

(b) À partir de l'équation 11.4, on trouve

$$|\xi| = L\left|\frac{dI}{dt}\right| \Longrightarrow \left|\frac{dI}{dt}\right| = \frac{|\xi|}{L} = \frac{4\times10^{-3}}{152\times10^{-6}} = \boxed{26{,}3\ \text{A/s}}$$

E2. On donne $A = \pi r^2 = 2{,}25\pi \times 10^{-4}$ m.

(a) À partir de l'équation 11.4, on trouve

$$|\xi| = L\left|\frac{dI}{dt}\right| \Longrightarrow L = \frac{|\xi|}{\left|\frac{dI}{dt}\right|} = \frac{1{,}6\times10^{-3}}{200} = 8\ \mu\text{H}$$

Selon l'exemple 11.1,

$$L = \mu_0 n^2 A\ell \Longrightarrow n = \sqrt{\frac{L}{\mu_0 A\ell}} = \sqrt{\frac{8\times10^{-6}}{(4\pi\times10^{-7})(2{,}25\pi\times10^{-4})(0{,}25)}} = 190\ \text{spires/m}$$

$$N = n\ell = 190\,(0{,}25) = \boxed{47{,}5\ \text{spires}}$$

(b) On utilise l'équation 9.13 pour un long solénoïde :

$$B = \mu_0 nI = \left(4\pi \times 10^{-7}\right)(190)(3) = \boxed{7{,}16 \times 10^{-4}\ \text{T}}$$

E3. (a) À partir de l'équation 11.3, on trouve

$$N\Phi_B = LI \Longrightarrow \Phi_B = \frac{LI}{N} = \frac{\left(1{,}2\times10^{-3}\right)(2)}{500} = \boxed{4{,}80\ \mu\text{Wb}}$$

(b) À partir de l'équation 11.4, on trouve

$$|\xi| = L\left|\frac{dI}{dt}\right| = \left(1{,}2 \times 10^{-3}\right)(35) = \boxed{42{,}0\ \text{mV}}$$

E4. Dans les trois cas on utilise l'équation 11.4 :

(a) $\xi = -L\frac{dI}{dt} = -L\frac{d}{dt}\left(I_0 e^{-\frac{t}{\tau}}\right) = \frac{LI_0}{\tau}e^{-\frac{t}{\tau}} = \boxed{\frac{LI}{\tau}}$

(b) $\xi = -L\frac{dI}{dt} = -L\frac{d}{dt}\left(at - bt^2\right) = \boxed{L\,(2bt - a)}$

(c) $\xi = -L\frac{dI}{dt} = -L\frac{d}{dt}\left(I_0 \sin(\omega t)\right) = \boxed{-LI_0\omega\cos(\omega t)}$

E5. À partir de l'équation 11.3, on trouve

$$N\Phi_B = LI \Longrightarrow L = \frac{N\Phi_B}{I} = \frac{50\left(15\times10^{-6}\right)}{2} = 3{,}75 \times 10^{-4}\ \text{H}$$

À partir de l'équation 11.4, on trouve

$$|\xi| = L\left|\frac{dI}{dt}\right| = \left(3{,}75 \times 10^{-4}\right)(25) = \boxed{9{,}38\ \text{mV}}$$

E6. À partir de l'équation 11.4, on trouve

$$|\xi| = L\left|\frac{dI}{dt}\right| \Longrightarrow L = \frac{|\xi|}{\left|\frac{dI}{dt}\right|} = \frac{7{,}2\times10^{-3}}{16} = 4{,}5 \times 10^{-4}\ \text{H}$$

À partir de l'équation 11.3, on trouve

$N\Phi_B = LI \implies \Phi_B = \frac{LI}{N} = \frac{(4{,}5\times10^{-4})(4{,}5)}{60} = \boxed{33{,}8\ \mu\text{Wb}}$

E7. À partir de l'équation 11.4, on trouve

$|\xi| = L\left|\frac{dI}{dt}\right| \implies L = \frac{|\xi|}{\left|\frac{dI}{dt}\right|} = \frac{12}{128} = \boxed{93{,}8\ \text{mH}}$

E8. À partir du résultat de l'exemple 11.2, on trouve

$L = \frac{\mu_0\ell}{2\pi}\ln\left(\frac{b}{a}\right) = \frac{(4\pi\times10^{-7})(18)}{2\pi}\ln\left(\frac{4\times10^{-3}}{0{,}3\times10^{-3}}\right) = \boxed{9{,}32\ \mu\text{H}}$

E9. L'indice 1 est associé à la bobine et l'indice 2 au solénoïde. Selon l'équation 9.13, le module du champ magnétique produit par le solénoïde est

$B = \mu_0 n_2 I_2 = \mu_0\left(\frac{N_2}{\ell_2}\right)I_2$

Il s'agit d'une situation similaire à celle de l'exemple 11.3. Toutefois, comme la bobine possède un rayon supérieur à celui du solénoïde, on utilise A_2, l'aire du solénoïde, pour le calcul du flux magnétique. Selon l'équation 10.1, le flux magnétique traversant la bobine est

$\Phi_{12} = BA_2\cos\theta = \mu_0\left(\frac{N_2}{\ell_2}\right)I_2A_2\cos\theta = \mu_0\left(\frac{N_2}{\ell_2}\right)I_2\left(\pi r_2^2\right)\cos\theta$

À partir de l'équation 11.5, on trouve

$N_1\Phi_{12} = MI_2 \implies M = \frac{N_1\Phi_{12}}{I_2} = \left(\frac{N_1}{I_2}\right)\mu_0\left(\frac{N_2}{\ell_2}\right)I_2\left(\pi r_2^2\right)\cos\theta \implies$

$M = \frac{\mu_0 N_1 N_2 \pi r_2^2\cos\theta}{\ell_2} = \frac{(4\pi\times10^{-7})(5)(360)\pi\left(1{,}7\times10^{-2}\right)^2\cos(10°)}{0{,}24} = \boxed{8{,}43\times10^{-6}\ \text{H}}$

E10. À partir de l'équation 11.6, on trouve

$\xi_{21} = -M\frac{dI_1}{dt} = -\left(40\times10^{-3}\right)(25) = \boxed{-1{,}00\ \text{V}}$

E11. L'indice 1 est associé à la bobine et l'indice 2 au solénoïde. Il s'agit d'une situation similaire à celle de l'exemple 11.3. Toutefois, comme la bobine possède un rayon supérieur à celui du solénoïde, on utilise l'équation obtenue à l'exemple 11.3 avec A_2, l'aire du solénoïde :

(a) $M = \mu_0 n_2 N_1 A_2 = \left(4\pi\times10^{-7}\right)(2000)(40)\left(8\times10^{-4}\right) = \boxed{80{,}4\ \mu\text{H}}$

(b) En dérivant I_2, on obtient

$\frac{dI_2}{dt} = \frac{d}{dt}\left(3t-2t^2\right) = 3-4t$

À $t = 2$ s, à partir de l'équation 11.6, on trouve

$\xi_{12} = -M\frac{dI_2}{dt} = -\left(80{,}4\times10^{-6}\right)(3-4(2)) = \boxed{40{,}2\ \text{mV}}$

E12. (a) Le flux magnétique qui traverse la bobine B et qui vient du champ magnétique de module B_{A} que crée la bobine A est donné par l'équation 10.1 pour $\theta = 0°$:

$\Phi_{BA} = B_A A_B = (10 \times 10^{-6})(0{,}5 \times 10^{-4}) = 5 \times 10^{-10}$ Wb

À partir de l'équation 11.5, on trouve

$N_B \Phi_{BA} = MI_A \implies M = \frac{N_B \Phi_{BA}}{I_A} = \frac{(6)(5\times10^{-10})}{2} = \boxed{1{,}50 \times 10^{-9}\text{ H}}$

(b) À partir de l'équation 11.6, on trouve

$|\xi_{AB}| = M\left|\frac{dI_B}{dt}\right| = (1{,}50 \times 10^{-9})(40) = \boxed{6{,}00 \times 10^{-8}\text{ V}}$

E13. L'indice 1 est associé au tore et l'indice 2 à la bobine. Le tore produit un champ magnétique dont le module B_1 dépend, comme on l'a démontré dans l'exemple 9.8, de la distance r au centre du tore, $B_1 = \frac{\mu_0 N_1 I_1}{2\pi r}$. Comme le champ magnétique est nul à l'extérieur du tore, le flux magnétique Φ_{21} qui traverse la bobine est calculé à partir de l'aire A_1 du tore.

(a) Le flux magnétique à travers un élément de largeur dr comme celui représenté à la figure 11.9 est

$d\Phi_{21} = B_1 dA_1 = B_1 h dr = \frac{\mu_0 N_1 I_1 h}{2\pi r} dr$

Le flux total est donné par

$\Phi_{21} = \int d\Phi_{21} = \int_a^b \frac{\mu_0 N_1 I_1 h}{2\pi r} dr = \frac{\mu_0 N_1 I_1 h}{2\pi} \int_a^b \frac{dr}{r} = \frac{\mu_0 N_1 I_1 h}{2\pi} [\ln(r)]_a^b \implies$

$\Phi_{21} = \boxed{\frac{\mu_0 N_1 I_1 h}{2\pi} \ln\left(\frac{b}{a}\right)}$

(b) À partir de l'équation 11.5, on trouve

$N_2 \Phi_{21} = MI_1 \implies M = \frac{\Phi_{21} N_2}{I_1} = \frac{\mu_0 N_1 N_2 h}{2\pi} \ln\left(\frac{b}{a}\right)$

E14. L'indice 1 est associé à la bobine et l'indice 2 au solénoïde. Selon l'équation 9.13, le module du champ magnétique produit par le solénoïde est

$B = \mu_0 n_2 I_2$

Il s'agit d'une situation similaire à celle de l'exemple 11.3, mais l'angle entre l'axe de la bobine et celui du solénoïde est $\theta = 60°$. Selon l'équation 10.1, le flux magnétique traversant la bobine est

$\Phi_{12} = BA_1 \cos\theta = \mu_0 n_2 I_2 A_1 \cos\theta$

À partir de l'équation 11.5 et pour $A_1 = \pi r_1^2 = 4\pi \times 10^{-4}\text{ m}^2$, on trouve

$N_1 \Phi_{12} = MI_2 \implies M = \frac{N_1 \Phi_{12}}{I_2} = \left(\frac{N_1}{I_2}\right) \mu_0 n_2 I_2 A_1 \cos\theta \implies$

$M = \mu_0 N_1 n_2 A_1 \cos\theta = (4\pi \times 10^{-7})(12)(2000)(4\pi \times 10^{-4})\cos(60°) = \boxed{18{,}9\ \mu\text{H}}$

E15. (a) À partir de l'équation 11.3, on trouve

$N_1 \Phi_{11} = L_1 I_1 \implies \Phi_{11} = \frac{L_1 I_1}{N_1} = \frac{(20\times10^{-3})(2{,}4)}{80} = \boxed{0{,}600\text{ mWb}}$

(b) À partir de l'équation 11.5, on trouve

$$N_1\Phi_{12} = MI_2 \implies \Phi_{12} = \frac{MI_2}{N_1} = \frac{\left(7\times10^{-3}\right)(4{,}5)}{80} = \boxed{0{,}394 \text{ mWb}}$$

(c) À partir de l'équation 11.5, on trouve

$$N_2\Phi_{21} = MI_1 \implies \Phi_{21} = \frac{MI_1}{N_2} = \frac{\left(7\times10^{-3}\right)(2{,}4)}{120} = \boxed{0{,}140 \text{ mWb}}$$

(d) À partir de l'équation 11.4, on trouve

$$\xi_{11} = -L_1\frac{dI_1}{dt} = -\left(20\times10^{-3}\right)(4) = \boxed{-80{,}0 \text{ mV}}$$

(e) À partir de l'équation 11.6, on trouve

$$\xi_{12} = -M\frac{dI_2}{dt} = -\left(7\times10^{-3}\right)(1{,}8) = \boxed{-12{,}6 \text{ mV}}$$

(f) À partir de l'équation 11.6, on trouve

$$\xi_{21} = -M\frac{dI_1}{dt} = -\left(7\times10^{-3}\right)(4) = \boxed{-28{,}0 \text{ mV}}$$

E16. (a) On reprend l'équation 11.7, mais en enlevant le terme qui contient la résistance:

$$\xi - L\frac{dI}{dt} = 0 \implies \frac{dI}{dt} = \frac{\xi}{L} \implies dI = \frac{\xi}{L}dt \implies \int_0^I dI = \frac{\xi}{L}\int_0^t dt \implies I = \boxed{\frac{\xi}{L}t}$$

(b) Selon l'équation 11.8, $I = \frac{\xi}{R}\left(1-e^{-\frac{Rt}{L}}\right)$, mais comme $R \longrightarrow 0$, on peut remplacer l'expontentielle par sa valeur approximative, $e^{-\frac{Rt}{L}} = 1-\frac{Rt}{L}$, et l'équation 11.8 devient

$$I = \frac{\xi}{R}\left(1-\left(1-\frac{Rt}{L}\right)\right) = \frac{\xi}{R}\left(\frac{Rt}{L}\right) = \boxed{\frac{\xi}{L}t}$$

$$I = \boxed{\frac{\xi}{L}t}$$

E17. (a) À partir de l'équation 11.8, on trouve

$$I = \frac{\xi}{R}\left(1-e^{-\frac{Rt}{L}}\right) = \left(\frac{12}{6}\right)\left(1-e^{-\frac{6\left(50\times10^{-3}\right)}{2}}\right) = \boxed{0{,}279 \text{ A}}$$

(b) On calcule d'abord le taux de changement du courant avec l'équation 11.8:

$$\frac{dI}{dt} = \frac{d}{dt}\left(\frac{\xi}{R}\left(1-e^{-\frac{Rt}{L}}\right)\right) = \frac{\xi}{R}\frac{d}{dt}\left(1-e^{-\frac{Rt}{L}}\right) = \frac{\xi}{R}\left(\frac{R}{L}e^{-\frac{Rt}{L}}\right) = \frac{\xi}{L}e^{-\frac{Rt}{L}}$$

Puis, à partir de l'équation 11.4, on trouve, à $t = 50$ ms,

$$\xi_L = -L\frac{dI}{dt} = -L\left(\frac{\xi}{L}e^{-\frac{Rt}{L}}\right) = -\xi e^{-\frac{Rt}{L}} = -12e^{-\frac{6\left(50\times10^{-3}\right)}{2}} = \boxed{-10{,}3 \text{ V}}$$

(c) À partir de l'équation 11.8, on trouve

$$I = 0{,}80I_0 = I_0\left(1-e^{-\frac{Rt}{L}}\right) \implies 0{,}80 = 1-e^{-\frac{Rt}{L}} \implies e^{-\frac{Rt}{L}} = 0{,}20 \implies$$

$$-\frac{Rt}{L} = \ln(0{,}20) \implies t = -\frac{L}{R}\ln(0{,}20) = -\frac{2}{6}\ln(0{,}20) = \boxed{536 \text{ ms}}$$

E18. (a) En combinant l'équation 6.10 et l'équation 11.10, on trouve

$$\Delta V_R = RI = R\left(\frac{\xi}{R}\right)e^{-\frac{Rt}{L}} \implies \Delta V_R = \xi e^{-\frac{Rt}{L}} \implies$$

$$0{,}125\xi = \xi e^{-\frac{Rt}{L}} \implies 0{,}125 = e^{-\frac{Rt}{L}} \implies -\frac{Rt}{L} = \ln(0{,}125) \implies$$

$$t = -\frac{L}{R}\ln(0{,}125) = -\frac{2}{6}\ln(0{,}125) = \boxed{693 \text{ ms}}$$

(b) On calcule d'abord le taux de changement du courant avec l'équation 11.10:

$\frac{dI}{dt} = \frac{d}{dt}\left(\frac{\xi}{R}e^{-\frac{Rt}{L}}\right) = \frac{\xi}{R}\frac{d}{dt}\left(e^{-\frac{Rt}{L}}\right) = \frac{\xi}{R}\left(-\frac{R}{L}e^{-\frac{Rt}{L}}\right) = -\frac{\xi}{L}e^{-\frac{Rt}{L}}$

Puis, à partir de l'équation 11.4, on trouve, à $t = 693$ ms,

$\xi_L = -L\frac{dI}{dt} = -L\left(-\frac{\xi}{L}e^{-\frac{Rt}{L}}\right) = \xi e^{-\frac{Rt}{L}} = 12e^{-\frac{6\left(693\times10^{-3}\right)}{2}} = \boxed{1{,}50 \text{ V}}$

E19. (a) On calcule d'abord le taux de changement du courant avec l'équation 11.8 :

$\frac{dI}{dt} = \frac{d}{dt}\left(\frac{\xi}{R}\left(1 - e^{-\frac{Rt}{L}}\right)\right) = \frac{\xi}{R}\frac{d}{dt}\left(1 - e^{-\frac{Rt}{L}}\right) = \frac{\xi}{R}\left(\frac{R}{L}e^{-\frac{Rt}{L}}\right) = \frac{\xi}{L}e^{-\frac{Rt}{L}}$

À $t = 0$, $\left(\frac{dI}{dt}\right)_{t=0} = \frac{\xi}{L} = \frac{12}{2} = \boxed{6{,}00 \text{ A/s}}$

(b) On veut que

$\frac{dI}{dt} = \frac{\xi}{L}e^{-\frac{Rt}{L}} = 0{,}50\left(\frac{dI}{dt}\right)_{t=0} \implies \frac{\xi}{L}e^{-\frac{Rt}{L}} = 0{,}50\frac{\xi}{L} \implies e^{-\frac{Rt}{L}} = 0{,}50 \implies$

$-\frac{Rt}{L} = \ln(0{,}50) \implies t = -\frac{L}{R}\ln(0{,}50) = -\frac{2}{6}\ln(0{,}50) = \boxed{231 \text{ ms}}$

(c) La valeur finale du courant est $I = \frac{\xi}{R} = \frac{12}{6} = 2$ A. Pour le calcul demandé, l'équation s'écrit

$I = \left(\frac{dI}{dt}\right)_{t=0} t \implies t = \frac{I}{\left(\frac{dI}{dt}\right)_{t=0}} = \frac{\frac{\xi}{R}}{\frac{\xi}{L}} = \frac{L}{R} = \frac{2}{6} = \boxed{333 \text{ ms}}$

La valeur trouvée correspond à la constante de temps du circuit.

E20. (a) La valeur initiale du courant est $I_0 = \frac{\xi}{R}$. À partir de l'équation 11.10, on trouve

$I = 0{,}25I_0 = I_0e^{-\frac{Rt}{L}} \implies 0{,}25 = e^{-\frac{Rt}{L}} \implies -\frac{Rt}{L} = \ln(0{,}25) \implies$

$R = -\frac{L}{t}\ln(0{,}25) = -\frac{6\times10^{-3}}{0{,}05}\ln(0{,}25) = \boxed{0{,}166\ \Omega}$

(b) La valeur finale du courant est $I_0 = \frac{\xi}{R}$. À partir de l'équation 11.8, on trouve

$I = 0{,}40I_0 = I_0\left(1 - e^{-\frac{Rt}{L}}\right) \implies 0{,}40 = 1 - e^{-\frac{Rt}{L}} \implies e^{-\frac{Rt}{L}} = 0{,}60 \implies$

$-\frac{Rt}{L} = \ln(0{,}60) \implies L = -\frac{Rt}{\ln(0{,}60)} = -\frac{10(0{,}02)}{\ln(0{,}60)} = \boxed{0{,}392 \text{ H}}$

E21. (a) La chute de potentiel aux bornes de la bobine qui vient de sa résistance est donnée par l'équation 6.10 :

$\Delta V_R = -RI = -2(6) = -12$ V

La f.é.m. induite aux bornes de la bobine est donnée par l'équation 11.4 :

$\xi_L = -L\frac{dI}{dt} = -\left(40\times10^{-3}\right)(25) = -1{,}00$ V

La différence de potentiel totale aux bornes de la bobine est

$\Delta V_L = \Delta V_R + \xi_L = -12 - 1 = \ -13{,}0$ V

de sorte que $|\Delta V_L| = \boxed{13{,}0 \text{ V}}$

(b) Seule la f.é.m. induite change de signe :

$\xi_L = -L\frac{dI}{dt} = -\left(40\times10^{-3}\right)(-25) = 1{,}00$ V

de sorte que

$$\Delta V_L = \Delta V_R + \xi_L = -12 + 1 = -11{,}0 \text{ V} \implies |\Delta V_L| = \boxed{11{,}0 \text{ V}}$$

Dans les deux cas, le potentiel chute à travers la bobine.

E22. (a) À partir de l'équation 11.8, sachant que $I = 0{,}40 I_0$ à $t = 40$ ms, on calcule la constante de temps :

$$I = 0{,}40 I_0 = I_0 \left(1 - e^{-\frac{t}{\tau}}\right) \implies 0{,}40 = 1 - e^{-\frac{t}{\tau}} \implies e^{-\frac{t}{\tau}} = 0{,}60 \implies$$

$$-\frac{t}{\tau} = \ln(0{,}60) \implies \tau = -\frac{t}{\ln(0{,}60)} = -\frac{40 \times 10^{-3}}{\ln(0{,}60)} = 78{,}3 \text{ ms}$$

On reprend l'équation 11.8 et on cherche t pour que $I = 0{,}80 I_0$:

$$I = 0{,}80 I_0 = I_0 \left(1 - e^{-\frac{t}{\tau}}\right) \implies 0{,}80 = 1 - e^{-\frac{t}{\tau}} \implies e^{-\frac{t}{\tau}} = 0{,}20 \implies$$

$$-\frac{t}{\tau} = \ln(0{,}20) \implies t = -\tau \ln(0{,}20) = -\left(78{,}3 \times 10^{-3}\right) \ln(0{,}20) = \boxed{126 \text{ ms}}$$

(b) À partir de l'équation 11.9, on trouve

$$\tau = \frac{L}{R} \implies L = R\tau = 12\left(78{,}3 \times 10^{-3}\right) = \boxed{0{,}940 \text{ H}}$$

E23. (a) La valeur finale du courant est $I_0 = \frac{\xi}{R}$. À partir de l'équation 11.8, on trouve

$$I = 0{,}50 I_0 = I_0 \left(1 - e^{-\frac{Rt}{L}}\right) \implies 0{,}50 = 1 - e^{-\frac{Rt}{L}} \implies e^{-\frac{Rt}{L}} = 0{,}50 \implies$$

$$-\frac{Rt}{L} = \ln(0{,}50) \implies t = -\frac{L}{R} \ln(0{,}50) = -\frac{120 \times 10^{-3}}{15} \ln(0{,}50) = \boxed{5{,}55 \text{ ms}}$$

(b) À partir de l'équation 11.8 et à $t = 5\tau$, on trouve

$$I = I_0 \left(1 - e^{-\frac{5\tau}{\tau}}\right) = I_0 \left(1 - e^{-5}\right) = 0{,}993 \implies \frac{I}{I_0} = \boxed{99{,}3 \ \%}$$

E24. (a) À l'instant initial, lorsqu'on ferme l'interrupteur, $\boxed{I_3 = 0}$ et le circuit se comporte comme si la branche qui contient la bobine était absente. Les deux résistances sont en série et $\boxed{I_1 = I_2 = \frac{\xi}{R_1 + R_2}}$

(b) Après un temps très long, la branche qui contient la bobine se comporte comme un court-circuit et $\boxed{I_2 = 0}$. Le courant dans les autres branches prend la valeur finale donnée par le raisonnement qui conduit à l'équation 11.10, $\boxed{I_1 = I_3 = \frac{\xi}{R_1}}$

(c) Il n'y a plus de courant dans la branche qui contient la f.é.m., $\boxed{I_1 = 0}$, et le courant dans le reste du circuit prend la valeur initiale donnée par le raisonnement qui conduit à l'équation 11.8, $\boxed{I_2 = I_3 = \frac{\xi}{R_1}}$

(d) Directement, à partir de l'équation 6.10, on trouve

$$\Delta V_{R_2} = R_2 I_2 = \boxed{\frac{R_2 \xi}{R_1}}$$

E25. Chaque spire mesure 1,0 mm de large. Sur $\ell = 0{,}18$ m, il y a $N = \frac{0{,}18}{1 \times 10^{-3}} = 180$ spires et ainsi $n = \frac{N}{\ell} = \frac{180}{0{,}18} = 1000$ spires/m. Avec $A = \pi r^2 = 4\pi \times 10^{-4}$ m^2 et le résultat de l'exemple 11.1, on calcule

$L = \mu_0 n^2 A\ell = \left(4\pi \times 10^{-7}\right)(1000)^2 \left(4\pi \times 10^{-4}\right)(0{,}18) = 2{,}84 \times 10^{-4}$ H

La longueur totale de fil du solénoïde est $\ell_{\text{fil}} = N(2\pi r) = 22{,}6$ m. La section A_{fil} du fil dépend du rayon du fil, qui est $r_{\text{fil}} = 0{,}5$ mm; donc $A_{\text{fil}} = \pi r_{\text{fil}}^2 = 7{,}85 \times 10^{-7}$ m^2. On calcule la résistance du solénoïde avec l'équation 6.6 :

$R = \frac{\rho \ell_{\text{fil}}}{A_{\text{fil}}} = \frac{\left(1{,}7\times10^{-8}\right)(22{,}6)}{7{,}85\times10^{-7}} = 0{,}489\ \Omega$

Avec l'équation 11.9, on trouve

$\tau = \frac{L}{R} = \frac{2{,}84\times10^{-4}}{0{,}489} = \boxed{0{,}581 \text{ ms}}$

E26. (a) À partir de l'équation 11.12, on trouve

$U_L = \frac{1}{2}LI^2 = \frac{1}{2}(1{,}5)(20)^2 = \boxed{300 \text{ J}}$

(b) À partir de l'équation 11.3, on trouve

$N\Phi_B = LI \implies L = \frac{N\Phi_B}{I} = \frac{120\left(4\times10^{-5}\right)}{1{,}5} = 3{,}20$ mH

À partir de l'équation 11.12, on trouve

$U_L = \frac{1}{2}LI^2 = \frac{1}{2}\left(3{,}20 \times 10^{-3}\right)(1{,}5)^2 = \boxed{3{,}60 \text{ mJ}}$

E27. (a) On donne $B = 1 \times 10^{-4}$ T, si 1 G $= 10^{-4}$ T. À partir de l'équation 11.13, on trouve

$u_B = \frac{B^2}{2\mu_0} = \frac{\left(1\times10^{-4}\right)^2}{2(4\pi\times10^{-7})} = \boxed{3{,}98 \text{ mJ/m}^3}$

(b) Soit $V = A\ell = \left(\pi r^2\right)\ell = \pi \times 10^{-5}$ m^3, le volume du solénoïde. On calcule d'abord l'énergie emmagasinée dans le champ magnétique :

$u_B = \frac{U_L}{V} \implies U_L = u_B V = \left(3{,}98 \times 10^{-3}\right)\left(\pi \times 10^{-5}\right) = 1{,}25 \times 10^{-7}$ J

Avec $A = \pi r^2 = \pi \times 10^{-4}$ m^2, $n = \frac{N}{\ell} = \frac{100}{0{,}1} = 1000$ spires/m et le résultat de l'exemple 11.1, on calcule

$L = \mu_0 n^2 A\ell = \left(4\pi \times 10^{-7}\right)(1000)^2 \left(\pi \times 10^{-4}\right)(0{,}10) = 39{,}5 \times 10^{-6}$ H

Finalement, à partir de l'équation 11.12, on trouve

$U_L = \frac{1}{2}LI^2 \implies I = \sqrt{\frac{2U_L}{L}} = \sqrt{\frac{2(1{,}25\times10^{-7})}{39{,}5\times10^{-6}}} = \boxed{79{,}6 \text{ mA}}$

E28. On combine l'équation 11.12 et le résultat de l'exemple 1.2 pour un câble coaxial :

$U_L = \frac{1}{2}LI^2 = \frac{1}{2}\left(\frac{\mu_0\ell}{2\pi}\ln\left(\frac{b}{a}\right)\right)I^2 = \frac{\mu_0\ell I^2}{4\pi}\ln\left(\frac{b}{a}\right) = \frac{\left(4\pi\times10^{-7}\right)(1)(2)^2}{4\pi}\ln\left(\frac{2\times10^{-3}}{0{,}5\times10^{-3}}\right) \implies$

$U_L = \boxed{5{,}55 \times 10^{-7} \text{ J}}$

E29. (a) À partir des équations 6.12, 11.8 et $I_0 = \frac{\xi}{R}$, on trouve

$P_R = RI^2 = R\left(I_0\left(1 - e^{-\frac{t}{\tau}}\right)\right)^2 = \frac{\xi^2}{R}\left(1 - e^{-\frac{t}{\tau}}\right)^2 \qquad \text{(i)}$

À $t = \tau$, l'équation (i) devient

$P_R = \frac{\xi^2}{R}\left(1 - e^{-1}\right)^2 = \frac{(12)^2}{6}(0{,}632)^2 = \boxed{9{,}59 \text{ W}}$

(b) Le résultat de la partie (c) de l'exemple 11.4 est

$$P_L = RI_0^2\left(e^{-\frac{t}{\tau}} - e^{-\frac{2t}{\tau}}\right) = \frac{\xi^2}{R}\left(e^{-\frac{t}{\tau}} - e^{-\frac{2t}{\tau}}\right) \qquad \text{(ii)}$$

À $t = \tau$, l'équation (ii) devient

$$P_L = \frac{\xi^2}{R}\left(e^{-1} - e^{-2}\right) = \frac{(12)^2}{6}(0{,}233) = \boxed{5{,}58 \text{ W}}$$

(c) Le résultat de la partie (e) de l'exemple 11.4 est

$$P_\xi = RI_0^2\left(1 - e^{-\frac{t}{\tau}}\right) = \frac{\xi^2}{R}\left(1 - e^{-\frac{t}{\tau}}\right) \qquad \text{(iii)}$$

À $t = \tau$, l'équation (iii) devient

$$P_\xi = \frac{\xi^2}{R}\left(1 - e^{-1}\right) = \frac{(12)^2}{6}(0{,}632) = \boxed{15{,}2 \text{ W}}$$

E30. (a) On calcule d'abord le taux de changement du courant avec l'équation 11.8:

$$\frac{dI}{dt} = \frac{d}{dt}\left(\frac{\xi}{R}\left(1 - e^{-\frac{Rt}{L}}\right)\right) = \frac{\xi}{R}\frac{d}{dt}\left(1 - e^{-\frac{Rt}{L}}\right) = \frac{\xi}{R}\left(\frac{R}{L}e^{-\frac{Rt}{L}}\right) = \frac{\xi}{L}e^{-\frac{Rt}{L}}$$

À $t = 1$ ms, la f.é.m. induite aux bornes de la bobine est ensuite donnée par l'équation 11.4:

$$\xi_L = -L\frac{dI}{dt} = -L\left(\frac{\xi}{L}e^{-\frac{Rt}{L}}\right) = -\xi e^{-\frac{Rt}{L}} = -40e^{-\frac{60\left(1\times10^{-3}\right)}{25\times10^{-3}}} = \boxed{-3{,}63 \text{ V}}$$

(b) À partir des équations 6.12, 11.8 et pour $I_0 = \frac{\xi}{R}$, on trouve

$$P_R = RI^2 = R\left(I_0\left(1 - e^{-\frac{Rt}{L}}\right)\right)^2 = \frac{\xi^2}{R}\left(1 - e^{-\frac{Rt}{L}}\right)^2$$

À $t = 1$ ms, la puissance dissipée dans la résistance est

$$P_R = \frac{(40)^2}{60}\left(1 - e^{-\frac{60\left(1\times10^{-3}\right)}{25\times10^{-3}}}\right)^2 = \boxed{22{,}1 \text{ W}}$$

(c) Le résultat de la partie (c) de l'exemple 11.4 est

$$P_L = \frac{\xi^2}{R}\left(e^{-\frac{Rt}{L}} - e^{-\frac{2Rt}{L}}\right)$$

À $t = 1$ ms, la puissance fournie à la bobine est

$$P_L = \frac{(40)^2}{60}\left(e^{-\frac{60\left(1\times10^{-3}\right)}{25\times10^{-3}}} - e^{-\frac{2(60)\left(1\times10^{-3}\right)}{25\times10^{-3}}}\right) = \boxed{2{,}20 \text{ W}}$$

(d) Le résultat de la partie (e) de l'exemple 11.4 est

$$P_\xi = \frac{\xi^2}{R}\left(1 - e^{-\frac{Rt}{L}}\right)$$

À $t = 1$ ms, la puissance fournie par la pile est

$$P_\xi = \frac{\xi^2}{R}\left(1 - e^{-\frac{60\left(1\times10^{-3}\right)}{25\times10^{-3}}}\right) = \boxed{24{,}3 \text{ W}}$$

E31. On veut que $P_R = P_L$. Selon l'exercice 30*b*,

$$P_R = \frac{\xi^2}{R}\left(1 - e^{-\frac{Rt}{L}}\right)^2$$

Selon la partie (c) de l'exemple 11.4,

$$P_L = \frac{\xi^2}{R}\left(e^{-\frac{Rt}{L}} - e^{-\frac{2Rt}{L}}\right) = \frac{\xi^2}{R}\left(1 - e^{-\frac{Rt}{L}}\right)e^{-\frac{Rt}{L}}$$

Donc,

$\frac{\xi^2}{R}\left(1-e^{-\frac{Rt}{L}}\right)^2 = \frac{\xi^2}{R}\left(1-e^{-\frac{Rt}{L}}\right)e^{-\frac{Rt}{L}} \Longrightarrow 1-e^{-\frac{Rt}{L}} = e^{-\frac{Rt}{L}} \Longrightarrow 2e^{-\frac{Rt}{L}} = 1 \Longrightarrow$

$-\frac{Rt}{L} = \ln\left(\frac{1}{2}\right) \Longrightarrow t = -\frac{L}{R}\ln\left(\frac{1}{2}\right) = -\left(\frac{40\times10^{-3}}{5}\right)\ln\left(\frac{1}{2}\right) = \boxed{5{,}55 \text{ ms}}$

Puisque $\tau = \frac{L}{R}$, on peut aussi exprimer le résultat comme $t = \boxed{0{,}693\tau}$

E32. À partir de l'équation 11.12, on trouve

$U_L = \frac{1}{2}LI^2 \Longrightarrow L = \frac{2U_L}{I^2} = \frac{2(1{,}2)}{4^2} = \boxed{0{,}150 \text{ H}}$

E33. À partir de l'équation 11.13, on trouve

$u_B = \frac{B^2}{2\mu_0} \Longrightarrow B = \sqrt{2\mu_0 u_B} = \sqrt{2\left(4\pi\times10^{-7}\right)\left(8\times10^{-3}\right)} = 1{,}418\times10^{-4} \text{ T}$

Avec $n = \frac{N}{\ell} = \frac{300}{0{,}20} = 1500$ spires/m et l'équation 9.13, on trouve

$B = \mu_0 nI \Longrightarrow I = \frac{B}{\mu_0 n} = \frac{1{,}418\times10^{-4}}{(4\pi\times10^{-7})(1500)} = \boxed{75{,}2 \text{ mA}}$

E34. (a) On insère les valeurs dans l'équation 11.8 :

$I = \frac{\xi}{R}\left(1-e^{-\frac{Rt}{L}}\right) \Longrightarrow 180\times10^{-3} = \left(\frac{24}{60}\right)\left(1-e^{-\frac{Rt}{L}}\right) \Longrightarrow$

$e^{-\frac{Rt}{L}} = 0{,}550 \Longrightarrow -\frac{60\left(2\times10^{-3}\right)}{L} = \ln(0{,}550) \Longrightarrow L = -\frac{60\left(2\times10^{-3}\right)}{\ln(0{,}550)} = \boxed{0{,}201 \text{ H}}$

(b) Avec $I_0 = \frac{\xi}{R}$ et l'équation 11.12, on trouve

$U_{L\max} = \frac{1}{2}LI_0^2 = \frac{1}{2}L\left(\frac{\xi}{R}\right)^2 = \frac{1}{2}(0{,}201)\left(\frac{24}{60}\right)^2 = \boxed{1{,}61\times10^{-2} \text{ J}}$

E35. (a) On combine les équations 9.13 et 11.13 et on trouve

$u_B = \frac{B^2}{2\mu_0} = \frac{(\mu_0 nI)^2}{2\mu_0} = \boxed{\frac{\mu_0 n^2 I^2}{2}}$

(b) Le volume intérieur du solénoïde est $V = A\ell$. L'énergie accumulée dans le solénoïde est

$U_L = u_B V = \frac{\mu_0 n^2 I^2}{2}(A\ell) \qquad \text{(i)}$

Si on fait appel à l'équation 11.12, l'équation (i) devient

$\frac{1}{2}LI^2 = \frac{\mu_0 n^2 I^2}{2}(A\ell) \Longrightarrow \boxed{L = \mu_0 n^2 A\ell}$

ce qui correspond au résultat de l'exemple 11.1. $\Longrightarrow$ $\boxed{\text{CQFD}}$

E36. (a) On donne $I = 2{,}5\sin(150t)$; donc

$\frac{dI}{dt} = \frac{d}{dt}(2{,}5\sin(150t)) = 2{,}5(150)\cos(150t)$

À $t = 1{,}2\times10^{-3}$ s, avec l'équation 11.4, on trouve

$\xi = -L\frac{dI}{dt} = -\left(160\times10^{-3}\right)(2{,}5)(150)\cos\left(150\left(1{,}2\times10^{-3}\right)\right) = \boxed{-59{,}0 \text{ V}}$

(b) On dérive l'équation 11.12 et on trouve, à $t = 1{,}2\times10^{-3}$ s,

$\frac{dU_L}{dt} = LI\frac{dI}{dt} \Longrightarrow$

$\frac{dU_L}{dt} = \left(160\times10^{-3}\right)(2{,}5)\sin\left(150\left(1{,}2\times10^{-3}\right)\right)(2{,}5)(150)\cos\left(150\left(1{,}2\times10^{-3}\right)\right) \Longrightarrow$

$\frac{dU_L}{dt} = \left(160\times10^{-3}\right)(2{,}5)^2(150)\sin\left(150\left(1{,}2\times10^{-3}\right)\right)\cos\left(150\left(1{,}2\times10^{-3}\right)\right) = \boxed{26{,}4 \text{ W}}$

E37. (a) Avec l'équation 11.14 et en sachant que $f = \frac{\omega}{2\pi}$, on trouve

$f_0 = \frac{\omega_0}{2\pi} = \frac{1}{2\pi\sqrt{LC}} = \frac{1}{2\pi\sqrt{(8\times10^{-3})(10\times10^{-6})}} = \boxed{563\text{ Hz}}$

(b) Selon l'équation 11.16, la valeur maximale du courant est

$I_0 = \omega_0 Q_0 = \frac{Q_0}{\sqrt{LC}} = \frac{60\times10^{-6}}{\sqrt{(8\times10^{-3})(10\times10^{-6})}} = \boxed{0{,}212\text{ A}}$

(c) On veut que $U_C = U_L$ et on sait que l'énergie totale du circuit correspond à $\frac{Q_0^2}{2C}$ ainsi qu'on l'a démontré à la section 11.4. Si les énergies sont également réparties, alors

$U_C = \frac{1}{2}\left(\frac{Q_0^2}{2C}\right) \Longrightarrow \frac{Q^2}{2C} = \frac{1}{2}\left(\frac{Q_0^2}{2C}\right) \Longrightarrow Q^2 = \frac{Q_0^2}{2} \quad \text{(i)}$

Selon l'équation 11.15*b*, la charge sur le condensateur est décrite par

$Q = Q_0 \cos(\omega_0 t) \quad \text{(ii)}$

Si on combine les équations (i) et (ii),

$Q_0^2 \cos^2(\omega_0 t) = \frac{Q_0^2}{2} \Longrightarrow \cos(\omega_0 t) = \sqrt{\frac{1}{2}} \Longrightarrow \omega_0 t = \arccos\left(\sqrt{\frac{1}{2}}\right)$

Comme on cherche le premier instant où la condition est respectée, on conserve le résultat pour l'angle $\omega_0 t$ qui est dans le premier cadran. Si cet angle est en radians,

$\omega_0 t = 0{,}785 \Longrightarrow t = \sqrt{LC}\,(0{,}785) = \sqrt{(8\times10^{-3})(10\times10^{-6})}\,(0{,}785) = \boxed{2{,}22\times10^{-4}\text{ s}}$

(d) L'énergie dans le condensateur et dans la bobine est donnée par les équations 5.9 et 11.12, soit $U_C = \frac{Q^2}{2C}$ et $U_L = \frac{1}{2}LI^2$. Dans le logiciel Maple, on donne une valeur à C et à L. Ensuite, on définit l'expression de la charge, du courant et des deux formes d'énergie. Finalement, on trace le graphe demandé :

```
> restart;
> C:=10e-6; L:=8e-3; Q0:=60e-6;
> omega:=1/sqrt(L*C);
> Q:=Q0*cos(omega*t);
> i:=-diff(Q,t);
> UC:=Q^2/(2*C);
> UL:=(1/2)*L*i^2;
> plot([UC,UL],t=0..2*Pi/omega,color=[blue,red]);
```

Le graphe confirme le résultat de la question (c).

E38. (a) À partir de la figure 11.12, on constate que le délai fourni correspond au quart de la période d'oscillation. Sachant que $T = \frac{2\pi}{\omega_0}$ et à partir de l'équation 11.14, on trouve

$1\times10^{-4}\text{ s} = \frac{T}{4} = \frac{1}{4}\left(\frac{2\pi}{\omega_0}\right) = \frac{\pi\sqrt{LC}}{2} \Longrightarrow 1\times10^{-4} = \frac{\pi\sqrt{L(25\times10^{-9})}}{2} \Longrightarrow$

$L = \frac{1}{25\times10^{-9}}\left(\frac{2(1\times10^{-4})}{\pi}\right)^2 = \boxed{0{,}162\text{ H}}$

(b) On sait que $U_{L\max} = U_{C\max} = \frac{Q_0^2}{2C}$, donc

$U_{L\max} = \frac{(20\times10^{-6})^2}{2(25\times10^{-9})} = \boxed{8{,}00\times10^{-3}\text{ J}}$

E39. Sachant que $2\pi f = \omega$, on calcule les fréquences angulaires correspondant aux bornes de l'intervalle :

$\omega_{01} = 2\pi f_1 = 2\pi\left(550\times10^3\right) = 3{,}46\times10^6$ rad/s

$\omega_{02} = 2\pi f_2 = 2\pi\left(1600\times10^3\right) = 1{,}01\times10^7$ rad/s

À partir de l'équation 11.14, qui permet d'écrire que $C = \frac{1}{\omega_0^2 L}$, on trouve les deux valeurs de capacité :

$C_1 = \frac{1}{\omega_{01}^2 L} = \frac{1}{(3{,}46\times10^6)^2(5\times10^{-3})} = 1{,}67\times10^{-11}$ F

$C_2 = \frac{1}{\omega_{02}^2 L} = \frac{1}{(1{,}01\times10^7)^2(5\times10^{-3})} = 1{,}98\times10^{-12}$ F

L'intervalle des valeurs de capacité est donc $\boxed{1{,}98 \text{ pF} \leq C \leq 16{,}7 \text{ pF}}$

E40. (a) À partir de l'équation 11.20, on trouve

$\omega' = \sqrt{\omega_0^2 - \left(\frac{R}{2L}\right)^2} = \sqrt{\frac{1}{LC} - \frac{R^2}{4L^2}} \Longrightarrow$

$\omega' = \sqrt{\frac{1}{(4\times10^{-3})(20\times10^{-6})} - \frac{(20)^2}{4(4\times10^{-3})^2}} = \boxed{2{,}50\times10^3 \text{ rad/s}}$

(b) Comme on l'a vu dans le paragraphe qui suit l'équation 11.20, l'amortissement critique débute lorsque

$R = 2\omega_0 L = \frac{2}{\sqrt{LC}}L = 2\sqrt{\frac{L}{C}} = 2\sqrt{\frac{4\times10^{-3}}{20\times10^{-6}}} = \boxed{28{,}3\ \Omega}$

E41. Selon l'équation 11.19, la charge sur le condensateur est donnée par

$Q = Q_0 e^{-\frac{Rt}{2L}}\sin(\omega' t + \delta)$

Mais, comme $R^2 \ll \frac{4L}{C}$, on peut affirmer que $\omega' \approx \omega_0$ et que

$Q = Q_0 e^{-\frac{Rt}{2L}}\sin(\omega_0 t + \delta)$

On calcule l'expression du courant à tout instant :

$I = -\frac{dQ}{dt} = -\frac{d}{dt}\left(Q_0 e^{-\frac{Rt}{2L}}\sin(\omega_0 t + \delta)\right) \Longrightarrow$

$I = -Q_0\left[\sin(\omega_0 t + \delta)\frac{d}{dt}\left(e^{-\frac{Rt}{2L}}\right) + e^{-\frac{Rt}{2L}}\frac{d}{dt}\left(\sin(\omega_0 t + \delta)\right)\right] \Longrightarrow$

$I = -Q_0\left[\sin(\omega_0 t + \delta)\left(-\frac{R}{2L}\right)e^{-\frac{Rt}{2L}} + e^{-\frac{Rt}{2L}}(\omega_0)\cos(\omega_0 t + \delta)\right] \Longrightarrow$

$I = -Q_0 e^{-\frac{Rt}{2L}}\left[\omega_0\cos(\omega_0 t + \delta) - \frac{R}{2L}\sin(\omega_0 t + \delta)\right]$

Encore une fois, si $R^2 \ll \frac{4L}{C}$, alors $\frac{R^2}{4L^2} \ll \frac{1}{LC} \Longrightarrow \frac{R}{2L} \ll \frac{1}{\sqrt{LC}} = \omega_0$, et on peut négliger le deuxième terme de l'expression pour le courant :

$I \approx -Q_0 e^{-\frac{Rt}{2L}}\omega_0\cos(\omega_0 t + \delta)$

À tout instant, l'énergie totale dans le circuit correspond à

$U = U_C + U_L = \frac{Q^2}{2C} + \frac{1}{2}LI^2 \Longrightarrow$

$U = \frac{1}{2C}Q_0^2 e^{-\frac{Rt}{L}}\sin^2(\omega_0 t + \delta) + \frac{1}{2}LQ_0^2 e^{-\frac{Rt}{L}}\omega_0^2\cos^2(\omega_0 t + \delta) \Longrightarrow$

$U = \frac{1}{2}Q_0^2 e^{-\frac{Rt}{L}} \left[\frac{1}{C}\sin^2(\omega_0 t + \delta) + L\omega_0^2 \cos^2(\omega_0 t + \delta)\right] \Longrightarrow$

$U = \frac{1}{2}Q_0^2 e^{-\frac{Rt}{L}} \left[\frac{1}{C}\sin^2(\omega_0 t + \delta) + \frac{1}{C}\cos^2(\omega_0 t + \delta)\right]$

Si on utilise l'identité $\sin^2\theta + \cos^2\theta = 1$, alors

$U = \frac{1}{2C}Q_0^2 e^{-\frac{Rt}{L}} \left[\sin^2(\omega_0 t + \delta) + \cos^2(\omega_0 t + \delta)\right] \Longrightarrow \boxed{U = \frac{1}{2C}Q_0^2 e^{-\frac{Rt}{L}}} \Longrightarrow \boxed{\text{CQFD}}$

E42. (a) À partir de l'équation 11.14, on trouve

$\omega_0 = \frac{1}{\sqrt{LC}} = \frac{1}{\sqrt{(40\times10^{-3})(0{,}01\times10^{-6})}} = \boxed{5{,}00 \times 10^4 \text{ rad/s}}$

(b) À partir de l'équation 11.20, on pose l'équation de la contrainte :

$\omega' = \sqrt{\omega_0^2 - \left(\frac{R}{2L}\right)^2} = 0{,}999\omega_0 \Longrightarrow \sqrt{\omega_0^2 - \frac{R^2}{4L^2}} = 0{,}999\omega_0 \Longrightarrow$

$\omega_0^2 - \frac{R^2}{4L^2} = (0{,}999)^2\omega_0^2 \Longrightarrow \frac{R^2}{4L^2} = \left(1 - (0{,}999)^2\right)\omega_0^2 \Longrightarrow$

$R = 2L\omega_0\sqrt{1-(0{,}999)^2} = 2\left(40\times10^{-3}\right)\left(5{,}00\times10^4\right)\sqrt{1-(0{,}999)^2} = \boxed{1{,}79 \times 10^2\ \Omega}$

(c) Dans le logiciel Maple, on définit l'expression de la fréquence angulaire des oscillations amorties et on trace le graphe demandé :

```
> restart;
> L:=40e-3; C:=1e-8; w0:=1/sqrt(L*C);
> wp:=sqrt(w0^2-(R/(2*L))^2);
> plot(wp,R=0..200);
```

(d) Dans le logiciel Maple, on définit la valeur critique de fréquence angulaire et on résout l'équation :

```
> T:=86400;
> wc:=2*Pi/T;
> solve(wp=wc,R);
```

On ne conserve que le résultat positif, $R = \boxed{4{,}00 \times 10^3\ \Omega}$

Problèmes

P1. (a) Comme elles sont en série, les deux bobines sont traversées par le même courant I, et la différence de potentiel entre les deux extrémités correspond à la somme des f.é.m. induites. Pour chaque bobine, on utilise l'équation 11.4 :

$\xi = \xi_1 + \xi_2 = -L_1\frac{dI}{dt} - L_2\frac{dI}{dt} = -(L_1 + L_2)\frac{dI}{dt}$

Si on compare à $\xi = -L_{\text{éq}}\frac{dI}{dt}$, on peut affirmer que l'auto-inductance équivalente est $L_{\text{éq}} = \boxed{L_1 + L_2}$

(b) Si elles sont en parallèle, la même différence de potentiel sera mesurée aux bornes des deux bobines. Le courant total qui traverse la bobine équivalente $I_{\text{éq}}$ correspond à la somme des courants traversant chacune des bobines; donc

$I_{\text{éq}} = I_1 + I_2 \implies \frac{dI_{\text{éq}}}{dt} = \frac{dI_1}{dt} + \frac{dI_2}{dt}$

Dans chaque branche, le taux de changement du courant est lié à la différence de potentiel par l'équation 11.4, $\frac{dI_1}{dt} = -\frac{\xi_1}{L_1}$ et $\frac{dI_2}{dt} = -\frac{\xi_2}{L_2}$.

On réécrit l'équation 11.4 pour la branche unique contenant la bobine équivalente :

$\xi = \xi_1 = \xi_2 = -L_{\text{éq}} \frac{dI_{\text{éq}}}{dt} = -L_{\text{éq}} \left(\frac{dI_1}{dt} + \frac{dI_2}{dt} \right) \implies$

$L_{\text{éq}} = -\frac{\xi_1}{\frac{dI_1}{dt} + \frac{dI_2}{dt}} = -\frac{\xi_1}{-\frac{\xi_1}{L_1} - \frac{\xi_2}{L_2}} = \boxed{\left(\frac{1}{L_1} + \frac{1}{L_2} \right)^{-1}}$

P2. Comme elles sont en série, les deux bobines sont traversées par le même courant I, et la différence de potentiel entre les deux extrémités correspond à la somme des f.é.m. induites. On doit cependant inclure la f.é.m. induite sur chaque bobine par suite de l'inductance mutuelle. On utilise les équations 11.4 et 11.6 :

$\xi = \xi_1 + \xi_2 + \xi_{12} + \xi_{21} = -L_1 \frac{dI}{dt} - L_2 \frac{dI}{dt} \pm \left(M \frac{dI}{dt} + M \frac{dI}{dt} \right) = -\left(L_1 + L_2 \pm 2M \right) \frac{dI}{dt}$

Le signe $\pm$ devant le terme d'induction mutuelle vient de ce que la f.é.m. associée à l'inductance s'additionne ou se soustrait à l'auto-induction selon le sens des enroulements pour chaque bobine.

Si on compare à $\xi = -L_{\text{éq}} \frac{dI}{dt}$, on peut affirmer que l'inductance équivalente à ce système de deux bobines est $L_{\text{éq}} = \boxed{L_1 + L_2 \pm 2M}$

P3. La figure qui suit montre une portion de longueur ℓ des deux fils. Le centre des deux fils est à une distance d :

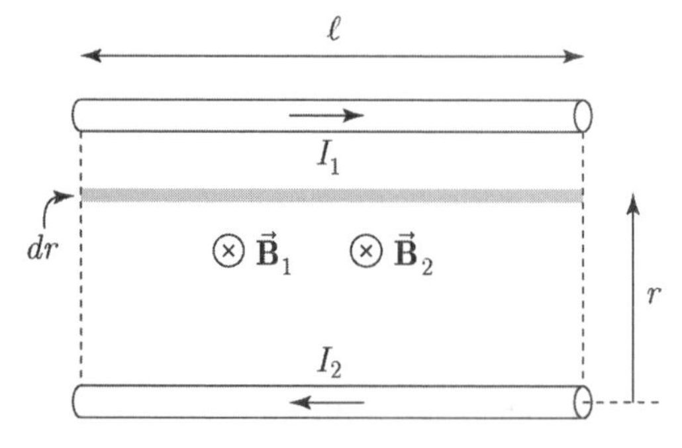

Entre les deux fils, le champ magnétique de chacun des deux fils est dans le même sens. Le module du champ magnétique résultant est, selon l'équation 9.1,

$B = B_1 + B_2 = \frac{\mu_0 I}{2\pi(d-r)} + \frac{\mu_0 I}{2\pi r}$

Le flux magnétique à travers un élément de largeur dr est, selon l'équation 10.1 et pour $\theta = 0°$,

$d\Phi_B = BdA = B\ell dr = \left(\frac{\mu_0 I}{2\pi(d-r)} + \frac{\mu_0 I}{2\pi r} \right) \ell dr = \frac{\mu_0 I \ell}{2\pi} \left(\frac{1}{d-r} + \frac{1}{r} \right) dr$

Dans tout l'espace qui sépare les deux fils, le flux total correspond à

$$\Phi_B = \int d\Phi_B = \int_a^{d-a} \frac{\mu_0 I\ell}{2\pi}\left(\frac{1}{d-r}+\frac{1}{r}\right)dr = \frac{\mu_0 I\ell}{2\pi}\int_a^{d-a}\left(\frac{1}{d-r}+\frac{1}{r}\right)dr \implies$$

$$\Phi_B = \frac{\mu_0 I\ell}{2\pi}\left[-\ln(d-r)+\ln(r)\right|_a^{d-a} = \frac{\mu_0 I\ell}{2\pi}\left(-\ln(a)+\ln(d-a)+\ln(d-a)-\ln(a)\right) \implies$$

$$\Phi_B = \frac{\mu_0 I\ell}{2\pi}\left(2\ln(d-a)-2\ln(a)\right) = \frac{\mu_0 I\ell}{\pi}\ln\left(\frac{d-a}{a}\right)$$

Si on utilise ce résultat dans l'équation 11.3 avec $N = 1$ et $\ell = 1$ m, on trouve

$$\Phi_B = LI \implies \frac{\mu_0 I\ell}{\pi}\ln\left(\frac{d-a}{a}\right) = LI \implies \frac{L}{\ell} = \frac{\mu_0}{\pi}\ln\left(\frac{d-a}{a}\right) \implies$$

$$\boxed{L = \frac{\mu_0}{\pi}\ln\left(\frac{d-a}{a}\right)} \implies \boxed{\text{CQFD}}$$

P4. On reprend le résultat de la partie (b) de l'exemple 9.6, qui donne le module du champ magnétique à l'intérieur d'un fil de rayon a :

$$B = \frac{\mu_0 I r}{2\pi a^2}$$

En un point donné à l'intérieur du fil ($r < a$), la densité d'énergie associée au champ magnétique correspond à

$$u_B = \frac{B^2}{2\mu_0} = \frac{1}{2\mu_0}\left(\frac{\mu_0 I r}{2\pi a^2}\right)^2 = \frac{\mu_0 I^2 r^2}{8\pi^2 a^4}$$

L'énergie contenue dans une mince coquille cylindrique d'épaisseur dr et de longueur ℓ est $dU_B = u_B dV$, dans laquelle $dV = 2\pi r\ell dr$. L'énergie totale contenue dans tout le fil est

$$U_B = \int dU_B = \int u_B dV = \int_0^a \left(\frac{\mu_0 I^2 r^2}{8\pi^2 a^4}\right)(2\pi r\ell)\,dr = \frac{\mu_0 I^2\ell}{4\pi a^4}\int_0^a r^3 dr = \frac{\mu_0 I^2\ell}{4\pi a^4}\left(\frac{a^4}{4}\right) = \frac{\mu_0 I^2\ell}{16\pi}$$

Si on compare ce résultat avec l'équation 11.12,

$$U_B = \frac{1}{2}LI^2 \implies \frac{\mu_0 I^2\ell}{16\pi} = \frac{1}{2}LI^2 \implies \frac{L}{\ell} = \boxed{\frac{\mu_0}{8\pi}}$$

P5. Le flux magnétique à travers le cadre associé au courant I dans le fil rectiligne a déjà été calculé au problème 7 du chapitre 10 :

$$\Phi_B = \frac{\mu_0 I c}{2\pi}\ln\left(\frac{a+b}{a}\right)$$

Si on utilise ce résultat dans l'équation 11.5 pour $N = 1$, on trouve

$$\Phi_B = MI \implies \frac{\mu_0 I c}{2\pi}\ln\left(\frac{a+b}{a}\right) = MI \implies M = \boxed{\frac{\mu_0 c}{2\pi}\ln\left(\frac{a+b}{a}\right)}$$

P6. Le flux magnétique total à travers la section du tore a déjà été calculé à la partie (a) de l'exercice 13 :

$$\Phi_B = \frac{\mu_0 N I h}{2\pi}\ln\left(\frac{b}{a}\right)$$

Si on utilise ce résultat dans l'équation 11.3, on trouve

$$N\Phi_B = LI \implies L = \frac{N\Phi_B}{I} = \boxed{\frac{\mu_0 N^2 h}{2\pi}\ln\left(\frac{b}{a}\right)}$$

P7. (a) Soit U, l'énergie totale dans le circuit, et U_C, l'énergie accumulée dans le condensateur.

On fait l'hypothèse que la fraction d'énergie perdue par cycle dans le condensateur est la même que celle qui est perdue dans tout le circuit, de sorte que $\frac{|\Delta U|}{U} = \frac{|\Delta U_C|}{U_C}$.

La charge accumulée à tout instant sur le condensateur est donnée par l'équation 11.19, et l'énergie accumulée sur le condensateur à l'instant t est

$$U_C = \frac{Q^2}{2C} = \frac{1}{2C}\left(Q_0 e^{-\frac{Rt}{2L}} \sin(\omega_0 t + \delta)\right)^2 = \frac{1}{2C} Q_0^2 e^{-\frac{Rt}{L}} \sin^2(\omega_0 t + \delta)$$

Au bout d'une période, $t' = t + T$ et, si $\sin(\theta + 2\pi) = \sin\theta$,

$$U_C' = \frac{1}{2C} Q_0^2 e^{-\frac{R(t+T)}{L}} \sin^2(\omega_0 (t+T) + \delta) = \frac{1}{2C} Q_0^2 e^{-\frac{R(t+T)}{L}} \sin^2(\omega_0 t + \delta)$$

La différence entre les deux valeurs d'énergie est

$$|\Delta U_C| = U_C - U_C' = \frac{1}{2C} Q_0^2 e^{-\frac{Rt}{L}} \sin^2(\omega_0 t + \delta) - \frac{1}{2C} Q_0^2 e^{-\frac{R(t+T)}{L}} \sin^2(\omega_0 t + \delta) \Longrightarrow$$

$$|\Delta U_C| = \frac{1}{2C} Q_0^2 e^{-\frac{Rt}{L}} \sin^2(\omega_0 t + \delta)\left(1 - e^{-\frac{RT}{L}}\right)$$

de sorte que

$$\frac{|\Delta U|}{U} = \frac{|\Delta U_C|}{U_C} = \frac{\frac{1}{2C} Q_0^2 e^{-\frac{Rt}{L}} \sin^2(\omega_0 t + \delta)\left(1 - e^{-\frac{RT}{L}}\right)}{\frac{1}{2C} Q_0^2 e^{-\frac{Rt}{L}} \sin^2(\omega_0 t + \delta)} = 1 - e^{-\frac{RT}{L}} \qquad \text{(i)}$$

On suppose que le système est fortement sous-amorti, ce qui implique que $\frac{R}{L}$ est petit devant ω_0 et que $\omega_0 \approx \omega'$. Si c'est le cas, $\frac{R}{L} \ll 2\omega_0 = \frac{4\pi}{T}$; donc $\frac{RT}{L} \ll 4\pi$. On peut alors utiliser l'approximation suggérée et poser que $e^{-\frac{RT}{L}} \approx 1 - \frac{RT}{L}$ dans l'équation (i) :

$$\frac{|\Delta U|}{U} = 1 - \left(1 - \frac{RT}{L}\right) = \frac{RT}{L} = \frac{R}{L}\frac{2\pi}{\omega'} = \frac{2\pi}{\frac{L\omega'}{R}} \Longrightarrow \boxed{\frac{|\Delta U|}{U} = \frac{2\pi}{Q_{RLC}}} \Longrightarrow \boxed{\text{CQFD}}$$

(b) Si $\frac{|\Delta U|}{U} = 0{,}02$, alors $Q_{RLC} = \frac{2\pi}{0{,}02} = \boxed{314}$

(c) Si le système est sous-amorti, alors $\omega' \approx \omega_0 = \frac{1}{\sqrt{LC}}$; donc

$$Q_{RLC} = \frac{L\omega'}{R} \Longrightarrow 314 = \frac{L}{R}\frac{1}{\sqrt{LC}} = \frac{\sqrt{L}}{R\sqrt{C}} \Longrightarrow C = \frac{L}{(314)^2 R^2} = \frac{18\times10^{-3}}{(314)^2(0{,}5)^2} = \boxed{0{,}730\ \mu\text{F}}$$

P8. (a) À partir de l'équation 11.8, on trouve

$$I = 0{,}50 I_0 = I_0\left(1 - e^{-\frac{Rt}{L}}\right) \Longrightarrow 0{,}50 = 1 - e^{-\frac{Rt}{L}} \Longrightarrow e^{-\frac{Rt}{L}} = 0{,}50 \Longrightarrow$$

$$-\frac{Rt}{L} = \ln(0{,}50) \Longrightarrow t = -\frac{L}{R}\ln(0{,}50) = -\frac{20\times10^{-3}}{9}\ln(0{,}50) = \boxed{1{,}54\times10^{-3}\ \text{s}}$$

(b) La valeur maximale de la puissance dissipée dans la résistance est $P_{R\max} = RI_0^2$. Si on utilise le résultat de la partie (b) de l'exercice 30,

$$P_R = RI_0^2\left(1 - e^{-\frac{Rt}{L}}\right)^2 = 0{,}5 P_{R\max} \Longrightarrow RI_0^2\left(1 - e^{-\frac{Rt}{L}}\right)^2 = 0{,}5 RI_0^2 \Longrightarrow$$

$$\left(1 - e^{-\frac{Rt}{L}}\right)^2 = 0{,}5 \Longrightarrow 1 - e^{-\frac{Rt}{L}} = \sqrt{0{,}5} \Longrightarrow e^{-\frac{Rt}{L}} = 0{,}2929 \Longrightarrow$$

$$-\frac{Rt}{L} = \ln(0{,}2929) \Longrightarrow t = -\frac{L}{R}\ln(0{,}2929) = -\frac{20\times10^{-3}}{9}\ln(0{,}2929) = \boxed{2{,}73\times10^{-3}\ \text{s}}$$

(c) L'énergie accumulée dans la bobine à tout moment est $U_L = \frac{1}{2}LI^2$ et sa valeur maximale est $U_{L\max} = \frac{1}{2}LI_0^2$. On veut que

$$U_L = \frac{1}{2}U_{L\max} \Longrightarrow \frac{1}{2}LI^2 = \frac{1}{4}LI_0^2 \Longrightarrow I = \sqrt{0{,}5} I_0 \qquad \text{(i)}$$

Avec l'équation 11.8, l'équation (i) devient

$I_0\left(1-e^{-\frac{Rt}{L}}\right)=\sqrt{0{,}5}I_0 \implies 1-e^{-\frac{Rt}{L}}=\sqrt{0{,}5}$

Il s'agit de la même équation qu'à la partie (b), pour laquelle on a trouvé

$t = \boxed{2{,}73\times10^{-3}\text{ s}}$

P9. Selon l'équation 9.13, le module du champ magnétique dans le solénoïde est

$B=\mu_0 nI=\mu_0\left(\frac{N}{\ell}\right)I$

Mais la longueur du solénoïde correspond à $\ell = N(2a)$ si a est le rayon du fil dont est constitué le solénoïde; donc

$B=\mu_0\left(\frac{N}{N(2a)}\right)I=\frac{\mu_0 I}{2a}$

Le flux magnétique à travers la section du solénoïde est donné par l'équation 10.1 pour $\theta = 0°$:

$\Phi_B = BA = \frac{\mu_0 I}{2a}\left(\pi r^2\right)=\frac{\mu_0\pi r^2 I}{2a}$

À partir de l'équation 11.3, on trouve la valeur de l'inductance du solénoïde:

$N\Phi_B = LI \implies L=\frac{N\Phi_B}{I}=\frac{N\mu_0\pi r^2}{2a}$

Et finalement, on calcule la constante de temps avec l'équation 11.9:

$\tau=\frac{L}{R}=\frac{N\mu_0\pi r^2}{2aR}$

Si $N=\frac{\ell_{\text{fil}}}{2\pi r}$, alors $\ell_{\text{fil}}=2\pi rN$. Puis $R=\frac{\rho\ell_{\text{fil}}}{\pi a^2}$; donc $R=\frac{2\pi\rho rN}{\pi a^2}=\frac{2\rho rN}{a^2}$ et

$\tau=\frac{N\mu_0\pi r^2}{2a\left(\frac{2\rho rN}{a^2}\right)} \implies \boxed{\tau=\frac{\mu_0\pi ar}{4\rho}} \implies \boxed{\text{CQFD}}$

P10. À l'instant initial, $I_3 = 0$. Après un temps très long, la branche qui contient la bobine n'engendre plus aucune f.é.m. et elle devient un court-circuit. La branche qui contient R_2 devient inutile, de sorte que $I_1 = I_3 = \frac{\xi}{R_1}$. Dans l'intervalle qui sépare ces deux états, on utilise les lois de Kirchhoff.

On applique la loi des noeuds au point qui se trouve en haut de la branche où coule I_3 :

$I_1 = I_2 + I_3 \qquad \text{(i)}$

On applique la loi des mailles à la maille de gauche:

$\xi - R_1 I_1 - L\frac{dI_3}{dt}=0 \qquad \text{(ii)}$

On applique la loi des mailles à la maille de droite:

$L\frac{dI_3}{dt}-R_2 I_2=0 \implies I_2=\frac{L}{R_2}\frac{dI_3}{dt} \qquad \text{(iii)}$

On combine les équations (i) et (ii) et on remplace ensuite I_2 par sa valeur dans l'équation (iii):

$\xi - R_1(I_2 + I_3) - L\frac{dI_3}{dt} = 0 \implies \xi - R_1 I_2 - R_1 I_3 - L\frac{dI_3}{dt} = 0 \implies$

$\xi - R_1\left(\frac{L}{R_2}\frac{dI_3}{dt}\right) - R_1 I_3 - L\frac{dI_3}{dt} = 0 \implies \xi - R_1 I_3 - \frac{dI_3}{dt}\left(L + \frac{LR_1}{R_2}\right) = 0$

Cette équation a exactement la même forme que l'équation 11.7 si on pose que $L' = \left(L + \frac{LR_1}{R_2}\right)$. En admettant que la suite de la solution est la même, on arrive à une solution équivalente à l'équation 11.8 pour le courant I_3 :

$\boxed{I_3 = \frac{\xi}{R_1}\left(1 - e^{-\frac{t}{\tau}}\right)}$

dans laquelle la constante de temps prend la valeur

$\tau = \frac{L'}{R_1} = \frac{1}{R_1}\left(L + \frac{LR_1}{R_2}\right) \implies \boxed{\tau = L\left(\frac{R_1+R_2}{R_1 R_2}\right)} \implies \boxed{\text{CQFD}}$

P11. Après un temps très long, le courant atteint la valeur $I_0 = \frac{\xi}{R}$ et l'énergie emmagasinée dans la bobine est $U_{L\max} = \frac{1}{2}LI_0^2$. À tout moment, la puissance dissipée dans la résistance est donnée par $P_R = RI^2$, dans laquelle, selon l'équation 11.10, $I = I_0 e^{-\frac{t}{\tau}}$. De l'instant initial jusqu'à ce que $t \longrightarrow \infty$, l'énergie qui sera dissipée dans la résistance est

$U_R = \int P_R dt = \int RI^2 dt = \int_0^\infty R\left(I_0 e^{-\frac{t}{\tau}}\right)^2 dt = RI_0^2 \int_0^\infty e^{-\frac{2t}{\tau}} dt = RI_0^2\left[\left(-\frac{\tau}{2}\right)e^{-\frac{2t}{\tau}}\right|_0^\infty \implies$

$U_R = RI_0^2\left(0 - \left(-\frac{\tau}{2}\right)\right) = \frac{1}{2}RI_0^2\tau \qquad \text{(i)}$

Toutefois, comme $\tau = \frac{L}{R}$, l'équation (i) donne $\boxed{U_R = \frac{1}{2}LI_0^2} \implies \boxed{\text{CQFD}}$

P12. Avec $Q = Q_0 e^{-\frac{Rt}{2L}}\cos(\omega' t)$, on calcule l'expression du courant à tout instant :

$I = -\frac{dQ}{dt} = -\frac{d}{dt}\left(Q_0 e^{-\frac{Rt}{2L}}\cos(\omega' t)\right) \implies$

$I = -Q_0\left[\cos(\omega' t)\frac{d}{dt}\left(e^{-\frac{Rt}{2L}}\right) + e^{-\frac{Rt}{2L}}\frac{d}{dt}(\cos(\omega' t))\right] \implies$

$I = -Q_0\left[\cos(\omega' t)\left(-\frac{R}{2L}\right)e^{-\frac{Rt}{2L}} - e^{-\frac{Rt}{2L}}(\omega_0)\sin(\omega' t)\right] \implies$

$I = -Q_0 e^{-\frac{Rt}{2L}}\left[\omega'\sin(\omega' t) - \frac{R}{2L}\cos(\omega' t)\right] = -\omega' Q_0 e^{-\frac{Rt}{2L}}\left[\sin(\omega' t) - \frac{R}{2L\omega'}\cos(\omega' t)\right] \qquad \text{(i)}$

On pose que $\boxed{\frac{R}{2L\omega'} = \tan\delta}$. Toutefois, comme $\frac{R}{2L} \ll \omega'$, alors $\frac{R}{2L\omega'} \ll 1$. Cela implique que δ est petit, donc que $\tan\delta \approx \sin\delta$ et que $\cos\delta \approx 1$. Ces deux relations permettent de transformer l'égalité (i) :

$I = -\omega' Q_0 e^{-\frac{Rt}{2L}}\left[\sin(\omega' t)\cos\delta - \sin\delta\cos(\omega' t)\right] = -\omega' Q_0 e^{-\frac{Rt}{2L}}\sin(\omega' t + \delta)$

Ou encore $\boxed{I = A(t)\sin(\omega' t + \delta)}$ pour $\boxed{A(t) = -\omega' Q_0 e^{-\frac{Rt}{2L}}}$

P13. À partir de l'exemple 11.1, on énonce l'auto-inductance de chacun des deux solénoïdes, soit $L_1 = \mu_0 n_1^2 A_1 \ell_1$ et $L_2 = \mu_0 n_2^2 A_2 \ell_2$. On remarque que

$\sqrt{L_1 L_2} = \sqrt{(\mu_0 n_1^2 A_1 \ell_1)(\mu_0 n_2^2 A_2 \ell_2)} = \mu_0 n_1 n_2 \sqrt{A_1 A_2 \ell_1 \ell_2}$

Sachant que $B_2 = \mu_0 n_2 I_2$, $\Phi_{12} = B_2 A_1$ et $N_1 = n_1 \ell_1$, on trouve une première expression de l'inductance mutuelle des deux solénoïdes à partir de l'équation 11.5 :

$N_1 \Phi_{12} = M I_2 \implies M = \frac{\Phi_{12} N_1}{I_2} = \frac{B_2 A_1 N_1}{I_2} = \frac{\mu_0 n_2 I_2 A_1 N_1}{I_2} = \mu_0 n_2 A_1 (n_1 \ell_1) = \mu_0 n_1 n_2 A_1 \ell_1$

À cause de la symétrie, on peut affirmer qu'une autre valeur de l'inductance mutuelle serait donnée par $M' = \mu_0 n_1 n_2 A_2 \ell_2$. Ces deux valeurs sont nécessairement égales et leur produit donne

$M^2 = M'M = (\mu_0 n_1 n_2 A_2 \ell_2)(\mu_0 n_1 n_2 A_1 \ell_1) = \mu_0^2 n_1^2 n_2^2 A_2 A_1 \ell_1 \ell_2$

Et il est facile de voir que $\boxed{M = \sqrt{L_1 L_2}} \implies \boxed{\text{CQFD}}$

P14. À l'exercice 41, on a développé une expression pour le courant dans un circuit sous-amorti :

$I = -Q_0 e^{-\frac{Rt}{2L}} \omega_0 \cos(\omega_0 t + \delta)$

À tout moment, la puissance dissipée dans la résistance est

$P_R = RI^2 = R\left(-Q_0 e^{-\frac{Rt}{2L}} \omega_0 \cos(\omega_0 t + \delta)\right)^2 = \omega_0^2 Q_0^2 R e^{-\frac{Rt}{L}} \cos^2(\omega_0 t + \delta)$

La valeur moyenne de $\cos^2\theta$ sur un cycle est

$\overline{\cos^2\theta} = \frac{1}{2\pi} \int_0^{2\pi} \cos^2\theta d\theta = \frac{1}{2\pi}\left[\frac{\sin\theta\cos\theta}{2} + \frac{\theta}{2}\right|_0^{2\pi} = \frac{1}{2\pi}(\pi - 0) = \frac{1}{2}$

de sorte que

$P_{\text{moy}} = \overline{P_R} = \omega_0^2 Q_0^2 R e^{-\frac{Rt}{L}} \overline{\cos^2(\omega_0 t + \delta)} \implies \boxed{P_{\text{moy}} = \frac{\omega_0^2 Q_0^2 R}{2} e^{-\frac{Rt}{L}}} \implies \boxed{\text{CQFD}}$

P15. L'équation 11.19 donne la variation de la charge sur le condensateur :

$Q = Q_0 e^{-\frac{Rt}{2L}} \sin(\omega' t + \delta) \qquad \text{(i)}$

Si on dérive cette expression, comme à l'exercice 41, on obtient l'expression du taux de changement de la charge à tout moment :

$\frac{dQ}{dt} = Q_0 e^{-\frac{Rt}{2L}} \left[\omega' \cos(\omega' t + \delta) - \frac{R}{2L} \sin(\omega' t + \delta)\right] \qquad \text{(ii)}$

On doit dériver une nouvelle fois pour obtenir $\frac{d^2Q}{dt^2}$. On laisse le soin à l'élève de montrer que

$\frac{d^2Q}{dt^2} = Q_0 e^{-\frac{Rt}{2L}} \left[\left(\frac{R^2}{4L^2} - (\omega')^2\right) \sin(\omega' t + \delta) - \frac{R\omega'}{L} \cos(\omega' t + \delta)\right]$

On insère les valeurs pour Q, $\frac{dQ}{dt}$ et $\frac{d^2Q}{dt^2}$ données par les équations (i), (ii) et (iii) dans l'équation différentielle 11.17 :

$L\frac{d^2Q}{dt^2} + R\frac{dQ}{dt} + \frac{Q}{C} = 0 \implies$

$LQ_0 e^{-\frac{Rt}{2L}} \left[\left(\frac{R^2}{4L^2} - (\omega')^2\right) \sin(\omega' t + \delta) - \frac{R\omega'}{L} \cos(\omega' t + \delta)\right]$

$\qquad + RQ_0 e^{-\frac{Rt}{2L}} \left[\omega' \cos(\omega' t + \delta) - \frac{R}{2L} \sin(\omega' t + \delta)\right] + \frac{Q_0}{C} e^{-\frac{Rt}{2L}} \sin(\omega' t + \delta) = 0 \implies$

$Q_0 e^{-\frac{Rt}{2L}} \left[\left(\frac{R^2}{4L} - L(\omega')^2\right) \sin(\omega' t + \delta) - R\omega' \cos(\omega' t + \delta)\right.$

$\qquad \left. + R\omega' \cos(\omega' t + \delta) - \frac{R^2}{2L} \sin(\omega' t + \delta) + \frac{1}{C} \sin(\omega' t + \delta)\right] = 0 \implies$

$Q_0 e^{-\frac{Rt}{2L}} \left(\frac{R^2}{4L} - L\left(\omega'\right)^2 - \frac{R^2}{2L} + \frac{1}{C} \right) \sin(\omega' t + \delta) = 0$

Pour que cette dernière égalité soit toujours vraie, le terme entre parenthèses doit toujours être nul :

$\frac{R^2}{4L} - L\left(\omega'\right)^2 - \frac{R^2}{2L} + \frac{1}{C} = 0 \implies -L\left(\omega'\right)^2 - \frac{R^2}{4L} + \frac{1}{C} = 0 \implies$

$\frac{1}{C} - \frac{R^2}{4L} = L\left(\omega'\right)^2 \implies \left(\omega'\right)^2 = \frac{1}{LC} - \frac{R^2}{4L^2} \implies \omega' = \sqrt{\frac{1}{LC} - \frac{R^2}{4L^2}} \implies$

$\boxed{\omega' = \sqrt{\omega_0 - \left(\frac{R}{2L}\right)^2}} \implies \boxed{\text{CQFD}}$

Chapitre 12 : Les circuits alimentés en courant alternatif

Exercices

E1. (a) À partir de l'équation 12.9 et sachant que $\omega = 2\pi f = 120\pi$ rad/s, on trouve

$\Delta v_{L0} = i_0\omega L \Longrightarrow i_0 = \frac{\Delta v_{L0}}{\omega L} = \frac{120}{120\pi(40\times10^{-3})} = \boxed{7{,}96\text{ A}}$

(b) On veut que $i_0' = 0{,}30 i_0$. À nouveau, avec l'équation 12.9, on trouve

$\Delta v_{L0} = i_0\omega L = i_0'\omega' L \Longrightarrow i_0\omega = 0{,}30 i_0\omega' \Longrightarrow \omega' = \frac{\omega}{0{,}30} = \frac{120\pi}{0{,}30} = 400\pi$

Si $f' = \frac{\omega'}{2\pi} = \frac{400\pi}{2\pi} = \boxed{200\text{ Hz}}$

E2. (a) À partir de l'équation 12.13 et sachant que $\omega = 2\pi f = 100\pi$ rad/s, on trouve

$\Delta v_{C0} = i_0\frac{1}{\omega C} \Longrightarrow i_0 = \omega C\Delta v_{C0} = 100\pi\left(50\times10^{-6}\right)(70) = \boxed{1{,}10\text{ A}}$

(b) On veut que $i_0' = 1{,}30 i_0$. À nouveau, avec l'équation 12.13, on trouve

$\Delta v_{C0} = i_0\frac{1}{\omega C} = i_0'\frac{1}{\omega' C} \Longrightarrow \frac{i_0}{\omega} = \frac{1{,}30 i_0}{\omega'} \Longrightarrow \omega' = 1{,}30\omega = 1{,}30\,(100\pi) = 130\pi$

Si $f' = \frac{\omega'}{2\pi} = \frac{130\pi}{2\pi} = \boxed{65{,}0\text{ Hz}}$

E3. À partir des équations 12.11 et 12.15, on trouve

(a) $Z_L = Z_C \Longrightarrow \omega L = \frac{1}{\omega C} \Longrightarrow \omega = \frac{1}{\sqrt{LC}}$

Si $f = \frac{\omega}{2\pi} = \frac{1}{2\pi}\frac{1}{\sqrt{LC}} = \frac{1}{2\pi}\frac{1}{\sqrt{(10\times10^{-3})(0{,}1\times10^{-6})}} = \boxed{5{,}03\text{ kHz}}$

(b) $Z_L = 5Z_C \Longrightarrow \omega L = \frac{5}{\omega C} \Longrightarrow \omega = \sqrt{\frac{5}{LC}}$

Si $f = \frac{\omega}{2\pi} = \frac{1}{2\pi}\sqrt{\frac{5}{LC}} = \frac{1}{2\pi}\sqrt{\frac{5}{(10\times10^{-3})(0{,}1\times10^{-6})}} = \boxed{11{,}3\text{ kHz}}$

(c) $5Z_L = Z_C \Longrightarrow 5\omega L = \frac{1}{\omega C} \Longrightarrow \omega = \sqrt{\frac{1}{5LC}}$

Si $f = \frac{\omega}{2\pi} = \frac{1}{2\pi}\sqrt{\frac{1}{5LC}} = \frac{1}{2\pi}\sqrt{\frac{1}{5(10\times10^{-3})(0{,}1\times10^{-6})}} = \boxed{2{,}25\text{ kHz}}$

E4. On calcule l'impédance avec l'équation 12.11 et pour $\omega_1 = 2\pi f_1$:

$Z_L = \omega_1 L = 2\pi f_1 L \Longrightarrow L = \frac{Z_L}{2\pi f_1} = \frac{37{,}7}{2\pi(60)} = 0{,}100\text{ H}$

On recalcule l'impédance pour la nouvelle fréquence $f_2 = 50$ Hz :

$Z_L' = 2\pi f_2 L = 2\pi(50)\,(0{,}100) = 31{,}4\ \Omega$

On calcule la valeur efficace du courant avec l'équation 12.10 :

$\Delta V_L = Z_L' I \Longrightarrow I = \frac{\Delta V_L}{Z_L'} = \frac{120}{31{,}4} = 3{,}82\text{ A}$

Finalement, l'intensité maximale du courant s'obtient au moyen de l'équation 12.5a :

$I = \frac{i_0}{\sqrt{2}} \Longrightarrow i_0 = \sqrt{2}I = \sqrt{2}\,(3{,}82) = \boxed{5{,}40\text{ A}}$

E5. (a) On calcule la valeur maximale de la tension avec l'équation 12.5b :

$\Delta V_C = \frac{\Delta v_{C0}}{\sqrt{2}} \Longrightarrow \Delta v_{C0} = \sqrt{2}\Delta V_C = \sqrt{2}\,(24) = 33{,}9\text{ V}$

On calcule la valeur maximale de la charge avec l'équation 5.1 :

$Q_{\max} = C\Delta v_{C0} = \left(50 \times 10^{-6}\right)(33{,}9) = \boxed{1{,}70 \text{ mC}}$

(b) On calcule l'impédance avec l'équation 12.15 et pour $\omega = 2\pi f$:

$Z_C = \frac{1}{\omega C} = \frac{1}{2\pi f C} = \frac{1}{2\pi(60)(50\times10^{-6})} = 53{,}1\ \Omega$

L'intensité maximale du courant est donnée par l'équation 12.14 :

$\Delta v_{C0} = Z_C i_0 \implies i_0 = \frac{\Delta v_{C0}}{Z_C} = \frac{33{,}9}{53{,}1} = \boxed{0{,}638 \text{ A}}$

E6. (a) On calcule l'impédance avec l'équation 12.11 et pour $\omega = 2\pi f$:

$Z_L = \omega L = 2\pi f L = 2\pi\,(120)\left(72 \times 10^{-3}\right) = 54{,}3\ \Omega$

On calcule la valeur maximale du courant avec l'équation 12.10 :

$\Delta v_{L0} = Z_L i_0 \implies i_0 = \frac{\Delta v_{L0}}{Z_L} = \frac{50}{54{,}3} = \boxed{0{,}921 \text{ A}}$

(b) À partir de la figure 12.6, on trouve $i = \boxed{0 \text{ A}}$

(c) La contrainte est exprimée à partir de l'équation 12.8 :

$\Delta v_L = \frac{\Delta v_{L0}}{2} = \Delta v_{L0} \cos(\omega t) \implies \frac{50}{2} = 50\cos(\omega t) \implies \cos(\omega t) = 0{,}5 \implies$

$\omega t = \arccos(0{,}5) = 1{,}047$ rad ou $5{,}236$ rad

Ensuite, on calcule le courant avec l'équation 12.1 pour les deux valeurs d'angle en radians :

$i = i_0 \sin(\omega t) = (0{,}921)\sin(\omega t) = (0{,}921)\sin(1{,}047) = 0{,}798$

où $i = (0{,}921)\sin(5{,}236) = -0{,}798$

En résumé, $i = \boxed{\pm 0{,}798 \text{ A}}$

(d) À $t = 1$ ms dans l'équation fournie à la section 12.3,

$p_L = i_0 \Delta v_{L0} \sin(\omega t)\cos(\omega t) = (0{,}921)\,(50)\sin(240\pi\,(0{,}001))\cos(240\pi\,(0{,}001)) \implies$

$p_L = \boxed{23{,}0 \text{ W}}$

(e) Dans le logiciel Maple, on définit l'expression du courant i, de la tension Δv_L et de la puissance p_L. On trace ensuite le graphe demandé en multipliant l'amplitude du courant par un facteur 10 pour que la comparaison soit plus facile à réaliser :

```
> restart;
> omega:=240*Pi; vL0:=50; ZL:=54.3; i0:=vL0/ZL;
> i:=i0*sin(omega*t);
> vL:=vL0*cos(omega*t);
> pL:=i0*vL0*sin(omega*t)*cos(omega*t);
> plot([10*i,vL,pL],t=0..2*Pi/omega,color=[red,blue,green]);
```

Le graphe confirme les réponses (b), (c) et (d).

E7. (a) On calcule l'impédance avec l'équation 12.15 et $\omega = 2\pi f$:

$Z_C = \frac{1}{\omega C} = \frac{1}{2\pi f C} = \frac{1}{2\pi(80)(108\times10^{-6})} = 18{,}4\ \Omega$

On calcule la valeur maximale du courant avec l'équation 12.14 :

$\Delta v_{C0} = Z_C i_0 \implies i_0 = \frac{\Delta v_{C0}}{Z_C} = \frac{24}{18{,}4} = \boxed{1{,}30\ \text{A}}$

(b) À partir de la figure 12.10, on trouve $i = \boxed{0\ \text{A}}$

(c) La contrainte est exprimée à partir de l'équation qu'on trouve à la section 12.4 :

$\Delta v_C = \frac{\Delta v_{C0}}{2} = -\Delta v_{C0}\cos(\omega t) \implies \frac{24}{2} = -24\cos(\omega t) \implies \cos(\omega t) = -0{,}5 \implies$

$\omega t = \arccos(-0{,}5) = 2{,}094$ rad ou $4{,}189$ rad

Ensuite, on calcule le courant avec l'équation 12.1 pour les deux valeurs d'angle en radians :

$i = i_0 \sin(\omega t) = (1{,}30)\sin(\omega t) = (1{,}30)\sin(2{,}094) = 1{,}13$

où $i = (1{,}30)\sin(4{,}189) = -1{,}13$

En résumé, $i = \boxed{\pm 1{,}13\ \text{A}}$

(d) À $t = 1$ ms dans l'équation fournie à la section 12.4,

$p_C = -i_0 \Delta v_{C0} \sin(\omega t)\cos(\omega t) = -(1{,}30)(24)\sin(160\pi(0{,}001))\cos(160\pi(0{,}001)) \implies$

$p_C = \boxed{-13{,}2\ \text{W}}$

(e) Dans le logiciel Maple, on définit l'expression du courant i, de la tension Δv_C et de la puissance p_C. On trace ensuite le graphe demandé en multipliant l'amplitude du courant par un facteur 10 pour que la comparaison soit plus facile à réaliser :

```
> restart;
> omega:=160*Pi; vC0:=24; ZC:=18.4; i0:=vC0/ZC;
> i:=i0*sin(omega*t);
> vC:=-vC0*cos(omega*t);
> pC:=-i0*vC0*sin(omega*t)*cos(omega*t);
> plot([10*i,vC,pC],t=0..2*Pi/omega,color=[red,blue,green]);
```

Le graphe confirme les réponses (b), (c) et (d).

E8. (a) On trouve d'abord la fréquence avec l'équation 12.15 et en posant que $\omega = 2\pi f$:

$Z_C = \frac{1}{\omega C} = \frac{1}{2\pi f C} \implies f = \frac{1}{2\pi C Z_C} = \frac{1}{2\pi(6\times10^{-6})(11)} = 2411$ Hz

Ensuite, on calcule l'impédance de la bobine avec l'équation 12.11 :

$Z_L = \omega L = 2\pi f L = 2\pi(2411)\left(0{,}2\times10^{-3}\right) = \boxed{3{,}03\ \Omega}$

(b) $Z_L = Z_C \implies \omega L = \frac{1}{\omega C} \implies \omega = 2\pi f = \frac{1}{\sqrt{LC}} \implies f = \frac{1}{2\pi\sqrt{LC}} \implies$

$$f = \frac{1}{2\pi\sqrt{(0{,}2\times10^{-3})(6\times10^{-6})}} = \boxed{4{,}59 \times 10^3 \text{ Hz}}$$

E9. (a) On calcule l'impédance avec l'équation 12.11 et pour $\omega = 2\pi f$:

$$Z_L = \omega L = 2\pi f L = 2\pi\,(50)\left(80 \times 10^{-3}\right) = 25{,}1\ \Omega$$

On calcule la valeur maximale du courant avec l'équation 12.10 :

$$\Delta v_{L0} = Z_L i_0 \implies i_0 = \frac{\Delta v_{L0}}{Z_L} = \frac{60}{25{,}1} = 2{,}39 \text{ A}$$

À $t = 2$ ms, dans l'équation 12.1, on trouve

$$i = i_0 \sin(2\pi f t) = (2{,}39)\sin(2\pi\,(50)\,(0{,}002)) \implies \boxed{i = 1{,}40 \text{ A}}$$

Puis, au moyen de l'équation fournie à la section 12.3, on obtient

$$p_L = i_0 \Delta v_{L0} \sin(\omega t)\cos(\omega t) = (2{,}39)\,(60)\sin(2\pi\,(50)\,(0{,}002))\cos(2\pi\,(50)\,(0{,}002)) \implies$$

$$\boxed{p_L = 68{,}2 \text{ W}}$$

(b) On calcule d'abord l'impédance nécessaire avec l'équation 12.10 :

$$\Delta v_{L0} = Z_L i_0 \implies Z_L = \frac{\Delta v_{L0}}{i_0} = \frac{60}{1{,}8} = 33{,}33\ \Omega$$

On calcule ensuite la fréquence avec l'équation 12.11 :

$$Z_L = \omega L = 2\pi f L \implies f = \frac{Z_L}{2\pi L} = \frac{33{,}33}{2\pi(80\times10^{-3})} = \boxed{66{,}3 \text{ Hz}}$$

E10. (a) On calcule l'impédance avec l'équation 12.15 et pour $\omega = 2\pi f$:

$$Z_C = \frac{1}{\omega C} = \frac{1}{2\pi f C} = \frac{1}{2\pi(50)(80\times10^{-6})} = 39{,}8\ \Omega$$

On calcule la valeur maximale du courant avec l'équation 12.14 :

$$\Delta v_{C0} = Z_C i_0 \implies i_0 = \frac{\Delta v_{C0}}{Z_C} = \frac{72}{39{,}8} = 1{,}81 \text{ A}$$

À $t = 2$ ms, dans l'équation 12.1, on trouve

$$i = i_0 \sin(2\pi f t) = (1{,}81)\sin(2\pi\,(50)\,(0{,}002)) \implies \boxed{i = 1{,}06 \text{ A}}$$

Puis, au moyen de l'équation fournie à la section 12.4, on obtient

$$p_C = -i_0 \Delta v_{C0} \sin(\omega t)\cos(\omega t) = (1{,}81)\,(72)\sin(2\pi\,(50)\,(0{,}002))\cos(2\pi\,(50)\,(0{,}002)) \implies$$

$$\boxed{p_C = -62{,}0 \text{ W}}$$

(b) On calcule d'abord l'impédance nécessaire avec l'équation 12.14 :

$$\Delta v_{C0} = Z_C i_0 \implies Z_C = \frac{\Delta v_{C0}}{i_0} = \frac{72}{4} = 18{,}0\ \Omega$$

On calcule ensuite la fréquence avec l'équation 12.15 :

$$Z_C = \frac{1}{\omega C} = \frac{1}{2\pi f C} \implies f = \frac{1}{2\pi C Z_C} = \frac{1}{2\pi(80\times10^{-6})(18{,}0)} = \boxed{111 \text{ Hz}}$$

E11. À partir des équations 12.15 et 12.17, on établit que

$$Z = \sqrt{R^2 + Z_C^2} = \sqrt{R^2 + \left(\frac{1}{2\pi f C}\right)^2} \implies Z^2 = R^2 + \frac{1}{4\pi^2 f^2 C^2}$$

On peut réécrire cette équation pour chacune des paires de valeurs de Z et f fournies :

$(10{,}8)^2 = R^2 + \frac{1}{4\pi^2(390)^2C^2} \Longrightarrow 116{,}6 = R^2 + \frac{1{,}665\times10^{-7}}{C^2}$ (i)

$(18{,}8)^2 = R^2 + \frac{1}{4\pi^2(200)^2C^2} \Longrightarrow 353{,}4 = R^2 + \frac{6{,}333\times10^{-7}}{C^2}$ (ii)

On soustrait l'équation (i) de l'équation (ii) :

$353{,}4 - 116{,}6 = \frac{6{,}333\times10^{-7}}{C^2} - \frac{1{,}665\times10^{-7}}{C^2} \Longrightarrow 236{,}8 = \frac{4{,}668\times10^{-7}}{C^2} \Longrightarrow$

$C = \sqrt{\frac{4{,}668\times10^{-7}}{236{,}8}} \Longrightarrow \boxed{C = 44{,}4\ \mu\text{F}}$

On insère ce résultat dans l'équation (i) et on trouve

$116{,}6 = R^2 + \frac{1{,}665\times10^{-7}}{(44{,}4\times10^{-6})^2} \Longrightarrow R = \sqrt{116{,}6 - \frac{1{,}665\times10^{-7}}{(44{,}4\times10^{-6})^2}} \Longrightarrow \boxed{R = 5{,}67\ \Omega}$

E12. À partir des équations 12.11 et 12.17, on établit que

$Z = \sqrt{R^2 + Z_L^2} = \sqrt{R^2 + (2\pi fL)^2} \Longrightarrow Z^2 = R^2 + 4\pi^2 f^2 L^2$

On peut réécrire cette équation pour chacune des paires de valeurs de Z et f fournies :

$(28{,}3)^2 = R^2 + 4\pi^2(100)^2L^2 \Longrightarrow 800{,}9 = R^2 + 3{,}948\times10^5L^2$ (i)

$(22{,}9)^2 = R^2 + 4\pi^2(75)^2L^2 \Longrightarrow 524{,}4 = R^2 + 2{,}221\times10^5L^2$ (ii)

On soustrait l'équation (ii) de l'équation (i) :

$800{,}9 - 524{,}4 = 3{,}948\times10^5L^2 - 2{,}221\times10^5L^2 \Longrightarrow 276{,}5 = 1{,}727\times10^5L^2 \Longrightarrow$

$L = \sqrt{\frac{276{,}5}{1{,}727\times10^5}} \Longrightarrow \boxed{L = 40{,}0\ \text{mH}}$

On insère ce résultat dans l'équation (i) et on trouve

$800{,}9 = R^2 + (3{,}948\times10^5)(40{,}0\times10^{-3})^2 \Longrightarrow R = \sqrt{800{,}9 - 631{,}7} \Longrightarrow \boxed{R = 13{,}0\ \Omega}$

E13. On calcule la valeur maximale de la tension avec l'équation 12.5*b* :

$\Delta V = \frac{\Delta v_0}{\sqrt{2}} \Longrightarrow \Delta v_0 = \sqrt{2}\Delta V = \sqrt{2}(60) = 84{,}9\ \text{V}$

On calcule la valeur maximale du courant dans le circuit à partir de la mesure de la tension aux bornes de la résistance et de l'équation 12.4 :

$\Delta v_{R0} = Ri_0 \Longrightarrow i_0 = \frac{\Delta v_{R0}}{R} = \frac{25}{50} = 0{,}500\ \text{A}$

L'impédance du circuit RLC est donnée par l'équation 12.16 :

$\Delta v_0 = Zi_0 \Longrightarrow Z = \frac{\Delta v_0}{i_0} = \frac{84{,}9}{0{,}500} = 170\ \Omega$

Finalement, on isole L dans l'équation 12.17 en rappelant que

$\omega = 2\pi f = 2\pi\left(\frac{250}{\pi}\right) = 500\ \text{rad/s}$:

$Z = \sqrt{R^2 + (Z_L - Z_C)^2} = \sqrt{R^2 + \left(\omega L - \frac{1}{\omega C}\right)^2} \Longrightarrow Z^2 = R^2 + \left(\omega L - \frac{1}{\omega C}\right)^2 \Longrightarrow$

$\omega L - \frac{1}{\omega C} = \pm\sqrt{Z^2 - R^2} \Longrightarrow \omega L = \pm\sqrt{Z^2 - R^2} + \frac{1}{\omega C} \Longrightarrow L = \frac{\pm\sqrt{Z^2-R^2}+\frac{1}{\omega C}}{\omega} \Longrightarrow$

$L = \frac{\pm\sqrt{(170)^2-(50)^2}+\frac{1}{500(10\times10^{-6})}}{500} \Longrightarrow L = \boxed{72{,}5\ \text{mH ou } 75{,}0\ \text{mH}}$

E14. On calcule d'abord l'impédance du condensateur avec l'équation 12.15 en se rappelant que $\omega = 2\pi f = 2\pi\left(\frac{200}{\pi}\right) = 400$ rad/s :

$Z_C = \frac{1}{\omega C} = \frac{1}{400(25\times 10^{-6})} = 100\ \Omega$

On calcule la valeur efficace du courant dans le circuit à partir de la mesure de la tension efficace aux bornes du condensateur et de l'équation 12.14 :

$\Delta V_C = Z_C I \implies I = \frac{\Delta V_C}{Z_C} = \frac{60}{100} = 0{,}600$ A

La valeur de la tension efficace aux bornes de la bobine résistive (ΔV_{RL}) permet de calculer l'impédance équivalente à la bobine et sa résistance. On utilise les équations 12.16 et 12.17 :

$\Delta V_{RL} = \sqrt{R^2 + Z_L^2}\, I \implies \sqrt{R^2 + Z_L^2} = \frac{\Delta V_{RL}}{I} \implies R^2 + Z_L^2 = \left(\frac{\Delta V_{RL}}{I}\right)^2 \implies$

$Z_L^2 = \left(\frac{\Delta V_{RL}}{I}\right)^2 - R^2 \implies Z_L = \sqrt{\left(\frac{\Delta V_{RL}}{I}\right)^2 - R^2} \implies$

$Z_L = \sqrt{\left(\frac{45}{0{,}600}\right)^2 - (50)^2} = 55{,}9\ \Omega$

Finalement, avec l'équation 12.11, on trouve

$Z_L = \omega L \implies L = \frac{Z_L}{\omega} = \frac{55{,}9}{400} = \boxed{0{,}140 \text{ H}}$

E15. (a) On calcule d'abord l'impédance de la bobine et du condensateur avec $\omega = 2\pi f = 2\pi\left(\frac{200}{\pi}\right) = 400$ rad/s :

$Z_L = \omega L = 400\,(0{,}2) = 80{,}0\ \Omega$

$Z_C = \frac{1}{\omega C} = \frac{1}{400(20\times 10^{-6})} = 125\ \Omega$

Selon la section 12.6, il existe une relation simple entre les valeurs efficaces des tensions aux bornes de chaque élément :

$\Delta V^2 = \Delta V_R^2 + (\Delta V_L - \Delta V_C)^2 \implies (\Delta V_L - \Delta V_C)^2 = \Delta V^2 - \Delta V_R^2 \implies$

$\Delta V_L - \Delta V_C = \sqrt{\Delta V^2 - \Delta V_R^2} = \pm\sqrt{(120)^2 - (50)^2} = \pm 109{,}1 \text{ V} \qquad \text{(i)}$

On peut aussi établir la même relation à partir des équations 12.10 et 12.14. On choisit le signe adéquat dans l'équation (i) afin que $I > 0$:

$\Delta V_L - \Delta V_C = Z_L I - Z_C I = (Z_L - Z_C)\, I \implies I = \frac{\Delta V_L - \Delta V_C}{(Z_L - Z_C)} \implies$

$I = \frac{-109{,}1}{80{,}0-125} \implies I = \boxed{2{,}42 \text{ A}}$

(b) À partir de l'équation 12.6, on trouve

$\Delta V_R = RI \implies R = \frac{\Delta V_R}{I} = \frac{50}{2{,}42} \implies R = \boxed{20{,}6\ \Omega}$

(c) À partir de l'équation 12.10, on trouve

$\Delta V_L = Z_L I = 80{,}0\,(2{,}42) = \boxed{194 \text{ V}}$

(d) À partir de l'équation 12.14, on trouve

$\Delta V_C = Z_C I = 125\,(2{,}42) = \boxed{303\ \text{V}}$

E16. (a) $Z_L = \omega L = 2\pi f L = 2\pi\left(\frac{200}{\pi}\right)(0{,}2) = \boxed{80{,}0\ \Omega}$

(b) $Z_C = \frac{1}{\omega C} = \frac{1}{2\pi f C} = \frac{1}{2\pi\left(\frac{200}{\pi}\right)(50\times10^{-6})} = \boxed{50{,}0\ \Omega}$

(c) On combine les équations 12.10 et 12.14 et on trouve

$\Delta V_L - \Delta V_C = Z_L I - Z_C I = (Z_L - Z_C)\,I \implies I = \frac{\Delta V_L - \Delta V_C}{(Z_L - Z_C)} \implies$

$I = \frac{80}{80{,}0-50{,}0} \implies I = \boxed{2{,}67\ \text{A}}$

(d) Selon la section 12.6, il existe une relation simple entre les valeurs efficaces des tensions aux bornes de chaque élément :

$\Delta V^2 = \Delta V_R^2 + (\Delta V_L - \Delta V_C)^2 \implies \Delta V_R^2 = \Delta V^2 - (\Delta V_L - \Delta V_C)^2 \implies$

$\Delta V_R = \sqrt{\Delta V^2 - (\Delta V_L - \Delta V_C)^2} = \sqrt{(120)^2 - (80)^2} = 89{,}4\ \text{V}$

Et à partir de l'équation 12.6, on trouve

$\Delta V_R = RI \implies R = \frac{\Delta V_R}{I} = \frac{89{,}4}{2{,}67} \implies R = \boxed{33{,}5\ \Omega}$

(e) À partir de l'équation 12.23, on trouve

$P = RI^2 = (33{,}5)\,(2{,}67)^2 \implies P = \boxed{239\ \text{W}}$

E17. (a) On calcule la valeur efficace du courant avec l'équation 12.6 :

$\Delta V_R = RI \implies I = \frac{\Delta V_R}{R} = \frac{80}{100} = 0{,}800\ \text{A}$

L'équation 12.16 permet alors de calculer l'impédance du circuit :

$\Delta V = ZI \implies Z = \frac{\Delta V}{I} = \frac{240}{0{,}800} \implies Z = \boxed{300\ \Omega}$

(b) À partir de l'équation 12.17 et pour $\omega = 2\pi f = 2\pi\left(\frac{800}{\pi}\right) = 1600$ rad/s, on trouve

$Z = \sqrt{R^2 + (Z_L - Z_C)^2} = \sqrt{R^2 + \left(\omega L - \frac{1}{\omega C}\right)^2} \implies Z^2 = R^2 + \left(\omega L - \frac{1}{\omega C}\right)^2 \implies$

$\omega L - \frac{1}{\omega C} = \pm\sqrt{Z^2 - R^2} \implies \omega L = \pm\sqrt{Z^2 - R^2} + \frac{1}{\omega C} \implies L = \frac{\pm\sqrt{Z^2-R^2}+\frac{1}{\omega C}}{\omega} \implies$

$L = \frac{\pm\sqrt{(300)^2-(100)^2}+\frac{1}{1600(25\times10^{-6})}}{1600}$

La seule valeur plausible est celle qu'on obtient avec le signe + devant le radical :

$L = \boxed{0{,}192\ \text{H}}$

(c) À partir de l'équation 12.18, on trouve

$\tan\phi = \frac{Z_L - Z_C}{R} = \frac{\omega L - \frac{1}{\omega C}}{R} = \frac{1600(0{,}192) - \frac{1}{1600(25\times10^{-6})}}{100} = 0{,}282 \implies \phi = \boxed{70{,}5^\circ}$

E18. Soit f, la fréquence pour laquelle on donne les valeurs d'impédance de la bobine et du condensateur.

On sait que $Z_L = \omega L = 2\pi f L$; donc

$f = \frac{Z_L}{2\pi L}$ (i)

et $Z_C = \frac{1}{\omega C} = \frac{1}{2\pi f C}$; de sorte que

$f = \frac{1}{2\pi C Z_C}$ (ii)

En comparant les équations (i) et (ii), on obtient

$$\frac{Z_L}{2\pi L} = \frac{1}{2\pi C Z_C} \implies \frac{Z_L}{L} = \frac{1}{C Z_C} \implies L = Z_L Z_C C = (20)(8)C \implies L = 160C \quad \text{(iii)}$$

La fréquence de résonance, donnée par l'équation 12.21, permet d'établir une autre équation contenant L et C :

$$\omega_0 = 2\pi f_0 = \frac{1}{\sqrt{LC}} \implies LC = \left(\frac{1}{2\pi f_0}\right)^2 \implies LC = 6{,}33 \times 10^{-9} \quad \text{(iv)}$$

On laisse le soin à l'élève de résoudre les équations (iii) et (iv) afin de trouver que

$\boxed{L = 1{,}01 \text{ mH}}$ et $\boxed{C = 6{,}29\ \mu\text{F}}$

E19. (a) On calcule la valeur efficace du courant avec l'équation 12.6 :

$$\Delta V_R = RI \implies I = \frac{\Delta V_R}{R} = \frac{30}{10} = 3{,}00 \text{ A}$$

On calcule l'impédance du circuit avec l'équation 12.16 :

$$\Delta V = ZI \implies Z = \frac{\Delta V}{I} = \frac{120}{3{,}00} \implies Z = 40{,}0\ \Omega$$

À partir de l'équation 12.17 et pour $\omega = 2\pi f = 2\pi(60) = 120\pi$ rad/s, on trouve

$$Z = \sqrt{R^2 + (Z_L - Z_C)^2} = \sqrt{R^2 + \left(\omega L - \frac{1}{\omega C}\right)^2} \implies Z^2 = R^2 + \left(\omega L - \frac{1}{\omega C}\right)^2 \implies$$

$$\omega L - \frac{1}{\omega C} = \pm\sqrt{Z^2 - R^2} \implies \frac{1}{\omega C} = \omega L \mp \sqrt{Z^2 - R^2} \implies C = \frac{1}{\omega^2 L \mp \omega\sqrt{Z^2 - R^2}} \implies$$

$$C = \frac{1}{(120\pi)^2(40 \times 10^{-3}) \mp (120\pi)\sqrt{(40{,}0)^2 - (10)^2}}$$

La seule valeur plausible est celle qu'on obtient avec le signe + devant le radical :

$C = \boxed{49{,}3\ \mu\text{F}}$

(b) À partir de l'équation 12.21, on trouve

$$\omega_0 = 2\pi f_0 = \frac{1}{\sqrt{LC}} \implies f_0 = \frac{1}{2\pi\sqrt{LC}} = \frac{1}{2\pi}\frac{1}{\sqrt{(40 \times 10^{-3})(49{,}3 \times 10^{-6})}} = \boxed{113 \text{ Hz}}$$

E20. (a) On calcule d'abord l'impédance de la bobine et du condensateur avec

$\omega = 2\pi f = 2\pi(60) = 120\pi$ rad/s :

$$Z_L = \omega L = 120\pi\left(320 \times 10^{-3}\right) = 121\ \Omega$$

$$Z_C = \frac{1}{\omega C} = \frac{1}{120\pi(18 \times 10^{-6})} = 147\ \Omega$$

Puis on calcule l'impédance du circuit :

$$Z = \sqrt{R^2 + (Z_L - Z_C)^2} = \sqrt{(25)^2 + (121 - 147)^2} = \boxed{36{,}1\ \Omega}$$

(b) On calcule la valeur efficace de la tension dans le circuit :

$$\Delta V = \frac{\Delta v_0}{\sqrt{2}} = \frac{170}{\sqrt{2}} = 120 \text{ V}$$

Puis on calcule la valeur efficace du courant dans le circuit :

$\Delta V = ZI \implies I = \frac{\Delta V}{Z} = \frac{120}{36{,}1} = \boxed{3{,}32\text{ A}}$

(c) À partir de l'équation 12.18, on trouve

$\tan\phi = \frac{Z_L - Z_C}{R} = \frac{121-147}{25} = -1{,}04 \implies \phi = \boxed{-46{,}1^\circ}$

(d) On calcule la nouvelle valeur d'impédance à partir de l'équation 12.19 :

$\frac{1}{Z} = \sqrt{\frac{1}{R^2} + \left(\frac{1}{Z_C} - \frac{1}{Z_L}\right)^2} = \sqrt{\frac{1}{(25)^2} + \left(\frac{1}{147} - \frac{1}{121}\right)^2} \implies \boxed{Z = 25{,}0\ \Omega}$

La nouvelle valeur efficace du courant s'obtient encore par l'équation 12.16 :

$\Delta V = ZI \implies I = \frac{\Delta V}{Z} = \frac{120}{25{,}0} \implies \boxed{I = 4{,}80\text{ A}}$

On calcule la nouvelle valeur du déphasage à partir de l'équation 12.20 :

$\tan\varphi = \frac{\frac{1}{Z_C} - \frac{1}{Z_L}}{\frac{1}{R}} = \frac{\frac{1}{147} - \frac{1}{121}}{\frac{1}{25}} = -0{,}0365 \implies \boxed{\varphi = -2{,}09^\circ}$

E21. À partir de l'équation 12.18, on trouve

$\tan\phi = \frac{Z_L - Z_C}{R} = \frac{\omega L - \frac{1}{\omega C}}{R} \implies \omega L - \frac{1}{\omega C} = R\tan\phi \implies \omega^2 L - \omega R\tan\phi - \frac{1}{C} = 0 \implies$

$\omega^2\left(20 \times 10^3\right) - \omega\,(40)\tan(30^\circ) - \frac{1}{60\times10^{-6}} = 0$

La seule racine positive de cette équation quadratique est $\omega = 1657$ rad/s, de laquelle on calcule $f = \frac{\omega}{2\pi} = \frac{1657}{2\pi} = \boxed{264\text{ Hz}}$

E22. (a) On calcule l'impédance du circuit avec l'équation 12.16 :

$\Delta v_0 = Z i_0 \implies Z = \frac{\Delta v_0}{i_0} = \frac{48}{2} = 24{,}0\ \Omega$

Selon la figure 12.16, la relation entre R, Z et l'angle de déphasage ϕ, qu'il soit positif ou négatif, est

$R = Z\cos\phi = (24{,}0)\cos(-45^\circ) = \boxed{17{,}0\ \Omega}$

(b) Comme on l'a montré à l'exercice 21 et sachant que $\omega = 2\pi f = 2\pi\,(50) = 100\pi$ rad/s,

$\omega L - \frac{1}{\omega C} = R\tan\phi \implies L = \frac{R\tan\phi + \frac{1}{\omega C}}{\omega} = \frac{(17{,}0)\tan(-45{,}0^\circ) + \frac{1}{100\pi(10\times10^{-6})}}{100\pi} = \boxed{0{,}959\text{ H}}$

E23. (a) On calcule la fréquence de résonance avec l'équation 12.21 :

$\omega_0 = 2\pi f_0 = \frac{1}{\sqrt{LC}} \implies f_0 = \frac{1}{2\pi\sqrt{LC}} = \frac{1}{2\pi}\frac{1}{\sqrt{(3\times10^{-3})(10\times10^{-6})}} = \boxed{919\text{ Hz}}$

(b) À la fréquence de résonance, la valeur efficace du courant prend sa valeur maximale et est donnée par l'équation 12.22 :

$I_{\max} = \frac{\Delta V}{R} = \frac{25}{8} = 3{,}125\text{ A}$

On cherche les valeurs de fréquence f pour lesquelles $I = 0{,}50 I_{\max} = 1{,}56$ A. À cette valeur de courant efficace, l'impédance du circuit est $Z = \frac{\Delta V}{I} = \frac{25}{1{,}56} = 16{,}0\ \Omega$. On trouve la réponse à partir de l'équation 12.17 :

$Z=\sqrt{R^2+(Z_L-Z_C)^2}=\sqrt{R^2+\left(\omega L-\frac{1}{\omega C}\right)^2} \Longrightarrow Z^2=R^2+\left(\omega L-\frac{1}{\omega C}\right)^2 \Longrightarrow$

$\omega L-\frac{1}{\omega C}=\pm\sqrt{Z^2-R^2} \Longrightarrow \omega^2 L\mp\omega\sqrt{Z^2-R^2}-\frac{1}{C}=0 \Longrightarrow$

$\omega^2\left(3\times 10^{-3}\right)\mp\omega\sqrt{(16{,}0)^2-(8)^2}-\frac{1}{(10\times 10^{-6})}=0$

On laisse le soin à l'élève de montrer que les deux racines positives de ces deux équations quadratiques sont $\omega=8528$ rad/s et 3908 rad/s. Avec ces deux valeurs, on calcule

$f=\frac{\omega}{2\pi}=\frac{8528}{2\pi}=\boxed{1{,}36\times 10^3\text{ Hz}}$ et $f=\frac{\omega}{2\pi}=\frac{3908}{2\pi}=\boxed{622\text{ Hz}}$

(c) Dans le logiciel Maple, on définit l'expression de I comme une fonction de f et on trace le graphe demandé :

```
> restart;
> V:=25; L:=3e-3; C:=10e-6; R:=8; f0:=1/(2*Pi*(sqrt(L*C)));
> i:=V/sqrt(R^2+(2*Pi*f*L-1/(2*Pi*f*C))^2);
> plot(i,f=0.2*f0..2*f0);
```

Le graphe confirme le résultat de la question (b).

E24. (a) À partir de l'équation 12.17 et pour $\omega=2\pi f=2\pi\,(600)=1200\pi$ rad/s, on trouve

$Z=\sqrt{R^2+(Z_L-Z_C)^2}=\sqrt{R^2+\left(\omega L-\frac{1}{\omega C}\right)^2} \Longrightarrow Z^2=R^2+\left(\omega L-\frac{1}{\omega C}\right)^2 \Longrightarrow$

$\omega L-\frac{1}{\omega C}=\pm\sqrt{Z^2-R^2} \Longrightarrow \frac{1}{\omega C}=\omega L\mp\sqrt{Z^2-R^2} \Longrightarrow C=\frac{1}{\omega^2 L\mp\omega\sqrt{Z^2-R^2}} \Longrightarrow$

$C=\frac{1}{(1200\pi)^2(80\times 10^{-3})\mp(1200\pi)\sqrt{(200)^2-(120)^2}}$

Les deux résultats sont $C=\boxed{1{,}87\ \mu\text{F}}$ ou $\boxed{575\text{ nF}}$

(b) À partir de l'équation 12.19, on trouve

$\frac{1}{Z}=\sqrt{\frac{1}{R^2}+\left(\frac{1}{Z_C}-\frac{1}{Z_L}\right)^2}=\sqrt{\frac{1}{R^2}+\left(\omega C-\frac{1}{\omega L}\right)^2} \Longrightarrow$

$Z=\left(\frac{1}{R^2}+\left(\omega C-\frac{1}{\omega L}\right)^2\right)^{-1/2}=\left(\frac{1}{(120)^2}+\left(1200\pi C-\frac{1}{1200\pi(80\times 10^{-3})}\right)^2\right)^{-1/2}$

Si on insère les deux valeurs de la capacité dans cette équation, on trouve

$Z=\boxed{110\ \Omega}$ ou $\boxed{119\ \Omega}$

E25. (a) Avec $\omega=2\pi f=2\pi\,(90)=180\pi$ rad/s, on calcule l'impédance du circuit :

$Z=\sqrt{R^2+\left(\omega L-\frac{1}{\omega C}\right)^2}=\sqrt{(20)^2+\left(180\pi\,(9\times 10^{-3})-\frac{1}{180\pi(80\times 10^{-6})}\right)^2} \Longrightarrow$

$Z=26{,}3\ \Omega$

La figure 12.16 montre la relation entre R, Z et l'angle de déphasage ϕ et permet d'obtenir facilement la valeur du facteur de puissance :

$Q=\cos\phi=\frac{R}{Z}=\frac{20}{26{,}3}=\boxed{0{,}760}$

(b) La valeur efficace du courant est $I=\frac{\Delta V}{Z}=\frac{100}{26{,}3}=3{,}80$ A, et la puissance moyenne est donnée par l'équation 12.23, $P=RI^2=20\,(3{,}80)^2=\boxed{289\text{ W}}$

E26. (a) La valeur efficace du courant est $I = \frac{\Delta V}{Z} = \frac{120}{110} = 1{,}09$ A, et la puissance moyenne est donnée par l'équation 12.23, $P = RI^2 = 40\,(1{,}09)^2 = \boxed{47{,}5 \text{ W}}$

(b) On utilise la relation établie à la partie (a) de l'exercice 25 :

$Q = \cos\phi = \frac{R}{Z} = \frac{40}{110} = \boxed{0{,}364}$

E27. (a) Pour $\omega = 2\pi f = 2\pi\left(\frac{50}{\pi}\right) = 100$ rad/s, on trouve

$Z_L = \omega L = 100\,(0{,}2) \implies \boxed{Z_L = 20{,}0\ \Omega}$

$Z_C = \frac{1}{\omega C} = \frac{1}{100(200\times10^{-6})} \implies \boxed{Z_C = 50{,}0\ \Omega}$

(b) À partir de l'équation 12.18, on trouve

$\tan\phi = \frac{Z_L - Z_C}{R} = \frac{20{,}0-50{,}0}{15} = -2{,}00 \implies \phi = \boxed{-63{,}4^\circ}$

(c) On calcule l'impédance du circuit :

$Z = \sqrt{R^2 + (Z_L - Z_C)^2} = \sqrt{(15)^2 + (20{,}0 - 50{,}0)^2} = 33{,}5\ \Omega$

La valeur maximale du courant est $i_0 = \frac{\Delta v_0}{Z} = \frac{200}{33{,}5} = 5{,}97$ A. La valeur efficace du courant est $I = \frac{i_0}{\sqrt{2}} = \frac{5{,}97}{\sqrt{2}} = 4{,}22$ A; finalement, la puissance moyenne est donnée par l'équation 12.23, $P = RI^2 = 15\,(4{,}22)^2 = \boxed{267 \text{ W}}$

(d) $Q = \cos\phi = \cos(-63{,}4^\circ) = \boxed{0{,}448}$

E28. À partir de l'équation 12.23, on trouve

$P = I\Delta V\cos\phi \implies Q = \cos\phi = \frac{P}{I\Delta V} = \frac{800}{8(120)} = \boxed{0{,}833}$

E29. À partir de l'équation 12.18, on trouve

$\tan\phi = \frac{Z_L - Z_C}{R} \implies Z_L - Z_C = R\tan\phi = 24\tan(53^\circ) \implies Z_L - Z_C = 31{,}8\ \Omega$ (i)

On calcule l'impédance du circuit avec l'équation 12.17 et le résultat (i) :

$Z = \sqrt{R^2 + (Z_L - Z_C)^2} = \sqrt{(24)^2 + (31{,}8)^2} = 39{,}8\ \Omega$

La valeur efficace du courant est $I = \frac{\Delta V}{Z} = \frac{100}{39{,}8} = 2{,}51$ A et la puissance moyenne est donnée par l'équation 12.23, $P = RI^2 = 24\,(2{,}51)^2 = \boxed{151 \text{ W}}$

E30. (a) On utilise la note du bas de la page 341, qui stipule que la valeur moyenne d'une fonction $F(t)$ périodique peut être obtenue grâce au calcul suivant :

$F_{\text{moy}} = \frac{1}{T}\int_0^T F(t)\,dt$ (i)

où T représente la durée d'une période.

Appliquée à la fonction Δv décrite à la figure 12.29, où l'on observe que $T = 3$ s, cette méthode permet d'écrire que :

$\Delta v_{\text{moy}} = \frac{1}{T}\left(\int_0^2 2dt + \int_2^3 (-1)\,dt\right) = \frac{1}{3}\left([2t|_0^2 + [-t|_2^3\right) = \frac{1}{3}(4 - 3 + 2) = \boxed{1{,}00 \text{ V}}$

(b) Selon l'équation 12.5*b*, $\Delta V = \sqrt{(\Delta v^2)_{\text{moy}}}$. Pour appliquer la méthode de l'étape (a), on a besoin de la valeur de Δv^2 sur les deux intervalles de la fonction qui constituent une période. Pour $0 < t < 2$, $\Delta v^2 = 4\ \text{V}^2$ et pour $2 < t < 3$, $\Delta v^2 = 1\ \text{V}^2$. Avec ces valeurs, l'équation (i) donne

$$(\Delta v^2)_{\text{moy}} = \frac{1}{T}\left(\int_0^2 4dt + \int_2^3 dt\right) = \frac{1}{3}\left([4t|_0^2 + [t|_2^3\right) = \frac{1}{3}(8 + 3 - 2) = 3{,}00\ \text{V}^2$$

de sorte que $\Delta V = \sqrt{(\Delta v^2)_{\text{moy}}} = \sqrt{3{,}00} = \boxed{1{,}73\ \text{V}}$

E31. À l'exercice 22*a*, on montre que $R = Z\cos\phi$, donc $Z = \frac{R}{\cos\phi}$. Dans l'équation 12.16, cette égalité permet d'écrire que $\Delta V = ZI = \frac{RI}{\cos\phi}$, donc que $I = \frac{\Delta V\cos\phi}{R}$. Ce dernier résultat dans l'équation 12.23 donne

$$P = I\Delta V\cos\phi = \left(\frac{\Delta V\cos\phi}{R}\right)\Delta V\cos\phi \Longrightarrow \boxed{P = \frac{(\Delta V\cos\phi)^2}{R}} \Longrightarrow \boxed{\text{CQFD}}$$

E32. (a) On calcule d'abord la résistance du radiateur en supposant qu'il s'agit d'une valeur efficace de tension :

$$P_R = \frac{\Delta V^2}{R} \Longrightarrow R = \frac{\Delta V^2}{P_R} = \frac{(120)^2}{1000} = 14{,}4\ \Omega$$

La nouvelle valeur de puissance est $P = \frac{1}{2}P_R = 500$ W, et on peut l'exprimer à partir de l'équation 12.23, dans laquelle $I = \frac{\Delta V}{Z}$:

$$P = RI^2 = R\left(\frac{\Delta V}{Z}\right)^2 = \frac{R\Delta V^2}{Z^2} \qquad \text{(i)}$$

Si le nouveau circuit contient une résistance et une bobine, son impédance est donnée par $Z^2 = R^2 + Z_L^2$ et l'équation (i) devient

$$P = \frac{R\Delta V^2}{R^2+Z_L^2} \Longrightarrow R^2 + Z_L^2 = \frac{R\Delta V^2}{P} \Longrightarrow Z_L^2 = \frac{R\Delta V^2}{P} - R^2 \Longrightarrow Z_L = \sqrt{\frac{R\Delta V^2}{P} - R^2} \Longrightarrow$$

$$Z_L = \sqrt{\frac{(14{,}4)(120)^2}{500} - (14{,}4)^2} = 14{,}4\ \Omega$$

Et finalement, pour $\omega = 2\pi f = 2\pi(60) = 120\pi$ rad/s, on trouve

$$Z_L = \omega L \Longrightarrow L = \frac{Z_L}{\omega} = \frac{14{,}4}{120\pi} = \boxed{38{,}2\ \text{mH}}$$

(b) $\tan\phi = \frac{Z_L}{R} = \frac{14{,}4}{14{,}4} = 1{,}00 \Longrightarrow \phi = \boxed{45{,}0°}$

E33. On calcule l'impédance :

$$Z = \sqrt{R^2 + (Z_L - Z_C)^2} = \sqrt{R^2 + \left(\omega L - \frac{1}{\omega C}\right)^2} \Longrightarrow$$

$$Z = \sqrt{(24)^2 + \left(320\,(18 \times 10^{-3}) - \frac{1}{320(70\times10^{-6})}\right)^2} = 45{,}7\ \Omega$$

On calcule l'angle de déphasage :

$$\tan\phi = \frac{Z_L - Z_C}{R} = \frac{\omega L - \frac{1}{\omega C}}{R} = \frac{320\left(18\times10^{-3}\right) - \frac{1}{320\left(70\times10^{-6}\right)}}{24} = -1{,}62 \Longrightarrow \phi = -1{,}02\ \text{rad}$$

Avec les équations 12.2 et 12.16, on trouve

$$\Delta v = \Delta v_0 \sin(\omega t + \phi) = Zi_0 \sin(\omega t + \phi) \Longrightarrow$$

$\Delta v = (45{,}7)\,(0{,}06)\sin(320t - 1{,}02) = \quad \Delta v = \boxed{2{,}74\sin(320t - 1{,}02)\ \text{V}}$

E34. Avec la valeur de la puissance moyenne et de la tension efficace au secondaire, on calcule la valeur efficace du courant dans le secondaire. On suppose que le circuit secondaire est purement résistif, donc que

$P_2 = I_2 \Delta V_2 \implies I_2 = \frac{P_2}{\Delta V_2} = \frac{40\times10^3}{240} = 1{,}667\times10^2\ \text{A}$

On utilise ensuite les équations 12.25 et 12.27. On donne $\frac{\xi_2}{\xi_1} = \frac{1}{5} = \frac{N_2}{N_1}$ et

$\frac{I_2}{I_1} = \frac{i_2}{i_1} = \frac{N_1}{N_2} = 5$; donc $I_1 = \frac{1}{5}I_2 = \frac{1}{5}\left(1{,}667\times10^2\right) = 33{,}3\ \text{A}$

ce qui permet de calculer la puissance dissipée dans le primaire :

$P_{R1} = R_1 I_1^2 = (1{,}2)\,(33{,}3)^2 = \boxed{1{,}33\times10^3\ \text{W}}$

E35. On cherche la puissance dissipée dans les lignes de transport de résistance $R_{\text{lignes}} = 10 + 10 = 20\ \Omega$. Si le transformateur suvolteur (celui de gauche de la figure 12.30) est idéal, il ne s'y produit aucune dissipation et on peut utiliser l'équation 12.26 avec les valeurs efficaces de tension et de courant :

$I_2\Delta V_2 = I_1 \Delta V_1 = 15\,(300) = 4500\ \text{W} \implies I_2 = \frac{4500}{\Delta V_2}$

Dans les lignes de transport qui séparent les deux transformateurs, la puissance dissipée est donnée par

$P_{R\text{lignes}} = R_{\text{lignes}} I_2^2 = R_{\text{lignes}}\left(\frac{4500}{\Delta V_2}\right)^2$

(a) Pour $\Delta V_2 = 5\ \text{kV}$,

$P_{R\text{lignes}} = 20\left(\frac{4500}{5000}\right)^2 = \boxed{16{,}2\ \text{W}}$

(b) Pour $\Delta V_2 = 20\ \text{kV}$,

$P_{R\text{lignes}} = 20\left(\frac{4500}{20\times10^3}\right)^2 = \boxed{1{,}01\ \text{W}}$

E36. (a) On calcule la puissance moyenne à l'entrée avec l'équation 12.23 :

$P_1 = I_1 \Delta V_1 \cos\phi = 2\,(120)\cos(12°) = \boxed{235\ \text{W}}$

(b) Si le rendement est $r = 0{,}90$, la puissance moyenne à la sortie est :

$P_2 = rP_1 = (0{,}90)\,(235) = \boxed{212\ \text{W}}$

(c) Comme le transformateur abaisse la tension d'un facteur 5, alors $\Delta V_2 = \frac{\Delta V_1}{5} = 24{,}0\ \text{V}$. Puisque $Q = \cos\phi = 0{,}75$,

$P_2 = I_2 \Delta V_2 \cos\phi \implies I_2 = \frac{P_2}{\Delta V_2\cos\phi} = \frac{212}{(24{,}0)(0{,}75)} = \boxed{11{,}8\ \text{A}}$

E37. (a) À partir de l'équation 12.25, on trouve

$\frac{\Delta V_2}{\Delta V_1} = \frac{N_2}{N_1} \implies N_1 = \frac{\Delta V_1}{\Delta V_2}N_2 = \left(\frac{600}{120}\right)(80) = \boxed{400\ \text{spires}}$

(b) On suppose que les deux circuits sont purement résistifs. Dans le secondaire, $R_2 = 10\ \Omega$, et on calcule $I_2 = \frac{\xi_2}{R} = \frac{120}{10} = 12{,}0$ A. Comme le transformateur est idéal, on peut calculer, à partir de l'équation 12.26,

$I_2\Delta V_2 = I_1\Delta V_1 \Longrightarrow I_1 = \frac{\Delta V_2}{\Delta V_1} I_2 = \left(\frac{120}{600}\right)(12{,}0) = \boxed{2{,}40 \text{ A}}$

E38. À partir de l'équation 12.25, on trouve

$\frac{\Delta V_2}{\Delta V_1} = \frac{N_2}{N_1} \Longrightarrow \Delta V_2 = \frac{N_2}{N_1}\Delta V_1 = \left(\frac{50}{400}\right)(120) \Longrightarrow \boxed{\Delta V_2 = 15{,}0 \text{ V}}$

Comme le transformateur est idéal, on peut calculer, à partir de l'équation 12.26,

$I_2\Delta V_2 = I_1\Delta V_1 \Longrightarrow I_2 = \frac{\Delta V_1}{\Delta V_2} I_1 = \left(\frac{120}{15{,}0}\right)(2{,}4) \Longrightarrow \boxed{I_2 = 19{,}2 \text{ A}}$

Problèmes

P1. À partir des équations 12.11 et 12.15, on peut écrire

$Z_L - Z_C = \omega L - \frac{1}{\omega C} = \frac{\omega^2 LC - 1}{\omega C}$ (i)

Si on insère $\omega_0^2 = \frac{1}{LC}$ dans le résultat (i),

$Z_L - Z_C = \frac{\frac{\omega^2}{\omega_0^2} - 1}{\omega C} = \frac{\omega^2 - \omega_0^2}{\omega_0^2 \omega C} = \frac{\omega^2 - \omega_0^2}{\left(\frac{1}{LC}\right)\omega C} = \frac{\left(\omega^2 - \omega_0^2\right)L}{\omega}$ (ii)

On combine l'équation (i) de l'exercice 32 et le résultat (ii) de ce problème et on trouve

$P = \frac{R\Delta V^2}{Z^2} = \frac{R\Delta V^2}{R^2 + \left(Z_L - Z_C\right)^2} = \frac{R\Delta V^2}{R^2 + \frac{\left(\omega^2 - \omega_0^2\right)^2 L^2}{\omega^2}} \Longrightarrow \boxed{P = \frac{\omega^2 R\Delta V^2}{\omega^2 R^2 + \left(\omega^2 - \omega_0^2\right)^2 L^2}} \Longrightarrow \boxed{\text{CQFD}}$

P2. Selon l'équation 12.24, $P = \frac{R\Delta V^2}{R^2 + \left(\omega L - \frac{1}{\omega C}\right)^2}$. On trouve la valeur de la fréquence angulaire pour laquelle cette expression est maximale à partir de $\frac{dP}{d\omega} = 0$:

$\frac{dP}{d\omega} = \frac{d}{d\omega}\left(\frac{R\Delta V^2}{R^2 + \left(\omega L - \frac{1}{\omega C}\right)^2}\right) = R\Delta V^2 \frac{d}{d\omega}\left(\frac{1}{R^2 + \left(\omega L - \frac{1}{\omega C}\right)^2}\right) = 0 \Longrightarrow$

$\frac{d}{d\omega}\left(\frac{1}{R^2 + \left(\omega L - \frac{1}{\omega C}\right)^2}\right) = 0 \Longrightarrow \frac{2\left(\omega L - \frac{1}{\omega C}\right)\left(L + \frac{1}{\omega^2 C}\right)}{\left(R^2 + \left(\omega L - \frac{1}{\omega C}\right)^2\right)^2} = 0 \Longrightarrow \frac{2\left(\frac{1}{\omega}\right)\left(\omega L - \frac{1}{\omega C}\right)\left(\omega L + \frac{1}{\omega C}\right)}{\left(R^2 + \left(\omega L - \frac{1}{\omega C}\right)^2\right)^2} = 0$

Si on exclut $\omega \longrightarrow \infty$ et qu'on remarque que le dénominateur ne peut annuler l'équation, il ne reste qu'une possibilité donnant une valeur positive de ω :

$\left(\omega L - \frac{1}{\omega C}\right) = 0 \Longrightarrow \omega L = \frac{1}{\omega C} \Longrightarrow \omega^2 = \frac{1}{LC} \Longrightarrow \omega = \boxed{\omega_0}$

P3. (a) La période de la fonction Δv est $T = 4$ s. Toutefois, comme on le voit à la figure 12.31, la fonction possède la même valeur moyenne sur une demi-période. Avec $\Delta v = 2t$ sur l'intervalle $0 < t < 2$ et la méthode proposée à l'exercice 30 sur une demi-période,

$\Delta v_{\text{moy}} = \frac{1}{\left(\frac{T}{2}\right)} \int_0^2 2t\,dt = \frac{1}{2}\left[t^2\right|_0^2 = \boxed{2{,}00 \text{ V}}$

(b) Selon l'équation 12.5*b*, $\Delta V = \sqrt{\left(\Delta v^2\right)_{\text{moy}}}$. Comme à la partie (a), on peut affirmer que la fonction Δv^2 possède la même valeur moyenne sur chaque demi-période. Sur l'intervalle

$0 < t < 2$, on note que $\Delta v^2 = 4t^2$; si on applique la méthode proposée à l'exercice 30, on trouve

$$\left(\Delta v^2\right)_{\text{moy}} = \frac{1}{\left(\frac{T}{2}\right)} \int_0^2 4t^2 dt = \frac{1}{2}\left[\frac{4t^3}{3}\right|_0^2 = 5{,}333 \text{ V}^2$$

de sorte que $\Delta V = \sqrt{\left(\Delta v^2\right)_{\text{moy}}} = \sqrt{5{,}333} = \boxed{2{,}31 \text{ V}}$

P4. (a) À partir de l'équation 12.19, pour $\omega = 2\pi f = 2\pi\,(60) = 120\pi$ rad/s, on trouve

$$\frac{1}{Z} = \sqrt{\frac{1}{R^2} + \left(\frac{1}{Z_C} - \frac{1}{Z_L}\right)^2} = \sqrt{\frac{1}{R^2} + \left(\omega C - \frac{1}{\omega L}\right)^2} \Longrightarrow$$

$$Z = \left(\frac{1}{R^2} + \left(\omega C - \frac{1}{\omega L}\right)^2\right)^{-1/2} = \left(\frac{1}{(15)^2} + \left(120\pi\left(200 \times 10^{-6}\right) - \frac{1}{120\pi(0{,}3\times10^{-3})}\right)^2\right)^{-1/2} \Longrightarrow$$

$$Z = \boxed{0{,}114\ \Omega}$$

(b) Si le circuit est en résonance, $Z_L = Z_C$ et

$$f_0 = \frac{\omega_0}{2\pi} = \frac{1}{2\pi\sqrt{LC}} = \frac{1}{2\pi\sqrt{(0{,}3\times10^{-3})(200\times10^{-6})}} = \boxed{650 \text{ Hz}}$$

(c) À la résonance, $R = Z$ et, selon les équations12.5b et 12.16,

$$P = \frac{\Delta V^2}{R} = \frac{1}{R}\left(\frac{\Delta v_0}{\sqrt{2}}\right)^2 = \frac{\Delta v_0^2}{2R} = \frac{(100)^2}{2(15)} = \boxed{333 \text{ W}}$$

P5. Selon l'équation 12.5b, $\Delta V = \sqrt{\left(\Delta v^2\right)_{\text{moy}}}$. À partir de la figure 12.33, on observe que la période de la fonction Δv est $T = 2$ s et que $\Delta v = -4 - 4t$ sur l'intervalle $0 < t < 2$. Sur le même intervalle, $\Delta v^2 = (-4-4t)^2 = 16\left(t^2 - 2t + 1\right)$, et on applique la méthode de l'exercice 30 :

$$\left(\Delta v^2\right)_{\text{moy}} = \frac{1}{T}\int_0^2 16\left(t^2 - 2t + 1\right) dt = 8\int_0^2 \left(t^2 - 2t + 1\right) dt \Longrightarrow$$

$$\left(\Delta v^2\right)_{\text{moy}} = 8\left[\frac{t^3}{3} - t^2 + t\right|_0^2 = 8\left(\frac{8}{3} - 4 + 2\right) = 5{,}333 \text{ V}^2$$

de sorte que $\Delta V = \sqrt{\left(\Delta v^2\right)_{\text{moy}}} = \sqrt{5{,}333} = \boxed{2{,}31 \text{ V}}$

P6. On cherche les deux valeurs de f ou ω, différentes de la fréquence de résonance et qui correspondent à une certaine valeur d'impédance Z. À partir de l'équation 12.17, $Z = \sqrt{R^2 + (Z_L - Z_C)^2} = \sqrt{R^2 + \left(\omega L - \frac{1}{\omega C}\right)^2}$, on constate que le terme de droite dans le radical peut prendre deux valeurs de signes contraires et conduire à la même valeur d'impédance. Selon le signe, c'est qu'on affaire à l'une ou l'autre des fréquences angulaires cherchées :

$$\omega_B L - \frac{1}{\omega_B C} = -\left(\omega_H L - \frac{1}{\omega_H C}\right) \Longrightarrow \omega_B L - \frac{1}{\omega_B C} + \omega_H L - \frac{1}{\omega_H C} = 0 \qquad \text{(i)}$$

On multiplie l'équation (i) par $\omega_B \omega_H C$:

$$\omega_B\omega_H C\left(\omega_B L - \frac{1}{\omega_B C} + \omega_H L - \frac{1}{\omega_H C}\right) = 0 \Longrightarrow \omega_B^2\omega_H LC - \omega_H + \omega_H^2\omega_B LC - \omega_B = 0 \Longrightarrow$$

$$\omega_B\omega_H LC\left(\omega_B + \omega_H\right) - \left(\omega_B + \omega_H\right) = 0 \Longrightarrow \omega_B\omega_H LC\left(\omega_B + \omega_H\right) = \left(\omega_B + \omega_H\right) \Longrightarrow$$

$$\omega_B\omega_H LC = 1 \Longrightarrow \omega_B\omega_H = \frac{1}{LC} = \omega_0^2$$

Une équation équivalente à $\boxed{f_0 = \sqrt{f_B f_H}}$ $\Longrightarrow$ $\boxed{\text{CQFD}}$

P7. (a) La bobine L et la résistance R sont en série. La tension de sortie $\Delta V_{\text{sortie}} = RI$, où I est le courant dans la branche qui contient la résistance et qui est aussi le courant dans la maille de gauche.

Ce courant est aussi celui qui apparaît dans $\Delta V_{\text{entrée}} = ZI$, où Z est l'impédance dans la maille de gauche, soit $Z = \sqrt{R^2 + Z_L^2} = \sqrt{R^2 + (\omega L)^2}$. Le rapport entre les tensions donne

$$\frac{\Delta V_{\text{sortie}}}{\Delta V_{\text{entrée}}} = \frac{RI}{\sqrt{R^2+(\omega L)^2}I} \Longrightarrow \boxed{\frac{\Delta V_{\text{sortie}}}{\Delta V_{\text{entrée}}} = \frac{R}{(R^2+\omega^2L^2)^{1/2}}} \Longrightarrow \boxed{\text{CQFD}}$$

(b) Avec $\omega = 2\pi f = 2\pi\,(40) = 80\pi$ rad/s et $\Delta V_{\text{entrée}} = 100$ V,

$$\Delta V_{\text{sortie}} = \frac{R}{(R^2+\omega^2L^2)^{1/2}}\Delta V_{\text{entrée}} = \frac{10(100)}{\left((10)^2+(80\pi)^2(25\times10^{-3})^2\right)^{1/2}} = \boxed{84{,}7\text{ V}}$$

(c) Avec $\omega = 2\pi f = 2\pi\,(400) = 800\pi$ rad/s et $\Delta V_{\text{entrée}} = 100$ V,

$$\Delta V_{\text{sortie}} = \frac{R}{(R^2+\omega^2L^2)^{1/2}}\Delta V_{\text{entrée}} = \frac{10(100)}{\left((10)^2+(800\pi)^2(25\times10^{-3})^2\right)^{1/2}} = \boxed{15{,}7\text{ V}}$$

(d) Avec $\omega = 2\pi f = 2\pi\,(4000) = 8000\pi$ rad/s et $\Delta V_{\text{entrée}} = 100$ V,

$$\Delta V_{\text{sortie}} = \frac{R}{(R^2+\omega^2L^2)^{1/2}}\Delta V_{\text{entrée}} = \frac{10(100)}{\left((10)^2+(8000\pi)^2(25\times10^{-3})^2\right)^{1/2}} = \boxed{1{,}59\text{ V}}$$

(e) Dans le logiciel Maple, on donne une valeur aux différentes variables, on définit l'expression de la tension de sortie et on trace le graphe demandé :

```
> restart;
> L:=25e-3; R:=10; Ve:=100;
> Vs:=R*Ve/sqrt(R^2+(omega*L)^2);
> plot(Vs,omega=0..5000);
```

(f) Toujours dans le logiciel Maple, on cherche la valeur de ω pour laquelle $\frac{d^2\Delta V_{\text{sortie}}}{d\omega^2} = 0$:

```
> eq:=diff(Vs,omega$2)=0;
> solve(eq,omega);
```

On ne conserve que le résultat positif, soit $\omega = \boxed{283\text{ rad/s}}$

(g) Comme on peut le voir à partir des réponses et en particulier du graphe, il s'agit d' $\boxed{\text{un filtre passe-bas}}$.

P8. (a) La bobine L et la résistance R sont en série comme au problème 7, mais l'ordre est inversé. La tension de sortie $\Delta V_{\text{sortie}} = Z_L I = \omega L I$, dans laquelle I est le courant dans la branche qui contient la bobine et qui est aussi le courant dans la maille de gauche.

Ce courant est aussi celui qui apparaît dans $\Delta V_{\text{entrée}} = ZI$, où Z est l'impédance dans la maille de gauche, soit $Z = \sqrt{R^2 + Z_L^2} = \sqrt{R^2 + (\omega L)^2}$. Le rapport entre les tensions donne

$\frac{\Delta V_{\text{sortie}}}{\Delta V_{\text{entrée}}} = \frac{\omega LI}{\sqrt{R^2+(\omega L)^2}I} \Longrightarrow \boxed{\frac{\Delta V_{\text{sortie}}}{\Delta V_{\text{entrée}}} = \frac{\omega L}{(R^2+\omega^2L^2)^{1/2}}} \Longrightarrow \boxed{\text{CQFD}}$

(b) Avec $\omega = 2\pi f = 2\pi\,(40) = 80\pi$ rad/s et $\Delta V_{\text{entrée}} = 100$ V,

$\Delta V_{\text{sortie}} = \frac{\omega L}{(R^2+\omega^2L^2)^{1/2}}\Delta V_{\text{entrée}} = \frac{80\pi\left(25\times10^{-3}\right)}{\left((10)^2+(80\pi)^2(25\times10^{-3})^2\right)^{1/2}} = \boxed{53{,}2\text{ V}}$

(c) Avec $\omega = 2\pi f = 2\pi\,(400) = 800\pi$ rad/s et $\Delta V_{\text{entrée}} = 100$ V,

$\Delta V_{\text{sortie}} = \frac{\omega L}{(R^2+\omega^2L^2)^{1/2}}\Delta V_{\text{entrée}} = \frac{800\pi\left(25\times10^{-3}\right)}{\left((10)^2+(800\pi)^2(25\times10^{-3})^2\right)^{1/2}} = \boxed{98{,}8\text{ V}}$

(d) Avec $\omega = 2\pi f = 2\pi\,(4000) = 8000\pi$ rad/s et $\Delta V_{\text{entrée}} = 100$ V,

$\Delta V_{\text{sortie}} = \frac{\omega L}{(R^2+\omega^2L^2)^{1/2}}\Delta V_{\text{entrée}} = \frac{8000\pi\left(25\times10^{-3}\right)}{\left((10)^2+(8000\pi)^2(25\times10^{-3})^2\right)^{1/2}} = \boxed{99{,}99\text{ V}}$

(e) Dans le logiciel Maple, on donne une valeur aux différentes variables, on définit l'expression de la tension de sortie et on trace le graphe demandé :

```
> restart;
> L:=25e-3; R:=10; Ve:=100;
> Vs:=Ve*omega*L/sqrt(R^2+(omega*L)^2);
> plot(Vs,omega=0..5000);
```

(f) Toujours dans le logiciel Maple, on cherche la valeur de ω pour laquelle

$\Delta V_{\text{sortie}} = 0{,}90\Delta V_{\text{entrée}}$:

```
> solve(Vs=.9*Ve,omega);
```

La réponse à la question est donc ω $\boxed{> 826\text{ rad/s}}$

(g) Comme on peut le voir à partir des réponses et en particulier du graphe, il s'agit d' $\boxed{\text{un filtre passe-haut}}$.

P9. L'impédance du circuit est $Z = \frac{\Delta v_0}{i_0} = \frac{160}{4} = 40{,}0\ \Omega$. À partir de l'équation 12.17, on peut écrire

$Z = \sqrt{R^2 + (Z_L - Z_C)^2} = \sqrt{R^2 + \left(\omega L - \frac{1}{\omega C}\right)^2} \Longrightarrow Z^2 = R^2 + (\omega L - Z_C)^2 \Longrightarrow$

$\omega L - Z_C = \pm\sqrt{Z^2 - R^2}$ (i)

Comme on sait que $\phi < 0$, le circuit est capacitif et il faut conserver le signe moins dans l'équation (i) :

$\omega L - Z_C = -\sqrt{Z^2 - R^2} \Longrightarrow L = \frac{1}{\omega}\left(Z_C - \sqrt{Z^2 - R^2}\right) \Longrightarrow$

$L = \frac{1}{377}\left(52 - \sqrt{(40{,}0)^2 - (12{,}5)^2}\right) \Longrightarrow L = \boxed{3{,}71\times10^{-2}\text{ H}}$

P10. (a) La charge dans le condensateur est donnée par

$Q = \int i dt = \int i_0 \sin(\omega t)\,dt = -\frac{i_0}{\omega}\cos(\omega t) + A$ (i)

où A est une constante qu'on pose arbitrairement égale à zéro. Comme $i_0 = \frac{\Delta v_0}{Z}$, l'équation (i) devient $Q = -\frac{\Delta v_0}{\omega Z}\cos(\omega t)$ et l'amplitude ou valeur maximale de cette fonction est $\boxed{Q_0 = \frac{\Delta v_0}{\omega Z}} \Longrightarrow \boxed{\text{CQFD}}$

(b) On trouve la fréquence angulaire pour laquelle Q_0 est maximale avec

$$\frac{dQ_0}{d\omega} = 0 \Longrightarrow \frac{d}{d\omega}\left(\frac{\Delta v_0}{\omega Z}\right) = 0 \Longrightarrow \Delta v_0 \frac{d}{d\omega}\left(\frac{1}{\omega\sqrt{R^2+\left(\omega L-\frac{1}{\omega C}\right)^2}}\right) = 0 \Longrightarrow$$

$$\frac{d}{d\omega}\left(\frac{1}{\sqrt{\omega^2R^2+\left(\omega^2L-\frac{1}{C}\right)^2}}\right) = 0 \Longrightarrow \frac{2\omega R^2+2\left(\omega^2L-\frac{1}{C}\right)(2\omega L)}{\omega^2R^2+\left(\omega^2L-\frac{1}{C}\right)^2} = 0 \Longrightarrow$$

$$2\omega\frac{\left(R^2+\left(\omega^2L-\frac{1}{C}\right)(2L)\right)}{\omega^2R^2+\left(\omega^2L-\frac{1}{C}\right)^2} = 0$$

Si on exclut $\omega = 0$ et $\omega \longrightarrow \infty$, l'égalité n'est vraie que si le numérateur du terme entre parenthèses donne zéro et elle fournit la valeur de ω_{max}, la fréquence angulaire pour laquelle la charge est maximale :

$$R^2 + \left(\omega_{\text{max}}^2L - \frac{1}{C}\right)(2L) = 0 \Longrightarrow \omega_{\text{max}}^2L - \frac{1}{C} = -\frac{R^2}{2L} \Longrightarrow \omega_{\text{max}}^2L = \frac{1}{C} - \frac{R^2}{2L} \Longrightarrow$$

$$\omega_{\text{max}}^2 = \frac{1}{LC} - \frac{R^2}{2L^2} \Longrightarrow \omega_{\text{max}} = \sqrt{\frac{1}{LC} - \frac{R^2}{2L^2}} \Longrightarrow \boxed{\omega_{\text{max}} = \sqrt{\omega_0 - \frac{R^2}{2L^2}}} \Longrightarrow \boxed{\text{CQFD}}$$

P11. Avec $\omega = 2\pi f = 2\pi\left(\frac{200}{\pi}\right) = 400$ rad/s et l'équation 12.17, on calcule l'impédance du circuit :

$$Z = \sqrt{R^2 + (Z_L - Z_C)^2} = \sqrt{R^2 + \left(\omega L - \frac{1}{\omega C}\right)^2} \Longrightarrow$$

$$Z = \sqrt{(8)^2 + \left(400\,(40\times10^{-3}) - \frac{1}{400(20\times10^{-6})}\right)^2} = 109\ \Omega$$

La valeur maximale du courant est ainsi $i_0 = \frac{\Delta v_0}{Z} = \frac{100}{109} = 0{,}917$ A

(a) $\Delta v_{R0} = Ri_0 = 8\,(0{,}917) \Longrightarrow \boxed{\Delta v_{R0} = 7{,}34\ \text{V}}$

$\Delta v_{C0} = Z_C i_0 = \frac{i_0}{\omega C} = \frac{0{,}917}{400(20\times10^{-6})} \Longrightarrow \boxed{\Delta v_{C0} = 115\ \text{V}}$

$\Delta v_{L0} = Z_L i_0 = \omega L i_0 = 400\left(40\times10^{-3}\right)(0{,}917) \Longrightarrow \boxed{\Delta v_{L0} = 14{,}7\ \text{V}}$

(b) Aux bornes de R et C combinés, on calcule

$$\Delta v_{RC0} = Z_{RC}i_0 = \sqrt{R^2 + Z_C^2}\,i_0 = \sqrt{(8)^2 + \left(\frac{1}{400(20\times10^{-6})}\right)^2}\,(0{,}917) = \boxed{115\ \text{V}}$$

(c) Aux bornes de C et L combinés, on calcule

$$\Delta v_{CL0} = Z_{CL}i_0 = \sqrt{(Z_L - Z_C)^2}\,i_0 \Longrightarrow$$

$$\Delta v_{CL0} = \left(400\,(40\times10^{-3}) - \frac{1}{400(20\times10^{-6})}\right)(0{,}917) = \boxed{-100\ \text{V}}$$

P12. (a) Le condensateur C et la résistance R sont en série. La tension de sortie $\Delta V_{\text{sortie}} = RI$, où I est le courant dans la branche qui contient la résistance et qui est aussi le courant dans la maille de gauche.

Ce courant est aussi celui qui apparaît dans $\Delta V_{\text{entrée}} = ZI$, où Z est l'impédance dans la maille de gauche, soit $Z = \sqrt{R^2 + Z_C^2} = \sqrt{R^2 + \frac{1}{\omega^2 C^2}}$. Le rapport entre les tensions donne

$$\frac{\Delta V_{\text{sortie}}}{\Delta V_{\text{entrée}}} = \frac{RI}{\sqrt{R^2+\frac{1}{\omega^2 C^2}}I} \Longrightarrow \boxed{\frac{\Delta V_{\text{sortie}}}{\Delta V_{\text{entrée}}} = \frac{1}{\sqrt{1+\frac{1}{\omega^2 R^2 C^2}}}} \Longrightarrow \boxed{\text{CQFD}}$$

(b) Dans le logiciel Maple, on donne une valeur aux différentes variables, on définit l'expression de la tension de sortie et on trace le graphe demandé :

```
> restart;
> R:=1; C:=1; Ve:=100; wmax:=3/(R*C);
> plot(Ve/sqrt(1+1/(w^2*R^2*C^2)),w=0..wmax);
```

(c) Comme on peut le voir à partir du graphe, il s'agit d' $\boxed{\text{un filtre passe-haut}}$.

P13. (a) Le condensateur C et la résistance R sont en série comme au problème 12, mais l'ordre est inversé. La tension de sortie $\Delta V_{\text{sortie}} = Z_C I = \frac{I}{\omega C}$, où I est le courant dans la branche qui contient le condensateur et qui est aussi le courant dans la maille de gauche.

Ce courant est aussi celui qui apparaît dans $\Delta V_{\text{entrée}} = ZI$, où Z est l'impédance dans la maille de gauche, soit $Z = \sqrt{R^2 + Z_C^2} = \sqrt{R^2 + \left(\frac{1}{\omega C}\right)^2}$. Le rapport entre les tensions donne

$$\frac{\Delta V_{\text{sortie}}}{\Delta V_{\text{entrée}}} = \frac{\frac{I}{\omega C}}{\sqrt{R^2+\left(\frac{1}{\omega C}\right)^2}I} \Longrightarrow \boxed{\frac{\Delta V_{\text{sortie}}}{\Delta V_{\text{entrée}}} = \frac{1}{\sqrt{1+\omega^2 R^2 C^2}}} \Longrightarrow \boxed{\text{CQFD}}$$

(b) Dans le logiciel Maple, on donne une valeur aux différentes variables, on définit l'expression de la tension de sortie et on trace le graphe demandé :

```
> restart;
> R:=1; C:=1; Ve:=100; wmax:=3/(R*C);
> plot(Ve/sqrt(1+w^2),w=0..wmax);
```

(c) Comme on peut le voir à partir du graphe, il s'agit d' $\boxed{\text{un filtre passe-bas}}$.

P14. (a) Avec $\omega = 2\pi f = 2\pi\left(\frac{200}{\pi}\right) = 400$ rad/s et l'équation 12.19, on calcule l'impédance du circuit :

$$\frac{1}{Z} = \sqrt{\frac{1}{R^2} + \left(\frac{1}{Z_C} - \frac{1}{Z_L}\right)^2} = \sqrt{\frac{1}{R^2} + \left(\omega C - \frac{1}{\omega L}\right)^2} \Longrightarrow$$

$$Z = \left(\frac{1}{R^2} + \left(\omega C - \frac{1}{\omega L}\right)^2\right)^{-1/2} = \left(\frac{1}{(8)^2} + \left(400\left(20\times10^{-6}\right) - \frac{1}{400(40\times10^{-3})}\right)^2\right)^{-1/2}$$

$$Z = \boxed{7{,}33\ \Omega}$$

(b) $i_{R0} = \frac{\Delta v_0}{R} = \frac{100}{8} \Longrightarrow \boxed{i_{R0} = 12{,}5\text{ A}}$

$i_{L0} = \frac{\Delta v_0}{Z_L} = \frac{\Delta v_0}{\omega L} = \frac{100}{400(40\times10^{-3})} \Longrightarrow \boxed{i_{L0} = 6{,}25\text{ A}}$

$i_{C0} = \frac{\Delta v_0}{Z_C} = \omega C \Delta v_0 = 400\left(20\times10^{-6}\right)(100) \Longrightarrow \boxed{i_{C0} = 0{,}800\text{ A}}$

P15. (a) Dans le logiciel Maple, on définit les variables et l'expression du courant efficace à partir des équations 12.16 et 12.17. On trace ensuite le graphe demandé pour les deux valeurs de résistance :

```
> restart;
> L:=1e-3; C:=0.1e-6; R1:=4; R2:=10; V:=1; w0:=1/sqrt(L*C);
> i:=V/sqrt(R^2+(omega*L-1/(omega*C))^2);
> i1:=subs(R=R1,i); i2:=subs(R=R2,i);
> plot([i1,i2],omega=0.8*w0..1.2*w0,color=[red,blue]);
```

Le graphe obtenu est identique à la figure 12.19.

(b) On laisse le soin à l'élève de choisir les modifications à apporter aux différents paramètres afin de répondre à la question.

P16. Dans le logiciel Maple, on définit les variables et l'expression de la puissance moyenne à partir de l'équation 12.23. On trace ensuite le graphe demandé pour les deux valeurs de résistance :

```
> restart;
> L:=1e-3; C:=0.1e-6; R1:=4; R2:=10; V:=1; w0:=1/sqrt(L*C);
> i:=V/sqrt(R^2+(omega*L-1/(omega*C))^2);
> P:=R*i^2;
> P1:=subs(R=R1,P); P2:=subs(R=R2,P);
> plot([P1,P2],omega=0.8*w0..1.2*w0,color=[red,blue]);
```

Le graphe obtenu est identique à la figure 12.20.

Chapitre 13 : Les équations de Maxwell; les ondes électromagnétiques

Exercices

E1. (a) Les unités de μ_0 sont $[\mu_0] = \frac{\text{N}}{\text{A}^2}$ et celles de ε_0 sont $[\varepsilon_0] = \frac{\text{C}^2}{\text{Nm}^2}$. Si on multiplie les unités de ces deux variables, on obtient

$$[\varepsilon_0\mu_0] = \frac{\text{C}^2}{\text{Nm}^2}\frac{\text{N}}{\text{A}^2} = \frac{\text{C}^2}{\text{A}^2\text{m}^2} = \frac{\text{C}^2}{\left(\frac{\text{C}}{\text{s}}\right)^2\text{m}^2} = \frac{\text{s}^2}{\text{m}^2} \Longrightarrow \boxed{\left[\frac{1}{\sqrt{\varepsilon_0\mu_0}}\right] = \frac{\text{m}}{\text{s}}} \Longrightarrow \boxed{\text{CQFD}}$$

(b) Comme $B = \frac{\mu_0 I}{2\pi r}$ et que $\frac{B}{\mu_0} = \frac{\mu_0 I}{2\pi r}$, les unités de ce rapport sont $\left[\frac{B}{\mu_0}\right] = \frac{\text{A}}{\text{m}}$. Les unités de $\frac{EB}{\mu_0}$ sont $\left[\frac{EB}{\mu_0}\right] = \frac{\text{V}}{\text{m}}\frac{\text{A}}{\text{m}} \Longrightarrow \boxed{\left[\frac{EB}{\mu_0}\right] = \frac{\text{W}}{\text{m}^2}} \Longrightarrow \boxed{\text{CQFD}}$

E2. (a) Les unités de E sont $[E] = \frac{\text{N}}{\text{C}}$ et celles de B sont $[B] = \text{T} = \frac{\text{N·s}}{\text{C·m}}$. Les unités du produit cB sont $[cB] = \frac{\text{m}}{\text{s}}\frac{\text{N·s}}{\text{C·m}} = \frac{\text{N}}{\text{C}}$, ce qui implique $\boxed{[E] = [cB]} \Longrightarrow \boxed{\text{CQFD}}$

(b) Les unités de Φ_E sont $[\Phi_E] = \frac{\text{N·m}^2}{\text{C}}$ donc $\left[\varepsilon_0\frac{d\Phi_E}{dt}\right] = \frac{\text{C}^2}{\text{N·m}^2}\frac{\text{N·m}^2}{\text{C·s}} = \frac{\text{C}}{\text{s}}$, qui sont bien les unités d'un courant; donc $\boxed{[I_\text{D}] = \left[\varepsilon_0\frac{d\Phi_E}{dt}\right]} \Longrightarrow \boxed{\text{CQFD}}$

(c) Les unités de S sont $[S] = \frac{\text{W}}{\text{m}^2}$; donc les unités de $\frac{S}{c}$ sont

$\left[\frac{S}{c}\right] = \frac{\text{W}}{\text{m}^2}\frac{\text{s}}{\text{m}} = \frac{\text{J·s}}{\text{s·m}^3} = \frac{\text{N·m}}{\text{m}^3} = \frac{\text{N}}{\text{m}^2}$, qui sont bien les unités d'une pression. $\Longrightarrow \boxed{\text{CQFD}}$

E3. Dans un condensateur, selon l'équation 4.6c, $\Delta V = Ed$; donc

$$\frac{d(\Delta V)}{dt} = d\frac{dE}{dt} \Longrightarrow \frac{dE}{dt} = \frac{1}{d}\frac{d(\Delta V)}{dt} \qquad \text{(i)}$$

Il s'agit d'un condensateur plan; donc

$$\frac{d\Phi_E}{dt} = A\frac{dE}{dt} \Longrightarrow \frac{d\Phi_E}{dt} = \frac{A}{d}\frac{d(\Delta V)}{dt} \qquad \text{(ii)}$$

Selon l'équation 13.1, pour $A = \pi r^2$,

$$I_\text{D} = \varepsilon_0\frac{d\Phi_E}{dt} = \varepsilon_0\frac{\pi r^2}{d}\frac{d(\Delta V)}{dt} = \left(8{,}85 \times 10^{-12}\right)\frac{\pi(0{,}025)^2}{0{,}003}\left(5 \times 10^4\right) = \boxed{2{,}90 \times 10^{-7}\ \text{A}}$$

E4. (a) Le courant de déplacement doit être le même que celui qui circule dans les fils : $I_\text{D} = \boxed{3{,}00\ \text{A}}$

(b) On a $A = \pi r^2 = 4\pi \times 10^{-4}\ \text{m}^2$. On reprend l'équation (ii) de l'exercice 3 en la combinant à l'équation 13.1 :

$$I_\text{D} = \varepsilon_0\frac{d\Phi_E}{dt} = \frac{A\varepsilon_0}{d}\frac{d(\Delta V)}{dt} \Longrightarrow \frac{d(\Delta V)}{dt} = \frac{dI_\text{D}}{A\varepsilon_0} = \frac{(0{,}0014)(3)}{(4\pi\times10^{-4})(8{,}85\times10^{-12})} = \boxed{3{,}78 \times 10^{11}\ \text{V/s}}$$

E5. On reprend l'équation (ii) de l'exercice 3 en la combinant à l'équation 13.1 :

$$I_\text{D} = \varepsilon_0\frac{d\Phi_E}{dt} = \frac{A\varepsilon_0}{d}\frac{d(\Delta V)}{dt}$$

On rappelle que, selon l'équation 5.3, $C = \frac{\varepsilon_0 A}{d}$; donc $\boxed{I_\text{D} = C\frac{d(\Delta V)}{dt}} \Longrightarrow \boxed{\text{CQFD}}$

E6. On reprend l'équation (ii) de l'exercice 3 en la combinant à l'équation 13.1 :

$$I_\text{D} = \varepsilon_0\frac{d\Phi_E}{dt} = \frac{A\varepsilon_0}{d}\frac{d(\Delta V)}{dt}$$

Toutefois, dans cette équation, l'aire A avec laquelle on mesure le flux électrique doit être celle qui est circonscrite par le parcours dont le rayon est la moitié de celui des plaques, $A = \pi\left(\frac{r}{2}\right)^2 = \pi\left(\frac{0{,}02}{2}\right)^2 = \pi \times 10^{-4}\ \text{m}^2$:

$I_\text{D} = \frac{A\varepsilon_0}{d}\frac{d(\Delta V)}{dt} = \left(8{,}85 \times 10^{-12}\right)\frac{\left(\pi \times 10^{-4}\right)}{0{,}0024}\left(8 \times 10^3\right) = \boxed{9{,}27 \times 10^{-9}\ \text{A}}$

E7. On suppose que la résistance des fils de branchement est négligeable et que Δv, la différence de potentiel de la source, est la même que ΔV, la différence de potentiel entre les plaques du condensateur.

À partir de l'équation 13.2, dans laquelle $I = 0$ et $\frac{d\Phi_E}{dt} = \frac{A}{d}\frac{d(\Delta V)}{dt}$, comme on l'a montré à l'exercice 3, on peut écrire :

$\oint \vec{\mathbf{B}} \cdot d\vec{\ell} = \mu_0\left(\varepsilon_0\frac{d\Phi_E}{dt}\right) = \frac{\mu_0\varepsilon_0 A}{d}\frac{d(\Delta V)}{dt}$ (i)

Dans l'intégrale de gauche, le parcours est un cercle de rayon $r = 1$ cm, soit la moitié du rayon des plaques du condensateur. Pour des raisons de symétrie et en accord avec la figure 13.3, on peut supposer que $\vec{\mathbf{B}}$ est parallèle à $d\vec{\ell}$ sur tout le parcours, de sorte que

$\oint \vec{\mathbf{B}} \cdot d\vec{\ell} = \oint B d\ell = B\oint d\ell = B\left(2\pi r\right)$

L'équation (i) devient, avec $A = \pi r^2$,

$B\left(2\pi r\right) = \frac{\mu_0\varepsilon_0\pi r^2}{d}\frac{d(\Delta V)}{dt} \Longrightarrow B = \frac{\mu_0\varepsilon_0\pi r^2}{(2\pi r)d}\frac{d(\Delta V)}{dt} = \frac{\mu_0\varepsilon_0 r}{2d}\frac{d(\Delta V)}{dt}$ (ii)

Si la différence de potentiel de la source varie comme $\Delta V = \Delta v_0 \sin(\omega t)$, alors $\frac{d(\Delta V)}{dt} = \Delta v_0\omega\cos(\omega t)$ et la valeur maximale du taux de changement de la différence de potentiel est $\left(\frac{d(\Delta V)}{dt}\right)_\text{max} = \Delta v_0\omega$, dans laquelle $\omega = 2\pi f$.

Finalement, la valeur maximale du module du champ magnétique est, en combinant le dernier résultat avec l'équation (ii) :

$B_\text{max} = \frac{\mu_0\varepsilon_0 r}{2d}\left(\frac{d(\Delta V)}{dt}\right)_\text{max} = \frac{\mu_0\varepsilon_0 r}{2d}\left(2\pi f\Delta v_0\right) \Longrightarrow$

$B_\text{max} = \frac{\left(4\pi\times10^{-7}\right)\left(8{,}85\times10^{-12}\right)(0{,}01)}{2(0{,}004)}\left(2\pi\,(60)\,(120)\right) = \boxed{6{,}29 \times 10^{-13}\ \text{T}}$

E8. Si on se trouve dans l'espace entre les plaques du condensateur, le courant de conduction est nul ($I = 0$), et le théorème d'Ampère-Maxwell s'écrit

$\oint \vec{\mathbf{B}} \cdot d\vec{\ell} = \mu_0 I_\text{D}$

Cette version du théorème est identique à celle qui est utilisée dans l'exemple 9.6 du manuel pour décrire le champ magnétique dans un fil parcouru d'un courant de conduction I. En suivant un raisonnement similaire dans l'espace qui sépare les plaques pour le courant de déplacement I_D, on arrive au même résultat :

(a) Avec $r > R$, le résultat de la partie (a) de l'exemple implique que

$$\boxed{B = \frac{\mu_0 I_\mathrm{D}}{2\pi r}} \implies \boxed{\text{CQFD}}$$

(b) Avec $r < R$, le résultat de la partie (b) de l'exemple implique que

$$B = \boxed{\frac{\mu_0 I_\mathrm{D} r}{2\pi R^2}}$$

E9. On aura $I_\mathrm{D} = I = 20$ mA.

(a) On utilise le résultat de la partie (b) de l'exercice précédent :

$$B = \frac{\mu_0 I_\mathrm{D} r}{2\pi R^2} = \frac{\left(4\pi\times10^{-7}\right)\left(20\times10^{-3}\right)\left(0{,}5\times10^{-2}\right)}{2\pi(0{,}02)^2} = \boxed{5{,}00\times10^{-8}\ \mathrm{T}}$$

(b) On utilise le résultat de la partie (a) de l'exercice précédent :

$$B = \frac{\mu_0 I_\mathrm{D}}{2\pi r} = \frac{\left(4\pi\times10^{-7}\right)\left(20\times10^{-3}\right)}{2\pi(0{,}05)} = \boxed{8{,}00\times10^{-8}\ \mathrm{T}}$$

E10. Comme on peut s'en convaincre à partir de la figure 13.5, les directions de $\vec{\mathbf{E}}$, $\vec{\mathbf{B}}$ et $\vec{\mathbf{c}}$ sont liées. Non seulement les trois vecteurs sont-ils, à tout moment, perpendiculaires, mais on peut supposer qu'une opération vectorielle permet d'obtenir la direction de l'un à partir des deux autres. Le vecteur de Poynting $\vec{\mathbf{S}} = \frac{\vec{\mathbf{E}}\times\vec{\mathbf{B}}}{\mu_0}$ (une notion définie et expliquée à la section 13.4) apporte la réponse.

$\vec{\mathbf{S}}$ représente la direction dans laquelle l'énergie de l'onde électromagnétique avance, soit précisément la direction du vecteur $\vec{\mathbf{c}}$, le vecteur vitesse de la même onde. Comme le sens du premier découle du produit vectoriel $\vec{\mathbf{E}}\times\vec{\mathbf{B}}$, il est logique de penser que la direction de $\vec{\mathbf{c}}$ (et non son module) peut être obtenue par le même produit vectoriel. Si on exprime ce lien par des vecteurs unitaires parallèles à $\vec{\mathbf{E}}$, $\vec{\mathbf{B}}$ et $\vec{\mathbf{c}}$, on obtient

$$\vec{\mathbf{u}}_E \times \vec{\mathbf{u}}_B = \vec{\mathbf{u}}_c$$

Cette relation est utile pour obtenir le sens d'un des vecteurs quand celui des deux autres est connu. Ainsi, dans le cas de cet exercice, la lumière se propage selon l'axe des z négatifs, de sorte que $\vec{\mathbf{u}}_c = -\vec{\mathbf{k}}$. On sait que $\vec{\mathbf{u}}_E = -\vec{\mathbf{i}}$, alors

$$\vec{\mathbf{u}}_E \times \vec{\mathbf{u}}_B = \vec{\mathbf{u}}_c \implies \left(-\vec{\mathbf{i}}\right)\times\vec{\mathbf{u}}_B = -\vec{\mathbf{k}} \implies \vec{\mathbf{i}}\times\vec{\mathbf{u}}_B = \vec{\mathbf{k}}$$

À cause de la règle de la main droite $\left(\vec{\mathbf{i}}\times\vec{\mathbf{j}} = \vec{\mathbf{k}}\right)$, on en conclut que $\vec{\mathbf{u}}_B = \vec{\mathbf{j}}$; le champ magnétique est orienté selon l'axe des y positifs à l'instant choisi. Le module du champ magnétique est donné par l'équation 13.10 :

$$E = cB \implies B = \frac{E}{c} = \frac{21}{3\times10^8} = 7{,}00\times10^{-8}\ \mathrm{T}$$

de sorte que $\vec{\mathbf{B}} = \boxed{7{,}00\times10^{-8}\,\vec{\mathbf{j}}\ \mathrm{T}}$

E11. (a) L'expression générale pour la composante selon y du champ magnétique est

$\vec{\mathbf{B}} = B_0 \sin(kx + \omega t)\, \vec{\mathbf{j}}$. Si on compare cette expression avec celle qu'on présente dans l'énoncé de la question, on découvre que

$k = \frac{2\pi}{\lambda} = 5{,}0 \times 10^2 \implies \lambda = \frac{2\pi}{5{,}0\times 10^2} \implies \boxed{\lambda = 1{,}26 \text{ cm}}$

et que $\omega = 2\pi f = 1{,}5 \times 10^{11} \implies f = \frac{1{,}5\times 10^{11}}{2\pi} \implies \boxed{f = 23{,}9 \text{ GHz}}$

(b) Pour répondre à la question, on doit d'abord découvrir l'orientation de $\vec{\mathbf{c}}$. Pour ce faire, on doit analyser correctement l'argument de la fonction qui décrit le champ magnétique. Comme on le verra aux sections 2.5 et 2.6 du tome 3, la description d'une onde, quelle qu'elle soit, nécessite le recours aux fonctions sinusoïdales et en particulier à un argument qui contient une coordonnée d'espace et une coordonnée de temps.

Dans cet exercice, cet argument prend la forme $(kx + \omega t)$. La coordonnée d'espace est x; l'onde se transforme donc selon cet axe et le vecteur $\vec{\mathbf{c}}$ lui est parallèle. Le signe apparaissant entre kx et ωt a aussi son importance. S'il s'agit d'un signe $+$, c'est que la fonction sinusoïdale se déplace vers la *gauche* au fur et à mesure que le temps avance. Lorsqu'un signe $-$ apparaît, c'est que la translation se fait vers la *droite*.

Ici, on a un $+$, l'onde électromagnétique se transforme selon les x négatifs et on peut affirmer que $\vec{\mathbf{c}} = -c\,\vec{\mathbf{i}}$ ou encore que $\vec{\mathbf{u}}_c = -\vec{\mathbf{i}}$. Cette méthode fonctionne aussi bien avec le champ électrique et on l'utilisera dans d'autres exercices.

On peut maintenant décrire le vecteur $\vec{\mathbf{E}}$. Si on reprend la relation démontrée à l'exercice 10, $\vec{\mathbf{u}}_E \times \vec{\mathbf{u}}_B = \vec{\mathbf{u}}_c$, et que l'on pose que $\vec{\mathbf{u}}_B = \vec{\mathbf{j}}$, alors $\vec{\mathbf{u}}_E \times \left(\vec{\mathbf{j}}\right) = -\vec{\mathbf{i}}$.

En raison de la règle de la main droite $\left(\vec{\mathbf{k}} \times \vec{\mathbf{j}} = -\vec{\mathbf{i}}\right)$, $\vec{\mathbf{u}}_E = \vec{\mathbf{k}}$: le champ électrique $\vec{\mathbf{E}}$ est orienté selon l'axe des z positifs lorsque $x = 0$ et $t = 0$. La valeur maximale du module du champ électrique est donnée par l'équation 13.10 :

$E_0 = cB_0 = \left(3 \times 10^8\right)\left(2{,}0 \times 10^{-7}\right) = 60{,}0 \text{ V/m}$

de sorte que

$\vec{\mathbf{E}} = E_0 \sin(kx + \omega t)\, \vec{\mathbf{k}} = \boxed{60{,}0 \sin\left(500x + 1{,}5 \times 10^{11} t\right) \vec{\mathbf{k}} \text{ V/m}}$

E12. On donne $\vec{\mathbf{E}} = E_0 \sin(ky + \omega t)\, \vec{\mathbf{k}}$. À partir de cette expression et en raisonnant comme à la partie (b) de l'exercice précédent, on établit que $\vec{\mathbf{u}}_c = -\vec{\mathbf{j}}$; l'onde électromagnétique se propage selon l'axe des y négatifs.

Si on reprend la relation démontrée dans l'exercice 10, $\vec{\mathbf{u}}_E \times \vec{\mathbf{u}}_B = \vec{\mathbf{u}}_c$, et que l'on pose que $\vec{\mathbf{u}}_E = \vec{\mathbf{k}}$, alors $\vec{\mathbf{k}} \times \vec{\mathbf{u}}_B = -\vec{\mathbf{j}}$.

En raison de la règle de la main droite $\left(\vec{\mathbf{k}} \times \left(-\vec{\mathbf{i}}\right) = -\vec{\mathbf{j}}\right)$, $\vec{\mathbf{u}}_B = -\vec{\mathbf{i}}$. Le champ magnétique $\vec{\mathbf{B}}$ est orienté selon l'axe des x négatifs lorsque $y = 0$ et $t = 0$. La valeur maximale du module du champ magnétique est $B_0 = \frac{E_0}{c}$ et, finalement,

$\vec{\mathbf{B}} = -B_0 \sin(ky + \omega t)\,\vec{\mathbf{i}} = \boxed{-\frac{E_0}{c}\sin(ky + \omega t)\,\vec{\mathbf{i}}}$

E13. Pour $E_0 = cB_0$ et $c^2 = \frac{1}{\mu_0 \varepsilon_0}$ dans l'équation 13.16, on trouve

(a) $u_{\text{moy}}c = \frac{E_0 B_0}{2\mu_0} = \frac{E_0\left(\frac{E_0}{c}\right)}{2\mu_0} \Longrightarrow u_{\text{moy}} = \frac{E_0^2}{2c^2\mu_0} = \frac{\varepsilon_0 E_0^2}{2} \Longrightarrow$

$E_0 = \sqrt{\frac{2u_{\text{moy}}}{\varepsilon_0}} = \sqrt{\frac{2(1\times10^{-7})}{(8{,}85\times10^{-12})}} = \boxed{150\ \text{V/m}}$

(b) $u_{\text{moy}}c = \frac{E_0 B_0}{2\mu_0} = \frac{(cB_0)B_0}{2\mu_0} \Longrightarrow u_{\text{moy}} = \frac{B_0^2}{2\mu_0} \Longrightarrow$

$B_0 = \sqrt{2\mu_0 u_{\text{moy}}} = \sqrt{2\left(4\pi\times10^{-7}\right)\left(1\times10^{-7}\right)} = \boxed{5{,}01\times10^{-7}\ \text{T}}$

E14. (a) À partir de l'équation développée à la partie (a) de l'exercice précédent, on trouve

$u_{\text{moy}} = \frac{\varepsilon_0 E_0^2}{2} = \frac{\left(8{,}85\times10^{-12}\right)(50)^2}{2} = \boxed{1{,}11\times10^{-8}\ \text{J/m}^3}$

(b) Selon l'équation 13.10, $B_0 = \frac{E_0}{c} = \frac{50}{3\times10^8} \Longrightarrow \boxed{B_0 = 1{,}67\times10^{-7}\ \text{T}}$

À partir d'un raisonnement similaire à celui utilisé dans l'exercice 11*b*, on peut affirmer que l'onde plane électromagnétique se propage selon l'axe des x positifs et que $\vec{\mathbf{u}}_c = \vec{\mathbf{i}}$ est le vecteur pointant dans cette direction. Comme $\vec{\mathbf{u}}_E = \vec{\mathbf{j}}$ à $x = 0$ et à $t = 0$, si on utilise l'équation de l'exercice 10, $\vec{\mathbf{u}}_E \times \vec{\mathbf{u}}_B = \vec{\mathbf{u}}_c$, alors

$\vec{\mathbf{u}}_E \times \vec{\mathbf{u}}_B = \vec{\mathbf{u}}_c \Longrightarrow \vec{\mathbf{j}} \times \vec{\mathbf{u}}_B = \vec{\mathbf{i}}$

À cause de la règle de la main droite $\left(\vec{\mathbf{j}} \times \vec{\mathbf{k}} = \vec{\mathbf{i}}\right)$, on en conclut que $\vec{\mathbf{u}}_B = \vec{\mathbf{k}}$. Le champ magnétique $\boxed{\vec{\mathbf{B}}\text{ pointe selon l'axe des } z \text{ positifs}}$ au même moment et au même endroit.

(c) À partir de l'équation 13.16, on trouve

$S_{\text{moy}} = u_{\text{moy}}c = \left(1{,}11\times10^{-8}\right)\left(3\times10^8\right) = \boxed{3{,}33\ \text{N/m}^2}$

E15. (a) À partir de l'équation 13.16, on trouve

$S_{\text{moy}} = u_{\text{moy}}c \Longrightarrow u_{\text{moy}} = \frac{S_{\text{moy}}}{c} = \frac{10^3}{2\times10^8} = \boxed{3{,}33\times10^{-6}\ \text{J/m}^3}$

(b) Le rayon de la Terre est $r = 6{,}37\times10^6$ m. L'énergie solaire que la Terre intercepte dépend de l'aire de section qu'elle présente au Soleil :

$A = \pi r^2 = \pi\left(6{,}37\times10^6\right)^2 = 1{,}27\times10^{14}\ \text{m}^2$

On calcule l'énergie en multipliant l'intensité par l'aire et l'intervalle de temps :

$U = AS_{\text{moy}}\Delta t = \left(1{,}27\times10^{14}\right)\left(10^3\right)(3600) = \boxed{4{,}57\times10^{20}\ \text{J}}$

E16. Soit P_I, la puissance de la balise (la lettre P est réservée dans ce chapitre pour la pression).

L'intensité mesurée à une certaine distance dépend de l'aire de la sphère, $A = 4\pi r^2$, sur laquelle se développe et s'étend l'énergie de l'onde à partir de la source ponctuelle :

$S_{\text{moy}} = \frac{P_I}{A} = \frac{P_I}{4\pi r^2}$ (i)

(a) Pour $r = 25$ km, $S_{\text{moy}} = \frac{25}{4\pi(25\times10^3)^2} = 3{,}18 \times 10^{-9}$ W/m^2

À partir de l'équation développée à l'exercice 13a, on trouve

$S_{\text{moy}} = u_{\text{moy}}c = \left(\frac{\varepsilon_0 E_0^2}{2}\right)c \Longrightarrow E_0 = \sqrt{\frac{2S_{\text{moy}}}{\varepsilon_0 c}} = \sqrt{\frac{2(3{,}18\times10^{-9})}{(8{,}85\times10^{-12})(3\times10^8)}} \Longrightarrow$

$\boxed{E_0 = 1{,}55 \times 10^{-3} \text{ V/m}}$

À partir de l'équation 13.10, $B_0 = \frac{E_0}{c} = \frac{1{,}55\times10^{-3}}{3\times10^8} \Longrightarrow \boxed{B_0 = 5{,}17 \times 10^{-12} \text{ T}}$

(b) Pour $r = 34000$ km, $S_{\text{moy}} = \frac{25}{4\pi(34\times10^6)^2} = 1{,}72 \times 10^{-15}$ W/m^2 et

$E_0 = \sqrt{\frac{2S_{\text{moy}}}{\varepsilon_0 c}} = \sqrt{\frac{2(1{,}72\times10^{-15})}{(8{,}85\times10^{-12})(3\times10^8)}} \Longrightarrow \boxed{E_0 = 1{,}14 \times 10^{-6} \text{ V/m}}$

À partir de l'équation 13.10, on trouve $B_0 = \frac{E_0}{c} = \frac{1{,}14\times10^{-6}}{3\times10^8} \Longrightarrow \boxed{B_0 = 3{,}80 \times 10^{-15} \text{ T}}$

E17. (a) À partir de l'équation 13.10, on trouve $B_0 = \frac{E_0}{c} = \frac{10}{3\times10^8} \Longrightarrow \boxed{B_0 = 3{,}33 \times 10^{-8} \text{ T}}$

(b) On trouve d'abord l'intensité moyenne,

$S_{\text{moy}} = \frac{E_0 B_0}{2\mu_0} = \frac{10(3{,}33\times10^{-8})}{2(4\pi\times10^{-7})} = 0{,}132$ W/m^2

On utilise l'équation (i) de l'exercice 16 pour une source ponctuelle :

$S_{\text{moy}} = \frac{P}{A} = \frac{P}{4\pi r^2} \Longrightarrow P = 4\pi r^2 S_{\text{moy}} = 4\pi\,(6)^2\,(0{,}132) = \boxed{59{,}7 \text{ W}}$

E18. En suivant le même raisonnement qu'à l'exemple 13.5, on trouve

$F_{\text{moy}} = \frac{S_{\text{moy}}A}{c} = \frac{(1{,}34\times10^3)(100)}{3\times10^8} = \boxed{4{,}47 \times 10^{-4} \text{ N}}$

E19. On donne la puissance P_I de chaque laser. Contrairement à une source ponctuelle dont l'énergie se répand sur une sphère de plus en plus grande, l'intensité moyenne à une certaine distance d'un laser dépend uniquement de l'aire du faisceau,

$A_{\text{faisceau}} = 10 \text{ mm}^2 = 10 \times 10^{-6} \text{ m}^2$, et elle se calcule avec $S_{\text{moy}} = \frac{P_I}{A_{\text{faisceau}}}$. La plaque qui reçoit le faisceau laser est plus grande $\left(A_{\text{plaque}} = 5 \text{ cm}^2\right)$, mais seule la portion de cette surface correspondant à celle du faisceau du laser est soumise à la pression de radiation. Ainsi, dans l'équation développée à l'exemple 13.5, on a $A = A_{\text{faisceau}}$, et

$F_{\text{moy}} = \frac{S_{\text{moy}}A}{c} = \frac{P_I}{c}$

(a) Si $P_I = 1$ mW, alors $F_{\text{moy}} = \frac{P}{c} = \frac{1\times10^{-3}}{3\times10^8} = \boxed{3{,}33 \times 10^{-12} \text{ N}}$

(b) Si $P_I = 1$ kW, alors $F_{\text{moy}} = \frac{P}{c} = \frac{1\times10^3}{3\times10^8} = \boxed{3{,}33 \times 10^{-6} \text{ N}}$

E20. On donne $P_I = 10^4$ W, la puissance de la source ponctuelle. À une distance $r = 20$ km, selon l'équation (i) de l'exercice 16, l'intensité est

$S_{moy} = \frac{P_I}{A} = \frac{P_I}{4\pi r^2} = \frac{10^4}{4\pi(20\times10^3)^2} = 1{,}99 \times 10^{-6}\ \mathrm{W/m^2}$

La valeur moyenne de la pression de radiation P est, selon l'équation 13.18,

$P_{moy} = \frac{S_{moy}}{c} = \frac{1{,}99\times10^{-6}}{3\times10^8} = \boxed{6{,}63 \times 10^{-15}\ \mathrm{N/m^2}}$

E21. On donne $B_0 = 10^{-7}$ T. Selon l'équation développée à l'exercice 13*b*, $u_{moy} = \frac{B_0^2}{2\mu_0}$ et

$S_{moy} = u_{moy}c = \frac{cB_0^2}{2\mu_0} = \frac{(3\times10^8)(10^{-7})^2}{2(4\pi\times10^{-7})} = 1{,}19\ \mathrm{W/m^2}$

La puissance de l'émetteur, que l'on considère comme une source ponctuelle, et l'intensité sont liées comme à l'équation (i) de l'exercice 16, $S_{moy} = \frac{P_I}{A} = \frac{P_I}{4\pi r^2}$; donc

$P_I = 4\pi r^2 S_{moy} = 4\pi\,(100)^2\,(1{,}19) = \boxed{150\ \mathrm{kW}}$

E22. Comme à l'exercice 19, la force moyenne que crée le laser ne dépend que de sa puissance P_I :

$F_{moy} = \frac{P_I}{c} = \frac{1000}{3\times10^8} = 3{,}33 \times 10^{-6}\ \mathrm{N}$

Le module de l'accélération moyenne est donné par la deuxième loi de Newton :

$a_{moy} = \frac{F_{moy}}{m} = \frac{3{,}33\times10^{-6}}{100} = \boxed{3{,}33 \times 10^{-8}\ \mathrm{m/s^2}}$

E23. (a) À partir de l'équation développée à l'exercice 13*a*, on trouve

$S_{moy} = u_{moy}c = \left(\frac{\varepsilon_0 E_0^2}{2}\right)c = \frac{\varepsilon_0 c E_0^2}{2} = \frac{(8{,}85\times10^{-12})(3\times10^8)(2\times10^{-6})^2}{2} = \boxed{5{,}31 \times 10^{-15}\ \mathrm{W/m^2}}$

(b) À partir de l'équation (i) de l'exercice 16, on trouve

$S_{moy} = \frac{P_I}{4\pi r^2} \Longrightarrow r = \sqrt{\frac{P_I}{4\pi S_{moy}}} = \sqrt{\frac{10\times10^3}{4\pi(5{,}31\times10^{-15})}} = \boxed{3{,}87 \times 10^8\ \mathrm{m}}$

E24. (a) Selon l'équation développée à l'exercice 13*b*, $u_{moy} = \frac{B_0^2}{2\mu_0}$ et

$S_{moy} = u_{moy}c = \frac{cB_0^2}{2\mu_0} = \frac{(3\times10^8)(10^{-8})^2}{2(4\pi\times10^{-7})} = 1{,}19 \times 10^{-2}\ \mathrm{W/m^2}$

À partir de l'équation (i) de l'exercice 16, on trouve

$S_{moy} = \frac{P_I}{4\pi r^2} \Longrightarrow r = \sqrt{\frac{P_I}{4\pi S_{moy}}} = \sqrt{\frac{100}{4\pi(1{,}19\times10^{-2})}} = \boxed{25{,}9\ \mathrm{m}}$

(b) À partir de l'équation 13.10, on trouve

$E_0 = cB_0 = \left(3 \times 10^8\right)\left(10^{-8}\right) = \boxed{3{,}00\ \mathrm{V/m}}$

E25. (a) Pour une surface parfaitement réfléchissante (voir le paragraphe qui suit l'équation 13.18), la pression de radiation est

$P = \frac{2S}{c} = \frac{2(5)}{3\times10^8} = \boxed{3{,}33 \times 10^{-8}\ \mathrm{N/m^2}}$

(b) À partir de l'équation 13.18 et pour $A = (60\ \mathrm{cm})\,(40\ \mathrm{cm}) = 0{,}24\ \mathrm{m^2}$, on trouve

$P = \frac{F}{A} \Longrightarrow F = PA = \left(3{,}33 \times 10^{-8}\right)(0{,}24) = \boxed{7{,}99 \times 10^{-9}\ \mathrm{N}}$

E26. À partir de l'équation (i) de l'exercice 16, on trouve

$S_{moy} = \frac{P_I}{4\pi r^2} = \frac{60}{4\pi(10)^2} = 4{,}77 \times 10^{-2}\ \mathrm{W/m^2}$

(a) À partir de l'équation développée à l'exercice 13a, on trouve

$S_{moy} = u_{moy}c = \left(\frac{\varepsilon_0 E_0^2}{2}\right) c \implies E_0 = \sqrt{\frac{2S_{moy}}{\varepsilon_0 c}} = \sqrt{\frac{2(4{,}77\times10^{-2})}{(8{,}85\times10^{-12})(3\times10^8)}} \implies$

$E_0 = \boxed{5{,}99\ \text{V/m}}$

(b) À partir de l'équation 13.10, $B_0 = \frac{E_0}{c} = \frac{5{,}99}{3\times10^8} \implies \boxed{2{,}00\times10^{-8}\ \text{T}}$

E27. L'équation (i) de l'exercice 16 donne le rapport entre la puissance d'une source ponctuelle, l'intensité de son rayonnement et l'aire sur laquelle on retrouve le rayonnement, $S_{moy} = \frac{P_I}{A}$. Cette relation s'applique aussi lorsque le rayonnement frappe une surface. Pour connaître la puissance reçue P_I sur une surface donnée, il suffit de multiplier l'intensité S_{moy} par l'aire A de cette surface. Ici, l'aire correspond à celle de la pupille et $A = \pi r^2$, où $r = \frac{0{,}5\ \text{cm}}{2}$:

$P_I = S_{moy}A = S_{moy}\left(\pi r^2\right) = 1000\pi\left(0{,}25\times10^{-2}\right)^2 = \boxed{1{,}96\times10^{-2}\ \text{W}}$

E28. Si le rendement est de 18 %, il faut que la puissance reçue soit

$P_I = \frac{10\times10^3}{0{,}18} = 5{,}56\times10^4\ \text{W}$

Avec l'équation utilisée dans l'exercice précédent, on trouve

$P_I = S_{moy}A \implies A = \frac{P_I}{S_{moy}} = \frac{5{,}56\times10^4}{1000} = \boxed{55{,}6\ \text{m}^2}$

E29. À partir de l'équation 13.15, en se rappelant que $\vec{\mathbf{E}}\perp\vec{\mathbf{B}}$, on calcule le module du vecteur de Poynting :

$S = \left\|\vec{\mathbf{S}}\right\| = \left\|\frac{\vec{\mathbf{E}}\times\vec{\mathbf{B}}}{\mu_0}\right\| = \frac{1}{\mu_0}EB\sin(90°) = \frac{EB}{\mu_0} = \frac{1}{2}\frac{EB}{\mu_0} + \frac{1}{2}\frac{EB}{\mu_0}$ (i)

Comme $B = \frac{E}{c}$ ou $E = cB$, on peut réécrire l'équation (i) :

$S = \frac{1}{2}\frac{E^2}{\mu_0 c} + \frac{1}{2}\frac{cB^2}{\mu_0}$ (ii)

Dans le premier terme à droite, on fait appel à $\frac{1}{\mu_0\varepsilon_0} = c^2$ ou $\frac{1}{\mu_0 c} = \varepsilon_0 c$, et

$S = \frac{1}{2}\frac{\varepsilon_0 cE^2}{1} + \frac{1}{2}\frac{cB^2}{\mu_0} \implies \boxed{S = \frac{c}{2}\left(\varepsilon_0 E^2 + \frac{B^2}{\mu_0}\right)} \implies \boxed{\text{CQFD}}$

E30. (a) À partir de l'équation (i) de l'exercice 16, on trouve

$S_{moy} = \frac{P_I}{4\pi r^2} = \frac{120}{4\pi(10)^2} = \boxed{9{,}55\times10^{-2}\ \text{W/m}^2}$

(b) À partir de l'équation 13.16, on trouve

$u_{moy} = \frac{S_{moy}}{c} = \frac{9{,}55\times10^{-2}}{3\times10^8} = \boxed{3{,}18\times10^{-10}\ \text{J/m}^3}$

(c) On utilise l'équation de l'exemple 13.5, pour $A = 1\times10^{-4}\ \text{m}^2$ et en multipliant S_{moy} par un facteur 2 puisque la surface est parfaitement réfléchissante :

$F_{moy} = \frac{2S_{moy}A}{c} = \frac{2\left(9{,}55\times10^{-2}\right)\left(1\times10^{-4}\right)}{3\times10^8} = \boxed{6{,}37\times10^{-14}\ \text{N}}$

Problèmes

P1. (a) On reprend directement le résultat de la partie (a) de l'exemple 13.1 pour $r = a$:

$B = \boxed{\frac{\mu_0 \varepsilon_0 a}{2} \frac{dE}{dt}}$

(b) À partir de l'équation 13.14, on trouve

$S = \frac{EB}{\mu_0} = \frac{E}{\mu_0} \frac{\mu_0 \varepsilon_0 a}{2} \frac{dE}{dt} = \boxed{\frac{\varepsilon_0 a E}{2} \frac{dE}{dt}}$

(c) Le vecteur de Poynting permet de mesurer l'énergie qui entre ou qui sort du condensateur. À cause de la direction de $\vec{\mathbf{B}}$ et de $\vec{\mathbf{E}}$, cette énergie pénètre par le cylindre latéral du condensateur, un peu comme à la figure 13.9, qui représente la situation pour un fil parcouru d'un courant.

La puissance P_I reçue ou perdue est le produit de l'intensité S par l'aire A de ce cylindre, soit $A = 2\pi a d$:

$P_I = SA = \left(\frac{\varepsilon_0 a E}{2} \frac{dE}{dt}\right)(2\pi a d) = \boxed{\varepsilon_0 \pi d a^2 E \frac{dE}{dt}}$

P2. Si l'axe de la bobine est selon x, alors on peut décrire la composante du champ magnétique dans cette direction par $B_x = B_0 \sin(\omega t) = B_0 \sin(2\pi f t)$. Le vecteur $\vec{\mathbf{A}}$ qui décrit l'aire de la bobine est lui aussi selon x $\left(\vec{\mathbf{A}} = A_x \vec{\mathbf{i}} = \pi r^2 \vec{\mathbf{i}}\right)$, de sorte que le calcul du flux magnétique à travers chaque spire donne, selon l'équation 10.1,

$\Phi_B = \vec{\mathbf{B}} \cdot \vec{\mathbf{A}} = B_x A_x = \pi r^2 B_0 \sin(2\pi f t) \qquad \text{(i)}$

On calcule la f.é.m. induite avec l'équation 10.5:

$\xi = -N \frac{d\Phi_B}{dt} = -N\pi r^2 B_0 \frac{d}{dt}(\sin(2\pi f t)) = -2\pi^2 f N r^2 B_0 \cos(2\pi f t)$

La valeur maximale ou l'amplitude de cette f.é.m. induite est

$\xi_0 = 2\pi^2 f N r^2 B_0 = 2\pi^2 \left(800 \times 10^3\right)(20)(0{,}06)^2 \left(4 \times 10^{-10}\right) = \boxed{4{,}55 \times 10^{-4}\ \text{V}}$

P3. (a) $P_R = \frac{\Delta V^2}{R} = \frac{(24)^2}{0{,}8} = \boxed{720\ \text{W}}$

(b) Le module du champ électrique est $E = \frac{\Delta V}{\ell} = \frac{24}{6} = 4$ V/m et le module du champ magnétique est $B = \frac{\mu_0 I}{2\pi r} = \frac{\mu_0}{2\pi r} \frac{\Delta V}{R} = \frac{\mu_0 (24)}{2\pi (0{,}5 \times 10^{-3})(0{,}8)} = \mu_0 \left(9{,}55 \times 10^3\right)$

Finalement, $S = \frac{EB}{\mu_0} = \frac{4\mu_0 \left(9{,}55 \times 10^3\right)}{\mu_0} = \boxed{3{,}82 \times 10^4\ \text{W/m}^2}$

(c) La puissance P_I reçue est le produit de l'intensité S par l'aire A de la paroi latérale du fil, soit $A = 2\pi r \ell$:

$P_I = SA = \left(3{,}82 \times 10^4\right)(2\pi)\left(0{,}5 \times 10^{-3}\right)(6) = \boxed{720\ \text{W}}$

Le résultat auquel on s'attendait.

P4. La quantité de mouvement transportée par l'onde est $p = \frac{U}{c}$, où U est l'énergie transportée par l'onde durant un certain temps et à travers une certaine surface :

$U = S\,(A\Delta t) \implies p = \frac{SA\Delta t}{c}$

Comme cette quantité de mouvement est transférée à la particule de masse m qui absorbe le rayonnement,

$p = m\Delta v \implies \Delta v = \frac{p}{m} \implies \boxed{\Delta v = \frac{SA\Delta t}{mc}} \implies \boxed{\text{CQFD}}$

P5. Si toute la radiation est absorbée ($f_1 = 1$), $P_1 = \frac{S}{c}$, si toute la radiation est réfléchie ($f_2 = 0$), alors $P_2 = \frac{2S}{c}$. On est en présence de deux variables, f et P, et de deux points qui permettent d'écrire l'équation d'une droite :

$\frac{P_2 - P_1}{f_2 - f_1} = \frac{P - P_1}{f - f_1} \implies \frac{\frac{2S}{c} - \frac{S}{c}}{-1} = \frac{P - \frac{S}{c}}{f - 1} \implies \frac{\frac{S}{c}}{-1} = \frac{P - \frac{S}{c}}{f - 1} \implies \frac{S}{c}(f-1) = \frac{S}{c} - P \implies$

$P = \frac{S}{c} - \frac{S}{c}(f-1) \implies \boxed{P = \frac{S}{c}(2-f)} \implies \boxed{\text{CQFD}}$

P6. La masse de la particule est $m = \rho V = \rho\left(\frac{4\pi R^3}{3}\right)$, où $\rho = 1200\ \text{kg/m}^3$, et le module de la force gravitationnelle qu'elle subit à cause du Soleil est donnée par l'équation 13.2 du tome 1 :

$F_g = \frac{GmM_S}{r^2} = \frac{GM_S}{r^2}\left(\frac{4\pi\rho R^3}{3}\right) \qquad \text{(i)}$

L'intensité moyenne du rayonnement solaire à une distance r du Soleil est $S_{\text{moy}} = \frac{P_I}{4\pi r^2}$ et, selon l'exemple 13.5, le module de la force moyenne qui vient de la radiation sur une surface $A = \pi R^2$ est

$F_{\text{rad}} = \frac{S_{\text{moy}}A}{c} = \frac{P_I \pi R^2}{4\pi r^2 c} = \frac{P_I R^2}{4r^2 c} \qquad \text{(ii)}$

On cherche la valeur de R telle que $F_{\text{rad}} = F_g$. En comparant les équations (i) et (ii), on peut écrire

$\frac{GM_S}{r^2}\left(\frac{4\pi\rho R^3}{3}\right) = \frac{P_I R^2}{4r^2 c} \implies \frac{4\pi\rho R G M_S}{3} = \frac{P_I}{4c} \implies R = \frac{3P_I}{16\pi c\rho GM_S} \implies$

$R = \frac{3(3{,}8\times10^{26})}{16\pi(3\times10^8)(1200)(6{,}672\times10^{-11})(1{,}99\times10^{30})} \implies$

$R = \boxed{474\ \text{nm}}$

P7. À $r = 2$ km, $S_{\text{moy}} = \frac{P_I}{4\pi r^2} = \frac{10^4}{4\pi(2000)^2} = 1{,}99\times10^{-4}\ \text{W/m}^2$. On calcule l'amplitude B_0 du champ magnétique avec l'équation de l'exercice 13*b* et l'équation 13.16 :

$S_{\text{moy}} = u_{\text{moy}}c = \left(\frac{B_0^2}{2\mu_0}\right)c \implies B_0 = \sqrt{\frac{2\mu_0 S_{\text{moy}}}{c}} = \sqrt{\frac{2(4\pi\times10^{-7})(1{,}99\times10^{-4})}{3\times10^8}} = 1{,}29\times10^{-9}\ \text{T}$

Si l'axe de la bobine est selon x, alors on peut décrire la composante du champ magnétique dans cette direction par $B_x = B_0\sin(\omega t) = B_0\sin(2\pi f t)$. Le vecteur $\vec{\mathbf{A}}$ qui décrit l'aire de la bobine est lui aussi selon x $\left(\vec{\mathbf{A}} = A_x\vec{\mathbf{i}} = \pi r^2\vec{\mathbf{i}}\right)$, de sorte que le calcul du flux magnétique à travers chaque spire donne, selon l'équation 10.1,

$\Phi_B = \overrightarrow{\mathbf{B}} \cdot \overrightarrow{\mathbf{A}} = B_x A_x = \pi r^2 B_0 \sin(2\pi f t)$ (i)

On calcule la f.é.m. induite avec l'équation 10.5 :

$\xi = -N\frac{d\Phi_B}{dt} = -N\pi r^2 B_0 \frac{d}{dt}(\sin(2\pi f t)) = -2\pi^2 f N r^2 B_0 \cos(2\pi f t)$

La valeur maximale ou l'amplitude de cette f.é.m. induite est

$\xi_0 = 2\pi^2 f N r^2 B_0 = 2\pi^2 (800 \times 10^3)(250)\left(\frac{0{,}015}{2}\right)^2 (1{,}29 \times 10^{-9}) = \boxed{2{,}86 \times 10^{-4}\ \text{V}}$

P8. La figure qui suit reprend la figure 13.18 du manuel pour montrer le système d'axes utilisé et faire la différence entre A, l'aire associée au rayonnement et A', l'aire de la surface éclairée par ce rayonnement :

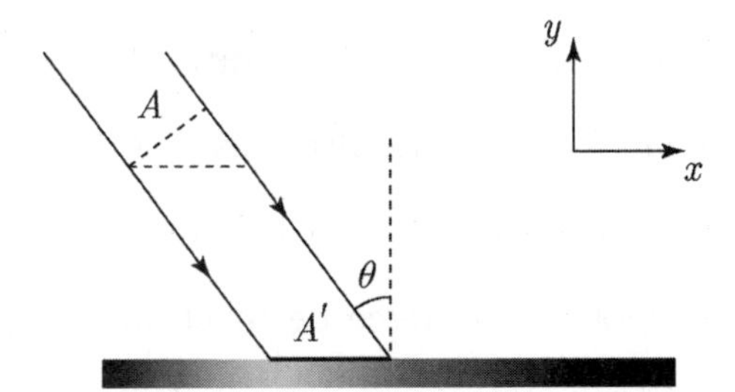

Si le rayonnement est complètement absorbé, le module de la quantité de mouvement transportée par le rayonnement est $p = \frac{U}{c}$. Comme le rayonnement frappe la surface à un angle θ, seule la composante de p, qui est selon y, sera transmise à la plaque :

$\Delta p_y = p\cos\theta = \frac{U}{c}\cos\theta$

Si on fait appel à la deuxième loi de Newton, la composante de force associée à ce changement de quantité de mouvement est

$F_y = \frac{dp_y}{dt} = \frac{d}{dt}\left(\frac{U}{c}\cos\theta\right) = \frac{\cos\theta}{c}\frac{dU}{dt}$

dans laquelle $\frac{dU}{dt}$ représente le taux auquel l'énergie arrive sur la surface. Ce taux est donné par $\frac{dU}{dt} = S_{\text{moy}} A$, où S_{moy} est l'intensité du rayonnement et A, l'aire sur laquelle est distribué ce rayonnement. La surface A' qui reçoit ce rayonnement n'est pas la même à cause de l'angle θ. Comme on le voit dans la figure, $A'\cos\theta = A$; donc

$F_y = \frac{\cos\theta}{c}\frac{dU}{dt} = \frac{\cos\theta}{c} S_{\text{moy}} A = \frac{\cos^2\theta}{c} S_{\text{moy}} A'$

Il ne reste qu'à établir la valeur de la pression en ramenant A', l'aire qui subit la force, du côté gauche de l'égalité et à utiliser l'équation 13.16 :

$P = \frac{F_y}{A'} = \frac{S_{\text{moy}}}{c}\cos^2\theta \implies \boxed{P = u_{\text{moy}}\cos^2\theta} \implies \boxed{\text{CQFD}}$

P9. (a) On utilise le résultat de l'exercice 5 :

$I_{\text{D}} = C\frac{d(\Delta V)}{dt} = (5 \times 10^{-6})(2000) = \boxed{1{,}00 \times 10^{-2}\ \text{A}}$

(b) Le courant de conduction est $I = \frac{\Delta V}{R}$. On cherche pour quelle valeur de différence de potentiel on obtient

$I_{\text{D}} = I \implies 1{,}00 \times 10^{-2} = \frac{\Delta V}{4\times 10^5} \implies \Delta V = 4000 \text{ V}$

Comme $\frac{d(\Delta V)}{dt} = 2000 \text{ V/s}$, le délai nécessaire est $\Delta t = \boxed{2{,}00 \text{ s}}$

P10. Sur la surface parfaitement absorbante, la valeur moyenne de la pression de radiation est $P_{\text{abs}} = \frac{S_{\text{moy}}}{c}$ et le module de la force appliquée est $F_{\text{abs}} = P_{\text{abs}}A$, où $A = \pi r^2$ est l'aire du disque. Sur la surface parfaitement réfléchissante, la valeur moyenne de la pression de radiation est $P_{\text{réf}} = \frac{2S_{\text{moy}}}{c}$ et le module de la force appliquée est $F_{\text{réf}} = P_{\text{réf}}A$.

Les forces créent des moments de force de module $\tau_{\text{abs}} = F_{\text{abs}}\ell$ et $\tau_{\text{réf}} = F_{\text{réf}}\ell$, où ℓ est la longueur de la tige qui supporte l'un ou l'autre des disques. Comme les moments de force s'opposent, le moment de force résultant associé à la radiation est $\tau_{\text{rad}} = \tau_{\text{réf}} - \tau_{\text{abs}}$, puisque le module du premier est le double de l'autre. Ce moment de force τ_{rad} engendre la torsion du fil et un moment de force de réaction, τ_{torsion}. Pour un certain angle θ, l'équilibre est atteint et le module du moment de force associé à la torsion égale celui de la radiation :

$\tau_{\text{rad}} = \tau_{\text{torsion}} \implies \tau_{\text{réf}} - \tau_{\text{abs}} = \kappa\theta \implies F_{\text{réf}}\ell - F_{\text{abs}}\ell = \kappa\theta \implies$

$\theta = \frac{F_{\text{réf}}\ell - F_{\text{abs}}\ell}{\kappa} = \frac{1}{\kappa}\left(\left(\frac{2S_{\text{moy}}A}{c}\right)\ell - \left(\frac{S_{\text{moy}}A}{c}\right)\ell\right) = \frac{S_{\text{moy}}A\ell}{c\kappa} \implies$

$\theta = \frac{S_{\text{moy}}\left(\pi r^2\right)\ell}{c\kappa} = \frac{(1000)\pi(0{,}012)^2(0{,}10)}{(3\times 10^8)(1{,}0\times 10^{-10})} = \boxed{7{,}55^\circ}$

On remarque dans le dernier calcul que le résultat est directement en degrés puisque $\kappa = 1{,}0 \times 10^{-11}$ N·m/degré.

P11. À partir du résultat du problème 5, pour $f = 0{,}60$, la pression de radiation moyenne que subit la surface plane d'aire $A = \pi r^2$ est $P_{\text{moy}} = \frac{S_{\text{moy}}}{c}(2 - f)$. Le module de force moyenne que subit la plaque est $F_{\text{moy}} = P_{\text{moy}}A$ et le changement de quantité de mouvement est donné par la deuxième loi de Newton :

$F_{\text{moy}} = \frac{\Delta p}{\Delta t} \implies \Delta p = F_{\text{moy}}\Delta t = \frac{S_{\text{moy}}}{c}(2 - f)\left(\pi r^2\right)\Delta t \implies$

$\Delta p = \frac{(220)}{(3\times 10^8)}(2 - 0{,}60)\,\pi\,(0{,}30)^2\,(300) = \boxed{8{,}71 \times 10^{-5} \text{ kg·m/s}}$

P12. (a) Sur la surface parfaitement réfléchissante A, la valeur moyenne de la pression de radiation est $P_{\text{moy}} = \frac{2S_{\text{moy}}}{c}$ et le module de la force moyenne appliquée est

$F_{\text{moy}} = P_{\text{moy}}A = \frac{2S_{\text{moy}}A}{c} = \frac{2(1000)(1000)}{3\times 10^8} = \boxed{6{,}67 \times 10^{-3} \text{ N}}$

(b) À partir de la deuxième loi de Newton, on trouve

$$F_{\text{moy}} = ma_{\text{moy}} = m\frac{\Delta v}{\Delta t} \implies \Delta t = \frac{m\Delta v}{F_{\text{moy}}} = \frac{1000(1)}{6{,}67\times10^{-3}} = \boxed{1{,}50 \times 10^{5}\ \text{s}}$$